COLLECTION
FOLIO CLASSIQUE

Waterloo

Acteurs, historiens, écrivains

Préface de Patrice Gueniffey

*Textes choisis et présentés
par Loris Chavanette*

Gallimard

PRÉFACE

*Deux siècles après la défaite de Napoléon à Waterloo,
on dispute toujours de l'héritage de l'Empire. Il est pour
le moins contrasté : d'un côté, la période napoléonienne
a laissé des institutions administratives, une organisation judiciaire et des lois qui ont affronté avec succès
l'épreuve de la durée et permis à la France de traverser
sans trop de dommages révolutions et crises politiques.
Tocqueville le dira : en France, « la constitution administrative est toujours restée debout au milieu des
ruines des constitutions politiques [1] », limitant d'autant
les conséquences d'une instabilité politique chronique.
Mais, d'un autre côté, le régime napoléonien et son
empire territorial n'ont pas survécu à leur fondateur.
Rien n'a subsisté de l'étrange monarchie au kitsch caro-
lingien instaurée en 1804, tandis que l'immense empire
composé de cent trente départements et orné d'une couronne d'États alliés ou vassaux et de royaumes-frères,
comme on parlait de républiques-sœurs sous la Révolution, s'est évanoui comme un songe. La France, après
avoir si longtemps débordé de ses frontières, est rentrée
dans son lit, plus à l'étroit même, dit-on souvent, qu'elle*

---

1. Alexis de Tocqueville, *L'Ancien Régime et la Révolution*,
Paris, Robert Laffont, coll. « Bouquins », 1986, p. 1073.

ne l'était lorsque Bonaparte s'était emparé du pouvoir.
Ce n'est qu'à moitié vrai car, ayant repoussé ses frontières sur la rive gauche du Rhin et jusqu'à Bruxelles,
elle était en 1799 déjà trop étendue pour que l'Europe
s'y résignât. Mais enfin, près d'un quart de siècle après
le déclenchement en 1792 du conflit entre la France
révolutionnaire et l'Europe, on était revenu au point de
départ. La boucle était bouclée. Les Bourbons étaient de
retour, la France réapprenait la paix, la fumée était
retombée sur les champs de bataille, le temps des che-
vauchées n'était plus qu'un souvenir, haï par les uns,
chéri par les autres.

   C'est pourtant à ce moment que Napoléon, déchu,
captif, bientôt mort, dépossédé de l'*imperium* qu'il
avait exercé, commença un second règne — posthume
— qui devait durer beaucoup plus longtemps que le premier et étendre sa domination bien au-delà des frontières qui avaient été celles de l'Empire : son règne sur
les imaginations.

   Le général de Gaulle, dont le jugement sur Napoléon
était au fond peu favorable, a bien exprimé le caractère mixte de l'héritage et sa double dimension matérielle et immatérielle :

        Sa chute fut gigantesque, en proportion de sa
    gloire. Celle-ci et celle-là confondent la pensée. En
    présence d'une aussi prodigieuse carrière, le jugement
    demeure partagé entre le blâme et l'admiration.
    Napoléon a laissé la France écrasée, envahie, vidée de
    sang et de courage, plus petite qu'il ne l'avait prise,
    condamnée à de mauvaises frontières [...], exposée à
    la méfiance de l'Europe [...]; mais faut-il compter
    pour rien l'incroyable prestige dont il entoure nos
    armes, la conscience donnée, une fois pour toutes, à
    la nation de ses incroyables aptitudes guerrières, le
    renom de puissance qu'en recueillit la patrie et dont
    l'écho se répercute encore ? Nul n'a plus profondé-
    ment agité les passions humaines, provoqué des

haines plus ardentes, soulevé de plus furieuses malédictions ; quel nom, cependant, traîne après lui plus
de dévouements et d'enthousiasmes, au point qu'on
ne le prononce pas sans remuer dans les âmes
comme une sourde ardeur[1] ?

*Les plus profonds historiens de Napoléon, de Stendhal
à Bainville, l'ont tous noté : comme dit l'un d'eux,
Taine, Napoléon aimait le pouvoir en artiste[2]. Le pouvoir et la politique, la guerre aussi, lui furent ce que la
page blanche avait été pour Dante et le marbre pour
Michel-Ange : la matière, vivante, qu'il travaillait pour
réinventer le monde et forger son propre destin. En cela,
il était assurément l'héritier de la Révolution qui avait
cru à la possibilité d'engendrer par la volonté, la force et
le secours de la raison un monde entièrement nouveau
qui fût délivré des malédictions du passé. Mais avec lui,
le pouvoir dont la Révolution avait investi le peuple se
trouvait concentré dans la volonté surhumaine d'un
homme extraordinaire.*

*Chacun le sait, les asiles hébergèrent longtemps des
pensionnaires qui se prenaient pour Napoléon, se
croyant eux aussi, jusqu'au délire, appelés à remodeler
le monde suivant leur volonté et leur fantaisie[3]. Mais ils
ne furent pas les seuls à le croire, ou à le vouloir, dans
les décennies qui suivirent la disparition de l'empereur.
Dans la politique, la guerre et les arts, l'incroyable et
météorique épopée du petit officier corse laissa une
trace de feu. Elle avait donné le tempo du siècle dont elle*

---

1. Charles de Gaulle, *La France et son armée*, éd. H. Gay-
mard, Paris, Perrin, 2011, p. 181-182.

2. Hippolyte Taine, *Les Origines de la France contemporaine*,
éd. F. Léger, Paris, Robert Laffont, coll. « Bouquins », 1986, 2 vol.,
t. II, p. 393-396.

3. Voir Laure Murat, *L'homme qui se prenait pour Napoléon*,
Paris, Gallimard, 2011 ; coll. « Folio », 2013.

avait frappé les trois coups : Allegro con brio, *avait noté
Beethoven en tête du premier mouvement de sa troi-
sième symphonie. Comment comprendre Bolivar,
Garibaldi, Bismarck et tant d'autres sans l'exemple
impérial ? Au Mexique même, le père de l'indépendance
Agustín Iturbide ne se fit-il pas couronner empereur en
s'inspirant de Napoléon ? Et que dire de la littérature, de
Chateaubriand à Stendhal et de Victor Hugo à Balzac ?
Et de la musique ? « Je sens au fond de moi-même se
projeter la lumière de son génie », disait Beethoven[1].
C'est tout un siècle qui voulut, qui dans la politique, qui
dans la musique, qui dans la littérature, devenir Napoléon. Aux yeux de tous, son histoire ouvrait des pers-
pectives nouvelles dans un monde moderne que l'on
croyait condamné définitivement au règne médiocre
mais paisible des intérêts bourgeois. Napoléon ? Il
avait, contre la philosophie de 1789, ramené la vieille
idée de l'héroïsme dans la société moderne. La génération romantique allait nourrir son spleen d'une épopée
qui dépassait l'imagination et le très bourgeois XIXe
siècle y trouver l'inspiration de ses entreprises les plus
gigantesques et de ses expéditions lointaines. De
l'Afrique du Nord à l'Extrême-Orient, c'est encore
l'ombre de Napoléon qui plane sur la fondation des
grands empires coloniaux.*

*Napoléon avait traversé l'histoire comme un
météore : quinze années, quinze années seulement, si
brèves, mais si riches, si remplies… Il avait surgi soudainement en Italie, en 1796, à l'occasion d'une campagne à côté de laquelle, disait Stendhal, même les
débuts de César en Gaule faisaient pâle figure[2]. Il avait*

---

1. Cité par Théo Fleischman, *Napoléon et la musique*,
Bruxelles-Paris, Brepols, 1965, p. 154.
2. Stendhal, *Mémoires d'un touriste*, « Autun, le 1er mai
1837 », « Folio classique », p. 89-95.

disparu tout aussi rapidement, en 1814, à l'issue d'une campagne où, luttant à un contre quatre ou cinq[1], il avait retrouvé ses jambes de vingt ans et si bien gêné les mouvements des armées coalisées que jusqu'au dernier moment ses ennemis avaient craint que « ce diable d'homme » — selon l'expression de Fouché — ne réussît l'impossible et ne refoulât les armées qui marchaient sur Paris. L'impossible n'avait pas eu lieu. L'occupation de la capitale par les alliés, la « trahison » de Marmont, les pressions des maréchaux, les manigances de Talleyrand et la lassitude des Français avaient eu raison de lui. Le 6 avril 1814, Napoléon avait abdiqué et sans doute la pièce n'eût pas eu de second acte si le tsar Alexandre, magnanime ou voulant faire peser une menace sur l'Italie redevenue autrichienne, n'avait insisté pour que Napoléon fût relégué sur l'île d'Elbe. C'était un bien petit royaume pour l'ancien maître de l'Europe. Surtout, ce « carré de légumes » — selon l'expression de Chateaubriand — était trop près du théâtre de ses exploits. La côte italienne d'un côté, celle de la Corse de l'autre, si proches qu'on en distingue les moindres détails par temps clair, n'étaient-elles pas autant d'invitations au retour ?

Un coup de main l'avait ramené à Paris le 20 mars 1815. Il était revenu de Portoferraio sur les épaules de l'armée. Les Français ne l'auraient pas rappelé. Les blessures d'amour-propre infligées par les royalistes aux héritiers de la Révolution et de l'Empire n'étaient pas assez fortes pour qu'ils regrettent déjà l'Empereur. Le coup d'État militaire qu'il n'avait pas voulu faire au 18 brumaire, il lui avait fallu s'y résigner en mars 1815. Mais si le soutien de l'armée lui avait permis d'arriver sans encombre à Paris, il était loin de lui permettre de s'y

1. Voir Jacques-Olivier Boudon, *Napoléon et la campagne de France, 1814*, Paris, Armand Colin, 2014.

maintenir. Comme en 1799, il avait besoin du consentement de l'opinion, mais d'une opinion qui n'était plus celle de 1799 : à cette époque, personne ne voulait plus entendre parler de la Révolution, de ses principes ou de ses assemblées. Situation très différente en 1815, presque opposée même. Les Français ne demandaient pas à Napoléon de les débarrasser de Louis XVIII comme ils lui avaient demandé de les débarrasser du Directoire, ils l'acceptaient à condition qu'il leur donnât des institutions imitées de celles de la Charte de 1814 et, si possible, ornées de quelques concessions supplémentaires aux idées libérales de 1789, à toute cette « métaphysique » que Napoléon n'avait cessé, en son for intérieur, de vomir. Curieuse époque que ce printemps 1815, où l'on attendait un supplément de libertés et de garanties constitutionnelles de l'homme le moins fait pour les accorder comme pour s'y plier.

Il accepta pourtant de « cette canaille de Benjamin Constant », comme il l'appelait, un « Acte additionnel aux Constitutions de l'Empire » qui transformait le régime impérial en monarchie constitutionnelle. La nouvelle constitution — une de plus — fut ratifiée par les électeurs et ceux-ci s'empressèrent d'élire pour députés des hommes, La Fayette et Lanjuinais en tête, connus pour leur opposition à l'Empire.

N'en concluons pas que Napoléon se laissait porter par les événements, désespérant de les maîtriser ou simple spectateur de son ultime entreprise. Ce n'était pas dans son tempérament.

S'il se plaignait de ce que les Bourbons lui avaient « gâté les Français », il se fâchait lorsqu'on lui disait que le succès était douteux. Il n'ignorait pas que la partie serait difficile ; il savait que s'il perdait, il n'y aurait pas de revanche. Mais Napoléon était un joueur, il savait la fortune capricieuse. Après l'avoir longtemps favorisé, n'avait-elle pas tourné à Moscou ? Pouvait-on jurer qu'elle l'avait abandonné définitivement ? Les chances de succès étaient minces, c'est vrai, mais n'avait-il pas souvent déjoué les pronostics en apparence les mieux fondés, saisi la chance au vol et si bien renversé la situation que ses ennemis en restaient médusés et comme stupides ? Tant qu'il lui resterait une carte en main, tout demeurerait possible. Il n'était pas revenu de l'île d'Elbe pour être vaincu, ou tué, mais pour renverser le cours de l'histoire et ajouter au roman de sa vie le plus extraordinaire de ses chapitres. Une double conviction le portait, et peu importe le fait qu'elle reposait sur des bases pour le moins fragiles : il ne croyait pas possible la greffe de l'ancienne monarchie sur la France issue de la Révolution, ni le front des monarchies européennes capable de résister au choc d'une défaite militaire. En dépit des apparences — le tsar, sur qui il comptait, ne venait-il pas d'écrire à Hortense : « Ni paix ni trêve, plus de réconciliation avec cet homme[1] » ? —, il voulait encore croire qu'une victoire suffirait pour redistribuer les cartes et créer une situation entièrement nouvelle, non seulement en Europe, mais aussi en France où, comme il disait, on prétendait faire de lui « un ours muselé[2] ». La comédie n'aurait qu'un temps. Napoléon ne feignait de s'en accommoder que le temps de laisser à la guerre, qu'il savait inévitable, le soin de trancher la question : s'il était vaincu par les alliés, il perdrait son trône et Louis XVIII rentrerait à Paris ; s'il remportait une victoire et, comme il l'espérait, réussissait à rompre le front commun des puissances européennes, alors ce n'est pas le seul traité de Paris du 30 mai 1814 qui serait renversé, mais les conditions qu'on avait cru pouvoir lui imposer

---

1. Louise Cochelet, *Mémoires sur la reine Hortense et sur la famille impériale*, Paris, Ladvocat, 1838, 3 vol., t. III, p. 90.

2. Germaine de Staël, *Considérations sur la Révolution française*, éd. J. Godechot, Paris, Tallandier, 1983, p. 498-499.

depuis son retour. Lorsqu'il partit pour l'armée le 12 juin, il ne s'en allait pas seulement combattre l'Europe du congrès de Vienne, mais finir la reconquête du pouvoir qu'il avait seulement ébauchée en revenant de l'île d'Elbe. Une nouvelle fois, en joueur qu'il était, il s'en allait tenter le ciel.

*

À peine les puissances réunies à Vienne où elles venaient de conclure le congrès qui devait assurer à l'Europe une paix durable eurent-elles été informées du retour de l'empereur qu'elles décidèrent de reformer leur alliance. La guerre recommençait. Trois armées convergèrent vers la France, dont elles avaient évacué le territoire après la signature du traité de Paris du 30 mai 1814. Une armée anglo-prussienne, renforcée de contingents hollandais, se trouvait en Belgique, les Autrichiens marchaient sur l'Alsace et la Lorraine, les Russes reprenant, à travers l'Allemagne, la route de l'ouest.

Napoléon mit au point un plan d'opérations qu'il avait maintes fois mis en œuvre avec succès, notamment en 1805 : gagner de vitesse les armées ennemies et les battre successivement avant qu'elles ne puissent effectuer leur jonction. Son objectif était Bruxelles, d'où il espérait pouvoir convaincre les puissances alliées, du moins certaines d'entre elles, de rouvrir des négociations.

C'est à la tête de 125 000 hommes que, le 15 juin, il franchit la frontière belge, marchant par Charleroi sur les Anglo-Hollandais (Wellington) et les Prussiens (Blücher) qui, occupant la route de Nivelle à Namur, couvraient Bruxelles. Son objectif ? Séparer les deux armées britannique et prussienne, rejeter la première en direction de Bruges, la seconde en direction de Liège, en battant d'abord la seconde, réputée mieux aguerrie, avant de marcher droit sur Bruxelles.

Le 16 juin, par une manœuvre qui rappelle celle de Montenotte en 1796, il sépare les armées alliées. Tandis que Ney contient Wellington aux Quatre-Bras, à quelques kilomètres à l'est de Nivelle, lui-même bat Blücher à Ligny. L'Anglais retraite en direction du nord, jusqu'au Mont-Saint-Jean, à quelques encablures du village de Waterloo. Comme prévu, Blücher a été rejeté vers l'est, mais pas aussi loin que Napoléon l'avait escompté. Au lieu de se retirer en direction de Namur, voire de Liège, il a bifurqué le lendemain vers le nord et marche sur Wavre en suivant une route parallèle à celle de Wellington afin de rétablir ses communications avec lui. Napoléon l'ignore.

Il semblait si convaincu d'avoir porté le coup décisif que c'est seulement le lendemain 17 juin qu'il donna l'ordre à Grouchy de surveiller Blücher et qu'il ne prêta pas attention — s'il le reçut — à un de ses billets, écrit à la hâte aux premières heures du 18, informant l'empereur que des troupes prussiennes s'approchaient de Waterloo par l'est. Napoléon était même si confiant que, des pluies torrentielles et un sol bourbeux ayant rendu très pénible la marche de ses troupes sur les talons de l'armée anglaise, le 17 juin, il décida de leur accorder quelques heures d'un repos bien mérité. Lorsque le jour se leva, le 18 juin, la pluie avait cessé. Le soleil se montrait. Napoléon décida de repousser de quelques heures l'attaque, le temps que le soleil de juin assèche le sol détrempé.

L'empereur avait une fois encore visité le front. Il invita ses généraux à déjeuner. De tous les convives, il était sans doute le moins anxieux. Les positions choisies par l'ennemi ? médiocres. Wellington ? « mauvais général ». Ses soldats ? il rejeta les arguments de Reille qui les disait combatifs et pugnaces. Les chances anglaises ? nulles, ou presque, d'autant, ajoutait-il, que les Prussiens avaient été si durement étrillés le 16 qu'il leur serait impossible de reprendre le combat avant deux ou trois jours. D'ici là, ce serait fini : « Wellington a jeté les dés, conclut-il, et ils sont pour nous[1]*. » Il ne s'agissait plus que de confirmer les résultats déjà obtenus.*

Les effectifs des forces en présence sont controversés. Les uns les estiment à 73 000 Français et 68 000 Anglais et Hollandais, légèrement favorables aux premiers donc ; les autres donnent au contraire la supériorité numérique aux alliés — 78 000 contre 73 000. Les Anglo-Hollandais occupaient le plateau du Mont-Saint-Jean, leur droite couverte par la grosse ferme fortifiée d'Hougoumont, leur gauche appuyée sur la ferme de Papelotte, leur centre solidement campé de part et d'autre d'une autre ferme, la Haie-Sainte.

Comme l'ennemi se trouvait plus faible sur sa gauche, c'est de ce côté que Napoléon avait décidé de porter l'estocade après avoir amené Wellington à renforcer sa droite au détriment de son centre et de sa gauche. Pour cela, il déclencherait une attaque de diversion sur l'aile droite anglaise que couvrait la ferme d'Hougoumont. La droite anglaise ainsi condamnée à ne pouvoir manœuvrer, il tournerait l'aile gauche et couperait la ligne de communication de Wellington avec Bruxelles et Bruges. C'était bien sûr compter sans les 33 000 Prussiens de Blücher qui, depuis Ligny, s'étaient retirés sur Wavre et marchaient désormais sur Plancenoit, au sud-est du dispositif français, menaçant non seulement de rompre le rapport des forces — l'effectif allié serait alors porté à 100 000 hommes — mais de couper la ligne de retraite française. Napoléon n'ayant pas réussi, le 16 juin, à créer entre les armées alliées une brèche suffisamment large pour leur interdire toute jonction, il lui fallait prévenir le retour des Prussiens et, pour cela, attaquer le plus rapidement possible. En ne donnant le

---

1. Cité par Alessandro Barbero, *Waterloo*, Paris, Flammarion, 2005, p. 78.

signal de l'offensive qu'un peu avant midi, il commit une erreur qui devait se révéler fatale.

On a dit aussi, pour expliquer la défaite, que Napoléon n'était pas ce jour-là au mieux de sa forme, souffrant d'hémorroïdes ou de maux de ventre, ayant parfois l'air apathique, comme si ce qui se passait sous ses yeux le dépassait ou ne le concernait pas vraiment. Qu'il fût fatigué, c'est certain ; malade, c'est probable. Ce n'était pas nouveau. Le général Bonaparte était loin, et même l'empereur triomphant du temps d'Austerlitz, d'Iéna ou de Friedland. Chez cet homme la volonté avait longtemps pallié les défaillances du corps, si longtemps qu'on ne s'étonnera pas qu'elle ait fini par fléchir. On le constate bien avant la première abdication de 1814. Le corps se vengeait, l'esprit n'était plus aussi tendu, la volonté plus aussi inflexible. Napoléon avait des absences, des somnolences, des moments de dépression. Son médecin lui administrait des « remontants », il passait des heures dans son bain. Il avait perdu cette faculté d'être, comme disait Goethe, en état de « perpétuelle illumination », ce don qui avait compté pour beaucoup dans son extraordinaire épopée. Le temps avait fait son œuvre ; mais il faut y insister, le succès incomplet de la manœuvre du 16 juin avait compromis fortement le succès de la journée du 18.

C'est donc sur la gauche du dispositif français, là où commandait Reille, que l'action commença. Tout l'après-midi la division menée par Jérôme Bonaparte allait s'épuiser en assauts infructueux contre les murs de la ferme d'Hougoumont, mieux défendue qu'on ne l'imaginait. Sans même évoquer les reproches faits à Grouchy qui, lancé la veille sur les traces des Prussiens, n'aurait pas rejoint à temps le champ de bataille — les historiens ont fait justice de ces accusations —, on insiste souvent sur les erreurs, voire les fautes, commises par Ney qui commandait le centre : chargé de s'emparer de la ferme

*de la Haie-Sainte puis de marcher sur le village de Mont-
Saint-Jean, ne s'obstina-t-il pas à attaquer les Anglais là
où ils étaient massés en force ? Ne rendit-il pas la tâche
plus ardue encore pour la cavalerie en « oubliant » de
coordonner ses mouvements avec ceux de l'infanterie et
— pire encore — en abandonnant à l'ennemi, intacts, les
canons qu'il venait de lui prendre ? Napoléon n'est pas
lui non plus exempt de tout reproche : ne laissa-t-il pas
les huit mille hommes de Jérôme attaquer en vain
Hougoumont alors qu'à l'est les premiers pelotons prussiens avaient fait leur apparition dès le début de la
bataille ? Ne refusa-t-il pas l'appui de la Garde réclamé
par Ney après que celui-ci se fut enfin emparé de la Haie-
Sainte, peu après dix-huit heures trente ? Il est vrai que
les Prussiens étaient maintenant tout près, du côté de
Plancenoit, si près que nul ne croyait plus la rumeur que
l'empereur avait fait courir dans les rangs : Grouchy arrivait en renfort ! Lorsqu'une heure plus tard Napoléon se
décida à faire donner la Garde contre la Haie-Sainte et le
centre anglo-hollandais, il était trop tard : les Anglais,
désormais certains du soutien prussien, avaient reformé
les rangs. La fortune avait changé de camp.*

*À la vue de la Garde Impériale battant en retraite,
l'armée tout entière se débanda. Fantassins, artilleurs,
cavaliers, tous se mirent à fuir le champ de bataille,
abandonnant armes, cuirasses, canons, caissons et
chevaux. Si le bulletin inséré ensuite dans le* Moniteur
*rejetait injustement la responsabilité du désastre sur
l'armée qui s'était pourtant battue jusqu'à l'extrême
limite de ses forces, au moins disait-il vrai sur un
point : « Il n'y eut plus d'autre chose à faire que de suivre le torrent[1]. » Napoléon tenta-t-il, avec un millier*

---

1. *Correspondance de Napoléon Ier publiée par ordre de l'empereur Napoléon III*, Paris, C. Tchou, 2002, 32 vol., t. XXVIII,
p. 298 (no 22061, Bulletin de l'armée du 20 juin 1815).

d'hommes de la Vieille Garde, d'opposer une ultime résistance à l'avance désormais irrésistible des Anglais et des Prussiens ? Chercha-t-il la mort, sans la trouver ? En définitive, il lui fallut quitter le champ de bataille. Il n'abandonna pas son armée, comme on l'en a accusé : il n'y avait plus d'armée. Partout des fuyards, si nombreux qu'après avoir rejoint sa voiture, il dut l'abandonner du côté de Genappe avec tout ce qu'elle contenait — papiers mais aussi diamants — et continuer à cheval.

Le général Durutte, le crâne fendu et une main en moins, le vit passer, tenta de lui parler mais n'en reçut pas un regard. Napoléon passa son chemin. Par Charleroi et Philippeville, il gagna Mézières où il prit un peu de repos. À Laon, il fut accueilli par un grand silence. Il lui fallut patienter, les chevaux manquaient. Enfin, à l'aube du 21 juin, il rentra au palais de l'Élysée. Cette fois, c'était fini. C'est à peine s'il envisagea, l'espace d'un instant, de se retirer sur la Loire, pour y poursuivre le combat avec les 120 000 hommes laissés à Paris le 15 juin. Le 22, il abdiqua pour la seconde fois, si bien convaincu qu'il n'y aurait pas, cette fois, de nouvelle chance, qu'il oublia d'invoquer les droits de son fils et de lui léguer une couronne dont il savait qu'elle n'existait plus. Il fallut l'insistance de ses frères, Joseph et Lucien, pour qu'il acceptât de transmettre le pouvoir à son fils qui se trouvait, depuis 1814, à Vienne, sous la garde de l'empereur François : « Je m'offre en sacrifice à la haine des ennemis de la France, griffonna-t-il. Ma vie politique est terminée, et je proclame mon fils, sous le titre de Napoléon II, Empereur des Français[1]. »

*

---

1. *Ibid.*, p. 299-300 (« Déclaration au peuple français », 22 juin 1815).

Clausewitz dit de la bataille de Waterloo qu'elle fut le type de la « bataille décisive[1] *», de celles dont l'issue affecte si profondément le moral du vaincu que le sort de la campagne en est joué. Les forces de Napoléon étaient loin d'avoir été détruites, mais aurait-il pu mobiliser cent mille hommes de plus qu'il n'eût pas renversé le cours des choses. C'est d'autant plus vrai qu'il n'avait plus ces cent mille hommes à sa disposition, ni l'argent pour financer une contre-offensive, et que, à la suite des Anglais et des Prussiens qui franchissaient une nouvelle fois les frontières françaises, marchaient Autrichiens et Russes.*

Combien de victimes à Waterloo ? Une fourchette de dix à quinze mille morts et d'environ trente mille blessés est plausible. Rapportés au nombre total des forces mobilisées — cent cinquante mille hommes de part et d'autre[2] *—, ces chiffres sont déjà effrayants. Ils ne donnent pourtant qu'une faible idée de la réalité : les unités engagées au feu subirent pour certaines des pertes d'une ampleur inédite. Un tiers du contingent britannique fut mis hors de combat, quatre officiers de la Garde Impériale sur dix, etc.*[3] *Les événements comparables sont rares dans l'histoire militaire de l'Empire : on peut citer la bataille de La Albuhera où le maréchal Soult affronta, le 16 mai 1811, une armée anglo-portugaise, mais les effectifs engagés étaient évidemment moindres*[4] *; la bataille d'Eylau peut-être ; celle de*

1. Carl von Clausewitz, *De la guerre*, éd. P. Naville, Paris, Éd. de Minuit, 1955, p. 267-284.
2. Sans compter les 33 000 Prussiens de Blücher qui n'arrivèrent sur le champ de bataille qu'en fin de journée.
3. Rory Muir, *Battle and Tactics in the Age of Napoleon*, New Haven - Londres, Yale University Press, 1998, p. 8.
4. Sur cette bataille peu connue, voir Alain Pigeard, *Dictionnaire des batailles de Napoléon*, Paris, Tallandier, 2004, p. 23-26.

la Moskova sûrement. S'il est une bataille qui préfigure celle de Waterloo, c'est bien celle qui opposa la Grande Armée aux troupes de Koutouzov le 7 septembre 1812 près de Borodino. On assiste dans les deux cas au choc de deux armées sur un espace réduit — à Waterloo, le front s'étend sur seulement quatre kilomètres —, sous un feu d'artillerie presque continu, pour tenir ou enlever une position. Les assauts contre la redoute Raïevski annoncent la boucherie de Mont-Saint-Jean. Dans ces batailles, l'art de la guerre joue un rôle pour le moins limité. Il s'agit de combats d'extermination où la détermination et le courage inouï des combattants sont soutenus par la conviction de livrer un combat à mort. Tout comme les Russes étaient certains de la victoire du tsar s'ils réussissaient à barrer la route de Moscou aux Français, en 1815 les Anglais savaient — tout comme leurs ennemis — qu'ils livraient un combat qui déciderait non seulement de l'issue de la bataille, mais de celle de la guerre et, plus encore, du sort de Napoléon. Au soir des combats, Blücher écrivit à sa femme : « Je pense que l'histoire de Bonaparte est terminée[1]. »

Enfin, n'était-ce pas, pour les Français et les Anglais, la première véritable occasion d'en découdre, si l'on excepte les rencontres qui avaient pu les opposer en Espagne ?

Il y a, dans la bataille du 18 juin 1815, quelque chose qui rappelle l'épreuve du jugement de Dieu. Waterloo est une tragédie, au sens classique. C'est un écroulement gigantesque, dans le feu et le sang, à la mesure de l'épopée qui finit là. Peu de batailles se sont révélées aussi décisives que celle-là. Elle a sa place au panthéon des grandes batailles de l'Histoire, de Cannes à Crécy et Bouvines, et de Marignan, Fontenoy et Austerlitz à Midway et Stalingrad. Mais peu de batailles, y compris

---

1. A. Barbero, *Waterloo*, *op. cit.*, p. 402.

parmi celles-ci, auront autant retenu l'attention des historiens et inspiré écrivains et poètes. Loris Chavanette a sélectionné une quarantaine de textes, historiques ou littéraires, pour offrir au lecteur un tableau qui témoigne à la fois de la diversité des représentations de la bataille de Waterloo et de toute la palette des jugements qu'elle a suscités. Qu'ils déplorent la défaite de Napoléon ou, au contraire, s'en félicitent, tous ont accordé à Waterloo le privilège de ne pas avoir été seulement l'ultime bataille de l'épopée napoléonienne mais une date qui, selon une expression consacrée, allait faire époque et tracer une ligne de partage entre un avant et un après : « La perspective du genre humain a changé ce jour-là », dira même Victor Hugo. « Waterloo, c'est le gond du dix-neuvième siècle [1]. » Ne date-t-on pas de 1815 le vrai commencement du XIXe siècle ? Pour les uns, Waterloo est une fin plus qu'un début : fin du quart de siècle des révolutions en France, fin du XVIIIe siècle même. Pour les autres, Waterloo sonne les trois coups d'un nouveau chapitre dans l'histoire de l'Europe, caractérisé par une paix durable dont le congrès de Vienne avait en fait jeté les bases dès 1814. Waterloo marque-t-il la fin d'un monde ? Le commencement d'un autre ? Les deux sans doute, si on prête à l'évènement une signification qui le dépasse. Les esprits chagrins feront observer, quant à eux, que Waterloo, date importante, et pour cause, dans l'histoire de Napoléon, l'est moins dans celle de la France : une victoire de l'empereur n'eût sans doute rien changé, et la France avait pris avant 1815 la physionomie qu'elle devait conserver jusqu'au vrai grand bouleversement, celui que provoqua la Première Guerre mondiale. Waterloo est une date sans doute plus importante par les

---

1. Victor Hugo, *Les Misérables*, IIe partie, livre I, chap. 13 (La catastrophe), « Folio classique », t. I, p. 449.

symboles et les idées qu'elle évoque que par ses consé-
quences historiques. C'est pourquoi, depuis 1815,
Waterloo est autant l'affaire des écrivains et des poètes
que des historiens[1].

La veine littéraire n'est pas épuisée. La bataille de
Waterloo n'est-elle pas au cœur d'un récent livre de
Jean Rolin, La Clôture, *où le boulevard Ney est le pré-*
texte d'allers-retours entre présent et passé, entre le
boulevard et le maréchal qui lui a donné son nom et
entre une zone de marge urbaine et le Mont-Saint-Jean
où le prince de la Moskowa s'illustra ?

> Un peu après 11 heures, à l'heure où le combat
> s'engage enfin, par une intense canonnade suivie
> d'assauts infructueux contre la ferme fortifiée d'Hou-
> goumont, je décidai de faire mouvement vers la porte
> de la Chapelle. À mon avis, le grondement du périphé-
> rique offrait un équivalent acceptable des bruits de la
> bataille, et j'avais le sentiment qu'en explorant toutes
> les facettes de l'échangeur, qui en compte beaucoup, je
> parviendrais à dénicher un bout de terrain, si possible
> herbu, qui fût susceptible de jouer dans ma dramatur-
> gie le rôle du plateau de Mont-Saint-Jean, sur lequel
> Wellington a solidement enraciné le centre de son dis-
> positif[2].

On se souvient aussi du savoureux roman de Simon
Leys, La Mort de Napoléon, *dans lequel l'empereur*

---

1. Ceux-ci ne se sont pas détournés du sujet, comme en témoignent les ouvrages qui se succèdent. Citons, parmi les plus récents, *Napoléon, la dernière bataille* de Jacques Logie (Bruxelles, Éd. Racine, 1998); les cinq volumes déjà publiés depuis 1999 par Bernard Coppens dans ses *Carnets de la campagne* (Bruxelles, Éd. de la Belle Alliance); *The Waterloo Companion* de Mark Adkin (Londres, Aurum Press, 2001) ou le *Waterloo* déjà cité d'Alessandro Barbero (Flammarion, 2005).

2. Jean Rolin, *La Clôture*, Paris, POL, 2002; Paris, Gallimard, coll. « Folio », 2004, p. 112.

s'évade de Sainte-Hélène où un sosie a pris sa place, et rentre clandestinement en Europe. Rien ne se passe comme prévu : il croyait débarquer à Bordeaux, c'est finalement à Anvers que le navire touche terre ; il croyait être accueilli en héros, personne ne fait attention à ce gros homme à l'air un peu perdu. À Bruxelles, une affiche attire son regard : « Visit Waterloo and the Battlefield ! » Une douzaine de touristes anglais montent en voiture avec lui. Et le voici visitant une ferme où l'empereur aurait dormi, évitant plus loin une auberge dont une pancarte affirme qu'elle a elle aussi hébergé Napoléon Ier, et visitant enfin le champ de bataille sous la conduite d'un ancien grognard devenu guide touristique. Pas grand-chose à voir : « Dans la plaine seuls bougent — et encore, si peu ! — des groupes somnolents de vaches », au loin une charrue trace son sillon... Mais le grognard semble plus inspiré aujourd'hui : voici de nouveau le sol boueux où s'enfoncent hommes et chevaux, les cris, les hennissements, les roulements de tambour, le fracas des canons et les premiers morts... Les témoins, les historiens et les écrivains ici convoqués font comme le grognard Edmond du roman de Simon Leys : grâce à eux, « le décor menteur de prés et de champs avec ses vaches et la charrue qui besogne à l'horizon, s'entrouvre [...] pour révéler la sombre réalité qui continue éternellement à habiter derrière le rideau des apparences[1]. »

PATRICE GUENIFFEY

1. Simon Leys, *La Mort de Napoléon*, Paris, Plon, 2005, p. 36-37.

NOTE SUR L'ÉDITION

Pourquoi célébrer en France le bicentenaire de la bataille de Waterloo ? Le 18 juin 1815, l'armée impériale n'a-t-elle pas subi une défaite cuisante qui est demeurée une humiliation dans la mémoire collective ? Je crois que les batailles, gagnées ou perdues, ne se célèbrent pas, mais qu'il est important, aux yeux de l'histoire, de commémorer la fin des guerres qui ont déchaîné les passions et les haines des nations. Waterloo est plus qu'une bataille, c'est l'événement qui sonne la fin de Napoléon et par-dessus tout celle du conflit militaire qui ensanglanta l'Europe depuis les guerres révolutionnaires commencées en 1791. En ce sens, il est cohérent de consacrer un livre à l'évocation du souvenir de Waterloo deux cents ans après. Cette anthologie se propose de retracer les faits aussi bien que l'esprit de la bataille du 18 juin, avec pour ambition centrale de saisir la singularité du surgissement de l'événement dans l'histoire. Waterloo a, en effet, été compris non seulement comme un tournant majeur par les contemporains et les acteurs de la chute de Napoléon, mais également comme un thème littéraire idéal par les écrivains qui ont contribué à forger la légende de la bataille. Ce recueil de textes tend à témoigner de l'exceptionnelle production littéraire sur la bataille de Waterloo autour de laquelle gravitent les questions sur les circonstances de la défaite de Napoléon et plus généralement sur les horreurs des guerres. Rares sont les événements qui ont eu des conséquences historiques et politiques d'une aussi grande ampleur ; de même, il est peu de batailles qui aient autant passionné et inspiré poètes, chansonniers et romanciers. Le soir du 18 juin a tout du crépuscule : s'il marque *de facto* l'effondrement de l'ère impériale, il symbolise la naissance de l'épopée napoléonienne qui doit son rayonnement autant au génie propre de Napoléon qu'à la puissance des œuvres des plus belles plumes du XIXe siècle.

Les ouvrages abordant de près ou de loin Waterloo sont si nombreux qu'il est impossible de les reproduire ni de les citer tous. La méthode qu'on a suivie a consisté à sélectionner d'abord les récits les plus fameux de la bataille parce que ce sont eux qui ont le plus contribué à donner naissance à la mémoire et au mythe de Waterloo. On retrouvera ainsi les témoignages des acteurs majeurs de la campagne de 1815, français, anglais ou prussiens, au premier rang desquels Napoléon Bonaparte. Ont été de même privilégiés les grands écrivains du XIXe siècle, historiens, romanciers ou poètes. Qu'ils aient été dans la force de l'âge en 1815, qu'ils aient entendu, enfants, le canon de Waterloo, ou qu'ils aient appartenu à la génération postérieure à celle de l'Empire, tous livrent une interprétation de Waterloo qui correspond à leurs convictions politiques — bonapartistes, monarchiques ou républicaines. Waterloo est demeuré tout au long du XIXe siècle un sujet qui cristallisa les passions politiques des hommes de lettres qui s'enthousiasmaient pour l'empereur ou applaudissaient à sa chute. Cela nous amène à constater que la passion pour Waterloo s'est étendue au-delà de la génération de 1815. La raison en est que l'épopée napoléonienne et la figure héroïque de Napoléon exercèrent une force d'attraction qui ne s'est toujours pas essoufflée aujourd'hui. Waterloo contient et incarne en lui-même le mythe de Napoléon qui échappe à la connaissance parfaite de ceux qui l'approchent. Afin de retranscrire cette postérité de Waterloo, il était de même nécessaire d'éditer des textes extraits de sources littéraires étrangères — anglaises essentiellement — pour confronter les approches. Cette anthologie vise ainsi à peindre les représentations de Waterloo plutôt qu'à proposer une lecture moniste qui ne correspondrait ni à l'originalité de la mémoire de la bataille, ni au caractère si singulier de la figure de Napoléon dans l'histoire.

Les grandes batailles, comme les grands hommes — ceux qui sortent de l'ordinaire —, ont des mystères qu'il n'appartient pas à l'éditeur de lever, mais de livrer tels quels. Pour cela, le plan de l'ouvrage distingue les œuvres selon leur genre littéraire, dans un ordonnancement qui fait apparaître la pluralité des traitements de la bataille. Après les récits des témoins suivent les dimensions militaires, politiques et littéraires (romanesque, poétique ou théâtrale) de Waterloo. La somme se veut nouvelle puisque, si des recueils de textes avaient déjà été consacrés à Waterloo, ils étaient demeurés spécialisés dans le registre du témoignage historique ou de la poésie. La présente anthologie ne peut prétendre à l'exhaustivité mais adopte une approche englobante de la bataille dans la mesure où celle-ci est définie au sens large, moins comme un événement purement militaire que comme un objet littéraire à part entière. Dans cet esprit, nous abordons aussi bien les prémices et les causes du conflit militaire que les préparatifs de la campagne, les premières batailles de Ligny et des

Quatre-Bras, le déroulement de la lutte du 18 juin, ou encore les conséquences politiques de la défaite et les ressorts philosophiques d'un tel événement.

Se pose ainsi la question : qu'est-ce que Waterloo dans l'histoire et dans la littérature ? Ce sont des soldats et des civils, des partisans de Napoléon et ses adversaires, des historiens français et anglais, des romanciers et des poètes qui nous donnent des éléments de réponse. Pour certains, comme Stendhal l'écrit dans son journal, le soir du 18 juin, « tout est perdu, même l'honneur ». Pour d'autres, sur le champ de bataille de Waterloo, le soldat français s'est illustré de la plus noble des manières en sachant mourir dans la dignité. La défaite a alors une charge patriotique parce qu'il y aurait de la gloire à donner sa vie pour sa nation. C'est le « *Gloria victis* », la gloire du vaincu, qui ressort d'ailleurs le plus massivement des œuvres littéraires. On retrouve encore l'espérance de paix, notamment dans la poésie de Victor Hugo, qui livre un Waterloo déjà conçu par anticipation comme l'espoir que cette bataille serait la « der des ders ». Elle ne le sera pas. En somme, telle qu'il nous est dépeint par ces auteurs, Waterloo est une tragédie classique qui répond aux exigences du genre : le drame se déroule du lever au coucher du soleil, ce 18 juin, avec une unité de temps, de lieu et d'action. La bataille est aussi devenue, au fil des chefs-d'œuvre, une pièce romantique qui exacerbe la beauté des ruines, le culte du moi héroïque et la fuite dans les songes. Waterloo symbolise Napoléon Bonaparte, comme l'empereur incarne Waterloo. Il y a interdépendance entre les deux géants, comme entre le rocher de Sainte-Hélène et le mythe du héros. Lord Byron écrivait : « *One struggle more, and I am free* » (« Une lutte encore et je suis libre »). Waterloo, c'est la dernière bataille de l'empereur, celle qui précipita son sort, pour mieux le faire entrer dans l'histoire et le panthéon des lettres.

*

Les parties consacrées aux témoignages ainsi qu'aux histoires politique et militaire respectent un plan chronologique qui suit le déroulement des événements de la campagne de 1815 et de la bataille. Quant aux parties sur les biographes et sur le roman, la poésie et le théâtre, un ordonnancement respectueux de la chronologie de parution des ouvrages a été privilégié. Les notes des auteurs n'ont été maintenues, en bas de page, que lorsqu'elles ajoutaient quelque chose à l'analyse. Nous avons laissé à chaque auteur ses particularités dans la graphie des noms de personnes et de lieux, sans adopter l'usage moderne et sans unifier.

Le chapeau qui précède chaque texte donne des indications sur l'auteur, sur l'édition et sur la réception de l'œuvre. Pour alléger les notes, on a regroupé les informations sur les militaires dans des Notices biographiques en fin de volume.

Il m'a été difficile, et même parfois impossible, de couper certains textes. On ne hache pas les *Mémoires d'outre-tombe* de Chateaubriand ni les vers de Hugo ; ou, si on le fait, on s'en explique et s'en excuse en nourrissant d'humbles regrets, et en espérant que l'auteur veuille bien pardonner et que le lecteur soit appelé à poursuivre la lecture des classiques.

Au seuil de cet ouvrage, qu'il me soit permis de remercier avec émotion Jean-Yves Tadié, Patrice Gueniffey, Blanche Cerquiglini et Laura Depinard pour leurs conseils et leurs précieuses lectures.

LORIS CHAVANETTE

WATERLOO

Acteurs, historiens, écrivains

I

Textes de Napoléon

Le 20 avril 1814, au bas des escaliers du château de Fontainebleau, au moment de partir pour l'île d'Elbe après avoir abdiqué, Napoléon fait ses adieux à la Vieille Garde. Il explique à ses soldats la raison pour laquelle il ne met pas fin à ses jours : il veut servir encore la France. Il ajoute : « Je veux écrire les grandes choses que nous avons faites ensemble ! » Il tiendra sa promesse.

Fait prisonnier et détenu par les Anglais sur l'île de Sainte-Hélène, qu'il n'allait jamais quitter, Napoléon eut tout le loisir de méditer sur sa vie et de revenir sur les épisodes de l'histoire de son temps, durant laquelle il avait tenu le premier rôle. Le mercredi 20 novembre 1816, il livre ses réflexions sur l'histoire à Las Cases :

> Il faut en convenir, me disait aujourd'hui l'Empereur, les *véritables vérités*, mon cher, sont bien difficiles à obtenir pour l'histoire. Heureusement que la plupart du temps elles sont bien plutôt un objet de curiosité que de réelle importance. Il est tant de vérités !... [...] Cette vérité historique, tant implorée, à laquelle chacun s'empresse d'en appeler, n'est trop souvent qu'un mot : elle est impossible au moment même des événements, dans la chaleur des passions croisées ; et si, plus tard, on demeure d'accord, c'est que les intéressés, les contradicteurs ne sont plus. Mais qu'est alors cette vérité historique, la plupart du

temps ? Une fable convenue, ainsi qu'on l'a dit fort
ingénieusement.

Prononcées près d'un an et trois mois après la défaite de
Waterloo, ces paroles ont une résonance singulière. À
Sainte-Hélène, où il débarque le 15 octobre 1815, Napoléon
est à la fois un grand lecteur de tout ce qui s'écrit sur
l'Empire (Mémoires, essais, biographies, journaux, etc.) et
un admirable conteur d'histoires puisqu'il entreprend de
composer le récit de ses campagnes militaires. Il travaille sa
campagne d'Italie avec Las Cases, dicte à Bertrand l'histoire
de celle d'Égypte et compose une histoire des Cent-Jours
avec le général Gourgaud pour assistant. Napoléon auteur
ambitionne d'écrire des ouvrages historiques, où il tente de
se montrer impartial, en parlant de lui à la troisième per-
sonne du singulier. Ces textes seront publiés anonymement,
ou sous des pseudonymes. L'empereur déchu n'en est pas à
son premier coup de plume puisqu'en 1793 il a déjà publié
un pamphlet politique intitulé Le Souper de Beaucaire, *et,*
durant la plupart de ses campagnes militaires, il a mis un
point d'honneur à rédiger lui-même les relations de ses
batailles, afin de faire de ces récits autant d'outils de sa
communication politique, lesquels ont contribué à forger la
légende napoléonienne.

La défaite de Waterloo tient une place à part dans la
mémoire de Napoléon. Il l'évoque à de nombreuses reprises,
comme si elle le hantait. Quand il prend son bain ou quand
il joue au billard, il y revient spontanément, ainsi que le
prouve le récit de son docteur O'Meara. Même les soldats
anglais qui le surveillent à Sainte-Hélène disent que l'empe-
reur ne supporte pas leur présence et leurs habits rouges, se
moquent-ils, parce qu'ils lui rappellent les dragons britan-
niques de Waterloo. Dans chacun des textes que Napoléon
a consacrés à « sa dernière bataille », comme il le dit lui-
même, cet homme de certitudes s'efforce d'expliquer les rai-
sons de la déroute. Chacune de ses analyses est une tentative
de compréhension du malheur qui a précédé sa chute. Il
tord les événements de la campagne de 1815 dans tous les
sens pour conclure que si Murat avait chargé à la tête de sa

cavalerie, il aurait triomphé, ou que si ni les Prussiens ni Grouchy ne s'étaient joints à la mêlée, il aurait vaincu les Anglais, et ainsi de suite jusqu'à venir à en accuser le hasard d'une météo pluvieuse et la destinée.

Si Napoléon se décide à prendre la plume pour écrire son histoire de la bataille, c'est pour contredire les récits sur les Cent-Jours des acteurs, témoins et historiens, français ou étrangers, militaires ou civils, qui ont déjà été publiés. Il veut donner sa version de l'événement parce qu'il juge ces relations inexactes, ou injustes à son égard quand elles le rendent responsable de la défaite. « J'ai vu me disputer, à moi, dit-il, la pensée de ma bataille, me disputer l'intention de mes ordres, et prononcer contre moi. N'est-ce pas le démenti de la créature vis-à-vis de celui qui a créé ? » Le « créateur » a décidé de répondre.

Pourtant, Napoléon est le premier de tous à avoir décrit le déroulement de la bataille puisqu'il insère dans un supplément du Moniteur universel, daté du 21 juin 1815, sa relation de la défaite. C'est le premier texte imprimé sur le sujet ; il s'intitule « Bataille de Mont-Saint-Jean », nom de la bataille donné par un vaincu. L'histoire retiendra celui des vainqueurs : Waterloo. Le lendemain de la défaite, dans le chaos d'une retraite mal organisée, les rumeurs circulent sur le sort de l'empereur qu'on dit mort ou aux mains des ennemis. Se sachant impopulaire dans certains milieux politiques de la capitale, se doutant que son trône et son autorité peuvent lui échapper, Napoléon compose et fait publier, dans l'urgence de faire savoir qu'il est vivant et de retour à Paris, un résumé des phases de la bataille perdue. Après les victoires de Ligny et des Quatre-Bras des 15 et 16 juin, dont ont été informés les Français, c'est la stupeur, même s'il semble que la rumeur de la perte de la bataille se soit répandue dans Paris dès le 20. Cependant, s'il reconnaît la défaite infligée, Napoléon refuse d'entrevoir la perte de la guerre qui se dessine au loin. Pour cela, il minimise les conséquences militaires de Waterloo et envisage de rallier derrière lui les forces de la nation pour la défense de la patrie. Sa relation de la bataille fait date parce qu'elle inaugure le débat sur Waterloo et les polémiques qui vont naître et grossir au sujet

des responsables de la défaite. Sur la route de Paris, Napo-
léon aurait pourtant confié à ses aides de camp Bertrand et
Drouot qu'il ne voulait rien cacher aux Français. Les enjeux
politiques et sans doute ses conseillers l'en dissuadèrent.

Le deuxième texte que nous donnons est un extrait des
Mémoires pour servir à l'histoire de France en 1815,
publié anonymement en 1820, un an avant la mort de
l'empereur. Il s'agit de l'unique livre de Napoléon, composé
pendant son exil, qui a un titre et un sujet autre que militaire
puisqu'il s'agit d'un essai sur les Cent-Jours. La campagne
de 1815 occupe logiquement la place centrale de l'ouvrage
où Napoléon s'emploie à détailler les causes de la guerre, la
mobilisation générale des troupes à travers le pays, les
mesures d'armement, les cérémonies militaires données à
Paris, l'état des forces, la marche au front, les combats de
juin 1815, etc. Ce livre est la version définitive et corrigée
que Napoléon voulait consacrer à l'année 1815, ce qui le
rend plus riche que l'édition publiée par Gourgaud dès 1818,
qui est aussi de la main de l'empereur et porte le titre Campagne de 1815, ou Relation des opérations militaires qui
ont eu lieu en France et en Belgique pendant les Cent
jours. *Napoléon n'appréciait guère le général Gourgaud qui*
quitta Sainte-Hélène avant la mort de son plus illustre
résident. Le manuscrit du livre dont est tiré l'extrait sélec-
tionné a été sorti furtivement de l'île pour ne pas subir les
vexations anglaises, et c'est O'Meara qui l'aurait confié à un
éditeur. Les lecteurs reconnurent assez vite le style si parti-
culier de Napoléon, sans lyrisme, tout à l'efficacité de la
démonstration et à une narration haletante des péripéties de
la campagne, avec un sens inné de la formule. L'extrait
retenu ici retrace d'abord le plan militaire conçu par Napo-
léon et les préparatifs de guerre; puis il donne à lire le récit
de la bataille de Waterloo par le général et chef d'État fran-
çais. Ce dernier énumère les faits héroïques de ses soldats
méritants et critique les officiers qui, en enfreignant ses
ordres, auraient précipité la déroute de la Grande Armée.
C'est à partir de cette relation de Waterloo que les historiens
se querellent pour savoir si Napoléon, en omettant de souli-
gner toute erreur de sa part et en accusant ses généraux, a

construit une histoire sérieuse de la bataille ou s'il a écha-
faudé une version erronée, imaginée, des événements.

   Le troisième texte est une série d'extraits tirés du célèbre
Mémorial de Sainte-Hélène, ces Mémoires que Napoléon a
dictés à Las Cases et que ce dernier publie dès 1822. Deux
séries de textes sont consacrées spécifiquement à Waterloo.
Il y a d'abord les observations purement militaires de Napo-
léon sur Waterloo. On trouve aussi des allusions éparses à
la défaite glorieuse. C'est un Napoléon en prise avec le sou-
venir amer de la défaite de Waterloo que l'on découvre ici.
Après un empereur chef de guerre, avec sa première relation
de la bataille, après un Napoléon historien qui s'emploie à
prendre ses distances avec l'événement, c'est un Napoléon
intime que l'on suit au fil de ses réflexions personnelles sur
la défaite qui demeure, pour lui, aussi bien incompréhen-
sible qu'absurde. Le prisonnier de Sainte-Hélène emporte
avec lui dans la tombe le doute qui l'accable sur les causes
de la perte de sa dernière bataille, et cette certitude que l'his-
toire lui donnera raison, puisque, comme il le dit lui-même :
« L'histoire me rendra plus de justice ; elle me signalera, au
contraire, comme l'homme des abnégations et du désinté-
ressement. [...] Et aussi voilà pourquoi, en dépit de tant de
malheurs, je demeure si populaire parmi les Français. C'est
une espèce d'instinct, d'arrière-justice de leur part. » Il
ajoute, comme sûr de son droit à la postérité : « L'histoire
décidera : je suis loin de la redouter, je l'invoque ! »

NAPOLÉON

« Bataille de Mont-Saint-Jean »

(1815)

RAPPORT OFFICIEL FRANÇAIS

« Paris, 21 juin 1815

« *Bataille de Mont-Saint-Jean* [1].

« À neuf heures du matin, la pluie ayant un peu diminué, le 1er corps se mit en mouvement, et se plaça, la gauche à la route de Bruxelles, et vis-à-vis le centre de la position de l'ennemi. Le 2e corps appuya sa droite à la route de Bruxelles, et sa gauche à un petit bois à portée de canon de l'armée anglaise. Les cuirassiers se portèrent en réserve derrière, et la garde en réserve sur les hauteurs. Le 6e corps, avec la cavalerie du général d'Aumont, sous les ordres du comte de Lobau, fut destiné à se porter en arrière de notre droite, pour s'opposer à un corps prussien, qui paraissait avoir échappé au maréchal Grouchy, et être dans l'intention de tomber sur notre flanc droit, intention qui nous avait été connue par nos rapports et par une lettre d'un général prussien, que portait une ordonnance prise par nos coureurs.

« Nos troupes étaient pleines d'ardeur. On estimait les forces de l'armée anglaise à quatre-vingt mille hommes; on supposait que le corps prussien, qui pouvait être en mesure vers le soir, pouvait être de quinze mille hommes. Les forces ennemies étaient donc de plus de nonante mille hommes; les nôtres étaient moins nombreuses[1].

« À midi, tous les préparatifs étant terminés, le prince Jérôme, commandant une division du 2e corps, et destiné à en former l'extrême gauche, se porta sur le bois dont l'ennemi occupait une partie. La canonnade s'engagea; l'ennemi soutint par trente pièces de canon les troupes qu'il avait envoyées pour garder le bois. Nous fîmes aussi de notre côté des dispositions d'artillerie. À une heure, le prince Jérôme fut maître de tout le bois, et toute l'armée anglaise se replia derrière un rideau. Le comte d'Erlon attaqua alors le village de Mont-Saint-Jean, et fit appuyer son attaque par quatre-vingts pièces de canon. Il s'engagea là une épouvantable canonnade, qui dut beaucoup faire souffrir l'armée anglaise. Tous les coups portaient sur le plateau. Une brigade de la 1re division du comte d'Erlon s'empara du village de Mont-Saint-Jean; une deuxième brigade fut chargée par un corps de cavalerie anglaise, qui lui fit éprouver beaucoup de pertes. Au même moment, une division de cavalerie anglaise chargea la batterie du comte d'Erlon par sa droite, et désorganisa plusieurs pièces, mais les cuirassiers du général Milhaud chargèrent cette division, dont trois régiments furent rompus et écharpés.

« Il était trois heures après midi. L'empereur fit avancer la garde pour la placer dans la plaine, sur le terrain qu'avait occupé le 1er corps au commencement de l'action; ce corps se trouvait déjà en avant. La division prussienne, dont on avait prévu le mouvement, commença alors à s'engager avec les tirailleurs du comte de Lobau, en prolongeant son feu sur tout notre flanc droit. Il était convenable, avant de rien entreprendre ailleurs, d'attendre l'issue qu'aurait cette attaque. À cet effet, tous les moyens de la réserve étaient prêts à se porter au secours du comte de Lobau et à écraser le corps prussien, lorsqu'il se serait avancé !

« Cela fait, l'empereur avait le projet de mener une attaque par le village de Mont-Saint-Jean, dont on espérait un coup décisif ; mais, par un mouvement d'impatience si fréquent dans nos annales militaires, et qui nous a été souvent si funeste, la cavalerie de réserve[1], s'étant aperçue d'un mouvement rétrograde que faisaient les Anglais pour se mettre à l'abri de nos batteries, dont ils avaient déjà tant souffert, couronna les hauteurs du Mont-Saint-Jean, et chargea l'infanterie. Ce mouvement, qui, fait à temps et soutenu par les réserves, devait décider de la journée, fait isolément, et avant que les affaires de la droite ne fussent terminées, devint funeste.

« N'y ayant aucun moyen de le contremander, l'ennemi montrant beaucoup de masses d'infanterie et de cavalerie, et les deux divisions de cuirassiers étant engagées, toute notre cavalerie courut au même moment pour soutenir ses camarades. Là, pendant trois heures, se firent de nombreuses charges, qui nous valurent l'enfoncement de plusieurs carrés et six drapeaux de l'infanterie anglaise, avantage hors de proportion avec les pertes qu'éprouvait notre cavalerie par la mitraille et les fusillades. Il était impossible de disposer de nos réserves d'infanterie jusqu'à ce qu'on eût repoussé l'attaque de flanc du corps prussien. Cette attaque se prolongeait toujours et perpendiculairement sur notre flanc droit. L'empereur y envoya le général Duhesme avec la jeune garde et plusieurs batteries de réserve. L'ennemi fut contenu, fut repoussé et recula ; il avait épuisé ses forces et l'on n'en avait plus rien à craindre. C'est ce moment qui était celui indiqué pour une attaque sur le centre de l'ennemi. Comme les cuirassiers souffraient par la mitraille, on envoya quatre bataillons de la moyenne garde pour protéger les cuirassiers, soutenir la position, et, si cela était possible, dégager et faire reculer dans la plaine une partie de notre cavalerie.

« On envoya deux autres bataillons pour se tenir *en potence* sur l'extrême gauche de la division, qui avait manœuvré sur nos flancs, afin de n'avoir de ce côté aucune inquiétude ; le reste fut disposé en réserve, partie pour occuper la *potence* en arrière de Mont-Saint-Jean, partie sur le plateau, en arrière du champ de bataille, qui formait notre position de retraite.

« Dans cet état de choses, la bataille était gagnée ; nous occupions toutes les positions que l'ennemi occupait au commencement de l'action ; notre cavalerie ayant été trop tôt et mal employée, nous ne pouvions plus espérer de succès décisifs. Mais le maréchal Grouchy, ayant appris le mouvement du corps prussien, marchait sur le derrière de ce corps, ce qui nous assurait un succès éclatant pour la journée du lendemain. Après huit heures de feux et de charges d'infanterie et de cavalerie, toute l'armée voyait avec satisfaction la bataille gagnée et le champ de bataille en notre pouvoir.

« Sur les huit heures et demie, les quatre bataillons de la moyenne garde, qui avaient été envoyés sur le plateau au-delà de Mont-Saint-Jean pour soutenir les cuirassiers, étant gênés par la mitraille, marchèrent à la baïonnette pour enlever les batteries. Le jour finissait, une charge faite sur leur flanc par plusieurs escadrons anglais les mit en désordre, les fuyards repassèrent le ravin, les régiments voisins qui virent quelques troupes appartenant à la garde à la débandade, crurent que c'était la vieille garde et s'ébranlèrent ; les cris : "Tout est perdu, la garde est repoussée !" se firent entendre ; les soldats prétendent même que sur plusieurs points,

des malveillants apostés ont crié : *"Sauve qui peut !"*
Quoi qu'il en soit, une terreur panique se répandit tout
à la fois sur tout le champ de bataille, on se précipita
dans le plus grand désordre sur la ligne de communication ; les soldats, les canonniers, les caissons se pressaient pour y arriver : la vieille garde, qui était en
réserve, en fut assaillie et fut elle-même entraînée.

« Dans un instant, l'armée ne fut plus qu'une masse
confuse, toutes les armes étaient mêlées, et il était
impossible de reformer un corps. L'ennemi, qui
s'aperçut de cette étonnante confusion, fit déboucher
des colonnes de cavalerie ; le désordre augmenta, la
confusion de la nuit empêcha de rallier les troupes et
de leur montrer leur erreur. Ainsi, une bataille terminée, une journée finie, de fausses mesures réparées,
de plus grands succès assurés pour le lendemain, tout
fut perdu par un moment de terreur panique. Les
escadrons mêmes *de service*, rangés à côté de l'empereur furent culbutés et désorganisés par ces flots
tumultueux, et il n'y eut plus autre chose à faire que
de suivre le torrent. Les parcs de réserve, les bagages
qui n'avaient point repassé la Sambre, et tout ce qui
était sur le champ de bataille, sont restés au pouvoir
de l'ennemi. Il n'y a eu même aucun moyen d'attendre
les troupes de notre droite ; on sait ce que c'est que la
plus brave armée du monde, lorsqu'elle est mêlée et
que son organisation n'existe plus [1].

« L'empereur a passé la Sambre à Charleroi, le 19, à
cinq heures du matin ; Philippeville et Avesnes ont été
donnés pour points de réunion. Le prince Jérôme [2], le
général Morand et les autres généraux y ont déjà rallié une partie de l'armée. Le maréchal Grouchy, avec
le corps de la droite, opère son mouvement sur la
Basse-Sambre.

« La perte de l'ennemi doit avoir été très grande, à
en juger par les drapeaux que nous lui avons pris, et

par les pas rétrogrades qu'il avait faits. La nôtre ne pourra se calculer qu'après le ralliement des troupes. Avant que le désordre éclatât, nous avions déjà éprouvé des pertes considérables, surtout dans notre cavalerie, si funestement et pourtant si bravement engagée [1]. Malgré ces pertes, cette valeureuse cavalerie a constamment gardé la position qu'elle avait prise aux Anglais, et ne l'a abandonnée que quand le tumulte et le désordre du champ de bataille l'y ont forcée. Au milieu de la nuit et des obstacles qui encombraient la route, elle n'a pu elle-même conserver son organisation.

« L'artillerie, comme à son ordinaire, s'est couverte de gloire [2]. Les voitures du quartier-général étaient restées dans leur position ordinaire, aucun mouvement rétrograde n'ayant été jugé nécessaire. Dans le cours de la nuit, elles sont tombées entre les mains de l'ennemi.

« Telle a été l'issue de la bataille de Mont-Saint-Jean, glorieuse pour les armées françaises, et pourtant si funeste. »

NAPOLÉON

Mémoires pour servir à l'histoire de France en 1815

(1820)

CHAPITRE III

[...]

III. Le second plan était de prévenir les alliés, et de commencer les hostilités avant qu'ils pussent être prêts. Or, les alliés ne pouvaient commencer les hostilités que le 15 juillet ; il fallait donc entrer en campagne le 15 juin, battre l'armée anglo-hollandaise et l'armée prusso-saxone qui étaient en Belgique, avant que les armées russe, autrichienne, bavaroise, wurtembergeoise, etc., fussent arrivées sur le Rhin. Au 15 juin, on pouvait réunir une armée de cent quarante mille hommes en Flandre, en laissant un rideau sur toutes les frontières et de bonnes garnisons dans toutes les places fortes. 1°. Si l'on battait l'armée anglo-hollandaise et l'armée prusso-saxone, la Belgique se soulèverait, et son armée recruterait l'armée française. 2°. La défaite de l'armée anglaise entraînerait la chute du ministère anglais qui serait remplacé par des amis de la paix, de la liberté et de l'indépendance des nations ; cette seule circonstance terminerait la guerre. 3°. S'il en était autrement, l'armée victorieuse en Belgique, renforcée du 5e corps qui restait en Alsace, et des renforts que fourniraient les dépôts pendant juin et juillet, se porteraient sur les Vosges contre l'armée russe et autrichienne. 4°. Les avantages de ce projet étaient nombreux, il était conforme au génie de la nation, à l'esprit et aux principes de cette guerre ; il remédiait au terrible inconvénient attaché au premier projet, d'abandonner la Flandre, la Picardie, l'Artois, l'Alsace, la Lorraine, la Champagne, la Bourgogne, la Franche-Comté, le Dauphiné, sans tirer un coup de fusil. Mais pouvait-on, avec une armée de cent quarante mille hommes, battre les deux armées qui couvraient la Belgique ; savoir : l'armée anglo-hollandaise composée de cent quatre mille hommes sous les armes * ; la seconde, l'armée prusso-saxonne de cent vingt mille hommes, c'est-à-dire deux cent vingt-quatre mille hommes. L'on ne devait pas évaluer la force de ces armées par le rapport des nombres de deux cent vingt-quatre mille à cent quarante mille, parce que l'armée des alliés était composée de troupes plus ou moins bonnes, qu'un Anglais pouvait être compté pour un Français, deux Hollandais, Prussiens ou hommes de la confédération, pour un Français. Les armées ennemies étaient cantonnées sous le commandement de deux généraux différents, et formées de nations divisées d'intérêts et de sentiments.

IV. Le mois de mai se passa dans ces méditations. L'insurrection de la Vendée affaiblit de vingt mille hommes l'armée de Flandre, et la réduisit à cent vingt mille hommes ; ce fut un événement bien funeste, et qui diminua les chances de succès : mais la guerre de la Vendée pouvait s'étendre ; les alliés, maîtres de plusieurs provinces, pourraient rallier des partisans aux

* Non compris les quatorze régiments anglais débarqués à Ostende, venant d'Amérique, ou tenant garnison dans les places fortes de la Belgique. *[Note de l'auteur.]*

Bourbons ; la marche de l'ennemi sous Paris et sous
Lyon leur serait favorable. D'un autre côté la
Belgique, les quatre départements du Rhin, tendaient
les bras, appelaient à grands cris leur libérateur, et
l'on avait des intelligences dans l'armée belge ; ce qui
décida l'empereur à adopter un troisième parti qui
consistait à attaquer, le 15 juin, les armées anglo-
hollandaise et prusso-saxonne, les séparer, les battre,
et s'il échouait, replier son armée sous Paris et
Lyon. Sans doute qu'après avoir échoué dans l'attaque de la Belgique, les armées arriveraient affaiblies
sous Paris ; que l'on perdrait l'occasion de réduire la
garde nationale de la capitale[1] à huit mille hommes,
de trente-six mille qu'elle était, pour porter à soixante
mille les tirailleurs, parce que cette opération ne pouvait se faire dans l'absence de Napoléon et pendant la
guerre. Il est vrai de dire aussi que les alliés qui, si on
les attendait, ne commenceraient les hostilités que le
15 juillet, seraient en mesure le 1er juillet, s'ils étaient
provoqués dès le 15 juin ; que leur marche sur Paris
serait aussi plus rapide après une victoire ; et que
l'armée de Flandre réduite à cent vingt mille était
inférieure de quatre-vingt-dix mille hommes à celle
du maréchal Blücher et du duc de Wellington. Mais
en 1814, la France avait, avec quarante mille hommes
présents sous les armes, fait face à l'armée commandée par le maréchal Blücher, et à celle commandée
par le prince de Schwartzenberg, où se trouvaient les
deux empereurs et le roi de Prusse. Ces armées
réunies étaient fortes de deux cent cinquante mille
hommes, elle les avait battues souvent ! À la bataille
de Montmirail[2], les corps de Sacken, d'Yorck et de
Kleist étaient de quarante mille hommes ; ils furent
attaqués, battus et jetés au-delà de la Marne par seize
mille Français, savoir : la garde à pied et à cheval, la
division Ricard, de onze cent cinquante hommes, et

une division de cuirassiers ; dans le temps que le maréchal Blücher, avec vingt mille hommes, était contenu par le corps de Marmont, de quatre mille hommes ; que l'armée de Schwartzenberg, de cent mille hommes, l'était par les corps de Macdonald, d'Oudinot et de Gérard, formant en tout moins de dix-huit mille hommes.

Le duc de Dalmatie[1] fut nommé major-général de l'armée ; il donna le 2 juin l'ordre du jour suivant[2], et immédiatement après partit de Paris pour visiter les places de Flandre et l'armée.

« La plus auguste cérémonie vient de consacrer nos institutions. L'empereur a reçu des mandataires du peuple et des députations de tous les corps de l'armée, l'expression des vœux de la nation entière sur l'acte additionnel aux constitutions de l'empire, qui avait été envoyé à son acceptation, et un nouveau serment unit la France et l'empereur. Ainsi les destinées s'accomplissent, et tous les efforts d'une ligue impie ne pourront plus séparer les intérêts d'un grand peuple du héros que les plus brillants triomphes ont fait admirer de l'univers.

« C'est au moment où la volonté nationale se manifeste avec autant d'énergie, que des cris de guerre se font entendre ; c'est au moment où la France est en paix avec toute l'Europe, que des armées étrangères avancent sur nos frontières : quel est l'espoir de cette nouvelle coalition ? Veut-elle ôter la France du rang des nations ? Veut-elle plonger dans la servitude vingt-huit millions de Français ? A-t-elle oublié que la première ligue qui fut formée contre notre indépendance servit à notre agrandissement et à notre gloire ? Cent victoires éclatantes que des revers momentanés et des circonstances malheureuses n'ont pu effacer, lui rappellent qu'une nation libre, conduite par un grand homme, est invincible.

« Tout est soldat en France, quand il s'agit de l'honneur national et de la liberté : un intérêt commun unit aujourd'hui tous les Français. Les engagements que la violence nous avait arrachés, sont détruits par la fuite des Bourbons du territoire français[1], par l'appel qu'ils ont fait aux armées étrangères pour remonter sur le trône qu'ils ont abandonné, et par le vœu unanime de la nation, qui, en reprenant le libre exercice de ses droits, a solennellement désavoué tout ce qui a été fait sans sa participation.

« Les Français ne peuvent recevoir des lois de l'étranger ; ceux mêmes qui sont allés y mendier un secours parricide, ne tarderont pas à reconnaître et à éprouver, ainsi que leurs prédécesseurs, que le mépris et l'infamie suivent leurs pas, et qu'ils ne peuvent laver l'opprobre dont ils se couvrent, qu'en rentrant dans nos rangs.

« Mais une nouvelle carrière de gloire s'ouvre devant l'armée ; l'histoire consacrera le souvenir des faits militaires qui auront illustré les défenseurs de la patrie et de l'honneur national. Les ennemis sont nombreux, dit-on ; que nous importe ? il sera plus glorieux de les vaincre, et leur défaite aura d'autant plus d'éclat. La lutte qui va s'engager n'est pas au-dessus du génie de Napoléon, ni au-dessus de nos forces. Ne voit-on pas tous les départements, rivalisant d'enthousiasme et de dévouement, former, comme par enchantement, cinq cents superbes bataillons de gardes nationales, qui déjà sont venus doubler nos rangs, défendre nos places, et s'associer à la gloire de l'armée ? C'est l'élan d'un peuple généreux qu'aucune puissance ne peut vaincre et que la postérité admirera. Aux armes !

« Bientôt le signal sera donné ; que chacun soit à son devoir ; du nombre des ennemis, nos phalanges victorieuses vont tirer un nouvel éclat. Soldats,

Napoléon guide nos pas; nous combattons pour l'indépendance de notre belle patrie; nous sommes invincibles! »

[...]

[Le récit reprend à la veille de Waterloo, donc après les batailles remportées par l'armée française à Ligny et aux Quatre-Bras.]

CHAPITRE VI

I. Pendant la nuit, l'empereur donna tous les ordres nécessaires pour la bataille du lendemain, quoique tout lui indiquât qu'elle n'aurait pas lieu. Depuis quatre jours que les hostilités étaient commencées, il avait, par les plus habiles manœuvres, surpris ses ennemis, remporté une victoire éclatante et séparé les deux armées. C'était beaucoup pour sa gloire, mais pas encore assez pour sa position!!! Les trois heures de retard que la gauche avait éprouvé dans son mouvement, l'avaient empêché d'attaquer, comme il l'avait projeté, l'armée anglo-hollandaise dans l'après-midi du 17, ce qui eût couronné la campagne! Actuellement il est probable que le duc de Wellington et le maréchal Blücher profitaient de cette même nuit pour traverser la forêt de Soignes, et se réunir devant Bruxelles; après cette réunion qui serait opérée avant neuf heures du matin, la position de l'armée française deviendrait bien délicate!!! les deux armées ennemies se renforceraient de tout ce qu'elles avaient sur leurs derrières. Six mille Anglais étaient débarqués à Ostende depuis peu de jours; c'étaient des troupes de retour d'Amérique. Il serait impossible que l'armée française se

hasardât de traverser la forêt de Soignes pour combattre au débouché des forces plus que doubles, formées et en position ; et cependant, sous peu de
semaines, l'armée russe, autrichienne, bavaroise,
etc., allaient passer le Rhin, se porter sur la Marne.
Le 5e corps, en observation en Alsace, n'était que de
vingt mille hommes.

À une heure du matin, fort préoccupé de ces
grandes pensées, il sortit à pied, accompagné seulement de son grand-maréchal ; son dessein était de
suivre l'armée anglaise dans sa retraite, et de tâcher
de l'entamer, malgré l'obscurité de la nuit, aussitôt
qu'elle serait en marche. Il parcourut la ligne des
grandes gardes. La forêt de Soignes apparaissait
comme un incendie ; l'horizon entre cette forêt,
Braine-la-Leud, les fermes de la Belle-Alliance et de la
Haye, était resplendissant du feu des bivouacs ; le plus
profond silence régnait. L'armée anglo-hollandaise
était ensevelie dans un profond sommeil, suite des
fatigues qu'elle avait essuyées les jours précédents.
Arrivé près des bois du château d'Hougomont, il
entendit le bruit d'une colonne en marche ; il était
deux heures et demie. Or, à cette heure, l'arrière-garde
devait commencer à quitter sa position si l'ennemi
était en retraite ; mais cette illusion fut courte. Le
bruit cessa ; la pluie tombait par torrents. Divers officiers envoyés en reconnaissance et des affidés, de
retour à trois heures et demie, confirmèrent que les
Anglo-Hollandais ne faisaient aucun mouvement. À
quatre heures les coureurs lui amenèrent un paysan
qui avait servi de guide à une brigade de cavalerie
anglaise qui avait été prendre position sur l'extrême
gauche au village d'Ohain[1]. Deux déserteurs belges,
qui venaient de quitter leur régiment, lui rapportèrent
que leur armée se préparait à la bataille, qu'aucun
mouvement rétrograde n'avait eu lieu ; que la Belgique

faisait des vœux pour les succès de l'empereur[1] ; que les Anglais et les Prussiens y étaient également haïs.

Le général ennemi ne pouvait rien faire de plus contraire aux intérêts de son parti et de sa nation, à l'esprit général de cette campagne, et même aux règles les plus simples de la guerre, que de rester dans la position qu'il occupait ; il avait derrière lui les défilés de la forêt de Soignes ; s'il était battu, toute retraite lui était impossible. Les troupes françaises étaient bivouaquées au milieu de la boue ; les officiers tenaient pour impossible de donner bataille dans ce jour ; l'artillerie et la cavalerie ne pourraient manœuvrer dans les terres, tant elles étaient détrempées ; ils estimaient qu'il faudrait douze heures de beau temps pour les étancher. Le jour commençait à poindre ; l'empereur rentra à son quartier-général, plein de satisfaction de la grande faute que faisait le général ennemi, et fort inquiet que le mauvais temps ne l'empêchât d'en profiter. Mais déjà l'atmosphère s'éclaircissait ; à cinq heures, il aperçut quelques faibles rayons de ce soleil qui devait avant de se coucher éclairer la perte de l'armée anglaise ; l'oligarchie britannique en serait renversée ! la France allait se relever dans ce jour, plus glorieuse, plus puissante et plus grande que jamais !

L'armée anglo-hollandaise était en bataille sur la chaussée de Charleroi à Bruxelles, en avant de la forêt de Soignes, couronnant un assez beau plateau. La droite, composée des 1re et 2e divisions anglaises et de la division de Brunswick, commandées par les généraux Cook et Clinton, s'appuyait à un ravin au-delà de la route de Nivelles ; elle occupait en avant de son front le château d'Hougomont par un détachement. Le centre, composé de la 3e division anglaise et des 1re et 2e divisions belges, commandées par les généraux Alten, Collaert et Chassé, était en avant de

Mont-Saint-Jean ; sa gauche était appuyée à la chaussée de Charleroi, et occupait la ferme de la Haie-Sainte par une de ses brigades. La gauche, composée des 5e et 6e divisions anglaises, et de la 3e division belge, commandées par les généraux Picton, Lambert et Perchoncher, avait sa droite appuyée à la chaussée de Charleroi, sa gauche en arrière du village de la Haye, qu'elle occupait par un fort détachement. La réserve était à Mont-Saint-Jean, intersection des chaussées de Charleroi et de Nivelles à Bruxelles. La cavalerie, rangée sur trois lignes à la hauteur de Mont-Saint-Jean, garnissait tous les derrières de la ligne de bataille de l'armée, dont l'étendue était de deux mille cinq cents toises[1]. Le front de l'ennemi était couvert par un obstacle naturel. Le plateau était légèrement concave à son centre, et le terrain finissait en pente douce par un ravin plus profond. La 4e division anglaise, commandée par le général Colville, occupait en flanqueurs de droite tous les débouchés depuis Hal jusqu'à Braine-la-Leud. Une brigade de cavalerie anglaise occupait en flanqueurs de gauche tous les débouchés depuis le village d'Ohain. Les forces que l'ennemi montrait étaient diversement évaluées ; mais les officiers les plus exercés les estimaient, en y comprenant les corps de flanqueurs, à quatre-vingt-dix mille hommes, ce qui s'accordait avec les renseignements généraux. L'armée française n'était que de soixante-neuf mille hommes, mais la victoire n'en paraissait pas moins certaine. Ces soixante-neuf mille hommes étaient de bonnes troupes ; et dans l'armée ennemie, les Anglais seuls, qui étaient au nombre de quarante mille hommes au plus, pouvaient être comptés comme tels[2].

[...]

L'empereur parcourut les rangs ; il serait difficile d'exprimer l'enthousiasme qui animait tous les soldats : l'infanterie légère avait ses sackos au bout des baïonnettes ; les cuirassiers, dragons et cavalerie légère, leurs casques ou sackos au bout de leurs sabres. La victoire paraissait certaine ; les vieux soldats qui avaient assisté à tant de combats admirèrent ce nouvel ordre de bataille ; ils cherchaient à pénétrer les vues ultérieures de leur général ; ils discutaient le point et la manière dont devait avoir lieu l'attaque. Pendant ce temps, l'empereur donna ses derniers ordres, et se porta à la tête de sa garde au sommet des six V[1], sur les hauteurs de Rossomme, mit pied à terre ; de là il découvrait les deux armées ; la vue s'étendait fort au loin à droite et à gauche du champ de bataille.

Une bataille est une action dramatique, qui a son commencement, son milieu et sa fin. L'ordre de bataille que prennent les deux armées, les premiers mouvements pour en venir aux mains, sont l'exposition ; les contre-mouvements que fait l'armée attaquée, forment le nœud, ce qui oblige à de nouvelles dispositions et amène la crise d'où naît le résultat, ou dénouement. Aussitôt que l'attaque du centre de l'armée française aurait été démasquée, le général ennemi ferait des contre-mouvements, soit par ses ailes, soit derrière sa ligne, pour faire diversion ou accourir au secours du point attaqué ; aucun de ces mouvements ne pouvait échapper à l'œil exercé de Napoléon dans la position centrale où il s'était placé, et il avait dans sa main toutes ses réserves pour les porter à volonté où l'urgence des circonstances exigerait leur présence.

III. Dix divisions d'artillerie, parmi lesquelles trois divisions de douze, se réunirent, la gauche appuyée à la chaussée de Charleroi sur les monticules au-delà de la Belle-Alliance et en avant de la division de gauche du 1er corps. Elles étaient destinées à soutenir

l'attaque de la Haye-Sainte, que devaient faire deux
divisions du 1er corps et les deux divisions du 6e, dans
le temps que les deux autres divisions du 1er corps se
porteraient sur la Haye. Par ce moyen, toute la gauche
de l'ennemi serait tournée. La division de cavalerie
légère du 6e corps, en colonne serrée, et celle du
1er corps qui était sur ses ailes, devaient participer à
cette attaque, que les 2e et 3e lignes de cavalerie soutiendraient, ainsi que toute la garde à pied et à cheval.
L'armée française, maîtresse de la Haye et de Mont-
Saint-Jean, couperait la chaussée de Bruxelles à toute
la droite de l'armée anglaise, où étaient ses principales forces. L'empereur avait préféré tourner la
gauche de l'ennemi plutôt que sa droite, 1°. afin de le
couper d'avec les Prussiens qui étaient à Wavres, et de
s'opposer à leur réunion s'ils l'avaient préméditée ; et
quand même ils ne l'eussent pas préméditée, si l'attaque se fût faite par la droite, l'armée anglaise repoussée se serait reployée sur l'armée prussienne ; au lieu
que faite sur la gauche, elle en était séparée et jetée
dans la direction de la mer ; 2°. parce que la gauche
parut beaucoup plus faible ; 3°. enfin que l'empereur
attendait à chaque instant l'arrivée d'un détachement
du maréchal Grouchy pour sa droite, et ne voulait pas
courir les chances de s'en trouver séparé.

Pendant que tout se préparait pour cette attaque
décisive, la division du prince Jérôme, sur la gauche,
engagea la fusillade au bois d'Hougomont ; bientôt
elle devint très vive ; l'ennemi ayant démasqué près de
quarante pièces d'artillerie, le général Reille fit avancer la batterie d'artillerie de sa 2e division, et l'empereur envoya l'ordre au général Kellermann de faire
avancer ses douze pièces d'artillerie légère ; la canonnade devint bientôt fort vive. Le prince Jérôme enleva
plusieurs fois le bois d'Hougomont, et plusieurs fois
en fut repoussé ; il était défendu par la division des

gardes anglaises, les meilleures troupes de l'ennemi, qu'on vit avec plaisir être sur sa droite, ce qui rendait plus facile la grande attaque sur la gauche. La division Foy soutint la division du prince Jérôme : il se fit de part et d'autre des prodiges de valeur ; les gardes anglaises couvrirent de leurs cadavres le bois et les avenues du château, mais non sans vendre chèrement leur sang. Après diverses vicissitudes qui occupèrent plusieurs heures de la journée, le bois tout entier resta aux Français ; mais le château où s'étaient crénelés plusieurs centaines de braves, opposait une résistance invincible ; l'empereur ordonna de réunir une batterie de huit obusiers qui mirent le feu aux granges et aux toits, et rendirent les Français maîtres de cette position.

Le maréchal Ney obtint l'honneur de commander la grande attaque du centre ; elle ne pouvait pas être confiée à un homme plus brave et plus accoutumé à ce genre d'affaire. Il envoya un de ses aides de camp prévenir que tout était prêt et qu'il n'attendait plus que le signal. Avant de le donner, l'empereur voulut jeter un dernier regard sur tout le champ de bataille, et aperçut dans la direction de Saint-Lambert un nuage qui lui parut être des troupes. Il dit à son major-général : « — Maréchal, que voyez-vous sur Saint-Lambert ? — J'y crois voir cinq à six mille hommes ; c'est probablement un détachement de Grouchy. » Toutes les lunettes de l'état-major furent fixées sur ce point. Le temps était assez brumeux. Les uns soutenaient, comme il arrive en pareille occasion, qu'il n'y avait pas de troupes, que c'étaient des arbres ; d'autres que c'étaient des colonnes en position ; quelques-uns que c'étaient des troupes en marche. Dans cette incertitude, sans plus délibérer, il fit appeler le lieutenant-général Daumont, et lui ordonna de se porter avec sa division de cavalerie légère et celle du général Subervie pour éclairer sa droite, communiquer promptement avec les troupes qui arrivaient sur Saint-Lambert, opérer la réunion si elle appartenait au maréchal Grouchy, les contenir si elles étaient ennemies. Ces trois mille hommes de cavalerie n'eurent qu'à faire un à droite par quatre pour être hors des lignes de l'armée ; ils se portèrent rapidement et sans confusion à trois mille toises, et s'y rangèrent en bataille, en potence sur toute la droite de l'armée.

IV. Un quart d'heure après un officier de chasseurs amena un hussard noir prussien qui venait d'être fait prisonnier par les coureurs d'une colonne volante de trois cents chasseurs, qui battait l'estrade entre Wavres et Planchenoit. Ce hussard était porteur d'une lettre ; il était fort intelligent, et donna de vive voix tous les renseignements que l'on pût désirer. La colonne qu'on aperçut à Saint-Lambert était l'avant-garde du général prussien Bulow qui arrivait avec trente mille hommes ; c'était le 4e corps prussien qui n'avait pas donné à Ligny. La lettre était effectivement l'annonce de l'arrivée de ce corps ; ce général demandait au duc de Wellington des ordres ultérieurs. Le hussard dit qu'il avait été le matin à Wavres, que les trois autres corps de l'armée prussienne y étaient campés, qu'ils y avaient passé la nuit du 17 au 18, qu'ils n'avaient aucun Français devant eux ; qu'il supposait que les Français avaient marché sur Planchenoit ; qu'une patrouille de son régiment avait été dans la nuit jusqu'à deux lieues de Wavres sans rencontrer aucun corps français. Le duc de Dalmatie expédia sur-le-champ la lettre interceptée et le rapport du hussard au maréchal Grouchy, auquel il réitéra l'ordre de marcher de suite sur Saint-Lambert, et de prendre à dos le corps du général Bulow. Il était onze heures ; l'officier n'avait au plus que quatre ou cinq lieues à faire, toujours sur de bons chemins, pour atteindre le maréchal Grouchy : il promit d'y être à une heure. Par la dernière nouvelle reçue de ce maréchal, on savait qu'il devait, à la pointe du jour, se porter sur Wavres ; or, de Gembloux à Wavres il n'y a que trois lieues : soit qu'il eût ou non reçu les ordres expédiés dans la nuit du quartier impérial, il devait être indubitablement engagé à l'heure qu'il était devant Wavres. Les lunettes dirigées sur ce point n'apercevaient rien ; on n'entendait aucun coup de canon. Peu après, le général Daumont envoya dire que quelques coureurs bien montés, qui le précédaient, avaient rencontré des patrouilles ennemies dans la direction de Saint-Lambert ; qu'on pouvait tenir pour sûr que les troupes que l'on y voyait, étaient ennemies ; qu'il avait envoyé dans plusieurs directions des patrouilles d'élite pour communiquer avec le maréchal Grouchy et lui porter des avis et des ordres.

L'empereur fit ordonner immédiatement au comte de Lobau de traverser la chaussée de Charleroi, par un changement de direction à droite par division, et de se porter pour soutenir la cavalerie légère du côté de Saint-Lambert ; de choisir une bonne position intermédiaire, où il pût, avec dix mille hommes, en arrêter trente mille, si cela devenait nécessaire ; d'attaquer vivement les Prussiens, aussitôt qu'il entendrait les premiers coups de canon des troupes que le maréchal Grouchy avait détachées derrière eux. Ces dispositions furent exécutées sur-le-champ. Il était de la plus haute importance que le mouvement du comte de Lobau se fît sans retard. Le maréchal Grouchy devait avoir, de Wavres, détaché six à sept mille hommes sur Saint-Lambert, lesquels se trouveraient compromis, puisque le corps du général Bulow était de trente mille hommes ; tout comme le corps du général Bulow serait compromis et perdu si, au moment

qu'il serait attaqué en queue par six à sept mille
hommes, il était attaqué en tête par un homme du
caractère du comte de Lobau. Dix-sept à dix-huit
mille Français disposés et commandés ainsi, étaient
d'une valeur bien supérieure à trente mille Prussiens ;
mais ces événements portèrent du changement dans
le premier plan de l'empereur, il se trouva affaibli, sur
le champ de bataille, de dix mille hommes qu'il était
obligé d'envoyer contre le général Bulow ; ce n'était
plus que cinquante-neuf mille hommes qu'il avait
contre quatre-vingt-dix mille ; ainsi l'armée ennemie
contre laquelle il avait à lutter, venait d'être augmentée de trente mille hommes déjà rendus sur le champ
de bataille ; elle était de cent vingt mille hommes
contre soixante-neuf mille, c'était un contre deux.
« Nous avions ce matin quatre-vingt-dix chances pour
nous, dit-il au duc de Dalmatie ; l'arrivée de Bulow
nous en fait perdre trente : mais nous en avons
encore soixante contre quarante, et si Grouchy répare
l'horrible faute qu'il a commise hier de s'amuser à
Gembloux, et envoie son détachement avec rapidité,
la victoire en sera plus décisive, car le corps de Bulow
sera entièrement perdu. »

On était sans inquiétude pour le maréchal
Grouchy ; après le détachement qu'il aurait pu faire
sur Saint-Lambert, il lui restait encore vingt-sept à
vingt-huit mille hommes ; or, les trois corps que le
maréchal Blücher avait à Wavres, qui devant Ligny
étaient de quatre-vingt-dix mille hommes, étaient
réduits à quarante mille, non seulement par la perte
de trente mille qu'il avait éprouvée dans la bataille,
mais aussi par celle de vingt mille hommes qui
s'étaient débandés et ravageaient les bords de la
Meuse, et par quelques détachements auxquels ce
maréchal avait été obligé pour les couvrir, ainsi que
les bagages qui se trouvaient dans la direction de

Namur et de Liège ; or, quarante mille ou quarante-
cinq mille Prussiens, battus, découragés, ne pouvaient pas en imposer à vingt-huit mille Français bien
placés et victorieux.

V. Il était midi, les tirailleurs étaient engagés sur
toute la ligne ; mais le combat n'avait réellement lieu
que sur la gauche, dans le bois et au château d'Hougomont. Du côté de l'extrême droite les troupes du
général Bulow étaient encore stationnaires ; elles
paraissaient se former et attendre que leur artillerie
eût passé le défilé. L'empereur envoya l'ordre au
maréchal Ney de commencer le feu de ses batteries,
de s'emparer de la ferme de la Haye-Sainte et d'y
mettre en position une division d'infanterie ; de
s'emparer également du village de la Haye et d'en
déposter l'ennemi, afin d'intercepter toute communication entre l'armée anglo-hollandaise et le corps
du général Bulow. Quatre-vingts bouches à feu
vomirent bientôt la mort sur toute la gauche de la
ligne anglaise ; une de ses divisions fut entièrement
détruite par les boulets et la mitraille. Pendant que
cette attaque était démasquée, l'empereur observait
avec attention quel serait le mouvement du général
ennemi ; il n'en fit aucun sur sa droite ; mais il s'aperçut qu'il préparait sur la gauche une grande charge
de cavalerie ; il s'y porta au galop. La charge avait eu
lieu ; elle avait repoussé une colonne d'infanterie qui
s'avançait sur le plateau, lui avait enlevé deux aigles
et désorganisé sept pièces de canon. Il ordonna à
une brigade de cuirassiers du général Milhaud, de la
deuxième ligne, de charger cette cavalerie. Elle partit
aux cris de vive l'empereur ; la cavalerie anglaise fut
rompue, la plus grande partie resta sur le champ de
bataille ; les canons furent repris, l'infanterie protégée. Diverses charges d'infanterie et de cavalerie
eurent lieu ; le détail en appartient plus à l'histoire

de chaque régiment, qu'à l'histoire générale de la
bataille, où ces récits multipliés ne porteraient que
du désordre ; il suffit de dire qu'après trois heures de
combat, la ferme de la Haye-Sainte, malgré la résistance des régiments écossais, fut occupée par l'infanterie française ; et le but que s'était promis le général
français obtenu. Les 6e et 5e divisions anglaises
furent détruites, le général Picton resta mort sur le
champ de bataille[1].

L'empereur parcourut pendant ce combat la ligne
d'infanterie du 1er corps ; la ligne de cavalerie des cuirassiers Milhaud et celle en 3e ligne de la garde, au
milieu des boulets, de la mitraille et des obus ; ils rico-
chaient d'une ligne à l'autre. Le brave général Devaux,
commandant l'artillerie de la garde, qui était à ses
côtés, fut enlevé par un boulet : perte sensible, surtout
dans ce moment, puisqu'il savait mieux que personne
les positions qu'occupaient les réserves de l'artillerie
de la garde, fortes de quatre-vingt-seize bouches à
feu. Le général de brigade Lallemand lui succéda, et
fut blessé peu après.

Le désordre était dans l'armée anglaise ; les
bagages, les charrois, les blessés voyant les Français
s'approcher de la chaussée de Bruxelles et du principal débouché de la forêt, accouraient en foule pour
opérer leur retraite. Tous les fuyards anglais, belges,
allemands, qui avaient été sabrés par la cavalerie, se
précipitaient sur Bruxelles. Il était quatre heures ; la
victoire aurait dès lors été décidée ; mais le corps du
général Bulow opéra dans ce moment sa puissante
diversion. Dès deux heures après-midi, le général
Daumont avait fait prévenir que le général Bulow
débouchait sur trois colonnes, et que les chasseurs
français tiraillaient tout en se retirant devant
l'ennemi qui lui paraissait très nombreux ; il l'évaluait
à plus de quarante mille hommes ; il disait de plus

que ses coureurs, bien montés, avaient fait plusieurs lieues dans diverses directions, n'avaient rapporté aucune nouvelle du maréchal Grouchy ; qu'il ne fallait donc pas compter sur lui. Dans ces mêmes moments, l'empereur reçut de Gembloux des nouvelles bien fâcheuses. Le maréchal Grouchy, au lieu d'être parti de Gembloux à la petite pointe du jour, comme il l'avait annoncé par sa dépêche de deux heures après minuit, n'avait pas encore quitté ce camp à dix heures du matin. L'officier l'attribuait à l'horrible temps qu'il faisait ; motif ridicule ; cette inexcusable lenteur dans des circonstances si délicates, de la part d'un officier aussi zélé, ne se pouvait expliquer[1].

[...]

La victoire était encore certaine, mais le maréchal Grouchy n'arriva qu'à quatre heures et demie devant Wavres, et n'attaqua qu'à six heures ; il n'était plus temps !! L'armée française, forte de soixante-neuf mille hommes, qui, à sept heures du soir, était victorieuse d'une armée de cent vingt mille hommes, occupait la moitié du champ de bataille des anglo-hollandais et avait repoussé le corps du général Bulow, se vit arracher la victoire par l'arrivée du maréchal Blücher avec trente mille hommes de troupes fraîches, renfort qui portait l'armée alliée en ligne à près de cent cinquante mille hommes, c'est-à-dire, deux et demi contre un.

X. Aussitôt que l'attaque du général Bulow eut été repoussée, l'empereur donna des ordres au général Drouot, qui faisait les fonctions d'aide major général de la garde, pour rallier toute sa garde en avant de la ferme de la Belle-Alliance, où il était avec huit bataillons qui étaient rangés sur deux lignes ; les huit autres avaient marché pour soutenir la jeune garde et défendre Planchenoit. Cependant la cavalerie, qui continuait à occuper la position sur le plateau d'où elle dominait tout le champ de bataille, s'étant aperçu du mouvement du général Bulow, mais prenant confiance dans les réserves de la garde qu'elle voyait là pour les contenir, n'en conçut pas d'inquiétude et poussa des cris de victoire lorsqu'elle vit ce corps repoussé ; elle n'attendait que l'arrivée de l'infanterie de la garde pour décider de la victoire ; mais elle éprouva de l'étonnement lorsqu'elle aperçut l'arrivée des colonnes nombreuses du maréchal Blücher. Quelques régiments firent un mouvement en arrière ; l'empereur s'en aperçut. Il était de la plus haute importance de redonner contenance à la cavalerie ; et voyant qu'il lui fallait encore un quart d'heure pour rallier toute sa garde, il se mit à la tête de quatre bataillons, et s'avança sur la gauche en avant de la Haye-Sainte, en voyant des aides de camp parcourir la ligne pour annoncer l'arrivée du maréchal Grouchy, et dire qu'avec un peu de contenance, la victoire allait se décider. Le général Reille réunit tout son corps sur la gauche en avant du château d'Hougomont, et prépara son attaque ; il était important que la garde s'engageât tout à la fois, mais les huit autres bataillons étaient encore en arrière. Maîtrisé par les événements, voyant la cavalerie décontenancée, et qu'il fallait une réserve d'infanterie pour la soutenir, il ordonna au général Friant de se porter avec ces quatre bataillons de la moyenne garde au-devant de l'attaque de l'ennemi ; la cavalerie se rassit et marcha en avant avec son intrépidité accoutumée. Les quatre bataillons de la garde repoussèrent tout ce qu'ils rencontrèrent ; des charges de cavalerie portèrent la terreur dans les rangs anglais. Dix minutes après, les autres bataillons de la garde arrivèrent ; l'empereur les rangea par brigades, deux bataillons en bataille et deux en colonnes sur la droite et la gauche ; la

2ᵉ brigade en échelons, ce qui réunissait l'avantage des deux ordres. Le soleil était couché ; le général Friant, blessé, passant dans ce moment, dit que tout allait bien, que l'ennemi paraissait former son arrière-garde pour appuyer sa retraite, mais qu'il serait entiè-rement rompu aussitôt que le reste de la garde débou-cherait. Il fallait un quart d'heure ! C'est dans ce moment que le maréchal Blücher arriva à La Haye et culbuta le corps français qui la défendait ; c'était la 4ᵉ division du 1ᵉʳ corps ; elle se mit en déroute et ne rendit qu'un léger combat. Quoiqu'elle fût attaquée par des forces quadruples, pour peu qu'elle eût montré quelque résolution, ou qu'elle se fût crénelée dans les maisons, il était nuit, le maréchal Blücher n'aurait pas eu le temps de forcer le village. C'est là où l'on dit avoir entendu le cri de sauve qui peut. La trouée faite, la ligne rompue par le peu de vigueur des troupes de La Haye, la cavalerie ennemie inonda le champ de bataille. Le général Bulow marcha en avant, le comte de Lobau fit bonne contenance. La cohue devint telle qu'il fallut ordonner un change-ment de front à la garde qui était formée pour se por-ter en avant. Ce mouvement s'exécuta avec ordre ; la garde fit face en arrière ; la gauche du côté de la Haye-Sainte, et la droite du côté de la Belle-Alliance, faisant front aux Prussiens et à l'attaque de La Haye ; immé-diatement après, chaque bataillon se forma en carré. Les quatre escadrons de service chargèrent les Prus-siens. Dans ce moment la brigade de cavalerie anglaise, qui arrivait d'Ohain, marcha en avant. Ces deux mille chevaux pénétrèrent entre le général Reille et la garde. Le désordre devint épouvantable sur tout le champ de bataille ; l'empereur n'eut que le temps de se mettre sous la protection d'un des carrés de la garde. Si la division de cavalerie de réserve du géné-ral Guyot ne se fût pas engagée sans ordres à la suite des cuirassiers Kellermann, elle eût repoussé cette charge, empêché la cavalerie anglaise de pénétrer sur le champ de bataille, et la garde à pied eût alors pu contenir tous les efforts de l'ennemi. Le général Bulow marcha par sa gauche, débordant toujours tout le champ de bataille. La nuit augmentait le désordre et s'opposait à tout : s'il eût fait jour, et que les troupes eussent pu voir l'empereur, elles se fussent ralliées : rien n'était possible, dans l'obscurité. La garde se mit en retraite, le feu de l'ennemi était déjà à quatre cents toises sur les derrières, et les chaussées coupées. L'empereur, avec son état-major, resta long-temps avec les régiments de la garde sur un mamelon. Quatre pièces de canon qui y étaient, tirèrent vive-ment dans la plaine, la dernière décharge blessa lord Paget, général de la cavalerie anglaise. Enfin, il n'y avait plus un moment à perdre. L'empereur ne put faire sa retraite qu'à travers champ : cavalerie, artille-rie, infanterie, tout était pêle-mêle. L'état-major gagna la petite ville de Gennapes ; il espérait pouvoir y rallier un corps d'arrière-garde ; mais le désordre était épouvantable, tous les efforts qu'on fit furent vains. Il était onze heures du soir. Dans l'impossibilité d'orga-niser une défense, il mit son espoir dans la division Girard, 3e du 2e corps, qu'il avait laissée sur le champ de bataille de Ligny, et à laquelle il avait envoyé l'ordre de se porter aux Quatre-Bras pour soutenir la retraite.

Jamais l'armée française ne s'est mieux battue que dans cette journée ; elle a fait des prodiges de valeur ; et la supériorité des troupes françaises, infanterie, cavalerie, artillerie, était telle sur l'ennemi, que, sans l'arrivée des 1er et 2e corps prussiens, la victoire avait été remportée et eût été complète contre l'armée anglo-hollandaise, et le corps du général Bulow, c'est-à-dire, un contre deux (soixante-neuf mille hommes contre cent vingt mille).

La perte de l'armée anglo-hollandaise et celle du général Bulow furent, pendant la bataille, de beaucoup supérieure à celle des Français, et les pertes que les Français éprouvèrent dans la retraite, quoique très considérables, puisqu'ils eurent six mille prisonniers, ne compensent pas encore les pertes des alliés dans ces quatre jours, perte qu'ils avouent être de soixante mille hommes, savoir : onze mille trois cents Anglais, trois mille cinq cents Hanovriens, huit mille Belges, Nassaus, Brunswichois ; total, vingt-deux mille huit cents, pour l'armée anglo-hollandaise : Prussiens, trente-huit mille ; total général, soixante mille huit cents. Les pertes de l'armée française, même y compris celles éprouvées dans la déroute et jusqu'aux portes de Paris, ont été de quarante-un mille hommes.

La garde impériale a soutenu son ancienne réputation ; mais elle s'est trouvée engagée dans de malheureuses circonstances ; elle était débordée par la droite et la gauche inondée de fuyards et d'ennemis lorsqu'elle a commencé à entrer en ligne ; car si cette garde eût pu se battre, les flancs appuyés, elle eût repoussé les efforts des deux armées ennemies réunies. Pendant plus de quatre heures, douze mille hommes de cavalerie française ont été maîtres d'une partie du champ de bataille de l'ennemi, ont lutté contre toute l'infanterie et contre dix-huit mille hommes de cavalerie anglo-hollandaise qui ont été constamment repoussés dans toutes leurs charges. Le lieutenant-général Duhesme, vieux soldat couvert de blessures, et de la plus grande bravoure, fut fait prisonnier en voulant rallier une arrière-garde. Le comte de Lobau a été pris de même. Cambronne, général de la garde, est resté grièvement blessé sur le champ de bataille. Sur vingt-quatre généraux anglais, douze ont été tués ou blessés grièvement.

Les Hollandais ont perdu trois généraux. Le général français Duhesme a été assassiné le 19 par un hussard de Brunswick, quoique prisonnier ; ce crime est resté impuni. C'était un soldat intrépide, un général consommé qui s'est toujours montré ferme et inébranlable, dans la bonne comme dans la mauvaise fortune.

LAS CASES

Le Mémorial de Sainte-Hélène
(1822)

CHAPITRE HUITIÈME

Relation de la campagne de Waterloo, dictée par Napoléon

Première observation.

« On a reproché à l'Empereur : 1° de s'être démis de la dictature au moment où la France avait le plus grand besoin d'un dictateur[1] ; 2° d'avoir changé les constitutions de l'empire dans un moment où il ne fallait songer qu'à le préserver de l'invasion ; 3° d'avoir souffert qu'on alarmât les Vendéens, qui d'abord avaient refusé de prendre les armes contre le régime impérial ; 4° d'avoir réuni les Chambres, lorsqu'il suffisait de réunir les armées ; 5° d'avoir abdiqué et laissé la France à la merci d'une Assemblée divisée et sans expérience ; car enfin, s'il est vrai qu'il fût impossible de sauver la patrie sans la confiance de la nation, il ne l'est pas moins que la nation, dans ces circonstances critiques, ne pouvait sauver ni son honneur ni son indépendance sans Napoléon. »

[...]

Deuxième observation.

« L'art avec lequel les mouvements des divers corps d'armée ont été dérobés à la connaissance de l'ennemi, au début de la campagne, ne saurait être trop remarqué. Le maréchal Blücher et le duc de Wellington ont été surpris ; ils n'ont rien vu, rien su de tous les mouvements qui s'opéraient près de leurs avant-postes. »

« Pour attaquer les deux armées ennemies, les Français pouvaient déborder leur droite, leur gauche et percer leur centre. Dans le premier cas, ils déboucheraient par Lille et rencontreraient l'armée anglo-hollandaise ; dans le second, ils déboucheraient par Givet et Charlemont, et rencontreraient l'armée prusso-saxonne. Ces deux armées restaient réunies, puisqu'elles seraient pressées l'une sur l'autre, de la droite sur la gauche et de la gauche sur la droite. L'Empereur adopta le parti de couvrir ses mouvements par la Sambre et de percer la ligne des deux armées à Charleroi, point de leur jonction, manœuvrant avec rapidité et habileté. Il trouva ainsi dans les secrets de l'art des moyens supplémentaires qui lui tinrent lieu de cent mille hommes qui lui manquaient. Ce plan fut conçu et exécuté avec audace et sagesse. »

Troisième observation.

« Le caractère de plusieurs généraux avait été détrempé par les événements de 1814 ; ils avaient perdu quelque chose de cette audace, de cette résolution et de cette confiance qui leur avaient valu tant de gloire et avaient tant contribué au succès des campagnes passées[1].

« 1° Le 15 juin, le troisième corps devait prendre les armes à trois heures du matin, et arriver devant

Charleroi à dix heures ; il n'arriva qu'à trois heures après midi.

« 2° Le même jour, l'attaque des bois en avant de Fleurus, qui avait été ordonnée pour quatre heures après midi, n'eut lieu qu'à sept heures. La nuit survint avant qu'on pût entrer à Fleurus, où le projet du chef avait été de placer son quartier général ce même jour. Cette perte de sept heures était bien fâcheuse au début d'une campagne.

« 3° Ney reçut l'ordre de se porter le 16, avec quarante-trois mille hommes qui composaient la gauche qu'il commandait, en avant des Quatre-Bras, d'y prendre position à la pointe du jour, et même de s'y retrancher. Il hésita, perdit huit heures. Le prince d'Orange, avec neuf mille hommes seulement, conserva, le 16, jusqu'à trois heures après midi, cette importante position. Lorsqu'enfin le maréchal reçut à midi l'ordre daté de Fleurus, et qu'il vit que l'Empereur allait en venir aux mains avec les Prussiens, il se porta sur les Quatre-Bras, mais seulement avec la moitié de son monde, et laissa l'autre moitié pour appuyer sa retraite, à deux lieues derrière ; il l'oublia jusqu'à six heures du soir, où il en sentit le besoin pour sa propre défense. Dans les autres campagnes, ce général eût occupé à six heures du matin la position en avant des Quatre-Bras, eût défait et pris toute la division belge ; et eût, ou tourné l'armée prussienne en faisant, par la chaussée de Namur, un détachement qui fût tombé sur les derrières de la ligne de bataille ; ou, en se portant avec rapidité sur la chaussée de Gennapes, il eût surpris en marche et détruit la division de Brunswick et la cinquième division anglaise, qui venaient de Bruxelles, et de là eût marché à la rencontre des première et troisième divisions anglaises, qui arrivaient par la chaussée de Nivelles, l'une et l'autre sans cavalerie ni artillerie, et

harassées de fatigue. Toujours le premier dans le
feu, Ney oubliait les troupes qui n'étaient pas sous
ses yeux. La bravoure que doit montrer un général
en chef est différente de celle que doit avoir un général de division, comme celle-ci ne doit pas être celle
d'un capitaine de grenadiers.

« 4° L'avant-garde de l'armée française n'arriva le
17 devant Waterloo, qu'à six heures du soir : sans de
fâcheuses hésitations, elle y fût arrivée à trois heures.
L'Empereur en parut fort contrarié ; il dit, en montrant le soleil : "Que ne donnerais-je pas pour avoir
aujourd'hui le pouvoir de Josué[1], et retarder sa
marche de deux heures." »

Quatrième observation.

« Jamais le soldat français n'a montré plus de courage, de bonne volonté et d'enthousiasme ; il était
plein du sentiment de sa supériorité sur tous les soldats de l'Europe. Sa confiance dans l'Empereur était
tout entière, et peut-être encore accrue ; mais il était
ombrageux et méfiant envers ses autres chefs. Les
trahisons de 1814 étaient toujours présentes à son
esprit ; tout mouvement qu'il ne comprenait pas
l'inquiétait ; il se croyait trahi. Au moment où les premiers coups de canon se tiraient près de Saint-
Amand, un vieux caporal s'approcha de l'Empereur,
et lui dit : "Sire, méfiez-vous du maréchal Soult ;
soyez certain qu'il nous trahit. — Sois tranquille, lui
répond ce prince, j'en réponds comme de moi." Au
milieu de la bataille, un officier fit le rapport au
maréchal Soult, que le général Vandamme était passé
à l'ennemi ; que ses soldats demandaient à grands
cris qu'on en instruisît l'Empereur. Sur la fin de la
bataille, un dragon, le sabre tout dégouttant de sang,
accourut criant : "Sire, venez vite, à la division, le

général Dhénin[1] harangue les dragons pour passer à l'ennemi. — L'as-tu entendu ? — Non, Sire, mais un officier qui vous cherche l'a vu et m'a chargé de vous le dire." Pendant ce temps, le brave général Dhénin recevait un boulet de canon qui lui emportait une cuisse, après avoir repoussé une charge ennemie.

« Le 14 au soir, le lieutenant-général Bourmont, le colonel C… et l'officier de l'état-major V… avaient déserté du quatrième et passé à l'ennemi. Leurs noms seront en exécration tant que le peuple français formera une nation. Cette désertion avait fort augmenté l'inquiétude du soldat. Il paraît à peu près constant qu'on a crié *sauve qui peut !* à la quatrième division du premier corps, le soir de la bataille de Waterloo, à l'attaque du village de La Haye, par le maréchal Blücher. Ce village n'a pas été défendu comme il devait l'être. Il est également probable que plusieurs officiers porteurs d'ordres ont disparu. Mais si quelques officiers ont déserté, pas un seul soldat ne s'est rendu coupable de ce crime. Plusieurs se tuèrent sur le champ de bataille où ils étaient restés blessés, lorsqu'ils apprirent la déroute de l'armée. »

Cinquième observation.

« Dans la journée du 17, l'armée française se trouva partagée en trois parties : soixante-neuf mille hommes, sous les ordres de l'Empereur, marchèrent sur Bruxelles, par la chaussée de Charleroi ; trente-quatre mille hommes, sous les ordres du maréchal Grouchy, se dirigèrent sur cette capitale par la chaussée de Wavres, à la suite des Prussiens ; sept à huit mille hommes restèrent sur le champ de bataille de Ligny, savoir : trois mille hommes de la division Girard, pour porter secours aux blessés, et former, dans tous les cas imprévus, une réserve aux Quatre-

Bras ; quatre à cinq mille hommes, formant les parcs de réserve, restèrent à Fleurus et à Charleroi. Les trente-quatre mille hommes du maréchal Grouchy, ayant cent huit pièces de canon, étaient suffisants pour culbuter l'arrière-garde prussienne dans toutes les positions qu'elle prendrait, presser la retraite de l'armée vaincue, et la contenir. C'était un beau résultat de la victoire de Ligny de pouvoir ainsi opposer trente-quatre mille hommes à une armée qui avait été de cent vingt mille hommes. Les soixante-neuf mille hommes sous les ordres de l'Empereur étaient suffisants pour battre l'armée anglo-hollandaise, de quatre-vingt-dix mille hommes. La disproportion qui existait le 15 entre les deux masses belligérantes, qui étaient alors dans le rapport d'un à deux, était bien changée ; elle n'était plus que dans le rapport de trois à quatre. Si l'armée anglo-hollandaise avait battu les soixante-neuf mille hommes qui marchaient contre elle, on eût pu reprocher à Napoléon d'avoir mal calculé ; mais il est constant, même de l'aveu des ennemis, que sans l'arrivée du général Blücher, l'armée anglo-hollandaise aurait perdu son champ de bataille entre huit et neuf heures du soir. Sans l'arrivée du maréchal Blücher à huit heures du soir, avec ses premier et deuxième corps, la marche sur Bruxelles, sur deux colonnes, pendant la journée du 17, avait plusieurs avantages. La gauche poussait et contenait l'armée anglo-hollandaise ; la droite, sous les ordres du maréchal Grouchy, poursuivait et contenait l'armée prusso-saxonne, et le soir, toute l'armée française devait se trouver réunie sur une ligne de cinq petites lieues de Mont-Saint-Jean à Wavres, ayant ses avant-postes au bord de la forêt. Mais la faute que fit le maréchal Grouchy, de s'arrêter le 17 à Gembloux, n'ayant fait dans la journée que deux petites lieues, au lieu de continuer jusque vis-à-vis Wavres, c'est-à-dire d'en faire encore trois, fut aggravée et rendue irréparable par celle qu'il fit le lendemain 18, en perdant douze heures, et n'arrivant qu'à quatre heures après midi devant Wavres, au lieu d'y arriver à six heures du matin.

« 1° Chargé de poursuivre le maréchal Blücher, Grouchy le perdit de vue pendant vingt-quatre heures, depuis le 17 à quatre heures après midi, jusqu'au 18 à quatre heures après midi.

« 2° Le mouvement de la cavalerie, sur le plateau, pendant que l'attaque du général Bulow n'était pas encore repoussée, fut un accident fâcheux. L'intention du chef était d'ordonner ce mouvement, mais une heure plus tard, et de le faire soutenir par les seize bataillons d'infanterie de la garde et cent pièces de canon.

« 3° Les grenadiers à cheval et les dragons de la garde, que commandait le général Guyot, s'engagèrent sans ordre. Ainsi, à cinq heures après midi, l'armée se trouva sans avoir une réserve de cavalerie. Si à huit heures et demie cette réserve eût existé, l'orage qui bouleversa le champ de bataille eût été conjuré, les charges de cavalerie ennemie repoussées, les deux armées eussent couché sur le champ de bataille, malgré l'arrivée successive du général Bulow et du maréchal Blücher ; l'avantage eût encore été pour l'armée française, car les trente-quatre mille hommes du maréchal Grouchy, ayant cent huit pièces de canon, étaient frais et bivouaquèrent sur le champ de bataille. Les deux armées ennemies se fussent dans la nuit couvertes par la forêt de Soignes. L'usage constant dans toutes les batailles était que la division des grenadiers et dragons de la garde ne perdît pas de vue l'Empereur, et ne chargeât qu'en vertu d'un ordre donné verbalement par ce prince au général qui la commandait.

« Le maréchal Mortier, qui commandait en chef la garde, quitta ce commandement le 15 à Beaumont, comme les hostilités commençaient : il ne fut pas remplacé, ce qui eut plusieurs inconvénients. »
[...]

[Dans la sixième et la septième observation, Napoléon expose successivement les erreurs de commandement et de manœuvres des armées prussienne et anglo-hollandaise, ainsi que la victoire des Quatre-Bras.]

Huitième observation.

« 1° Le général anglais a livré le 18 la bataille de Waterloo. Ce parti était contraire aux intérêts de sa nation, au plan général de guerre adopté par les alliés ; il violait toutes les règles de la guerre. Il n'était pas de l'intérêt de l'Angleterre, qui a besoin de tant d'hommes pour recruter ses armées des Indes, de ses colonies d'Amérique, et de ses vastes établissements, de s'exposer de gaieté de cœur à une lutte meurtrière, qui pouvait lui faire perdre la seule armée qu'elle eût, et lui coûter tout au moins le plus pur de son sang. Le plan de guerre des alliés consistait à agir en masse, et à ne s'engager dans aucune affaire partielle. Rien n'était plus contraire à leur intérêt et à leur plan que d'exposer le succès de leur cause dans une bataille chanceuse, à peu près à force égale, où toutes probabilités étaient contre eux. Si l'armée anglo-hollandaise eût été détruite à Waterloo, qu'eût servi aux alliés ce grand nombre d'armées qui se disposaient à franchir le Rhin, les Alpes et les Pyrénées ?
« 2° Le général anglais, en prenant la résolution de recevoir la bataille à Waterloo, ne la fondait que sur

la coopération des Prussiens ; mais cette coopération ne pouvait avoir lieu que dans l'après-midi : il restait donc exposé seul, depuis quatre heures du matin jusqu'à cinq heures du soir, c'est-à-dire pendant treize heures : une bataille ne dure pas ordinairement plus de six heures : cette coopération était donc illusoire.

« Mais, pour compter sur la coopération des Prussiens, il supposait donc que l'armée française était tout entière vis-à-vis de lui, et si cela était, il prétendait donc, pendant treize heures, avec quatre-vingt-dix mille hommes de troupes des diverses nations, défendre son champ de bataille contre une armée de cent quatre mille Français. Ce calcul était évidemment faux : il ne se fût pas maintenu trois heures ; tout aurait été décidé à huit heures du matin, et les Prussiens ne seraient arrivés que pour être pris à revers. Dans une même journée, les deux armées eussent été détruites. S'il comptait qu'une partie de l'armée française aurait, conformément aux règles de la guerre, suivi l'armée prussienne, il devait dès lors lui être évident qu'il n'en aurait aucune assistance, et que les Prussiens, battus à Ligny, ayant perdu vingt-cinq à trente mille hommes sur le champ de bataille, en ayant eu vingt mille d'éparpillés, poursuivis par trente-cinq ou quarante mille Français victorieux, ne se seraient pas dégarnis, et se seraient crus à peine suffisants pour se maintenir. Dans ce cas, l'armée anglo-hollandaise aurait dû seule soutenir l'effort de soixante-neuf mille Français pendant toute la journée du 18 ; et il n'est pas d'Anglais qui ne convienne que le résultat de cette lutte n'était pas douteux, et que leur armée n'était pas constituée de manière à supporter le choc de l'armée impériale pendant quatre heures.

« Pendant toute la nuit du 17 au 18, le temps a été horrible, ce qui a rendu les terres impraticables jusqu'à neuf heures du matin. Cette perte de six heures depuis la pointe du jour a été tout à l'avantage de l'ennemi ; mais son général pouvait-il faire dépendre le sort d'une pareille lutte du temps qu'il faisait dans la nuit du 17 au 18 ? Le maréchal Grouchy, avec trente-quatre mille hommes et cent huit pièces de canon, a trouvé le secret, qui paraissait introuvable, de n'être, dans la journée du 18, ni sur le champ de bataille de Mont-Saint-Jean, ni sur Wavres. Mais le général anglais avait-il l'assurance de ce maréchal qu'il se fourvoierait d'une si étrange manière ? La conduite du maréchal Grouchy était aussi imprévoyable, que si, sur sa route, son armée eût éprouvé un tremblement de terre qui l'eût engloutie. Récapitulons. Si le maréchal Grouchy eût été sur le champ de bataille de Mont-Saint-Jean, comme l'ont cru le général anglais et le général prussien, pendant toute la nuit du 17 au 18, et toute la matinée du 18, et que le temps eût permis à l'armée française de se ranger en bataille à quatre heures du matin, avant sept heures l'armée anglo-hollandaise eût été écharpée, éparpillée ; elle eût tout perdu ; et si le temps n'eût permis à l'armée française de prendre son ordre de bataille qu'à dix heures, à une heure après midi l'armée anglo-hollandaise eût fini ses destins ; les débris en eussent été rejetés au-delà de la forêt ou dans la direction de Hal ; et l'on eût eu tout le temps dans la soirée d'aller à la rencontre du maréchal Blücher, et de lui faire éprouver un pareil sort. Si le maréchal Grouchy eût campé devant Wavres la nuit du 17 au 18, l'armée prussienne n'eût fait aucun détachement pour sauver l'armée anglaise, et celle-ci eût été complètement battue par les soixante-neuf mille Français qui lui étaient opposés.

« 3° La position de Mont-Saint-Jean était mal choisie. La première condition d'un champ de bataille, est de n'avoir pas de défilés sur ses derrières. Pendant la bataille, le général anglais ne sut pas tirer parti de sa nombreuse cavalerie, il ne jugea pas qu'il devait être et serait attaqué par sa gauche ; il crut qu'il le serait par sa droite. Malgré la diversion opérée en sa faveur par les trente mille Prussiens du général Bülow, il eût deux fois opéré sa retraite dans la journée, si cela lui eût été possible. Ainsi, par le fait, ô étrange bizarrerie des événements humains ! le mauvais choix de son champ de bataille, qui rendait toute retraite impossible, a été la cause de son succès !!! »

Neuvième observation.

« On demandera : Que devait donc faire le général anglais après la bataille de Ligny et le combat des Quatre-Bras ? La postérité n'aura pas deux opinions : il devait traverser, dans la nuit du 17 au 18, la forêt de Soignes, sur la chaussée de Charleroi ; l'armée prussienne la devait également traverser sur la chaussée de Wavres ; les deux armées se réunir, à la pointe du jour, sur Bruxelles ; laisser des arrière-gardes pour défendre la forêt ; gagner quelques jours pour donner le temps aux Prussiens, dispersés par la bataille de Ligny, de rejoindre leur armée, se renforcer de quatorze régiments anglais qui étaient en garnison dans les places fortes de la Belgique, où ils venaient de débarquer à Ostende, de retour d'Amérique, et laisser manœuvrer l'empereur des Français comme il aurait voulu. Aurait-il, avec une armée de cent mille hommes, traversé la forêt de Soignes pour attaquer au débouché, les deux armées réunies, fortes de plus de deux cent mille hommes et en position ? C'était certainement tout ce qui pouvait arriver de plus avantageux aux alliés. Se serait-il contenté de prendre lui-même position ? Son inaction ne pouvait pas être longue, puisque trois cent mille Russes, Autrichiens, Bavarois, etc., étaient arrivés sur le Rhin : ils seraient dans peu de semaines sur la Marne, ce qui l'obligerait à accourir au secours de la capitale. C'est alors que l'armée anglo-prussienne devait marcher et se joindre aux alliés sous Paris. Elle n'aurait couru aucune chance, n'aurait éprouvé aucune perte, aurait agi conformément aux intérêts de la nation anglaise, au plan général de la guerre adopté par les alliés, et aux règles de l'art de la guerre. Du 15 au 18, le duc de Wellington a constamment manœuvré comme l'a désiré son ennemi ; il n'a rien fait de ce que celui-ci craignait qu'il fît[1]. L'infanterie anglaise a été ferme et solide, la cavalerie pouvait mieux faire ; l'armée anglo-hollandaise a été deux fois sauvée dans la journée par les Prussiens ; la première fois, avant trois heures, par l'arrivée du général Bülow avec trente mille hommes, et la deuxième fois par l'arrivée du général Blücher avec trente et un mille hommes. Dans cette journée, soixante-neuf mille Français ont battu cent vingt mille hommes ; la victoire leur a été arrachée entre huit et neuf heures ; mais par cent cinquante mille hommes.

« Qu'on se figure la contenance du peuple de Londres au moment où il aurait appris la catastrophe de son armée, et que l'on avait prodigué le plus pur de son sang pour soutenir la cause des rois contre celle des peuples, des privilégiés contre l'égalité, des oligarques contre les libéraux, des principes de la sainte-alliance contre ceux de la souveraineté du peuple[2] !!! »

II

Les vainqueurs

ARTHUR WELLESLEY,
DUC DE WELLINGTON

« Rapport officiel sur la bataille de Waterloo »
(19 juin 1815)

Le récit de Waterloo qu'a donné Arthur Wellesley, plus connu sous le nom de duc de Wellington, est empreint de la marque des vainqueurs qui écrivent l'histoire. Le duc narre une bataille incertaine jusqu'à la fin, fait le bilan macabre de la journée et distille les éloges aux officiers placés sous son commandement qui ont fait preuve de bravoure sous le feu.

La relation de Wellington est publiée dans la presse française, au Moniteur, *dès le 27 juin 1815, alors que la guerre n'est pas terminée. C'est que les nouvelles du front arrivent à Paris au compte-gouttes ; mis à part le résumé des opérations de Napoléon, les Français n'ont pas d'autres renseignements sur les circonstances de la bataille. Le journal* Le Nain jaune *écrit même qu'on en apprit davantage grâce au texte de Wellington que par les autres sources. C'est dire l'importance et l'impact sur les esprits du rapport officiel du commandant en chef anglais qui souligne la victoire totale des troupes alliées.*

À l'inverse de Napoléon qui moquera, dans ses Mémoires sur 1815, l'impéritie du plan et la folie de la conduite du duc de Wellington, ce dernier tient à rendre hommage à la valeur du soldat français. À l'évidence, le duc montra de la résolution dans son plan puisqu'il attendit sans faillir le renfort de l'armée prussienne ; il fit aussi preuve de fermeté dans son commandement puisqu'il aurait répondu à un officier venant lui demander les ordres : « Il n'y en a pas d'autre à donner que de tenir jusqu'au dernier homme[1]. » *Wellington reçut les honneurs de sa patrie et fut érigé en héros de la nation anglaise. Le lendemain du 18 juin, il aurait dit à un ami : « Que Dieu m'accorde de n'avoir plus de batailles à soutenir*[11]. » *Il fut exaucé puisque, après la capitulation de Paris, il perçut 200 000 livres sterling et commença une carrière politique. Comme pour Napoléon Waterloo fut sa dernière bataille. Après plus de vingt ans d'une guerre européenne, une génération de généraux s'éteint, une ère s'achève dans la plaine de Waterloo, qui dégoûta littéralement de la guerre et de ses bains de sang les générations futures, s'il en était besoin.*

Au comte Bathurst

Waterloo, 19 juin 1815

« Mylord,

« Bonaparte, ayant réuni du 10 au 14 de ce mois, les 1er, 2e, 3e, 4e et 6e corps de l'armée française, ainsi que la garde impériale, et presque toute la cavalerie, sur la Sambre et sur le territoire situé entre cette rivière et la Meuse, s'avança le 15, à la pointe du jour, et attaqua les postes prussiens établis à Thuin et à Lobbes, sur la Sambre.

« Je ne connus ces événements que dans la soirée du 15 ; et sur-le-champ, je donnai l'ordre aux troupes de se préparer à marcher ; ensuite, je les fis diriger contre la gauche de l'ennemi, aussitôt que j'eus appris que son mouvement s'opérait sur Charleroi.

« L'ennemi chassa, ce jour-là, les Prussiens de leurs positions sur la Sambre. Le général Zieten, qui commandait le corps de troupes établi à Charleroi[1],

I. Propos rapporté notamment par Henry Houssaye dans *1815, Waterloo.*
II. Cité par Robert Margerit dans son *Waterloo.*

se retira sur Fleurus. Le maréchal, prince Blücher, concentra l'armée prussienne sur Sombreffe, occupant les villages de Saint-Amand et de Ligny, situés en face de sa position.

« L'ennemi continua sa marche sur la route de Charleroi à Bruxelles ; et dans la soirée du même jour, le 15, il attaqua une brigade de l'armée hollandaise, sous le commandement du prince de Weimar, laquelle était postée à Frasnes, et il la força de se retirer jusqu'à la ferme nommée les Quatre-Bras, située sur le chemin.

« Le prince d'Orange[1] la renforça tout de suite d'une autre brigade de la même division, commandée par le général Perponcher ; et le lendemain, de bonne heure, il reprit le terrain qu'il avait perdu ; ce qui le rendit maître des communications avec la position du maréchal Blücher, par Nivelles et Bruxelles.

« Dans l'intervalle, j'avais fait marcher toute l'armée sur les Quatre-Bras ; et la division aux ordres du lieutenant-général sir Thomas Picton arriva à deux heures et demie du soir, suivie du corps de troupes du duc de Brunswick, et ensuite du contingent de Nassau.

« En même temps, l'ennemi commença à attaquer, avec toutes ses forces, le prince Blücher ; à l'exception des 1er et 2e corps, et d'un corps de cavalerie du général Kellermann, qui attaquèrent notre position aux Quatre-Bras.

« L'armée prussienne conserva sa position avec sa bravoure et sa persévérance accoutumées : malgré la grande disparité des forces, le 4e corps, sous les ordres du général Bulow, n'ayant point encore rejoint, il me fut impossible de lui donner du renfort, comme je le désirais, étant attaqué moi-même, et les troupes, surtout la cavalerie, qui avaient une longue marche à faire pour me joindre, n'étant point encore arrivées.

« Nous conservâmes aussi notre position, et repoussâmes les efforts que fit l'ennemi pour s'en rendre maître. Il nous attaqua à plusieurs reprises avec des corps nombreux d'infanterie et de cavalerie, soutenus par une artillerie formidable, fit plusieurs charges de cavalerie sur notre infanterie, et fut toujours repoussé avec la plus grande vigueur.

« Dans cette affaire, Son Altesse Royale le prince d'Orange, le duc de Brunswick, le lieutenant-général sir Thomas Picton, les majors-généraux sir James Kempt et sir Denis Pack, qui se trouvèrent engagés depuis le commencement de l'affaire, se distinguèrent, ainsi que le lieutenant-général Charles baron Alten, le major-général sir Colin Ralkett, le lieutenant-général Cooke, et les majors-généraux Martland et Byng, à mesure qu'ils arrivèrent successivement. Les troupes de la 5e division et celles du corps de Brunswick furent engagées pendant longtemps, et se conduisirent avec la plus grande bravoure, surtout les 28e, 42e, 79e et 92e régiments, ainsi que le bataillon de Hanovriens.

« Notre perte a été considérable, comme Votre Seigneurie le verra par les états que j'envoie. J'ai particulièrement à regretter Sa Sérénissime Altesse le duc de Brunswick, qui a été tué en combattant vaillamment à la tête de ses troupes.

« Quoique le maréchal Blücher eût conservé sa position à Sombreffe, il se trouva si affaibli par la violence du combat qu'il avait eu à soutenir, qu'il se détermina, lorsqu'il vit que le 4e corps n'arrivait pas, à reculer et à concentrer son armée sur Wavre. Il se mit en marche dans la nuit, après que l'affaire fut finie.

« Ce mouvement du maréchal m'obligea à en faire un correspondant, et je me retirai de la ferme des

Quatre-Bras sur Genappe, et le lendemain, 17, à dix heures du matin, je me portai sur Waterloo.

« L'ennemi ne fit aucun mouvement pour poursuivre le maréchal Blücher ; au contraire, une patrouille, que j'envoyai dans la matinée à Sombreffe, trouva tout tranquille[1] ; et les vedettes de l'ennemi se retirèrent à l'approche de la patrouille. L'ennemi ne fit non plus aucune tentative pour inquiéter notre arrière-garde, quoique notre retraite s'opérât en plein jour ; il se contenta de faire suivre, par un gros corps de cavalerie, tiré de son aile droite, la cavalerie sous les ordres du comte d'Uxbridge.

« Cela fournit l'occasion à lord Uxbridge de faire une charge à la tête du 1er régiment des gardes-du-corps, au moment où l'ennemi débouchait du village de Genappe ; Sa Seigneurie se loue de la conduite de ce régiment dans cette occasion.

« La position, que je pris en avant de Waterloo, coupait les grand-routes de Charleroi et de Nivelles, et était appuyée sur la droite à un ravin près de Merbe-Braine qui fut occupé ; la gauche s'étendait à une hauteur qui couronnait le hameau Ter-la-Haye, qui fut également occupé. En tête de la droite de notre centre, et près la route de Nivelles, nous occupions la maison et le jardin de Hougoumont, ce qui, de ce côté, couvrait notre flanc ; en tête de notre centre, sur la gauche, nous occupions la ferme de la Haye-Sainte. Par notre gauche, nous communiquions par Ohain avec le maréchal prince Blücher, qui se trouvait à Wavre. Ce maréchal m'avait promis, dans le cas où nous serions attaqués, de me soutenir par un ou plusieurs de ses corps, selon que cela serait jugé nécessaire.

« Dans la nuit du 17 et dans la matinée d'hier, l'ennemi rassembla toute son armée, à l'exception du 3e corps, qui fut envoyé pour observer le maréchal

Blücher, sur une chaîne de hauteurs qui nous faisaient face ; et, vers les dix heures, il attaqua avec la
plus grande vigueur notre poste à Hougoumont.
J'avais fait occuper ce poste par un détachement de la
brigade des gardes, sous les ordres du général Byng,
qui se tint en position en arrière. Ce poste fut pendant
quelque temps sous les ordres du lieutenant-colonel
Macdonell, et ensuite sous ceux du colonel Home ; et
il m'est agréable de pouvoir ajouter que, pendant
toute la journée, il fut maintenu avec la plus grande
intrépidité par ces braves troupes, nonobstant les
efforts répétés de l'ennemi pour s'en emparer.

« Cette attaque sur la droite de notre centre fut
accompagnée d'une forte canonnade sur toute notre
ligne, dont l'objet était de soutenir les charges de
cavalerie et d'infanterie faites à plusieurs reprises,
tantôt simultanément, tantôt l'une après l'autre. Dans
une de ces charges, l'ennemi enleva la ferme de la
Haye-Sainte ; le détachement d'infanterie légère, à
qui la garde en était confiée, ayant épuisé toutes ses
munitions, et ne pouvant en recevoir, parce que
l'ennemi occupait la seule communication que nous
avions avec ce point.

« L'ennemi chargea à plusieurs reprises notre infanterie avec sa cavalerie ; mais ce fut sans succès, et il ne
fit par là que fournir à notre cavalerie l'occasion de
faire plusieurs charges brillantes, dans lesquelles se
sont particulièrement distinguées la brigade de lord
Édouard Somerset, composée des gardes du corps,
des gardes royaux et du 1er régiment de dragons de la
garde, et celle du major-général sir William Ponsonby
qui se sont emparées d'un aigle, et ont fait un grand
nombre de prisonniers.

« Ces attaques furent répétées jusqu'à environ sept
heures du soir, lorsque l'ennemi fit une attaque désespérée avec sa cavalerie et son infanterie, soutenues

par le feu de l'artillerie pour forcer la gauche de notre centre près la ferme de la Haye-Sainte. Après un combat obstiné, il fut défait; et ayant remarqué que ses troupes se retiraient dans une grande confusion[1], et que le corps de Bulow avait commencé à marcher par Frischermont sur Plancenoit et la Belle-Alliance, dès que je pus apercevoir le feu de ses canons, et que le maréchal prince Blücher eut joint en personne avec un corps de son armée, la gauche de notre ligne par Ohain, je me décidai à attaquer l'ennemi, et fis avancer toute la ligne d'infanterie soutenue par la cavalerie et l'artillerie. L'attaque réussit complètement sur tous les points; l'ennemi fut chassé de ses positions sur les hauteurs, et se retira dans la plus grande confusion, laissant derrière lui, autant que j'en puis juger, cent cinquante pièces de canon avec leurs munitions qui tombèrent entre nos mains.

« Je continuai à le poursuivre longtemps après la chute du jour, et ne cessai qu'à raison de la fatigue de nos troupes, qui combattaient depuis douze heures, et de ce que le maréchal Blücher, avec qui je me trouvai sur la même route, m'assura qu'il poursuivrait l'ennemi toute la nuit. Il m'a fait savoir ce matin, qu'il avait pris soixante pièces de canon de la garde impériale, et plusieurs voitures, bagages, etc., de Bonaparte, qui se trouvaient à Genappe.

« Je me propose de marcher sur Nivelles, et de ne pas discontinuer mes opérations.

« Votre Seigneurie remarquera qu'une affaire aussi désespérée, et de tels avantages ne peuvent avoir eu lieu sans une grande perte, et j'ai la douleur d'ajouter que la nôtre a été immense. Sa Majesté a perdu dans le lieutenant-général sir Thomas Picton un officier qui s'était distingué si souvent à son service; il est mort glorieusement en conduisant sa division à une charge à la baïonnette, qui a repoussé une des plus sérieuses attaques que l'ennemi eût faites sur notre position. Le comte d'Uxbridge, après avoir, toute la journée, combattu avec succès, a reçu une blessure presque au dernier coup qui a été tiré, et je crains que Sa Majesté ne soit privée pour quelque temps de ses services.

« Son Altesse Royale le prince d'Orange s'est distinguée par sa bravoure jusqu'à ce qu'elle ait été blessée à l'épaule d'une balle de fusil, ce qui l'a obligée à quitter le champ de bataille.

« J'ai la satisfaction d'assurer à Votre Seigneurie que l'armée ne s'est mieux conduite dans aucune occasion. La division des gardes du lieutenant-général Cooke, qui est grièvement blessé ; les majors-généraux Martland et Byng ont donné un exemple qui a été suivi par tous, et il n'y a point d'officier ni de corps de toute arme qui ne se soient bien conduits.

« Je dois pourtant recommander particulièrement à l'attention de Son Altesse Royale : le lieutenant-général sir Henri Clinton, le major-général Adam, le lieutenant-général Charles baron Alten (grièvement blessé), le major-général sir Colin Ralkett (grièvement blessé), le colonel Ompteda, le colonel Mitchell (commandant une brigade de la 4ᵉ division), les majors-généraux sir James Kempt et sir Denis Pack, le major-général Lambert, le major-général lord Édouard Somerset, le major-général sir William Ponsonby[1], le major-général sir Colquhoun Grant, le major-général sir Hussey Vivian, le major-général sir J. O. Vandeleur, ainsi que le général-major comte Dornberg.

« Je dois aussi beaucoup dans cette occasion, comme dans toutes les autres, au secours du général lord Hill.

« L'artillerie et le génie ont été dirigés à ma grande satisfaction par les colonels sir George Wood et

Smith ; et j'ai tout lieu d'être content de la conduite de l'adjudant-général, major-général Barnes, qui a été blessé ; et du quartier-maître général colonel De Lancey, qui a été tué par un boulet dans le milieu de l'affaire. La perte de cet officier est en ce moment fort à regretter pour le service de Sa Majesté, ainsi que pour moi en particulier.

« Je dois aussi beaucoup au courage du lieutenant-colonel lord Fitzroy Somerset, qui a été grièvement blessé, ainsi qu'aux officiers de mon état-major, qui ont beaucoup souffert dans l'affaire. Le lieutenant-colonel, l'honorable sir Alexandre Gordon, qui est mort de ses blessures, était un officier de la plus grande espérance ; et c'est une perte sérieuse pour le service de Sa Majesté.

« Le général Kruse, au service de Nassau[1], s'est également conduit à ma satisfaction, ainsi que le général Tripp, commandant la brigade de grosse cavalerie, et le général Vanhope, commandant une brigade d'infanterie du roi des Pays-Bas.

« Le général Pozzo di Borgo, le général baron Vincent, le général Müffling[2] et le général Alava ont assisté à toute l'affaire, et m'ont rendu tous les services qui étaient en leur pouvoir. Le baron Vincent est blessé légèrement, et le général Pozzo di Borgo a reçu une contusion.

« Je dois rendre justice au maréchal Blücher et à l'armée prussienne en attribuant l'heureux résultat de cette terrible journée aux secours qu'ils m'ont donnés à propos, et avec la plus grande cordialité. Le mouvement du général Bulow sur le flanc de l'ennemi a été décisif ; et si je ne m'étais pas trouvé moi-même en position de faire l'attaque qui a décidé de l'affaire, il aurait forcé les Français à se retirer si leurs attaques n'avaient pas réussi ; et les aurait au moins empêchés d'en tirer aucun fruit, si elles avaient eu du succès.

« Depuis que j'ai écrit ce qui précède, j'ai appris que le major-général sir William Ponsonby est tué ; et en l'annonçant à Votre Seigneurie, je dois y joindre l'expression de mes regrets sur le destin d'un officier qui avait déjà rendu de très brillants et très importants services, et qui était l'ornement de sa profession.

« J'envoie avec cette dépêche deux aigles que nos troupes ont prises dans l'affaire[1], et que le major Percy aura l'honneur de mettre aux pieds de Son Altesse Royale. Je prends la liberté de le recommander à la protection de Votre Seigneurie.

« J'ai l'honneur d'être, etc.

« WELLINGTON. »

MARÉCHAL BLÜCHER

« Rapport officiel sur les opérations de l'armée prussienne du Bas-Rhin »
(1815)

Autre vainqueur, autre relation de Waterloo, où l'on sent cette fierté d'avoir triomphé d'un ennemi aussi illustre que détesté, Napoléon. Le rapport officiel prussien de la bataille du 18 juin est rédigé par le général Gneisenau, chef d'état-major du maréchal Blücher qui commande l'armée prussienne à Waterloo. Gneisenau, âgé de cinquante-quatre ans en 1815, est l'auteur de plusieurs ouvrages consacrés à la stratégie militaire et aux études topographiques de champs de bataille. Sa relation de Waterloo donne de précieuses indications sur la marche de l'armée prussienne de laquelle dépendait l'issue de la bataille. En effet, si l'armée anglaise reste statique le 18 juin, regroupée devant la forêt de Soignies, les troupes prussiennes, elles, opèrent des mouvements décisifs qui permettent de leurrer le corps de Grouchy et de rejoindre, vers 16 h, le champ de bataille pour apporter des renforts à l'armée anglaise.

Le rapport officiel moque la déroute de la Grande Armée et révèle cette décision du commandement prussien, dénoncée par Napoléon, de ne pas faire de quartier à l'égard des fuyards français. Le texte témoigne du fait que les Prussiens nourrissaient une vive haine pour l'empereur français qui les avait tant de fois vaincus et avait humilié leur nation en ayant aboli le Saint Empire pour fonder une simple Confédération du Rhin, mise sous protectorat français en 1806. Le maréchal Blücher, une fois maître de Paris, haïssait tant Napoléon qu'il entreprit de faire enlever nuitamment « le

monstre » pour l'humilier et le faire fusiller afin de « rendre
un service à l'humanité », écrivait-il à sa femme le 27 juin.

L'historiographie allemande sur Waterloo doit surtout au
général Oskar von Lettow-Vorbeck une histoire de la campagne de 1815 intitulée La Chute de Napoléon, *publiée en
1904 et jamais traduite en français.*

« Le 17, dans la soirée, l'armée prussienne se
concentra dans les environs de Wavre. Napoléon se
mit en mouvement contre lord Wellington, sur la
grand-route qui conduit de Charleroi à Bruxelles. Une
division anglaise soutint le même jour (16) un combat
très vif près des Quatre-Bras. Lord Wellington prit
position sur la route qui conduit à Bruxelles, ayant
son aile droite appuyée sur Braine-l'Alleud, son centre
près de Mont-Saint-Jean et son aile gauche appuyée à
la Haye-Sainte. Lord Wellington écrivit au feld-
maréchal qu'il était résolu à accepter la bataille dans
cette position, si le feld-maréchal pouvait l'appuyer
avec deux corps d'armée. Celui-ci offrit de faire marcher toute son armée ; et proposa même, dans le cas
où Napoléon n'attaquerait pas, que les alliés allassent
l'attaquer le lendemain avec toutes leurs forces. Cela
peut servir à prouver combien peu la bataille du 16
avait désorganisé l'armée prussienne ou abattu son
moral. Ainsi fut terminée la journée du 17.

BATAILLE DU 18

« Au point du jour, l'armée prussienne commença
à se mettre en mouvement. Le 4ᵉ et le 2ᵉ corps
marchèrent par Saint-Lambert, où ils devaient
prendre une position couverte par la forêt (près
Frischermont), afin de prendre l'ennemi sur les der-

rières, quand le moment paraîtrait favorable. Le
1er corps devait agir par Ohain sur le flanc droit de
l'ennemi. Le 3e corps devait suivre lentement pour
porter des secours en cas de besoin. La bataille
commença vers dix heures du matin. L'armée
anglaise occupait les hauteurs de Mont-Saint-Jean ;
celle des Français était sur les hauteurs devant
Plancenoit : la première était de 80 000 hommes,
l'ennemi en avait plus de 130 000. En peu de temps,
la bataille devint générale tout le long de la ligne. Il
paraît que Napoléon avait le dessein de pousser l'aile
gauche sur le centre, et par là d'effectuer la séparation de l'armée anglaise de celle de Prusse, qu'il
croyait devoir se retirer sur Maestricht. Dans ce dessein, il avait placé la plus grande partie de sa réserve
dans le centre, contre son aile droite ; et c'est sur ce
point qu'il attaqua avec fureur. L'armée anglaise
combattit avec un courage qu'il est impossible de surpasser. Les charges répétées de la vieille garde furent
repoussées par l'intrépidité des régiments écossais ;
et à chaque charge, la cavalerie française était renversée par la cavalerie anglaise. Mais la supériorité en
nombre de l'ennemi était trop grande : Napoléon
ramenait continuellement des masses considérables,
et quelque fermeté que les troupes anglaises missent
pour se maintenir dans leurs positions, il n'était pas
possible que tant d'efforts héroïques n'eussent un
terme.

« Il était quatre heures et demie. La difficulté extraordinaire du passage par le défilé de Saint-Lambert
avait considérablement retardé la marche des troupes
prussiennes : de sorte qu'il n'y avait que deux brigades
du 4e corps qui fussent arrivées à la position couverte
qui leur avait été assignée. Le moment décisif était
arrivé ; il n'y avait pas un instant à perdre : les généraux ne le laissèrent pas échapper. Ils résolurent de

commencer l'attaque sur-le-champ avec les troupes qu'ils avaient sous la main. En conséquence, le général Bulow avec deux brigades et un corps de cavalerie s'avança rapidement sur le derrière de l'aile droite de l'ennemi. L'ennemi ne perdit pas sa présence d'esprit ; il tourna dans l'instant sa réserve contre nous, et de ce côté commença un combat meurtrier. Le succès de ce combat demeura longtemps douteux, pendant que la bataille avec l'armée anglaise continuait avec la même violence.

« Vers les six heures du soir, nous reçûmes la nouvelle que le général Thielmann [1] avec le 3e corps, était attaqué près de Wavre par un corps très considérable de l'ennemi, et que déjà l'on se disputait la possession de la ville. Le feld-maréchal cependant ne fut pas beaucoup inquiet de cette nouvelle. C'était sur le lieu où il était et non pas ailleurs, que l'affaire devait se décider. On ne pouvait obtenir la victoire que par un combat soutenu continuellement avec la même opiniâtreté, et par de nouvelles troupes ; et si on pouvait l'emporter sur le lieu où l'on était, tout revers du côté de Wavre était de peu de conséquence. C'est pourquoi les colonnes continuèrent leur mouvement.

« Il était sept heures et demie, et l'issue de la bataille était encore incertaine. Tout le 4e corps et une partie du 2e, sous le général Pirch, avaient été successivement engagés. Les troupes françaises combattaient avec toute la fureur du désespoir ; cependant, on pouvait apercevoir quelque incertitude dans leurs mouvements ; et on observa que quelques pièces de canon se retiraient. Dans ce moment, les premières colonnes du corps du général Zieten arrivèrent sur les points d'attaque, près du village de Smohain, sur le flanc gauche de l'ennemi ; elles chargèrent sur-le-champ. Ce mouvement décida la défaite de l'ennemi. Son aile droite fut rompue en trois endroits et il abandonna ses positions. Nos troupes se précipitèrent alors au pas de charge, et attaquèrent l'ennemi de tous les côtés, pendant que toute la ligne anglaise s'avançait.

« Les circonstances étaient extrêmement favorables à l'attaque par l'armée prussienne ; le terrain s'élevait en amphithéâtre, de manière que notre artillerie pouvait ouvrir librement son feu du sommet de plusieurs hauteurs qui s'élevaient graduellement l'une au-dessus de l'autre et entre lesquelles, les troupes descendues dans les plaines se formaient en brigades et dans le plus grand ordre ; tandis que de nouvelles troupes se développaient continuellement au sortir de la forêt sur les hauteurs de derrière. L'ennemi, cependant, conservait encore des moyens de retraite, jusqu'à ce qu'on eût emporté, après plusieurs attaques sanglantes, le village de Plancenoit, qui était sur ses derrières, défendu par la garde.

« Dès ce moment-là, la retraite devint une déroute qui s'étendit bientôt à toute l'armée française, qui, dans une terrible confusion, renversant tout ce qui semblait devoir l'arrêter, prit bientôt l'apparence d'une armée de barbares en fuite. Il était neuf heures et demie du soir ; tous les officiers supérieurs furent réunis et eurent ordre d'employer jusqu'au dernier cheval et jusqu'au dernier homme à la poursuite de l'ennemi[1].

« L'avant-garde de l'armée accéléra sa marche. L'armée française, poursuivie sans relâche, était entièrement désorganisée. La chaussée présentait l'image d'un immense naufrage, elle était couverte d'une immense quantité de canons, de caissons, de chariots, de bagages, d'armes et de débris de toute espèce. Ceux de l'ennemi qui voulaient se reposer un moment et qui ne s'attendaient pas à être poursuivis si rapidement, furent successivement repoussés de plus de neuf bivouacs. Ceux qui voulaient se maintenir dans les villages, ou prenaient la fuite au premier son d'un tambour ou d'une trompette ; ou, se retirant dans les maisons, y étaient taillés en pièces ou faits prisonniers. Le clair de lune favorisait beaucoup la poursuite qui n'était qu'une véritable chasse, soit dans les champs, soit dans les maisons.

« À Genappe, l'ennemi s'était retranché avec du canon et des chariots renversés : à notre approche, nous entendîmes soudain dans la ville un grand bruit, et un mouvement de chariots ; nous fûmes exposés en y entrant à un feu très vif de mousqueterie, auquel nous répondîmes par quelques coups de canon, suivis d'un *hourrah !* et bientôt après, la ville fut à nous. Ce fut là qu'entre autres équipages, on prit la voiture de Napoléon ; il venait de la quitter pour monter à cheval et avec tant de précipitation qu'il y avait oublié son épée et son chapeau[1]. Les affaires continuèrent ainsi jusqu'à la pointe du jour. Environ quarante mille hommes dans le plus grand désordre et en partie sans armes furent tout ce que l'ennemi put sauver dans sa retraite par Charleroi ; vingt-sept pièces de canon furent tout ce qu'il emmena de sa nombreuse artillerie.

« L'ennemi, dans sa fuite, avait dépassé toutes ses forteresses, la seule défense de ses frontières, qui sont franchies maintenant par nos armées.

« À trois heures, Napoléon avait dépêché, du champ de bataille, un courrier à Paris avec la nouvelle que la victoire n'était plus douteuse ; quelques heures après, il ne lui restait plus d'armée. Nous n'avons pas encore le détail exact de la perte de l'ennemi ; il suffit de savoir que les deux tiers de toute l'armée ont été tués, blessés ou faits prisonniers. Parmi ces derniers sont les généraux Mouton (de Lobau), Duhesme, et Compans. Nous avons en notre possession environ trois cents canons et plus de cinq cents caissons[2].

« Peu de victoires ont été aussi complètes ; et il n'y a certainement pas d'exemple qu'une armée, deux jours après avoir perdu une bataille, se soit engagée dans une telle affaire et s'y soit maintenue aussi glorieusement. Honneur aux troupes capables de tant de fermeté et de tant de valeur !

« Au milieu de la position occupée par l'armée française et exactement sur la hauteur, se trouve une ferme appelée *La Belle Alliance*. La marche de toutes les colonnes prussiennes fut dirigée vers cette ferme, qui était visible de tous les côtés. C'était là que Napoléon se trouvait pendant la bataille ; c'était de là qu'il donnait ses ordres ; là, qu'il se flattait de l'espoir de la victoire ; et ce fut là que sa ruine fut consommée[1]. Ce fut là aussi que, par une chance heureuse, le feld-maréchal Blücher et lord Wellington se rencontrèrent dans l'obscurité, et se saluèrent mutuellement vainqueurs. En commémoration de l'alliance qui existe maintenant entre les nations anglaise et prussienne, de l'union des deux armées et de leur confiance réciproque, le feld-maréchal a désiré que cette bataille portât le nom de *La Belle Alliance*[2].

« Par ordre du feld-maréchal Blücher,

« LE GÉNÉRAL GNEISENAU. »

« Affaires de France »

(*Moniteur de Gand*, 20 juin 1815)

Le temps des guerres révolutionnaires, où des royalistes français émigrés unissaient leurs forces avec l'armée de la coalition des puissances étrangères, ne se retrouve pas en 1815. Il n'y a pas de soldats français défendant le trône des Bourbons à Waterloo. Et pourtant, ces partisans de la couronne sont les bénéficiaires de la défaite de Napoléon : ils sont victorieux sans avoir livré bataille. C'est en tout cas ce que suggère cet article monarchiste paru dans le Moniteur de Gand *le 20 juin 1815, deux jours après Waterloo.*

Après une Première Restauration des Bourbons qui dura environ dix mois, Louis XVIII, frère de Louis XVI, se voit contraint de prendre la fuite parce que Napoléon va de succès en succès sur la route qui le conduit de Cannes à Paris, inaugurant l'épisode des Cent-Jours. Louis XVIII quitte Paris le 19 mars pour aller se réfugier dans la ville de Gand, dans l'actuelle Belgique. À cinquante kilomètres au nord-ouest de Bruxelles et quatre-vingts du champ de bataille de Waterloo, Gand devient le siège de la cour du roi où ce dernier tente de maintenir un semblant de légitimité, entouré d'une poignée de fidèles. Les frères Bertin y fondent, dès le 14 avril, un journal appelé Moniteur universel, *destiné à être l'organe officiel du pouvoir royal pour ne pas abandonner l'espace de la presse aux périodiques de l'Empire. Rebaptisé* Journal universel *mais plus connu sous le nom de* Moniteur de Gand, *ce journal paraît jusqu'au 21 juin 1815, deux fois par semaine. Des figures telles que Chateaubriand, Lally-Tolendal, Jaucourt*

ou encore Beugnot, ministres et conseillers du roi, y colla-
borent régulièrement.

L'article du 20 juin revient sur la bataille de Waterloo,
célébrée comme une victoire des puissances alliées et des
amis de la France. L'auteur s'évertue à présenter Louis XVIII
comme monarque légitime et seul souverain destiné à régner
sur le trône. On retrouve les constantes de la rhétorique
royaliste anti-bonapartiste, qui peint un Napoléon usurpa-
teur, conquérant insatiable et étranger à la défense des inté-
rêts de la France. Chateaubriand a compris, mieux que les
autres, qu'il ne fallait pas que la séparation entre le roi et son
peuple puisse laisser supposer une rupture entre la nation et
la couronne. L'homme de lettres écrit un article dans lequel
il plaide en faveur d'une charte plus libérale que celle de la
Première Restauration afin de concilier, comme l'a fait en
partie Napoléon, l'Ancien Régime et la Révolution. Dans
l'article sur Waterloo, on semble s'éloigner d'un compromis,
même si son auteur, partisan de Louis XVIII, fait le portrait
d'un roi modéré, pacifique et populaire, dont l'acclamation
par les habitants de Gand doit préfigurer un retour triom-
phal aux Tuileries. Ce retour se fera le 8 juillet dans une
atmosphère en demi-teinte. C'est davantage la victoire de la
paix que celle des royalistes qui semble justifier le retour du
roi à Paris.

Gand, ce 20 juin 1815

La victoire la plus complète vient d'être remportée
sur l'ennemi et l'oppresseur de la France, par une partie des forces destinées à châtier le perturbateur de la
paix publique. Voulant prévenir l'époque prochaine à
laquelle toutes les armées de l'Europe allaient fondre
ensemble sur lui, Napoléon Buonaparte avait réuni
l'élite de ses troupes, ou plutôt il avait concentré
toutes celles dont il pouvait disposer, persuadé de
l'avantage que lui donnerait une attaque inopinée

contre un des points occupés par les alliés. Il s'est brusquement jeté, le 15, sur la division prussienne du général Ziethen, s'est emparé de Charleroi, s'est porté rapidement en avant, pendant que les divers corps de l'armée prussienne étaient contraints de se replier pour effectuer leur jonction, et que le duc de Wellington, malgré plusieurs succès partiels obtenus par son armée, était également obligé de faire un mouvement rétrograde, en maintenant ses communications avec le prince Blücher. Ne pouvant encore, à défaut de rapports officiels, rendre exactement compte des combats successifs et des manœuvres qui ont eu lieu pendant ces opérations, nous devons nous borner à un récit très imparfait des immenses résultats dont nous sommes informés. Le 17, l'armée anglaise était en position à Waterloo, village situé à l'entrée de la forêt de Soignies. Elle se mit en ligne avec l'armée prussienne qui sur ces entrefaites avait été rejointe par la division du général Bulow, et c'est la mémorable journée du 18 qui a terminé de la manière la plus heureuse, pour les alliés, la lutte sanglante et opiniâtre qui durait depuis le 15. L'audace de l'usurpateur, son plan d'agression[1], médité avec une longue réflexion, exécuté avec cette dévorante activité qui le caractérise et que redoublait la crainte d'un irréparable revers, la rage féroce de ses complices, le fanatisme de ses soldats, leur bravoure digne d'une meilleure cause, tout a cédé au génie du duc de Wellington, à cet ascendant de la véritable gloire sur une détestable renommée[2]. L'armée de Buonaparte, cette armée qui n'est plus française que de nom, depuis qu'elle est la terreur et le fléau de la patrie, a été vaincue et presqu'entièrement détruite[3]. Une nombreuse artillerie que l'on évalue dans le premier moment à 150 pièces de canon est tombée entre les mains des alliés. On ne sait point encore le nombre des prisonniers, qui est immense. Nous attendons, à tout moment, les particularités de cette grande victoire, qui est décisive pour l'issue de cette *guerre sociale* dont elle doit avancer l'heureux terme.

On ne sait encore où s'arrêteront les débris dispersés des forces de Napoléon Buonaparte. Les Russes et les Autrichiens ont déjà certainement passé la frontière, et peuvent, avant peu, se joindre à l'armée victorieuse. Ainsi sont déjoués, à la fois, tous les projets du tyran. Il ne peut offrir à ses partisans abusés, ni l'éclat d'une conquête, à laquelle une réunion d'importants intérêts lui faisait attacher tant de prix, ni l'espoir d'éloigner la prochaine invasion du territoire français. Les conséquences de son agression rendront impraticable un plan de défense pour couvrir la frontière de la France ; elles laissent, sur cette frontière, l'adversaire le plus redoutable de la tyrannie, un bon roi près d'une population fidèle ; enfin, elles facilitent la paisible occupation de plusieurs départements, et, par conséquent, préviennent les désordres inévitables dont l'usurpateur comptait se faire un moyen d'exciter un injuste ressentiment contre les alliés ; car, jusqu'aux fléaux qu'il attire sur la France, tout devient, dans ses calculs barbares, un expédient propre à multiplier ses dupes et ses victimes. Mais un grand revers a trompé son attente, un grand châtiment le poursuit, et l'invincible main qui le conduit à sa perte semble, en même temps, détourner quelques-unes des calamités dont sa résistance menaçait la nation qu'il s'efforçait d'associer à ses périls, comme si elle participait à ses crimes

Gand a offert, ces quatre derniers jours, un spectacle aussi touchant qu'extraordinaire. La population, inquiète, s'attroupait sous les fenêtres du roi de France ; elle semblait attacher ses vœux, ses craintes et ses espérances à la destinée du vertueux et vénérable monarque. Si des bruits sinistres se répandaient, elle paraissait abattue. Si l'on annonçait un succès, elle criait aussitôt : *Vive le roi !* Il n'y a point de marque d'intérêt que les Gantois n'aient donné dans ce moment aux Français royalistes, envers lesquels ils exercent depuis trois mois la plus noble et la plus généreuse hospitalité. Dans cette grande cause de l'humanité, la différence de patrie s'était effacée, et tous ceux qui détestaient Buonaparte étaient du même pays. Si quelque chose pouvait augmenter l'horreur qu'il inspire, ce serait le massacre de tant d'hommes immolés de nouveau à son abominable ambition, homme à qui le règne de Louis-le-Désiré[1] assurait une vie longue, heureuse et paisible ! Les complices de l'usurpateur nous diront-ils encore que leur maître est adoré dans la Belgique ? Ces braves soldats, qu'il espérait corrompre, lui ont appris que l'on ne trouve pas toujours des traîtres, et que le plus grand courage peut s'allier avec la plus honorable fidélité. Le Roi de France touché des sentiments que lui témoignaient les habitants de cette grande ville n'a point voulu les quitter ; il n'a point voulu s'éloigner davantage d'une patrie qui l'appelle, lors même que l'incertitude des événements militaires, son âge, sa santé et le salut de la France attaché à sa personne, semblaient commander une retraite. Il est resté pour ainsi dire aux avant-postes, avec cette sérénité que lui ont toujours donnée ses longs malheurs une conscience sans reproches, et une espérance sans bornes dans la justice de la Providence. Lorsque la victoire a été connue, les transports du peuple ont éclaté avec une vivacité dont il y a peu d'exemples, on entendait répéter une seconde fois le mot de l'empereur Alexandre : *la cause de l'humanité est gagnée !* Le Roi cédant aux instances de la foule a paru à la fenêtre. On a été singulièrement frappé de son air grave : le peuple dans son ivresse s'attendait à lire la même joie sur le front de Louis XVIII. Mais on a bientôt senti avec attendrissement, que la juste satisfaction du Roi de France pour les triomphes les plus légitimes, n'étouffaient point dans ce cœur paternel des sentiments qui ont résisté à la plus noire des ingratitudes.

Quelques instants auparavant, le Roi, par un de ces mots qui le montrent tout entier, avait dit au duc de Bellune[1], admis à l'honneur de dîner avec Sa Majesté : « M. le maréchal, jamais je n'ai bu au succès des alliés avant la Restauration : leur cause était juste : mais j'ignorais leurs desseins sur la France. Aujourd'hui qu'ils sont les alliés de ma couronne, qu'ils combattent non des Français, mais des Buonapartistes[2], qu'ils se dévouent si noblement pour la délivrance de mes peuples et le repos du monde, nous pouvons saluer la victoire sans cesser d'être Français. »

III

Les témoins

« Lettre de M. le maréchal prince de la Moskowa, à S. Exc. M. le duc d'Otrante »

(26 juin 1815)

L'histoire de Ney est caractéristique de l'époque de boule-versement majeur qu'est la France révolutionnaire et napo-léonienne. Fils de tonnelier à Sarrelouis, il est un humble sous-officier quand la Révolution éclate et finit maréchal de France et prince de la Moskowa en 1815. La guerre est alors un formidable ascenseur social. Sa relation avec Napoléon est marquée du sceau de l'ambiguïté, comme le prouve sa lettre adressée à Fouché après la défaite de Waterloo.

Celui que Napoléon appelait « le brave des braves » avait rallié Louis XVIII après la première abdication de l'empe-reur. Lorsque ce dernier débarque dans le golfe Juan, Ney est mis à la tête d'une armée et chargé d'arrêter l'homme sous lequel il avait servi et qu'il admirait tant. Mais il tombe dans les bras de Napoléon à qui il demande pardon d'avoir douté de lui. Les deux hommes se réconcilient. Ney sollicite un modeste grade de grenadier. Napoléon refuse et le fait pair de France dans la nouvelle Chambre des pairs, le nomme inspecteur des frontières du Nord, puis, à la veille de livrer bataille, le met à la tête de huit divisions d'infante-rie et quatre de cavalerie dans la guerre qui s'ouvre contre les puissances étrangères.

Sur les champs de bataille des Quatre-Bras et de Waterloo, Ney charge les Anglais avec un courage indéfectible et une démesure qui confine parfois à l'aveuglement. Il cherche une mort qu'il ne trouve pas. Vestale, Turc et Limousine sont tués sous lui à Waterloo. Ce sont ses chevaux. Il en perdra d'autres. Mais lui survit et parvient à regagner Paris où le débat s'ouvre sur les causes de la déroute. La relation de la bataille de Napoléon déclenche une vaste polémique. Ney est-il, avec Grouchy, le responsable de la défaite ?

Le 22 juin, le pays est toujours en guerre, l'ennemi approche. Ce jour, Ney siège comme pair de France à la Chambre. À la tribune, on y lit des lettres d'officiers subalternes plutôt optimistes sur les forces militaires à opposer aux troupes ennemies qui pénètrent en France. Dans un élan aussi spontané qu'irréfléchi, Ney prononce un discours dans lequel il rétablit la vérité sur l'état des armées françaises : la désorganisation serait complète ; il n'y aurait pas d'autre choix que d'engager des pourparlers de paix avec l'ennemi, et donc de capituler. Le lendemain, ce discours est publié de manière tronquée dans Le Moniteur. La France découvre un de ses plus valeureux soldats lui proposer de déposer les armes sans lutter.

Pour réparer l'erreur de son discours franc mais défaitiste, et en réponse à la relation de la bataille par Napoléon qui lui reproche des erreurs de commandement, Ney écrit le 26 juin 1815 à Fouché, récemment porté à la présidence d'un gouvernement provisoire, afin de justifier sa conduite à Waterloo. La lettre paraît le 28 juin dans le Journal de l'Empire, ancien Journal des débats. Ney s'y montre moins défaitiste sur l'état de l'armée et surtout relève les erreurs de commandement de Napoléon à Waterloo. Le propos est iconoclaste et s'insère dans un contexte de crise politique où l'autorité et la légitimité de Napoléon sont fissurées et remises en cause par une opposition parlementaire qui pousse pour son abdication.

À son retour de Waterloo, Ney se sentait en danger et avait obtenu de Fouché deux passeports pour Lausanne, en Suisse, datés du 20 juin, mais il ne put se résoudre à quitter la France car c'eût été l'abandonner en temps de guerre. Ney sera finalement jugé et condamné à mort pour trahison sous la Deuxième Restauration. Napoléon, de son îlot rocheux à Sainte-Hélène, suivit le procès d'un œil sec et confia à Las Cases que si Ney avait obtenu quelque titre de gloire dans sa vie, c'était à lui qu'il le devait, ajoutant : « Sa

gloire est à m'avouer ! » Relation certes ambiguë que la leur,
comme la lettre au duc d'Otrante le montre bien.

Monsieur le duc,

Les bruits les plus diffamants et les plus mensongers
se répandent, depuis quelques jours, dans le public,
sur la conduite que j'ai tenue dans cette courte et malheureuse campagne ; les journaux les répètent et
semblent accréditer la plus odieuse calomnie. Après
avoir combattu pendant 25 ans, et versé mon sang
pour la gloire et l'indépendance de ma Patrie, c'est moi
que l'on ose accuser de trahison ; c'est moi que l'on
signale au peuple, à l'armée même, comme l'auteur du
désastre qu'elle vient d'essuyer[1] ! Forcé de rompre le
silence, car s'il est toujours pénible de parler de soi,
c'est surtout lorsque l'on a à repousser la calomnie, je
m'adresse à vous, M. le duc, comme président du Gouvernement provisoire, pour vous tracer un exposé
fidèle de ce dont j'ai été témoin.

Le 11 juin, je reçus l'ordre du ministre de la guerre
de me rendre au quartier impérial : je n'avais aucun
commandement, ni aucunes données sur la composition et la force de l'armée ; l'Empereur, ni le Ministre
ne m'avaient jamais rien dit précédemment qui pût
même me faire pressentir que je dusse être employé
dans cette campagne ; j'étais conséquemment pris au
dépourvu, sans chevaux, sans équipages, sans argent,
et je fus obligé d'en emprunter pour me rendre à ma
destination. Arrivé le 12 à Laon, le 13 à Avesnes et le
14 à Beaumont, j'achetai, dans cette dernière ville, de
M. le maréchal duc de Trévise, deux chevaux, avec lesquels je me rendis, le 15, à Charleroi, accompagné de
mon premier aide-de-camp, le seul officier que j'eusse
auprès de moi ; j'y arrivai au moment où l'ennemi,

attaqué par nos troupes légères, se repliait sur *Fleurus* et *Gosselies*.

L'Empereur m'ordonna aussitôt d'aller me mettre à la tête des 1er et 2e corps d'infanterie, commandés par les lieutenants-généraux d'Erlon et Reille, de la division de cavalerie légère du lieutenant-général Piré, d'une division de cavalerie légère de la garde, sous les ordres des lieutenants-généraux Lefebvre-Desnouettes[1] et Colbert, et de deux divisions de cavalerie du comte de Valmy, ce qui formait huit divisions d'infanterie et quatre de cavalerie. Avec ces troupes, dont cependant je n'avais encore qu'une partie sous la main, je poussai l'ennemi et l'obligeai d'évacuer *Gosselies*, *Frasnes*, *Mellet* et *Heppignies* : là, elles prirent position le soir, à l'exception du 1er corps, qui était encore à Marchiennes et qui ne me rejoignit que le lendemain.

Le 16, je reçus l'ordre d'attaquer les Anglais dans leur position des Quatre-Bras ; nous marchâmes à l'ennemi, avec un enthousiasme difficile à dépeindre ; rien ne résistait à notre impétuosité ; la bataille devenait générale et la victoire n'était pas douteuse, lorsqu'au moment où j'allais faire avancer le 1er corps d'infanterie, qui jusque-là avait été laissé par moi en réserve à Frasnes, j'appris que l'Empereur en avait disposé, sans m'en prévenir, ainsi que de la division Girard du 2e corps, pour les diriger sur Saint-Amand, et appuyer son aile gauche qui était fortement engagée contre les Prussiens : le coup que me porta cette nouvelle fut terrible ; n'ayant plus sous mes ordres que trois divisions, au lieu de huit sur lesquelles je comptais, je fus obligé de laisser échapper la victoire, et malgré tous mes efforts, malgré la bravoure et le dévouement de mes troupes, je ne pus parvenir dès lors qu'à me maintenir dans ma position jusqu'à la fin de la journée. Vers neuf heures du soir, le 1er corps me fut renvoyé par l'Empereur, auquel il n'avait été d'aucune utilité : ainsi vingt-cinq à trente mille hommes ont été pour ainsi dire paralysés et se sont promenés pendant toute la bataille, l'arme au bras, de la gauche à la droite, et de la droite à la gauche, sans tirer un seul coup de fusil.

Il m'est impossible de ne pas suspendre un instant ces détails, pour vous faire remarquer, M. le duc, toutes les conséquences de ce faux mouvement, et en général, des mauvaises dispositions prises pendant cette journée.

Par quelle fatalité, par exemple, l'Empereur, au lieu de porter toutes ses forces contre lord Wellington, qui aurait été attaqué à l'improviste et ne se trouvait point en mesure, a-t-il regardé cette attaque comme secondaire ? Comment l'Empereur, après le passage de la Sambre, a-t-il pu concevoir la possibilité de donner deux batailles le même jour ? C'est cependant ce qui vient de se passer contre des forces doubles des nôtres, et c'est ce que les militaires qui l'ont vu ont encore peine à comprendre.

Au lieu de cela, s'il avait laissé un corps d'observation pour contenir les Prussiens, et marché avec ses plus fortes masses, pour m'appuyer, l'armée anglaise était indubitablement détruite entre les Quatre-Bras et Genappes, et cette position qui séparait les deux armées alliées, une fois en notre pouvoir, donnait à l'Empereur la facilité de déborder la droite des Prussiens, et de les écraser à leur tour. L'opinion générale, en France et surtout dans l'armée, était que l'Empereur ne voulait s'attacher qu'à détruire d'abord l'armée anglaise, et les circonstances étaient bien favorables pour cela ; mais les destins en ont ordonné autrement.

Le 17, l'armée marcha dans la direction de Mont-Saint-Jean.

Le 18, la bataille commença vers une heure, et

quoique le bulletin qui en donne le récit[1] ne fasse aucune mention de moi, je n'ai pas besoin d'affirmer que j'y étais présent.

M. le lieutenant-général comte Drouot a déjà parlé de cette bataille, dans la chambre des Pairs ; sa narration est exacte, à l'exception toutefois de quelques faits importants qu'il a tus ou qu'il a ignorés, et que je dois faire connaître. Vers sept heures du soir, après le plus affreux carnage que j'aie jamais vu, le général La Bedoyère vint me dire de la part de l'Empereur, que M. le maréchal Grouchy arrivait à notre droite et attaquait la gauche des Anglais et Prussiens réunis ; cet officier général en parcourant la ligne, répandit cette nouvelle parmi les soldats dont le courage et le dévouement étaient toujours les mêmes, et qui en donnèrent de nouvelles preuves en ce moment, malgré la fatigue dont ils étaient exténués ; cependant, quel fut mon étonnement, je dois dire mon indignation, quand j'appris quelques instants après, que non seulement M. le maréchal Grouchy n'était point arrivé à notre appui, comme on venait de l'assurer à toute l'armée, mais que quarante à cinquante mille Prussiens attaquaient notre extrême droite et la forçaient de se replier. Soit que l'Empereur se fût trompé sur le moment où M. le maréchal Grouchy pouvait le soutenir, soit que la marche de ce maréchal eût été plus retardée qu'on l'avait présumé par les efforts de l'ennemi, le fait est qu'au moment où l'on nous annonçait son arrivée, il n'était encore que vers Wavres sur la Dyle : c'était pour nous, comme s'il se fût trouvé à cent lieues de notre champ de bataille.

Peu de temps après, je vis arriver quatre régiments de la moyenne garde, conduits par l'Empereur en personne, qui voulait, avec ces troupes, renouveler l'attaque et enfoncer le centre de l'ennemi ; il m'ordonna de marcher à leur tête avec le général Friant : généraux, officiers, soldats, tous montrèrent la plus grande intrépidité, mais ce corps de troupes était trop faible pour pouvoir résister longtemps aux forces que l'ennemi lui opposait, et il fallut bientôt renoncer à l'espoir que cette attaque avait donné, pendant quelques instants. Le général Friant a été frappé d'une balle à côté de moi ; moi-même, j'ai eu mon cheval tué[1] et j'ai été renversé sous lui. Les braves qui reviendront de cette terrible affaire me rendront, j'espère, la justice de dire qu'ils m'ont vu à pied, l'épée à la main, pendant toute la soirée, et que je n'ai quitté cette scène de carnage, que l'un des derniers, et au moment où la retraite a été forcée.

Cependant les Prussiens continuaient leur mouvement offensif, et notre droite pliait sensiblement ; les Anglais marchèrent, à leur tour, en avant. Il nous restait encore quatre carrés de la vieille garde, placés avantageusement pour protéger la retraite ; ces braves grenadiers, l'élite de l'armée, forcés de se replier successivement, n'ont cédé le terrain que pied à pied, jusqu'à ce qu'enfin accablés par le nombre, ils ont été presqu'entièrement détruits. Dès lors, le mouvement rétrograde fut prononcé, et l'armée ne forma plus qu'une colonne confuse ; il n'y a cependant jamais eu de déroute, ni de cri *sauve qui peut*, ainsi qu'on en a osé calomnier l'armée dans le bulletin. Pour moi, constamment à l'arrière-garde que je suivis à pied, ayant eu tous mes chevaux tués, exténué de fatigue, couvert de contusions, et ne me sentant plus la force de marcher, je dois la vie à un caporal de la garde qui me soutint dans ma marche, et ne m'abandonna point pendant cette retraite. Vers onze heures du soir, je trouvai le lieutenant-général Lefebvre-Desnouettes, et l'un de ses officiers, le major Schmidt, eut la générosité de me donner le seul cheval qui lui restât. C'est ainsi que j'arrivai à Marchiennes-au-Pont, à quatre heures du matin, seul, sans officiers, ignorant ce qu'était devenu l'empereur que, quelque temps avant la fin de la bataille, j'avais entièrement perdu de vue, et que je pouvais croire pris ou tué. Le général Pamphile Lacroix, chef de l'état-major du deuxième corps, que je trouvai dans cette ville, m'ayant dit que l'empereur était à Charleroi, je dus supposer que Sa Majesté allait se mettre à la tête du corps de monsieur le maréchal Grouchy, pour couvrir la Sambre, et faciliter aux troupes les moyens de se rallier vers Avesnes, et dans cette persuasion, je me rendis à Beaumont ; mais des partis de cavalerie nous suivant de très près et ayant déjà intercepté les routes de Maubeuge et de Philippeville, je reconnus qu'il était de toute impossibilité d'arrêter un seul soldat sur ce point, et de s'opposer aux progrès d'un ennemi victorieux. Je continuai ma marche sur Avesne, où je ne pus obtenir aucuns renseignements sur ce qu'était devenu l'Empereur.

Dans cet état de choses, n'ayant de nouvelles ni de Sa Majesté, ni du major général, le désordre croissant à chaque instant, et, à l'exception des débris de quelques régiments de la garde et de la ligne, chacun s'en allant de son côté, je pris la détermination de me rendre sur-le-champ à Paris, par Saint-Quentin, pour faire connaître le plus promptement possible au ministre de la guerre[1] la véritable situation des affaires, afin qu'il pût au moins envoyer au devant de l'armée quelques troupes nouvelles, et prendre rapidement les mesures que nécessitaient les circonstances. À mon arrivée au Bourget, à trois lieues de Paris, j'appris que l'empereur y avait passé le matin à neuf heures.

Voilà, monsieur le duc, le récit exact de cette funeste campagne.

Maintenant, je le demande à ceux qui ont survécu à cette belle et nombreuse armée : de quelle manière pourrait-on m'accuser du désastre dont elle vient d'être victime, et dont nos fastes militaires n'offrent point d'exemple ? J'ai dit-on, trahi la Patrie, moi qui, pour la servir, ai toujours montré un zèle que peut-être j'ai poussé trop loin, et qui a pu m'égarer ; mais cette calomnie n'est et ne peut être appuyée d'aucun fait, d'aucune circonstance, d'aucune présomption. D'où peuvent cependant provenir ces bruits odieux qui se sont répandus tout à coup avec une effrayante rapidité ? Si, dans les recherches que je pourrais faire à cet égard, je ne craignais presqu'autant de découvrir que d'ignorer la vérité, je dirais que tout me porte à croire que j'ai été indignement trompé, et qu'on cherche à envelopper du voile de la trahison les fautes et les extravagances de cette campagne, fautes qu'on s'est bien gardé d'avouer dans les bulletins qui ont paru, et contre lesquelles je me suis inutilement élevé avec cet accent de la vérité que je viens encore de faire entendre dans la chambre des Pairs[1].

J'attends de la justice de V. E., et de son obligeance pour moi, qu'elle voudra bien faire insérer cette lettre dans les journaux, et lui donner la plus grande publicité.

Je renouvelle à V. E. l'assurance
de ma haute considération.

Le Maréchal Prince de la Moskowa,
    Signé : NEY.

Paris, le 26 Juin 1815.

HIPPOLYTE DE MAUDUIT

Histoire des derniers jours de la Grande armée, ou Souvenirs, documents et correspondance inédite de Napoléon en 1814 et 1815

(1847-1848)

Hippolyte de Mauduit (1794-1862) vient d'avoir vingt et un ans quand il participe à la campagne de 1815 comme sergent au second bataillon du 1ᵉʳ régiment de grenadiers à pied de la Vieille Garde. Un décret du 29 juillet 1804 stipulait qu'il fallait cinq ans de service et deux campagnes pour être admis dans la Garde Impériale. Mauduit, enrôlé en 1813, ne répondait pas au premier critère mais il avait servi durant la campagne de Prusse puis avait été blessé d'un coup de lance à la cuisse droite durant la campagne de France de 1814. Ses faits d'armes lui valent d'incorporer l'élite de l'armée de Napoléon, composée de ses vieux grognards. C'est ainsi que le jeune Mauduit livre bataille à Ligny, aux Quatre-Bras et à Waterloo, fier de servir l'empereur durant les Cent-Jours dans une troupe qu'il admire et qui paie le plus lourd tribut au soir du 18 juin. Il survit au massacre des soldats de la Garde et devient écrivain militaire pour entretenir la mémoire de l'esprit de sacrifice de la Grande Armée. C'est l'objet de son Histoire des derniers jours de la Grande Armée, ou Souvenirs, documents et correspondance inédite de Napoléon en 1814 et 1815 *qui est publiée en deux volumes en 1847 et 1848.*

Pour composer l'ouvrage, Mauduit, à la manière de Pelet, réunit, entre 1837 et 1840, le plus de documents possible sur les dernières campagnes de Napoléon. En tant que directeur d'une revue militaire, La Sentinelle de l'Armée, *il collecte les lettres des combattants de Waterloo. Son témoignage est donc* aussi bien personnel que le fruit de contributions multiples qui ont inspiré son travail. Mauduit écrit au nom de la Grande Armée, sur la Grande Armée et pour la Grande Armée. Le livre s'ouvre avec la retraite de Russie qui porte les stigmates de la fin annoncée de l'armée légendaire. L'auteur compose un récit haletant et très réaliste, avec le souci du détail des combats de juin 1815. Il écrit par exemple : « La terre labourée par les boulets volait au loin et couvrait de boue ou de sang toutes les troupes qui s'y trouvaient exposées. On ne peut se figurer de pareilles scènes, lorsqu'on n'y a pas assisté. »

Son livre est conçu comme un éloge de l'esprit militaire et une glorification du patriotisme et du sacrifice. Il est dédié au soldat, dont l'ouvrage s'emploie à laver l'honneur toujours sali, selon l'auteur. Mauduit est un historien engagé aux côtés des soldats dont il partage les peines, les souffrances, les humiliations et la mémoire des campagnes glorieuses de l'Empire. C'est au soldat que Mauduit adresse ses premiers mots : « Lis ces pages brûlantes d'un patriotisme que ton cœur seul, a conservé dans toute sa pureté, dans toute son exaltation chevaleresque. Lis-les soldat ! et si parfois, elles t'arrachent des larmes de rage, souvent aussi une larme d'admiration s'échappera de ta paupière ; des bravos même retentiront dans ta chambre, en voyant comment tes pères mouraient pour la patrie !!!… »

Les extraits choisis offrent moins des descriptions de scènes de guerre que la peinture d'une époque, à travers le portrait des grognards de la Grande Armée. Quand il publie l'ouvrage en 1847, Mauduit veut faire revivre cet âge des géants qui ont foulé le sol de Waterloo. Sans doute est-il conscient que le monde qu'il a connu quand il avait vingt ans et bivouaquait avec les grenadiers de la Garde Impériale est condamné à disparaître. Dans un dernier effort, en témoin nostalgique, il invoque les mânes de ses compagnons disparus. Car c'est aussi cela Waterloo : le sentiment tragique d'un avant et d'un après 18 juin 1815, et cette valeur du guerrier qu'a incarné, un temps, un empereur.

Bien des gens, nous nous y attendons, nous blâme-
ront, nous en voudront même, d'avoir élevé à Napoléon un pareil piédestal[1], car personne encore n'avait
présenté cet être surhumain, sous un semblable aspect,
et surtout aux masses dont il est et sera longtemps le
rêve et l'idole, sous un aspect qui peut-être ajoutera
quelque chose de plus à son immense popularité :

L'Empereur en lutte avec la mauvaise fortune !!!...

Jusqu'à ce jour, l'historien, comme le poète,
n'avaient vu et chanté dans Napoléon, que l'homme
aux cent victoires ; le jeune vainqueur de l'Italie ; le
conquérant de l'Allemagne ; l'arbitre souverain des
destinées de l'Europe !...

Nous, au contraire, qui, par nature, aimons peu
l'éclat des grandeurs de ce monde, encore moins
l'atmosphère empestée qui les enveloppe, nous ne
nous attachons qu'aux puissances déchues, parce que
là seulement, l'homme véritablement grand, reste
grand ; l'adversité est pour lui, ce qu'est le feu pour
l'or ; c'est aussi son épreuve !...

Ce n'est point alors que la capricieuse fortune
emporte son favori vers les plus hautes régions, qu'il
est possible de le distinguer et de l'apprécier ; mais
bien alors qu'elle l'abandonne, et qu'il retombe sur
cette terre d'analyse pour les hommes comme pour
les réputations.

On s'étonnera de nous voir préférer les plus mauvais jours de Napoléon ; ceux où le soldat, presque
seul, lui resta fidèle[2], pour le présenter au monde
comme le phénomène de la capacité, le génie de
l'intelligence humaine.

On ne nous pardonnera pas d'avoir ainsi éclipsé
toutes ces *constellations secondaires*, si bouffies
d'orgueil et de prétention, qui n'eurent cependant
quelque éclat, aux yeux des peuples, que par le reflet
de ce brillant météore ; car, une fois disparu dans

l'espace qu'a-t-il laissé après lui ?...... On ne nous pardonnera pas d'avoir choisi, dans l'existence de Napoléon, pour le *déifier*, en quelque sorte, l'époque où il
causa le plus de malheurs à son pays ; on nous repro-
chera, en termes très amers peut-être, d'avoir cherché
à rendre intéressant le fatal retour de l'île d'Elbe.

On nous dira : « Oui, sans doute, Napoléon avait
mérité l'admiration du monde ! mais, à Fontainebleau [1],
l'Empereur avait deux grands partis à prendre : l'un de
se défendre jusqu'à la dernière extrémité, jusqu'à la
mort même, pour ne pas abandonner volontairement
la France et son armée : l'autre de sacrifier sa personne
et sa dynastie, par une abdication franche et loyale,
dans le but de ne pas prolonger les horreurs d'une
guerre à outrance. Chacune de ces résolutions était
grandiose et lui méritait à jamais, dans l'histoire, le
titre de GRAND HOMME !... »

« Mais, nous dira-t-on sans doute encore, avoir
trompé la France et ses serviteurs les plus dévoués,
par une abdication feinte ; leur avoir rendu leur
parole, avec l'intention de venir la reprendre, et de
profiter de son ascendant sur eux pour les rendre par-
jures, certes, c'est là un acte que l'histoire ne peut
louer et ne doit point admirer !..... »

À d'aussi graves paroles, nous répondrons, nous, soldat de la vieille garde impériale, nous répondrons : « Si
Napoléon n'a point terminé sa glorieuse carrière au
champ d'honneur, et si notre drapeau ne lui a pas servi
de linceul sous les murs de Paris, ce n'est certes, ni sa
faute, ni la nôtre ! mais bien parce que tout, oui tout,
autour de lui, ses soldats exceptés, n'étaient guère
plus que des traîtres, ou des hommes rassasiés de
gloire ! »

[...]

Laissons la population parisienne à ses démonstra-
tions patriotiques dont elle aura bientôt assez ; nous,

soldats, marchons à la frontière menacée, car c'est encore nous, seuls défenseurs de la patrie, qui courons la venger du premier mot insolent lancé contre elle par l'étranger ; c'est encore nous, et nous toujours, soldats ! qui, malgré ses dédains, et son ingratitude lorsque nous lui avons rendu le calme, la liberté et la prospérité ; c'est encore nous, qui nous sacrifions pour elle, sans calcul comme sans restrictions !... Mais il viendra un temps peut-être, où le titre de *soldat* sera un titre honorable et envié, tel qu'il le fut jadis, au lieu d'être comme dans ce siècle égoïste et tout matériel, considéré comme le dernier de tous. Patience donc ! Le règne de la boutique et de la chicane ne sera pas toujours de mode dans notre glorieux, mais trop inconstant pays de France ! Notre étoile brillera de nouveau : Patience donc et bon courage, soldats * !...

Une pause ici, soldats, voici le portrait de ce grenadier de la vieille garde, dont j'aurai bientôt à rappeler le trépas héroïque :

* Nous n'entendons nullement placer l'armée au-dessus des citoyens, car nous n'ignorons pas que le soldat commence et finit toujours par être citoyen, et que, sous le baudrier ou sous l'épaulette, il ne peut, ni ne doit rester étranger au pays. Le soldat n'est point une exception dans l'État. Ce que l'on appelle *l'esprit militaire*, n'a rien d'étranger à l'esprit du citoyen ; toute autre opinion serait une grave et dangereuse erreur ; mais nous entendons que *le soldat* qui consacre à la défense du pays, les plus belles années de sa jeunesse ; qui se trouve distrait de la profession qu'il avait embrassée, ou à laquelle il se destinait ; qui voit les éléments de son bien-être particulier suspendus ; qui est obligé de se séparer de sa famille ; empêché provisoirement de s'en créer une ; qui sacrifie, à son pays, son bien-être, et est prêt à verser son sang, à donner sa vie pour l'indépendance et le salut de tous, devrait trouver quelque compensation à tant de sacrifices ; il ne devrait jamais surtout être exposé à accuser son pays d'ingratitude !... *[Note de l'auteur.]*

Si le type du courage est et sera toujours le soldat français, le type du grenadier de la garde a disparu pour toujours, de la scène militaire. Il n'existe plus que sur les toiles d'Horace Vernet[1], qui a su lui conserver son noble caractère, sans en faire, comme tant d'autres artistes, distingués cependant, une sorte de charge frisant la caricature.

Qu'il nous soit permis d'en faire ici le portrait au moral comme au physique, à nous qui avons eu l'insigne honneur de combattre dans les rangs de ces immortels guerriers.

Nous allons peindre, d'après nature, le 1er régiment de grenadiers tout entier[2].

La taille moyenne des grenadiers du régiment était de cinq pieds six pouces ; très peu dépassaient cinq pieds huit, mais aussi, on en comptait à peine cinq ou six par compagnie qui eussent moins de cinq pieds quatre pouces.

L'âge moyen du grenadier était de trente-cinq ans ; un petit nombre avait moins de trente ans, tandis que plusieurs centaines de grenadiers et les trois quarts des sous-officiers avaient dépassé quarante ans.

La moyenne des services était de quinze ans et autant de campagnes ; beaucoup de sous-officiers et deux ou trois cents grenadiers avaient de vingt à vingt-cinq campagnes ; aussi, le régiment, comptait-il dans ses rangs, en partant pour Waterloo, environ mille décorations et quarante ou cinquante dotations sur un effectif de treize cents et quelques hommes. La compagnie à laquelle nous avions l'honneur d'appartenir, avait pour sa part, *cent trente-trois chevaliers*, sur les cent soixante sous-officiers ou grenadiers qui la composaient.

Un cinquième des grenadiers avaient été sous-officiers dans la ligne ; de là, tous les caporaux et sous-officiers titulaires du 1er régiment de grenadiers, qui voulaient échanger leurs galons contre une épaulette, n'avaient qu'à en témoigner le désir, et *huit jours après*, ils recevaient, pour la ligne, ou pour la jeune garde, le caporal, un brevet de sous-lieutenant, le sergent, celui de lieutenant, et le sergent-major, très souvent fut nommé capitaine.

Longtemps éprouvé par les marches, les fatigues, les privations, les bivouacs, par le soleil, comme par les frimas[1], le grenadier de la Garde était sec et maigre ; l'obésité était inconnue dans nos rangs. Tout, chez ces hommes de fer, était à l'épreuve : le cœur, le corps et les jarrets ; aussi, eût-on fait le tour du monde avec de pareils hommes !...

La figure du grenadier était martiale et son attitude imposante ; son teint, peu ou point coloré, mais hâlé ; ses joues, creuses ; son nez, prédominant et généralement aquilin ; son front demi-chauve par l'effet de sa plaque de grenadier ou rasé à l'ordonnance ; son œil vif et fier ; une épaisse et belle moustache, brunie par le soleil, et parfois grisonnante, ombrageait cette mâle figure : on n'avait point encore alors *découvert* la moustache *en brosse*, de LA PAIX À TOUT PRIX. Une queue, artistement tressée et poudrée chaque matin, complétait l'ensemble de cette tête modèle.

Un cachet particulier de la coquetterie du grenadier de la Garde, était la boucle d'oreille ; c'était sa première dépense en arrivant au corps ; elle était de rigueur. Un camarade lui perçait les oreilles et y introduisait un fil de plomb, jusqu'au jour où son budget lui permettait l'anneau d'or du diamètre de l'écu de 3 francs, lorsqu'il ne pouvait aller jusqu'à celui de 5 francs*.

---

* Aux yeux des gens étrangers aux mœurs militaires, cette particularité semblera bien futile ; nous avons voulu néanmoins la consigner ici, comme l'un des types du soldat de l'Empire, qui tenait à sa boucle d'oreille, comme il tint longtemps à sa

Le perceur d'oreilles était ordinairement l'artiste du tatouage, et après cette première opération, venait celle du bras ou de la poitrine, car chaque grenadier devait avoir aussi, sur le corps, l'empreinte ineffaçable des attributs de l'amour et de la grenade.

Ces dessins étaient variés suivant le goût et le talent de l'artiste, à qui ces piqûres *éternelles* faisaient une certaine réputation.

Après la boucle d'oreille, cet indispensable bijou du grenadier, venait la montre en or, garnie de ses breloques ; mais il fallait, pour cela, au moins une année de privations et de constante économie, car, pendant les six premiers mois, le *conscrit* du 1er régiment de grenadiers devait se consigner volontairement au quartier, se contenter de son ordinaire, et ne boire que de l'eau, pour rétablir sa masse à son niveau normal, sa première mise ne suffisant pas à l'achat complet de ce que nous appelions : *notre tenue de ville et de salon*, c'est-à-dire la culotte courte de nankin, le bas de coton blanc, l'escarpin et sa boucle en argent, enfin le chapeau *crânement* retapé.

Soigné dans sa tenue, homme d'ordre et rangé

---

queue. La boucle d'oreille qui, pour le soldat, fut souvent un tendre souvenir de garnison, était devenue si à la mode dans l'armée française, que, depuis le maréchal de l'Empire jusqu'au fifre, tous nous avions cet ornement ; le prince Murat les portait d'une grandeur remarquable, et l'on ne rencontrerait pas aujourd'hui, un général, un officier, ni un vieux soldat, ayant servi sous l'Empire, qui n'ait les oreilles percées, et beaucoup y ont conservé leurs anneaux. Cet usage s'était perpétué sous la Restauration et particulièrement dans la garde royale ; il disparut comme tant d'autres choses, lors de la révolution de Juillet mais il commence à reprendre ; quel mal, en effet, y aurait-il ?...

Ces 30 francs ne seraient-ils pas mieux placés à l'oreille du soldat, que dans la *tirelire* du marchand de vins ? Il les aurait au moins toujours à sa disposition pour ensuite en faire hommage à sa fiancée. *[Note de l'auteur.]*

comme une petite maîtresse, le grenadier de la Garde
avait toujours, dans sa ceinture, ce qu'il appelait : *sa
poire pour la soif* ; c'est-à-dire, de vingt à trente napoléons. Aussi, les paysans de Plancenois, de Waterloo
et de Mont-Saint-Jean, ont-ils dû trouver dans l'héritage si inattendu *des quatre mille* officiers, sous-
officiers ou soldats de toutes armes de la vieille
Garde, morts au champ d'honneur, d'amples compen-
sations à leurs récoltes, ravagées par nous, pendant
cette journée néfaste du 18 juin.

[...]

La tenue de marche ou de combat du grenadier, était
la capote bleue à un seul rang de boutons à l'aigle ; le
pantalon bleu large, la guêtre noire et le bonnet à poil.
Le chapeau enveloppé d'une toile cirée était suspendu
au sac, et le plumet recouvert de son étui, ficelé autour
du sabre. Chaque grenadier avait aussi sa gourde de
campagne en sautoir et à la portée de sa main droite.
Sa gourde, comme son fusil, était sa fidèle et indispensable compagne de voyage ; car ses changements de
garnison, à lui, n'étaient point de Paris à Courbevoie,
à Versailles, à Rouen, à Orléans, ni même de Paris à
Brest, à Bayonne, à Toulon ou à Strasbourg ; le grenadier de la Garde ne quittait son Quartier-Napoléon que
pour ceux de Munich, de Vienne, de Dresde, de Madrid,
de Varsovie, ou de Moskow, en faisant une halte de
vingt-quatre heures à Austerlitz, à Iéna, à Friedland, à
Wagram, à la Moskowa, etc., etc.

Sa grande tenue se composait d'un habit bleu à
larges basques, à retroussis et parements écarlates ;
ses revers étaient blancs, taillés en quart de cercle
pour laisser voir le gilet de drap blanc qu'ils recou-
vraient en partie. La culotte courte en drap blanc, la
grande guêtre noire en hiver et de toile blanche en
été ; le plumet rouge et le cordon jaune élégamment

attaché au bonnet à poil, complétaient cette sévère mais belle tenue militaire.

Tout armé, tout équipé, habillé et porteur de ses quarante cartouches, le grenadier de la Garde avait sur lui, environ soixante-cinq livres[1] pesant, car il emportait tout, et jusqu'à sa *tenue de bal*, qui était son luxe et la garantie de ses succès amoureux dans les capitales qu'il visitait en vainqueur*.

Que l'on se figure maintenant l'aspect que devait présenter, de loin comme de près, un régiment composé d'éléments pareils[2] !... Que l'on s'étonne du souvenir qui en est resté à tous ceux qui ont été à même de l'admirer sous les armes !

Si un régiment de grenadiers de la vieille Garde était magnifique au Champ-de-Mars[3], sur le champ de bataille, il était sublime !! Là, chaque grenadier devenait un héros que, ni les boulets, ni les obus, ni la mitraille, ni les balles ne faisaient sourciller ; le boulet, en le renversant, renversait une statue au cœur chaud. Mais, si dans l'impétuosité de sa charge, une colonne de cavalerie rencontrait sur son passage un carré de ces grenadiers, c'est alors qu'ils se montraient et faisaient payer cher à ces escadrons ennemis leur imprudente tentative ! Quel calme ! quelle valeur froide et impassible et quels ravages dans les

---

* Si, le jour de la bataille, le grenadier de la garde était un *terrible homme*, en cantonnement ou dans ses quartiers d'hiver, il devenait amoureux et galant au suprême, et plus d'une *grande dame* n'a pas cru déroger, en acceptant, pour chevalier, un grenadier de la garde. Nous avons même eu, pour camarade de chambrée, un vieux sergent, nommé Gomichon, à qui il n'a tenu que d'épouser *une marquise* de l'orgueilleux faubourg, en récompense, comme en reconnaissance d'un beau trait de ce noble cœur.

Mais c'était alors le bon temps du soldat !... En France, alors, on savait ce que vaut le cœur d'un soldat !... *[Note de l'auteur.]*

rangs de ces cavaliers !... Chaque balle atteignait homme ou cheval, tant qu'ils restaient à leur portée, car reconnaissant bientôt leur fatale erreur, ils disparaissaient avec la rapidité de l'éclair, pour se rallier derrière quelque abri de terrain ou de quelque bouquet de bois, sans prendre souci de ce qu'ils avaient laissé aux pieds de ces redoutables soldats !

À de telles troupes, il fallait aussi des officiers d'élite ; tous l'étaient, en effet, pour la valeur et pour l'audace.

Voilà, soldats, quels étaient ces hommes, dont LA MOITIÉ fut DÉMOLIE, à Waterloo par les boulets et par la mitraille, et écrasée par le nombre !...

[...]

[Mauduit a peint les phases successives de la campagne et de la bataille de Waterloo, jusqu'au sacrifice de la Garde. Il interrompt sa narration pour souligner le symbole historique de la fin de la Grande Armée.]

Après avoir retracé les phases de cette journée à jamais mémorable ; après avoir énuméré les prodiges qui s'y firent de part et d'autre, avec une émulation et une constance sans exemple, comme si chacun se fût dit que de longues années s'écouleraient sans doute avant que tant de peuples guerriers eussent à se disputer le prix du courage militaire ; après avoir payé à chacun le tribut de respect et de sincère hommage, si légitimement dû à tant de valeur, nous voici enfin au dernier acte de cette querelle sanglante, dont tous les peuples de l'Europe attendent encore le dénouement, et l'attendent avec une anxiété qui prouve son immense importance dans la balance des intérêts généraux. Pour la France, hélas! quel en sera le résultat?...

Ici, il faudrait une autre plume que la nôtre, pour décrire le dénouement de la bataille de Waterloo!

Enfant des camps, notre main n'était point destinée à tenir le burin de l'histoire; témoin, d'ailleurs, des scènes qu'il s'agit de rappeler, comment pourrons-nous observer le calme et le sang-froid qui sont ou qui doivent être les premières qualités d'une histoire?...

Au souvenir, seul, de cette sanglante bataille, il nous semble encore nous battre. Notre bouche est noircie par la poudre des cartouches. Notre baïonnette nous paraît encore ensanglantée; notre maintien dénote l'impatience et la colère, et le dernier mot prêt à s'échapper de notre plume est celui de VENGEANCE!...

Mais nous n'avons point entrepris la tâche que nous remplissons, en ce moment, pour briguer le moindre éloge académique. Il s'agit d'un plus haut intérêt pour nous; il s'agit de porter la lumière de la vérité sur faits, expliqués par l'esprit de parti, dans le sens de ses principes et de ses exigences; car, en effet, l'on ne connaît point de narration de la campagne de 1815, qui puisse être accueillie sans réserve.

Il est question aussi de rendre à chacun ce qui lui est dû, et de ne point laisser usurper par d'autres le bénéfice de gloire qui revient aux véritables héros de ces grandes journées. Il faut que justice soit rendue à tous et que le blâme retombe sur les fautes, qui ont paralysé les plans d'opérations les mieux combinés, et causé le deuil de la patrie.

Aussi, osons-nous le dire, notre relation différera-t-elle essentiellement de toutes les autres, car elle sera vraie, et sous ce rapport, notre but, au moins, sera rempli. D'autres, peut-être, s'empareront plus tard de

ces faits et les embelliront des fleurs de la rhétorique ;
ce n'est point l'affaire d'un soldat comme nous[1] ;
notre préoccupation unique est de dire ce qui ne
pourra être contredit, d'offrir par là un grand enseignement à l'armée nouvelle, qui se montre si digne de
marcher sur les traces de son aînée, et qui, un jour,
nous aimons à en conserver l'espérance, déposera
une couronne d'immortelles sur la vaste tombe de
Waterloo, où reposent tant d'illustres soldats !...

    [...]

    Ici, soldat ! je m'arrête !... Ici, je brise la plume qui
vient de te retracer la longue et sanglante agonie de la
grande armée !... — « Encore ?... Encore ?... père grognard ?... » t'entends-je répéter du fond de ma prison,
comme ces villageois groupés autour du conteur de
veillées du hameau. — Non, soldat, mon ami ; non !...
Permets, permets, au contraire, que je résiste à ton
impatiente curiosité !... Qu'aurai-je désormais à te
dire ?... De tristes récits des plus mauvais jours de ton
pays ?... Non, permets que je m'arrête ici !... Ton
cœur, naïf et pur, bondirait d'indignation si je te disais
tout ce dont j'eus la douleur d'être le témoin : Paris
nous a fermé ses portes !... Oui, il nous les a fermées,
à nous, soldats, tout couverts encore de sang et de
sueurs, haletants de fatigues et succombant de
besoin : ses restaurants et ses cafés se sont aussi
fermés pour nous !... Nos amis, nos parents, à qui la
nouvelle de notre existence, reçue de notre bouche
même, eût rendu la joie, nous ne pourrons les embrasser, les presser contre nos cœurs malades, déchirés
par tant de revers !... Les traîtres, seuls, auront la
faculté d'y aller trafiquer de l'honneur de la France !...
La vue d'un de ses soldats sera, pour le Palais-Royal,
le signal de fermer les boutiques : nos généraux ne
répandent-ils pas que nous sommes tous des brigands
qui ne rêvons que viol et pillage, comme si nous eus-

sions cessé d'être français parce que nous étions accablés par la mauvaise fortune !!!...

Paris ne sourira qu'aux soldats de Blücher et de Wellington[1] ; pour eux tout sera ouvert, et partout aux deux battants !...

Quatre-vingt-dix mille braves sont encore en bataille et protègent Paris ; tous réclament, à grand cri, une éclatante revanche du désastre de Waterloo !... Ou nous en laisse entrevoir l'espérance !... Chacun prépare ses armes et fait repasser son sabre ; nous complétons nos munitions ; chacun reprend sa place de bataille et fait face à l'ennemi !... Le cavalier a son manteau en sautoir, et le sabre au poing ; le lancier a roulé son élégant fanion sur la hampe de sa lance ; l'infanterie a formé ses colonnes d'attaque et l'artillerie tient sa mèche allumée !... Des bords du canal de l'Ourq à la barrière de Montrouge l'armée n'attend que le signal du combat !... Ce signal, promis pour midi, doit partir du sommet de Montmartre et avoir pour écho immédiat les cinq cents bouches à feu qui garnissent notre front.

Chacun a l'oreille au guet et l'œil fixé sur Montmartre !... L'impatience est à son comble, car l'ennemi, lui aussi, est en bataille à cinq cents toises de nous, mais il n'ose ouvrir le feu : peut-être en sait-il plus que nous !... L'heure, en effet, s'écoule et nul tourbillon de la blanche fumée ne s'élève !!!... Que se passe-t-il donc ?... Quatre-vingt-dix mille soldats ont juré de vaincre, ou d'écraser avant de mourir, Blücher et ses soixante-deux mille soldats qui nous ont arraché la victoire !... Qui donc veut nous ravir cet héroïque trépas ?... Qui ? soldat !... Nos généraux, mon ami !... ils n'avaient plus dans les veines de sang pour la patrie !..., le soldat, seul, s'en trouvait encore et le voulait répandre jusqu'à la dernière goutte !... Mais... notre arrêt venait d'être signé aux pieds même de ce Montmartre d'où nous attendions le signal de la victoire ou de la mort !...

Un conseil de MARÉCHAUX DE L'EMPIRE [1] vient d'y briser nos armes d'un trait de plume, et la honte nous reste !!!!...............

L'armée prussienne doit ouvrir ses rangs, et, la tête basse, le cœur navré, nous aurons à les traverser sans combattre, pour recevoir le coup de grâce sur les bords de la Loire !!...

Il n'y a plus d'Empereur !... il est prisonnier dans son palais de La Malmaison, et comme pour SA GRANDE ARMÉE, le 3 juillet 1815 sera aussi son dernier jour [2] !... Et tu voudrais, soldat ! que je te fisse le tableau de tant de douleurs, de tant d'humiliations subies ?... Non ! assez comme cela !... Non !... Mais un jour, et ce jour n'est peut-être pas éloigné, car j'ai bien souffert, moi aussi, soldat, depuis l'époque dont tu connais maintenant la trop funèbre histoire !... Un jour, tu trouveras, près de mon cercueil, un papier à ton adresse ; il sera cacheté de noir, car il contiendra le testament de la GRANDE ARMÉE [3] !!...

Je l'écrirai pour toi, soldat ! car pour toi seul, aujourd'hui, j'ai de l'estime, de l'affection et du respect : oui, du respect, car tu en mérites !!... Pendant que, tout autour de toi, tout tombe en pourriture, seul tu conserves la vertu antique, l'abnégation et le dévouement à ton pays ! Reste fidèle à ces nobles traditions du soldat français ; laisse passer devant toi, avec un dédaigneux regard, ce torrent corrompu qui emporte aujourd'hui toutes les sommités sociales. Reste ferme à ton poste, soldat... ton tour viendra, je te le prédis : la vertu, tôt ou tard, reçoit sa récompense, de même que le crime de lèse-nation reçoit aussi, tôt ou tard, le châtiment qui lui est réservé !!... Repose-toi sur la pureté de ta conscience ; jouis, en attendant des jours plus dignes de toi, jouis du sommeil sans remords qu'elle te laisse, et attends, l'arme aux pieds et dans cette attitude haute et fière qui te sied si bien, attends que ton tour revienne !!... La France te réclamera !!! Tu seras rappelé pour la tirer de la fange où elle se débat !... Une fin pareille ne saurait aller à LA GRANDE NATION !... car si sa tête est pourrie, le cœur en est encore chaud, noble, généreux !... La sève de l'arbre part toujours du tronc, et ce tronc c'est toi, soldat !!...

LEFOL

Souvenirs sur le retour de l'empereur Napoléon de l'île d'Elbe et sur la campagne de 1815 pendant les Cent-Jours

(1852)

Waterloo est, à juste titre, la plus célèbre des batailles de la campagne de 1815. C'est la plus meurtrière, la plus décisive, la plus originale dans le registre d'une guerre de position où la volonté d'anéantir l'armée ennemie, quel qu'en soit le prix, est portée jusqu'à son paroxysme. La bataille de Ligny du 16 juin 1815, livrée deux jours avant Waterloo, ne doit pas être oubliée parce qu'elle fut le tombeau aussi de milliers de soldats. Le récit qu'en a donné Lefol peint avec un réalisme cru les scènes de guerre et de carnage de Ligny, qui comprend les combats à Saint-Amand.

Lefol a fait l'école militaire de Saint-Cyr de 1804 à 1813 et en sortit avec le grade de sous-lieutenant dans le 100e régiment d'infanterie de ligne. Sa première affectation fut aide de camp du général Lefol, son oncle, baron d'Empire, blessé à Leipzig et fidèle parmi les fidèles à l'empereur, pour lequel il avait « un attachement qui était poussé jusqu'à l'exaltation », écrit-il. Le jeune Lefol accompagne son oncle général durant la campagne de 1815 et sert dans le corps d'armée dirigé par le général Vandamme. Il est absent à Waterloo parce qu'il est dans un corps placé sous les ordres du maréchal Grouchy. Il figure parmi les soldats présents à Ligny. Sa valeur au feu lui vaut d'être cité pour être élevé au grade de capitaine.

En 1852, Lefol a quarante ans de service et entreprend d'écrire ses souvenirs de guerre, consacrés à l'époque des Cent-Jours, la plus mémorable selon lui. Il assure n'avoir eu *aucune ambition éditoriale au début mais son livre est publié. Il le dédie à son fils Charles pour que celui-ci entretienne la mémoire de sa famille puisque les souvenirs sont conçus comme un témoignage sur les campagnes militaires de l'auteur et sur l'histoire du général Lefol dont le nom est inscrit sur l'arc de triomphe de la place de l'Étoile.*

Le lendemain matin, 16 juin, le temps était magnifique, le soleil était ardent et nous présageait une chaude journée, comme elle le fut en effet sous tous les rapports. Nos soldats firent la soupe, et notre corps d'armée prit position en avant de Fleurus, faisant face au village de Saint-Amand, ayant à sa gauche la division Girard.

[...]

Tout respirait le calme dans cette plaine immense et fertile qui se déroulait devant nous, et que parcouraient en silence nos colonnes d'infanterie, de cavalerie et nos parcs d'artillerie ; on n'eût pas cru que cent cinquante mille hommes allaient en venir aux mains et se disputer quelques toises de terrain avec un acharnement tel que depuis longtemps il n'y en avait pas eu d'exemple, et que cinq heures après, sur ce nombre de cent cinquante mille hommes, quarante mille environ seraient morts, mutilés ou mis hors de combat. Ce calme, qui ressemblait à celui qui toujours précède l'orage, avait quelque chose de saisissant et qui faisait battre le cœur. Nous voyions en face de nous, sur la colline, entre Saint-Amand et Ligny, l'armée ennemie faire de même que nous ses dispositions, et je l'avoue, ce moment solennel, précurseur de tant de désastres, m'impressionna bien davantage que le moment d'ensuite, lorsque nous en vînmes aux mains.

Lorsque toutes les dispositions pour la bataille qui se préparait furent terminées, ce fut notre division qui eut l'honneur d'ouvrir le feu contre Saint-Amand, qui devint le théâtre de combats acharnés. Tout conseillait à l'Empereur d'y diriger sa principale attaque ; par-là, évitant une partie des difficultés du terrain, et se rapprochant du maréchal Ney engagé aux Quatre-Bras contre l'avant-garde de Wellington, il aurait pu lui porter des secours ou en recevoir, séparer les Prussiens des Anglais et forcer les premiers de se retirer sur Namur ; aussi, emporté par le désir d'exterminer l'armée prussienne, se décida-t-il à livrer une bataille générale.

Ainsi que je viens de le dire, chargé de commencer le feu contre Saint-Amand, le général Lefol fit former le carré à sa division, et il la harangua avec tant de bonheur que ses soldats, pleins d'enthousiasme et excités d'ailleurs par la présence de Napoléon, qui passait en ce moment devant le front de la division, demandèrent à grands cris à marcher à l'ennemi.

L'ordre d'attaquer Saint-Amand ayant enfin été donné, le général fit détacher un assez grand nombre de tirailleurs et s'avança à la tête de sa division formée sur trois colonnes. Le premier boulet parti des batteries prussiennes tomba dans ses masses et tua huit hommes d'une compagnie commandée par le capitaine Revest, mort depuis colonel d'un régiment d'infanterie. Cet événement, loin d'arrêter l'ardeur de nos soldats, ne fit que l'exciter, et c'est ainsi qu'ils arrivèrent à Saint-Amand et l'emportèrent à la baïonnette.

De ce moment la bataille prit un caractère sanglant. Chaque parti était soutenu par une artillerie formidable, dont les détonations imitaient le bruit de la foudre, et ces attaques terribles s'alimentaient pour ainsi dire par un mouvement de fluctuation alternatif entre les deux armées revenant sans cesse à la charge. Près de deux cents bouches à feu étaient pointées contre le village par deux armées qui s'en disputaient la possession ; c'était la clef de la position de Blücher, et tout l'effort de la bataille se portait sur Saint-Amand qui fut pris et repris trois fois au milieu de scènes de carnage horrible ; et, comme le dit avec raison Vaulabelle dans son *Histoire des deux Restaurations*[1] : « Chaque arbre, chaque fossé, chaque clôture était attaqué et défendu avec fureur ; on luttait corps à corps, on se fusillait à brûle-pourpoint, on se tuait à coups de baïonnettes, et nos soldats tombaient en criant vive l'Empereur ! ils ne se laissaient même emporter à l'ambulance que lorsqu'il leur était impossible de continuer à prendre part au combat. »

Le général Lefol, entré le premier à Saint-Amand, eut son cheval tué sous lui dans un verger, et allait sans doute être fait prisonnier ou tué lorsque j'eus le bonheur de le tirer de ce mauvais pas en lui donnant le mien.

Dans ce même moment son fils, Louis Lefol, chef de bataillon au 2e léger, de la division du prince Jérôme, engagée aux Quatre-Bras, recevait une balle qui lui fracassait le poignet. Louis est mort à Oran en 1831, étant colonel du 21e régiment d'infanterie de ligne ; il passait pour un des officiers les plus distingués de l'armée, et serait sans doute arrivé aux plus hautes dignités militaires.

Le combat se prolongea, avec des avantages balancés, jusqu'au soir ; toutefois les Prussiens ne purent reprendre ni l'église, ni le cimetière, dont notre division s'était si vigoureusement emparée dès le début de la bataille.

Ce fut, autant que je puis me le rappeler, vers les six heures qu'il se manifesta parmi les soldats d'un régiment un mouvement de terreur, que l'on ignora heureusement dans l'armée et qui aurait pu avoir des suites funestes sans un moyen d'une extrême énergie qu'employa le général Lefol, et sans l'empressement que mirent plusieurs officiers à faire cesser cette espèce de panique, occasionnée d'abord par la fausse nouvelle répandue qu'une colonne ennemie venait surprendre la gauche de notre division, et par l'impression pénible que causa au 64e de ligne la mort du colonel Dubalen, qu'il aimait et estimait.

Plusieurs soldats quittèrent leurs rangs, jetèrent leurs fusils et pouvaient ébranler, peut-être même entraîner tout le corps d'armée, lorsque plusieurs officiers, au nombre desquels se trouva le général Corsin, commandant l'une des brigades de notre division, accoururent, arrêtèrent les fuyards, les rassemblèrent et les ramenèrent au combat, qu'ils soutinrent ensuite jusqu'au soir avec la même intrépidité qu'au début.

Le général Corsin qui, pendant cette journée se fit remarquer par son courage et son énergie, eut trois chevaux tués ou blessés sous lui à Saint-Amand, et ses anciennes blessures s'étant rouvertes pendant notre retraite, cet officier-général dut rester à Givet et résigner son commandement.

Pendant que nous nous battions à Saint-Amand, une lutte semblable avait lieu à Ligny.

À dix heures la bataille était gagnée.

[...]

Toutes les troupes étaient harassées et tombaient de fatigue et de besoin ; le repos, si chèrement acheté, était devenu pour tous une nécessité.

Le 3e corps, la jeune garde, et la division Girard bivouaquèrent sur le champ de bataille où ils avaient si glorieusement combattu pendant six heures consécutives, et notre état-major s'établit dans le cimetière de Saint-Amand.

En revenant de transmettre différents ordres, je rencontrai le général Vandamme[1], qui me fit, pour mon général, le cadeau le plus précieux, en raison des circonstances, ce fut une bouteille de bon vin et un canard cuit ; jamais présent ne fut reçu avec tant de reconnaissance par mon oncle.

Des factionnaires furent placés autour du village et nous pûmes nous reposer.

À trois heures du matin, le 17 juin, je fus réveillé sur l'ordre de Vandamme, afin d'aller à Ligny, à un quart de lieue de nous, pour faire rentrer à Saint-Amand notre batterie d'artillerie qui y avait été détachée la veille pour aider à écraser les Prussiens et terminer ainsi cette lutte acharnée. Arrivé à Ligny, je fus témoin d'un spectacle affreux, et qui n'a pas parcouru comme moi ce champ de bataille ne saurait se représenter une pareille horreur, encore moins concevoir les émotions qui là vous pressent. Le village, auquel on avait mis le feu la veille, brûlait encore, grillant les malheureux blessés qui s'étaient réfugiés dans les maisons ; des monceaux de cadavres complétaient un tableau que n'ont peut-être jamais présenté les champs de bataille des plus grandes guerres, car ici quatre mille soldats morts étaient entassés sur une très petite superficie ; les allées qui conduisaient à Ligny étaient tellement encombrées que, sans être taxé d'exagération, je puis certifier que mon cheval trouvait difficilement le moyen d'éviter de marcher sur ces cadavres. Ce fut bien pis lorsqu'il fallut passer là avec les canons et les caissons que j'étais allé chercher pour les ramener à Saint-Amand. J'ai encore dans les oreilles le genre de bruit que produisaient les roues écrasant les crânes des soldats, dont les cervelles, mêlées avec des lambeaux de chair, se répandaient hideusement sur le chemin ; peut-être même parmi ces hommes étendus sur le sol et que nous foulions aux pieds, y en avait-il dont le cœur battait encore !

Après ma mission remplie, je revins à mon bivouac, où je pus rester tranquille quelque temps. Vers les dix heures, étant encore étendu dans un état de somnolence, j'aperçus tout à coup l'Empereur débouchant d'une petite rue, qui était tellement jonchée de cadavres, qu'il dut s'y arrêter pour donner le temps de lui ouvrir un passage au travers de cette boucherie humaine. Lorsque ce chemin fut libre, il continua sa route, et il allait enfiler une ruelle vis-à-vis de l'endroit où je me trouvais, lorsque, me levant lestement, je courus à lui pour le prévenir qu'il s'engageait dans un cul-de-sac ; il revint sur ses pas, et s'arrêta un instant pour causer avec mon général, qui l'avait vu et qui accourait pour lui rendre compte des détails de la bataille, pour ce qui concernait sa division.

Napoléon s'apercevant alors que mon habit était déchiré par l'effet du projectile qui m'avait enlevé mon épaulette, me félicita avec intérêt sur le danger auquel j'avais échappé. En s'en allant, il nous prescrivit de veiller aux blessés, et nous suivîmes ses ordres avec un pieux empressement. En relevant un jeune soldat blessé à la tempe, et qui m'avait fait signe de lui donner de l'eau, j'éprouvai l'émotion de le voir s'éteindre dans mes bras, en prononçant ces mots : ma pauvre mère !

[...]

Ces pertes s'expliquent facilement par la manière dont on se battait alors. À Saint-Amand et à Ligny, c'étaient des combats corps-à-corps, qui duraient des heures entières ; c'étaient des coups de fusils à bout portant, de la mitraille à cinquante pas ; et si même on doit s'étonner de quelque chose, c'est que nous n'ayons pas eu plus de victimes.

En 1845, en allant passer quelques jours de congé à Gilly, chez un de mes parents, directeur des mines dans ce pays, je fus visiter le champ de bataille de

Ligny, qui se trouvait à deux lieues de là. À Fleurus, je revis ce fameux moulin, maintenant presque détruit, que l'Empereur avait occupé une partie de la journée du 16 juin 1815, et où j'avais été envoyé plusieurs fois en ordonnance ce jour-là. En parcourant ces plaines, jadis si animées, aujourd'hui si calmes, mille souvenirs saisissants se croisèrent dans mon esprit. À Saint-Amand, je ne reconnus que l'église et le cimetière. Les arbres et les maisons qui existaient autrefois avaient disparu, d'autres les remplaçaient, mais rangés différemment. En m'arrêtant sur le lieu même de ce verger dont j'ai parlé, il me semblait que je foulais aux pieds les cendres de ce malheureux colonel Dubalen, que j'avais vu tomber là. Je voyais l'endroit où l'Empereur m'avait parlé ; plus loin, la place où mon général avait manqué d'être tué, et, autour de moi, les scènes affreuses qui s'y étaient passées. En suivant, seul au monde par un temps calme et magnifique, entre Saint-Amand et Ligny ce chemin, que, juste trente ans auparavant, j'avais parcouru entre des milliers de cadavres, je trouvai deux poteaux à certaine distance l'un de l'autre. On avait écrit sur l'un, *Tombeau de Ligny*, et sur l'autre, *Bon Dieu de miséricorde*. Déjà plein des émotions que cette excursion avait éveillées en moi, la vue de cette simple et touchante inscription d'une âme pure, et qui disait tant à mon imagination dans un pareil moment, fit couler de mes yeux d'abondantes larmes, qui me soulagèrent, et je quittai cette fois, pour toujours, ces lieux dont je conserverai éternellement le souvenir.

[...]

Le 19 juin, à une heure du matin, Napoléon expédia plusieurs officiers à Grouchy, pour lui annoncer la perte de la bataille de Waterloo, et lui ordonner de faire sa retraite sur Namur. Le soir, le corps d'armée bivouaqua près de Gembloux ; et, le lendemain, nous

nous dirigeâmes sur Namur, suivis par l'ennemi, qui avait tenté en vain de nous dépasser, pour nous couper la retraite.

À trois quarts de lieue de Namur, près d'un village nommé Fallise, le général se doutant que nous allions être chargés par une forte colonne de cavalerie ennemie qui nous suivait de près, fit aussitôt former le carré à un régiment, au milieu duquel nous nous réfugiâmes ; mais ce carré était à peine créé, que la cavalerie ennemie l'avait déjà attaqué avec un certain avantage, car sans un petit bois voisin où nos troupes se précipitèrent en désordre, ce qui empêcha les Prussiens de poursuivre leur succès, nous étions sabrés impitoyablement.

En nous ralliant de l'autre côté de ce bois, le général s'aperçut qu'il lui manquait deux canons que, dans notre fuite, l'on avait laissés embourbés au milieu d'un taillis ; il donna l'ordre aussitôt qu'on allât les retirer, et je fus désigné pour accompagner les hommes appelés à cette expédition. Après des efforts inouïs, inquiétés en même temps par des coups de pistolet que nous envoyaient les cavaliers prussiens, nous pûmes ramener ces deux pièces aux cris de joie de nos braves soldats.

On se battait toujours, et la résistance fut opiniâtre ; nous fûmes poursuivis à la baïonnette jusqu'à Namur, où l'engagement fut très acharné, et où nous perdîmes beaucoup de monde. Obligés de nous défendre jusque dans les faubourgs, nous fûmes poussés avec une telle vigueur jusqu'à la dernière porte de la ville, que cette retraite ressemblait à une fuite. On avait entouré cette porte d'énormes morceaux de bois garnis de paille et enduits de poix, auxquels on mit le feu à l'arrivée des Prussiens, ce qui les empêcha de nous poursuivre, heureusement pour nous, car l'ennemi eût eu beau jeu pour nous inquiéter dans notre retraite, attendu que nous étions resserrés sur une seule route, entre la Meuse et d'énormes rochers.

Bref, notre retraite s'effectua heureusement jusqu'à Paris, où notre corps d'armée arriva presque intact et sans avoir perdu une seule pièce de canon.

Le général Lefol prit alors le commandement en chef du 3e corps d'armée, en remplacement de Vandamme, et nous partîmes, le 6 juillet, pour l'armée de la Loire, où nous fûmes licenciés deux mois après, le 8 septembre 1815, à Tulle (Corrèze).

Mis à la demi-solde, je fus rejoindre ma famille ; mais bientôt, vexé de toutes les manières, brutalisé en quelque sorte par les autorités d'alors, traité de brigand comme le furent tous les officiers de cette malheureuse et immortelle armée, croyant d'ailleurs que mon avenir militaire était perdu, je donnai de dépit ma démission, abandonnant une carrière qui m'offrait des chances si favorables, pour entrer à l'École préparatoire de Saint-Cyr que l'on recréait alors, et où je n'ai pas cessé d'être employé depuis. Aussi suis-je maintenant non seulement le doyen des fonctionnaires de Saint-Cyr, mais encore de tous ceux des autres écoles militaires.

TOUSSAINT-JEAN TREFCON

Carnet de campagne du colonel Trefcon
(1793-1815)

(rédigé avant 1854 ; paru en 1914)

Toussaint-Jean Trefcon (1776-1854) est soldat de la Garde nationale en 1794, capitaine en 1808, chef de bataillon en 1810, puis adjudant commandant en 1812. Jean Tulard écrit qu'il aurait été exilé en Bretagne comme proche du général Moreau, condamné pour trahison. Il participe aux guerres révolutionnaires et de l'Empire, et profite de sa longue carrière pour rédiger ses souvenirs de campagne qui donnent de précieuses informations sur la bataille de Hohenlinden du 3 décembre 1800, victoire décisive des Français sur les Autrichiens, mais aussi sur la bataille de Waterloo.

En juin 1815, Trefcon est chef d'état-major de la 1re division d'infanterie sous les ordres du général Bachelu, qui appartient au corps d'armée du général Reille. Il est blessé au combat lorsque son cheval est tué sous lui. Son récit de la bataille, qui est celui d'un officier, révèle l'engouement des soldats pour l'empereur, qui les passe en revue, et leur abattement le soir du 18 juin. Le style du carnet, publié un siècle plus tard, en 1914 à Paris, est dépouillé, succinct. Le souci de l'exactitude historique y est plus grand que la recherche de l'effet littéraire. Trefcon se veut impartial et reconnaît notamment la valeur du soldat anglais.

Sous la Deuxième Restauration, il devient colonel au Corps royal d'état-major, pour terminer sa carrière chef d'État-major en 1831. Il est même fait officier de la Légion d'honneur et chevalier de Saint-Louis, pour ses services. Quand il prend sa retraite, sa femme le quitte. Trefcon en

fut très peiné et mourut à l'asile de Charenton le 15 février
1854. On a vu dans cette existence de soldat une sorte de
destin à la Chabert, le héros de Balzac, cet autre colonel qui
servit l'empereur et finit dans un hospice.

Notre division bivouaqua en dehors de la ville. Il
était tombé dans l'après-midi et le soir une épouvantable pluie d'orage qui avait détrempé les chemins, les
remplissant d'une boue épaisse dont nous étions tous
couverts de la tête aux pieds.

Le convoi de vivres n'arriva que fort tard dans la
nuit, ce qui fit que beaucoup de soldats s'endormirent
sans avoir mangé.

Je travaillai assez longuement avec le général
Bachelu[1], dans une grange. Nous reçûmes les rapports des colonels et des généraux, les situations
d'effectifs et prîmes nos dispositions de détail en vue
de la bataille qui devait se livrer le lendemain.

Après avoir dîné d'une façon très sommaire, nous
partageâmes, le général et moi, une botte de paille.

Dans la nuit, le général Husson, qui n'avait pu se
loger, vint nous rejoindre et je partageai avec lui le
peu de paille qui me restait.

Les soldats n'étaient pas moins fatigués que nous ;
ils se couchèrent où ils purent, la plupart s'endormirent tout simplement dans la boue.

Le 18 juin 1815, bataille de Waterloo. Nous étions
sous les armes à la pointe du jour et prêts à partir.

Le général Reille donna l'ordre du départ à cinq
heures du matin.

En route, nous reçûmes un ordre du major général
de nous arrêter pour nous nettoyer et faire à manger.

Cette nouvelle fut accueillie avec joie, car beaucoup de soldats mouraient de faim et parce que bien

souvent, ils n'aiment pas se battre quand ils sont sales[1].

À huit heures nous reprîmes notre marche en avant. Nous nous arrêtâmes à la ferme du Caillou. L'Empereur y était avec un nombreux état-major. Il venait d'y déjeuner.

L'Empereur fit appeler le général Reille et il eut une assez longue conversation avec lui*. De l'endroit où je me trouvais, je voyais parfaitement l'Empereur. Il avait l'air calme et le visage que je lui avais toujours vu.

Après un court arrêt à la ferme du Caillou, nous reprîmes notre marche.

Nous nous portâmes à gauche de la grande route qui conduit à Bruxelles.

L'Empereur nous passa en revue. Je ne puis me rappeler sans une grande émotion cette dernière revue et je ne puis mieux comparer le sentiment que j'éprouvai alors, qu'à celui que j'eus lorsque je traversai le Niémen en 1812[2].

L'enthousiasme des soldats était grand, les musiques jouaient, les tambours battaient et un frisson agitait tous ces hommes dont c'était pour beaucoup le dernier jour. Ils acclamaient de toutes leurs forces l'Empereur.

Très près de nous, les Anglais nous voyaient et entendaient tous ces cris.

La revue passée, notre division reçut l'ordre de se porter à droite de la route de Bruxelles, vis-à-vis de la ferme Belle-Alliance et d'y prendre position.

---

* À neuf heures seulement, le corps de Reille arriva au Caillou. Reille et Jérôme y entrèrent. L'Empereur demanda à Reille son sentiment sur l'armée anglaise que ce général devait bien connaître, l'ayant souvent combattue en Espagne. (Henry Houssaye, *1815*, p. 319.) *[Note de l'éditeur scientifique, André Lévi, 1914.]*

Il était près de midi lorsque nous fûmes placés. La plus formidable bataille à laquelle il m'a été donné d'assister allait commencer.

Le combat ne s'engagea que vers une heure de l'après-midi.

Au début de l'action, le général Reillè donna l'ordre à la division d'infanterie du prince Jérôme Bonaparte de s'emparer de la ferme d'Hougoumont. Cette division formait la gauche du corps d'armée et elle se trouvait en position en face de cette ferme.

La division s'élança sur cette position et fit des prodiges de valeur. Elle allait s'en emparer quand les Anglais, envoyant des renforts, la forcèrent à se replier après avoir éprouvé des pertes assez considérables. Le général de brigade Baudouin fut tué*.

La division Jérôme se reforma et, augmentée d'une brigade de la division du général Foy, elle s'élança de nouveau à l'assaut d'Hougoumont. Le combat fut violent et dura jusqu'au soir, les adversaires s'emparant et reperdant tour à tour leurs positions. C'était un combat de géants !

À trois heures, le champ de bataille ressemblait à une véritable fournaise. Le bruit du canon, celui de la fusillade, les cris des combattants, tout cela joint au soleil ardent, le faisait ressembler à l'enfer des damnés !

Le feu de l'artillerie anglaise était si violent que leurs boulets et leur mitraille tombaient jusque sur notre division, bien qu'elle ne fût pas engagée et à une assez respectable portée de canon. Le général nous fit diriger alors sur le petit bois de Goumont[1],

---

* Reille, grièvement blessé, fut transporté hors du champ de bataille et Jérôme Bonaparte, atteint d'une balle au bras, s'en vint rejoindre Napoléon. [*Note d'André Lévi.*]

où vinrent également se rallier les débris des divisions Jérôme Bonaparte et Foy.

Sous l'élan terrible de notre armée, les Anglais
montraient une ténacité et un courage admirables.
Toutefois, sans le secours des Prussiens, ils auraient
été forcés de battre en retraite.

Ils tenaient bon ; la journée s'avançait et notre
infanterie n'avait pas pu les entamer. L'ordre fut
donné à notre cavalerie de se lancer sur eux.

Notre division occupait toujours, l'arme au bras, la
même position. Nous n'avions pas encore donné. De
l'endroit où je me trouvais, à la lisière du bois de
Goumont, je voyais très bien le champ de bataille.
Les charges de notre belle cavalerie furent certainement la chose la plus admirable que j'aie jamais vue*.

Plus de dix fois ils s'élancèrent sur les Anglais et,
malgré leur fusillade, parvenaient jusque sur leurs
baïonnettes. Ils venaient se reformer autour du petit
bois où nous nous trouvions et chargeaient à nouveau.

J'étais ému plus que je ne puis l'exprimer, et malgré les dangers que je courais moi-même, j'avais les
larmes aux yeux et je leur criai mon admiration !

Les carabiniers surtout me frappèrent. Je vis leurs
cuirasses dorées et leurs casques briller sous le soleil,
ils passèrent à côté de moi et je ne les revis plus !

Pendant la bataille, je n'ai pas revu l'Empereur,
mais un des aides de camp du général Foy, qui à ce
moment revenait du quartier général, me dit qu'il
avait l'air calme et content.

---

* Des escadrons ont percé l'armée anglaise dans son centre
et sont venus se reformer derrière ma division, après avoir fait
le tour du bois de Hougoumont. (*Vie militaire du général Foy*,
p. 281.) *[Note d'André Lévi.]*

Notre division et une brigade de la division du général Foy se trouvaient encore à six heures du soir dans la même position. Nous avions assisté jusqu'alors à la bataille sans y participer. On a prétendu que nous avions été oubliés*!

À six heures, je me souviens avoir regardé ma montre, car la journée s'avançait, nous reçûmes l'ordre de sortir du bois de Goumont afin de seconder les efforts de notre cavalerie.

À peine venions-nous de quitter le bois et de nous former en colonne de division qu'une pluie de balles et de mitraille vint s'abattre sur nous. Je me trouvais à côté du général Bachelu lorsqu'il fut atteint par plusieurs projectiles et eut son cheval tué sous lui.

Le général de brigade ayant été blessé dans le même moment, je pris provisoirement le commandement de la division.

Emportés par notre élan et malgré leur feu, nous allions aborder les Anglais lorsqu'un renfort important leur arriva.

---

* La division Bachelu et la brigade Jamin (division Foy), étaient depuis plusieurs heures à 1 300 mètres de la position des Alliés. Elles assistaient l'arme au bras à ce furieux combat ; elles n'attendaient qu'un ordre pour aller seconder la cavalerie. Ney les oublia. Ce fut seulement après l'échec de la quatrième charge qu'il songea à utiliser ces 6 000 baïonnettes. Les six régiments marchèrent par échelons, en colonne de division à demi-distance. Il était trop tard. Les batteries les foudroyèrent et l'infanterie anglo-alliée, qui avait étendu en arc de cercle son front vers Hougoumont les cribla de feux convergents. « C'était une grêle de morts », dit Foy. En quelques instants quinze cents hommes, dont les généraux Foy, Bachelu, Campy et Jamin furent tués ou blessés. On approcha tout de même à portée de pistolet mais les brigades fraîches de Duplat et de William Halkett ayant dessiné un mouvement offensif, les colonnes, tronçonnées par les boulets, durent battre en retraite. (Henry Houssaye, *1815*, p. 387.) *[Note d'André Lévi.]*

Nul doute que sans cela ils eussent été contraints à reculer.

Un feu d'une violence inouïe nous accueillit au moment où nous touchions les Anglais de nos baïonnettes. Nos soldats tombèrent par centaines, les autres durent battre précipitamment en retraite : il n'en serait pas revenu un seul*.

Je reçus deux fortes contusions à la poitrine et j'eus mon cheval tué sous moi d'un coup de mitraille. Dans ma chute je me foulai le poignet gauche.

La violence du choc et la douleur que j'éprouvai me firent perdre connaissance.

Fort heureusement pour moi, mon évanouissement fut de courte durée et j'eus bien vite repris tous mes esprits. Abrité derrière le corps de mon cheval, je laissai passer une charge de dragons anglais poursuivant notre malheureuse division.

Une fois les Anglais assez éloignés, je cherchai à m'orienter de façon à rejoindre un corps français, sinon j'étais pris par les Alliés qui parcouraient la plaine en tous sens.

Je vis à une courte distance une troupe qui se ral-

---

* On donna ordre aux divisions Bachelu et Foy de gravir le plateau, droit aux carrés qui s'y étaient avancés pendant la charge de cavalerie et qui ne s'étaient pas repliés. L'attaque fut formée en colonne par échelons de régiment, Bachelu formant les échelons les plus avancés. Je tenais par ma gauche à la haie. J'avais sur mon front un bataillon de tirailleurs. Près de joindre les Anglais, nous avons reçu un feu très vif de mitraille et de mousqueterie. C'était une grêle de mort. Les carrés ennemis avaient le premier rang genoux en terre et présentaient une haie de baïonnettes. Les colonnes de la 1re division prirent la fuite les premières : leur mouvement a entraîné celui de mes colonnes. En ce moment j'ai été blessé ; je suis resté sur le champ de bataille. Tout le monde fuyait. J'ai rallié les débris de ma division dans le ravin adjacent au bois de Hougoumont. (*Vie militaire du général Foy*, p. 282.) *[Note d'André Lévi.]*

liait dans le petit ravin situé près du bois de Hougoumont. Je me dirigeai vers elle le plus rapidement possible et avec d'infinies précautions. C'étaient les
débris des divisions Bachelu et Foy qui se reformaient.

Mon état ne me permettait pas de rester au combat.
Je me portai en arrière.

Il était à peu près huit heures du soir. La fusillade
s'éteignait petit à petit et nos troupes avaient perdu la
plupart de leurs positions. Pour tous ceux qui savaient
ce qu'est la guerre, la bataille était perdue.

Comme je me dirigeais vers la place où je croyais
trouver les ambulances, je rencontrai un vieux chef
d'escadrons de cuirassiers que j'avais connu autrefois
en Espagne. Il était également blessé et cherchait les
ambulances. S'approchant de moi il me dit :

— « Mon pauvre colonel, nous sommes bien malheureux. La bataille est perdue ! »

J'étais furieux et je crois bien lui avoir répondu des
grossièretés.

Le chef d'escadrons ne me dit plus rien ; il hochait
tristement la tête et avait l'air d'être hébété. Il me faisait pitié. Ne trouvant pas les ambulances, nous continuâmes notre route dans la direction de Genappe. La
route était déjà pleine de fuyards, de toutes armes et
de tous grades qui criaient :

— « Nous sommes trahis ! Sauve qui peut ! » et
bousculaient tout sur leur passage[1].

Le désordre était à son comble. Il dépassait en horreur celui que j'avais vu lors du retour de Russie et de
la retraite de Leipzig.

Enveloppé dans cette masse d'hommes, ayant
perdu mon compagnon d'infortune et surtout affaibli par mes contusions, j'aurais certainement péri, si
l'idée ne m'était venue de m'écarter de cette route et
de gagner la campagne[2].

Je préférais être pris que de mourir aussi misérablement.

Mon idée fut couronnée de succès. J'eus bientôt rattrapé un cheval errant et à travers champs je gagnai la route de Nivelles. Cette route était beaucoup moins encombrée que celle de Charleroi. Je me joignis à un petit groupe d'officiers généraux et supérieurs qui, blessés, s'éloignaient du champ de bataille et cherchaient à se mettre hors d'atteinte de la poursuite des ennemis.

La nuit était profonde et nous étions irrésistiblement poussés par le flot des fuyards. Il fallait faire attention de n'être pas jeté en bas de son cheval, aussi pour distancer ces malheureux, poursuivîmes-nous notre route aussi longtemps que nos montures purent le supporter.

Au matin, nous étions dans les environs de Maubeuge. Je n'avais pris aucune nourriture depuis la veille, mais j'avais d'autres pensées en tête !

Je restai à Maubeuge. L'excitation du combat avait fait place chez moi à un grand abattement. Je sentais que la défaite devait être grosse de conséquences et que, de nouveau, les Alliés allaient marcher sur Paris. J'étais découragé et sans forces.

Je me logeai chez une brave femme madame veuve Simon, qui me soigna avec beaucoup de dévouement. Ma foulure du poignet me faisait particulièrement souffrir ; quant à mes contusions à la poitrine, elles m'occasionnèrent, jointes à mon extrême fatigue, une violente courbature.

Je pris la résolution de ne plus servir et je restai dans Maubeuge sans faire aucun service et sans me présenter au général qui y commandait.

RENÉ BOURGEOIS

Relation fidèle et détaillée de la dernière campagne de Buonaparte, terminée par la bataille de Mont-Saint-Jean, dite de Waterloo ou de la Belle-Alliance, par un témoin oculaire

(1815)

« *Le débarquement de Buonaparte à Cannes fut un coup de foudre pour tous les Français honnêtes et véritablement patriotes, pour tous ceux en un mot, qui voulaient sincèrement la tranquillité et le bien de leur pays.* » *C'est ainsi que René Bourgeois ouvre son livre consacré à la campagne de 1815 et fait l'aveu, entre les lignes, qu'il est un partisan de la monarchie et un ennemi de* « *l'ogre* ». *Le témoignage est publié de manière anonyme dès le lendemain de la débâcle militaire. L'auteur se présente seulement comme un* « *témoin oculaire* » *de la bataille de Waterloo. Le succès éditorial est si grand que l'ouvrage est réédité à plusieurs reprises dans les mois qui suivent sa première publication. C'est, à chaque édition nouvelle, l'occasion pour Bourgeois de retoucher son manuscrit pour l'améliorer, à mesure que d'autres récits de la bataille apportent des éléments nouveaux sur son déroulement* [1].

Bourgeois a déjà publié en 1814 un Tableau de la campagne de Russie en 1812 *et affiche donc à nouveau, un an plus tard, son penchant pour l'étude des défaites de Napoléon, ce qui est assez logique de la part d'un royaliste. Sa relation n'est donc pas impartiale et témoigne au contraire d'un royalisme assumé. Cette littérature politique est rare pour l'époque, surtout venant d'un auteur qui se présente*

---

1. Nous retenons ici la troisième édition, parue, comme la première édition, en 1815.

*comme un soldat ayant servi dans l'armée de Napoléon.
Certains historiens ont d'ailleurs assuré que François-
Thomas Delbare était le véritable auteur de ce récit tant il
est un de ceux qui ont le plus contribué à forger une légende
noire de l'empereur, notamment avec son pamphlet* Les
Crimes de Buonaparte et de ses adhérents. *Mais les spécialistes de cette question que sont Jean Tulard et, plus
récemment, Jean-Marc Largeaud, attribuent la paternité
de l'œuvre à René Bourgeois qui était chirurgien dans la
Grande Armée en 1815. À la fin de sa carrière militaire, il
devint médecin de la maison royale de Saint-Denis, et fut
décoré de la légion d'honneur.*

*Bourgeois livre donc un témoignage critique de la cam-
pagne de 1815 dans lequel il s'emploie à déconstruire le
mythe de Napoléon comme stratège militaire hors pair.
Waterloo révélerait les erreurs militaires de l'empereur qui
sont analysées, par l'auteur, comme autant de preuves des
vices de son caractère. Ce goût de Napoléon pour la guerre,
cette obstination dont il fait preuve à Waterloo en jetant
toutes ses troupes dans la bataille, sans penser à la retraite,
cette volonté de l'empereur de se jeter lui-même au sein de la
mêlée, en un mot cette politique du tout ou rien, sont autant
de traits attestant de la folie de Napoléon. Bourgeois tente
d'opposer au despotisme militaire de Napoléon la modération politique et le souci du progrès économique qui
seraient propres à la monarchie. Pour lui, 1815 est la campagne de trop et Waterloo la bataille de trop, avec son amas
de cadavres. Le jugement est certes de nature politique,
mais il faut reconnaître que le bilan de la campagne de 1815
fut une catastrophe pour l'Empire et pour la France entière.*

Au lieu d'être éclairé, par les pertes énormes qu'il
éprouvait, sur les forces et les projets de l'ennemi, et
de prendre des mesures pour ne pas compromettre
le salut de toute l'armée, il[1] descend furieux du plateau d'où il dirigeait les opérations, se met à la tête
de sa garde, et ne cesse d'exiger d'elle des choses

impossibles, que lorsque renversée et perdue dans les masses qui l'écrasent, elle lui échappe, pour ainsi dire, et disparaît au milieu du carnage.

Dès lors tout fut perdu, et la destruction de l'armée française était d'autant plus inévitable, qu'elle était débordée sur sa droite, et que rien n'avait été prévu pour une retraite. Qui le croirait ? Buonaparte[1] seul méconnaît les dangers qui le menacent ; il veut encore marcher en avant, et recueille tout ce qui lui reste de ressources pour réitérer ses tentatives sur le centre. Ô égarement inconcevable ! il conserve l'espoir de renverser, avec quelques bataillons, des forces qui avaient résisté à toute son armée !

Et voilà l'homme qui passe pour le plus grand capitaine du siècle ! Oui sans doute, et sans contredit, s'il ne s'agit, pour gagner des batailles, que de faire égorger des milliers d'hommes en les ruant sans calcul les uns sur les autres. On ne peut cependant pas douter que Buonaparte n'ait donné, au Mont-Saint-Jean, la mesure de sa capacité, et il avait trop besoin de vaincre pour ne pas y déployer tous ses moyens. Ainsi l'on se trouve après cela dans l'alternative, ou d'avouer qu'il ne doit qu'au hasard toutes ses victoires, ou qu'il était tombé en démence pendant la journée du 18 juin ; car ses combinaisons de ce jour ne peuvent passer pour bien conçues, qu'autant qu'on lui supposera l'intention formelle de faire assassiner son armée ; c'est au moins le jugement qu'en portèrent des officiers-généraux très capables de les apprécier, et qui même, ne pouvant revenir de leur étonnement ni contenir leur indignation, s'écriaient hautement pendant l'affaire : Mais cet homme n'y est plus ! Que veut-il ? Il perd la tête !

Cependant quelques-uns prétendent que, mettant de côté tout ce qui a rapport aux dispositions du terrain, la manière dont il dirigea ses attaques et les mouvements qu'il fit exécuter, offraient beaucoup de ressemblance avec ce qui s'est passé à Marengo ; de manière que si tout à coup, et au moment où les Anglais victorieux s'échappaient de leurs positions pour fondre sur nous, il était sorti de la terre une colonne formidable commandée par un Desaix, il est très probable qu'alors la chance aurait tourné à notre avantage.

Tout le monde s'accorde à assurer que lorsqu'il vit l'affaire prendre une mauvaise tournure, il chargea, à la tête de la garde, avec une grande bravoure, qu'il eut deux chevaux tués sous lui, et qu'il se précipita plusieurs fois au milieu des Anglais pour y chercher la mort[1]. Cet acte de désespoir ne peut être regardé que comme un nouveau trait de folie, et loin d'infirmer la proposition émise sur l'impéritie de Buonaparte, il l'étaye au contraire de nouvelles preuves ; il contribue puissamment à établir, qu'incapable de rien prévoir pour se ménager une retraite, au Mont-Saint-Jean comme partout ailleurs, sa tactique s'est bornée à tout risquer pour enfoncer son ennemi : ce qui rend compte des étonnants désastres qui ont constamment signalé ses défaites.

On ne peut donc s'empêcher de déplorer le sort d'une armée livrée à la discrétion d'un homme caractérisé par une aussi invincible obstination, qui ne veut pas reconnaître d'obstacles, et avec lequel il ne peut y avoir d'autre alternative que celle de vaincre ou de mourir.

Une bravoure aussi inconsidérée n'est, au reste, que condamnable dans un général qui se doit entièrement au salut de son armée. Mais Buonaparte l'a-t-il véritablement montrée ? Si l'on répond affirmativement à cette question (et il n'est pas possible de nier que dans une infinité de circonstances il n'ait affronté le péril avec un grand sang-froid et beaucoup de témérité), on se trouve nécessairement conduit à reconnaître en lui deux êtres essentiellement différents ; l'un brave, audacieux, exposant sans réserve sa vie au milieu des combats, et déterminé à finir glorieusement au champ d'honneur ; l'autre, pusillanime, lâche, poursuivi sans cesse par la crainte de la mort, et qui, pour s'y soustraire, brave impudemment le déshonneur et l'infamie.

C'est ce dernier qui, loin de faire quelques efforts pour rallier son armée, loin de se présenter à elle pour l'arrêter et en sauver les malheureux débris, s'en éloigne en fugitif, et se cachant au milieu de ses soldats, les abandonne lâchement pour ne s'occuper que de sa conservation personnelle. Si l'un a quelquefois été courageux sur le champ de bataille, ou au moins s'il est resté ferme et impassible au milieu des scènes de carnage dont il aimait tant à repaître ses yeux, l'autre s'est constamment montré tremblant à l'aspect du danger, et tellement effrayé de l'idée de mourir, que toutes les fois qu'il s'est trouvé dans des occasions critiques, une terreur panique s'est emparée de ses sens, et lui ôtant toute sa force morale, l'a subitement et irrésistiblement entraîné vers une fuite honteuse[1].

Pendant que cédant à l'impulsion de la frayeur dont il est pénétré, il se glissait furtivement à travers ses soldats, comme un voleur qui craint d'être reconnu au milieu de la foule qui l'environne, ceux-ci, plus soigneux que lui-même de sa gloire, ne savaient mieux exprimer l'attachement qu'ils lui portaient encore, qu'en désirant qu'il fût resté sur le champ de bataille : S'il était seulement mort !...... disaient-ils. En vain le présentait-on comme un souverain, et s'efforçait-on de faire ressortir la différence qui existait entre ses devoirs et ceux du simple général, on ne voyait dans ce raisonnement qu'un prétexte captieux mis en avant pour colorer une fuite dont rien ne pouvait atténuer l'ignominie.

[...]

La bataille de Mont-Saint-Jean, en déterminant l'occupation de Paris et le rétablissement en France de l'autorité légitime, a donc mis un terme à la lutte effrayante dans laquelle Buonaparte nous avait engagés. C'est sans doute une terrible catastrophe que la destruction si rapide de tant de milliers d'hommes ; mais si, sous un autre point de vue, on la considère comme l'issue prompte et inattendue d'une guerre affreuse, aux ravages de laquelle la France entière allait être livrée pendant un espace de temps inappréciable, on aura lieu de se convaincre qu'elle est réellement l'évènement le moins funeste qui ait pu survenir dans les circonstances malheureuses où nous nous trouvions placés.

Il est évident, de tel côté que l'on examine les choses, et quand même on supposerait la France unanime dans ses efforts, qu'elle était dans l'impossibilité de résister à toutes les forces de l'Europe conjurées contre elle ; il fallait nécessairement qu'elle succombât après une défense plus ou moins longue, plus ou moins meurtrière, mais, dans tous les cas, excessivement désastreuse pour elle. Les résultats décisifs de la bataille de Mont-Saint-Jean lui ont donc épargné, sinon tous les maux, au moins une grande partie des calamités et des horreurs qui l'auraient accablée, si elle était devenue le théâtre d'une guerre active et sanglante.

Maintenant en proie à la dévastation la plus effrénée, elle serait foulée en tous sens par de nombreuses armées qui se disputeraient ses dépouilles ; le terrain, défendu pied à pied, ne serait cédé que couvert de cadavres et des décombres des villages consumés par les flammes ; les habitants, désespérés, abandonneraient en foule leurs asiles à la discrétion de soldats avides de rapine, et pour qui la destruction est un besoin insurmontable. Certes, dans cette cruelle hypothèse, il n'y aurait aucune distinction à établir entre l'ami et l'ennemi, le compatriote et l'étranger, le défenseur et l'agresseur ; tous, à l'envi, animés de cet esprit de vandalisme qui afflige l'Europe depuis vingt-cinq ans, réuniraient leurs efforts pour dilapider, saccager et ruiner enfin de fond en comble notre malheureuse patrie. Les faits n'ont-ils pas prouvé irrévocablement que le sol sacré d'une patrie n'existe pas pour des hommes que la force a mis au-dessus de toutes les lois ?

Si, comme l'histoire en rapporte de fréquents et terribles exemples, les militaires de tous les temps et de tous les pays, lorsqu'ils se sont trouvés assez forts, ont été constamment disposés à faire corps à part et à tourner contre leurs concitoyens les armes qui ne leur avaient été confiées que pour les défendre, quel ménagement, quelle protection devait-on attendre d'une armée portant à Buonaparte un attachement exclusif, et qui venait, en lui livrant sa patrie, de se déclarer à la face du monde entier, des satellites, aveugles instruments de ses volontés arbitraires ? Cette armée d'ailleurs accoutumée à une vie errante et vagabonde, depuis longtemps exercée au brigandage et possédée du génie de la destruction, était devenue cosmopolite, et sans adopter de patrie, ne respirait que la guerre, parce que la guerre était tout pour elle et amenait ce retour à une licence sans bornes qui fait l'objet de tous ses vœux. Incapable de la moindre modération, et après avoir ruiné toutes les contrées qu'elle a parcourues, la France n'eût été pour elle qu'un pays vierge encore, et qui offrait à ses déprédations un champ vaste et fertile. Cet esprit de désordre et d'indiscipline qu'elle avait porté partout où elle s'était présentée, victorieuse ou fugitive, s'était propagé non seulement aux troupes étrangères qui avaient servi dans ses rangs, mais à celles aussi contre lesquelles elle avait toujours combattu. Ainsi notre malheureuse patrie ne pouvait échapper au sort déplorable que ces armées avaient fait subir aux pays qu'elles avaient successivement désolés de leur présence.

Il faut toutefois l'avouer, si les Français pendant leurs excursions dans les États voisins ont donné l'exemple de la rapine et des exactions, ils ont été souvent sinon surpassés, au moins égalés par ceux des étrangers qui se sont formés sur leur modèle, et il est telle nation à laquelle à la vérité il appartient d'exercer de plus cruelles représailles, qui pourrait à son tour donner des leçons en ce genre. Au reste, cette démoralisation générale est le fruit inévitable de ce système militaire que Buonaparte avait consacré, qui malheureusement s'est étendu dans toute l'Europe, y a jeté de profondes racines, et où il est à craindre qu'il ne prédomine longtemps.

Essentiellement subversif de tous principes et de toute moralité, destructeur audacieux de la justice et des lois, insigne ennemi de la civilisation, ce despotisme est le plus grand fléau des empires et de la société, ou plutôt il n'existe ni empire ni société lorsqu'il est exclusivement établi. Il donne nécessairement naissance à des guerres continuelles, parce que l'intérêt est le roi de la terre et l'envie de dominer naturelle à l'homme. D'après ces considérations, les militaires, qui, regardés comme mandataires constitués à la défense de leurs concitoyens, sont éminemment dignes de leur considération, oublient bientôt que ce n'est qu'à ce titre et pour le maintien de l'ordre social, que devient honorable et légitime la force dont ils sont dépositaires ; et substituant leur intérêt propre à l'intérêt général, irrésistiblement dominés par l'envie de s'enrichir, de s'élever aux honneurs et aux grands emplois, ils ne tardent pas, quand ils en ont les moyens, à déployer abusivement cette force publique pour servir leurs projets. Leurs désirs prennent plus d'extension à mesure qu'ils sont plus facilement remplis, et la guerre étant pour eux le seul moyen de parvenir, ils doivent nécessairement la provoquer sans cesse.

La prépondérance exclusive des militaires est donc la plus grande calamité qui puisse affliger un État, et l'entraîne toujours inévitablement vers sa ruine. Tous les peuples conquérants ont été à leur tour subjugués ; et écrasés par la même force qu'ils avaient mise en usage, ils ont été contraints à plier sous la verge de fer que, vainqueurs orgueilleux, ils avaient appesantie sur les vaincus. Quelle nation plus que la France a pu en acquérir l'expérience fatale ! Qui mieux qu'elle peut connaître le gouvernement militaire pour lequel elle a fait tant de sacrifices, et apprécier à leur juste valeur l'avantage des conquêtes et toute la gloire des armes ! Chacun de ses nombreux triomphes ne lui a-t-il pas fait perdre une partie de sa force intrinsèque ? Et toutes ces armées brillantes, pleines de bravoure, reconnues pour les meilleures du monde, et presque constamment heureuses, ne l'ont-elle pas moins conduite à sa perte, pour ainsi dire, de victoire en victoire ?

Qui ne voit d'ailleurs que ce déplorable système de despotisme militaire, nous fait rétrograder à grands pas vers les siècles de barbarie. Déjà, comme dans les temps d'anarchie de la république romaine, des légions factieuses, sans reconnaître d'autres lois que celles de leur volonté, appelaient à régner sur les peuples qu'ils opprimaient, le général qui avait su captiver leurs suffrages ; ou comme chez les Asiatiques, des janissaires audacieux élevaient ou déposaient, selon leurs caprices, le chef du gouvernement.

[...]

Concluons donc que les gouvernements militaires sont les plus oppressifs, les moins en rapport avec l'état de la civilisation et des lumières, et les plus propres à nous ramener à la barbarie des premiers siècles. Que les amis de cette indépendance digne de l'homme de bien et seule compatible avec le maintien de la société, se persuadent que l'esclavage a pris naissance au milieu des rangs militaires, et que ce n'est qu'en soulevant peu à peu le joug de cet affreux despotisme, que les nations se sont élevées insensiblement vers un état social plus supportable.

Il est donc urgent de réunir tous ses efforts contre le vandalisme qui menace de nous replonger dans le chaos de la barbarie. Il est temps enfin que l'ordre succède à l'anarchie, et le règne des lois à celui de la force.

Si, comme on ne peut en douter, l'Europe n'a pris cette attitude militaire et véritablement effrayante, que parce qu'elle y a été contrainte pour repousser les agressions injustes et sans cesse imminentes de la France, dirigée par le plus ambitieux et le plus immoral des conquérants, la cause n'existant plus aujourd'hui, l'effet réactif doit nécessairement cesser. On est donc en droit d'espérer que ces derniers évènements rendront enfin à tous les peuples le repos qu'ils invoquent tous avec la même ferveur; et qu'instruite par tant de calamités et de désastres, l'Europe s'empressera de faire disparaître cet appareil de guerre dont la permanence ne peut que susciter de nouvelles révolutions.

Ce n'est point la France qui a été vaincue dans la lutte qui vient de finir; elle faisait, au contraire, partie intégrante de la coalition formée contre son oppresseur ; elle n'est donc point subjuguée, mais délivrée, et ne peut, sous aucun rapport, être traitée en pays conquis. Ralliée tout entière autour de son Roi légitime, que la force seule lui avait arraché, elle se retrouve en paix avec toute l'Europe. Elle est donc en droit de demander à jouir des avantages de cette paix à la conquête de laquelle elle a contribué pour sa part. Elle réclame, en conséquence, l'accomplissement des solennelles promesses par lesquelles les puissances, ses alliées, se sont engagées envers elle, et qu'elles ne peuvent violer sans renoncer au noble titre de libérateurs qu'elles se sont acquis, pour se déclarer ses implacables ennemis. Alors l'Europe serait de nouveau plongée dans un abîme de maux : la France exaspérée, se lèverait tout entière pour se soustraire au joug affreux qu'on voudrait lui imposer, et dont elle ne souffrirait jamais l'humiliation, et des flots de sang recommenceraient à couler.

ALEXANDRE CAVALIÉ MERCER

Journal de la campagne de Waterloo
(1870)

Alexandre Cavalié Mercer (1783-1868) est issu d'une famille de la petite noblesse anglaise. Son père était général du génie. Il est officier d'artillerie à cheval durant la campagne de 1815. Peu apprécié par Wellington, il joue néanmoins un rôle important à Waterloo où il met en pièces les soldats français qui chargent avec le maréchal Ney à leur tête. Il fait partie du corps d'armée britannique qui occupe Paris jusqu'à la fin de l'année 1815, puis il est envoyé au Canada avec le grade de major.

Le caractère exceptionnel de son journal de campagne, paru en 1870 (et traduit en français par Maxime Valère en 1933 chez Plon, traduction reproduite ici), est d'avoir été tenu quotidiennement, même si les passages sur Waterloo ont été écrits quelques jours seulement après la bataille. Mercer n'a aucune aversion particulière à l'égard des Français ; il avoue parfois même son admiration pour Napoléon, comme lorsqu'il aperçoit l'empereur sur le champ de bataille des Quatre-Bras : « J'avais souvent désiré voir Napoléon, ce puissant homme de guerre, ce génie étonnant qui avait rempli le monde de sa renommée. » Son témoignage n'a pas la prétention des grandes fresques historiques, et d'ailleurs, dit-il, personne ne peut prétendre peindre avec exactitude les faits de guerre d'une journée comme celle du 18 juin, car la fumée emplit le champ de bataille et que les soldats n'y voient pas plus loin que le bout de leur nez. Mercer assure livrer « un pur bavardage *pour [son] propre amusement ». Pourtant, son témoignage est un des plus précieux sur Waterloo parce qu'il est écrit à chaud et que son auteur conserve une certaine lucidité sur la violence terrible des combats auxquels il a pris part, violence à laquelle il veut échapper.*

L'ennemi, nous voyant obstinés à maintenir notre position, ralentit bientôt son feu et finit par l'arrêter. Nous fîmes de même et commençâmes à établir notre bivouac pour la nuit.

Nous obéîmes à cet ordre si désiré et, descendant de notre poste, nous arrivâmes à une grande ferme où, passant à travers une haie vive, nous formâmes notre parc dans le verger, préférant son gazon aux champs boueux pleins de flaques d'eau. Nous ne fûmes pas longs à découvrir que nous avions échangé la poêle à frire pour le foyer, car notre riant gazon avait six pouces d'eau, le verger étant situé dans un creux en dessous du niveau de la route. Mais il commençait à faire nuit et il était par conséquent trop tard pour chercher un autre gîte. Nous dûmes donc nous accommoder de celui-ci.

Complètement trempés — manteaux, couvertures et tout — il ne pouvait être question de confort et nous tâchâmes de nous en tirer le mieux possible.

Nos premiers soins furent naturellement pour les chevaux et nous avions d'amples moyens de les satisfaire car, en plus du blé qui restait, un de nos hommes avait ramassé et ramené avec lui sur une voiture de munitions un grand sac plein d'avoine qu'il avait trouvé sur la route près de Genappes. Les bêtes, au moins, avaient largement de quoi manger et, ayant été bien arrosées tout le jour, elles n'avaient pas beaucoup besoin d'eau. Pour nous, nous n'avions absolument rien et nous comptions sur le repos pour restaurer nos forces épuisées. C'est plutôt dur de se coucher sans souper après une journée pareille ; mais il n'y avait rien à faire.

Cependant nos pauvres bêtes n'étaient pas toutes destinées à se reposer et, en dépit de ce qu'elles avaient eu à subir pendant les dernières trente-six heures, plusieurs d'entre elles furent obligées de passer la nuit sur la route et dans les harnais. Ayant fait le plein de nos caissons avec le contenu de deux voitures, je renvoyai en effet ces dernières avec un sous-officier, dès que les chevaux eurent mangé, à Langeveldt, où sir Augustus Frazer m'avait dit le matin que se trouvait un dépôt où nous pourrions remplacer ce que nous avions employé dans la journée.

Ceci fait, nous pensâmes à nous. Nos canonniers se retirèrent bientôt sous les voitures, se servant des bâches comme d'un abri de plus contre la pluie, qui se mit à tomber plus que jamais. Nous dressâmes une petite tente dans laquelle (après de vains efforts pour nous procurer de la nourriture et un logement dans la ferme ou ses annexes, pleins jusqu'à suffocation d'hommes et d'officiers de toutes armes et nations) nous nous glissâmes enroulés dans nos couvertures humides, pressés les uns contre les autres dans l'espoir de nous tenir chaud malgré nos vêtements trempés et le sol imbibé d'eau.

Je ne sais comment il en allait pour mes camarades de lit, car nous restâmes étendus parfaitement silencieux et tranquilles pendant un long temps. Les vétérans de la Péninsule dédaignaient de se plaindre devant leurs jeunes camarades et ceux-ci craignaient de le faire aussi par peur de provoquer des remarques dans ce goût : « Que le Seigneur ait pitié de votre pauvre tendre carcasse ! Qu'est-ce que des gens comme vous auraient fait aux Pyrénées ! » Ou bien : « Oh ! oh ! mon garçon, ceci n'est que jeu d'enfant à côté de ce que nous avons vu en Espagne. » Ainsi tous ceux qui ne dormaient pas (je crois que c'était la majorité) faisaient semblant et supportaient leurs souffrances avec un admirable héroïsme.

Pour ma part, une ou deux fois, par pure fatigue, je tombai dans une espèce de somnolence, mais cela ne pouvait pas durer. Il était impossible de dormir. Outre que nous étions déjà complètement mouillés, la tente n'était pas une protection, l'eau coulant à travers la toile. Aussi, je me levai et, à mon immense joie, trouvai que quelques hommes étaient parvenus à faire deux feux autour desquels ils étaient assis fumant leurs courtes pipes dans une sorte de confort. L'exemple était bon et, comme mon capitaine en second me rejoignait en ce moment, nous empruntâmes quelques tisons et, choisissant le meilleur endroit sous la haie, nous travaillâmes à faire un feu pour nous-mêmes. En peu de temps nous obtînmes une flamme réjouissante qui améliora immédiatement notre situation. Mon compagnon avait un parapluie (qui, entre parenthèses, avait fait la joie de nos gens pendant la marche); nous le plantâmes contre le remblai en pente et nous asseyant au-dessous, lui d'un côté du manche et moi de l'autre, nous allumâmes nos cigares et devînmes confortables.

Nous étions là, savourant notre bien-être, envoyant dans l'air humide de la nuit d'odorantes bouffées, capables à présent de parler délibérément de ce qui s'était passé et de ce qui allait probablement arriver. Pendant ce temps, un infernal tintamarre de mousqueterie se faisait entendre qu'on aurait pu prendre pour une attaque de nuit, n'avaient été les nombreuses formes sombres tranquillement assises autour d'innombrables feux de bivouac. Comme ces gentlemen étaient entre nous et l'ennemi, nous étions sûrs d'être prévenus à temps. Nous ne fûmes pas longs à apprendre que, comme auparavant, tout ce bruit provenait de l'infanterie déchargeant et nettoyant ses armes.

Notre conversation roulait naturellement sur notre situation présente et, après avoir discuté le pour et le contre, nous fûmes d'avis que la retraite reprendrait demain matin, au jour[1]. Mais quand cette retraite devait se terminer, c'est ce que tous nos moyens de prévision ne pouvaient déterminer.

Pendant que nous étions ainsi occupés, un bruit dans la haie derrière nous attira notre attention et, quelques minutes après, un pauvre garçon appartenant à quelque régiment hanovrien, trempé jusqu'aux os comme nous et grelottant de froid, fit son apparition et nous demanda modestement la permission de rester un instant à se chauffer à notre feu. Il s'était égaré et avait passé la plus grande partie de la nuit à chercher son corps, mais en vain. Il paraissait complètement épuisé, mais la chaleur lui ayant rendu des forces, il tira sa pipe et commença à fumer. Ayant fini sa provision et secoué soigneusement les cendres, il se leva pour renouveler ses remerciements, espérant, disait-il, retrouver ses camarades avant l'aurore, de peur qu'ils ne soient engagés sans lui.

Quelle ne fut pas notre surprise quand, après avoir fouillé dans son havresac, il en tira un malheureux poulet à demi mort de faim, nous en fit cadeau et s'éloigna ! C'était un don du Ciel en vérité pour des gens affamés comme nous. Aussi, empruntant une marmite de campagne, nous mîmes en un clin d'œil notre cadeau sur le feu. Nos camarades dans la tente ne dormaient pas si profondément qu'ils n'entendissent ce qui se passait et la marmite était à peine en place que mes gentlemen étaient assemblés autour d'elle formant un groupe trempé et grelottant, mais fort décidé à partager notre bonne fortune, si décidé même qu'après avoir donné plusieurs signes d'impatience, ils arrachèrent le misérable poulet de la casserole avant qu'il fût à moitié bouilli et le mirent en pièces qui furent rapidement dévorées. J'eus une petite patte pour ma part : ce n'était qu'une bouchée et la seule nourriture que j'aie goûtée depuis la nuit précédente.

[...]

[Vient le récit de la bataille de Waterloo, au moment du refoulement des charges de la cavalerie française.]

Nous étions dans un petit creux en dessous du niveau du terrain sur lequel ils[1] marchaient, ayant en face de nous un remblai d'environ un pied et demi ou deux pieds, au sommet duquel courait un chemin étroit, et cela donnait plus d'effet à nos boîtes à mitraille, car le carnage était effroyable. Je suppose que cet état de choses ne dura que quelques secondes, puis j'observai des symptômes d'hésitation et, en un clin d'œil, quand je pensais que c'en était fait de nous, ils firent demi-tour sur chaque flanc et filèrent rapidement vers l'arrière. Beaucoup se tournaient et s'efforçaient de se frayer un chemin à travers la colonne et la partie la plus près de nous devint bientôt une vraie cohue dans laquelle nous maintenions un feu nourri de nos six pièces à mitraille. L'effet en est à peine concevable et peindre cette scène de confusion est impossible. Chaque décharge était suivie de la chute d'un grand nombre d'hommes ; les survivants luttaient les uns contre les autres et je les vis se servir du pommeau de leurs sabres pour s'ouvrir une voie hors de la mêlée. Quelques-uns, désespérés de se trouver ainsi jetés à la gueule de nos canons, et d'autres emportés par leurs montures rendues folles par leurs blessures, s'élançaient entre nos intervalles, mais bien peu pensaient à se servir de leur sabre et poussaient furieusement de l'avant, ne songeant qu'à se sauver. Enfin la queue de la colonne en tournoyant ouvrit un passage et tous disparurent beaucoup plus rapidement qu'ils n'avaient avancé. Ils ne s'arrêtèrent que quand le pli de terrain les eut couverts de notre feu. Nous cessâmes alors de tirer, mais, comme ils n'étaient pas loin (nous voyions le sommet de leurs coiffures), ayant rechargé, nous nous tînmes prêts à les recevoir s'ils renouvelaient leur attaque.

Un des premiers, sinon le premier homme qui tomba de notre côté fut blessé par son propre canon. Le canonnier Butterworth était un de nos plus grands loustics, mais un soldat très audacieux et vif ; il était n° 8 (l'homme qui éponge, etc.) à sa pièce. Il venait d'écouvillonner[1] et reculait en arrière de la roue, quand son pied resta pris dans le sol boueux, le tirant en avant au moment où le coup partit. Comme on le fait naturellement quand on tombe, il tendit les bras et ils furent emportés à hauteur des coudes. Il se releva sur ses deux moignons et me regarda tristement. Il était impossible de lui venir en aide, le salut de tous dépendait du maintien du feu, et je fus obligé de me détourner de lui. L'état d'anxieuse activité dans lequel nous fûmes tenus tout le jour et le nombre d'autres hommes qui tombèrent ensuite me firent perdre de vue le pauvre Butterworth. J'appris plus tard qu'il avait réussi à se relever et à aller à l'arrière, mais, en m'informant de lui, le jour suivant, quelques-uns de nos gens qui avaient été envoyés à Waterloo me dirent qu'ils avaient vu son cadavre étendu près de la ferme de Mont-Saint-Jean, sur le côté de la route, saigné à blanc !

La retraite de la cavalerie fut suivie par une pluie de boulets et d'obus qui nous auraient annihilés, si nous n'avions pas été couverts par le petit remblai qui en rejetait la plus grande partie par-dessus nos têtes. Cependant quelques-uns atteignirent et jetèrent bas des hommes et des chevaux.

La première colonne française était composée de grenadiers à cheval* et de cuirassiers, les premiers en tête.

J'ai oublié s'ils avaient ou non changé cette disposition, mais je crois, d'après le nombre de cuirasses que nous trouvâmes ensuite, que les cuirassiers menèrent la deuxième attaque. Quoi qu'il en soit, leur colonne se rassembla.

Ils préparèrent la seconde charge en nous envoyant une nuée de tirailleurs qui nous incommodèrent terriblement par un feu de carabines et de pistolets à 40 yards[1] à peine de notre front. Nous étions obligés de nous tenir avec nos porte-feu allumés : aussi n'est-ce pas sans difficulté que j'empêchai nos hommes de tirer, car ils devenaient impatients dans une situation si dangereuse.

Voyant que les mots ne suffisaient pas et que quelque effort était nécessaire pour atteindre mon but, je fis sauter la petite banquette à mon cheval et commençai une promenade, aucunement agréable, le long de notre front, sans même dégainer, bien que ces gaillards fussent à portée de la voix. Cela tranquillisa mes hommes. Mais les grands messieurs bleus me voyant ainsi les défier, me prirent immédiatement pour cible et commencèrent un véritable exercice pour nous montrer quels mauvais tireurs ils étaient et prouver la vérité du vieux proverbe de l'artillerie :

---

* Ces grenadiers à cheval étaient une très belle troupe vêtue d'uniformes bleus sans revers, ni collets. Ils avaient de très larges baudriers de buffle, et leurs énormes bonnets de fourrure les faisaient paraître gigantesques. *[Note de l'auteur.]*

« Plus vous êtes près, plus vous êtes en sûreté. » Un gaillard me fit certainement *flancher*, mais il me manqua. Aussi je le menaçai du doigt, l'appelant *coquin*, etc. La canaille se mit à ricaner tout en rechargeant son arme et en me visant de nouveau. Je me sentais plutôt sot en ce moment, mais j'avais honte, après de telles bravades, de le lui laisser voir et je continuai ma promenade. Comme pour prolonger mon tourment, il mit terriblement longtemps à viser. Pour moi, cela sembla un siècle. Partout où je me tournais je voyais la bouche de son infernale carabine qui me suivait. Enfin le coup partit, la balle siffla près de ma nuque et, au même instant, tomba le premier conducteur d'une de mes pièces, Miller ; le maudit projectile lui avait percé le front.

La colonne monta alors une fois de plus sur le plateau et messieurs les tirailleurs se retirèrent à droite et à gauche pour laisser la place à la charge. Le spectacle était imposant et si jamais le mot sublime fut exactement appliqué, il pouvait sûrement l'être à celui-ci. Les cavaliers avançaient en escadrons serrés, l'un derrière l'autre, si nombreux cette fois que l'arrière était encore caché par la crête lorsque la tête de la colonne n'était qu'à 60 ou 80 yards de nos canons. Leur allure était un trot lent, mais soutenu. Ce n'était pas là une de ces furieuses charges au galop, mais l'avance, à une allure délibérée, d'hommes décidés à arriver à leurs fins. Ils marchaient dans un profond silence et le seul bruit qu'on entendait à travers le rugissement incessant de la bataille était le roulement sourd du sol foulé par les pas simultanés de tant de chevaux. De notre côté la détermination était égale. Chaque homme se tenait ferme à son poste, les canons prêts, chargés d'un boulet d'abord et d'une boîte à mitraille par-dessus : les tubes étaient dans les lumières : les porte-feu brillaient et pétillaient entre les roues. Un mot de moi seul manquait pour précipiter la destruction sur ce magnifique déploiement d'hommes vaillants et de nobles chevaux. Je le retardai, car l'expérience m'avait donné confiance.

Les Brünswickois partageaient ce sentiment et, avec leurs carrés fort réduits en dimensions, bien serrés, ils se tenaient fermement, l'arme au bras, les yeux fixés sur nous, prêts à commencer le feu à notre première décharge. C'était vraiment un grand et imposant spectacle.

La colonne était commandée cette fois par un officier dans un riche uniforme, la poitrine couverte de décorations, et dont la gesticulation vigoureuse contrastait très étrangement avec la contenance solennelle de ceux à qui il s'adressait[1]. Je leur permis d'avancer ainsi sans encombre jusqu'à ce que la tête de la colonne ne fût qu'à 60 ou 80 yards de nous et je donnai alors l'ordre de : « Feu ! »

L'effet fut terrible. Le premier rang presque entier tomba d'un seul coup, et les boulets pénétrèrent dans la colonne portant la confusion sur toute sa longueur. Le sol, déjà encombré des victimes de la première charge, devint à peu près infranchissable. Et pourtant ces guerriers *dévoués* luttaient pour chercher à nous atteindre. La chose était impossible. Nos canons étaient servis avec une étonnante rapidité, pendant que le feu roulant des deux carrés se maintenait vigoureusement. Ceux qui poussaient en avant par-dessus les tas de cadavres d'hommes et de chevaux ne gagnaient que quelques pas pour tomber à leur tour et ajouter aux difficultés de ceux qui les suivaient. La décharge de chaque pièce était suivie de la chute des cavaliers et de leurs montures, comme l'herbe sous la faux du moissonneur. Quand les chevaux seuls étaient tués, nous pouvions voir les cuirassiers se débarrassant de leur armure s'échapper à pied. Cependant,

pendant un moment, la masse confuse (car tout ordre avait disparu) se tint devant nous, essayant vainement de forcer les chevaux à travers l'obstacle présenté par leurs camarades tombés, pour obéir aux vociférations renouvelées et bruyantes de celui qui les avait conduits et qui demeurait sauf.

Comme auparavant, plusieurs franchirent tout ce qui était devant eux et galopèrent parmi nous. Beaucoup plongèrent en avant pour tomber, homme et cheval, près de la gueule de nos canons... Mais la majorité fit demi-tour au moment même où ayant moins de terrain à parcourir, il y avait plus de sécurité à avancer qu'à reculer, et chercha un passage vers l'arrière. La même confusion, la même lutte entre eux, le même carnage qu'auparavant se produisirent, jusqu'à ce qu'ils eussent disparu graduellement derrière la colline.

Nous cessâmes le feu, heureux de respirer. Leur retraite nous exposa comme avant à une pluie de boulets et d'obus ; ces derniers tombant parmi nous avec leurs longues fusées restaient à brûler et à siffler un long moment avant d'éclater et causaient un ennui considérable aux hommes et aux chevaux. Le remblai en face de nous, cependant, se montra de nouveau notre protecteur et envoya plusieurs projectiles inoffensifs au-dessus de nous.

Le lieutenant Breton, qui avait déjà perdu deux chevaux et était monté sur un cheval de troupe, causait avec moi pendant cet instant de répit. Comme sa pauvre bête était à angle droit avec la mienne, elle sommeillait, en reposant sa tête sur ma cuisse, pendant que, pour mieux entendre au milieu de ce tintamarre infernal, je me penchais en avant, mon bras entre ses oreilles. Dans cette attitude, un boulet de canon faucha la tête du cheval. Le tronc décapité s'effondra sur le sol : Breton, pâle comme la mort, s'attendait, comme il me le dit ensuite, à me voir coupé en deux.

Ce qui se passait à ma droite et à ma gauche, j'en étais aussi ignorant que l'homme dans la lune et je ne savais même pas quel était le corps derrière les Brünswickois. La fumée limitait ma vue à une très petite distance, en sorte que mon champ de bataille se bornait aux deux carrés et à ma propre batterie. Et, comme je conservais mon terrain, je pensai tout naturellement que les autres en faisaient autant.

Ce fut juste après cet accident que notre digne officier commandant l'artillerie, sir Georges Adam Wood, fit son apparition à travers la fumée, un peu sur notre flanc gauche. Comme je l'ai dit, nous ne faisions rien, car la cavalerie se reformait sous la crête pour une troisième attaque, et nous étions tourmentés par l'artillerie ennemie : « Diable ! Mercer, dit le vieillard en clignant comme faisant face à un vent violent, il fait chaud ici ! » — « Oui, monsieur, très chaud. » Et je commençais à lui faire mon rapport sur les deux charges que nous avions repoussées, lorsque, regardant du côté des Français, je vis leurs escadrons de tête déjà sur le plateau. « Les voilà encore ! » m'écriai-je, et laissant sir Georges, *sans cérémonie*, j'arrivai juste à temps pour les recevoir avec la même destruction qu'auparavant. Cette fois, de fait, ce fut jeu d'enfants. Ils ne purent même pas nous approcher dans un ordre à peu près régulier et nous tirâmes à notre aise. C'était une folie d'essayer une pareille chose.

[...]

Nos pièces et nos voitures formaient une masse confuse avec les chevaux morts ou blessés qu'on n'avait pas encore pu dégager. Mes pauvres hommes, ceux du moins qui n'étaient pas touchés, étaient complètement fourbus, leurs faces, leurs habits, leurs mains noircis par la fumée, couverts de boue et de sang; ils étaient assis sur les traits des voitures ou s'étaient jetés sur le sol mouillé et souillé, trop las pour penser à autre chose qu'à se reposer un peu. Telle était notre situation, alors qu'on nous demandait d'avancer! C'était impossible et nous restâmes où nous étions.

Pour moi, j'étais aussi excessivement fatigué, enroué au point de pouvoir à peine parler et rendu sourd par le tapage infernal des onze dernières heures. De plus, j'étais en proie à une soif ardente, pas une goutte de liquide n'ayant passé mes lèvres depuis le soir du 16 mai. Mais, quoique, à l'exception de la cuisse de poulet de la nuit dernière, je puisse dire n'avoir rien mangé depuis deux jours entiers, je ne ressentais pas le moindre désir de nourriture.

La soirée était devenue belle et, à part un gémissement ou une plainte de quelque pauvre blessé et les lamentables hennissements des chevaux blessés, la tranquillité régnait sur le champ de bataille.

À la tombée de la nuit, un gros corps d'artillerie prussienne arriva et forma son bivouac près de nous. Il n'y avait pas assez de lumière pour voir autre chose d'eux que leurs canons de cuivre brillants, leurs voitures encombrées de bagages qui, par parenthèse, semblaient de grossières machines comparées aux nôtres. Tous portaient de grandes capotes avec lesquelles ils avaient apparemment marché. Comme ils nous regardaient plutôt avec dédain et ne semblaient pas disposés à communiquer avec nous, je retournai bientôt vers mes gens.

Je les trouvai se préparant à se coucher sans souper, les deux officiers, les sous-officiers et les hommes s'étant réunis en tas avec quelques bâches étendues sous eux et d'autres au-dessus de leurs têtes, à quelque distance de nos canons dont le voisinage, dirent-ils, était trop horrible pour qu'on pût penser à dormir auprès.

Pour ma part, après avoir vécu tout le jour au milieu de ces horreurs, je ne me sentais aucune répugnance à m'y étendre. Aussi, tirant la bâche d'un caisson par-dessus le marchepied en manière de tente, je me glissai dessous et m'efforçai de dormir.

La situation gênée dans laquelle je me trouvais jointe à l'excitation fébrile de mon esprit m'empêchèrent d'avoir ce sommeil profond et réparateur dont j'avais si grand besoin : je sommeillai simplement. Je me réveillai d'un de ces assoupissements vers minuit environ, gelé et avec une crampe mortelle par suite de la position en chien de fusil que m'imposait mon lit court et étroit. Je me levai donc pour regarder autour de moi et contempler le champ de bataille à la pâle lueur de la lune.

La nuit était sereine et claire. Quelques légers nuages passaient sur le disque de l'astre, jetant les objets dans une obscurité passagère, et ajoutant considérablement à la solennité de la scène. Oui, c'était une sensation poignante de se tenir ainsi dans le silence nocturne et de porter ses yeux sur ce champ, théâtre tout le jour de la lutte et du tumulte et maintenant si calme et silencieux, sur les acteurs étendus sur le sol ensanglanté, leurs faces livides tournées vers les froids rayons de la lune qui se reflétaient sur les casques et les cuirasses !

Çà et là, quelque pauvre misérable, assis parmi les morts innombrables, s'efforçait d'étancher le sang avec lequel s'en allait sa vie. Beaucoup d'entre ceux que je vis ainsi occupés cette nuit gisaient, quand vint l'aurore, raides et immobiles comme ceux qui étaient partis plus tôt.

De temps en temps, une forme se dressait à demi du sol pour retomber de nouveau avec un gémissement

désespéré. D'autres, se levant lentement et pénible-
ment, plus forts, ou ayant été moins grièvement
blessés, trébuchaient à travers le champ en quête de
secours. Beaucoup de ceux-ci que je suivais des yeux
se perdirent dans l'obscurité de la distance. Mais beaucoup, hélas! après avoir chancelé quelques pas,
s'affaissaient de nouveau sur le sol, probablement
pour ne plus se relever. C'était déchirant! Et cependant je regardais!

Les chevaux aussi étaient dignes de pitié, doux,
patients, endurants. Il y en avait qui gisaient avec
leurs entrailles pendantes, vivants cependant. Ils cherchaient parfois à se lever, mais comme leurs camarades humains, retombant aussitôt, ils dressaient leur
pauvre tête et, tournant leurs regards pensifs de côté,
ils s'allongeaient de nouveau, pour recommencer jusqu'à ce que la force leur manquât. Alors, fermant doucement les yeux, une courte convulsion mettait fin à
leurs souffrances.

Un pauvre animal excitait un pénible intérêt. Il
avait perdu, je crois, ses deux jambes de derrière et,
assis sur sa queue durant la longue nuit, il regardait
autour de lui comme dans l'attente d'une aide,
envoyant de temps en temps un long hennissement
mélancolique. Quoique sachant que le tuer était un
acte de pitié, je ne pus trouver le courage d'en donner
l'ordre. J'avais assez vu répandre de sang pendant les
trente-six dernières heures, et j'étais écœuré à la pensée d'en verser davantage. Il était encore là quand
nous partîmes, hennissant après nous comme pour
nous reprocher notre abandon dans son heure de
détresse.

Le bivouac des Prussiens près de nous présentait
une scène bien différente et plus gaie. Là, tout était
vie et mouvement. Leurs beaux chevaux attachés à
leurs voitures envoyaient des hennissements d'un

autre caractère. Des formes sombres se mouvaient parmi eux et, près des feux de bivouac, d'autres étaient assises qui auraient fourni des études à un Salvator[1]. Visages sombres, bruns, sévères, rendus plus durs encore par de longues moustaches tombantes ombrageant leur bouche qui tenait son inséparable compagne, la pipe. Il y en avait beaucoup aussi qui étaient occupés par le premier soin de chacun : cuisiner, ou manger le repas déjà prêt. Sauf ceux dont j'ai fait mention, pas un être vivant ne bougeait sur le champ éclairé par la lune.

Et, lorsque je jetais les yeux sur le brillant astre des nuits, je pensais aux milliers de chères connaissances loin, bien loin, sur le logis desquelles il répandait ses rayons. Leurs habitants dormaient dans une tranquille sécurité, ignorant encore le coup fatal qui les avait pour jamais séparés de ceux qu'ils aimaient et dont les corps couvraient le sol autour de moi.

Et ici, même ici, quel contraste entre ce charnier et le lointain paysage que je voyais ! Sur lui la belle planète versait ses doux rayons, illuminant ses bosquets et ses champs de blé jaunissants, ses silencieux et tranquilles villages dont les modestes clochers s'élevaient à l'horizon, emblèmes de la paix, du calme, du repos. Longtemps je continuai à contempler cette scène triste et solennelle. Tout ce massacre, me disais-je, pour satisfaire l'ambition d'un seul homme[2], et quel homme ? De celui qui, sorti d'une situation aussi humble que la mienne, avait déjà dévasté l'Europe et l'avait couverte de sang et de deuils : de celui qui récemment avait laissé derrière lui 400 000 vaillants hommes en proie au sabre ennemi et aux intempéries du climat du Nord, effroyable holocauste sur l'autel de son ambition !

Enfin je me glissai de nouveau dans mon réduit et dormis par à-coups, jusqu'à ce que les premiers rayons du jour, colorant l'Orient, nous réveillèrent pour de nouveaux travaux. Comme je sortais de mon abri, un frisson me parcourut, quand la lumière plus forte me permit de voir le cadavre d'un de mes conducteurs étendu sanglant et déchiqueté sous ma couche.

[...]

Pendant ce travail[1], nous eûmes le loisir d'examiner le terrain dans notre voisinage immédiat. Livres et papiers le couvraient dans toutes les directions. Les livres me surprirent d'abord, mais, après examen, la chose me fut expliquée. Chaque soldat français portait un petit carnet de comptes de sa paie, de ses effets, etc. La scène était loin d'être solitaire. De nombreux paysans s'agitaient, activement occupés à dépouiller les morts et peut-être à achever les malheureux qui respiraient encore. Je vis de ces gens trébuchant positivement sous leur énorme charge de vêtements, etc., qu'ils avaient récoltés. Quelques-uns avaient des armes à feu, des sabres, etc., et beaucoup, de gros paquets de croix et de décorations ; tous paraissaient extrêmement joyeux et professaient une haine sans limite pour les Français.

Je m'étais figuré que nous étions à peu près seuls, ne voyant que les restes de la troupe d'artillerie à cheval du major Bull non loin de nous (les Prussiens étaient partis à l'aube) ; mais, en errant du côté de la route de Charleroi, je trébuchai contre un régiment entier d'infanterie britannique, en colonnes de divisions, profondément endormi, roulé dans ses couvertures avec le havresac comme oreiller. Pas un homme n'était éveillé. Ils étaient étendus en rangs réguliers, avec les officiers et les sergents à leurs places, absolument comme ils l'auraient été s'ils avaient été debout.

Non loin d'eux, dans une petite dépression de terrain, sous un buisson d'églantine, étaient couchés

deux hommes de l'infanterie légère irlandaise poussant de tels hurlements et gémissements, de tels blas-
phèmes et jurons qu'ils étaient choquants à entendre.
Un d'eux avait une jambe emportée, l'autre une cuisse
broyée par un boulet. C'était certainement des objets
de pitié, mais leurs bruyantes exclamations, etc., faisaient un tel contraste avec l'attitude calme et résolue
de centaines de Français et d'Anglais autour d'eux
qu'elles refroidissaient considérablement la commi-
sération. J'essayai vainement de les apaiser : je dus
m'en aller parmi une volée d'insultes, traité de misérable au cœur dur qui laissait deux pauvres camarades mourir comme des chiens. Que pouvais-je
faire ?

Tous, autour de moi, quoique en termes beaucoup
plus modestes, réclamaient assistance et chaque
pauvre victime suppliait instamment pour avoir un
peu d'eau. Mes hommes avaient découvert un bon
puits d'eau non polluée à Hougoumont et en remplissaient leurs bidons. Je pus donc me faire accompagner par plusieurs d'entre eux pour soulager les
nécessiteux de notre voisinage. Rien ne peut surpasser leur gratitude et les bénédictions ferventes qu'ils
répandaient sur nous pour ce secours momentané.

Les Français, en général, étaient particulièrement
reconnaissants et ceux qui en avaient la force entraient
en conversation avec nous sur les événements d'hier et
sur le destin probable qui leur était réservé. Tous les
sous-officiers et soldats étaient d'accord pour affirmer
qu'ils avaient été trompés par leurs officiers, et trahis[1].
Et, à mon étonnement, ils maudissaient Bonaparte
comme la cause de leur misère. Beaucoup me demandaient de les tuer tout de suite, préférant mille fois
mourir de la main d'un soldat que d'être laissés à la
merci de ces infâmes paysans belges. Pendant que nous
étions près d'eux, plusieurs paraissaient consolés et

restaient tranquilles, mais, dès que nous voulions partir, ils recommençaient invariablement leurs cris : « Ah ! Monsieur, tuez-moi donc ! Tuez-moi donc, pour l'amour de Dieu ! » etc., etc. C'était en vain que je les assurais que des charrettes seraient bientôt envoyées pour les ramasser. Rien ne pouvait les consoler de la pensée d'être abandonnés. Ils nous considéraient comme des frères d'armes et nous savaient trop honorables pour leur faire du mal. « Mais dès que vous serez partis, ces vils paysans nous insulteront d'abord, puis nous assassineront cruellement. » Cela, hélas ! nous le savions, n'était que trop vrai.

Je trouvai un Français qui était d'une humeur différente. C'était un officier de lanciers mortellement blessé ; un homme trapu, solidement bâti, avec des cheveux rouges et un teint criblé de taches de rousseur. Lorsque je l'approchai, il paraissait souffrir cruellement, se roulant et poussant de longs gémissements. Mon premier mouvement fut de le soulever et de le mettre assis, mais, dès que je le touchai, il ouvrit les yeux et devint absolument furieux en me voyant. Supposant qu'il se trompait sur mes intentions, je lui parlai doucement, lui demandant de me permettre de lui donner le peu d'aide dont je pouvais disposer. Cela ne fit que l'irriter davantage et, comme je lui présentais le bidon plein d'eau, il le rejeta loin de lui avec un geste tellement passionné et un « Non ! » si violent que je vis qu'il était inutile d'insister. Ainsi donc je le laissai avec regret.

[...]

Ayant fini notre repas et envoyé les voitures de munitions à Waterloo, je laissai mes gens s'équiper le mieux qu'ils pourraient et je partis pour visiter le château, car la lutte qui s'y était livrée hier en faisait un objet plein d'intérêt. La même scène de carnage caractérisait cette partie du champ de bataille où je dirigeai mes pas. Le voisinage immédiat d'Hougoumont était couvert de cadavres plus serrés que dans les autres parties du terrain ; les fossés en étaient pleins. Les arbres autour étaient coupés et hachés par les boulets et la mousqueterie. Les cours du château présentaient un aspect plus terrible que tout ce que j'avais vu jusque-là ! Un grand hangar avait pris feu et l'incendie s'était étendu jusqu'aux communs et même au bâtiment principal. Là, nombre d'Anglais et de Français avaient péri dans les flammes et leurs corps noircis et enflés étaient répandus dans toutes les directions. Parmi ce tas de ruines et de dévastations, maints pauvres diables étaient encore vivants, assis et s'efforçant de bander leurs blessures. On ne vit sûrement jamais une pareille scène d'écœurante horreur.

Deux ou trois dragons allemands et plusieurs paysans erraient parmi les ruines. Un des premiers était en train de me parler quand deux des derniers, après avoir vidé les poches d'un Français mort, saisirent le corps par les épaules et le rejetèrent sur le sol avec force, proférant les plus grossières injures et le frappant à la tête et à la face avec le pied. C'était un spectacle révoltant destiné sans doute à nous flatter. Il eut un effet contraire, comme ils l'apprirent bientôt. J'avais à peine laissé échapper une exclamation de dégoût que le sabre du dragon étincelait au-dessus de la tête des mécréants et bientôt descendit sur leurs épaules avec tant de vigueur qu'ils se mirent à hurler et ne furent que trop heureux de pouvoir s'échapper. Je me détournai de pareilles scènes et entrai au jardin. Comment décrire la délicieuse sensation que j'éprouvai !

C'était un jardin ordinaire, mais charmant : de longues allées étroites de gazon ombragées par des arbres fruitiers, entremêlés de planches de légumes, le tout enclos par un mur de briques assez élevé. Est-il nécessaire de décrire mes sensations ? Est-il possible

que je ne sois pas immédiatement compris ? Pendant
les trois derniers jours j'avais été dans un constant état
d'excitation, de véritable fièvre. Mes yeux n'avaient vu
que la guerre dans toute son horreur, mes oreilles
avaient été assaillies par le grondement continu
du canon, par le claquement de la fusillade, les cris des
multitudes et les lamentations des victimes de la
guerre. Tout à coup, à l'improviste, je me trouve dans
la solitude, parcourant une avenue verdoyante, les
yeux rafraîchis par le feuillage des arbres et des
arbustes, les oreilles caressées par la mélodie des chan-
teurs ailés — de Philomèle[1] elle-même — et le gai
bourdonnement des insectes jouant dans la paisible
lumière du soleil. N'y a-t-il pas de quoi exciter l'émotion ? La nature au repos est toujours aimable et, dans
les circonstances présentes, elle était délicieuse.

Longtemps j'errai dans le jardin, tantôt dans une
allée, tantôt dans une autre et il me semblait que je
pourrais y rester heureux pour toujours. Rien ne rappelait la présence de la guerre, sauf des embrasures
dans le mur et deux ou trois soldats des Gardes tués *
mais je ne faisais pas attention aux unes et les morts
étaient tellement dissimulés par la végétation exubé-
rante des choux, des raves, etc., que, en venant du
champ de mort à l'extérieur, leurs formes pâles
et muettes ne troublaient que peu mon plaisir. Les
feuilles étaient d'un vert tendre, les roses et d'autres
fleurs s'ouvraient dans toute leur délicatesse et le
gazon même écrasé sous mes pieds avait une odeur
fraîche et agréable. Il y avait peu de désordre visible

---

* Dans quelques comptes rendus de visites au château on a
déclaré que ce jardin était une scène de boucherie. C'est faux.
Comme je l'ai noté dans mon carnet, je ne vis pas plus de deux
ou trois morts en tout. Il peut y en avoir eu d'autres cachés par
la végétation, mais peu. [*Note de l'auteur.*]

témoignant de ce qui s'était passé là. J'imagine que la position avait été attaquée par l'infanterie seule et que les dégâts aux arbres et à l'extérieur furent causés par l'artillerie postée sur la hauteur pour en couvrir l'approche, principalement peut-être par la batterie d'obusiers de Bull.

Ayant satisfait ma curiosité à Hougoumont, je remontais la colline, quand mon attention fut attirée vers un groupe de blessés français par le discours calme, digne, militaire adressé par l'un d'eux à ses camarades. Je ne peux, comme Tite Live, composer une belle harangue pour mon héros et, naturellement, je ne me rappelle pas ses paroles exactes, mais le thème en était une exhortation à supporter leurs souffrances avec courage, à ne pas se désoler comme des femmes ou des enfants pour ce que tout soldat doit être préparé à endurer comme risques de guerre ; mais, par-dessus tout, de se souvenir qu'ils étaient entourés d'Anglais devant lesquels ils devaient être particulièrement attentifs à ne pas se déshonorer en déployant un manque d'énergie aussi peu militaire. L'orateur était assis sur le sol avec sa lance plantée droite à côté de lui. C'était un vétéran avec une épaisse barbe grise et la contenance d'un lion ; un lancier de la vieille Garde qui avait sûrement lutté dans maintes batailles. Il agitait une main en l'air en parlant : l'autre, coupée au poignet, gisait à ses côtés. Une balle (de boîte à mitraille probablement) lui était entrée dans le corps et une autre lui avait brisé la jambe. Ses souffrances, après une nuit à l'air, blessé comme il l'était, avaient dû être atroces. Cependant il ne les trahissait pas, sa tenue était celle d'un Romain ou peut-être d'un guerrier indien et je me le figurais très bien concluant son discours par les paroles du roi mexicain : « Et moi, suis-je sur un lit de roses[1] ? »

[...]

Je ne pouvais que ressentir la plus profonde vénération pour ce brave homme, et je le lui dis, lui offrant en même temps la seule consolation en mon pouvoir : un peu d'eau fraîche et l'assurance qu'on enverrait bientôt des voitures pour ramasser les blessés. Il me remercia avec cette grâce particulière aux Français et s'enquit anxieusement du sort de leur armée. Là-dessus je ne pouvais rien lui dire de consolant, aussi je répondis simplement qu'elle s'était retirée la nuit dernière, et la conversation tourna vers les événements d'hier. Cet homme vraiment courageux me parla de nos troupes de la manière la plus flatteuse, mais ajouta que, dans l'armée française, on ne se figurait pas qu'elles auraient combattu avec autant d'obstination, puisqu'on croyait généralement que le gouvernement anglais avait, pour quelque raison inexplicable, concouru à la fuite de Napoléon de l'île d'Elbe et avait par suite ordonné à son armée de faire un semblant de résistance.

Après une conversation très intéressante, je lui demandai, à titre de souvenir, sa lance, en lui faisant remarquer qu'elle ne pourrait plus lui être d'aucun usage. Les yeux du vieillard s'adoucirent pendant que je parlais et il m'assura avec chaleur qu'il serait ravi de la voir entre les mains d'un brave soldat au lieu de lui être arrachée, comme il l'avait craint, par ces vils paysans. Ainsi je pris congé et rejoignis le sentier portant ma lance à la main. Depuis ce temps, mon domestique Milward a été transformé en lancier-ordonnance et je me propose, si jamais je retourne en Angleterre, de la consacrer à la mémoire de ce vieux héros si intéressant.

En passant auprès du bivouac de Bull, il m'arriva d'être témoin d'une autre scène très curieuse. Un hussard blessé était arrivé d'une autre partie du champ de bataille et, épuisé, venait de s'évanouir. Ceux qui se trouvaient près de lui appelèrent pour avoir de l'eau et un jeune conducteur qui, étant en dehors du groupe, n'avait pas vu le blessé, saisit un bidon et courut le remplir. Pendant son absence le hussard revint à lui et put se mettre sur son séant. À ce moment le conducteur revint et, poussant ses camarades de côté, s'agenouilla pour donner à boire au cavalier. En approchant le bidon de ses lèvres il reconnut en lui son frère qu'il n'avait pas revu depuis des années ! Son émotion fut extrême, comme on peut le deviner.

WILLIAM LAWRENCE

Mémoires d'un grenadier anglais
(1791-1867)
(1886)

William Lawrence (1791-1867) est sergent dans l'armée britannique durant la campagne de 1815. Ses Mémoires ont été conservés par sa famille jusqu'en 1886, année de leur première édition à Londres sous le titre The Autobiography of Sergeant William Lawrence. *Ils sont traduits en français par Henry Gauthier-Villars et publiés en France en 1897, chez Plon. On pénètre dans l'intimité du soldat anglais à Waterloo et l'on découvre le souci et la difficulté des soldats de trouver de quoi se nourrir la veille comme le soir du combat. Le caractère ordinaire de ce soldat, simple sous-officier, permet au lecteur de saisir les rigueurs de la guerre. Lawrence n'en est pas moins pourvu d'un certain sens de l'observation et d'un style imagé bien qu'il soit souvent trivial. Son style n'est ni celui de Walter Scott, ni celui de Siborne, le plus grand historien anglais de Waterloo du XIXe siècle. Mais le témoignage du plus humble en dit parfois plus sur la psychologie du soldat et les souffrances qu'il endure au milieu des duels et des décharges de fusils. Dans un numéro de la Revue des Deux Mondes de 1888, un critique français, Arvède Barine (pseudonyme de Mme Charles Vincent), moquait le caractère rustique et l'« âme simple » de Lawrence qui aurait dicté ses Mémoires parce qu'il était illettré. Le paysan ressemblerait au lot commun de l'humanité, selon cet auteur. Il n'en demeure pas moins qu'il représente la grande majorité des soldats de ce temps qui ne saurait être dévalorisée parce qu'elle servait de chair à canon.*

Ce qui reste du récit de Lawrence, c'est ce jambon qui réchauffe l'âme du soldat, la nuit du 18 juin, et qui demeure la récompense d'un combat acharné et désespéré comme rarement il y en eut dans le cours de l'histoire. Voici un témoignage sur la délivrance que ressent l'humble troupier, heureux d'être en vie et d'en goûter les plaisirs.

CHAPITRE XXII

Le 17 juin 1815, nous traversâmes Bruxelles au milieu de la joie des habitants qui nous apportèrent toute espèce de victuailles. J'entendis dire de tous côtés que nous allions être hachés comme de la chair à saucisses, mais nous ne faisions que rire de ces prédictions et répondions qu'il n'y avait là rien de nouveau pour nous. Pourtant, les jeunes recrues marchaient la tête basse, terriblement effrayées à l'idée de se battre ; mais j'ai souvent vu que ce sont les plus timides qui, une fois le combat en train, se précipitent tout d'abord sur l'ennemi et se font tuer les premiers, probablement parce qu'alors ils perdent tout à fait la tête, tandis que les soldats plus disciplinés connaissent mieux leur affaire.

De Bruxelles nous allâmes à cinq ou six milles de la ville, aux environs du village de Waterloo ; là, notre général envoya son aide de camp demander les ordres de Wellington, pour connaître la partie de la ligne que nous aurions à attaquer. L'ordre était de ne pas bouger de notre position actuelle jusqu'au lendemain matin. Il nous fallut donc nous fourrer où nous pûmes : étables, charrettes, enfin tous les endroits de refuge que nous offraient les fermiers, et je ne me souviens pas d'une nuit plus mauvaise dans toute la guerre d'Espagne, car la pluie tombait à torrents, mêlée de coups de tonnerre

et d'éclairs semblant présager la rude danse du lendemain 18, qui tomba une fois encore un dimanche.

L'armée alliée avait, le 16 et le 17, été attaquée par
les forces nombreuses de Napoléon à Ligny et aux
Quatre-Bras, mais aucun des adversaires n'avait
obtenu d'avantage signalé, sinon que des milliers
d'hommes avaient été tués de part et d'autre[1]. Aussi
pendant la nuit du 17 la fusillade ne cessa pas, et je
l'entendais distinctement, bien qu'elle fût souvent
étouffée par le tonnerre. Toute la nuit encore ce fut
un remue-ménage perpétuel, car des milliers de
gens qui suivaient notre armée n'osèrent plus rester
là après l'affaire des Quatre-Bras. C'était une vilaine
histoire, car, à cause de la pluie et du va-et-vient
continuel, les routes étaient devenues presque impraticables, et parfois les piétons restaient complètement embourbés. En outre, une vraie procession
de charrettes de bagages ne cessa de circuler toute
la nuit.

Tout au matin, le 18, nous nous remîmes en marche
pour rejoindre nos lignes, car nous faisions partie
de la réserve qui comprenait le quatrième et le vingt-
septième régiment avec un corps d'Allemands et
d'hommes du Brunswick et formait une ligne de Merk-
Breine à Mont-Saint-Jean sur la route de Bruxelles.
Notre régiment se posta à gauche de cette route, mais
nous ne restâmes pas longtemps là, car bientôt on vit
les Français s'ébranler, et, leurs canons ayant ouvert le
feu, nous marchâmes bientôt au combat en colonne.

Pendant que nous opérions ce mouvement, un
obus, parti des rangs ennemis, coupa en deux notre
sergent-major adjoint, passa outre pour aller enlever
la tête d'un grenadier de ma compagnie, nommé
William Hooper, et éclata à l'arrière-garde à un yard
de moi, pas davantage, me lançant au moins à
deux yards en l'air, mais heureusement sans me faire

d'autre mal que de fortement me secouer et de m'enlever un morceau de peau sur un côté de la face. Je l'échappai belle encore ce coup-là, car l'obus brûla complètement une de mes basques et rendit noire comme de l'encre la garde de mon épée. Je me rappelle avoir dit à un sergent qui se trouvait près de moi quand je tombai : « Ça commence mal, espérons que ça finira mieux. » Le coup avait grandement effrayé une des jeunes recrues de ma compagnie, nommée Bertram, qui n'avait jamais vu le feu auparavant et qui ne trouva pas de son goût les curieuses évolutions de cet obus si près de lui. Il m'appela et me dit qu'il devait sortir des rangs, car il était très malade. Je devinai aisément la cause de sa maladie et le repoussai dans les rangs en disant : « Allons, allons, Bertram, c'est l'odeur de cette poudre qui vous a tourné sur le cœur, mais ça ne sera rien. » Mais cette drogue ne le satisfit pas du tout ; il se laissa tomber et ne voulut plus bouger d'une ligne. Je fus diantrement en colère en voyant cela, je fus obligé de le laisser là ; mais ce qu'il méritait dans ce cas, c'était bel et bien une balle dans la tête. Depuis ce moment je ne le vis plus pendant au moins six mois, mais même, alors, je n'avais pas oublié sa lâcheté, comme j'aurai l'occasion de le prouver par la suite.

L'aile droite de notre ligne était entrée en action depuis quelque temps déjà, que nous n'avions encore reçu aucun ordre ; alors notre position fut changée, nous dûmes traverser la route et nous avancer sur la droite d'une ferme appelée la Haye-Sainte. La pluie, qui avait tombé toute la nuit et n'avait point encore cessé complètement, avait détrempé les chemins et les champs, de sorte que partout la boue était terrible. Elle retardait notre marche et nous fatiguait beaucoup ; mais c'était un beaucoup plus grand obstacle pour l'action de la cavalerie, et cela entravait presque celle de l'artillerie.

Vers dix heures, le combat véritable s'engagea à notre droite, et de là il gagna notre centre, où nous fûmes attaqués par un corps véritablement formidable de cavalerie et d'infanterie. Mais le feu qui, des heures durant, nous avait tenus éloignés du canon ennemi, dut se ralentir de ce côté à cause de la proximité des deux armées. Depuis ce moment nous eûmes de la belle besogne tout le jour, car à tout moment nous devions former le carré pour soutenir les charges répétées de leur cavalerie, puis nous remettre en ligne pour faire face à leur infanterie, les charges contre nous se suivant sans interruption, mais avec fort peu de succès. Au commencement de l'affaire, l'officier qui nous commandait fut tué d'un coup de fusil, mais sa place fut bientôt remplie.

À notre gauche, sur la grande route, se trouvait postée une brigade de cavalerie légère allemande. Lorsque la garde du corps de Napoléon arriva, elle chargea cette brigade et y fit un horrible carnage ; elle fut mise en déroute et dut battre en retraite ; mais heureusement les Life Guards et les Scotch Greys[1] parurent aussitôt, et l'on se regarda dans les yeux. À la fin, la garde du corps vit qu'elle avait trouvé son maître, et un terrible maître, et dut, à son tour, reculer devant la charge de notre cavalerie, et beaucoup de gardes furent taillés en pièces. Cependant, ne s'avouant pas vaincus, ils se reformèrent et se lancèrent sur nous cette fois, mais ils furent encore plus mal reçus : nous nous formâmes aussitôt en trois carrés, avec notre artillerie au centre, et, ayant reçu l'ordre de ne pas tirer sur les hommes qui avaient des cuirasses, mais sur les chevaux, cet ordre fut exécuté à la lettre : aussitôt qu'ils furent à portée, nous ouvrîmes sur eux un feu terrible, et bien peu des bêtes y échappèrent. L'ennemi avait réussi d'abord, il est vrai, à s'emparer de nos canons, mais ils furent repris, grâce au feu de nos trois carrés, et c'était un spectacle risible de voir ces gardes dans leur armure monumentale essayant de se sauver après que leurs chevaux eurent été tués sous eux et ne pouvant, comme on pense, courir bien vite. Beaucoup furent faits prisonniers par nos compagnies d'infanterie légère qu'ils rencontrèrent dans leur retraite. Je crois que cela suffit à mater les gardes de Bonaparte, pour qui un échec aussi signalé était certes inattendu, car nous ne les vîmes plus reparaître.

Mais à peine cette affaire était-elle terminée depuis quelques minutes que l'infanterie ennemie avança et que nous dûmes nous remettre en ligne pour lui faire front. Suivant notre tactique ordinaire, nous les laissâmes arriver bien à portée de fusil, de sorte que notre décharge produisit un effet terrible ; puis, les chargeant, nous les fîmes plier de belle façon, mais non sans perdre aussi beaucoup d'hommes. Ils n'avaient pas plus tôt disparu qu'une autre charge de cavalerie eut lieu, et nous dûmes encore nous former en carré sur notre ancien terrain. Sans doute ce corps de cavalerie avait espéré nous surprendre avant que nous eussions pu exécuter notre manœuvre, mais heureusement il se trompait, et notre feu incessant le fit fuir bientôt. Nous n'avions pas perdu un pouce de terrain pendant toute la journée, bien qu'après toutes ces charges notre nombre fût terriblement réduit. Et même, dans le court intervalle entre chaque charge, le canon ennemi avait encore fait quelque ravage dans nos rangs.

Les hommes étaient si fatigués qu'ils commençaient à désespérer ; mais les officiers les encouragèrent pendant tout le jour par le cri : « Tenez ferme, mes enfants, ne reculez pas ! » Comment nous pûmes tenir, est un mystère pour moi, car à la fin nous étions à peine en nombre suffisant pour former le carré.

Vers les quatre heures, je fus chargé de la garde du drapeau. Quoique je fusse fait aux périls de la guerre autant que pas un, cette besogne ne me plaisait guère ; cependant je me mis à l'œuvre le plus vaillamment que je pus. Ce jour-là, quatorze sergents avaient déjà été tués ou blessés avant moi à ce poste, et des officiers en proportion, et la hampe et l'étoffe étaient presque déchiquetées. Cette affaire ne s'effacera jamais de ma mémoire : bien que je sois aujourd'hui un vieillard, je jurerais qu'elle s'est passée hier. Je n'étais pas là depuis un quart d'heure lorsque arriva un boulet qui enleva net la tête du capitaine. Cela eut lieu encore tout près de moi, car j'étais juste à la droite du pauvre capitaine et je fus tout couvert de son sang. Un homme de ma compagnie, qui n'était pas loin à ce moment, cria : « On vient de me tuer mon meilleur ami ! » Le lieutenant, qui prit aussitôt la place du capitaine, ayant entendu ces paroles, dit alors : « Ça ne fait rien, je serai pour vous un aussi bon ami que le capitaine. » L'homme répondit : « J'espère que non, mon lieutenant ! » Et l'officier ne comprit pas bien ce qu'il voulait dire. En effet, notre défunt capitaine avait été très dur à l'égard de cet homme à cause de sa saleté ; il l'accablait de corvées et d'autres punitions de ce genre. Cet homme, dont le nom était Marten, était un type connu de tout le régiment, et j'étais moi-même assez lié avec lui, car il avait fait partie de ma compagnie ; mais à cause de ce défaut, saleté sur sa personne, il avait été transféré dans la cinquième compagnie, où jamais non plus le pauvre capitaine n'avait pu le corriger, malgré tous ses efforts. Et pourtant ce Marten était un excellent soldat sur le champ de bataille.

Mais il faut que j'arrive maintenant à la dernière charge de cavalerie qui eut lieu peu de temps après. Réduits en nombre comme nous l'étions, lorsque nous la vîmes arriver, nous formâmes notre carré et l'attendîmes. Alors nous lançâmes au milieu d'eux décharge sur décharge, et, après un horrible massacre, ils durent se retirer, incapables de supporter la dose que nous leur avions administrée. Mais nous aussi nous avions perdu beaucoup d'hommes et nous trouvions plus faibles qu'auparavant. Nous craignions une autre charge, et, pour toute consolation, on nous criait : « Tenez ferme, mes enfants, des renforts nous arrivent ! » Mais toujours rien. Ces renforts n'arrivèrent pas avant le coucher du soleil, juste à temps pour poursuivre notre ennemi en retraite[1]. Les Prussiens, commandés par le maréchal Blücher, avaient été retenus autre part, et, quoique impatiemment attendus, ils n'avaient pu paraître plus tôt sur le lieu de l'action.

Je dois dire ici que j'ignore pourquoi on lança sur nos carrés inébranlables toutes ces charges de cavalerie, quand on vit qu'elles étaient constamment repoussées. C'est un meurtre d'envoyer de la cavalerie contre de l'infanterie disciplinée, à moins qu'elle ne soit accompagnée d'artillerie agissant conjointement ; alors, seulement, elle peut enfoncer les carrés et saisir l'avantage une fois qu'ils sont mis en déroute, mais non autrement.

Nous étions, à la vérité, bien joyeux de voir arriver ces Prussiens, qui, se formant en deux colonnes sur notre flanc gauche, marchèrent sur l'aile droite de l'ennemi. Lord Wellington, qui toujours entraînait son armée en avant, vint vers notre régiment et demanda qui le commandait. Apprenant que c'était le capitaine Brown, il donna l'ordre d'avancer, que nous reçûmes avec trois hurrahs, et nous nous élançâmes comme si une vigueur nouvelle venait d'être rendue à nos membres. L'attaque fut faite alors sur toute la ligne conjointement avec les Prussiens, troupes fraîches, qui l'emportèrent facilement sur les Français harassés. Ils mirent bientôt, par leur feu, l'ennemi en déroute complète, et, la retraite devenant générale, l'armée française tout entière fut jetée dans le plus grand désordre et poursuivie sur tout le champ de bataille par les troupes fraîches et reposées de Blücher, infanterie et cavalerie.

Nous les poursuivîmes aussi l'espace d'un mille environ, puis campâmes sur le terrain ennemi, et s'il y eut jamais une troupe d'hommes affamée et éreintée, c'était la nôtre, après cette mémorable journée du 18 juin. Donc, la première chose à faire était d'allumer du feu et de cuire un morceau, ce qui n'était pas si facile, car le bois était rare, et celui qu'on trouvait était tout mouillé. Un homme de notre compagnie, nommé Rouse, qui était allé à la recherche de branches sèches, trouva sur sa route un caisson de poudre que nous avions pris à l'ennemi, entre autres choses, et aussitôt il se mit à découper le couvercle pour en faire du bois de chauffage ; mais, sa hachette ayant donné sur un clou ou sur quelque autre pièce de fer, une étincelle jaillit, et la conséquence fut que le reste de la poudre du caisson fit explosion, lançant le pauvre garçon en l'air à une hauteur considérable. Ce qu'il y a de plus remarquable, c'est qu'il était encore vivant quand il toucha le sol, et qu'il pouvait encore parler ; pourtant rien ne restait sur lui, sauf un soulier. C'était un drôle de corps achevé, car bien que son état fût désespéré, il ne cessait d'envoyer au diable ses yeux qui, on pouvait le voir, s'étaient sauvés tous les deux, et de répéter qu'il avait agi comme un imbécile. Il fut cette nuit même transporté à l'hôpital de Bruxelles, avec la foule de blessés, et mourut quelques jours après, devenu fou furieux.

Nous pûmes pourtant enfin allumer du feu, et alors, comme j'étais cette nuit-là sergent d'ordonnance auprès de notre général, j'allai le trouver et lui fis mon rapport. Il était à ce moment assis sur un affût et tenait son cheval par la bride. Lorsqu'il me vit, il me dit : « C'est bien, sergent ; j'attends encore deux autres sergents qui doivent arriver bientôt ; mais ne pourriez-vous pendant ce temps trouver un peu de blé pour mon pauvre cheval ? » Je me mis aussitôt à la recherche et découvris environ deux boisseaux de grain dans un sac, abandonné sûrement par l'ennemi, car il se trouvait sur un de leurs canons. Quand j'ouvris le sac, je vis, à ma grande surprise, qu'il contenait aussi un gros jambon et deux poulets. Je demandai au général s'il voulait les prendre, mais il refusa, disant qu'il prendrait le grain seulement, que la viande était pour moi. Il me conseilla aussi de ne pas montrer cela aux Prussiens, car c'était une race de pillards, qui auraient vite fait de voler mon butin s'ils le voyaient[1].

Je préparai le crochet aussi vite que je pus pour y suspendre le pot, en plaçant transversalement un bâton sur deux autres plantés en terre, à une distance suffisante du foyer pour qu'ils ne prissent pas feu. Mais à peine avais-je fini que m'arriva une bande de ces mêmes Prussiens contre lesquels le général m'avait mis en garde. Deux d'entre eux s'approchèrent de moi pour allumer leur pipe, et remarquant mon jambon, ils dirent qu'il avait bonne mine. Je crus que ce qu'il y avait de mieux à faire était de leur en couper un morceau pour chacun avec mon épée, et mes craintes s'apaisèrent quand je les vis partir d'un air très satisfait. Ils étaient évidemment en train de poursuivre l'ennemi, car toute la nuit j'entendis le bruit lointain du canon et de la fusillade des Français et des Prussiens, lord Wellington ayant complètement abandonné la poursuite au maréchal Blücher.

Après cela, je mis bien vite mon jambon dans le pot, et les deux sergents étant arrivés sur ces entrefaites, je leur fis plumer les poulets, qui rejoignirent bientôt le jambon, et deux heures plus tard tout était cuit à point. À ce moment, j'entendis un Français qui gémissait couché sur de la paille au-dessous d'un canon. Je crus qu'il était grièvement blessé et avait peut-être aussi faim que moi ; j'allai donc lui dire du mieux que je pus d'attendre que notre souper fût prêt, que je lui en apporterais quelque chose ; mais, quand tout fut préparé et que j'eus coupé un morceau de pain, de poulet et de jambon, m'approchant avec cela de l'endroit où j'avais laissé le Français, il avait disparu. D'un côté, je n'étais pas fâché de la chose, parce qu'il nous laissait sa paille, ce qui fit pour moi et les deux autres sergents un très bon lit, car il était désagréable de s'étendre sur le sol humide. Je pense que ce Français était un maraudeur, sinon il ne se serait pas sauvé ainsi.

Alors nous nous assîmes et fîmes un excellent repas de notre jambon et de nos poulets ; je puis assurer que jamais personne ne fit plus honneur à un dîner, car, pour ma part, je n'avais rien mis sous la dent depuis la pointe du jour. Après cela, comme le général ne réclamait pas nos services, nous nous couchâmes sur la paille. Mais j'étais trop fatigué pour m'endormir tout de suite, et je repassai dans mon esprit les scènes du jour. Durant toute l'action, j'avais été simplement égratigné à la face, et aussi un peu secoué par l'explosion de l'obus que l'on sait ; mais cette égratignure avait été terriblement aggravée par ce fait qu'un soldat à côté de moi avait trop chargé son fusil, d'où la conséquence que, quand il tira, ma figure étant si près de son arme reçut sur la blessure une partie de la poudre qui vola de tous côtés. De sorte que cette égratignure légère me fit pendant quelque temps danser sans violon.

Quant aux pertes totales de cette journée sanglante, je ne puis en donner le chiffre exact, mais sans doute elles furent énormes des deux côtés, car rien que dans mon régiment trois cents hommes manquaient à l'appel. Et nos pertes n'égalaient pas encore celles de certains régiments, car dans celui à notre droite il y avait six cents manquants, à cause surtout du feu continuel, boulets et bombes, que le canon français avait entretenu dans l'intervalle des charges. À présent, il ne fallait pas perdre de temps et le lendemain matin se remettre à la poursuite des Français pour ne pas leur donner le temps de respirer. Les Prussiens avaient au moins douze heures d'avance sur nous ; nous n'avions donc pas grand-chose à craindre. Cependant, on se demandait encore si l'ennemi ne s'arrêterait pas pour nous tenir tête sur son propre territoire, et c'eût été probablement le cas, si Blücher n'avait ainsi marché sur ses talons. Je crois aussi que si les Prussiens n'étaient pas arrivés au moment que l'on sait, les deux armées seraient restées sur le champ de bataille de Waterloo et auraient peut-être recommencé la bataille le lendemain : car les Français, après leur défaite, attendaient de nouveaux renforts ; mais, comme ceux-ci n'arrivaient pas et que notre nombre se trouvait accru, il ne leur resta d'autre ressource que la retraite.

IV

Histoire militaire

HENRY HOUSSAYE

1815, Waterloo
(1893-1905)

Henry Houssaye (1848-1911) est un journaliste, critique d'art et historien français spécialisé dans le genre militaire qui consacra la plupart de ses travaux à l'épopée napoléonienne. Il prit part aux combats lors de la guerre entre la France et la Prusse de 1870, ce qui lui valut de recevoir la légion d'honneur, et c'est sous la jeune IIIᵉ République qu'il approfondit ses recherches sur l'art militaire, en remontant à la Grèce antique. Mais il se rend célèbre grâce à ses écrits sur l'histoire napoléonienne, avec d'abord un ouvrage sur la campagne de 1814 et publié en 1888. Puis il compose son œuvre majeure sur les Cent-Jours et la campagne militaire de 1815, qui paraît en trois volumes de 1893 à 1905. Entre-temps, en 1894, il entre à l'Académie française. Il renouvelle l'historiographie militaire sur cette époque après les travaux de Vaulabelle, Jomini, Thiers et Quinet. La fin du Second Empire passionne en effet les historiens qui, après la défaite de Sedan et la chute du Second Empire, se penchent sur Waterloo et la fin du Premier Empire, en 1815, pour comprendre le présent. Les livres de Houssaye obtiennent un succès considérable au vu du nombre de réédition de 1814 et de sa trilogie sur 1815.

L'œuvre de Houssaye s'inscrit dans la perspective d'une histoire qui se veut à la fois académique et spécialisée dans le genre militaire, mais aussi plus littéraire, faisant une large place aux réflexions de nature psychologique et politique. Son Waterloo *en est la meilleure illustration : adoptant une*

vision large de Waterloo, souhaitant en comprendre notam-
ment les causes, les origines, la dynamique militaire et
patriotique, Houssaye revient sur les circonstances poli-
tiques et militaires des Cent-Jours et sur l'état d'esprit de
l'armée qui va livrer bataille à Waterloo. C'est ce dont les
extraits sélectionnés témoignent. On découvre une armée de
1815 qui n'a plus la valeur et l'unité de la Grande Armée de
1814. La grande érudition de Houssaye nous permet de sai-
sir les préparatifs de la campagne grâce au portrait de l'armée
de 1815 qu'il dresse, sans fioriture ni illusion sur sa capacité
réelle à vaincre des armées étrangères bien supérieures en
nombre. De même, Houssaye fait une description du champ
de bataille de Waterloo à l'avantage de la stratégie de défense
de l'armée britannique. L'historien nous fait comprendre
que ces plaines ne sont en réalité pas des plaines, et que
l'armée impériale va être prise à son propre piège. Reste
l'énergie de ces soldats dont la profession de foi est de demeu-
rer fidèle à Napoléon Ier jusqu'à la mort. Préparatifs, état
d'esprit et état des lieux, il faut commencer par le commence-
ment, comme ce texte nous y invite.

LA DERNIÈRE ARMÉE DE L'EMPIRE

L'esprit de l'armée

[...]

Chez ces hommes qui avaient mené si souvent les
Français à la victoire, la foi dans le succès n'égalait
malheureusement plus la vigueur physique et les
talents militaires. Ils étaient trop bien renseignés sur
les formidables armements de l'Europe et sur les
faibles ressources de la France, en soldats et en matériel, pour ne pas voir que, à moins d'une suite de
coups de fortune d'ailleurs toujours possibles à la
guerre, l'empereur ne pourrait lutter longtemps avec
sa petite armée contre les masses de la coalition.
Le 10 juin, en passant à La Fère, le général Ruty,

commandant en chef l'artillerie, dit au colonel Pion des Loches : « — Bonaparte est perdu sans ressources. Le roi rentrera sous peu. Qu'allons-nous devenir ? Misérable armée qui n'a pas voulu tirer un coup de fusil il y a trois mois ! » Dans une réunion d'officiers, la veille du passage de la Sambre, un autre général tint des propos si décourageants qu'au mépris de toute discipline le commandant de Négrier les releva vivement : « — Ce n'est pas à vous, s'écria-t-il, de faire de pareilles réflexions. Le vin est tiré, il faut le boire et ne pas jeter la démoralisation parmi nous. » La confiance manquait même aux officiers généraux que leurs sentiments ou la force des circonstances avaient entraînés à se déclarer les premiers pour Napoléon et qui, compromis comme ils l'étaient, auraient eu si grand intérêt à relever le moral de leurs camarades. Mais ils étaient d'autant plus inquiets qu'ils sentaient que leur tête serait un des enjeux de cette suprême partie.

La division régnait dans les états-majors. Les généraux qui, sans être de bien fervents royalistes, n'auraient pas cependant demandé mieux que d'achever tranquillement leur carrière sous les Bourbons, en voulaient aux complices du 20 mars[1] d'avoir jeté le pays dans une aventure et provoqué une guerre effroyable. Ces derniers suspectaient les autres et les dénonçaient comme officiers sans énergie, patriotes tièdes et royalistes honteux. Il y avait enfin, plus ardentes que jamais, les compétitions, les rivalités, les jalousies pour les commandements. Si ménager de récompenses qu'ait été l'empereur à l'égard de ses vrais partisans, les autres généraux n'en craignaient pas moins que, après la première bataille, il n'y eût d'avancement que pour ceux-là. Et, de leur côté, les ralliés de la première heure s'étonnaient de voir encore dans l'armée impériale des hommes comme

Soult, Durutte, Bruny, Bourmont, Dumonceau[1]. Le
général Piré réclama contre l'insuffisance de l'indemnité d'entrée en campagne. « C'est l'oubli des intérêts
privés, dit-il, qui perd souvent la cause générale. » Le
général Maurice Mathieu exigea sa mise à la retraite
pour ne pas devenir le subordonné de son cadet
Clausel. Duhesme, d'abord placé au 3e corps, fut
envoyé dans la jeune garde. « Il ne peut, écrivait
Davout, être mis sous les ordres de Vandamme. » Le
général Bonnet accusa le général Ornano de l'avoir
desservi auprès de l'empereur, le provoqua et lui logea
une balle dans la poitrine. Vandamme, qui avait un
corps de 18 000 hommes, se plaignit au ministre de la
Guerre que des généraux plus jeunes que lui eussent
des commandements plus importants. Gressot écrivit
à Soult que les généraux de l'armée du Rhin étaient
unanimes à regretter d'être sous les ordres de Rapp,
« homme d'une nullité complète ». Si l'on n'eût été au
jour même de l'entrée en campagne, plus d'un général
eût refusé de servir sous le prince de la Moskowa, et
Vandamme, et même Gérard, passèrent avec humeur
sous le commandement de Grouchy. Un officier de
l'état-major de l'empereur écrivait à Davout : « On se
regarde comme des Croisés qui suivent la même aventure, mais sans aucun devoir les uns à l'égard des
autres. »

La camaraderie et la solidarité des généraux de
1815, il y a pour en témoigner ces belles paroles
de Cambronne devant le conseil de guerre : « J'ai
refusé le grade de lieutenant-général, parce qu'il y a
tant de jaloux ! Vous l'avez vu à Waterloo : nous avions
un capitaine très renommé. Eh bien ! il n'a pas pu
parvenir à mettre tout en ordre. On aurait dit que ma
nomination était un passe-droit, que j'étais trop
jeune. On m'aurait laissé dans l'embarras, et je ne voulais pas risquer de compromettre le salut de l'armée. »

Au contraire des états-majors, les soldats et presque tous les officiers de troupe ont l'ardeur et la confiance. Tandis que les généraux voient la réalité, les soldats recommencent le rêve de gloire que l'invasion a interrompu, mais qu'ils ne peuvent croire achevé. L'empereur, dont les refrains des casernes et les chansons de marche ont, depuis un an, prédit le retour, n'est-il pas revenu ? Aux yeux des soldats, Napoléon est invincible. S'il a été vaincu en 1812, c'est par la neige ; en 1814, c'est par la trahison. Cette croyance, si propre à fortifier le moral de l'armée et que l'empereur, au reste, s'est toujours efforcé d'inspirer, a malheureusement pour contrepartie la suspicion de tout ce qui n'est pas Napoléon. On ne peut être vaincu que par la trahison, mais le soldat soupçonne la trahison partout. « N'employez pas les maréchaux pendant la campagne », écrit-on à l'empereur. Les plaintes et les dénonciations contre les officiers qui, sous l'autre règne, ont montré quelque sentiment bourbonien ou orléaniste, ou qui seulement portent la particule, affluent chez les commandants de corps d'armée, aux Tuileries, dans les bureaux de la Guerre.

Aux avant-postes de l'armée du Rhin, une sentinelle tire sur un individu qui cherche à gagner la rive allemande à la nage. Le bruit se répand parmi les troupes que l'on a trouvé sur le cadavre un billet annonçant qu'il y a un complot pour faire sauter la poudrière de Strasbourg. Le commandant de Condé, le colonel Taubin, s'excuse de certains retards dans l'approvisionnement de la place en disant « qu'on ne veut pas lui obéir », et, rendu fou par la dure réponse du sous-chef d'état-major du 1er corps qu'« un officier qui ne sait pas se faire obéir est indigne de commander », il se brûle la cervelle. La garnison croit que le colonel s'est tué pour éviter d'être déféré au conseil de guerre comme complice d'une conspiration. Les esprits ainsi

troublés par la crainte des trahisons, on conçoit quelle
émotion cause dans le 1er corps d'armée la distribution de fausses cartouches. Le fait était, d'ailleurs, des
plus graves, car la direction d'artillerie de Lille avait
délivré non des cartouches de bois, dites d'exercice, ce
qui eût pu être le résultat d'une erreur, mais des cartouches à balle contenant du son au lieu de poudre.
Drouet d'Erlon fit garder à vue le colonel directeur de
l'artillerie. « Depuis longtemps, dit-il dans un rapport
à Davout, j'avais des soupçons sur ses opinions. »
Davout prescrivit une enquête qui, comme toutes les
enquêtes, n'aboutit à aucun résultat. On ne put découvrir ni comment, ni pourquoi, ni depuis quand ces
étranges cartouches se trouvaient en magasin.

La discipline, qui, même dans les armées d'Austerlitz et de Wagram, était beaucoup moins forte
qu'on ne se l'imagine, se relâche encore par l'effet de
cette suspicion presque universelle, comme aussi
des événements accomplis depuis une année. Les
soldats sont peu portés à obéir à des chefs qu'ils
croient capables de ragusades[1] (c'est le mot en
usage) et à respecter des généraux et des colonels
qui, après les avoir fait marcher trois mois auparavant contre leur empereur, manifestent désormais
le plus ardent bonapartisme. Seuls les officiers qui,
pendant la période du 5 au 20 mars, ont par leurs
propos ou leurs actes encouragé ou provoqué les
hommes à la défection, conservent leur autorité. Et
encore pas toujours ! Six officiers du 1er cuirassiers
ayant été avancés d'un grade par l'empereur pour
avoir entraîné le régiment sont reconnus, selon le
règlement, devant le front des troupes. Les cuirassiers les accueillent par des murmures et des huées.
« Nous en avons fait autant que vous, crient-ils, et
nous n'avons ni avancement, ni autre récompense. »
Dans plus d'un corps de troupe, on espère que tous

les officiers seront remplacés par les sous-officiers. Dans plus d'une Adresse des régiments à l'empereur, on réclame la révocation du colonel. « Nous demandons, écrivent les dragons du 12e régiment, la destitution de notre colonel, dont l'ardeur pour Votre Majesté n'est pas à la hauteur de nos sentiments. » — « Nous sommes persuadés, écrivent les officiers, sous-officiers et soldats du 75e de ligne, que l'intention de Votre Majesté n'est pas de conserver un traître à la tête d'un régiment français. »

Il y a une autre raison encore à l'esprit d'indiscipline. Dupes des apparences, comme à peu près tout le monde à cette époque, les soldats s'imaginent qu'ils ont fait seuls la révolution qui a ramené l'empereur aux Tuileries. Napoléon leur doit le trône ; en conséquence ils se croient tout permis au cri de : Vive l'Empereur ! Davout n'a-t-il pas déclaré que l'abandon de leurs corps par les soldats pendant les derniers événements ne doit être considéré que comme une preuve de dévouement à l'empereur ? le sage Drouot, lui-même, ne conclut-il pas à la réintégration dans les cadres de la vieille garde de sous-officiers cassés en 1814 pour avoir déserté « par chagrin du départ de Sa Majesté » ? Quels exemples pour une armée !

Le 26 mars, les dragons de la garde arrivent de Tours ; ils apprennent sur les quais que l'empereur passe une revue. Il y a un an qu'ils n'ont vu leur idole ! Ils entraînent leurs officiers, enfilent le guichet du Louvre et débouchent au grand trot, tout couverts de boue, les chevaux en sueur, sur la place du Carrousel, en vociférant : Vive l'empereur ! Quelques jours plus tard, à une inspection à rangs ouverts, des dragons de la ligne se donnent le mot. Soudain, le premier rang fait demi-tour, et les deux rangs lèvent leurs sabres et les croisent au-dessus de l'empereur. Il courbe la tête en riant et achève son inspection sous cette voûte d'acier. Le fanatisme pour Napoléon peut excuser ces manquements à la discipline, ces caprices antiréglementaires. Il y a des fautes plus graves.

Les troupes de Grouchy, en marche de Pont-Saint-Esprit sur Marseille, après la capitulation de La Pallud[1], commettent les pires excès à Orgon, sous prétexte que, l'année précédente, quand Napoléon exilé a traversé ce bourg, les habitants l'ont voulu pendre. À Aire (Pas-de-Calais), le 105e de ligne en route pour la frontière commence à démolir une maison toute neuve dont la façade est décorée de fleurs de lys ; pour calmer les soldats, le commandant de place ne trouve d'autre moyen que de faire incontinent mener en prison le malheureux propriétaire. À Aix, des canonniers, offusqués de voir de jeunes royalistes se promener avec d'énormes roses blanches à la boutonnière, les dispersent à coups de sabre. À Saint-Germain, les tirailleurs de la jeune garde se mutinent et refusent d'entrer dans leur caserne parce qu'il n'y a point de drapeau tricolore à la porte. Dans les théâtres, les soldats maltraitent les spectateurs qui n'applaudissent pas *La Marseillaise*[2]. Dans les cafés ils battent les gens qui refusent de crier : Vive l'empereur ! Entrés en Belgique, ils pillent à qui mieux mieux. « La maraude et le pillage sont dans l'armée, écrit le 17 juin à Soult le général de gendarmerie Radet. La garde elle-même en donne l'exemple. On a pillé des magasins à fourrages, volé des chevaux au piquet. On a pillé toute la nuit chez les Belges qui avaient tout donné de bon cœur et pansé nos blessés. Les hommes méconnaissent l'autorité de la gendarmerie. J'offre ma démission de Grand-Prévôt de l'armée. »

[...]

Il y avait des rivalités de corps qui provoquèrent des rixes et des duels. L'empereur se vit forcé d'ordonner la suppression, dans les cinq régiments de cavalerie portant le n° 1, des aiguillettes blanches que jalousaient les autres régiments. Les soldats de l'île d'Elbe ayant été logés dans l'hôtel des Cent-Suisses, place du Carrousel, quelques enthousiastes avaient substitué à l'inscription de la grande porte celle de : *Quartier des Braves*. Les autres braves de l'armée, tout bonapartistes qu'ils étaient, virent là une offense. Les grognards furent plaisantés par leurs camarades de la ligne et même de la vieille garde. On échangea des coups de sabre. Il fallut effacer l'inscription.

Mais si l'armée est énervée par l'indiscipline, elle est animée par l'impatience de combattre, la résolution de vaincre, l'idolâtrie pour l'empereur, la haine de l'étranger. Un espion écrit de Paris à Wellington au milieu du mois de mai : « Pour donner une juste idée de l'enthousiasme de l'armée, je n'ai besoin que de tirer une parallèle entre les époques de 92 et la présente année. Encore la balance sera en faveur de Buonaparte, car aujourd'hui ce n'est plus de l'enthousiasme, c'est de la frénésie. La cause des soldats, qui n'ont rien à espérer après la chute de leur chef, est inséparable de la sienne. Aussi je ne dois pas dissimuler à Votre Excellence que, quoi qu'en disent les bourbonistes, la lutte sera sanglante et contestée à outrance. » « Les troupes, rapporte le général Hulot, étaient exaltées au plus haut point, leur ardeur était une espèce de fanatisme. » « Le moment d'entrer en campagne, écrit le 15 juin, dans ses notes journalières, le général Foy, est parfaitement choisi. Les troupes éprouvent non du patriotisme, non de l'enthousiasme, mais une véritable rage pour l'empereur et contre ses ennemis. » C'est en toute sincérité qu'un déserteur et un traître, l'adjudant-commandant Gordon, envoie ce renseignement à Clarke : « Le roi, à son retour, devra licencier l'armée et en créer une nouvelle. Les soldats sont forcenés ; leur esprit est affreux. »

« L'esprit des soldats est affreux », c'est-à-dire tous les soldats demandent à être passés en revue par l'empereur. Ils reçoivent les nouvelles aigles avec des acclamations enthousiastes et des serments menaçants. Ils répondent aux cris de : Vive l'armée ! par les cris de : Vive l'empereur ! Ils mettent pour les prises d'armes de petits drapeaux tricolores dans les canons de leurs fusils. Ils jurent, les sabres croisés au-dessus des flammes de punch, de vaincre ou de mourir. Ils disent en montrant le buste de l'empereur : « Il sera avec nous ! » Ils élèvent à leurs frais un monument au golfe Jouan. Ils font frapper des médailles commémoratives du retour de Napoléon. Ils abandonnent, un jour, deux jours, cinq jours de solde pour les frais de la guerre. Ils quittent leurs garnisons et traversent villes et villages en criant : Vive l'empereur ! et en chantant *Le Père la Violette*[1] ! Ils déchirent les drapeaux blancs en lambeaux, qu'ils emploient aux plus vils usages. Ils arrêtent eux-mêmes les embaucheurs et les bourrent de coups de crosse. Ils arrachent les déserteurs des mains des gendarmes et les dégradent sans autre forme de procès. Ils veulent doubler les étapes pour être aux premières batailles. Ils déclarent qu'ils n'ont point besoin de cartouches puisqu'ils aborderont l'ennemi à la baïonnette. Ils disent « qu'ils se f... de leur peau, pourvu que l'empereur rosse les Alliés ».

Impressionnable, raisonneuse, sans discipline, suspectant ses chefs, troublée par la crainte des trahisons et ainsi accessible peut-être à la panique, mais aguerrie et aimant la guerre, enfiévrée de vengeance, capable d'efforts héroïques et de furieux élans, et plus fougueuse, plus exaltée, plus ardente à combattre qu'aucune autre armée républicaine ou impériale, telle était l'armée de 1815. Jamais Napoléon n'avait

eu dans la main un instrument de guerre si redoutable ni si fragile.

LA BATAILLE DE WATERLOO

La matinée

Topographie du champ de bataille

Les plateaux de la Belle-Alliance et de Mont-Saint-
Jean[1], chacun d'une altitude moyenne de 132 mètres,
s'élèvent à peu près parallèlement dans la direction
du couchant au levant. Ils sont séparés par deux vallons jumeaux que la grande route de Charleroi à
Bruxelles traverse perpendiculairement, du sud au
nord. Ces deux vallons sont étroits et peu profonds ;
de l'auberge de la Belle-Alliance aux crêtes de Mont-
Saint-Jean, il n'y a que 1 300 mètres à vol d'oiseau, et
les fonds les plus bas sont cotés 110. À l'est de la
grande route, c'est le vallon de Smohain qui, très accidenté, va toujours se resserrant, devient ravin et finit
par se confondre avec le lit du ruisseau d'Ohain ; à
l'ouest, c'est le vallon de Braine-L'Alleud qui présente
aussi de multiples ondulations de terrain et où passe
en biais la route de Nivelles. Cette seconde route
court du S.-S.-O. au N.-N.-O. Après avoir atteint le
plateau de Mont-Saint-Jean, elle s'embranche à angle
aigu, au hameau de ce nom, sur la grande route,
laquelle traverse, à environ une lieue de là, le village
de Waterloo, construit dans une échancrure de la
forêt de Soignes, et continue vers Bruxelles en s'en-
fonçant sous bois.

Vue de la Belle-Alliance, la grande route de
Bruxelles, qui descend et remonte en ligne droite,
semble très roide. C'est une illusion de perspective.

En réalité, la pente n'a point une si forte inclinaison. Un cavalier peut la gravir à un galop soutenu sans trop presser son cheval ni l'essouffler. Mais à la droite comme à la gauche de la route, le sol très inégal s'escarpe en maint endroit. C'est une succession infinie de mamelons et de creux, de plis et de rideaux, de sillons et de renflements. Toutefois, à le regarder des hauteurs, le double vallon a l'aspect d'une plaine s'étendant sans dépressions marquées entre deux collines d'un très faible relief. Il faut passer à travers champs pour voir ces mouvements de terrain incessants et onduleux, comparables aux houles de la mer.

Le chemin d'Ohain à Braine-L'Alleud, qui côtoie la crête du plateau de Mont-Saint-Jean et y coupe à angle droit la route de Bruxelles, coupe d'une ligne d'obstacles naturels presque toute la position anglaise. À l'est de la grande route, ce chemin est au ras du sol ; mais une double bordure de haies vives, hautes et drues, le rend infranchissable à la cavalerie. À l'ouest, le terrain se relevant brusquement, le chemin d'Ohain s'engage entre deux talus de cinq à sept pieds ; il forme ainsi, l'espace de 400 mètres, une redoutable tranchée-abri. Puis il se retrouve de niveau et continue son parcours sans présenter désormais d'autres obstacles que quelques haies éparses. En arrière de la crête qui forme rideau, le terrain s'incline vers le nord, disposition très favorable à la défense. Les troupes de seconde ligne et les réserves échappent aux vues de l'ennemi et sont en partie abritées contre le feu.

Espacés sur un rayon de 3 500 mètres, à mi-côte et dans les fonds, le château de Hougoumont avec sa chapelle, ses vastes communs, son parc clos de murs, son verger entouré de haies, et le bois-taillis qui en défend l'approche au sud ; la ferme de la Haye-Sainte, massif de pierre flanqué d'un verger bordé de haies et d'un potager en terrasse ; un monticule surmontant l'excavation d'une sablonnière et protégé par une haie ; la ferme de Papelotte ; la grosse ferme de La Haye ; enfin le hameau de Smohain forment autant de bastions, de caponnières et de fortins devant le front de la position.

L'horizon est fermé au nord par les masses vertes de la forêt de Soignes sur lesquelles se détachent les clochers de Mont-Saint-Jean et de Braine-L'Alleud. Au nord-est, s'étendent les bois d'Ohain et de Paris, et plus loin le bois de Chapelle-Saint-Lambert. À l'est, les bois de Vardre et d'Hubermont bordent les croupes qui couronnent le ravin de la Lasne, lequel prend naissance près du village de Plancenoit. Tout le reste du terrain est découvert. Au sommet des plateaux, sur les versants des collines, dans le fond des vallées, partout de grands seigles qui commencent à blondir.

En résumé, une vaste courtine (le plateau de Mont-Saint-Jean), s'élevant au-dessus des vallons de Smohain et de Braine-L'Alleud ; deux rangées de haies, puis une double berge comme parapet (le chemin d'Ohain), d'où l'on peut battre, à l'inclinaison d'une plongée, tous les points d'approche ; six ouvrages en avant du front (Hougoumont, la Haye-Sainte, la sablonnière, Papelotte, La Haye, Smohain) ; des débouchés faciles pour des contre-attaques ; en arrière du parapet, un terrain déclive, masqué aux vues de l'ennemi, traversé par deux grandes routes et se prêtant aux mouvements rapides des troupes de renfort et des réserves d'artillerie : telle était la position choisie par Wellington.

Position de l'armée anglo-néerlandaise

Les Anglais avaient bivouaqué un peu en désordre sur toute l'étendue du plateau. Éveillés au point du jour, ils commencèrent à rallumer les feux, à préparer leur repas, à nettoyer leurs uniformes et leurs armes. Au lieu de débourrer les fusils, la plupart des soldats les déchargeaient en l'air. C'était une mousqueterie continuelle donnant l'illusion d'un combat. Les grand-gardes de Napoléon étaient ou peu vigilantes ou bien aguerries, car aucune relation française ne mentionne de fausse alerte causée par cette fusillade. Vers six heures, à l'appel discord des trompettes, des pibrochs[1] et des tambours, sonnant et battant de tous côtés à la fois, les troupes s'assemblèrent. L'inspection passée, bataillons, escadrons et batteries, guidés par les officiers de l'état-major, vinrent occuper leurs emplacements de combat.

[...]

Contre les attaques impétueuses des colonnes françaises, Wellington avait employé en Espagne et en Portugal une tactique très particulière. Il plaçait sa première ligne d'infanterie en arrière des crêtes, de façon à la dérober aux vues et aux coups de l'ennemi pendant la période préparatoire de l'assaut et pendant l'assaut même. C'était seulement quand les assaillants, désunis par la montée sous le feu des chaînes de tirailleurs et des batteries établies sur les crêtes, abordaient le sommet de la position que les bataillons anglais, qui jusqu'alors n'avaient pas souffert, se démasquaient, faisaient une décharge à petite portée et s'élançaient à la baïonnette. Le terrain de Mont-Saint-Jean se prêtait à cette tactique. « — Se former de la façon habituelle », dit Wellington aux officiers généraux. Ainsi, sauf la brigade belge Bylandt et une chaîne de tirailleurs qui furent postées sur les rampes, pour ainsi dire en avant-ligne, toute l'infanterie prit position à vingt mètres, à cent mètres, à deux cents mètres derrière le chemin d'Ohain. Ces troupes se trouvaient complètement masquées, les

unes par les talus et les haies vives du chemin, les
autres en raison de la déclivité intérieure du plateau.
Cette déclivité profitait aussi aux réserves en empê-
chant qu'on les aperçût de la hauteur opposée. Les
batteries étaient établies sur le front, en avant ou en
arrière du chemin d'Ohain, selon la commodité du
terrain et le plus ou moins d'étendue du champ de tir.
On avait pratiqué des embrasures pour les pièces
dans les berges et dans les haies.

Les fermes et les accidents de terrain, formant
ouvrages avancés, avaient été mis en état de défense.
Une barricade s'élevait en travers de la route de
Bruxelles à la hauteur de la Haye-Sainte ; des abattis
barraient la route de Nivelles. Hougoumont était
occupé par sept compagnies des 1er, 2e (*Coldstream*)
et 3e régiments des gardes anglaises, une compagnie
hanovrienne et un bataillon de Nassau ; la Haye-
Sainte, par cinq compagnies de la Légion Germa-
nique ; la sablonnière et ses abords, par un bataillon
du 95e ; Papelotte, La Haye et les premières maisons
de Smohain, par des détachements du prince de Saxe-
Weimar.

Wellington n'avait confiance que dans ses Anglais.
C'est pourquoi ses troupes nationales alternaient sur
la ligne de bataille avec les divers contingents alliés.
Il voulait que ceux-ci fussent partout solidement
encadrés.

Défalcation faite des pertes subies le 16 et le
17 juin, le duc avait dans la main 67 700 hommes et
184 bouches à feu. Il aurait pu concentrer à Mont-
Saint-Jean un plus grand nombre de combattants ;
mais, toujours inquiet pour ses lignes de communications avec la mer et craignant qu'un corps français
ne tournât sa droite, il avait immobilisé entre Hal et
Enghien — à quatre lieues à vol d'oiseau de Mont-
Saint-Jean — environ 17 000 hommes et 30 pièces de

canon, sous le prince Frédéric des Pays-Bas. Faute capitale que ce détachement la veille d'une bataille, pour parer à un danger chimérique ! Comme l'a très justement dit le général Brialmont, « on ne s'explique pas que Wellington ait pu attribuer à son adversaire un plan d'opérations qui devait hâter la jonction des armées alliées, quand, depuis le début de la campagne, Napoléon manœuvrait évidemment pour empêcher cette jonction » [1].

Pendant que les troupes prenaient leurs emplacements, Wellington accompagné de Müffling et de quelques officiers parcourait la ligne de bataille. Il examina en détail toutes les positions et descendit jusqu'à Hougoumont. Souvent, il braquait sa lunette sur les hauteurs occupées par les Français. Il montait son cheval préféré, *Copenhague*, superbe pur-sang bai brun, qui s'était aguerri à Vittoria et à Toulouse. Wellington portait sa tenue ordinaire de campagne : pantalon de peau de daim blanc, bottes à glands, habit bleu foncé et court manteau de même nuance, cravate blanche, petit chapeau sans plumes, orné de la cocarde noire d'Angleterre et de trois autres, de moindre dimension, aux couleurs du Portugal, de l'Espagne et des Pays-Bas. Il était très calme. Son visage reflétait la confiance que lui inspirait la coopération assurée de l'armée prussienne.

Le déjeuner de Napoléon au Caillou. —
Lettre à Grouchy

Les ordres de l'empereur prescrivaient que tous les corps d'armée fussent à neuf heures précises sur leurs positions de bataille, prêts à attaquer. Mais les troupes qui avaient passé la nuit à Genappe, à Glabais et dans les fermes éparses aux environs, mirent beaucoup de temps à se rallier, à nettoyer leurs armes, à faire la soupe. Elles avaient, en outre, pour unique débouché la grande route de Bruxelles. À neuf heures seulement, le corps de Reille arriva à la hauteur du Caillou. La garde à pied, les cuirassiers de Kellermann, le corps de Lobau et la division Durutte étaient bien en arrière. Pour engager l'action, l'empereur voulait à tort ou à raison avoir tout son monde dans la main, et, d'ailleurs, il ne semblait pas que l'état du terrain permît encore de faire manœuvrer l'artillerie[1]. C'était, du moins, le sentiment de Napoléon et de Drouot.

Vers huit heures, l'empereur avait déjeuné à la ferme du Caillou avec Soult, le duc de Bassano, Drouot et plusieurs officiers généraux. Après le repas, qui avait été servi dans la vaisselle d'argent aux armes impériales, on déplia sur la table les cartes de Ferrari et de Capitaine. L'empereur dit : « — L'armée ennemie est supérieure à la nôtre de plus d'un quart. Nous n'en avons pas moins quatre-vingt-dix chances pour nous, et point dix contre. » Ney, qui entrait, entendit ces paroles. Il venait des avant-postes, et il avait pris quelques mouvements des Anglais pour des dispositions de retraite ; il s'écria : « — Sans doute, Sire, si Wellington était assez simple pour vous attendre. Mais je vous annonce que sa retraite est prononcée et que, si vous ne vous hâtez d'attaquer, l'ennemi va vous échapper. » « — Vous avez mal vu, répliqua l'empereur, il n'est plus temps. Wellington s'exposerait à une perte certaine. Il a jeté les dés, et ils sont pour nous. »

Soult était soucieux. Pas plus que l'empereur, il n'appréhendait l'arrivée des Prussiens sur le champ de bataille : il les jugeait hors de cause pour plusieurs jours. Mais il regrettait que l'on eût détaché 33 000 hommes avec le maréchal Grouchy, quand un seul corps d'infanterie et quelques milliers de chevaux eussent suffi à poursuivre Blücher. La moitié des troupes de l'aile droite, pensait-il, seraient bien plus utiles dans la grande bataille qu'on allait livrer à l'armée anglaise, si ferme, si opiniâtre, si redoutable. Comme chef d'état-major de Lefebvre, Soult avait emporté d'assaut, le 9 juillet 1794, ce même plateau de Mont-Saint-Jean et avait rejeté de la forêt de Soignes les Impériaux dans Bruxelles. Mais il savait l'infanterie anglaise tout autrement résistante que l'infanterie autrichienne. Aussi, dans la soirée précédente, avait-il déjà conseillé à l'empereur de rappeler une partie des troupes mises sous les ordres de Grouchy. Le matin, il réitéra son avis. Napoléon, impatienté, lui répliqua brutalement : « — Parce que vous avez été battu par Wellington, vous le regardez comme un grand général. Et, moi, je vous dis que Wellington est un mauvais général, que les Anglais sont de mauvaises troupes, et que ce sera l'affaire d'un déjeuner. — Je le souhaite, » dit Soult.

Peu après, Reille et Jérôme entrèrent au Caillou. L'empereur demanda à Reille son sentiment sur l'armée anglaise que ce général devait bien connaître, l'ayant si souvent combattue en Espagne. Reille répondit : « — Bien postée comme Wellington sait le faire, et attaquée de front, je regarde l'infanterie anglaise comme inexpugnable en raison de sa ténacité calme et de la supériorité de son tir. Avant de l'aborder à la baïonnette, on peut s'attendre que la moitié des assaillants sera abattue. Mais l'armée anglaise est moins agile, moins souple, moins manœuvrière que la nôtre. Si l'on ne peut la vaincre par une attaque directe, on peut le faire par des manœuvres. » Pour Napoléon, qui n'avait jamais en personne livré bataille rangée aux Anglais, l'avis d'un vétéran des guerres d'Espagne était bon à méditer. Mais, irrité peut-être que Reille eût si librement parlé, au risque de décourager les généraux qui écoutaient, il parut n'y accorder aucune importance. Il rompit l'entretien par une exclamation d'incrédulité.

Le temps s'était éclairci, le soleil brillait ; un vent assez vif, un vent ressuyant, comme on dit en vénerie, commençait à souffler. Des officiers d'artillerie rapportèrent qu'ils avaient parcouru le terrain et que bientôt les pièces pourraient manœuvrer. Napoléon demanda ses chevaux. Avant de partir, il reçut avec bonté le fermier Boucqueau revenu de Plancenoit, lui et sa famille, à la nouvelle que l'empereur était au Caillou. Le vieillard se plaignit d'avoir été pillé la veille par les traînards ennemis. Napoléon, l'air absorbé, semblait penser à tout autre chose qu'à ces doléances. Il finit par dire : « — Soyez tranquille, vous aurez une sauvegarde. » Cela ne paraissait pas superflu, car le quartier impérial devait quitter le Caillou dans la journée. On disait que l'on coucherait à Bruxelles.

L'empereur, longeant au grand trot le flanc des colonnes qui débouchaient encore de Genappe, se porta en avant de la Belle-Alliance, sur la ligne même des tirailleurs, pour observer les positions ennemies. Il avait comme guide un Flamand nommé Decoster. Cet homme tenait un petit cabaret sur le bord de la route entre Rossomme et la Belle-Alliance ; on l'avait pris chez lui à cinq heures du matin et amené à l'empereur qui demandait quelqu'un du pays. Les cartes dont Napoléon se servait dans ses campagnes n'indiquant que d'une façon très générale et très sommaire les mouvements de terrain, il prenait presque toujours un guide. Decoster avait été gardé à vue, car il paraissait vouloir s'échapper ; au départ du Caillou, on l'avait hissé et lié sur un cheval de troupe dont la selle était attachée par une longe à l'arçon d'un

chasseur de l'escorte. Pendant la bataille, il fit, naturellement, mauvaise figure aux balles et aux boulets.
Il s'agitait sur sa selle, détournait la tête, se courbait
sur l'encolure de son cheval. L'empereur lui dit à un
moment : « — Mais, mon ami, ne remuez pas tant. Un
coup de fusil vous tuera aussi bien par-derrière que
par-devant et vous fera une plus vilaine blessure. »
Selon les traditions locales, Decoster, soit imbécillité,
soit mauvais vouloir, aurait donné pendant toute la
journée de faux renseignements. On amena aussi un
autre guide à l'empereur, un certain Joseph Bourgeois, du hameau d'Odeghien. Il balbutiait de peur et
tenait obstinément les yeux rivés à terre ; Napoléon le
renvoya. Il disait, quand on lui demandait comment
était l'empereur : « — Son visage aurait été un cadran
d'horloge qu'on n'aurait pas osé y regarder l'heure. »

L'empereur demeura assez longtemps devant la
Belle-Alliance. Après avoir chargé le général du génie
Haxo de s'assurer si les Anglais n'avaient point élevé
de retranchements[1], il vint se poster à environ quinze
cents mètres en arrière, sur un mamelon qui s'élève
près de la ferme de Rossomme. On apporta de la
ferme une chaise et une petite table, sur laquelle
furent dépliées ses cartes. Vers deux heures, quand
l'action fut sérieusement engagée, l'empereur s'établit
sur une autre éminence, plus rapprochée de la ligne
de bataille, à quelque distance du cabaret de Decoster. Le général Foy, qui l'avait reconnu de loin à sa
redingote grise, le voyait se promener de long en
large, les mains derrière le dos, s'arrêter, s'accouder
sur la table, puis reprendre sa marche.

Au Caillou, Jérôme avait fait part à son frère d'un
propos entendu la veille à Genappe, dans l'auberge du
Roi d'Espagne. Le garçon d'hôtel qui lui avait servi à
souper, après avoir servi à déjeuner à Wellington,
racontait qu'un aide de camp du duc avait parlé d'une

réunion concertée entre l'armée anglaise et l'armée prussienne à l'entrée de la forêt de Soignes. Ce Belge, qui semblait bien renseigné, avait même ajouté que les Prussiens arriveraient par Wavre. L'empereur traita cela de paroles en l'air. « — Après une bataille comme celle de Fleurus, dit-il, la jonction des Anglais et des Prussiens est impossible d'ici deux jours ; d'ailleurs, les Prussiens ont Grouchy à leurs trousses. » Grouchy, toujours Grouchy ! L'empereur avait trop de confiance dans les renseignements comme dans la promesse de son lieutenant. D'après la lettre du maréchal, écrite à Gembloux à dix heures du soir et arrivée au Caillou vers deux heures du matin, l'armée prussienne, réduite à 30 000 hommes environ, s'était divisée en deux colonnes, dont l'une semblait se diriger vers Liège et l'autre sur Wavre, peut-être pour rejoindre Wellington. Grouchy ajoutait que si les rapports de sa cavalerie lui apprenaient que la masse des Prussiens se repliait sur Wavre, il la suivrait « afin de la séparer de Wellington ». Tout cela était bien fait pour rassurer l'empereur. Mais les Prussiens n'étaient-ils que 30 000 hommes, ne s'étaient-ils pas divisés pour marcher et n'allaient-ils pas se réunir pour combattre ? Grouchy, sur qui ils avaient pris une très grande avance, les atteindrait-il à temps ? Autant de questions que ne se posa point Napoléon ou qu'il résolut de la façon la plus conforme à ses désirs. Aveuglé comme Grouchy l'était lui-même, il s'imaginait que les Prussiens allaient s'arrêter à Wavre ou que, en tout cas, ils se porteraient sur Bruxelles et non sur Mont-Saint-Jean. De Rossomme, l'empereur se contenta de faire écrire à Grouchy pour l'informer qu'une colonne prussienne avait passé à Saint-Géry, se dirigeant vers Wavre, et pour lui ordonner de marcher au plus vite sur ce point en poussant l'ennemi.

[...]

La dernière revue (dix heures). —
Ordre de bataille de l'armée française

Les troupes prennent leurs positions de bataille.
Napoléon, remonté à cheval, les passe en revue à
mesure qu'elles se forment sur le terrain. Tout le plateau est sillonné de colonnes en marche. Le corps
de d'Erlon serre sur sa droite pour laisser le corps de
Reille s'établir à la gauche. Sur les flancs et en arrière
de ces premières lignes d'infanterie — infanterie de
bataille avec l'habit bleu, la culotte et les guêtres
blanches, infanterie légère toute vêtue de bleu et guê-
trée de noir —, huit divisions de cavalerie commencent à se déployer, sabres et cuirasses brillant au
soleil, flammes des lances ondulant au vent. C'est un
chatoiement de nuances vives et d'éclairs métal-
liques. Aux chasseurs portant l'habit-veste gros vert à
parements amarante, aurore ou écarlate, et le chari-
vari de cuir fermé par de gros boutons, succèdent les
hussards dont les dolmans[1], les pelisses, les culottes
à la hongroise, les plumets des shakos varient de couleur dans chaque régiment ; il y en a de marron et
bleu, de rouge et bleu de ciel, de gris et bleu, de vert
et écarlate. Passent ensuite les dragons aux casques
de cuivre à turban de peau de tigre, les buffleteries
blanches croisant sur l'habit vert à parements rouges
ou jaunes, le grand fusil à l'arçon battant la botte
rigide ; les chevau-légers-lanciers, verts comme les
chasseurs et ayant comme eux la chabraque en peau
de mouton, mais se distinguant par le casque à chenille, la coupe et la couleur du plastron ; les cuirassiers qui portent le court habit bleu impérial à collet,
retroussis et garnitures d'entournures rouges ou
jaunes, selon les régiments, la culotte blanche, la
haute botte, la cuirasse et le casque d'acier à cimier

de cuivre et à crinière flottante ; les carabiniers, géants de six pieds, vêtus de blanc, cuirassés d'or, coiffés, comme des héros antiques, de grands casques à chenille rouge. La garde à cheval se déplace en troisième ligne : dragons avec l'habit vert à revers blancs et le casque à plumet rouge ; grenadiers avec l'habit bleu à parements écarlates, la culotte de peau, les contre-épaulettes et les aiguillettes jaune orangé, le grand bonnet d'ours à plumet et à fourragère ; les lanciers qui ont la kurka rouge à plastron bleu, les épaulettes et les aiguillettes jonquille, le pantalon rouge à bande bleue, le shapska rouge qu'orne une plaque de cuivre à l'N couronné et que surmonte un plumet tout blanc, haut d'un demi-mètre ; enfin, les chasseurs aux dolmans verts, garnis de tresses orange, aux pelisses rouges bordées de fourrure, aux kolbachs[1] à flamme écarlate et à grand plumet vert et rouge. Sur les épaulettes, les tresses, les galons, les brandebourgs des officiers, ruissellent l'or et l'argent.

Par la route de Bruxelles débouchent d'autres troupes. Il arrive des hommes et des chevaux et des canons d'aussi loin que porte la vue : les nombreux bataillons de Lobau, les chasseurs de Domon, les lanciers de Subervie, l'artillerie à pied dans son sévère uniforme bleu foncé relevé de rouge, l'artillerie à cheval, le devant du dolman couvert de brandebourgs écarlates ; la jeune garde, tirailleurs à épaulettes rouges, voltigeurs à épaulettes vertes ; les canonniers à pied de la garde, coiffés du bonnet d'oursin et marchant près de ces redoutables pièces de 12 que l'empereur nomme « ses plus belles filles ». Tout à fait en arrière s'avancent les colonnes sombres de la vieille garde. Chasseurs et grenadiers ont la tenue de campagne : pantalon bleu, longue capote bleue à un rang de boutons, bonnet à poil sans le plumet ni le cordon. Leur uniforme de parade pour l'entrée triomphale à

Bruxelles est dans leur havresac, ce qui leur fait, avec leur équipement, leurs armes et leurs cinquante cartouches, une charge de soixante-cinq livres. On ne distingue les grenadiers des chasseurs que par leur taille plus élevée, la plaque de cuivre de leur oursin et leurs épaulettes qui sont toutes rouges, tandis que celles de leurs camarades ont le corps vert et les franges rouges. Les uns et les autres portent la queue et la poudre et ont aux oreilles des anneaux d'or massif du diamètre d'un petit écu.

Les tambours battent, les trompettes sonnent, les musiques jouent : *Veillons au salut de l'Empire*. En passant devant Napoléon, les porte-aigles inclinent les drapeaux — les drapeaux du Champ de Mai, les drapeaux neufs, mais déjà baptisés à Ligny par le feu et par le sang —, les cavaliers brandissent leurs sabres, les fantassins agitent leurs shakos au bout des baïonnettes. Les acclamations dominent et étouffent les tambours et les cuivres. Les Vive l'empereur ! se suivent avec une telle véhémence et une telle rapidité qu'ils empêchent d'entendre les commandements. « Jamais, dit un officier du 1er corps, on ne cria : Vive l'empereur ! avec plus d'enthousiasme ; c'était comme un délire. Et ce qui rendait cette scène plus solennelle et plus émouvante, c'est qu'en face de nous, à mille pas peut-être, on voyait distinctement la ligne rouge sombre de l'armée anglaise. »

ALPHONSE DE LAMARTINE

Histoire de la Restauration

(1851)

En 1851, quand paraît, en 8 volumes, son Histoire de la Restauration, *Lamartine (1790-1869) n'en est pas à son coup d'essai dans la littérature historique. Il a déjà publié, en 1847, une* Histoire des Girondins, *qui a convaincu les spécialistes de la pertinence du propos et du style de Lamartine dans la reconstitution historique. C'est une époque charnière pour lui. L'homme politique qu'il est, député libéral sous la monarchie de Louis-Philippe, affiche ses convictions républicaines modérées, lors de la chute du trône en 1848, époque durant laquelle il appartient au gouvernement provisoire qui instaure la Seconde République. Dans le domaine des lettres, le poète se mue en historien réputé. On lui passe des commandes, qu'il accepte par besoin d'argent. C'est ainsi qu'est né le projet d'une histoire de la Restauration.*

Dans les dernières années de la monarchie bourgeoise et les débuts de la jeune république de 1848, on n'écrit plus guère comme avant sur l'épopée napoléonienne, qui ne redeviendra un sujet en vogue qu'avec le Second Empire. La production littéraire de Lamartine en est la preuve puisqu'il se consacre à des études sur la Révolution et la Restauration, mais pas spécifiquement sur le Napoléon du Consulat ou de l'Empire. La parenthèse éphémère des Cent-Jours le force, en quelque sorte, à aborder la figure de Napoléon et la tragédie de Waterloo.

Lamartine se souvient qu'il avait tout juste vingt-quatre ans quand Napoléon fit son retour triomphal de l'île d'Elbe.

*Il servait alors comme garde du corps auprès de
Louis XVIII et quitta Paris pour se réfugier en Suisse. Sur
Waterloo, il a lu de nombreux ouvrages dont* Le Chevalier Harold *de Byron et l'incontournable livre de Thiers,
l'*Histoire du Consulat et de l'Empire. *L'originalité de
Lamartine tient d'abord à son style. Quand il décrit la
bataille de Waterloo, il n'abandonne pas son accent romantique. C'est un sujet digne de son penchant pour les grands
drames. La chute des Girondins était un sujet malheureux
parce qu'elle condamne la Révolution à la Terreur.
Waterloo en est un autre, mais la défaite est un mal nécessaire parce qu'elle précipite la fin de Napoléon, que
Lamartine n'admire pas. Les convictions politiques de
Lamartine s'opposent à la trajectoire de Napoléon, l'empereur demeurant pour lui un despote militaire. Néanmoins,
si Lamartine ne cède pas à l'admiration pour la légende
napoléonienne, il est fasciné par l'agitation, l'enthousiasme, la frénésie même, qui entourent et accompagnent
le retour de Napoléon jusqu'au crépuscule de son empire, le
soir du 18 juin, dans la plaine de Waterloo. À la manière de
Chateaubriand, il a l'art supérieur du portrait de Napoléon
et de sa Garde Impériale ; il ne peut s'empêcher d'y voir un
héroïsme, barbare sans doute, mais un héroïsme tout de
même. Un poème sur Napoléon en témoigne :*

Tu n'aimais que le bruit du fer, le cri d'alarmes !
L'éclat resplendissant de l'aube sur les armes !
Et ta main ne flattait que ton léger coursier,
Quand les flots ondoyants de sa pâle crinière
Sillonnaient comme un vent la sanglante poussière,
    Et que ses pieds brisaient l'acier[1] !

*Même si des erreurs jalonnent son récit de la bataille de
Waterloo (présent dans le tome IV de son* Histoire de la Res-

---

1. Lamartine, *Nouvelles méditations poétiques*, Troisième
méditation, « Bonaparte » (« Poésie/Gallimard », p. 137).

tauration*), on ne lui en tient pas rigueur : il fallait bien la
plume d'un poète pour décrire le sacrifice de la Vieille Garde,
dont Lamartine a contribué à forger la légende, plus grande,
selon lui, que celle tachée de sang de Napoléon. Waterloo est,
comme il l'écrit, un « mémorable revers ». Il y a sans doute
de la gloire pour le vaincu, au soir de la bataille.*

[Livre vingt-cinquième]

CHAPITRE XLVII

Napoléon lui-même, soit qu'il crût en ce moment la
victoire acquise au maréchal[1], et que la certitude de
vaincre lui donnât l'impartialité nécessaire pour louer
un ennemi, soit que l'homme de métier l'emportât chez
lui sur l'homme de la lutte, admirait d'en haut, à travers
la fumée, la beauté sinistre de ce spectacle, la solidité,
les évolutions, la précision des feux et des manœuvres
des Anglais. « Quelles braves troupes ! » disait-il avec
l'accent d'un généreux enthousiasme et d'une mâle pitié
au maréchal Soult, debout, à côté de lui, sur le tertre
d'où ces deux guerriers contemplaient le Mont-Saint-
Jean. « Quelles braves troupes ! et comme elles travaillent avec constance et vigueur. Les Anglais se
battent bien, il faut en convenir, nous les avons formés.
Ils sont dignes de nous ; mais ils ne tarderont pas à
fuir ! » — « La cavalerie française nous entourait,
comme si c'eût été la nôtre, » écrivait Wellington lui-
même, quelques jours après, dans ses récits de la
bataille[2]. Mais, malgré la bravoure téméraire de Ney, de
Kellermann, de Guyot, de Milhaut, de Lesourd, qui
commandaient cette cavalerie, aucune âme d'ensemble
ne gouvernait ces charges disséminées, et ne donnait
à ces régiments épais la masse, le poids, la persistance
et l'irrésistible courant d'hommes et de chevaux, par

lesquels un grand homme de cheval rendait autrefois cette cavalerie réunie l'arbitre de la fin des journées de guerre. Murat manquait à ces escadrons ; son coup d'œil, et son âme, et son sabre manquaient à l'empereur.

Il était en ce moment à Toulon[1], obscur, caché, repentant, pleurant sa faute, implorant vainement le champ de bataille pour se laver dans le sang, et se rongeant le cœur de ce que ses régiments allaient charger et mourir sans lui ! Tous les hommes de guerre conviennent que l'absence de Murat fut la fortune de Wellington dans ces dernières charges de cavalerie du Mont-Saint-Jean. Napoléon lui-même, quoique aigri et mécontent de ce roi des déroutes, ne put s'empêcher de répéter à plusieurs reprises : « Ah ! si Murat était là[2] ! »

CHAPITRE XLVIII

L'absence de ce héros, l'invincible solidité des Anglais, la stoïque constance des Écossais, l'éparpillement successif de nos charges frappant partout, ne perçant nulle part, la lassitude des hommes et des chevaux de courir et de lutter trois heures dans des terres défoncées et glissantes, qui consumaient les forces des animaux sous un soleil d'été, dont l'ardeur était doublée par la flamme des décharges et par l'haleine des hommes et des chevaux ; enfin les batteries de réserve de Wellington, reconquises par ses artilleurs après le reflux de nos escadrons, et vomissant sur nous la mitraille, avaient enfin séparé les combattants et rejeté de nouveau Ney et son armée sur les bords du plateau qu'il avait vainement gravi.

Napoléon, à cet aspect, cesse d'hésiter ; le danger de Ney l'entraîne lui-même ; il appelle à lui le général Petit, avec les chasseurs à pied de sa garde, et lui confie le soin de couvrir sa droite vers Planchenoit. Tranquillisé un instant sur ce point, il fait former une colonne d'attaque des grenadiers à pied de sa garde, colonne invincible qu'il lance au secours de sa cavalerie pour l'affermir, sur le plateau, contre les charges renouvelées de Wellington.

Les six mille grenadiers s'élancent aux cris de *Vive l'empereur!* l'arme au bras. Wellington les contemple avec une terreur qui tient au prestige de ce corps immortalisé sur tant de champs de bataille. Il sent qu'il faut agir sur de pareils soldats, non comme avec des hommes, mais comme avec un élément. Il les attend à la bouche d'une batterie de quarante pièces de canon, dont les artilleurs ont la mèche à la main. Ils montent, ils approchent, la batterie éclate. Aussitôt que la fumée du bronze s'élève, et laisse le regard plonger sur les pentes, les Anglais voient la noire colonne flotter un moment; mais ce flottement se consolide, la colonne serrée s'avance aussi muette, aussi compacte, l'arme toujours au bras, sans tirer, sans se hâter, sans se ralentir. À une seconde décharge, même oscillation, même raffermissement, même silence; on voit seulement l'immense bataillon se presser sur lui-même, comme un immense reptile qui se concentre sous ses écailles, quand sa tête a été touchée par le fer. À la troisième décharge, les Anglais, penchés sur le bord du ravin, regardent encore. La colonne est réduite à un bloc immobile d'hommes, décimés par ces trois mitrailles : deux des bataillons sont couchés sur la rampe, à côté de leurs fusils encore chargés ; les deux autres hésitent, délibèrent, et reculent enfin devant cet écueil de feu, pour aller chercher un autre accès sur ces inabordables hauteurs. Mais Wellington, couvrant toute son armée de deux cents pièces de canon, les attend partout, derrière le même rempart de bronze.

CHAPITRE XLIX

Napoléon pâlit, doute enfin de la victoire, sent trop tard la nécessité de vaincre entièrement quelque part, s'il ne veut pas être vaincu, un moment après, partout. « Mon cheval ! » s'écrie-t-il en jetant un dernier regard sur les Prussiens contenus passivement par d'Erlon. On lui amène son cheval, cheval persan, d'une blancheur de cygne, qu'il aimait à monter au feu, à cause de son éclat qui le faisait reconnaître de loin par ses troupes, et de son sang-froid qui le tenait immobile aux détonations des obus. Je l'ai vu survivre de longues années après son maître, toujours fier, superbe et doux, et redressant la tête au nom de Waterloo, comme s'il se souvenait de sa gloire.

Napoléon le monte ; il part au galop, entouré du groupe de ses officiers, et suivi à distance par les escadrons d'escorte de sa garde à cheval. Il se dirige vers sa gauche, où son frère Jérôme, Guilleminot et le général Reille étaient massés autour de la Haie-Sainte et du château d'Hougoumont. Déjà Ney commençait à plier et à redescendre, avec confusion, des plateaux devant l'artillerie et la cavalerie ralliées de Wellington. Il était temps.

L'empereur passe devant le front de tout ce qui lui reste de bataillons et d'escadrons, au centre et à gauche de la plaine. Il les anime ; il leur montre de la main la fumée du Mont-Saint-Jean. Une nouvelle armée tout entière, reste de son artillerie, de sa cavalerie, de sa garde, se forme à la voix de ses lieutenants. Quand elle est formée, il s'élance lui-même, l'épée à la main, aux premiers rangs de la colonne de tête de sa garde, et du geste écartant à gauche et à droite les généraux, les officiers qui veulent le couvrir : « Tout le monde en arrière ! » s'écrie-t-il, et il marche, le premier, à l'assaut des pentes les plus escarpées et les plus foudroyantes des plateaux. Un silence morne l'environne ; on sent qu'il va chercher son sort. On croit que, s'il ne lui donne pas le triomphe, il lui demandera du moins la mort. Ses traits, toujours calmes, paraissent néanmoins concentrer dans leur immobilité et dans leur silence cette gravité, qui est la seule ardeur permise au commandement. Tout le monde se tait derrière lui ; on le laisse à ses pensées ; on sent qu'il se mesure avec le destin. Il marche ainsi quelques moments sous la portée des deux cents pièces de canon de l'armée anglaise, qui ne tiraient pas encore de peur de perdre leur feu. Puis se retournant vers son armée et se rangeant un peu sur la gauche, dans le pli d'un mamelon du terrain qui le couvre contre les boulets : « En avant ! en avant ! » s'écrie-t-il en animant de l'œil, de la voix, du geste ses bataillons, à mesure qu'ils passent devant lui. « *Vive l'empereur !* » répétèrent tour à tour, avec le geste de l'enthousiasme désespéré, les généraux, les officiers, les soldats lancés au pas de course et à découvert sous le feu tonnant des batteries[1] !

Ney, le visage noirci de poudre, les habits souillés et déchirés par le combat, l'éclair de la joie et de la victoire dans le regard, accourt au-devant de la garde, et, la ralliant sous son épée à ses troupes raffermies, il dirige lui-même cette attaque générale à l'assaut de l'armée anglaise[2]. Les deux cents bouches à feu de Wellington, les trois cents pièces de canon de l'armée française, qui leur répondent des promontoires les plus élevés de la Belle-Alliance, couvrent d'une voûte de boulets l'armée de Ney et de Napoléon, pendant qu'elle aborde les plateaux sous ce feu. Un officier accourt annoncer à l'empereur que les Belges et les Allemands, qui forment la gauche de Wellington vers

Saint-Lambert, se replient en désordre vers le Mont-Saint-Jean, suivis d'une colonne de fumée.

« C'est Grouchy ! c'est Grouchy ! s'écrie l'empereur. Enfin, le voilà ! nous sommes vainqueurs ! Courez, dit-il à Labédoyère, qui était à cheval à côté de lui, courez annoncer au maréchal et aux troupes cette joie qui raffermira leur courage. » Labédoyère court, de bataillons en bataillons, jusqu'au maréchal, en semant partout la nouvelle de l'approche de Grouchy. « *Vive l'empereur !* répondent partout les soldats. La victoire est à nous. » Et ils gravissent avec une ardeur nouvelle les étages de feu.

La joie de l'empereur fut courte et trompeuse, jeu de la fortune qui lui montrait jusqu'à la dernière heure le mirage de la victoire, pour lui rendre la défaite plus amère et plus complète. Ce n'était pas Grouchy, c'était Blücher lui-même qui débouchait enfin des défilés de Saint-Lambert. Grouchy avait vainement cherché à l'occuper par une attaque sur son arrière-garde du côté de Wavres. Le vieux guerrier, plus téméraire que Grouchy, et par cette témérité même, génie des circonstances extrêmes, plus heureux, avait entendu le canon de Waterloo. Il s'était dit : « Ma place est où combat Napoléon ; la victoire ou la défaite ne seront qu'où il sera vainqueur ou défait ; marchons-y sans nous inquiéter d'un combat partiel avec son lieutenant. » Et il avait marché sur les pas de Bulow. La nuit tombait, les Allemands et les Belges portés vers Papelotte par Wellington avaient encore les uniformes français de 1813 : l'avant-garde de Blücher, se trompant à ces couleurs, avait tiré par confusion sur cette aile perdue de Wellington, croyant foudroyer des Français. Ces troupes surprises se replient sous ce feu. C'était la cause de l'erreur et de la joie de Napoléon. Elle allait se changer en désespoir.

CHAPITRE L

Cependant la confiance communiquée au maréchal par la voix de Labédoyère imprime un invincible élan à l'assaut de cette troisième et dernière armée. L'artillerie et les lignes déployées de l'infanterie anglaise plongent en vain leur feu sur les colonnes et sur les carrés de l'armée ; nos régiments, quoique décimés, se précipitent sous les canons et les baïonnettes. La mitraille les attend et les déchire en approchant ; le cheval de Ney, les flancs traversés par un boulet, s'affaisse une seconde fois sous son cavalier. Le maréchal se relève, met l'épée à la main, marche au combat au milieu de ses fantassins. Le général de la garde impériale, Michel, est tué, le général Friant est blessé. Les deux armées, séparées par des cadavres, s'abordent de nouveau corps à corps ; la mêlée, sous la fumée des décharges, est si épaisse, si confuse, si acharnée, que la voix et le coup d'œil des généraux ne peuvent plus ni discerner ni gouverner les mouvements.

La mort pleut autour de Wellington. Ses derniers compagnons de la journée, Vincent, Alava, Hill, croient tout perdu ; lui seul espère encore. « Quels ordres donnez-vous ? » lui demande son chef d'état-major d'une voix indécise et qui semble conseiller la prévoyance d'une retraite. « Aucun, répond le général. — Mais vous pouvez être tué, et il faut laisser votre pensée à celui qui aura à vous remplacer. — Ma pensée, répliqua le général, je n'en ai pas d'autre que de tenir ferme ici jusqu'au dernier homme. »

CHAPITRE LI

Pendant que Wellington faisait ainsi le testament
de sa pensée sur le champ de carnage, le général
Friant se relevait blessé du combat, s'approchait à
cheval de l'empereur toujours posté à l'abri du ravin,
et lui disait que tout triomphait sur les plateaux, et
que l'arrivée de la vieille garde allait tout finir. Cette
vieille garde, formée en colonnes flanquées de
bataillons carrés, à droite et à gauche, avec une brigade en arrière-garde, venait à l'instant de se former,
et montait lentement les collines, suivie de son artillerie pour porter le dernier coup de la journée. Ces
vieux soldats, sûrs d'eux-mêmes comme de leur général, calmes, graves, recueillis, farouches de visage,
silencieux comme la discipline, débouchaient successivement devant le pli de terrain où leur empereur
était abrité avec son frère Jérôme, son aide de camp
Drouot, Bernard, Labédoyère, Bertrand, son grand
maréchal du palais, et les principaux officiers de sa
cour militaire. Napoléon les flattait d'un geste et d'un
sourire. Ils y répondaient en élevant en l'air leurs bonnets à poil, et en brandissant leurs armes au cri de
Vive l'empereur !

Ils s'étonnaient pourtant que, dans l'extrémité d'un
pareil combat, Napoléon fût si loin du champ de
bataille, à l'abri de cette mort que tant de milliers
d'hommes affrontaient pour lui. Ils s'attendaient à le
voir déboucher au galop du ravin, et se jeter comme
dans les grands jours au milieu d'eux. Les blessés par
centaines, arrosant les collines de leur sang, passaient, en redescendant, devant lui. Le choc des
bataillons s'entendait par-dessus sa tête. Jérôme son
frère, rougissant de sa propre sûreté pendant que tant
de vies se donnaient pour la sienne, murmurait à

demi-voix contre cette immobilité de l'empereur : « Qu'attend-il, disait-il à Labédoyère, pour se découvrir ? Aura-t-il jamais une plus belle scène pour vaincre ou mourir ? »

Bientôt envoyé lui-même par l'empereur à la tête d'une colonne, Jérôme courut au feu et à la mort avec l'intrépidité dévouée d'un simple grenadier. Napoléon, qui ne croyait rien perdu encore, ne voulait pas avec raison jouer à la fin d'une victoire la France, l'empire et lui-même contre un boulet. D'autres disent que son esprit et son corps, affaissés par les soucis et par le malaise, le tinrent, à la fin du jour, dans un affaissement et dans une insensibilité qui semblaient attendre passivement son propre sort des événements, plus que de l'assurer par son énergie. Mais ses soldats faisaient des efforts surnaturels pour arracher ce sort de la journée au destin.

CHAPITRE LII

La vieille garde, en vain ébréchée par l'artillerie anglaise, abordait le sommet du Mont-Saint-Jean. Tout pliait devant elle. Le prince d'Orange, en ralliant ses troupes, reçoit une balle qui lui traverse l'épaule. Les carrés anglais le reçoivent dans leurs flancs et se rouvrent, comme le matin, pour livrer passage à la mitraille cachée dans leur épaisseur. La garde recule à son tour, des pelotons entiers écharpés s'en détachent et passent devant l'abri de l'empereur. Quelques cris de désespoir et de trahison se font entendre dans le groupe découragé.

Napoléon ne peut résister à ce spectacle, il pousse trois fois son cheval en avant pour aller lui-même soutenir ou lancer de nouveau sa vieille garde. Trois fois Bertrand et Drouot, ses amis, se jettent à la bride

de son cheval et le repoussent à l'abri des boulets.
« Qu'allez-vous faire, sire ? lui disent ces braves officiers. Songez que le salut de la France et de l'armée
est en vous seul. Si vous périssez ici, tout périt ! »
L'empereur céda et reprit son poste immobile, d'où il
ne pouvait ni voir, ni être vu jusqu'à la fin de la mêlée.

Il venait d'apprendre et feignait d'ignorer l'arrivée
de Blücher sur son flanc droit. Il voulait avec raison
laisser à l'armée, engagée sur les plateaux, le temps
de vaincre là-haut avant de la retourner contre un
autre ennemi. Mais les généraux qui combattaient
avec un si stérile acharnement sur les plateaux
venaient d'apprendre, presque aussitôt que lui, l'arrivée des Prussiens. Le bruit s'en répandait parmi des
soldats déjà fatigués de neuf heures de lutte, rebutés
par une résistance qu'ils n'avaient rencontrée nulle
part dans leurs anciennes guerres. Absents de leur
empereur, voyant tomber le jour et n'apercevant
pour prix de leur victoire sur les Anglais que de nouvelles armées à traverser ou à vaincre derrière eux
dans la nuit, ils attendaient à tout instant le rappel de
Napoléon, ils sentaient l'ardeur des Anglais redoubler avec la certitude d'être bientôt renforcés par les
Prussiens. Les réserves de cavalerie de la garde
royale anglaise, jusque-là conservées comme une
dernière ressource par Wellington, chargèrent avec
l'énergie et la vigueur d'une armée qui a retrempé ses
forces dans le repos et dans l'espérance. Wellington
lui-même montait un huitième cheval, mettait le
sabre à la main, et chargeait, comme un soldat, au
milieu de ses plus indomptables cavaliers. Onze de
ses généraux sur vingt-deux, qui commandaient
le matin sous lui, étaient morts et couchés sous leur
manteau au bord de la route de Bruxelles. Les nôtres
se regardaient, s'interrogeaient d'un regard inquiet,
se disant en se tournant du côté où ils avaient laissé

l'empereur : « Mais qu'attend-il ? que veut donc cet homme ? Son génie s'est-il éclipsé en lui ? Sa tête s'est-elle perdue ? » Quand une armée en est là, il n'y a plus que la personne, la voix, l'héroïsme de son chef qui puisse lui rendre sa confiance. Le murmure dans le feu est le présage de la défaite. Napoléon ne parut pas.

CHAPITRE LIII

Wellington à la tête du 42e et du 93e régiment de sa cavalerie, fondant sur le flanc des chasseurs de la garde impériale, les enfonce et les poursuit le sabre dans les reins. Cette charge irrésistible de deux régiments frais sur une troupe qui se rompt et se disperse, est le signal d'un ébranlement général sur notre front. L'armée anglaise pousse trois *hurrah*, s'avance en cinq colonnes, avec son artillerie dans les intervalles, sur l'armée de Ney, qui redescend en lambeaux des hauteurs pour reprendre ses premières positions. En même temps, la cavalerie anglaise en une seule masse est précipitée sur notre ligne à peine reformée. Deux brigades la traversent et vont écraser sous leur poids la cavalerie française encore intacte sur la gauche pour surveiller les Prussiens.

Blücher, s'avançant en tumulte, replie de positions en positions l'armée de d'Erlon jusque vers Waterloo ; il menace de couper la retraite à la garde impériale et à Ney.

L'instinct de la défaite saisit l'armée, un cri de *Sauve qui peut !* jeté par des hommes démoralisés fait croire aux soldats qu'ils sont trahis[1]. Ils se débandent et se précipitent en masses confuses pour regagner le campement du matin. La voix des officiers, les reproches des généraux, la vue même de leur empereur devant

qui ils passent en courant, ne peuvent les retenir. Les
collines du Mont-Saint-Jean sont couvertes de leurs
débris.

Napoléon voit revenir en lambeaux cette armée,
son seul espoir quelques heures avant. «Tout est
perdu!» s'écrie-t-il. Il contemple un moment ce
désastre, pâlit, balbutie, verse des larmes, les premières qu'il ait versées sur un champ de bataille,
presse enfin les flancs de son cheval, et s'élance lui-
même pour tenter de rallier ses soldats.

Leur courant, sourd à sa voix, l'entraîne lui-même.
Le canon de l'ennemi couvre ses paroles. Les boulets
du Mont-Saint-Jean, la cavalerie de Wellington, les
canons de Blücher, qui portent déjà jusque sur la
route, précipitent ces vagues d'hommes comme un
torrent; la nuit tombe et le dérobe aux regards et aux
reproches de ses soldats.

CHAPITRE LIV

Bientôt les Prussiens gravissent les collines jusque
sur la hauteur de Planchenoit que l'armée avait
le matin derrière elle. À cette vue, les corps encore
intacts qui se sentent coupés, abandonnent leurs drapeaux pour chercher leur salut personnel dans la fuite.
Personne ne commande, personne n'obéit. Le major
général lui-même, abandonné de l'armée, l'abandonne au hasard de sa fuite. La route de la Sambre
allait être interceptée par Blücher, tous le voyaient;
l'instinct du salut individuel, ce seul sens des armées
qui, en perdant leur cohésion, semblent avoir tout
perdu, chassait tout le monde pêle-mêle vers ce
fleuve.

Quelques corps de la garde impériale tentaient
seuls, çà et là, une résistance courte et désespérée. Le

canon des Prussiens brisait leurs derniers carrés dans
la plaine ; la cavalerie, fondant sur leurs pas des hauteurs, sabrait sous leurs yeux les bandes éparses. Des
régiments entiers jetaient leurs armes et leurs havre-
sacs ; les canonniers coupaient les traits de leurs chevaux et laissaient leurs pièces dans les ravins, les
soldats des équipages abandonnaient leurs voitures
ou s'en servaient pour fuir, à travers champ, vers
Charleroi.

Un seul régiment de la vieille garde, le premier,
commandé par le général Cambronne, un des commandants des grenadiers de la garde de l'empereur à l'île
d'Elbe [1], couvrait encore cette fuite d'une intrépide
arrière-garde contre la cavalerie anglaise. Ses feux de
file tenaient à distance deux armées lassées de tenir
après la victoire. Les Prussiens et les Anglais pressaient
de trois côtés ces deux bataillons, admirant et plaignant
leur inutile sacrifice. Ils suspendent le feu de leur
artillerie légère et les charges de leurs escadrons sur ce
bloc de héros. Ils envoient des parlementaires au général Cambronne pour lui proposer de déposer les armes.
Le général, déjà frappé de six coups de sabre dans la
retraite, répond par une de ces trivialités sublimes de
sens, cyniques d'expressions, que le soldat comprend,
et que les historiens traduisent plus tard en phrases de
parade ; puériles légendes quand l'héroïsme est dans
l'acte et non dans le mot. Le général Cambronne et son
régiment refusent toute capitulation et toute pitié de
l'ennemi. Ils laissent démolir ces derniers carrés solides
par le canon. Ils ralentissaient ainsi, un moment, la
poursuite, et donnaient le temps à l'empereur, lui-
même, de se faire jour, à travers la foule, vers la tête de
l'armée.

CHAPITRE LV

La nuit tombante le dérobait, lui et son état-major, aux regards des Anglais et des Prussiens si près de lui. En arrivant sur la route encombrée, à la hauteur de ces derniers carrés de sa garde, Napoléon est tenté de s'ensevelir avec Cambronne dans ce dernier sillon du champ de bataille. Il tourne la bride de son cheval vers cette poignée de braves, suivi de Soult, de Flahaut, de Labédoyère, de Bertrand, de Drouot, de Gourgaud, qui l'ont rejoint et qui lui ouvrent, le sabre à la main, un difficile passage à travers la déroute. Le carré se déploie devant lui, il le salue encore d'un triste et dernier cri de *Vive l'empereur!* Sublime adieu de l'armée répondant en face de la mort à l'adieu de Fontainebleau.

Morne et silencieux, l'empereur semble résigné et attendre là le boulet qu'il avait vainement prédit à Arcis-sur-Aube, et qui pouvait seul absoudre et illustrer sa dernière faute contre sa patrie. La masse épaisse des fuyards, débouchant de toutes les collines et de toutes les gorges de Waterloo vers ce bas-fond, et interposée à ce confluent entre la cavalerie anglaise et la garde, embarrassait l'ennemi. Les régiments de grosse cavalerie de Wellington ne pouvaient la traverser ; ils refoulaient pesamment devant eux ces masses désarmées comme un troupeau qui se laisse écraser par le pied des chevaux faute d'espace pour se répandre.

L'empereur aperçoit devant lui quelques pièces d'artillerie française abandonnées et renversées sur le bord de la route. « Relevez et faites tirer ces pièces », dit-il à Gourgaud[1]. Et Gourgaud obéit, aidé par les grenadiers de la garde. Il place quelques canons en batterie et fait feu sur la cavalerie anglaise. Ce furent les derniers boulets de la bataille.

Un de ces boulets emporte la cuisse du général Uxbridge qui commandait ces régiments et qui avait échappé jusque-là à toute blessure, au milieu d'un carnage de douze heures. Il tomba le douzième des généraux anglais frappés dans la journée. Sa chute et son sang consternent et suspendent un moment la poursuite. Sa cavalerie, brûlant de le venger, se ranime à la charge.

L'empereur ordonne de reformer le carré et pousse son cheval pour se jeter dans les rangs[1]. Soult avec plus de sang-froid saisit la bride et retient le cheval. « Ah ! sire, l'ennemi n'est-il pas déjà assez heureux ? » Bertrand, Drouot, Flahaut, Labédoyère conjurent Napoléon de ne pas livrer dans sa personne l'armée et la France à la mort ou à la captivité. Il cède et renonce à la mort du héros pour les hasards d'une destinée tranchée avec ses derniers bataillons. La tombe était là, avait dit Jérôme. Vivre, pour lui, ce n'était plus que déchoir. Les hommes qui meurent à leur sommet, même au sommet de leurs revers, laissent une pitié qui double leur gloire. Il avait montré trois fois qu'il n'était pas de ces hommes, à Moskou, à Fontainebleau, à Waterloo. Il s'obstina à vivre et à espérer quand la gloire était de désespérer. Sainte-Hélène l'attendait avec ses petitesses et ses langueurs pour le punir de s'être trompé de mort.

Cambronne tomba avec tous les soldats de son régiment sous la mitraille et sous le sabre de l'ennemi, pour donner quelques minutes de plus à la fuite de Napoléon et l'immortalité à la garde impériale. La cavalerie ne passa que sur des cadavres ou sur des blessés. Les paysans le lendemain ne relevèrent que des corps mutilés de ce champ de mort. Ce furent les Thermopyles de la garde[2].

[...]

CHAPITRE LIX

Telle fut la bataille de Waterloo, perdue non par l'armée, qui ne fut jamais plus infatigable, plus dévouée et plus intrépide, mais par quatre fautes : la lenteur de Ney l'avant-veille à occuper les Quatre-Bras ; l'indécision de Grouchy à marcher au canon de la bataille en négligeant Wavres ; la trop grande distance laissée par Napoléon entre son armée et son aile droite, commandée par Grouchy ; enfin, et surtout, la perte de sept heures de jour par Napoléon, le matin de la bataille, en face de Wellington, heures qui donnaient aux Prussiens le temps d'arriver sur le champ de bataille, et à l'armée française un second ennemi sur ses flancs avant d'avoir vaincu le premier. De ces quatre fautes, deux appartiennent aux lieutenants de l'empereur, deux à lui-même, aucune à ses troupes. On ne reconnaît son génie et sa résolution, ni quand il se sépare d'un tiers de son armée par un espace immense et inconnu sur sa droite, sans communication même verbale avec cette aile, ni quand il hésite jusqu'à onze heures du matin à monter à l'assaut du Mont-Saint-Jean, et à dérober à Wellington l'espoir d'être rallié par les Prussiens déjà en vue à l'horizon, mais encore à trois heures du champ de bataille. Il laisse Ney, à moitié vainqueur sur le revers du Mont-Saint-Jean, attendre trois heures la masse de l'armée et la garde impériale, au lieu de profiter de la brèche ouverte par le maréchal dans l'armée anglaise, d'y précipiter son centre et sa réserve, et de balayer Wellington, résistant à peine, avant que Blücher soit en mesure de prévenir la déroute des Anglais. Enfin on ne reconnaît pas son impulsion décisive au coup de feu des batailles, dans son immobilité de dix heures au plateau de Rossomme et dans son inertie impassible sous le pli du ravin du Mont-Saint-Jean, pendant que son armée s'immolait tout entière en montant à la brèche ouverte par Ney, et qu'elle n'attendait que la présence et l'exemple de son empereur pour s'élever au-dessus d'elle-même et du destin. Une seule de ces fautes suffisait pour perdre une armée ordinaire ; toutes réunies perdirent l'armée française. Ajoutons, pour être juste, que Wellington et son armée égalèrent par l'intrépidité les premiers généraux et les premiers soldats de la France. Le général anglais eut le vrai génie des luttes désespérées, la résolution de ne pas être vaincu. Ses troupes eurent le vrai génie de la défensive, l'obéissance passive jusqu'à la mort. Les Écossais couvrirent, sans reculer d'un pas, la place où on leur avait dit de mourir.

CHAPITRE LX

Pourquoi ces défaillances du génie militaire de Napoléon le jour où son destin se tranche par cette épée qui avait vaincu le monde ? Pourquoi n'est-il plus l'homme de Marengo et d'Austerlitz ? C'est qu'on tire avec tremblement son dernier sort de l'urne du destin, c'est qu'il sentait derrière lui une patrie violée, trois mois avant, par son ambition de régner, patrie à laquelle il devait en réparation la victoire et devant laquelle il tremblait de reparaître vaincu. C'est qu'il était adossé à un abîme et que son âme, partagée entre son rôle de général et son rôle de souverain, lui fit manquer à la fois l'un et l'autre.

C'était écrit, a-t-il dit plus tard en revenant avec amertume sur cette chute. Oui, c'était écrit dans sa faute ! oui, la chute était écrite dans le précipice qu'il avait creusé lui-même en soulevant l'armée contre le

pays, et en n'ayant à jouer contre l'Europe et contre la
France à la fois que cette armée unique qu'il tremblait
de perdre, et qu'il perdit pour n'avoir pas osé la risquer sur les pas de Ney. Il ne combattit jamais pendant toute cette journée qu'avec le quart, le tiers, la
moitié de ses forces, attendant, suspendant, lançant
et retenant à la fois ses colonnes, envoyant une à une
ses ailes, ses avant-gardes, son centre, sa cavalerie,
ses réserves, sa garde impériale enfin, comme autant
de vagues isolées, se ruer, se briser, s'user, se fondre
contre l'écueil de feu du Mont-Saint-Jean, que ses
forces réunies auraient submergé, sans aucun doute,
avant l'arrivée de Blücher, s'il avait commencé la
bataille avec le jour et donné à son attaque le poids de
son armée entière, l'éclair de son coup d'œil et l'impulsion de sa présence.

Il fut vaincu sans pouvoir s'expliquer à lui-même sa
défaite et en la rejetant sur la trahison. Il ne fut trahi
que par son génie. Vingt mille cadavres de ses généraux, de ses officiers et de ses soldats attestent la fidélité jusqu'à la mort. Ces braves ne manquèrent point
à l'homme, l'homme leur manqua. Waterloo ne reste
pas dans l'histoire comme une défaillance de l'armée
française, mais comme une défaillance de son chef.
L'armée ne fut pas vaincue, mais sacrifiée. Aussi, à
l'inverse des journées historiques qui élèvent ou dimi-
nuent un peuple, la défaite de Waterloo compte dans
la gloire de la patrie autant qu'un triomphe. L'Europe
n'en redouta pas moins des soldats qui savaient ainsi
mourir et une armée qui s'ensevelissait dans son
sang. Pour le monde ce fut une terreur de notre nom ;
pour la France ce fut un deuil, non une humiliation ;
pour Napoléon seul ce fut une bataille follement
aventurée, mollement conduite, une mêlée livrée à
elle-même, une fortune cherchée à tâtons dans un

déluge de sang, une renommée éclipsée, une gloire compromise, une patrie livrée, un empire perdu. Voilà Waterloo ! La postérité n'en demandera pas compte à la France, mais à Napoléon[1].

ALPHONSE DE BEAUCHAMP

Histoire des campagnes de 1814 et de 1815,
comprenant l'histoire politique et militaire
des deux invasions de la France [...]
rédigée sur des matériaux authentiques ou inédits

(1816-1817)

Lorsqu'il publie en 1815 une Histoire de la campagne de 1814, *qui a amené la première abdication de Napoléon, Beauchamp ne se doute pas qu'il va devoir reprendre la plume, moins d'un an plus tard, pour écrire une nouvelle histoire militaire, celle de la campagne de 1815. C'est que Napoléon a surpris le monde en revenant au pouvoir et en se mettant à la tête de son armée, une dernière fois.*

Alphonse de Beauchamp (1767-1832) est un obscur agent du Comité de sûreté générale sous la Terreur et un agent du ministère de la police pendant le Directoire. Il n'est pas un fonctionnaire zélé qui s'emploie à persécuter les ennemis du pouvoir mais plutôt un modéré, thermidorien après la chute de Robespierre, qui deviendra légitimiste au moment de la restauration de la monarchie. Ce travailleur infatigable a une passion : la composition de récits historiques sur les événements de son temps, et sur les guerres en particulier. En 1815, il est déjà l'auteur d'une histoire de la campagne d'Italie, d'une autre de la guerre d'Espagne et surtout de la guerre civile en Vendée, en 4 volumes, qui obtient un certain succès lors de sa première parution en 1806. Beauchamp est anti-napoléonien. L'empereur le lui rend bien puisqu'il est arrêté en 1809 et exilé un temps dans la ville de Reims. L'Empire n'est pas une période faste pour Beauchamp qui applaudit à la restauration de la monarchie en 1814, année durant laquelle il est décoré de la légion d'honneur pour son œuvre. Mais comme les royalistes

*notoires de cette époque, il fuit Paris après le débarquement
de Napoléon à Cannes.*

En 1816, il complète son Histoire de la campagne de
1814 *en y ajoutant celle de 1815. Celle-ci constitue un
des premiers récits historiques de Waterloo et est tirée à
3 000 exemplaires, tirage important pour l'époque. Le livre
est même traduit et publié en anglais dès son année de parution. Il est reçu tièdement par la critique qui relève des
inexactitudes dans les faits cités et l'accable du reproche
d'être trop indulgent avec les puissances étrangères, comme
si Beauchamp avait écrit sous la dictée de l'ennemi. L'historien réfute ces accusations avec un soin particulier dans ses
préfaces des éditions postérieures. Affichant une volonté
d'entrer dans les détails de la campagne de 1815, l'œuvre de
Beauchamp est une version de la bataille de Waterloo écrite
juste après les Cent-Jours, non par un témoin mais par un
historien, spécialisé dans le genre militaire. Pour décrire la
retraite désorganisée des soldats, dans la nuit du 18 juin, il
montre un morbide crépuscule découvrant une armée en
proie à elle-même, abandonnée par son chef et chassée par
des Prussiens sans pitié. Derrière cette débâcle, se dessine la
chute de l'Empire de la plus sombre des manières avec cette
peinture de la Grande Armée en fuite à travers champs, tra-
quée comme une bête sauvage dans ce clair-obscur. La description est d'un réalisme parfois cruel. Beauchamp a saisi
l'horreur de ces scènes de guerre et transporte son lecteur sur
le champ de bataille parfois mieux que ne l'eût fait un témoin
de Waterloo lui-même. Beauchamp est doué de cette qualité
rare chez l'historien — qui l'amènera à écrire, plus tard, les*
Mémoires de Fouché : *savoir entrer dans la peau et l'esprit
des acteurs de l'histoire.*

Cette masse confuse d'armée en déroute se préci-
pitait vers Gennape, pour de là gagner la Sambre et
le pont de Charleroi, toujours poursuivie par les
Anglo-Prussiens qui opéraient leur jonction sur la
même route. Il était neuf heures et demie quand

Wellington et Blücher, à la tête de leurs troupes, se rencontrèrent, sans aucune préméditation, à la ferme de la *Belle-Alliance*, qui, située sur une hauteur, et s'apercevant de tous côtés, servait comme de direction aux brigades prussiennes. L'entrevue fut touchante. Les deux chefs se saluèrent mutuellement comme vainqueurs, et s'embrassèrent en présence des officiers de leur état-major qui versaient des larmes. « Mes soldats, dit Wellington au maréchal Blücher, ont soutenu depuis dix heures du matin un rude combat ; je voudrais les épargner ; ce sont mes enfants ; ils ont fait des miracles. » Prenant la main du général anglais, Blücher répond qu'il va poursuivre lui-même les Français, et commander, dans ce dessein, jusqu'au dernier homme et au dernier cheval. Il assemble aussitôt ses officiers supérieurs, et donne l'ordre de mettre en mouvement toute l'infanterie et toute la cavalerie. « Mes enfants, dit-il à ses soldats, il nous faut cette nuit même aller à la chasse de l'ennemi, pour que demain il ne puisse plus nous faire de mal. » Ainsi, l'armée anglaise, après douze heures de combats, laissa aux troupes fraîches de Blücher, venues à temps pour décider le succès de la journée le soin de chasser devant elle les débris de l'armée de Napoléon. Arrêtant ses soldats, épuisés de fatigue, Wellington leur fit pousser trois acclamations avant de faire halte. Déjà plus de cent pièces de canon et près de six mille prisonniers étaient en son pouvoir, parmi lesquels se trouvaient Cambronne blessé grièvement, et Mouton-Lobau. La cavalerie légère des Prussiens, accélérant sa marche, n'était arrêtée que par les canons abandonnés, les caissons, les bagages, les armes et les débris de toute espèce, qui, semés sur la chaussée, offraient l'aspect d'un immense naufrage : le clair de lune favorisait la poursuite.

Ne la croyant ni si prompte ni si vive, les Français cherchaient à tenir dans les villages sur la route ; mais à peine entendaient-ils le bruit de la caisse ou le son de la trompette, qu'ils s'éloignaient de nouveau, ou se jetaient dans les maisons. Ceux-ci étaient presque toujours sabrés par les Prussiens. Ainsi pressée, la masse des fuyards franchit rapidement l'espace de deux lieues qui sépare Gennape du champ de bataille. Pendant cette fuite désastreuse, les soldats s'inquiétaient encore de la destinée de Napoléon ; les uns soutenaient qu'il avait péri dans la mêlée ; d'autres, que les Anglais l'avaient fait prisonnier au moment où il chargeait à la tête de sa garde ; enfin, selon le plus grand nombre, il venait de dépasser l'armée, et on l'avait reconnu à son cheval pommelé et à sa redingote grise. En effet, cédant au sentiment de la frayeur, Napoléon s'était glissé furtivement à travers ses soldats ; et cette nuit funeste à tant de braves, tombés sous les coups de la cavalerie prussienne, le dérobait aux dangers dont il était environné. Bientôt la foule l'entraîne, malgré lui, vers Gennape, bourg ouvert et sans défense ; une multitude de bagages accumulés obstruaient son étroite enceinte. Arrivé des premiers, et arrêté par l'immense file des voitures, Napoléon fut reconnu par ses soldats, et le bruit de sa mort commença à se dissiper. *Voilà l'empereur ! voilà l'empereur !* se disaient-ils à voix basse, et ces mots devenant pour lui un cri d'alarme, il se hâte de percer la foule, et de s'éloigner précipitamment. Des sentiments divers éclataient parmi ses soldats : « Encore s'il était tué », s'écriaient les uns. « L'empereur n'est pas mort », se disaient les autres ; ceux-ci se raidissant à l'idée d'une défaite irrémédiable. Le désordre de la retraite fut à son comble à Gennape par l'inattention ou l'ignorance d'un fermier qui servait de guide à l'état-major. Il y conduisit toute l'armée : cavalerie, infanterie, canons, bagages furent obligés de passer sur un seul pont, tandis qu'à un quart de lieue, le village de Wey en avait un autre sur la Dyle. L'armée ne put se frayer qu'avec peine un passage. Un grand nombre de soldats crut même pouvoir s'arrêter, et passer la nuit à Gennape. Là, ils essaient d'opposer des obstacles à la poursuite des vainqueurs. Quelques pièces de canon sont placées en batteries ; des bivouacs s'établissent ; on élève des barricades à l'entrée de la rue principale, on y renverse des chariots. Les soldats, rassurés, se répandent dans les maisons, cherchant de la nourriture et un asile. À peine jouissent-ils d'un instant de repos, que les Prussiens surviennent. L'alarme est donnée ; presque tout fuit ; un petit nombre se met en défense, et accueille les Prussiens par un feu de mousqueterie. L'ennemi riposte par une volée de coups de canon, tirée sur la cavalerie, qui débouche ; elle tourne bride aussitôt. Le camp est levé avec précipitation ; soixante pièces de canon sont abandonnées, et la retraite désordonnée recommence avec plus de trouble et de confusion. Gennape forcée, les traîneurs se laissent égorger sans opposer de résistance. Resté à l'arrière-garde, le général Duhesme est sabré par un hussard brunswickois. « Notre duc est mort hier en et combattant, lui dit-il, et tu mordras aujourd'hui la poussière [1]. » La voiture de Napoléon, chargée d'ornements et de richesses, resta au pouvoir d'un peloton de soldats du général Ziethen. Napoléon n'eut, dit-on, que le temps de remonter à cheval, pour échapper à l'ennemi, laissant dans sa voiture son épée et son chapeau de commandement [2].

L'armée, assaillie ainsi à chaque instant, et désorganisée de plus en plus, fut chassée de bivouacs en bivouacs, sans en pouvoir tenir aucun. Sa marche jusqu'à Charleroi ne fut qu'une seule et même déroute.

De sa nombreuse artillerie, elle ne ramenait que cinquante pièces de canon. À peine quarante mille hommes, dans un état déplorable, s'efforcent-ils de gagner les bords de la Sambre. Arrivé des premiers à Charleroi, Napoléon trouve la ville remplie de blessés et dans le plus affreux désordre. À une demi-lieue au-delà, il s'arrête et se fait apporter quelques rafraîchissements, car, depuis quatorze heures, il n'avait pris, dit-on, aucune nourriture. Il ne fut tiré de son abattement, que par la foule croissante des fuyards qui se précipitaient sur le pont, dans l'espérance de mettre la Sambre entre eux et l'ennemi. Il se hâte d'y faire placer un bataillon, la baïonnette en avant, pour maintenir l'ordre ; mais cette faible barrière est bientôt renversée ; il devient impossible désormais d'opposer aucune digue au torrent. Ce fut dans cette courte halte, que Napoléon après avoir délibéré avec les officiers de sa suite sur le parti qu'il lui restait à prendre, se fixa à la résolution de rentrer immédiatement dans Paris. Ce parti eut des contradicteurs, et Labédoyère, à qui des officiers de l'armée reprochèrent depuis de l'avoir conseillé, affirma qu'il l'avait vivement combattu. Napoléon fut entraîné par la juste crainte d'une explosion contre son autorité, au sein même de la capitale dont la situation lui était connue ; il cherchait d'ailleurs à se dérober à l'indignation de la plupart de ses généraux qui, livrés au plus cruel désespoir, vomissaient contre lui des imprécations, et lui reprochaient le désastre qui frappait l'armée. « Cet insensé, disaient-ils, n'est jamais rassasié de sang humain ; il est usé, il n'est plus digne de nous commander. » De son côté, Napoléon accusait les généraux, tandis que ses soldats imputaient leur défaite à la trahison. Après avoir fui du champ de bataille, il ne songea plus qu'à mettre en sûreté sa personne et son pouvoir, et poursuivit à cheval sa route vers les places fortes.

Ne donnant aucun relâche aux débris de l'armée française, la cavalerie prussienne leur faisait une chasse continuelle, soit dans les blés, soit dans les maisons, soit sur la grande route. Au point du jour, les fuyards atteignirent les uns Charleroi, les autres Marchiennes ; ils y furent arrêtés par les équipages qui s'étaient entassés près des ponts de la Sambre. Cette armée, naguère si fière, si brillante, qui, trois jours auparavant, avait passé ces mêmes ponts avec tous les signes de la victoire, offrait alors un aspect d'autant plus misérable, qu'un grand nombre de blessés, pâles et couverts de lambeaux sanglants, la suivaient, soit à pied, soit sur des chevaux de trait, au milieu des nombreuses colonnes qui couvraient la largeur de la route. En deçà de la Sambre tous ces corps désorganisés commencèrent à former des bivouacs sans attendre aucun ordre, sans en recevoir, sans chercher à couper les ponts, soit qu'on voulût laisser passer les équipages, soit par l'effet du désordre général. Bientôt la cavalerie ennemie paraît sur la rive droite. Frappés d'épouvante, les conducteurs des équipages coupent les traits de leurs chevaux, se précipitent vers les ponts, le long de la Sambre, pour y chercher un passage, suivis par tout ce qui les entoure, et ils viennent apporter dans les bivouacs la confusion et la terreur auxquels ils sont en proie. Vingt-neuf pièces de canon seulement repassèrent le pont de Charleroi, où plus de cent caissons chargés de munitions, de provisions et d'argent furent livrés au pillage. L'armée, renouvelant sa fuite en désordre au-delà de la Sambre, parvint au partage des deux routes d'Avesnes et de Philippeville. Là, n'ayant aucune direction, ne voyant aucun de ses chefs, elle se divisa ; le plus grand nombre suivit le chemin d'Avesnes ; le reste prit à gauche, se dirigeant sur Philippeville. C'était par cette dernière route que fuyait Buonaparte, sans faire ni tentative, ni aucun effort pour rallier ses soldats qui, livrés à eux-mêmes, se dispersaient en grande partie dans les forêts, pour de là regagner l'intérieur, croyant tout perdu sans ressources.

Tandis que les hussards prussiens poursuivaient avec acharnement ces malheureux débris, tandis que les Anglais, dans leurs bivouacs, près de Nivelle, faisaient entendre des chants de triomphe, un silence lugubre régnait sur le champ de bataille de Waterloo. Tout le terrain était couvert de morts et de mourants, d'armes et de débris de toute espèce, de chevaux groupés avec leurs cavaliers mordant la poussière. Là Français et Anglais gisaient à côté les uns des autres. Plusieurs milliers de blessés étaient abandonnés, sans secours, au milieu d'une nuit froide succédant à une journée de feu et de sang. Des bagages épars, des chariots brisés, encombraient la route de Waterloo à Bruxelles, qui traverse les épais ombrages de la forêt de Soignes ; elle était bordée par une foule de blessés qui s'y étaient traînés du champ de bataille. Ceux que le poids de leurs souffrances accablait, se laissaient tomber à terre pour mourir ; ceux qui pouvaient encore se traîner cherchaient partout un asile. Chaque village, chaque hameau, le pays entier en était couvert ; ils se succédaient en foule à Bruxelles, où les chariots de bagage, les trains d'artillerie, avaient filé avec précipitation, pendant que la bataille était encore indécise. On commençait à la considérer comme perdue ; le doute se changeait en désespoir, et l'attente en un véritable tourment. À peine, au milieu de la nuit, le bruit d'une grande victoire vient-il à se répandre, que des hommes et des femmes, également insensibles, épiant l'issue de cette lutte terrible, foulant aux pieds tout sentiment de la nature, accourent

sur le champ de bataille, où, de toutes parts, le râle de
la mort se faisait entendre. Loin de compatir aux souffrances de tant de guerriers expirants, les plus effrénés de ces misérables parcourent tout le terrain, vont
heurtant les têtes de ceux qui gisent sans mouvement
pour les dépouiller, amis ou ennemis. À la pâle lueur
de la lune, ils arrachent aux uns leurs épaulettes, à
d'autres leurs décorations, à ceux-ci des galons ensan-
glantés. Ils courent de cadavre en cadavre, sans être
arrêtés par l'aspect de ces figures trempées de sueur et
de sang, et qui semblent encore respirer la menace. À
mesure que ces brigands devenaient plus nombreux,
tels que les corbeaux qui s'attachent aux morts, leurs
recherches étaient plus actives et plus rapaces. Quand
le jour vint à éclairer ce hideux spectacle, on vit cette
tourbe inhumaine porter le dernier coup aux mourants pour leur arracher jusqu'au moindre lambeau.
La mort se présentait sur cet immense champ de
bataille sous mille formes différentes. Vainqueurs et
vaincus, Anglais et Allemands ; Écossais, Irlandais
et Hanovriens ; Belges, Français et Prussiens, étaient
entassés pêle-mêle, naguère remplis d'animosité et de
la soif du carnage, alors silencieux comme la tombe.

Tel était l'aspect des champs de Waterloo le 19 juin ;
il devint plus horrible lorsque les cadavres commencèrent à se noircir et à se putréfier : trente-cinq mille y
furent, dit-on, enterrés. Cette immense boucherie
d'hommes réveilla dans toute la Belgique des sentiments d'humanité : aux regrets et aux larmes qui se
firent jour dans toutes les classes, on eût dit que la
fleur de la race humaine venait d'être moissonnée,
laissant sur la terre des amis inconsolables. Bruxelles
fut transformée en un vaste hôpital, où les blessés
des deux partis reçurent des secours généreux. Les
femmes, toujours plus compatissantes, leur prodi-
guaient les soins les plus charitables.

Le bruit de la journée de Waterloo retentit bientôt dans toute l'Europe. Si les pertes d'hommes y furent balancées, l'action principale n'en fut pas moins une des plus décisives dont fassent mention les annales de la guerre.

[...]

Tite-Live, parlant d'Alexandre, observe que s'il eût osé pénétrer en Italie, une seule bataille perdue l'eût mis hors de combat[1]; il en fut de même de César, passant le Rubicon, et de Napoléon franchissant la Sambre. Vaincus une seule fois, ces deux conquérants devaient rester sans ressources. César fut plus heureux que prudent; mais au moins connaissait-il le caractère du parti et du chef qui lui étaient opposés[2]; la célérité de son entreprise était pour lui un gage presque certain de la victoire. Napoléon ne fut que téméraire, et il le fut trois mois trop tard. Préférant la vie à tout quand il pouvait finir avec gloire, il abandonna et trahit ceux qui mouraient pour lui; et mettant sa personne en sûreté après avoir enterré dans un champ de carnage la fleur et l'élite de ses soldats, il se trouva seul, comme à Leipsick, fugitif sans espoir, et détrôné par une seule bataille. Jamais, depuis la journée de Pharsale[3], le sort d'un puissant empire ne fut décidé d'une manière si terrible et si irrévocable.

EDGAR QUINET

Histoire de la campagne de 1815
(1862)

Professeur d'histoire de la littérature à Lyon en 1838, puis nommé au Collège de France en 1842, Edgar Quinet (1803-1875) est un intellectuel engagé. Ce républicain, partisan des idées révolutionnaires et libérales, a consacré ses travaux les plus célèbres à la Révolution de 1789. Dans son essai historique La Révolution, *paru en 1865, il analyse le 18 brumaire de Napoléon, puis la dictature impériale qui suivra, comme la manifestation de la tradition absolutiste et centralisatrice de l'État français. Sur ce plan, Napoléon Ier ne fait que continuer la Terreur et Robespierre. Avec la révolution de 1848 et la jeune Seconde République, Quinet commence une carrière politique et est élu député. Le coup d'État du 2 décembre 1851 de Louis Napoléon Bonaparte brise son espérance d'une république constitutionnelle. L'historien perd sa chaire au Collège de France puis prend le chemin de l'exil. La fin du Second Empire en 1870 lui permet de revenir en France. Entre-temps, Quinet a composé son* Histoire de la campagne de 1815 *qui paraît à Paris en 1862, chez Lévy frères. Fidèle à sa méthode, l'auteur tente de comprendre les événements de son temps à la lumière du passé, la révolution de 1848 et le coup d'État du 2 décembre 1851 pouvant être éclairés par la chute de Napoléon en 1815.*

Quinet n'est pas novice dans l'étude de l'épopée napoléonienne. Il a publié un poème sur Napoléon en 1836 et une brève description du champ de bataille de Waterloo en 1851. Dans cette dernière, il scrute la plaine et ses bois, il imagine la situation des armées, se figure les combats. Il raconte notamment comment il fit la rencontre d'un fossoyeur qui, en soulevant sa pelle, lui dit : « Voilà les os des grenadiers de la garde, ils sont grands comme des os de chevaux. » Un peu partout, il trouve des tombes de soldats anglais, belges, prussiens, hanovriens, écossais et irlandais. Puis il constate : « Les Français seuls n'en ont pas, ou plutôt tout ce que vous voyez est leur tombeau. » On ne sait pas s'il décida de consacrer un livre à la bataille en foulant le sol de Waterloo, mais il avait en tout cas collecté de la matière pour une étude. Il avait pu constater de ses propres yeux que la pluie avait pu causer la défaite tant le terrain se prêtait à l'embourbement. Dix ans plus tard, il allait livrer le produit de ses réflexions.

L'Histoire de la campagne de 1815 *appartient à l'historiographie républicaine de Waterloo. C'est un projet littéraire qui a conduit l'auteur à faire près de vingt ans de recherches. Quinet n'est pas un militaire qui comprend aisément les subtilités de l'art de la guerre. Il compense donc par une recherche documentaire poussée. Mais cette absence de compétences militaires fait justement la qualité de Quinet comme historien de la campagne de 1815, puisque son ambition est de faire un ouvrage à la portée d'un large public. Le vaste débat historiographique sur les causes de la défaite est trop technique et ne permet pas, selon Quinet, de saisir l'événement dans sa vérité. Le premier responsable de la déroute n'est ni Grouchy, ni Ney, ni la pluie, ni les traîtres : c'est Napoléon, même si chacun a commis son lot d'erreurs. Quinet tente de le démontrer dans cet extrait qui se veut pédagogique. Comment l'historien qui a accusé Robespierre d'avoir incarné la Terreur et Napoléon III d'avoir assassiné la République ne pouvait-il pas céder à la tentation de rendre responsable de la défaite du 18 juin 1815 le général de l'armée française à Waterloo ? L'histoire, il est vrai, est avant tout faite par les hommes. Et, dans un Empire, c'est l'empereur le coupable.*

CHAPITRE IX

Résumé des opinions émises sur la bataille de Waterloo

Telle fut cette bataille de Waterloo, qui retentira dans la plus lointaine postérité, avec celles d'Arbelles et de Zama[1], quoique, à vrai dire, elle soit sans exemple dans l'histoire par la prodigieuse fortune qui s'écroula en un moment. Les Français y laissèrent 25 000 hommes, sur lesquels 6 000 prisonniers. Cinq généraux avaient été tués, Bauduin, Desvaux, Jamin, Michel, Duhesme, dix-huit blessés. On avait fait en hommes des pertes presque doubles à des journées tenues avec raison pour des victoires, par exemple à la Moskowa. Les Anglo-Hollandais perdirent 15 094 tués ou blessés, près du quart de leur armée ; les Prussiens, 7 000 hommes. Ceux-ci tirent un orgueil légitime des forces que Napoléon dut leur opposer. Ils en font l'énumération suivante : Lobau, 16 bataillons ; la garde, 14 ; la division Durutte, 8 ; total, 38 bataillons, auxquels il faut joindre les 3 000 chevaux de Domon et de Subervie. C'est donc presque la moitié de l'armée française qui a été occupée par l'armée prussienne.

Des historiens ont compté jusqu'à treize fatalités dans cette courte campagne. Réduisons-les à une seule. S'il y eut des traîtres, ils furent, Dieu merci, en trop petit nombre pour avoir pu influer sur les événements. Napoléon, pendant ces quatre jours, ne fut trahi que par son génie.

Dès que la matinée du 18 avait été perdue par une confiance trompeuse qui laissait aux corps prussiens le temps d'arriver, la journée était presque sans ressource. Quant à l'excuse du mauvais temps et de la pluie, personne que je sache ne l'admet aujourd'hui ; il est trop évident que cette justification couvre mal la sécurité fausse dans laquelle on est resté. Deux heures ne suffisent pas pour étancher des terrains tels que ceux de la Belgique. C'était la première fois qu'on avait vu la volonté de Napoléon céder à de pareils obstacles. D'ailleurs, le corps de Reille, qui avait passé la nuit à Génappe, se mit en marche le 18 à trois heures du matin ; il était le premier en ligne à Waterloo. Ce que fit ce corps, les autres le pouvaient faire. Rien au monde n'empêchait que l'action ne commençât à huit heures au lieu de midi, et que *le coup de collier ne fût donné dès neuf heures du matin* *.

Napoléon resta aveugle sur les mouvements des Prussiens jusqu'au moment où il lui fallut bien reconnaître à leurs coups que les troupes en vue à Saint-Lambert étaient des ennemis. Quand Blücher se montra au loin, il y avait trois partis à prendre, qui certainement s'offrirent à l'esprit de l'empereur.

Premièrement, la retraite. Personne ne dit qu'il y ait arrêté un seul instant sa pensée ; et pour moi, je l'avoue, je n'ai pas le courage de lui reprocher de ne s'y être pas décidé vers une heure, quand assurément la retraite était très possible et qu'il ne tenait qu'à lui d'aller chercher un autre champ de bataille. Nous voyons, nous savons aujourd'hui que c'eût été le parti le plus sage. C'est à quoi se seraient probablement résolus César, Turenne, le prince Eugène, Frédéric, et c'est ce que M. le colonel Charras démontre avec beaucoup de force ; mais on était déjà dans une telle situation, que la plus grande prudence était dans la plus grande hardiesse. Était-on sûr, d'ailleurs, que cette avant-garde de Bulow cachât derrière elle les trois autres corps ? Fallait-il, à cause d'un danger probable, se jeter dans une quasi-certitude de ruine ? Si l'ennemi avait le bonheur insigne de recevoir un

---

* Jomini, *Précis*, p. 224. [*Note de l'auteur.*]

renfort, ne pouvait-on pas compter sur une bonne
fortune du même genre ? Quand Napoléon interrogeait l'horizon, le souvenir de Desaix à Marengo[1], de
Ney à Eylau, se dressait devant lui. Il voyait Grouchy
derrière Bulow ; car il avait depuis longtemps coutume de s'aveugler de sa propre gloire. Et puis ce
n'était rien de se retirer, il fallait vaincre ; on allait
retrouver derrière soi une opinion irritée qui deman-
derait compte pour la première fois du sang de la
France. Déjà les armées russe, autrichienne, bavaroise, étaient en marche sur le Rhin. Le politique forçait le général à la témérité. Voilà pourquoi le
caractère de la bataille a été de chercher une victoire
éclatante jusqu'au milieu de la crise du désastre. Ce
sont là les motifs de ceux qui approuvent Napoléon
d'avoir persisté dans l'attaque vers une heure. Ils vont
même jusqu'à voir dans cette persistance une des
grandes résolutions de sa vie.

Mais ceux-là mêmes avouent qu'il en fut tout autrement le soir, à mesure que la nuit s'approcha, que la
mauvaise fortune s'obstina, que l'ennemi s'accrut. Il
n'y avait plus aucune chance de voir paraître Grouchy,
dont le canon s'entendait à plus de trois lieues. Alors
il eût été sage de céder à l'impossible. Sans penser
davantage à la victoire pour ce jour-là, il n'y avait plus
qu'à se servir de la réserve de la garde pour couvrir la
retraite et sauver l'armée. Et certes il y avait pour
Napoléon une grande différence à quitter le champ de
bataille à la tête d'une troupe d'élite encore invincible,
ou à se retirer en fugitif, laissant derrière lui son armée
taillée en pièces ; car la raison peut exiger que le général ne veuille pas l'impossible, et qu'il ne brise pas
contre cette impossibilité les instruments héroïques
qui lui sont donnés pour vaincre.

Or, Napoléon, le soir même à sept heures et demie,
à l'approche des masses noires de Ziethen et de Pirch,

s'obstine encore, lui seul, à forcer la fortune ; il se croit encore la puissance de tirer un éclatant triomphe de cette crise désespérée. Le mot de retraite ne peut sortir de sa bouche ; il jette en avant son dernier bataillon, son dernier peloton d'escorte, son dernier homme. Il reste seul, sans songer encore à la retraite, comme si par cette persévérance il allait épuiser l'adversité et contraindre le sort. Ce n'est plus là le génie du général toujours maître de soi ; c'est le caractère de l'homme qui éclate tout entier à ce moment suprême. On dit qu'Annibal a fait de même à Zama. Son armée était déjà enveloppée, les deux ailes en fuite ; il s'obstinait encore à arracher une victoire impossible. Peut-être est-ce à cause de cette dernière ressemblance qu'à tous les autres capitaines de l'antiquité Napoléon préféra toujours Annibal.

Voilà l'opinion des tacticiens. Ajoutons-y celle du moraliste : les plus grandes opérations stratégiques ont pour théâtre l'âme du général, et vous n'expliquerez jamais une journée telle que Waterloo, si vous ne vous rendez compte de ce qui se passait alors dans l'esprit de Napoléon.

Son activité avait diminué, mais non pas son inflexibilité de caractère. Celle-ci s'était même accrue de cette sorte de roideur qu'apportent avec elles les années, les victoires ou même les défaites, et de cette disproportion voici ce qui s'ensuivit. À l'heure décisive, il se ramassa en lui-même dans une sorte d'immobilité stoïque. Comme il agissait moins, il laissa ses fautes produire tous leurs résultats ; le mal s'accumula jusqu'à se changer en un désastre non seulement sans remède, mais sans exemple.

Dans sa jeunesse, il avait su plier à propos sous la nécessité. Il avait cédé quelque chose même à Arcole, et plus tard à Marengo, où il avait fait une retraite de deux lieues. Il avait cédé encore à Saint-Jean-d'Acre ;

et même à Essling, il avait repassé un bras du fleuve pour se chercher ailleurs une meilleure occasion sur un meilleur terrain; mais ce fut là sa dernière complaisance pour la mauvaise fortune. Depuis lors il semble que ses cent victoires l'aient enchaîné, et que tout eût été perdu s'il eût cédé d'un pas.

Moscou, Leipzig, Waterloo, trois résultats uniformes du même enjeu, trois conséquences semblables de la même pensée: ne rien céder sur aucun point, tout perdre ou tout regagner d'un seul coup. Pour ne s'être pas retiré à temps de Moscou et de Leipzig, il avait trouvé les désastres de 1812 et de 1813; pour ne s'être pas retiré à temps de Waterloo, il trouva les désastres de 1815. Le même principe amena la même catastrophe, mais tout ici renfermé et résumé dans quelques heures.

Plutôt que d'ajourner la victoire, il aima mieux s'abîmer lui et son armée: grand spectacle pour celui qui n'envisage les choses humaines que comme une tragédie de Corneille, où le plus obstiné joue toujours le plus beau rôle; mais spectacle éternellement lamentable, quand on songe qu'il s'agissait du meilleur de notre sang et du salut de la patrie. Un général chargé de moins de gloire et de puissance, un Turenne, un Hoche, un Kléber, un Joubert, n'eût probablement pas vaincu; mais comme il n'eût pas manqué de faire retraite vers deux heures, ou au moins vers six, il n'eût pas causé la catastrophe où l'imagination même reste accablée. De telles chutes ne sont possibles que chez les hommes dont nous faisons nos idoles; car alors, s'ils perdent l'équilibre, ils entraînent tout avec eux. C'est du haut de leur piédestal qu'ils se précipitent tête baissée sur les peuples qui se sont mis à leurs genoux.

Deuxièmement, le parti que choisit Napoléon au moment de l'arrivée en ligne du corps de Bulow fut d'envoyer, quoique tardivement, le corps de Lobau et les réserves prendre position au-devant des Prussiens et leur barrer le passage. Ce moyen était prescrit par la force des choses ; nul n'a reproché au chef de l'armée française de l'avoir employé ; il semble répondre à toutes les nécessités, et pourtant il n'a pu conjurer le désastre ni même le diminuer. Par là, on est conduit à rechercher s'il n'existait pas un autre parti à prendre, qui laissât au moins une chance de victoire, parti désespéré, aujourd'hui facile à indiquer, difficile à admettre dans la journée du 18, tant qu'il put rester une espérance de vaincre par les combinaisons ordinaires.

Cela posé, on reste convaincu que la coopération des Prussiens à la bataille de Waterloo ne laissait qu'une seule chance de victoire à Napoléon. Depuis le moment où Bulow se montra à Saint-Lambert jusqu'à l'instant où il entra dans l'action vers Planchenoit, il se passa trois heures et demie. Toutes les chances qui restaient aux Français dépendaient de l'emploi de ces moments. Au lieu de porter Lobau et ses réserves au-devant des Prussiens et de différer les nouvelles attaques sur les Anglais, une autre résolution, a-t-on dit, était possible. Napoléon, en supputant les trois heures et demie qu'il fallait encore à Bulow pour entrer en ligne, eût pu négliger ce corps sur son flanc droit, de la même manière qu'à Rivoli il avait négligé le corps de Lusignan, qui venait lui couper la retraite. Dans ce cas il eût opposé à Bulow un rideau de cavalerie et de flanqueurs embusqués dans les bois de Lasnes pour retarder encore son arrivée. Sans un instant de délai, il eût renouvelé sur la gauche anglaise une attaque à fond, désespérée. Cette même cavalerie, qui s'est dépensée inutilement à l'endroit le plus difficile du champ de bataille, eût été lancée sur des pentes, là où la crête, en s'abaissant, lui eût offert un passage plus libre. D'ailleurs elle n'eût pas été seule, elle eût été soutenue de tout ce qui avait été rassemblé du corps de d'Erlon, de toute l'infanterie de Lobau, et cette infanterie elle-même eût eu pour appui les vingt bataillons de la garde à pied. On n'avait, il est vrai, que trois heures et demie pour vaincre ; mais combien ces heures ainsi employées eussent pu produire de résultats ! La cavalerie seule a mis en grand péril la ligne anglaise ; que serait-il arrivé si cette même cavalerie eût été suivie de cette masse d'infanterie qui bientôt à son tour allait aussi se consumer inutilement et sans soutien ! Certainement on ne s'aventure pas beaucoup en avançant que la gauche anglaise eût été enlevée et toute l'armée prise à revers. C'est là ce que craignait Bulow, ce qui lui inspira de se jeter prématurément dans la mêlée avec la moitié de son corps d'armée, le reste en arrière encore de plusieurs lieues.

Voilà une des choses qui pouvaient très vraisemblablement arriver ; mais il se pouvait aussi, quoique cela soit moins probable, que ces trois heures ne fussent pas suffisantes pour emporter la gauche anglaise, que la crise ne fût pas assez préparée, que l'ennemi, ayant encore ses forces, ses réserves intactes, opposât à une attaque désespérée une défense également désespérée. Dans ce cas, Bulow arriverait presque sans obstacle sur les derrières de l'armée française, qui aurait été tout entière engagée sur son front, n'ayant plus un seul homme de réserve. La victoire lui aurait été encore une fois enlevée, mais plus tôt, quoique avec des suites, ce semble, moins funestes, puisque les corps de Pirch et de Ziethen ne pouvaient prendre part à la lutte.

Telles sont les deux chances qui se présentaient et que peuvent peser ceux qui aiment à remplir l'étendue de ce grand désastre par des conjectures faciles aujourd'hui à former. Ceux-là arriveront à cette conséquence, que la seule chance de vaincre que Napoléon se fût ménagée par ses fautes était encore si pleine de périls et d'embûches, si contraire aux règles de la guerre, qu'ils hésiteront assurément à regretter qu'il ne l'ait pas tentée. Il fut prudent, la prudence le perdit.

Qui peut assurer que la témérité l'eût servi davantage ?

CHAPITRE X

Examen des jugements portés sur la conduite
du maréchal Grouchy. — Conclusion

[...]

Le désastre de Waterloo n'est donc pas le résultat d'une faute seule, mais d'une série de fautes, les unes éloignées, les autres immédiates, que l'on peut résumer ainsi : le peu d'élan donné à l'esprit public, la nation tenue endormie pendant trois mois sur l'imminence du péril : d'où la faible augmentation de l'armée, accrue seulement de 43 000 hommes ; dès le lendemain de l'entrée en campagne, la lenteur de Napoléon à prendre un parti à Charleroi : d'où la perte de la matinée entière du 16, qui ne permit pas de profiter de la victoire de Ligny ; les 20 000 hommes de d'Erlon en vue de Saint-Amand négligés et rendus inutiles ; la nuit entière du 16 au 17 donnée à l'ennemi pour se refaire et se rallier, ce qui lui permit de se préparer à rentrer en ligne dès le lendemain avec les Anglais ; toute la matinée du 17 perdue en vaine attente : d'où l'impossibilité de joindre les Anglais ce jour-là et de les battre séparément ; l'erreur prolongée jusqu'au bout sur les projets de Wellington et de Blücher, et cette erreur persistant au moment même

où déjà ces projets s'exécutaient; le mépris d'un
ennemi que l'on croyait détruit entraînant à ne plus le
craindre; la matinée entière du 18 perdue dans une
fausse sécurité, et les Anglais attaqués trop tard à
Waterloo, comme les Prussiens l'avaient été trop tard
à Ligny; le plan de bataille changé après l'échec du
général d'Erlon; la formation malheureuse du premier corps, cause de ce changement et de cet échec;
les Prussiens de Bulow regardés comme un simple
détachement, ce qui fit que l'on ne prit ni le parti le
plus sensé, qui était la retraite, ni le parti le plus audacieux, qui était de profiter du temps accordé encore
pour vaincre, renouveler l'attaque à fond avec toutes
ses forces et gagner de vitesse l'armée prussienne;
enfin, et comme résultat inévitable de ces retards, de
ces ajournements, de ces incertitudes, de ces illusions,
de ce mépris exagéré de l'ennemi, les 60 000 Prussiens
de Bulow, de Ziethen et de Pirch inondant le champ
de bataille.

La part d'erreur de Grouchy est manifeste; il aurait
dû, dès le 18 au matin, marcher par Mont-Saint-
Guibert; ne l'ayant pas fait, il aurait dû au moins, vers
midi, marcher de Sart-les-Walhain à Waterloo. Telles
sont ses fautes; elles ont été commentées, agrandies
par l'imagination et par un travail de conjectures où
se sont donné carrière tous les contemporains.

Les erreurs de Napoléon ne sont pas moins évi-
dentes : elles sont plus nombreuses, elles datent de
plus loin; mais, tandis que l'imagination des hommes
a commenté les erreurs de Grouchy, elle a couvert et
caché celles de Napoléon. On a écrasé la mémoire du
lieutenant en le chargeant et de ses fautes et de celles
de son chef. On a laissé au chef la gloire du désastre;
mais la responsabilité lui a été épargnée. La gloire
passée a empêché qu'il ne fût soupçonné d'erreurs par
les contemporains, ceux-ci ayant mieux aimé accuser

l'injustice de la fortune que de s'exposer par un examen plus attentif à trouver que Napoléon vaincu a été lui-même le premier auteur de sa défaite.

Au reste, si j'en crois les juges les plus compétents*, on connaît bien peu de généraux qui eussent pris sur eux-mêmes la résolution conseillée à Grouchy ; car, dans ces occasions suprêmes, l'élan guerrier ne suffit pas toujours. Il faut de plus un détachement subit de soi-même tout entier et de sa renommée, une hauteur d'esprit, une fierté d'âme qu'étouffent presque nécessairement la trop longue obéissance dans un rang secondaire et la crainte d'un maître. Kléber, Hoche, Joubert, Desaix eussent exécuté ce mouvement à leurs risques et périls ; mais l'Empire ne produisait plus de tels hommes : il en fut puni par sa ruine.

Pour moi, je ne croirai pas avoir perdu trop de jours dans le spectacle et l'examen de cette grande chute, si je contribue à ramener dans l'histoire cette vérité utile à tous, que nul ne périt que par sa faute. Napoléon a-t-il échappé à cette dure condition de la nature humaine ? L'adversité prolongée n'avait-elle rien pu sur lui ? N'avait-elle usé en rien sa force d'impulsion et sa foi en lui-même ? Tous les autres étaient-ils diminués, et lui seul invulnérable ? Non, une pareille inégalité ne s'est pas vue sur la terre. Si les autres avaient perdu quelque chose, lui aussi avait été atteint au-dedans, quoiqu'il fût plus habile à le cacher. Plus lent à se décider que dans les autres campagnes (car il avait appris que lui aussi ne pouvait se tromper impunément), il ne donnait presque plus rien à la bonne fortune. En pesant toutes choses, il laissait l'occasion passer. L'ordre arrivait plus tard ; il eût fallu qu'il eût été déjà exécuté quand il était à peine donné.

---

* Jomini, *Précis*, p. 224. *[Note de l'auteur.]*

D'ailleurs, Napoléon avait enseigné la guerre à ses ennemis. Il leur avait surtout appris l'audace. Celle de Blücher, malgré ses soixante et dix ans, fut incroyable. Enfin on n'avait plus affaire aux armées d'Alvinzi et de Wurmser[1], qui se battaient seulement par métier. Les Prussiens montrèrent dans cette guerre une passion qui allait jusqu'à la fureur. Les nôtres furent ce qu'ils avaient toujours été : ce furent les anciens soldats vainqueurs dans cent batailles ; mais l'ennemi était différent. La haine d'une servitude longtemps subie, le désir des représailles, donnaient aux armées étrangères la force d'un soulèvement national. Ces armées étaient peuples, et les peuples étaient devenus plus hostiles que les rois.

Telles sont, autant que j'ai pu les rechercher par un travail persévérant, les causes naturelles du désastre de Waterloo. J'y ai insisté, persuadé que, pour dominer de si grandes calamités, la première chose est de les comprendre. On n'y échappe qu'en les expliquant. Lorsqu'à la douleur publique se joint un reste de superstition antique pour la fatalité, la raison d'un peuple en demeure bouleversée ; la défaite entre jusque dans le cœur ; car le pire en de pareils maux sera toujours ce que l'imagination y ajoute de suppositions et de conjectures, mer sans fond où la pensée s'égare. Ramener les événements à leur cause, substituer aux imaginations la raison, aux conjectures la certitude, c'est en quelque sorte borner l'adversité elle-même[2].

AUGUSTE ANTOINE GROUARD

La Critique de la campagne de 1815
(1904)

Auguste Antoine Grouard (1843-1929) est un militaire français, formé à l'école Polytechnique, qui finit sa carrière comme colonel. Spécialiste de l'artillerie, il participa à la guerre de 1870. Sa carrière militaire stagne et, en 1897, il est, malgré ses capacités, un modeste directeur d'artillerie en Corse.

Il est principalement connu pour ses différents ouvrages sur la stratégie militaire, et notamment pour avoir étudié les propriétés stratégiques de la frontière franco-allemande. Un article inséré dans la Revue d'histoire moderne *de juillet 1929 fait l'éloge de la clarté du style du colonel Grouard qui sait rendre cohérent et intelligible le déroulement et l'issue d'une bataille. Il est passé « maître dans sa spécialité » et en particulier dans l'analyse des campagnes de Napoléon puisqu'il est l'auteur des* Maximes de guerre de Napoléon.

La Critique de la campagne de 1815, paru en 1904, est la troisième partie des Stratégies napoléoniennes *de Grouard. L'auteur veut contredire la thèse de Houssaye selon laquelle Grouchy serait le grand responsable de la perte de la bataille. Le livre n'eut pas le succès escompté. Le colonel démêle les péripéties de la bataille de Waterloo pour comprendre l'événement et juger ses acteurs avec impartialité et logique. Ce livre est l'occasion, pour Grouard, d'exercer sa science. Après près d'un siècle de querelles et de débats sur les erreurs militaires à Waterloo, ce livre se veut un épilogue nuancé de la polémique autour de la campagne de 1815. Grouard détaille les séquences de la bataille et arrive à la conclusion que Napoléon, en juin 1815, a failli. Cela n'empêche pas Grouard, comme Jomini, de consacrer la figure de l'empereur, érigé en stratège de génie ayant inventé la guerre moderne. Tous les deux, l'obscur colonel et le général corse, ont en commun cette vision de la guerre comme un art. Tous deux ont aussi reçu une formation d'artilleur. C'est donc par Grouard que l'on remonte le mieux à Napoléon.*

LE RÔLE DE GROUCHY

[...]

En jetant un coup d'œil d'ensemble sur les opérations de cette fatale journée, nous dirons donc que la cause première du désastre de l'armée française réside dans le manque de sagacité de Napoléon, qui n'a pas prévu l'arrivée des Prussiens, alors qu'il avait tant de bonnes raisons d'y penser. C'est cette erreur capitale qui l'a empêché d'appeler Grouchy à lui dans la nuit du 17 au 18, et c'est elle aussi qui l'a conduit à retarder l'attaque des Anglais jusqu'à midi ; autrement la considération du terrain n'eût pas été suffisante.

Une fois ces deux fautes commises, la victoire était bien difficile ; elle n'était cependant pas encore impossible si Napoléon eût mieux choisi son point d'attaque et qu'il eût frappé rapidement sur les Anglais à coups redoublés.

Il est certain qu'à la première nouvelle de l'apparition de Bulow, un général prudent aurait évité de livrer bataille et aurait pris des dispositions pour la retraite, ce qui n'empêchait pas de chercher les moyens de prendre quelque avantage sur un de ses adversaires, et il n'eût peut-être pas été impossible d'en trouver.

Cependant, Bulow était encore loin ; dans le fait, il ne devait déboucher que vers 5 heures. On aurait peut-être pu battre les Anglais, avant son arrivée, si la bataille avait été mieux conduite. Au contraire, il serait difficile d'en citer une qui ait été plus mal dirigée.

La première faute appartient à Napoléon ; elle consiste à avoir choisi pour point d'attaque le centre des Anglais.

Sans doute, il était désirable de commencer par enlever la Haye-Sainte, mais une fois en possession de ce point d'appui, et même avant de l'avoir pris, si la résistance y était trop opiniâtre, il fallait pousser à fond sur l'extrême gauche des Anglais.

Si Lobau appuyé par les cuirassiers de Milhaud eût été employé à cette tâche, qu'on eût pris de meilleures dispositions dans la formation du 1er corps, et qu'on eût appuyé l'attaque de ce corps, avec deux divisions de la Garde, et le reste de la cavalerie, on avait quelques chances d'obliger Wellington à se mettre en retraite avant 4 heures, en abandonnant la route directe de Bruxelles. Nous ne dirons pas qu'on aurait mis l'armée anglaise en déroute, mais, il est fort probable qu'en voyant nos succès, Bulow se serait arrêté ; la jonction des deux armées adverses était au moins retardée, et peut-être compromise si les Prussiens n'y avaient pas mis une extrême prudence.

Napoléon a perdu cette chance en attaquant le centre, et en détachant Lobau prématurément.

Après l'échec de la première attaque de d'Erlon, les difficultés que Napoléon avait méconnues devaient sauter aux yeux. Il était plus de 3 heures ; quoique Bulow ne fût pas encore entré en ligne, on devait se dire qu'il se préparait, et qu'il ne tarderait pas à intervenir.

Cependant, Napoléon prescrivit de renouveler l'attaque, sans rien faire de plus que la première fois pour la précipiter. Cette temporisation est inexcusable ; s'il y avait encore quelque chance de succès, on ne pouvait en profiter qu'en ne perdant pas un instant, et en employant tous ses moyens.

Au contraire, en laissant la cavalerie fournir des charges répétées, il ne songe pas à l'appuyer de toute l'infanterie dont il dispose encore, et quand cette cavalerie n'en peut plus, il ne renonce pas encore à l'offensive.

Il faut que toute la Garde passe dans la fournaise comme le reste. Si au moins à ce moment, Napoléon s'en était servi pour rallier ses corps en désordre, il aurait encore pu se retirer sans être complètement désorganisé.

Le lendemain on aurait été rallié par Grouchy, car, il n'est pas juste de dire avec M. Houssaye que ce dernier, coupé de sa ligne de retraite, était déjà voué à une destruction totale.

Grouchy n'a couru de danger que justement parce que l'armée de Napoléon était en déroute. Si cette armée se fût repliée en ordre, il n'avait lui-même rien à craindre, et en se retirant le lendemain par Mont-Saint-Guibert et par Gembloux, il aurait rallié le gros de l'armée sans aucune difficulté. Napoléon aurait disposé encore de 80 000 hommes ; il est vrai que ses adversaires en auraient eu le double, mais sa situation n'aurait pas été pire que celle qu'il avait eue l'année précédente à la suite de la bataille de la Rothière[1].

Et l'on sait comment il s'en est tiré ; grâce aux admirables dispositions qu'il prit dès le lendemain de cette défaite, il put d'abord se dérober au vainqueur, et huit jours plus tard, c'était Champaubert et Montmirail. De même dès le lendemain de la bataille de Waterloo, si Napoléon eût évité la déroute, il pouvait d'abord se retirer sur la Sambre ; vingt mille hommes allaient par Charleroi, trente mille sur Namur ralliant Grouchy, qui en avait autant.

On pouvait ensuite réunir toutes ces forces entre Philippeville et Givet, et si l'ennemi était imprudent, l'attaquer dans des conditions avantageuses, car il ne faut pas oublier que lui aussi aurait subi de grandes pertes.

Sans doute, il y avait les autres armées alliées qui allaient arriver du Rhin, mais Napoléon avait, lui aussi, des renforts à attendre ; enfin, ce n'était pas immédiatement l'impuissance, tandis qu'après la déroute, il n'y avait plus rien de possible, non seulement parce que la meilleure partie de l'armée n'existait plus, mais aussi parce que la France entière allait être démoralisée.

Napoléon pouvait donc encore sauver son armée, même en ne s'y prenant qu'à 6 heures du soir, et pour obtenir ce résultat, il n'avait pas besoin de l'armée de Grouchy ; toutefois, si celui-ci, suivant le conseil de Gérard, avait débouché de Maransart vers 6 heures, il aurait singulièrement facilité la retraite. Malheureusement, Napoléon ne connaissait que l'offensive à outrance, et c'est pour cela que Leipzig et Waterloo étaient dans sa destinée [1].

RÉSUMÉ ET OBSERVATIONS

[...]

Tout cela montre encore une fois combien la perfection est rare à la guerre, et que le vainqueur n'est pas celui qui ne fait pas de fautes, mais celui qui en commet le moins, en profitant de celles de ses adversaires.

Il faut d'ailleurs reconnaître qu'en 1815, en raison des circonstances, Napoléon n'avait pas le même droit que ses adversaires de commettre des erreurs. En raison de leur énorme supériorité numérique, il leur était permis, dans une certaine mesure, de se tromper, tandis que par la raison inverse, l'imperfection lui était interdite. Au contraire, il a commis plusieurs fautes graves ; et surtout, il a manqué de profiter de celles de ses adversaires.

L'étude des opérations de cette campagne de quatre jours montre donc bien que si ses principes n'ont pas varié, il n'en est pas de même de la promptitude et de la sûreté de son esprit. Autrement dit, il a conservé tout le fond de sa doctrine stratégique, mais il n'a plus les mêmes facultés naturelles pour en faire une application judicieuse. C'est pour cela, que tout ce qu'il a pu faire dans le cabinet et loin de l'ennemi est parfait ; il avait des principes si bien établis, qu'il a dû arrêter le choix de la ligne d'opérations et sa concentration presque sans y penser ; ses idées sur ces questions se sont formées de suite, on peut dire presque automatiquement ; pour qui connaît le passé et l'a compris, il ne pouvait pas en avoir d'autres. Mais une fois en présence de l'ennemi, il en était tout autrement. Avant d'arrêter des dispositions justes, il fallait voir clair ; et pour voir clair, être actif de corps comme d'esprit.

Au contraire, sa perspicacité, sa puissance de raisonnement sont en défaut ; les renseignements qu'il reçoit à la suite de la bataille de Ligny ne suffisent pas pour l'éclairer sur les intentions de ses adversaires. C'est pour cela qu'autant les préparatifs sont parfaits, autant la direction et l'exécution des mouvements journaliers, qu'il faut arrêter et prescrire en face de l'ennemi, sont défectueux.

Et c'est ce qui montre une fois de plus, que pour un général en chef, la science acquise n'est que secondaire ; et que ce sont les qualités naturelles seulement qui font le grand capitaine.

Nous sommes loin de dire qu'en 1815 Napoléon en fut dépourvu. Il avait encore des qualités de premier ordre, il était supérieur à ses adversaires ; à égalité de forces, il les aurait certainement battus, mais ce n'était pas assez pour en triompher, dans les circonstances où il se trouvait.

Il est donc certain que la cause première de la défaite de 1815 réside dans l'affaiblissement des facultés de Napoléon[1].

S'il a jamais approché de la perfection, il en était loin en 1815. Au fond, c'est pour cela qu'il a été battu et qu'il devait l'être ; toutes les autres causes sont secondaires.

[...]

Il est bien clair que la victoire de Napoléon en Belgique, si complète qu'elle fût, ne pouvait lui permettre de résister à l'Europe avec l'armée active seule, même augmentée d'une centaine de mille hommes. Avec les pertes qu'il aurait faites lui-même, cela ne lui aurait jamais donné beaucoup plus de 200 000 hommes. Les Russes et les Autrichiens, en marche sur le Rhin, en avaient déjà plus de 300 000 ; et, au bout de quelque temps, les armées de Wellington et de Blucher auraient été remises sur pied. Pour en avoir raison, il fallait que Napoléon fût suivi par la France ; l'aurait-elle voulu ? Il est certain qu'à l'ouverture des hostilités le pays manquait d'enthousiasme ; rien ne ressemblait au soulèvement de 1792 et 1793. De nouveau en présence de l'Europe coalisée, il ne se croyait pas capable de soutenir la lutte, et il se méfiait de Napoléon. Mais un grand succès l'aurait sans doute fait sortir de sa torpeur ; avec l'espoir de vaincre, il aurait fourni les moyens d'y réussir. Il aurait suivi Napoléon, à la condition qu'il lui montrât le chemin de la victoire. Mais, dès qu'il était vaincu, la France l'était avec lui; manquant d'enthousiasme avant la bataille, elle allait être démoralisée après la défaite. Son sort qui pouvait dépendre d'une longue lutte, si Napoléon eût débuté en terrassant ses premiers adversaires, devait être décidé par une seule bataille, dès que c'était une défaite. Après Waterloo elle se trouva réduite à l'impuissance. « Si le hasard d'une bataille, dit Montesquieu, c'est-à-dire une cause particulière a ruiné un État, il y avait aussi une cause générale qui faisait que cet État devait périr par une seule bataille[1]. »

Eu 1815, la cause générale dont parle Montesquieu était facile à trouver; c'était l'état de la France à la suite de vingt ans de guerre; épuisée par ces longues luttes, elle n'avait plus confiance dans le génie de Napoléon; sans avoir oublié Austerlitz et Iéna, elle se souvenait surtout de Leipzig et de l'invasion de 1814. Le voyant vaincu, encore une fois, elle devait l'abandonner, et en l'abandonnant, elle renonçait à la lutte; car, elle n'en connaissait pas d'autres, qu'elle crût capable de mieux faire. Elle avait joui de la gloire qu'il lui avait donnée; maintenant, elle ne pouvait que se résigner, et c'était une faible consolation que de faire retomber sur lui la responsabilité de son impuissance. À ce sujet, on devait être unanime, car il était certain que c'était bien lui qui était la cause unique de tous nos malheurs. Après avoir donné à la France, pendant le Consulat, la gloire militaire et la paix intérieure, il lui avait assuré une situation prépondérante en Europe pendant les premières années de l'Empire. La puissance qu'il possédait après Tilsitt, ne lui suffisait cependant pas encore; bientôt, commence la période d'usure en Espagne; elle se continue en Russie. Dès que la catastrophe de cette campagne ne suffit pas pour l'éclairer sur l'abîme vers lequel il marchait, sa ruine était inévitable; chacun se disait qu'il avait mérité sa chute par l'extravagance de sa politique.

Napoléon a dit que la Fortune était femme ; en cette qualité, elle avait droit à des égards qu'il n'a pas eus pour elle ; après avoir été comblé de ses faveurs, il a voulu lui faire violence ; non seulement il a fini par la lasser, mais, en s'éloignant de lui, elle l'a terrassé. Tout autre était Frédéric, qui n'a jamais demandé à la Fortune que ce qu'elle pouvait lui donner ; aussi elle lui est restée fidèle ; ce qui le distingue surtout, c'est la pondération de son esprit, dont la tournure, profondément politique, se retrouve aussi bien sur le champ de bataille, que dans le travail du cabinet[1]. Il ne se laisse jamais griser par la bonne fortune, pas plus qu'il ne se laisse abattre par la mauvaise. Il cède devant les obstacles, attendant patiemment une meilleure occasion ; il ne croit pas tout perdu, parce qu'il a reculé pour éviter un désastre.

Napoléon lui est bien supérieur par l'ampleur et la profondeur des combinaisons stratégiques. Nul autre homme de guerre n'avait atteint à un si haut degré ni la puissance de la conception, ni la vigueur de l'exécution. Mais, ce qui lui manque à l'opposé de Frédéric, c'est la pondération des idées ; à la guerre, comme en politique, il ne connaît pas d'obstacles. Malgré tout, il veut les briser, et il ne se résout à la retraite que quand elle n'est plus possible.

C'est pour cela que le premier était de ceux qui fondent les empires, et le second, de ceux qui les mènent fatalement à la ruine.

Mais si Frédéric a su résister aux entraînements qui ont emporté Napoléon, il faut remarquer que cela tient aux circonstances, autant qu'à la nature.

Il est clair que dans les conditions de la guerre de Sept Ans, il ne pouvait songer à la domination de l'Europe, c'était déjà assez beau de conserver ses propres États, en les agrandissant à sa convenance. On doit dire aussi, qu'étant né sur les marches du trône, il était mieux préparé à supporter sans trouble des triomphes bien mérités, glorieux au plus haut degré, mais qui, par leur résultat positif, n'avaient rien d'excessif.

On doit reconnaître qu'il en a été tout autrement chez Napoléon qui, étant parti de rien, était arrivé après Friedland, à mettre à ses pieds toutes les puissances de l'Europe. Quel homme aurait résisté à une si prodigieuse fortune ? Quel esprit l'aurait supportée sans en être ébranlé ? C'est pour avoir vu toutes ses entreprises réussir trop vite, autant que par ses tendances naturelles que Napoléon est devenu insatiable.

Ce sont là des circonstances atténuantes qui doivent à distance frapper les esprits impartiaux, et qui auraient pu en 1815 déterminer bien des Français à se grouper autour de l'Empereur, s'ils avaient vu dans son entreprise quelques chances de succès. Et nous croyons que ces chances eussent été sérieuses, si la France en se soulevant contre l'invasion, fût venue se grouper autour d'une armée victorieuse.

Napoléon avait pris l'habitude de régler le sort d'une campagne par une seule grande bataille ; cette fois, le même procédé se retournait contre lui.

Mais il faut bien se rendre compte que le résultat d'une bataille n'amène la fin d'une grande guerre que lorsque la partie se joue exclusivement entre des armées de métier ; il en est tout autrement, lorsque les peuples s'en mêlent. Il ne suffit même plus alors d'habiles capitaines pour dompter une grande nation qui veut à tout prix conserver son indépendance.

Les élèves de Frédéric et les meilleurs généraux de l'Autriche ont échoué contre le soulèvement de la nation française, résolue à rester à tout prix maîtresse d'elle-même. Napoléon a eu facilement raison de l'Europe tant qu'il n'a eu devant lui que les armées régulières de l'Autriche, de la Prusse et de la Russie ; mais malgré la valeur de ses troupes et de leurs chefs, il n'a pas réussi à dompter l'Espagne ni la Russie soulevées contre lui ; en 1813, il n'a pu tenir contre l'ardeur patriotique des Allemands.

Il ne faut pas conclure de ces observations que les armées permanentes soient inutiles ; car, si le courage des peuples est la première condition de leur indépendance, il est indispensable pour que ce courage porte ses fruits, que les efforts de la masse soient groupés autour d'un noyau de gens de métier et dirigés par des chefs habiles.

Les Prussiens n'auraient pas été arrêtés à Valmy si les volontaires de 1792 n'avaient trouvé l'ancienne armée pour les encadrer et Dumouriez pour les conduire.

Les Espagnols, malgré leur courage, n'auraient pas tenu longtemps contre l'armée française sans l'appui des Anglais dirigés par Wellington. En 1812, la rigueur du climat aurait pu suffire à chasser Napoléon de Russie ; mais l'année suivante le soulèvement de l'Allemagne avait besoin, pour rejeter l'armée française sur le Rhin, d'être régularisé autour d'un noyau de troupes aguerries, et d'être dirigé par des hommes résolus, tels qu'Alexandre et Blucher.

Ce qu'il faut donc pour qu'une nation soit assurée de conserver sa grandeur c'est d'abord d'entretenir une armée de gens de métier ; c'est en même temps de surexciter le sentiment patriotique, pour qu'au jour du danger, tous les citoyens soient prêts à aller se grouper autour de ce noyau ; c'est enfin (et c'est là la condition la plus difficile à réaliser, à cause des intrigues des politiciens et des mesquines jalousies des vulgaires ambitieux) de rechercher et d'encourager des hommes capables de diriger les opérations.

Si ces conditions sont satisfaites, peu importe que l'on perde la première bataille ; l'ennemi, s'il pénètre sur le territoire en sera vite chassé. Il est vrai, qu'en rentrant chez lui il retrouvera les mêmes avantages, car il ne faut pas s'y tromper, les armées nationales ne sont propres qu'à la défense du territoire, et non pas à la guerre offensive.

Malgré les exemples de la période napoléonienne, il ne faut donc pas croire qu'une grande guerre doive se terminer en une seule journée ; nous dirons même que la nation qui croit que son sort ne dépend que d'une seule bataille ne mérite pas de la gagner.

Sans doute, après ce que la France avait fait depuis vingt ans, elle était bien excusable d'abandonner Napoléon après sa défaite ; elle avait le droit d'en faire retomber sur lui la cause immédiate, aussi bien que les causes lointaines. Mais s'il eût débuté par de grands succès, la France en se groupant autour de lui, lui aurait donné le moyen de triompher encore une fois de la coalition de l'Europe. Elle l'aurait suivi ; mais c'était à lui de commencer. Pour réussir, il aurait fallu un miracle : que Napoléon après avoir reconnu ses torts, retrouvât le génie et l'activité de la jeunesse ; au contraire, dès le début, il a failli à sa tâche ; dès lors, tout était perdu. L'Empereur abattu, la France n'a pas essayé de continuer la lutte contre l'Europe, parce qu'elle se croyait incapable de la soutenir.

Et, en effet, la résistance à l'invasion n'était possible que par l'accord de Napoléon, de l'armée et de la France. Les deux premiers éléments de cette entente venant à manquer, le troisième était forcément impuissant ; et c'est une grosse illusion que de prétendre qu'après Waterloo la France aurait pu continuer la lutte avec quelques chances de succès.

C'est donc à cause de l'état de la France que la défaite de Waterloo est devenue irréparable ; mais ce n'est pas cet état qui a amené la défaite. Elle provient de causes particulières qui sont exclusivement militaires, et si les fautes qui l'ont amenée eussent été évitées, la cause particulière aurait eu raison de la cause générale, car la victoire aurait pu modifier les dispositions de la France.

C'est ce qui montre l'importance de l'art militaire, même considéré en lui-même, et d'un point de vue étroit.

En 1815, il ne s'agit ni d'organisation, ni de préparation, ni de ravitaillement, c'est l'art militaire proprement dit, réduit à ses deux parties essentielles concernant la conduite des armées d'opérations : la stratégie et la tactique, c'est-à-dire l'art d'amener la bataille et l'art de la livrer[1].

À ces deux points de vue, Napoléon s'est montré inférieur à lui-même, et ce sont ses fautes qui ont amené la désorganisation de l'armée active à laquelle, seule, la France pouvait songer à se rallier.

On doit donc dire que le désastre de Waterloo est devenu sans appel, par suite de l'épuisement et du dégoût qu'avait produits en France la politique extravagante de Napoléon ; mais il n'en est pas moins vrai que ce sont des fautes commises par lui dans sa spécialité militaire qui ont amené ce désastre.

[...]

Avec la défaite, la France était à la merci des puissances alliées, la chute de Napoléon était inévitable ; le gouvernement allait revenir aux Bourbons, reniant la Révolution française dans ses revendications les plus légitimes, aussi bien que dans ses excès :

incapables de comprendre les gloires de la France, au point de faire fusiller le maréchal Ney. Un pareil gouvernement répugnait à la grande majorité des Français ; il ne pouvait être rétabli qu'avec l'appui des baïonnettes étrangères ; et les alliés de Louis XVIII n'étaient pas disposés à lui rendre de nouveaux services sans se les faire payer.

On avait donc en perspective une situation amoindrie en Europe, et à l'intérieur, une ère de dissensions interminables, susceptibles d'amener des troubles sans fin, dans lesquels le pays, à la longue, devait s'user.

Avec la victoire, suivie de propositions raisonnables, on pouvait espérer une paix honorable, par laquelle la France aurait retrouvé une partie de la grandeur qu'elle avait perdue l'année précédente ; Napoléon, probablement assagi, rendu modéré dans ses aspirations par l'âge et par l'adversité, restait sur le trône, appliquant ses précieuses facultés au développement d'œuvres pacifiques et d'institutions progressivement libérales, dont il ne méconnaissait pas le prix. À la suite d'une période impérissable de gloire, la France aurait pu voir s'ouvrir devant elle une ère de prospérité inconnue auparavant.

Aussi, nous ne sommes pas de ceux qui blâment Napoléon d'avoir tenté de revenir en France ; car le résultat qu'il avait en vue, méritait bien que l'on courût encore quelques risques. Qu'on lui reproche tant qu'on voudra la guerre d'Espagne et celle de Russie, le refus de faire la paix en 1813 après Bautzen, mais non pas le retour de l'île d'Elbe. En somme, la France n'a pas été beaucoup plus petite après Waterloo qu'après l'invasion de 1814 ; avec la victoire, elle fût restée la grande nation et, sous l'égide de Napoléon, elle aurait pu développer paisiblement les principes de la Révolution française en restant unie.

Les descendants de ceux qui avaient fait la gloire de la France sous Henri IV et sous Louis XIV pouvaient tendre la main aux héros d'Esling, d'Eckmühl et de la Moscova ; nombre d'entre eux l'avaient déjà fait depuis la période réparatrice du Consulat ; tous se seraient ralliés au nouveau régime, s'il avait donné à la France et à l'Europe, des gages de paix, d'ordre et de liberté.

C'est, au contraire, depuis le retour des Bourbons qu'il y a eu deux France irréconciliables.

On peut donc dire que l'avenir de la France pendant le XIXᵉ siècle était l'enjeu de la campagne de 1815. Waterloo nous a fait perdre la partie d'une manière irrémédiable.

[...]

Tout en reconnaissant les erreurs sinon militaires, du moins politiques de Napoléon, l'illustre auteur du *Consulat et de l'Empire*[1] a conservé à sa figure une grandeur qu'il n'appartient à personne de lui enlever. La France de 1815 avait encore le sentiment de cette grandeur. Il faut se dire aussi que les guerres de la Révolution et de l'Empire avaient surexcité le patriotisme des Français. Ils avaient pris les armes pour une noble cause, et si sous la conduite de Napoléon ils avaient abusé de la force, ils avaient cependant acquis une gloire impérissable.

Si la France avait été libre de choisir, elle eût certainement préféré suivre ses destinées sous la direction de l'homme qui lui rappelait les noms de Castiglione et de Rivoli, de Marengo et d'Austerlitz, d'Iéna et de Friedland, plutôt que de se livrer au parti de l'émigration ; la facilité avec laquelle il était revenu de l'île d'Elbe à Paris, en traversant les deux tiers de la France, suffit à montrer quelle était encore son influence sur l'esprit du peuple et de l'armée.

Il ne faut pas s'en étonner si l'on songe à l'impression qui nous reste de cette grande époque, et de l'homme extraordinaire qui y a dominé tous les autres. Après un siècle, et malgré les ruines que Napoléon a accumulées sur la France, ne voyons-nous pas que le souvenir de ses hauts faits nous enthousiasme encore ? C'est le sujet de combien de pièces de théâtre ? Celui des méditations de combien d'érudits ? et l'occasion de quelles acclamations ? N'est-ce pas le cas de dire avec Eschine :

« QUE SERAIT-CE SI NOUS AVIONS VU
LE MONSTRE LUI-MÊME [1] ? »

V

Histoire politique

ANTOINE CLAIRE THIBAUDEAU

Le Consulat et l'Empire,
ou Histoire de la France et de Napoléon
Bonaparte de 1799 à 1815

(t. VII, 1835)

L'extraordinaire longévité de la vie d'Antoine Claire
Thibaudeau (1765-1854) permet à cet avocat et homme
politique de la Vienne de traverser les régimes successifs
de l'époque troublée de l'histoire de France, au tournant
des XVIIIe et XIXe siècles. Né sous le règne de Louis XV,
Thibaudeau connut toutes les révolutions politiques jusqu'à
la restauration du Second Empire par Napoléon III. Il est le
dernier membre de la Convention nationale à mourir. Avec
lui s'éteint une génération de députés, les pères de la Révolution française. Conscient de son exceptionnelle carrière,
Thibaudeau rédigea, avec un soin infini, ses Mémoires qui
sont un outil précieux pour la connaissance de cette période.
Il est aussi l'auteur de plusieurs histoires du règne de Napoléon, une première publiée en 6 volumes, en 1827-1828, et
intitulée Histoire générale de Napoléon Bonaparte, de sa
vie privée et publique, de sa carrière politique et militaire,
de son administration et de son gouvernement; une autre
parue en 1834-1835, comprenant 10 volumes et ayant pour
titre Le Consulat et l'Empire, ou Histoire de la France et de
Napoléon Bonaparte de 1799 à 1815. C'est dans ce dernier
ouvrage, au tome VII, que l'auteur donne sa vision des Cent-
Jours et de la campagne de 1815. L'éditeur avertit que « dans
cet ouvrage comme dans les écrits qu'il a déjà publiés, la
Révolution de 1789 est le point de départ de l'auteur et reste
toujours son point de vue. C'est d'après les principes de cette
grande transformation du peuple français auxquels il est

resté inébranlablement fidèle, qu'il forme ses jugements sur les choses et les hommes ».

Républicain modéré, partisan de l'idéal de liberté de 1789, Thibaudeau rallie cependant Napoléon sous le Consulat, persuadé que le jeune général est la meilleure voie pour finir la Révolution française en conservant les acquis de 1789. Il est successivement nommé préfet de la Gironde, membre du Conseil d'État, puis à nouveau préfet, dans les Bouches-du-Rhône. La restauration de Louis XVIII le condamne à se cacher pour éviter des poursuites. Mais, avec le retour de Napoléon en 1815, il fait son entrée à la Chambre des pairs et participe à la levée en masse des soldats pour la guerre de 1815. Après la défaite du 18 juin, il est un personnage clé de la scène politique puisqu'il appartient à la commission parlementaire chargée par la Chambre des pairs de trouver une sortie à la crise politique ouverte par le désastre militaire. Thibaudeau s'active en coulisse pour empêcher le retour des Bourbons. Il déclame encore à la tribune contre la monarchie. Cette conduite lui coûtera quatorze ans d'exil.

C'est donc autant le témoignage d'un acteur politique majeur de l'époque que les réflexions d'un historien qui sont contenus dans les extraits sélectionnés. Il est mis l'accent sur deux moments des Cent-Jours. On découvre d'abord le remarquable effort que représente pour Napoléon le relèvement d'une armée entière, avec les nécessités de la conscription, de l'armement, du ravitaillement, de l'acheminement des troupes sur le théâtre des opérations et le financement de cette entreprise herculéenne, menée à bien en quelques semaines. Puis, dans le deuxième extrait, Thibaudeau relate les circonstances politiques à Paris, les jours qui suivent la nouvelle de la défaite. Si l'effervescence populaire porte au début le retour de Napoléon, le désenchantement succède à la défaite. C'est, à proprement parler, l'avant et l'après bataille de Waterloo.

CHAPITRE CXIV

[...]

Évidemment Napoléon ramenait la guerre avec toute l'Europe. Cette considération lui avait enlevé beaucoup de partisans. S'il avait pu se faire quelque illusion avant son départ de l'île d'Elbe, les actes du congrès[1] ne laissaient plus de doutes, le refus des puissances d'entendre à aucune négociation ôtaient tout espoir de paix. Dans tous les cas il fallait donner à la France une organisation militaire formidable.

La restauration n'ayant su ni voulu se concilier l'armée, avait travaillé à l'affaiblir. En expiation de sa gloire, elle avait été offerte en sacrifice à l'étranger. Il avait ramené les Bourbons, c'était en lui seul qu'ils avaient placé leur sûreté. On les a vus en 1814, livrer avec empressement le matériel de la guerre, désarmer les places, démoraliser les régiments, licencier, disséminer les officiers, les soldats, encourager la désertion. Pour punir la France d'avoir vaincu l'Europe, on l'avait réduite à l'impuissance de repousser l'insulte des puissances du dernier rang. Ses plénipotentiaires au congrès avaient recueilli les fruits amers de cette honteuse politique.

Au 20 mars l'effectif général de l'armée n'était que de cent quarante-neuf mille hommes, elle ne pouvait en mettre en campagne que quatre-vingt-quatorze mille. Les flottes étaient désarmées, les équipages congédiés.

La France avait de grandes ressources : plus de cent mille militaires étaient prêts, au premier appel, à rejoindre les drapeaux. Le personnel de l'artillerie et du génie suffisait aux besoins de la plus forte armée, et le matériel de l'artillerie à la consommation de plusieurs campagnes. Outre les fusils de l'armée et ceux de la garde nationale, environ sept cent mille, il y en avait dans les magasins cent cinquante mille neufs et trois cent mille à réparer ; on avait une quantité suffisante de sabres. La gendarmerie pouvait fournir à la cavalerie plus de dix mille chevaux tous prêts.

Les premiers soins de l'Empereur se portèrent sur le moral de l'armée. On restitua aux régiments les numéros qui avaient été illustrés depuis 1794 dans vingt-cinq campagnes et mille combats. On porta les cadres des régiments de deux à cinq bataillons. Les régiments de cavalerie furent augmentés de deux escadrons. On organisa trente bataillons du train d'artillerie, quarante de jeune garde, dix d'équipages militaires et vingt régiments de marine. On leva deux cents bataillons de gardes nationales, et les conscriptions de 1814 et 1815. On appela sous les drapeaux tous les anciens militaires, officiers et soldats.

Les fabriques nationales pouvaient donner vingt mille fusils neufs par mois ; on les mit par des moyens extraordinaires en état de doubler cette quantité. On établit dans toutes les grandes places fortes et à Paris des ateliers de réparation.

Pour l'habillement on mit en activité par des avances de fonds les fabriques de drap qui avaient cessé de travailler depuis 1814.

Des fournisseurs avaient livré, avant le 1er juin, tant pour la cavalerie que l'artillerie trente-deux mille chevaux. La gendarmerie en avait fourni dix mille tout dressés, qu'elle avait remplacés de suite, avec le prix qui lui avait été payé. On avait des marchés passés pour d'autres quantités.

Tous les services ne pouvaient se faire que comptant. Le trésor négocia 4 millions de rentes de la caisse d'amortissement à 50 % qu'il remplaça en crédit de bois nationaux. Cela produisit net 40 millions. Il s'en trouva dans les caisses 50.

Au 1er juin l'effectif de l'armée sous les armes était de quatre cent quatorze mille hommes. Il aurait été, au mois de septembre de sept à huit cent mille.

Sur l'effectif, deux cent dix-sept mille étaient habillés, armés, instruits et disponibles pour entrer en campagne. Ils furent formés en sept corps d'armée, quatre corps de réserve de cavalerie, quatre corps d'observation. Les principales forces étaient cantonnées à portée de Paris et des frontières du nord. Il se formait en outre des corps commandés savoir : par Suchet à Chambéry, dans le Jura par Lecourbe, sur le Var par Brune, à Toulouse par Decaen, à Bordeaux par Clausel et dans la Vendée par Lamarque.

Depuis que le duc de Bourbon en était parti, les chefs n'avaient pas renoncé à la soulever. Des actes imprudents de l'administration impériale leur servirent de prétexte ; il y existait un noyau organisé en 1814. Le 15 mai, à la voix d'Auguste La Rochejacquelin[1], de d'Autichamp, de Sapineau, de Suzannet, de d'Audigné, le tocsin donna dans la Vendée le signal de la guerre civile ; cinq à six mille hommes se levèrent. Sur la rive droite de la Loire des bandes de chouans reparurent, le brigandage recommença. Louis La Rochejacquelin amena d'Angleterre quelques milliers de fusils et des munitions, et les Vendéens allèrent à Croix-de-Vic pour en protéger le débarquement. L'Empereur fit marcher des troupes des départements voisins, et envoya en poste le général Brayer avec deux régiments de la jeune garde, et le général Corbineau avec des pouvoirs étendus. Pendant ce temps-là, le général Travot s'était mis à la poursuite des Vendéens, qui emmenaient en triomphe les fusils anglais ; il les rencontra à Saint-Gilles le 4 juin, les battit et leur enleva la plus grande partie du convoi. Louis La Rochejacquelin fut tué dans ce combat.

L'Empereur autorisa Fouché à employer la voie

des négociations avec les chefs vendéens sans négliger les moyens militaires. Fouché envoya dans la Vendée des négociateurs royalistes, et l'Empereur des forces imposantes dont il donna le commandement au général Lamarque. L'*armée de la Loire* n'était pas entièrement formée, lorsque Travot, si redouté des Vendéens, les surprenait à Aisenay et les mettait en déroute. Les chefs se trouvèrent presque sans soldats et divisés entre eux par la jalousie du commandement. Cependant ces avantages n'étaient pas décisifs. La mort de Louis La Rochejacquelin, funeste à son parti, ne l'avait pas abattu ; les insurgés se reformaient ; Lamarque et Travot réunis manœuvraient pour les attaquer et les anéantir ; le duc de Bourbon, à bord des croisières anglaises, attendait les évènements. Malgré tous les efforts de l'Empereur pour terminer promptement cette guerre avant son départ pour la grande armée, la Vendée n'était pas soumise. Il se flattait qu'elle n'était plus à craindre, mais elle le forçait à y employer quinze mille hommes de bonnes troupes qui lui faisaient faute ailleurs.

On ordonna des ouvrages de campagne et des retranchements sur plusieurs points, dans les forêts de Mormale, d'Argone et dans les Vosges. On prépara la levée en masse de l'Alsace, de la Lorraine, de la Franche-Comté, de la Bourgogne, du Dauphiné. Comme il était possible que le sort des armes amenât les ennemis devant Paris, on y fit des travaux de défense ; on travailla aussi à fortifier Lyon.

[...]

Il déploya dans deux mois une activité prodigieuse pour organiser ses forces, mais les coalisés ne perdirent pas de temps et imprimèrent la plus grande rapidité à la marche de leurs troupes. Outre la disproportion du nombre, il était à prévoir que le temps manquerait à la France pour compléter ses armements; dans tous les cas, la première condition du succès était le concours énergique de toute la nation.

L'enthousiasme qu'avait excité le retour de Napoléon, surtout parmi les soldats et dans les campagnes, avait singulièrement facilité les levées. Les anciens militaires, les conscrits, les enrôlés volontaires rejoignaient de toutes parts avec une ardeur sans exemple, aux cris de *vive l'Empereur!* et faisaient retentir l'air de chants patriotiques.

L'organisation des bataillons de gardes nationales, quoique moins prompte, s'exécutait néanmoins sans recourir à ces moyens de contrainte qui étaient devenus presque impuissants à la fin de 1813.

Les préfets faisaient rassembler et réparer les fusils de munition; l'ennemi en avait laissé un assez grand nombre dans les départements qui avaient été, en 1814, le théâtre de la guerre.

Les citoyens et les communes rivalisaient de zèle et de dévouement pour l'habillement des gardes nationales, l'armement et l'approvisionnement des places.

Le sentiment de l'indépendance nationale électrisait les âmes, tout respirait la guerre. À part les exagérations officielles, le patriotisme avait fait de généreux efforts et produit de grands résultats.

Presque tous les régiments furent appelés à Paris pour y être retrempés par Napoléon, et dirigés ensuite vers les frontières. Chaque jour il passait des revues dans la cour des Tuileries, pourvoyait au besoin des corps, conversait avec les chefs, et entretenait, par ses discours, l'enthousiasme des officiers et des soldats, qui éclatait par les plus vives acclamations.

« Nous ne voulons pas, leur disait-il nous mêler des affaires des autres nations, mais malheur à ceux qui voudraient se mêler des nôtres, nous traiter comme Gênes ou Genève, et nous imposer des lois; ils trouveront sur nos frontières les héros de Marengo,

Austerlitz, Iéna ; il y trouveront le peuple entier, et, s'ils ont six cent mille hommes, nous leur en opposerons deux millions. »

Ces revues ne le cédaient en rien à celles qu'on avait vues dans des temps plus brillants et plus prospères. Celle où Napoléon redonna des aigles aux régiments de la vieille garde impériale, excita les plus vifs transports[1]. Leur tenue martiale et leurs cicatrices commandaient le respect et l'admiration.

Malheureusement l'enthousiasme ne dura pas. Les patriotes éclairés qui avaient secondé le mouvement imprimé au peuple par le retour de Napoléon et la fuite des Bourbons, furent bientôt refroidis par le spectacle des habitudes impériales rapportées de l'île d'Elbe.

Ils n'étaient plus ces temps où l'ascendant d'un grand pouvoir, l'éclat des formes, les illusions de la victoire et une longue obéissance soumettaient toutes les volontés à une seule, et obtenaient presque les mêmes sacrifices qu'eussent produit la liberté et l'amour de la patrie. L'ascendant de Napoléon, méconnu et menacé par toute l'Europe, n'avait plus à beaucoup près le même empire dans l'intérieur.

Dès que les prestiges de cette marche miraculeuse à travers la France furent dissipés, et les espérances, qu'il avait données à la liberté par ses premières proclamations, évanouies, beaucoup de patriotes craignaient également de le voir victorieux ou vaincu, la nécessité seule les attachait encore à lui ; ils n'avaient plus d'autre point de ralliement à choisir, et la nécessité n'est pas féconde comme le dévouement.

Celui des soldats paraissait inébranlable ; mais les opinions civiles et politiques suscitées par l'Empereur lui-même et soumises à la discussion publique, gagnaient les officiers et les généraux. Il y en avait beaucoup qui raisonnaient leur concours et mesuraient le dévouement. Les uns, comblés d'honneurs et de biens avaient déjà molli en 1813 et 1814, redoutant de les compromettre dans les chances des combats et des évènements politiques ; d'autres prêts à périr pour l'indépendance de la patrie et la conquête de la liberté, craignaient de concourir au rétablissement du pouvoir absolu.

Le plus grand obstacle au développement des forces nationales, l'ennemi le plus redoutable de la France, de Napoléon, ce furent, il faut l'avouer, Napoléon lui-même.

La France, en la supposant dans la situation la plus favorable à ce développement, se serait-elle sauvée de la crise épouvantable qui venait fondre sur elle ? il est difficile de l'assurer, quoiqu'il paraisse impossible de subjuguer une nation de trente millions d'hommes qui veut sincèrement défendre sa liberté. Mais une grande résolution pouvait seule produire un grand succès, et on ne la prit pas.

Dans les horreurs de la tempête gouverner son vaisseau comme pendant une bourrasque, c'est une insigne folie. Pour une situation aussi extraordinaire il fallait plus que des moyens ordinaires et des procédés réguliers. Contre l'Europe déchaînée ce n'était pas trop que de déchaîner la France entière. Tout le sol devait être un camp, tout homme soldat. Disons le mot, c'était 93 à recommencer, moins la terreur et les échafauds. Une nation qui s'est émancipée se soulève en son nom, pour elle, pour ses libertés, son indépendance et non pour un pouvoir, un homme, une dynastie.

Le mouvement national que Napoléon, Empereur, pouvait difficilement opérer, Bonaparte, général, l'aurait probablement produit avec tout son enthousiasme, tous ses prodiges. C'était en revenant en France, c'était encore au Champ-de-Mai qu'il eût été grand d'abdiquer en faveur de la nation, de ne se présenter que comme capitaine, de ne se prévaloir que de son épée. Déjà l'on ôtait à la coalition le prétexte pour lequel elle marchait contre la France. L'Espagne, fanatisée par ses moines et par le sentiment de sa dignité nationale, avait bravé les forces de Napoléon. La France rendue à elle-même aurait affronté celles de l'Europe. Mais loin de laisser dans l'oubli des droits qu'il avait perdus en 1814 et auxquels il avait renoncé, Napoléon venait les reprendre, il venait défendre son trône. Il n'était pas dans sa nature, il n'était pas dans celle d'un empereur de provoquer le débordement de l'énergie populaire. « Je ne veux pas, dit-il, être le roi de la Jacquerie. » Il périt en 1814 pour n'avoir pas voulu l'être. Ce scrupule le perdra encore en 1815. Dans une grande guerre d'invasion de toutes les puissances contre une seule, les armées régulières ne suffisent plus à la défense. Elles doivent avoir pour auxiliaire ou pour réserve toute la population, sinon il faut succomber[1].

[...]

[L'extrait qui suit revient sur les conséquences politiques de la bataille de Waterloo.]

CHAPITRE CXV

[...]

À Charleroi, Napoléon essaya en vain de rallier quelques troupes. Il continua sa marche sur Philippeville. Il y renouvela ses ordres au maréchal Grouchy, et en expédia aux commandants des places de la Meuse, de se mettre en état de défense ; aux généraux Rapp, Lecourbe et Lamarque, de se rendre avec leurs corps d'armée à Paris à marche forcée ; aux commandants des places fortes de tenir jusqu'à la dernière extrémité. Il fit le calcul des ressources qui lui restaient pour arrêter l'ennemi. Il écrivit au prince Joseph afin de relever les courages à Paris, et de préparer la chambre des représentants à seconder ses efforts pour réparer le grand revers de Waterlo. Cette chambre était un objet d'espérances et d'alarmes. Autour de Napoléon, les uns voulaient qu'il se rendît au sein de la représentation nationale et qu'il lui offrît de combattre et de mourir en soldat ; les autres, qu'il restât à la tête de l'armée pour la rallier ; quelques-uns qu'il traitât avec les alliés et abdiquât en faveur de son fils. À Laon, l'Empereur annonça le dessein d'y rester ; on le décida à partir pour Paris, persuadé que c'était une faute.

La nouvelle des premiers succès de l'armée dans cette plaine de Fleurus, où la République avait remporté l'un de ses triomphes les plus glorieux, avait ravivé des souvenirs chers aux patriotes et ranimé leurs espérances. Cependant, dans les rapports du maréchal Soult, il y avait un ton de légèreté et de forfanterie qui inspirait quelque défiance. Le 18 dès le matin, le canon avait annoncé dans Paris la bataille de Ligny. Cette victoire fut exagérée. Les Prussiens, disait-on, étaient anéantis ; le même sort attendait les Anglais. Il n'y eut aucune nouvelle de l'armée le 19. Le 20 dès le matin, les bruits les plus sinistres circulaient sourdement, la plus sombre inquiétude succéda bientôt à la joie qu'avaient excitée les premiers succès. Enfin, accablé de fatigue et de douleur, Napoléon arriva à l'Élysée, le 21 à quatre heures du matin. Alors se révéla dans toute son horreur la perte de la bataille de Waterlo.

Il serait difficile d'exprimer l'agitation des esprits, les divisions, les défiances, les accusations, le découragement, le désespoir. Que pouvait-on espérer ? Que

ne devait-on pas craindre ? Quelles forces opposer à
l'ennemi ? À qui se rallier ? à Napoléon ? C'était la troisième fois qu'il revenait dans la capitale sans armée.
Pourquoi n'était-il pas resté au milieu de ses débris
pour les rallier ? Que venait-il faire à Paris ? prendre la
dictature ? se mettre à la merci des chambres ? imposer en pure perte de nouveaux sacrifices à la France ?
Il ne pouvait rien pour la patrie, il n'était plus qu'un
embarras. Plût à Dieu que pour sa gloire et pour la
France il eût péri sur le champ de bataille ! Alors éclatèrent tous les reproches sur ses habitudes monarchiques, sur l'acte additionnel, les mécontentements,
les oppositions, les mauvais desseins qu'avaient
contenus la crainte de l'armée, la perspective de la
victoire.

Fouché entretenait et exploitait cette situation des
esprits, il répandait l'alarme parmi les patriotes et les
représentants, prêtait à Napoléon les projets les plus
hostiles contre eux et la liberté, disait qu'il n'y avait
pas un moment à perdre pour le prévenir, l'enchaîner, s'en débarrasser, et pourvoir sans lui au salut de
la France. Il endoctrina Lafayette et quelques représentants[1].

Si le retour de l'île d'Elbe avait donné à Fouché
l'espoir d'obtenir la régence, la bataille de Waterlo ne
lui laissa plus de doutes sur la restauration des
Bourbons. Il mit donc tout en œuvre pour s'en rendre
l'arbitre suprême, empêcher la continuation d'une
lutte qu'il jugeait désormais inutile, et tirer le
meilleur parti possible d'un évènement qui lui paraissait inévitable. C'est du moins ce qu'il a dit après que
tout était consommé, et ce que ses amis ont répété
pour sa justification. Mais cette ambition, quelque
généreuse qu'on la suppose, dut nécessairement placer Fouché dans une situation fâcheuse pour son
caractère moral, le rendre peu difficile sur les moyens

d'atteindre son but, et l'exposer aux accusations qui pèsent sur sa mémoire.

Le premier mouvement de Napoléon fut de se jeter franchement dans les bras des chambres, de leur exposer l'état des affaires, et d'en obtenir, par une grande marque de confiance, les moyens de conjurer l'orage prêt à fondre sur le pays. On était sur les charbons, il fallait marcher vite ; mais ce caractère si prompt, si résolu dans la prospérité, fléchissait dans les revers. Autour de lui, en général nulle énergie, un grand découragement, beaucoup de calculs personnels, peu de patriotisme, encore moins de dévouement. Tenir conseil, c'était donner libre carrière aux opinions pusillanimes, et le temps à la chambre des représentants d'éclater et d'amener une rupture. L'Empereur tint conseil. Après avoir exposé la situation des affaires, « il n'y a pas d'autres ressources, dit-il, qu'un grand pouvoir, une dictature temporaire, je pourrais la prendre, je préfère la recevoir des chambres. Si l'on se divise tout est perdu. » Les opinions furent partagées, Lucien conseillait de prendre la dictature. Carnot, Caulaincourt, Fouché, furent pour l'union de l'Empereur avec les chambres, Decrès la voyait impossible, Regnaud[1] de même, et, dans ses inquiétudes, lui, l'un des plus dévoués, osa prononcer le mot abdication.

La discussion fut interrompue par un message de la chambre des représentants contenant la résolution suivante adoptée sur la proposition de Lafayette concertée avec Fouché.

« La chambre des représentants déclare que l'indépendance de la nation est menacée ; la chambre se déclare en permanence ; toute tentative faite pour la dissoudre est réputée haute trahison et sera punie comme telle ; les troupes de ligne et les gardes nationales qui ont combattu et combattent encore pour la défense du territoire ont bien mérité de la patrie ; les ministres de la Guerre, de l'Intérieur, de la Police et des Relations extérieures sont invités à se rendre sur-le-champ dans le sein de l'assemblée. »

Des bataillons de garde nationale venaient se ranger autour du palais des représentants ; on élevait pouvoir contre pouvoir. Dès ce moment l'Empereur était de fait frappé de déchéance. Il ne méconnut pas la portée de la résolution de la chambre, à laquelle adhéra celle des pairs. Il exprima le regret de ne les avoir pas renvoyées avant son départ pour l'armée, et les accusa de perdre la France ; il s'avoua vaincu en disant : « J'abdiquerai s'il le faut. » Ces paroles imprudentes furent soigneusement répétées au-dehors. Avant d'en venir à cette extrémité, il jugea convenable de faire une tentative auprès de la chambre des représentants, et en chargea Regnaud de Saint-Jean d'Angely. Carnot fut envoyé, pour le même objet, à la chambre des pairs.

Après un exposé très imparfait des évènements militaires, Regnaud dit que l'armée se reformait sous Avesnes et sous Philippeville ; que l'Empereur avait donné à Laon ses ordres pour que les gardes nationales qui y étaient réunies y ralliassent les fuyards ; qu'il était occupé, avec ses ministres, à concerter les mesures militaires et législatives que les circonstances réclamaient.

Une communication aussi incomplète qu'infidèle, et contredite par le bulletin publié en même temps dans le *Moniteur*, n'était pas propre à calmer l'irritation des esprits ; à chaque instant la vérité se faisait jour de toutes parts.

La chambre ne s'était pas autant avancée pour reculer ; l'épée était tirée. Fouché et ses adhérents n'ignoraient pas qu'ils jouaient gros jeu, peut-être leurs têtes ; ils soufflaient le feu. Peu satisfaite de la mission de Regnaud, la chambre exprima avec énergie son impatience de ne pas voir arriver les ministres. Jay[1] et Manuel, affidés du duc d'Otrante, firent entrevoir que la liberté des délibérations était menacée, et demandèrent que l'invitation faite aux ministres fût convertie en un ordre formel. On proposa la nomination d'un commandant de la garde nationale à la place du général Durosnel, commandant en second sous le commandement en chef de l'Empereur : on avait en vue Lafayette. Sébastiani voulait que tous les chefs de légions fussent appelés, et qu'il leur fût ordonné d'avoir chacun un bataillon sur pied pour veiller à la sûreté de la représentation nationale. Les discours et les délibérations de la chambre étant subversifs de toutes les constitutions et du pouvoir impérial, Napoléon défendit à ses ministres d'y déférer. Que pouvait une semblable défense contre des représentants qui avaient levé le masque, qui parlaient, qui agissaient en maîtres ! Dissoudre la chambre, c'était trop tard, l'Empereur n'en avait plus les moyens ; à le tenter sans succès, il ne restait que crime et honte. En réussissant, on allumait peut-être la guerre civile. Sans les chambres, il est douteux que l'Empereur eût été obéi. Il ne pouvait compter sur les chefs de l'armée. Pour lui, le danger et la responsabilité étaient immenses ; il voyait de l'hésitation et de la tiédeur parmi ses ministres ; Fouché était décidé à se rendre aux ordres de la chambre ; le leur permettre, c'était abdiquer ; Napoléon le leur permit. Qu'importait ensuite, pour ne pas paraître céder, de les charger d'un message ? Peu confiant dans leur zèle pour sa cause, il leur adjoignit son frère Lucien en qualité de commissaire.

À six heures du soir, ils se présentèrent à la chambre et demandèrent un comité secret. Lucien était pour l'Empereur un défenseur fidèle ; mais sa présence rappelait toujours le 18 brumaire[2] ; dans la salle circulaient des bruits alarmants, répandus à dessein ; des rassemblements criaient autour de l'Élysée, *vive l'Empereur !* Des fédérés, des soldats de la garde impériale se réunissaient pour marcher sur la chambre. Il y avait quelque chose de vrai, mais on exagérait à dessein le danger pour pousser les représentants à la dernière extrémité. Lucien lut le message : il contenait un exposé des revers de Waterlo, et des mesures qui avaient été prises pour réorganiser l'armée. Il recommandait l'union des pouvoirs, pour éviter le retour des Bourbons, ou la triste destinée des Polonais. Il proposait aux chambres de nommer chacune une commission de cinq membres pour concerter avec les ministres les mesures de défense, et les moyens de négocier la paix.

Au calme, avec lequel Lucien fut écouté, succéda une grande agitation : d'après les mesures de défense prises par le gouvernement, la France ne pouvait résister aux armées coalisées. Napoléon, d'abord reçu avec enthousiasme, avait tout refroidi par ses fautes, et prouvé que la liberté était incompatible avec un chef militaire. Les puissances ne faisaient la guerre qu'à lui ; il n'avait qu'un moyen de sauver la patrie, c'était l'abdication. S'il ne prenait pas ce parti, restait la déchéance. Tel est le résumé des discours de Jay et de Henri Lacoste [1], inspirés par Fouché. Les ministres en parurent fort peu émus ; il répondit, en leur nom, aux interpellations qui leur étaient adressées, qu'ils n'avaient rien à ajouter au message. Ils étaient en pleine défection.

Lucien seul répliqua : La masse de la nation est unie de cœur à l'Empereur ; Napoléon n'est qu'un prétexte pour l'étranger, dont le véritable but est d'envahir et de partager la France ; on a exagéré les pertes de l'armée ; on a encore assez de ressources pour résister à l'ennemi ; si la nation abandonnait dans ce moment son Empereur, on l'accuserait de légèreté et d'inconstance, elle compromettrait son honneur aux yeux de la postérité.

Le gant avait été jeté : si l'on n'emportait pas l'abdication de Napoléon, on craignait toujours la dictature et toutes ses suites. Ceux qui s'étaient mis en avant croyaient combattre pour leurs têtes. Un grand nombre pensaient de bonne foi, que la liberté et la France n'avaient plus rien à espérer de Napoléon ; qu'il attirerait tous les malheurs sur la patrie. La chambre tout entière était flattée de voir la tribune triompher du sceptre et de l'épée.

Lafayette répondit aux reproches d'inconstance faits par Lucien à la nation : « Elle a suivi Napoléon dans les sables de l'Égypte et les déserts de la Russie, sur cinquante champs de bataille, dans ses désastres comme dans ses victoires, et c'est pour l'avoir suivi que nous avons à regretter le sang de trois millions de Français. » Ces paroles prononcées avec amertume firent une impression profonde. Dupin, Manuel et plusieurs autres, parlèrent dans le même sens que Jay[1].

Toute cette discussion dans laquelle la chambre parut plus que jamais décidée à se séparer de Napoléon, n'aboutit pour le moment qu'à une mesure dilatoire.

La séance redevint publique à huit heures du soir et la chambre délibéra, qu'une commission de cinq de ses membres se concerterait avec une commission de la chambre des pairs et les ministres, pour arrêter les mesures de salut public qu'exigeraient les circonstances. Cette commission fut composée du président Lanjuinais, des quatre vice-présidents Lafayette, Flaugergues, Dupont (de l'Eure) et le général Grenier.

La chambre des pairs, qui n'avait jamais été que le satellite de la chambre des représentants, prit la même résolution, et composa sa commission de Cambacérès président, de Boissy-d'Anglas, Thibaudeau, des généraux Drouot, Andréossy et Dejean.

CHAPITRE CXVI

De retour à l'Élysée, Lucien ne dissimula pas qu'il fallait ou dissoudre les chambres ou abdiquer. Napoléon ne prenait aucune résolution ; il flottait entre les avis divers de ses conseillers, dont la majorité cependant inclinait pour l'abdication.

Les deux commissions se réunirent à onze heures du soir, aux Tuileries, avec les ministres et les ministres d'État, sous la présidence de Cambacérès. Cette grande salle du Conseil d'État, témoin de tant de vicissitudes, ce palais désert, le silence de la nuit, et la gravité des circonstances, inspiraient la tristesse et une sorte d'effroi. À la discrétion des orateurs, à la modération des discours, au soin avec lequel on évitait d'abord de prononcer le nom de l'Empereur, on eût dit qu'encore tout-puissant il était caché pour entendre ou que les murs étaient ses espions ; son génie semblait planer sur l'assemblée pour la contenir plus que pour l'inspirer. Les ministres proposèrent tranquillement une levée d'hommes, une loi de haute police et des mesures de finances, à peu près comme on demandait autrefois au sénat des conscrits, au corps législatif de l'argent.

Pas un mot des désastres de Waterlo, de leurs causes, de leur étendue, de la situation de l'armée, des ressources, de la question agitée dans le comité secret sur les obstacles que pourrait apporter la personne de Napoléon à la paix.

L'assemblée était divisée en deux partis, celui de Napoléon et celui des chambres. Ce dernier posa pour base de la délibération que l'on sacrifierait tout pour la patrie, excepté la liberté constitutionnelle et l'intégrité du territoire. Ce principe emportait l'abdication de Napoléon ; les chambres y étaient décidées. Les représentants insistèrent sur l'urgence de faire marcher de front les négociations avec les mesures de défense, et d'envoyer à l'ennemi des négociateurs au nom des chambres, puisqu'il ne voulait pas traiter avec Napoléon. Les impériaux objectaient que ce serait prononcer de fait la déchéance de l'Empereur ; ils avaient raison ; un reste de pudeur empêchait ses ministres d'y consentir. Ce scrupule n'arrêtait pas Fouché, il opinait comme les représentants.

Cette discussion ayant réchauffé les esprits, amena la question de l'abdication. Lafayette rappela ce qui s'était passé dans le comité secret, et proposa à l'assemblée de se rendre tout entière auprès de Napoléon, pour lui représenter que son abdication était devenue nécessaire aux intérêts de la patrie. Les impériaux s'y opposèrent. Cambacérès prudemment déclara qu'il ne pouvait pas mettre aux voix des propositions de cette espèce. D'ailleurs, les impériaux n'avaient qu'une petite majorité. On se borna donc à adopter leurs mesures de défense et l'avis qu'ils ouvrirent, d'entamer de suite des négociations au nom de la nation par des plénipotentiaires nommés par Napoléon. Mais les représentants manifestèrent jusqu'à la fin l'opinion que ces mesures ne seraient point adoptées par les chambres, l'intention de les combattre, et la conviction que la marche rapide des évènements amènerait le lendemain des déterminations violentes contre Napoléon, telles que sa déchéance, s'il ne la prévenait pas par son abdication.

Pendant le reste de la nuit et le 22 au matin, chaque parti se prépara au grand évènement qui devait nécessairement signaler cette journée. À la chambre des représentants, si elle prononçait la déchéance de Napoléon, on craignait d'offenser l'armée et d'amener quelques déchirements. On préférait que Napoléon abdiquât de propre mouvement et par dévouement à la patrie.

À l'Élysée, on flottait entre la violence et la faiblesse ; courtisans, ministres, princes, Napoléon lui-même, tout était dans la plus grande perplexité ; on sentait le pouvoir s'échapper, on n'avait ni la volonté de le remettre, ni la force de le retenir. Lucien seul conseillait d'en finir par un coup d'État[1].

Les chambres s'assemblèrent et demandèrent le rapport de leurs commissions. Celle de la chambre des représentants retardait tant qu'elle pouvait. Elle attendait l'issue des instances qu'on faisait auprès de Napoléon pour le décider à un sacrifice qui parût spontané. On ne put arracher de lui que son consentement à ce que les chambres envoyassent une députation pour négocier avec les puissances, et la promesse qu'il abdiquerait lorsqu'il serait constaté qu'il était le seul obstacle à la paix, et si elles consentaient à assurer à ce prix l'indépendance de la nation et l'intégrité du territoire.

Rapporteur de la commission des représentants, le général Grenier présenta ces résolutions comme le résultat de la délibération de la nuit. Au point où l'on en était venu des termes moyens ne pouvaient plus suffire ; Duchesne, Lafayette, Sébastiani exigeaient l'abdication, sinon la déchéance. Les moins violents insistaient seulement pour qu'on laissât à Napoléon le temps nécessaire, afin que l'abdication parût du moins la libre expression de sa volonté ; la chambre lui accorda un délai d'une heure et suspendit sa séance.

Regnaud, le général Solignac, Durbach, Flaugergues firent successivement des démarches auprès de l'Empereur pour le décider à l'abdication ; il résista longtemps, se promenant extrêmement agité, à grands pas, dans son cabinet, dans le jardin, et disant : « Puisqu'on veut me faire violence, je n'abdiquerai point.... La chambre n'est qu'un composé de jacobins et d'ambitieux ! j'aurais dû les chasser.... Qu'on me laisse réfléchir en paix dans l'intérêt de mon fils, dans celui de la France...... Ma tête est à votre disposition...... Quand j'aurai abdiqué vous n'aurez plus d'armée.... Dans huit jours vous aurez l'étranger à Paris[1]. » Mais Napoléon parlait à des sourds et criait dans le désert. Son frère Joseph, Lucien lui-même[2], ne voyant plus moyen de résister, le conjurèrent de se soumettre à son destin. « Écrivez à ces messieurs, dit-il à Fouché avec un sourire ironique, de se tenir tranquilles, ils vont être satisfaits. » Fouché n'y manqua pas et écrivit à Manuel. Napoléon dicta à Lucien son abdication en ces termes :

DÉCLARATION AU PEUPLE FRANÇAIS

Français ! en commençant la guerre pour soutenir l'indépendance nationale, je comptais sur la réunion de tous les efforts, de toutes les volontés et le concours de toutes les autorités nationales. J'étais fondé à en espérer le succès, et j'avais bravé toutes les déclarations des puissances contre moi ; les circonstances paraissent changées, je m'offre en sacrifice à la haine des ennemis de la France. Puissent-ils être sincères dans leurs déclarations et n'en avoir jamais voulu qu'à ma personne ! Ma vie politique est terminée, et je proclame mon fils sous le titre de Napoléon II, empereur des Français. Les ministres actuels formeront provisoirement le conseil de gouvernement. L'intérêt que je porte à mon fils m'engage à inviter les chambres à organiser, sans délai, la régence par une loi. Unissez-vous tous pour le salut public et pour rester une nation indépendante.

Donné au palais de l'Élysée, le 22 juin 1815.

Les ministres portèrent cette déclaration aux chambres.

Fouché, qui avait le plus poussé à l'abdication, recommanda Napoléon aux égards et à la protection des chambres. Regnaud émut les représentants par un tableau pathétique de tant de grandeur déchue. Il fut arrêté qu'une députation irait exprimer à Napoléon, au nom de la nation, le respect et la reconnaissance avec lesquels elle acceptait le noble sacrifice qu'il avait fait à l'indépendance et au bonheur du peuple français [1].

Les bureaux des deux chambres allèrent à l'Élysée ; il y régnait une grande solitude, le plus profond silence. Un très petit nombre d'hommes dévoués y était, tout le reste en était sorti avec l'abdication : c'était une répétition de Fontainebleau. Pour conserver un air calme, Napoléon faisait visiblement des efforts ; il y avait dans ses traits de l'altération et de l'abattement. La députation de la chambre des représentants vint la première. Lorsqu'elle eut rempli sa mission, Napoléon lui déclara franchement que son abdication livrait la France à l'étranger, lui recommanda cependant de renforcer promptement les armées, et insista fortement sur les droits de son fils. Le président Lanjuinais répondit que la chambre avait délibéré seulement sur le fait de l'abdication ; qu'il lui rendrait compte du vœu de l'Empereur pour son fils. Cette entrevue fut froide et sèche.

Par un jeu bizarre de la fortune, un des hommes qui, dans ses harangues, avait le plus flatté l'Empereur, Lacépède, lui porta la parole au nom de la chambre des pairs. Napoléon était debout, seul, sans appareil ; il répondit avec une aigreur mal dissimulée et sur le ton d'une conversation animée : « Je n'ai abdiqué qu'en faveur de mon fils... Si les chambres ne le proclamaient pas, mon abdication serait nulle... je rentrerais dans tous mes droits... D'après la marche que l'on prend, on ramènera les Bourbons... Vous verserez bientôt des larmes de sang... On se flatte d'obtenir d'Orléans[1], mais les Anglais ne le veulent pas ; d'Orléans lui-même ne voudrait pas monter sur le trône sans que la branche régnante eût abdiqué. Aux yeux des rois de droit divin, ce serait aussi un usurpateur. »

Les présidents convinrent d'une rédaction de la réponse de Napoléon pour la rapporter aux chambres, et le lendemain on l'inséra dans les journaux en ces termes :

> Je vous remercie des sentiments que vous m'exprimez. Je recommande aux chambres de renforcer les armées, et de les mettre dans le meilleur état de défense. Qui veut la paix doit se préparer à la guerre. Ne mettez pas cette grande nation à la merci de l'étranger, de peur d'être déçus dans vos espérances. Dans quelque position que je me trouve, je serai heureux si la France est libre et indépendante. Si j'ai remis le droit qu'elle m'a donné, à mon fils, de mon vivant, ce grand sacrifice, je ne l'ai fait que pour le bien de la nation et l'intérêt de mon fils, que j'ai, en conséquence, proclamé empereur.

Les partis avaient été à peu près d'accord pour arracher à Napoléon son abdication, l'un pour la régence, l'autre pour d'Orléans, celui-ci pour les Bourbons, tous pour écarter l'obstacle insurmontable qu'ils croyaient s'opposer à la paix.

On s'était pressé de démolir sans savoir ce qu'on reconstruirait. Les royalistes, leurs amis les étrangers, avaient seuls leur plan arrêté, la restauration des Bourbons. L'abdication les servait à merveille. À peine eut-elle été arrachée, que les partis furent embarrassés de leur triomphe. Quand l'épouvantail fut abattu, ils furent effrayés par le spectacle de tout ce que leur cachait sa présence.

ADOLPHE THIERS

Histoire du Consulat et de l'Empire

(t. XIX et XX, 1869)

Après le succès de son Histoire de la Révolution française *dans les années 1820, Adolphe Thiers (1797-1877) publie, vingt ans plus tard, une* Histoire du Consulat et de l'Empire. *Cette œuvre immense de vingt volumes paraît de 1845 à 1862. Thiers n'est plus alors un jeune historien mais un membre de l'Académie française depuis 1833 et un personnage politique influent de son temps puisqu'il a occupé les fonctions de président du Conseil sous le règne de Louis-Philippe, en 1836, puis en 1840. Thiers est un animal politique protéiforme : il est intellectuellement conservateur et philosophiquement libéral, son anticléricalisme le portant vers le républicanisme. C'est pourquoi il est royaliste en 1830, républicain en 1848, soutenant la candidature d'un Bonaparte, et républicain autoritaire au moment de la Commune de Paris, quand il s'agit de réprimer l'insurrection populaire. En 1871, il devient le premier président de la Troisième République. En résumé, il incarne ce centre-gauche, produit des contradictions du XIXe siècle, aussi bien acteur politique ayant le sens de la raison d'État qu'homme de lettres, rallié aux libertés individuelles de 1789. Sa condamnation à l'exil après le coup d'État de Louis Napoléon Bonaparte, le 2 décembre 1851, le surprend alors qu'il est en pleine rédaction de son* Histoire du Consulat et de l'Empire. *Il a maintenant le temps, et l'expérience amère du régime impérial, pour achever son œuvre.*

La thèse du livre est de la même nature composite que son auteur. D'un côté, Thiers admire et encense le génie militaire de Napoléon Ier, même à Waterloo où, malgré le brio de son plan de campagne et l'éclat de ses premières victoires, il subit une défaite à cause des défaillances de ses généraux. D'un autre côté, en bon républicain exilé du Second Empire, Thiers fait un portrait politique critique de l'empereur, trop attiré selon lui vers le despotisme. Le livre est un succès éditorial.

L'historiographie se querelle depuis juin 1815 pour savoir à qui revient la responsabilité de la défaite de Waterloo. Thiers sera accusé d'avoir calqué son interprétation de la bataille sur celle de Napoléon. Sa principale qualité est d'avoir livré une œuvre qui combine habilement histoire militaire et histoire politique — l'une étant d'ailleurs dépendante de l'autre. Thiers voulait trancher la question de Waterloo en s'en remettant, à la manière de Quinet, aux profanes de l'art militaire. Seul devait demeurer inviolable le mythe de Napoléon.

[Tome XIX]

LIVRE LVIII

[...]

Comment s'était présenté Napoléon en débarquant à Cannes ? Il s'était présenté en libérateur qui venait débarrasser la France des émigrés, mais sans attenter ni à la liberté ni à la paix. Paix et liberté étaient les deux mots qui n'avaient cessé de remplir ses discours depuis Grenoble. Proférer ces mots était facile, mais y faire croire ne l'était pas autant. Afin d'y parvenir, Napoléon avait déclaré partout, et avait même écrit à Vienne des diverses villes où il avait passé, qu'il acceptait le traité de Paris[1], et l'observerait fidèlement, bien qu'il n'eût pas voulu le signer. Cette déclaration avait charmé tous ceux qui l'avaient entendue, car ils avaient compris que s'il y avait une seule chance de sauver la paix, c'était d'annoncer sur-le-champ qu'on acceptait l'œuvre des puissances, c'est-à-dire l'ancienne frontière de 1789, un peu agrandie vers Landau et Chambéry. Or, si le lendemain de son entrée à Paris, Napoléon s'était élancé d'un bond sur la Meuse et le Rhin, on aurait nécessairement cru voir en lui le même homme qui avait conduit la fortune de la France à Moscou, pour la ramener par la route de Leipzig sur les hauteurs de Montmartre[1] ; on n'aurait plus douté de retrouver le conquérant, et avec le conquérant le despote qui avait perdu le pays et sa grandeur. Moralement il n'aurait eu personne pour lui, et matériellement il aurait eu quelques cadres vides, portés à l'immense distance du Rhin, où la difficulté de les recruter eût été triplée.

Si donc aux raisons militaires et administratives, on ajoute les raisons politiques, on peut affirmer qu'il y avait non seulement de puissants motifs de s'arrêter à Paris, mais nécessité absolue et indiscutable.

Aussi le parti de Napoléon était-il pris, une fois parvenu au centre de l'Empire, de s'y saisir des rênes du gouvernement, d'y offrir la paix aux puissances sur la base des traités de Paris et de Vienne, d'y endurer les refus humiliants auxquels il serait vraisemblablement exposé, de rendre ces refus publics au lieu de les dissimuler, afin de mettre avec lui l'orgueil de la nation, de profiter du répit de ces pourparlers pour armer avec son activité ordinaire, de tenir ses corps entre la capitale et la frontière du Nord pour rendre ses opérations plus faciles, puis en feignant l'inaction, de fondre tout à coup sur l'ennemi en pénétrant brusquement au milieu de ses cantonnements dispersés. C'étaient là les seules idées sensées, solides, dignes du génie administratif et militaire de Napoléon.

[...]

On réunit[2] sur la place du Carrousel environ vingt-cinq mille hommes, comprenant les troupes venues de Grenoble à Fontainebleau, celles du camp de Villejuif, et surtout le bataillon de l'île d'Elbe, qui avait exécuté à pied et en vingt jours la prodigieuse marche de deux cent quarante lieues. La garde nationale parisienne n'y fut point appelée, parce qu'elle n'avait point été préparée par quelques changements d'officiers à figurer dans une solennité où l'on allait célébrer le rétablissement de l'Empire. Mais la population avertie était accourue, et parmi les plus empressés se trouvaient naturellement ceux qui haïssaient les émigrés, ceux à qui la gloire impériale n'avait pas cessé d'être chère, et beaucoup de curieux que la merveilleuse expédition de l'île d'Elbe avait arrachés à leur indifférence. Du reste ou peut toujours ménager une fête brillante à un gouvernement, car tout gouvernement, si dépourvu qu'il soit, a ses partisans qui sont présents à ses solennités tandis que ses adversaires en sont absents, et qui applaudissent assez pour simuler l'universalité des citoyens. Ici d'ailleurs il y avait dans les événements accomplis de quoi toucher la population la plus froide. Le peuple des faubourgs en effet se rendit à la place du Carrousel pour applaudir l'homme qui plus qu'aucun autre avait remué son imagination, pour applaudir surtout les huit cents grenadiers et chasseurs de la garde, qui, après avoir suivi leur général dans l'exil, le ramenaient triomphant sur le trône de France. Ces vieux soldats, couverts de cicatrices, épuisés de fatigue, portant des chaussures en lambeaux, émurent vivement les assistants, et bon nombre d'entre eux répondirent non par des cris, mais par des larmes, aux acclamations de la foule. Les regards avides du public ne les quittaient que pour chercher sous sa redingote populaire le personnage fabuleux, qui venait de réaliser un nouveau miracle digne de sa fortune passée. On le trouvait engraissé, mais fortement bruni, ce qui corrigeait l'effet de son embonpoint, et promenant toujours autour de lui l'œil enflammé du génie. Il fit former les troupes en masse serrée autour de son cheval, les officiers en avant, et leur adressa de sa voix vibrante quelques paroles énergiques et passionnées. « Soldats, leur dit-il, je suis venu avec huit cents hommes en France, parce que je comptais sur l'amour du peuple et sur la mémoire de l'armée. Je n'ai pas été trompé dans mon attente. Soldats, je vous en remercie ! La gloire de ce que nous venons d'accomplir est toute au peuple et à vous. La mienne, à moi, c'est de vous avoir connus et devinés... Le trône des Bourbons était illégitime, parce que renversé par la nation il y a vingt ans[1], il n'avait été relevé que par des mains étrangères, parce qu'il n'offrait de garanties qu'à une minorité arrogante, dont les prétentions étaient contraires à vos droits. Le trône impérial peut seul garantir les intérêts de la nation, et le plus noble de ces intérêts, celui de notre gloire. Soldats, nous allons marcher pour chasser du territoire ces princes complices et instruments de l'ennemi, et arrivés à la frontière, nous nous y arrêterons... Nous ne voulons pas nous mêler des affaires des autres nations, mais malheur à celles qui voudraient se mêler des nôtres ! — Puis faisant approcher les officiers du bataillon de l'île d'Elbe, et les montrant aux troupes, Soldats, reprit Napoléon, voilà les officiers qui m'ont accompagné dans mon infortune ; ils sont tous mes amis, ils sont tous chers à mon cœur ! Chaque fois que je les voyais, je croyais revoir l'armée elle-même, car dans ces huit cents braves il y a des représentants de tous les régiments. Leur présence me rappelait ces immortelles journées, qui jamais ne s'effaceront ni de votre mémoire ni de la mienne. En les aimant, c'est vous que j'aimais ! Ils vous ont rapporté intactes et toujours glorieuses ces aigles que la trahison avait couvertes un moment d'un crêpe funèbre. Soldats, je vous les rends ; jurez-moi que vous les suivrez partout où l'intérêt de la patrie les appellera !... — Nous le jurons ! » répondirent-ils en agitant leurs baïonnettes, en brandissant leurs sabres. — L'émotion fut grande, parce que les sentiments auxquels s'adressait Napoléon étaient profonds chez les hommes qui écoutaient son allocution véhémente.

[...]

S'il parvenait à concilier son autorité avec l'indépendance toute nouvelle des esprits, et surtout à apaiser l'Europe, ou à la vaincre, il était certain de recommencer un second règne, moins éclatant peut-être, mais plus prospère que le premier, et plus méritoire s'il savait substituer les douceurs bienfaisantes de la paix aux sanglantes grandeurs de la guerre. Mais il avait toujours douté, sans le dire, de l'apaisement de l'Europe, et en réalité il ne comptait que sur une campagne courte et vigoureuse, exécutée avec les ressources que la France un peu reposée, et trois cent mille soldats revenus de l'étranger, offraient à son puissant génie militaire.

Il n'était que depuis quelques jours dans Paris, et il avait déjà pu s'apercevoir de la vérité de ses pressentiments, car tandis que tout se soumettait dans l'intérieur, tout prenait au-dehors un caractère de violence inouïe. Les Bourbons en se retirant avaient répandu une déclaration du congrès de Vienne qui était de la plus extrême gravité. On avait d'abord révoqué en doute l'authenticité de cette déclaration, et Napoléon avait favorisé ce doute qui lui convenait, mais aux résolutions, au style, il n'avait pu s'empêcher de reconnaître la fureur de ses ennemis, fureur qu'il s'était attirée par un intolérable abus de la victoire pendant plus de quinze années. Selon cette déclaration, les

puissances réunies à Vienne, considérant que Napoléon Bonaparte, en violant le traité du 11 avril[1], avait
détruit le seul titre légal sur lequel reposât son existence, et attenté au repos général, le mettaient hors la
loi des nations, ce qui le rendait passible du traitement réservé aux plus vils criminels. La conclusion
évidente, c'est que quiconque pourrait se saisir de lui
devrait le fusiller immédiatement, et serait considéré
comme ayant rendu à l'Europe un service signalé.
Ce n'était pas envers un grand homme, qui sans
contredit avait tourmenté l'Europe, mais dont tous
les princes vivants avaient flatté et exploité la puissance et venaient d'égaler l'ambition, ce n'était pas,
disons-nous, envers ce grand homme, un acte digne
des mœurs du siècle, et l'orgueil, l'avidité, la peur,
pouvaient seuls, non pas justifier cet acte, mais
l'expliquer.

[...]

Il reconnut que la résolution de le combattre était
poussée jusqu'à la fureur[2], et qu'on voulait le frapper
d'une véritable excommunication politique, emportant interdiction des rapports les plus simples, même
de ceux que le droit public, dans l'intérêt de l'humanité, commande d'entretenir en temps de guerre. Il
n'avait au fond jamais douté de ce qu'il venait d'apprendre, seulement il trouvait que la réalité dépassait
ses prévisions, et il n'en était ni surpris, ni courroucé,
car il sentait bien qu'il s'était attiré ce débordement
de colères. Il n'y a pas au monde de juge plus
infaillible, surtout contre lui-même, qu'un grand
esprit qui a failli, qui sent ses fautes, et qui voudrait
les réparer! Napoléon était donc résolu, malgré sa
bouillante nature, à ne céder à aucun emportement, à tout supporter, et à tout dire au public.
Jusqu'alors il s'était contenté, en passant des revues,
de répéter qu'il ne se mêlerait plus des affaires des

autres nations, mais qu'il ne souffrirait pas qu'on se
mêlât de celles de la France, et il n'avait pu aller plus
loin, n'ayant reçu aucune déclaration de guerre. Si en
effet il eût devancé les manifestations des cabinets
étrangers, on n'aurait pas manqué d'imputer à son
esprit querelleur cette promptitude à prêter des
intentions hostiles à l'Europe. Mais après des faits
patents, officiels, comme ceux qui venaient de se
produire, il n'y avait plus à hésiter : il fallait parler
ouvertement, pour que la France sût à quel état de
dépendance on prétendait la réduire, car on ne voulait pas même lui permettre de choisir son gouvernement, pour que les nations de l'Europe sussent aussi
qu'on allait de nouveau verser leur sang, non en vue
de leur indépendance, ou même de leur ambition,
puisque Napoléon concédait jusqu'aux arrangements
de Vienne, mais afin de satisfaire les passions de
leurs maîtres, pour que la nation anglaise enfin sût à
quel point on la trompait. Il était urgent en outre de
promulguer les décrets relatifs aux anciens militaires,
aux gardes nationaux mobilisés, et aux diverses
mesures d'armement, car si le travail préliminaire
avait pu jusqu'ici se faire dans les bureaux, la publicité officielle du *Moniteur* était désormais nécessaire
pour obtenir l'obéissance de ceux qu'on allait appeler
à la défense du pays. L'orgueil seul de Napoléon
aurait pu souffrir de ce qu'il allait publier, mais sa
gloire passée lui rendait toutes les humiliations bien
supportables, et d'ailleurs cet orgueil qui avait tant
failli, ne pouvait plus intéresser le monde qu'en
s'humiliant pour un grand but, celui d'éclairer
l'Europe sur la justice de sa cause[1].

[...]

Non content de la publicité donnée aux actes des
puissances envers la France, il voulut faire une manifestation personnelle, et la faire devant la garde

nationale de Paris, qu'on lui avait rendue suspecte au moment de son arrivée. Cette garde se composait du haut et moyen commerce de la capitale, de cette bonne bourgeoisie en un mot, qui aurait mieux aimé corriger les Bourbons en leur résistant légalement, que les renverser pour les remplacer par Napoléon, de qui elle attendait la guerre et peu de liberté. Toutefois si Napoléon était revenu sans elle, et presque malgré elle, il était revenu par une sorte de prodige, et sans verser une goutte de sang ; il se présentait comme amendé sous les rapports les plus essentiels ; il éloignait l'émigration, relevait les principes de 1789, faisait reluire la gloire de la France si chère au peuple de la capitale, et enfin il était menacé par l'Europe qui voulait le détruire par des moyens révoltants et attentatoires à l'indépendance nationale ! C'étaient là bien des motifs pour lui ramener la bourgeoisie parisienne, et, disons-le, tous les bons citoyens dont elle était remplie. Certainement il aurait fallu ne pas le laisser revenir, l'en empêcher même à tout prix, si on l'avait pu ; mais une fois remis en possession du pouvoir, donnant des signes frappants de retour à une politique saine au-dedans comme au-dehors, proscrit par l'Europe d'une manière qui impliquait la négation de tous nos droits, le soutenir était à la fois un acte de bon sens et de vrai patriotisme.

Du reste, dans un corps nombreux il y a toujours de toutes les opinions, en quantité plus ou moins grande selon l'esprit qui y règne, et il suffit d'ôter la parole aux uns, de la donner aux autres, pour en modifier les sentiments apparents, et quelquefois même les sentiments réels. Outre que par le fait seul du rétablissement paisible de Napoléon et par ses professions de foi, la garde nationale était fort apaisée, on avait changé beaucoup de ses officiers, et ranimé le zèle des hommes qui détestaient l'émigration et l'étranger.

Elle était donc disposée à faire à l'Empereur un accueil infiniment plus favorable que dans les premiers jours.

On la réunit le dimanche 16 avril sur la place du Carrousel, et on fit ranger d'un côté les quarante-huit bataillons dont elle se composait, et de l'autre les troupes belles et nombreuses qui traversaient la capitale pour se rendre aux frontières. Napoléon s'était réservé le commandement personnel de la milice parisienne, et n'avait délégué au général Durosnel, son aide de camp, que le commandement en second. Il en parcourut les rangs à cheval avec cette assurance imposante qu'il devait à la fermeté de son caractère et à vingt ans de commandement sur les plus grandes armées de l'univers. Les vives acclamations d'une minorité ardente, que la masse ne désapprouvait point mais n'imitait pas non plus, donnèrent presque à cette revue l'apparence de l'enthousiasme. Après avoir parcouru les rangs des quarante-huit bataillons Napoléon fit former les officiers en cercle autour de lui, et leur adressa, d'une voix claire et vibrante, l'allocution suivante.

« Soldats de la garde nationale de Paris, je suis bien aise de vous voir. Je vous ai formés il y a quinze mois pour le maintien de la tranquillité publique dans la capitale et pour sa sûreté. Vous avez rempli mon attente ; vous avez versé votre sang pour la défense de Paris, et si les troupes ennemies sont entrées dans vos murs, la faute n'en est pas à vous, mais à la trahison, et surtout à la fatalité qui s'est attachée à nos affaires dans ces malheureuses circonstances.

» Le trône royal ne convenait pas à la France. Il ne donnait aucune sûreté au peuple sur ses intérêts les plus précieux. Il nous avait été imposé par l'étranger, et s'il eût existé il eût été un monument de honte et de malheur. Je suis arrivé armé de toute la force du peuple et de l'armée pour faire disparaître cette tache, et rendre tout leur éclat à l'honneur et à la gloire de la France.

» Soldats de la garde nationale, ce matin même le télégraphe de Lyon m'a appris que le drapeau tricolore flotte à Antibes et à Marseille. Cent coups de canon, tirés sur toutes nos frontières, apprendront aux étrangers que nos dissensions civiles sont terminées ; *je dis les étrangers, parce que nous ne connaissons pas encore d'ennemis.* S'ils rassemblent leurs troupes, nous rassemblerons les nôtres. Nos armées sont toutes composées de braves qui se sont signalés dans cent batailles, et qui présenteront à l'étranger une barrière de fer, tandis que de nombreux bataillons de grenadiers et de chasseurs des gardes nationales garantiront nos frontières. Je ne me mêlerai point des affaires des autres nations ; malheur aux gouvernements qui se mêleraient des nôtres !...

» Soldats de la garde nationale, vous avez été forcés d'arborer des couleurs repoussées par la France, mais les couleurs nationales étaient dans vos cœurs. Vous jurez de les prendre toujours pour signe de ralliement, et de défendre ce trône impérial, seule et naturelle garantie de vos droits. Vous jurez de ne jamais souffrir que des étrangers, chez lesquels nous avons paru plusieurs fois en maîtres, se mêlent de notre gouvernement. Vous jurez enfin de tout sacrifier à l'honneur et à l'indépendance de la France !... »

Ce discours, parfaitement approprié à l'auditoire, et qui faisait sentir la gravité de la situation, fut chaleureusement applaudi par les officiers auxquels il s'adressait. Ils crièrent tous en agitant leurs épées : Nous le jurons, nous le jurons ! — Napoléon vit ensuite défiler sous ses yeux vingt mille hommes de garde nationale, à peu près autant de troupes de ligne, et il eut lieu de se féliciter de cette journée. Il avait dit à la France ce qu'il voulait qu'elle sût, et il avait fait sa paix avec la garde nationale parisienne, c'est-à-dire avec cette partie sage et honnête de la population, qui a toujours une influence décisive sur la destinée des gouvernements.

[...]

Le retour triomphal de Napoléon en France avait exercé sur les imaginations une sorte de prestige : non seulement ses amis personnels, mais tous ceux qui avaient trouvé dans le rétablissement de l'Empire la satisfaction de leurs passions, de leurs intérêts, ou de leurs préjugés, avaient éprouvé un instant d'enthousiasme dont ils n'avaient pu se défendre. Mais cet enivrement avait été de courte durée, et bientôt les difficultés avaient apparu, difficultés énormes au-dedans et au-dehors : au-dedans, division profonde des partis, diversité complète dans leurs vues, et par exemple, les bonapartistes bornant leurs prétentions au maintien de l'Empire, tandis que les révolutionnaires entendaient se servir de Napoléon un moment pour s'en débarrasser ensuite quand l'étranger serait repoussé ; au-dehors, passion effrénée de détruire l'homme redoutable qui était venu s'emparer encore une fois des forces de la France, et la France elle-même, dont on détestait l'énergie sans cesse renaissante. Bien qu'autrefois les partisans de Napoléon eussent une immense confiance dans sa fortune et dans son génie, bien que les derniers événements eussent en partie relevé cette confiance, ils étaient saisis d'une inquiétude secrète en voyant toutes les puissances de l'Europe marcher contre nous avec une ardeur incroyable, et ils se demandaient si la France aurait le moyen de résister à tant d'ennemis, si en moins d'une année elle aurait pu refaire assez complètement ses forces pour leur tenir tête à tous, si Napoléon enfin par ses combinaisons parviendrait à les écraser, car il ne faudrait pas moins que les écraser pour désarmer leur haine implacable. Lui-même, quoique doué d'une fermeté indomptable, n'avait plus cette audace sereine des temps passés, inspirée par une suite de succès prodigieux. Il était sérieux, même triste, cherchait à le dissimuler à tous les regards, et y réussissait grâce à la prodigieuse animation de son esprit. Mais il retombait sur lui-même dès qu'il se trouvait seul, ou dans son intimité qui était réduite à cinq ou six personnes, la reine Hortense, le prince Cambacérès, M. de Caulaincourt, M. de Bassano, M. Lavallette, et Carnot enfin qui en l'approchant de plus près s'était attaché à lui cordialement. Au milieu de ces personnages, qui avaient quelquefois le conseil jamais le reproche à la bouche, Napoléon parlait de toutes choses avec une sincérité parfaite, et vraiment noble lorsqu'il s'agissait de ses fautes. Il disait que les négociations tentées au-dehors n'étaient pas même des négociations, qu'on aurait dans deux mois l'Europe entière sur les bras, et que pour lui résister on aurait des forces un peu refaites sans doute par une année de repos, mais tellement inférieures en nombre qu'il faudrait des prodiges pour triompher. Il avait le sentiment que les souverains, élevés par sa ruine à un rang qu'ils n'avaient jamais occupé en Europe, ne consentiraient pas facilement à en descendre, que vaincus dans une campagne ils en recommenceraient une seconde, qu'il faudrait par conséquent se résigner à une lutte à mort, lutte que l'armée, que certaines provinces frontières soutiendraient avec vigueur et persévérance, mais que la nation, toujours prévenue contre les guerres du premier Empire, soutiendrait à contrecœur, parce qu'elle se croirait comme jadis sacrifiée à un seul homme. Napoléon ne se flattait donc pas beaucoup, et n'avait pas pris les acclamations des soldats ravis de revoir leur ancien général, des acquéreurs de biens nationaux charmés de recouvrer la sécurité perdue, des révolutionnaires débarrassés des outrages de l'émigration, pour l'assentiment sérieux et unanime de la nation. Il ne croyait de sa part ni à l'effort enthousiaste de 1793, ni à l'effort honnête et généreux de 1813 ; il ne comptait que sur ses soldats et sur lui-même, et s'il conservait quelques espérances c'était en songeant aux chances imprévues que la guerre fait naître, et dont un homme de génie comme lui pouvait profiter jusqu'à changer en un jour la face des choses. Ce qu'il sentait le plus et avec le plus d'amertume, sans oser dire qu'il y eût injustice, c'était l'incrédulité qu'il rencontrait partout en parlant de paix et de liberté. — Oui, disait-il, j'ai eu de vastes desseins, mais puis-je les avoir encore ? Quelqu'un peut-il supposer que je pense aujourd'hui à la Vistule [1], à l'Elbe, même au Rhin ? Ah ! certes, c'est une bien grande douleur que de renoncer à ces frontières géographiques, noble conquête de la Révolution, et s'il ne fallait y sacrifier que la vie de mes soldats et la mienne, le sacrifice serait bientôt fait ! Mais il ne s'agit pas même de cette ambition patriotique, puisque j'accepte le traité de Paris ; il s'agit de sauver notre indépendance, de ne pas recevoir la contre-révolution des mains de l'étranger. Ah ! je ne demande au sort qu'une ou deux victoires, pour rétablir le prestige de nos armes, pour reconquérir le droit d'être maîtres chez nous, et notre gloire relevée, notre indépendance reconquise, je suis prêt à conclure la paix la plus modeste. Mais, hélas ! l'Europe ne veut pas croire à cette disposition, et la France pas davantage !

LIVRE LIX

[...]

Repoussé par l'Europe, accueilli par les doutes de
la France dans un moment où il aurait eu besoin
de tout son appui, Napoléon, après vingt jours de joie,
tomba dans une sombre tristesse, qu'il ne secouait
dans certains moments qu'en travaillant à tirer des
débris de notre État militaire l'armée héroïque et malheureuse de Waterloo ! Ainsi triomphant des fautes
des Bourbons, succombant sous les siennes, il donna
au monde après tant de spectacles si grandement ins-
tructifs, un dernier spectacle, plus profondément
moral et plus profondément tragique que les précédents, le génie, vainement, quoique sincèrement
repentant ! Et, disons-le, au milieu de ces vicissitudes,
de ces vingt jours de courte joie, de ces cent jours de
tristesse mortelle, il y eut un acteur de ces grandes
scènes qui n'eut pas un jour de contentement, pas un
seul, ce fut la France ! la France victime infortunée
des fautes des Bourbons comme de celles de Napoléon, victime pour les avoir laissé commettre, ce qui
fut à elle sa faute et sa punition ! Triste siècle que le
nôtre, du moins pour ceux qui en ont vu la première
moitié[1] ! Fasse le Ciel que la génération qui nous suit,
et qui est appelée à en remplir la seconde moitié, voie
des jours meilleurs ! Mais qu'elle veuille bien nous en
croire, c'est en profitant des leçons dont ce demi-
siècle abonde, et que cette histoire s'attache à mettre
en lumière, qu'elle pourra obtenir ces jours meilleurs,
et surtout les mériter !

[Tome XX]

LIVRE LX

[...]

Grouchy, ainsi que l'a dit Napoléon, manqua à l'armée dans cette journée fatale, comme si un tremblement de terre l'eût fait disparaître du théâtre des événements. Ainsi l'oubli de son véritable rôle, qui était d'isoler les Prussiens des Anglais, fut la vraie cause de nos malheurs, nous parlons de cause matérielle, car pour les causes morales il faut les chercher plus haut, et à cette hauteur, Napoléon reparaît comme le vrai coupable !

Si on considère en effet cette campagne de quatre jours sous des rapports plus élevés, on y verra, non pas les fautes actuelles du capitaine, qui n'avait jamais été ni plus profond, ni plus actif, ni plus fécond en ressources, mais celles du chef d'État, qui s'était créé à lui-même et à la France une situation forcée, où rien ne se passait naturellement, et où le génie le plus puissant devait échouer devant des impossibilités morales insurmontables. Certes rien n'était plus beau, plus habile que la combinaison qui en quelques jours réunissait sur la frontière 124 mille hommes à l'insu de l'ennemi, qui en quelques heures donnait Charleroy à Napoléon, le plaçait entre les Prussiens et les Anglais, le mettait en position de les combattre séparément, et les Prussiens, les Anglais vaincus, lui laissait le temps encore d'aller faire face aux Russes, aux Autrichiens, avec les forces qui achèveraient de s'organiser pendant qu'il combattrait ! Mais les hésitations de Ney et de Reille le 15, renouvelées encore le 16, lesquelles rendaient incomplet un succès qui aurait dû être décisif, on peut les faire remonter jusqu'à Napoléon, car c'est lui qui avait

gravé dans leur mémoire les souvenirs qui les ébran-
laient si fortement! C'est lui qui dans la mémoire de
Reille avait inscrit Salamanque et Vittoria[1], dans
celle de Ney, Dennewitz, Leipzig, Laon, et enfin
Kulm dans celle de Vandamme! Si le lendemain de la
bataille de Ligny on avait perdu la journée du 17, ce
qui du reste n'était pas très regrettable, la faute en
était encore aux hésitations de Ney pour une moitié
du jour, à un orage pour l'autre moitié. Cet orage
n'était certes le fait de personne, ni de Napoléon, ni
de ses lieutenants, mais ce qui était son fait, c'était de
s'être placé dans une situation où le moindre accident
physique devenait un grave danger, dans une situation où, pour ne pas périr, il fallait que toutes les
circonstances fussent favorables, toutes sans exception, ce que la nature n'accorde jamais à aucun capitaine.

La perte de la matinée du 18 n'était encore la faute
de personne, car il fallait absolument laisser le sol se
raffermir sous les pieds des chevaux, sous la roue des
canons, et après tout on ne pouvait croire que le
temps qu'on donnerait au sol pour se consolider,
serait tout simplement donné aux Prussiens pour arriver. Mais si Reille était découragé devant Goumont, si
Ney, d'Erlon après avoir eu la fièvre de l'hésitation le
16, avaient celle de l'emportement le 18, et dépen-
saient nos forces les plus précieuses avant le moment
opportun, nous le répéterons ici, on peut faire remonter à Napoléon qui les avait placés tous dans des positions si étranges, la cause de leur état moral, la cause
de cet héroïsme, prodigieux mais aveugle. Enfin si
l'attention de Napoléon attirée à droite avec sa personne et sa réserve, manquait au centre pour y prévenir de graves fautes, le tort en était à l'arrivée des
Prussiens, et le tort de l'arrivée des Prussiens était non
pas à la combinaison de détacher sa droite pour les

occuper, car il ne pouvait les laisser sans surveillance, sans poursuite, sans obstacle opposé à leur retour, mais à Grouchy, à Grouchy seul quoi qu'on en dise ! mais le tort d'avoir Grouchy, ah ! ce tort si grand était à Napoléon, qui, pour récompenser un service politique, avait choisi un homme brave et loyal sans doute, mais incapable de mener une armée en de telles circonstances. Enfin avec vingt, trente mille soldats de plus, Napoléon aurait pourvu à tous ces accidents, mais ces vingt, ces trente mille soldats étaient en Vendée, et cette Vendée faisait partie de la situation extraordinaire dont il était l'unique auteur. C'était en effet une extrême témérité que de se battre avec 120 mille hommes contre 220 mille, formés en partie des premiers soldats de l'Europe, commandés par des généraux exaspérés, résolus à vaincre ou à mourir, et cette témérité si grande était presque de la sagesse dans la situation où Napoléon se trouvait, car ce n'était qu'à cette condition qu'il pouvait gagner cette prodigieuse gageure de vaincre l'Europe exaspérée avec les forces détruites de la France, forces qu'il n'avait eu que deux mois pour refaire. Et pour ne rien omettre enfin, cet état fébrile de l'armée, qui après avoir été sublime d'héroïsme tombait dans un abattement inouï, était comme tout le reste l'ouvrage du chef d'État qui, dans un règne de quinze ans, avait abusé de tout, de la France, de son armée, de son génie, de tout ce que Dieu avait mis dans ses prodigues mains ! Chercher dans l'incapacité militaire de Napoléon les causes d'un revers qui sont toutes dans une situation qu'il avait mis quinze ans à créer, c'est substituer non seulement le faux au vrai, mais le petit au grand. Il y eut à Waterloo bien autre chose qu'un capitaine qui avait perdu son activité, sa présence d'esprit, qui avait vieilli en un mot, il y avait un homme extraordinaire, un guerrier incomparable, que tout son génie ne put sauver des conséquences de ses fautes politiques, il y eut un géant qui, voulant lutter contre la force des choses, la violenter, l'outrager, était emporté, vaincu comme le plus faible, le plus incapable des hommes. Le génie impuissant devant la raison méconnue, ou trop tard reconnue, est un spectacle non seulement plus vrai, mais bien autrement moral qu'un capitaine qui a vieilli, et qui commet une faute de métier ! Au lieu d'une leçon digne du genre humain qui la reçoit, de Dieu qui la donne, ce serait un thème bon à discuter devant quelques élèves d'une école militaire.

Au surplus, cet homme extraordinaire on allait le retrouver devant ces causes morales qu'il avait soulevées, et on va le voir, dans le livre qui suit, essuyer une dernière catastrophe, où les causes morales sont encore tout, et les causes matérielles presque rien, car si les petits événements peuvent dépendre des causes matérielles, les grands événements ne dépendent que des causes morales. Ce sont elles qui les produisent, les forcent même à s'accomplir, en dépit des causes matérielles. L'esprit gouverne, et la matière est gouvernée : quiconque observe le monde et le voit tel qu'il est, n'y peut découvrir autre chose.

LIVRE LXII

[...]

En descendant vers les temps modernes, on ne rencontre plus de ces figures colossales, soit que la proximité diminue les prestiges, soit que le monde en se régularisant laisse moins de place aux existences extraordinaires ! Charles-Quint, avec sa profondeur et sa tristesse, Henri IV, avec sa séduction et sa fine politique, les Nassau, avec leur constance, Gustave-Adolphe [1],

vainqueur avec si peu de soldats de l'Empire germa-
nique, Cromwell, assassin de son Roi et dominateur de
la révolution anglaise, Louis XIV, avec sa majesté et son
bon sens, ne s'élèvent pas à la hauteur des glorieuses
figures que nous avons essayé de peindre. Il faut arriver
à deux hommes, Frédéric et Napoléon, que le double
éclat de l'esprit et du génie militaire place, le premier
assez près, le second tout à fait au niveau des grands
hommes de l'Antiquité. Frédéric, sceptique, railleur,
chef couronné des philosophes du dix-huitième siècle,
contempteur de tout ce qu'il y a de plus respectable au
monde, se moquant de ses amis mêmes, prédestiné en
quelque sorte pour braver, insulter, humilier l'orgueil
de la maison d'Autriche et du vieil ordre de choses
qu'elle représentait, osant au sein de l'Europe bien
assise, où les places étaient si difficiles à changer,
osant, disons-nous, entreprendre de créer une puissance nouvelle, ayant eu l'honneur d'y réussir en luttant
à lui seul contre tout le continent, grâce il est vrai à la
frivolité des cours de France et de Russie, grâce aussi à
l'esprit étroit de la cour d'Autriche, et après avoir fait
vingt ans la guerre, maintenant par la politique la plus
profonde la paix du continent, jusqu'à partager auda-
cieusement la Pologne sans être obligé de tirer un coup
de canon, Frédéric est une figure originale et saisissante, à laquelle cependant il manque la grandeur bien
que les grandes actions n'y manquent pas, soit parce
que Frédéric après tout n'a fait que changer la proportion des forces dans l'intérieur de la Confédération ger-
manique, soit parce que cette figure railleuse [1] n'a point
la dignité sérieuse qui impose aux hommes !

   La grandeur ! ce n'est pas ce qui manque à celui qui
lui a succédé et l'a surpassé dans l'admiration et le
ravage du monde ! Il était réservé à la Révolution
française, appelée à changer la face de la société
européenne, de produire un homme qui attirerait

autant les regards que Charlemagne, César, Annibal
et Alexandre. À celui-là ce n'est ni la grandeur du rôle,
ni l'immensité des bouleversements, ni l'éclat, l'étendue, la profondeur du génie, ni le sérieux d'esprit qui
manquent pour saisir, attirer, maîtriser l'attention du
genre humain! Ce fils d'un gentilhomme corse, qui
vient demander à l'ancienne royauté l'éducation dis-
pensée dans les écoles militaires à la noblesse pauvre,
qui, à peine sorti de l'école, acquiert dans une émeute
sanglante[1] le titre de général en chef, passe ensuite de
l'armée de Paris à l'armée d'Italie, conquiert cette
contrée en un mois, attire à lui et détruit successivement toutes les forces de la coalition européenne, lui
arrache la paix de Campo-Formio[2], et déjà trop grand
pour habiter à côté du gouvernement de la République, va chercher en Orient des destinées nouvelles,
passe avec cinq cents voiles à travers les flottes
anglaises, conquiert l'Égypte en courant, songe alors
à envahir l'Inde en suivant la route d'Alexandre, puis
ramené tout à coup en Occident par le renouvelle-
ment de la guerre européenne, après avoir essayé
d'imiter Alexandre, imite et égale Annibal en franchissant les Alpes, écrase de nouveau la coalition et
lui impose la belle paix de Lunéville[3], ce fils du
pauvre gentilhomme corse a déjà parcouru à trente
ans une carrière bien extraordinaire! Devenu
quelque temps pacifique, il jette par ses lois les bases
de la société moderne, puis se laisse emporter à son
bouillant génie, s'attaque de nouveau à l'Europe, la
soumet en trois journées, Austerlitz, Iéna, Friedland,
abaisse et relève les empires, met sur sa tête la couronne de Charlemagne, voit les rois lui offrir leur
fille, choisit celle des Césars, dont il obtient un fils qui
semble destiné à porter la plus brillante couronne de
l'univers[4]; de Cadix se porte à Moscou, succombe
dans la plus grande catastrophe des siècles, refait sa

fortune, la défait de nouveau, est confiné dans une petite île, en sort avec quelques centaines de soldats fidèles, reconquiert en vingt jours le trône de France, lutte de nouveau contre l'Europe exaspérée, succombe pour la dernière fois à Waterloo, et après avoir soutenu des guerres plus grandes que celles de l'empire romain, s'en va, né dans une île de la Méditerranée, mourir dans une île de l'Océan, attaché comme Prométhée sur un rocher par la haine et la peur des rois, ce fils du pauvre gentilhomme corse a bien fait dans le monde la figure d'Alexandre, d'Annibal, de César, de Charlemagne ! Du génie, il en a autant que ceux d'entre eux qui en ont le plus ; du bruit, il en a fait autant que ceux qui ont le plus ébranlé l'univers ; du sang, malheureusement il en a versé plus qu'aucun d'eux. Moralement il vaut moins que les meilleurs de ces grands hommes, mais mieux que les plus mauvais. Son ambition est moins vaine que celle d'Alexandre, moins perverse que celle de César, mais elle n'est pas respectable comme celle d'Annibal, qui s'épuise et meurt pour épargner à sa patrie le malheur d'être conquise. Son ambition est l'ambition ordinaire des conquérants, qui aspirent à dominer dans une patrie agrandie par eux. Pourtant il chérit la France, et jouit de sa grandeur autant que de la sienne même. Dans le gouvernement il aime le bien, le poursuit en despote, mais n'y apporte ni la suite, ni la religieuse application de Charlemagne. Sous le rapport de la diversité des talents il est moins complet que César, qui ayant été obligé de séduire ses concitoyens avant de les dominer, s'est appliqué à persuader comme à combattre, et sait tour à tour parler, écrire, agir, en restant toujours simple. Napoléon, au contraire, arrivé tout à coup à la domination par la guerre, n'a aucun besoin d'être orateur, et peut-être ne l'aurait jamais été quoique doué d'éloquence naturelle, parce que jamais il n'aurait pris la peine d'analyser patiemment sa pensée devant des hommes assemblés, mais il sait écrire néanmoins comme il sait penser, c'est-à-dire fortement, grandement, même avec soin, parfois est un peu déclamatoire comme la Révolution française, sa mère, discute avec plus de puissance que César, mais ne narre pas avec sa suprême simplicité, son naturel exquis. Inférieur au dictateur romain sous le rapport de l'ensemble des qualités, il lui est supérieur comme militaire, d'abord par plus de spécialité dans la profession, puis par l'audace, la profondeur, la fécondité inépuisable des combinaisons, n'a sous ce rapport qu'un égal ou un supérieur (on ne saurait le dire), Annibal, car il est aussi audacieux, aussi calculé, aussi rusé, aussi fécond, aussi terrible, aussi opiniâtre que le général carthaginois, en ayant toutefois une supériorité sur lui, celle des siècles. Arrivé en effet après Annibal, César, les Nassau, Gustave-Adolphe, Condé, Turenne, Frédéric, il a pu pousser l'art à son dernier terme. Du reste, ce sont les balances de Dieu qu'il faudrait pour peser de tels hommes, et tout ce qu'on peut faire c'est de saisir quelques-uns des traits les plus saillants de leurs imposantes physionomies.

Pour nous Français, Napoléon a des titres que nous ne devons ni méconnaître ni oublier, à quelque parti que notre naissance, nos convictions ou nos intérêts nous aient attachés. Sans doute en organisant notre état social par le Code civil, notre administration par ses règlements, il ne nous donna pas la forme politique sous laquelle notre société devait se reposer définitivement, et vivre paisible, prospère et libre ; il ne nous donna pas la liberté, que ses héritiers nous doivent encore ; mais, au lendemain des agitations de la Révolution française, il ne pouvait nous procurer que l'ordre, et il faut lui savoir gré de nous avoir donné avec l'ordre notre état civil et notre organisation administrative. Malheureusement pour lui et pour nous, il a perdu notre grandeur, mais il nous a laissé la gloire qui est la grandeur morale, et ramène avec le temps la grandeur matérielle. Il était par son génie fait pour la France, comme la France était faite pour lui. Ni lui sans l'armée française, ni l'armée française sans lui, n'auraient accompli ce qu'ils ont accompli ensemble.

JEAN-BAPTISTE CHARRAS

Histoire de la campagne de 1815. Waterloo
(1857)

Il est difficile, pour le lecteur contemporain, de se faire une idée juste du degré de notoriété auquel était parvenu le colonel Charras lorsqu'il publia en 1857 son Histoire de la campagne de 1815. *La sortie de son livre à Bruxelles eut un formidable écho, comme en atteste le succès éditorial immédiat. Charras en est le premier surpris, lui qui ne s'attendait pas à être autant sollicité par une grande partie de la presse européenne de l'époque, et même américaine. Le bicentenaire de Waterloo est l'occasion de rappeler la mémoire de cet historien aujourd'hui presque inconnu du public, qui s'était fait un nom dans la littérature militaire et républicaine du XIXe siècle, aux côtés de Quinet, Thiers et Hugo, essentiellement grâce à la publication d'un ouvrage sur Waterloo et Napoléon.*

Jean-Baptiste Charras est né à Phalsbourg en 1810 et mourut à Bâle, en exil, durant l'année 1865. Cet ardent républicain, sorti de l'École polytechnique, prit les armes lors de la révolution de 1830 et fut élu député du Puy-de-Dôme en 1848. Opposant à Louis Napoléon Bonaparte, il est condamné à l'exil, ainsi qu'un grand nombre d'écrivains républicains de cette époque. Il profite de son exil à Bruxelles pour faire des recherches dans les plaines où se sont déroulés les affrontements de juin 1815. Privé de la possibilité de faire des recherches dans les archives françaises, il a pour sources de ses travaux les archives des Pays-Bas, les livres d'histoire français, allemands, hollan-

dais et anglais sur le sujet. Il fait alors une découverte capi-
tale : le récit qu'a fait Napoléon sur Waterloo à Sainte-
Hélène repose sur des erreurs de l'empereur, si ce n'est sur
des mensonges de ce dernier. Comme Charras l'écrit lui-
même dans l'avant-propos de la première édition de 1857 :
« J'avais cru, je le répète, aux écrits de Napoléon. Mais, du
moment où il me fut démontré que la vérité ne pouvait s'y
trouver, je la cherchai résolument. Pour la découvrir, j'ai
dû remonter aux sources de l'histoire. » C'est donc avec un
esprit hautement critique qu'il entreprend d'écrire son
récit de Waterloo pour rétablir les vérités objectives si utiles
à la compréhension de l'histoire militaire de la guerre de
1815.

Pour Charras, après enquête, il semble indubitable que
Napoléon est le principal artisan de la défaite de Waterloo, et
il le démontre. La gloire de l'empereur est ébréchée. Les enne-
mis de l'Empire s'en félicitent, comme Karl Marx qui écrit :
« Le colonel Charras a, le premier, engagé l'offensive contre le
culte de Napoléon dans son ouvrage sur la campagne de
1815. Depuis, et notamment au cours de ces dernières
années, la littérature française, au moyen des armes de la
recherche historique, de la critique, de la satire et de l'ironie,
a donné le coup de grâce à la légende de Napoléon. »

Mais d'autres intellectuels, comme Thiers, reprochent à
Charras d'avoir livré une œuvre trop politique, où l'histoire
est sacrifiée au profit d'une lecture partiale des événements
de 1815. Charras contre-attaque et répond à Thiers dans la
préface de la quatrième édition de son livre, devenu un clas-
sique. Une vaste polémique, donnant lieu à une joute histo-
riographique célèbre, vient de naître entre les deux hommes.
De ce jour, Waterloo voit s'affronter les partisans de Charras
et les adhérents à la thèse de Thiers. Autrement dit, c'est
la querelle entre ceux qui rendent Napoléon responsable
de la défaite et ceux qui le lavent de la boue et du sang de
Waterloo. Tel était en effet ce XIXᵉ siècle où Waterloo, à la
manière du procès de Louis XVI, du 9 thermidor ou du
2 décembre 1851, était l'objet des débats les plus passionnés
de l'époque, et sans doute parmi les plus passionnants. Un

temps où, comme disait Tacite, l'histoire était une entreprise
sine ira et studio *(sans colère ni complaisance).*

*[Ce premier extrait est tiré de la préface de la quatrième
édition, parue en 1869.]*

Quelques personnes, m'a-t-on dit, m'ont reproché
d'avoir discuté, blâmé Napoléon. Sa gloire, assurent-
elles, appartenant à la France, on ne doit la diminuer
par aucune critique.

Ce sophisme, je le connais de longue date. Inventé
dans un intérêt de parti, accepté comme un article
de foi par la prévention et l'ignorance, il ne m'a pas
arrêté naguère [1] ; il ne m'émeut pas aujourd'hui.

Il est la négation de l'histoire. Généralisé, appliqué
aux souverains qui ont régné sur la France, aux capitaines qui en ont commandé les armées, il ferait de
nos annales un recueil de mensongères et inutiles
légendes.

Les droits et les devoirs de l'historien sont fixés
depuis des siècles par la conscience universelle. Le
fétichisme napoléonien ne les effacera pas.

L'historien est tenu de dire la vérité, la vérité tout
entière, sans réserve, sur les choses, sur les hommes,
quels qu'ils soient. Ce n'est qu'en se pliant à cette obligation qu'il peut faire œuvre réellement nationale et
utile.

D'ailleurs, pour ce qui est de la France, elle est assez
riche de légitime gloire pour ne pas vouloir qu'on aug-
mente cette richesse par la fiction, par le mensonge ;
et elle a le cœur assez haut placé pour recevoir, non
seulement avec sérénité, mais encore avec gratitude,
la leçon même dont la justesse blesserait le plus vivement son orgueil.

Mais, après tout, ici, dans le récit de cette funeste guerre de 1815, qu'a-t-elle à gagner à ce que, infidèle à son devoir, substituant le faux au vrai, répétant la fable imaginée à Sainte-Hélène, l'histoire raconte que Napoléon se montra capitaine accompli, et que la catastrophe de nos armes fut causée par ses lieutenants ? Rien, évidemment ; car, si cette contre-vérité laisse intacte la gloire de Napoléon, elle altère, en revanche, celle de d'Erlon, de Reille, de Vandamme, de Soult, de Grouchy, de Ney, qui, elle aussi, appartient à la France.

Ceux qui nous reprochent d'avoir, en critiquant, en blâmant Napoléon, atteint la gloire nationale, ne sont donc pas même conséquents avec leur sophisme, eux qui accablent du poids de leurs critiques et de leurs blâmes toute une pléiade d'illustres généraux.

Un autre reproche m'a été adressé directement ; et celui-là, je tiens à le noter comme un exemple des aveugles colères que j'ai suscitées en rompant avec la légende de Sainte-Hélène.

Le rédacteur anonyme de certains Mémoires sans intérêt a écrit tout récemment que j'avais voulu enlever à la France la dernière consolation qu'elle trouvait, dans son malheur, à penser que *l'honneur de son armée était resté debout* au milieu des ruines.

Je le dis sans détour, si j'eusse rencontré des faits peu honorables pour l'armée française de 1815, je les aurais consciencieusement rapportés et sévèrement blâmés. C'est en dénonçant, en flétrissant la faiblesse, la mauvaise conduite, qu'on en empêche le retour et non en les couvrant du voile d'une complaisance menteuse. Mais la vérité n'a exigé de moi rien de pareil. J'ai pu, sans cesser un instant de lui être fidèle, montrer partout nos soldats braves, intrépides, héroïques ; même, quand il m'a fallu raconter l'effroyable déroute, j'ai pu, avec toute justice, en rejeter l'entière responsabilité sur leur chef, sur Napoléon qui avait épuisé leurs forces, avec une imprévoyance inouïe, dans une lutte de plus en plus inégale, et s'était obstiné à ne pas voir que le nombre allait infailliblement les écraser, qu'il les mettait aux prises avec l'impossible. Aussi, résumant d'un mot ma pensée sur eux, ai-je écrit que « si on voulait leur rendre justice pour cette fatale rencontre, on n'exalterait jamais assez leur valeur ».

[...]

M. Thiers s'est plu à reproduire le Napoléon des cent-jours, inventé par le prisonnier de Sainte-Hélène [1], ce Napoléon converti spontanément, sincèrement aux idées libérales ; exposant, sans délai, avec franchise à la France tout le péril de la situation créée par le retour de l'île d'Elbe ; pratiquant loyalement le gouvernement constitutionnel ; prompt, résolu, actif, infatigable dans l'organisation de la défense nationale ; non moins résolu, non moins actif, non moins infatigable dans la conduite de la guerre et n'échouant, ne succombant que par les fautes accumulées de la plupart de ses lieutenants.

Ce Napoléon-là, trop longtemps accepté comme une vérité par esprit de parti, par légèreté, par ignorance, mon livre a fait voir qu'il n'était qu'une image trompeuse qui disparaissait à la lumière des documents officiels et des faits. Mais je n'ai pas convaincu M. Thiers ; et je m'y attendais bien.

Avant de consacrer ses veilles à l'*Histoire du Consulat et de l'Empire*, M. Thiers a été un moment le Premier ministre de la monarchie de Juillet ; et ce fut dans ce poste élevé qu'il provoqua, organisa légalement la retentissante apothéose de l'homme de Brumaire, du despote en qui s'incarna, pendant quinze années, le génie de la contre-révolution et de la conquête. L'homme d'État avait donc ravi, par avance, à l'écrivain, la liberté d'esprit indispensable pour exposer et juger impartialement la vie de son héros. Après l'avoir placé au rang des demi-dieux, comment le ramener à des proportions humaines ? Et, il faut le dire, l'enthousiasme insensé qui emporta une si grande partie de la France à la suite du triomphateur posthume, était fait pour ébranler la conscience de l'histoire, pour troubler son jugement.

On a donc vu l'historien du Consulat et de l'Empire glorifier tous les attentats par lesquels Napoléon fonda son pouvoir, applaudir à la suppression de toute liberté individuelle, locale, générale, à l'oppression des âmes, au concordat, à la restauration des formes, des abus, des vices même les plus révoltants du régime abattu par la révolution ; on l'a vu imaginer à grand-peine des circonstances atténuantes, des excuses pour des crimes qualifiés et admirer le torrent de la conquête débordant de nos frontières sur le continent tout entier. Une campagne conçue avec génie, une bataille savamment ordonnée étaient à ses yeux des arguments sans réplique et faisaient taire les protestations importunes de la conscience. Le bruit du canon l'empêchait d'entendre les cris de désespoir des peuples conquis, dépouillés, tyrannisés ; la fumée de la poudre lui ôtait la perception du juste et de l'injuste. La France lui semblait avoir atteint l'apogée du bonheur !

Depuis douze années, M. Thiers écrivait ainsi la vie de Napoléon, quand un cruel événement[1] est venu tout à coup réfléchir un jour sinistre sur les usurpations et la tyrannie du consul et de l'empereur. Le présent a subitement donné la juste intelligence du passé. On a compris, ressenti, touché du doigt, les bienfaits de l'autocratie, les charmes de la servitude ; et l'enthousiasme de M. Thiers pour son héros a été jugé. Lui-même, d'ailleurs, n'a pu rester tout à fait étranger aux résultats de ce grand enseignement. La lumière qui a éclairé soudainement tant d'esprits, a jeté quelques lueurs dans le sien.

Il allait précisément aborder le récit des derniers temps de l'empire. Le moment était favorable pour apporter quelques tempéraments à l'emportement de ses éloges. Il a donc commencé à mêler quelques critiques à ses louanges ; puis, successivement il a exprimé des blâmes, parfois même des blâmes sévères pour la politique qui épuisait notre sang et nos trésors au-delà des Pyrénées ; qui couvrait de nos débris le sol de la Russie ; qui s'obstinait, après Lützen et Bautzen, dans le rêve sanglant de la monarchie universelle, et amenait l'invasion jusque dans la capitale de la France ; et, enfin, il en est venu, dans un suprême effort, jusqu'à dire que son héros avait fini par « descendre au rang d'un pauvre insensé ». Là, son inconséquence était flagrante ; car la politique de 1812 et de 1813 fut la conséquence logique, la fidèle continuation de la politique de 1808 et de 1810, qui, elle-même, s'était déduite non moins logiquement de celle du Consulat.

Mais en condamnant, aux jours de la défaite, la politique qu'il avait divinisée aux jours des triomphes, M. Thiers a prétendu maintenir intacte la gloire du chef d'armée. C'est comme une grande épave qu'il cherche à sauver du naufrage de ses apologies. Il a voulu absolument retrouver dans le fugitif de Russie le général d'Italie et dans le vaincu de Leipzig le vainqueur d'Austerlitz. Et cette prétention, il l'a surtout quand il raconte la campagne, les désastres de 1815. Plus le génie militaire de Napoléon baisse, plus il l'exalte. C'est une véritable hallucination. Il a évidemment devant les yeux l'apothéose qu'il a fait décréter naguère ; et il s'efforce de la justifier au moins en entourant son héros du prestige de l'infaillibilité militaire, de l'invincibilité.

Pour expliquer la catastrophe de nos armes, il s'en prend à tout, à Dieu et aux hommes ; il fait intervenir, tour à tour, la fatalité et la Providence ; et, en même temps, il condamne presque tous les lieutenants de Napoléon. Il affirme que Napoléon seul n'a commis aucune faute.[1]

Contre les relations dictées à Sainte-Hélène par Napoléon, contre ses assertions et celles de ses plus habiles apologistes, j'avais fait voir qu'il était puéril d'aller chercher, dans le ciel du paganisme, de Mahomet et du Christ, l'explication d'un événement dont la cause fut sur terre ; et j'avais prouvé que les accusations lancées contre Ney, Grouchy et tant d'autres étaient injustes, insoutenables et que le vrai, le grand coupable, dans cette funeste guerre, c'était le chef même de l'armée française.

[...]

CHAPITRE SIXIÈME

Napoléon était vieux avant l'âge. Le long exercice du pouvoir absolu, les efforts prolongés d'une ambition sans limites, le travail excessif du cabinet et de la guerre, les émotions, les angoisses de trois années de désastres inouïs, la chute soudaine de cet empire qu'il avait cru fondé à jamais, l'odieuse oisiveté de l'exil, une double maladie[2] dont les crises se multipliaient en s'aggravant avaient profondément altéré sa vigoureuse organisation.

Son œil brillait du même éclat ; son regard avait la même puissance ; mais son corps alourdi, presque obèse, ses joues gonflées et pendantes indiquaient la venue de cette époque de la vie où la décadence physique de l'homme a commencé.

Il subissait maintenant les exigences du sommeil, que naguère il maîtrisait à son gré. Les fatigues des longues journées à cheval, des courses rapides lui étaient devenues insupportables.

Il avait gardé la même facilité, la même abondance, la même force de conception ; mais il avait perdu la persévérance de l'élaboration de la pensée, et, ce qui était pis, la promptitude, la fixité de la résolution. Comme certains hommes au déclin de l'âge, il aimait à parler, à discourir, et perdait de longues heures en stériles paroles. À prendre un parti, il hésitait longtemps ; l'ayant pris, il hésitait à agir, et, dans l'action même, il hésitait encore. De sa précédente ténacité, il ne lui restait que cette obstination fréquente, et déjà bien funeste, à voir les faits non tels qu'ils étaient, mais comme il aurait convenu à son intérêt qu'ils fussent.

Sous les coups répétés de la défaite, son caractère s'était brisé. Il n'avait plus cette confiance en soi, élément presque indispensable à la réussite des grandes entreprises : il doutait maintenant de la fortune qui, pendant quinze années, avait prodigué des faveurs inouïes au général, au consul, à l'empereur. « Il sentait même, c'est lui qui l'avoue, un abattement d'esprit ; il avait l'instinct d'une issue malheureuse. »

Cet affaiblissement physique, cette diminution morale étaient mal en rapport avec les difficultés, les périls des circonstances. Difficultés, périls extrêmes ! pour en triompher, ce n'aurait pas été trop, ce n'aurait même pas été assez peut-être de posséder encore la résolution, l'énergie, l'activité d'Italie, de Ratisbonne, ou d'avoir le retour de jeunesse de Champ-Aubert et de Montmirail.

[...]

CHAPITRE TREIZIÈME

[...]

À sept heures, il n'y avait plus qu'une opération à exécuter : la retraite. Il était même déjà bien tard pour la commencer. Napoléon ne le comprit pas ; et ce manque d'intelligence de la situation lui fit commettre une dernière faute qui changea l'insuccès en désastre.

Obstiné dans la croyance que le corps de Bülow était le seul qui avait pu être détaché de l'armée prussienne pour appuyer les Anglo-Hollandais, persuadé que Wellington n'avait plus de réserve, il chercha la victoire quand il s'agissait d'éviter la déroute.

Au lieu de se borner à dégager la cavalerie de réserve arrêtée sur la pente du plateau, de se hâter de tout mettre en retraite de Goumont à Smohain et Plancenoit, il fit marcher, contre le centre anglo-hollandais, six bataillons, trois mille hommes de la garde, leur ordonnant d'opérer une attaque à fond.

Exécutée avec un extrême courage, mais non suffisamment soutenue par nos escadrons épuisés, cette manœuvre échoua contre une supériorité numérique écrasante, et on perdit, à la faire, les derniers moments dont on aurait pu, dont on aurait dû disposer pour se replier en ordre.

Savoir se retirer à temps de la lutte, se résigner à un échec pour ne pas subir un désastre, c'est le fait des grands capitaines, non moins que savoir reconnaître et saisir l'instant où la victoire est possible.

La dernière faute de Napoléon s'explique, nous l'avons dit, par une double erreur : après avoir cru l'armée prussienne incapable d'intervenir sur le champ de bataille de Waterloo, il s'obstina à refuser d'admettre qu'elle pût y porter d'autres forces que celles de Bülow ; et il ne reconnut pas que Wellington avait encore, à sept heures du soir, une forte réserve. Mais il est très probable, en outre, que sa situation personnelle ne fut pas étrangère à la détermination de poursuivre le succès quand le succès était devenu impossible.

S'il revenait en France, affaibli, déconsidéré par un échec, il courait le risque d'être précipité du trône. Pour s'y maintenir, il lui fallait une victoire, et, sous l'empire de cette préoccupation égoïste, il s'acharna à lutter contre la fortune, joua son dernier soldat, comme le joueur malheureux, ruiné, jette sa dernière pièce d'or sur le tapis du jeu de hasard.

Dans cette lamentable journée de Waterloo, les fautes, on le voit, furent assez nombreuses, assez graves pour expliquer la catastrophe, sans qu'il soit nécessaire, comme nous l'avons dit, de faire intervenir la puissance mystérieuse de la fatalité.

[...]

[L'extrait qui suit est consacré à l'étude par Charras des conséquences de la défaite de Waterloo et donc de la capitulation de l'armée française à Paris.]

CHAPITRE DIX-HUITIÈME

[...]

Le feu cessa.

Il était sept heures du matin.

Blücher, persuadé par la lettre de Wellington, par les observations de Fouché, modérait ses exigences. Tromelin allait prévenir le chef du pouvoir exécutif qu'il n'avait plus qu'à choisir des négociateurs et les envoyer à Saint-Cloud. À quatre heures du soir, ils y rencontreraient les fondés de pouvoir anglais et prussiens.

Les bases acceptées pour la négociation étaient la reddition de Paris, la retraite de l'armée derrière la Loire.

Cette honteuse nouvelle circula bientôt dans les lignes françaises. Officiers et soldats éclatèrent en menaces, en imprécations contre Davout, Vandamme, certains maréchaux et généraux, contre Fouché et le gouvernement.

Ils étaient trahis, vendus, livrés, et criaient partout le prix donné à chacun des traîtres pour son infamie. Dans Paris, la fermentation devint très grande, surtout dans les faubourgs, parmi les fédérés et les tirailleurs de la garde nationale. Mais, faute d'une audacieuse initiative, tout ce débordement de colères restait sans résultat.

À quatre heures, comme il avait été dit, les négociateurs se rencontrèrent au palais de Saint-Cloud. C'étaient, d'une part, le général prussien Müffling, le colonel anglais Hervey ; de l'autre, Bignon, ministre des Affaires étrangères depuis la chute de Napoléon, Guilleminot, devenu chef d'état-major de l'armée, et Bondy, préfet de la Seine.

Wellington et Blücher assistèrent à la conférence.

Elle fut longue et aboutit à une capitulation, simple cartel où le nom de la France n'était pas même écrit, qui n'avait en vue que Paris et l'armée : Paris, pour lui garantir le respect des personnes et des propriétés privées et publiques, à l'exception de celles qui avaient rapport à la guerre ; l'armée, pour l'obliger à quitter ses positions sous trois jours, à se rendre derrière la Loire sous huit.

Rapprochement digne de méditations ! ce palais de Saint-Cloud, où s'imposaient et s'acceptaient ces conditions sous le coup de la seconde invasion provoquée par l'Empire, victorieuse par les fautes de l'Empire comme la première, ce palais avait été le témoin de l'attentat de brumaire, origine du règne de Napoléon, et, selon tant d'apologistes, le salut de la France.

Ratifiée immédiatement par Wellington et Blücher, cette capitulation le fut, à deux heures de là, par Davout, auquel Fouché, dans sa prudence, réserva cet honneur et cette responsabilité.

À onze heures du soir, il en fut donné communication, par un message du pouvoir exécutif, aux deux chambres réunies en comités secrets.

Jusque-là, ces deux assemblées avaient évité avec un soin extrême d'intervenir dans la conduite des affaires. « Fouché absorbe en lui le pouvoir exécutif[1] ; il trahit ! » disait-on, de tous côtés, sur leurs bancs ; et on se résignait néanmoins à attendre le résultat de ses manœuvres. Ce qu'on n'aurait pas osé faire soi-même, on lui laissait toute latitude pour l'accomplir. Chez les uns, l'espérance d'une transaction libérale avec les Bourbons, seul empêchement aujourd'hui, à leurs yeux, d'un démembrement de la France ; chez les autres, la lassitude ; chez plusieurs, la conviction de l'impossibilité de la résistance ; chez tous, l'effroi d'un soulèvement populaire ; telles étaient les causes de cette résignation dont on ne trouve pas un autre exemple dans l'histoire.

La chambre des pairs, réunie chaque jour pendant de courts instants, avait écouté d'oiseuses récriminations sur les incidents de la campagne, et les communications que le pouvoir exécutif avait bien voulu lui faire.

La chambre des représentants avait reçu aussi ces communications, petits bulletins où Fouché rendait compte des mouvements militaires ; elle avait applaudi à la lecture de quelques adresses patriotiques envoyées par les fédérés de Paris et des départements, par les écoles, etc., aux rapports verbaux de ceux de ses membres qu'elle avait délégués, mais sans les munir d'aucun pouvoir, auprès de l'armée campée sous Paris ; puis elle s'était plongée dans la discussion d'un pacte constitutionnel dont elle prétendait doter la France.

Cette discussion lui a été durement reprochée. C'est à tort ; ce n'est pas pour cela que les représentants furent coupables, dignes de blâme, de haine, de mépris ; c'est pour avoir négligé, oublié systématiquement la défense nationale. La Convention, elle aussi, discutait, votait des constitutions, au milieu des périls, des alarmes de la patrie, et nul n'y a trouvé sujet à blâme ; car elle savait mêler à ce travail l'énergique organisation de la guerre, de la victoire.

La capitulation de Saint-Cloud, prévue, attendue par la plupart, dans les termes mêmes où elle se formulait, n'excita, au sein des deux chambres, que des débats humiliés. Fouché avait eu l'habileté de la leur envoyer accompagnée de deux proclamations de Louis XVIII, datées de Cambrai, le 25 et le 23 juin. La seconde, très explicite, accordait par avance amnistie complète à tous les faits postérieurs au 23 mars, jour où le roi avait passé sur le sol étranger, ne réservait de rigueurs que pour les chefs du mouvement du 20 mars, rappelait les garanties libérales de la Charte avec promesse d'y ajouter encore, et rassurait les propriétaires de biens nationaux, le pays inquiet du rétablissement des dîmes et des droits féodaux.

La lecture de ces pièces était un arrêt d'exil, de mort pour plusieurs qui l'écoutaient ; mais les malheurs d'autrui n'émeuvent que les cœurs généreux. Les engagements solennels du roi furent accueillis par l'immense majorité avec une satisfaction mal dissimulée. On le savait d'ailleurs, le roi, arrivé depuis

deux jours au château d'Arnouville, tout près de Paris,
les avait confirmés aux nombreux visiteurs empressés
de lui porter l'hommage de leur dévouement plus ou
moins intéressé.

Cela suffit pour faire passer sur le déshonneur
infligé, par la capitulation, à l'armée, à Paris, à la
France.

On convint, néanmoins, que, dans la séance publique
qui allait se tenir à quelques heures de là, on se tairait
sur les proclamations royales, qu'on lirait seulement la
capitulation. Dire l'effet sans la cause était un acte de
prudence exigé par l'irritation populaire.

Au lever du soleil, comme on se séparait, nos
troupes se retirèrent des postes avancés, et les Anglais
et les Prussiens les y remplacèrent.

Les chambres, publiquement réunies, se montrèrent ce qu'elles avaient été dans leurs comités
secrets. Pas une protestation ne se fit entendre. En
revanche, les représentants votèrent à l'armée une
adresse que plusieurs d'entre eux furent chargés de
porter. Ils lui décernaient des remerciements, et
l'assuraient « qu'ils ne se séparaient pas d'elle ».

Cela fait, ils s'étaient remis gravement à discuter
leur projet de constitution.

Cependant tout se préparait pour l'évacuation de
Paris. On désarmait les retranchements, et l'artillerie
en était acheminée sur les routes de la Loire ; des
convois de munitions la suivaient ; les différents corps
recevaient des ordres de départ.

Dans tous les rangs, ces mesures furent accueillies
par des explosions de colère [1]. Des officiers, des soldats brisèrent épées et fusils, déchirèrent leurs uniformes, et abandonnèrent le drapeau trahi ; des
rassemblements se formèrent dans différents camps,
injuriant les généraux qui cherchaient à ramener le
calme, menaçant d'entrer dans Paris et d'y faire jus-

tice des traîtres. Sur plusieurs points, des officiers se réunirent pour se concerter, pour protester contre la capitulation, pour voir s'il ne se rencontrerait pas un général de quelque renom qui voulût prendre le commandement de l'armée et la mener à l'ennemi.

La nouvelle de ces tumultes, portée dans certains quartiers de la ville par les déserteurs, y jeta une grande exaltation et ameuta la foule. Des troupes de fédérés, formées dans les faubourgs, se dirigèrent vers le centre de Paris en criant : *À bas les traîtres !* Des tirailleurs de la garde nationale, des soldats sortis armés des casernes, se répandirent dans les rues, tirant des coups de fusil, augmentant le trouble. Un moment, on put croire que gouvernement, chambres et capitulation allaient disparaître sous les colères de l'armée et du peuple.

Mais ces colères n'étaient que des convulsions, les derniers battements de l'artère épuisée.

Aucun chef ne se présenta pour conduire le mouvement militaire ; les troupes s'affaissèrent dans leur propre exaspération ; les tirailleurs de la garde nationale se laissèrent licencier, et les douze légions de cette garde vinrent dissiper elles-mêmes les rassemblements populaires. On lui avait dit, elle s'était laissé persuader que cette masse de citoyens, recrutée pourtant dans toutes les classes, si ardente à venger les injures de la patrie, en voulait aux magasins, aux hôtels, aux richesses de la bourgeoisie. C'était la calomnie de Blücher, propagée par des Français ; calomnie qui avait reçu déjà, qui devait recevoir encore les démentis de l'histoire, qui servait alors d'auxiliaire à la trahison, comme on l'a vue servir depuis aux faiblesses, aux lâchetés, aux ambitions contre le dévouement, le patriotisme le plus sincère, le plus intelligent.

Le 6 juillet, au matin, les Anglais et les Prussiens prirent possession de toutes les barrières de Paris ; et

les dernières colonnes de l'armée française se mirent
en marche vers la Loire.

Elle était forte encore, il faut le répéter, de soixante
et onze mille hommes, dont quinze mille de cavalerie,
et son artillerie de campagne comptait près de deux
cents bouches à feu attelées.

En ce moment, le corps de Rapp était rejeté sous le
canon de Strasbourg ; Lecourbe, sous les murs de Bel-
fort. Ni l'un ni l'autre n'avait reçu les ordres qui,
de Philippeville, le 19 juin, au dire de Napoléon, les
avaient appelés à Paris et à Lyon ; d'ailleurs, ils
les auraient reçus, qu'il leur eût été bien difficile de les
exécuter, les alliés ayant passé le Rhin et la Moselle à
la nouvelle des premiers coups de canon tirés sur la
Sambre. Suchet, après une suspension d'armes de
trois jours, non renouvelée, était en pleine retraite sur
le Rhône. Lamarque avait pacifié la Vendée et n'avait
pas marché vers Paris ; comme Rapp et Lecourbe, il
n'avait reçu aucun ordre.

Brune, pressé de front par un corps piémontais,
harcelé de flanc par quatre à cinq mille insurgés
royalistes, Dauphinois et Provençaux, se repliait sur
Toulon.

Marseille, arborant le drapeau blanc à la nouvelle
de Waterloo, avait chassé la garnison, les fonctionnaires de l'Empire ; et d'affreux massacres, préludes
de bien d'autres scènes non moins atroces, avaient
déshonoré son royalisme. Decaen, Clausel, vers les
Pyrénées, n'avaient eu encore aucune attaque à subir ;
mais l'insurrection royaliste s'organisait de tous côtés
dans le Midi.

Le 7 juillet, Blücher et Wellington occupèrent Paris.

Pour la seconde fois en quinze mois, et presque
jour pour jour, la capitale de la France subissait l'invasion étrangère. La vieille monarchie avait su la préserver de cette humiliation pendant des siècles, même

lorsque notre frontière n'était pas à quarante lieues de Montmartre ; la République, dans les plus terribles circonstances, l'avait protégée aussi par la victoire, refoulant au loin la coalition des rois. L'Empire seul, par ses ambitieuses folies, soulevant contre nous et les peuples, et les aristocraties, et les souverains de l'Europe, devait apprendre au monde que Paris n'était pas inviolable.

Dans la nuit du 7 au 8 juillet, Blücher envoya un détachement s'établir aux Tuileries et chasser les collègues de Fouché au pouvoir exécutif. À quelques heures de là, le palais de la chambre élective était fermé sous la protection de la force armée, et, quand les représentants y arrivèrent pour continuer leur discussion de théorie constitutionnelle, on leur fit savoir que cette pitoyable comédie de l'aveuglement, de la peur, de la trahison, avait trouvé son terme. Malheureusement, ce terme n'était pas le châtiment mérité.

Le ministre de l'Intérieur venait d'envoyer aux préfets une circulaire où il disait : « Les chefs des armées alliées *ont pris l'engagement solennel de respecter...* nos institutions, nos intérêts, nos couleurs nationales. »

Dans la journée, le drapeau blanc flottait sur les Tuileries ; Louis XVIII fit son entrée dans Paris, et revint s'asseoir sur le trône qu'il avait quitté depuis trois mois et demi.

Pour arriver jusqu'à son palais, il dut traverser les bivouacs prussiens établis sur la place même du Carrousel et dans les jardins des Tuileries.

Fouché était son ministre.

L'étranger et le régicide apostat, ministre anobli et doté de l'Empire, tels étaient les ouvriers de la seconde restauration.

Fouché allait recevoir bientôt le dernier prix de son labeur, la mort dans un honteux exil. L'étranger s'apprêtait à demander son salaire.

C'était la rançon de la France. Elle la paya cher.

Un million de soldats de tous les pays de l'Europe répandus sur notre territoire pendant quatre mois, vivant aux dépens de soixante départements et du trésor public ; dix-huit places et forts occupés pendant trois années par cent cinquante mille Anglais, Prussiens, Allemands de la confédération entretenus par nos finances ; une contribution de guerre de sept cents millions, portée à un milliard par le payement d'indemnités réclamées par divers États et une foule d'individus étrangers ; notre frontière de 89 entamée ; un demi-million de Français retranchés de la patrie, tels furent les sacrifices imposés par la coalition ; et bien peu s'en fallut qu'à l'exemple de Napoléon aux jours de ses folles conquêtes, elle n'y ajoutât le démembrement de plusieurs de nos provinces.

Ces pertes d'argent furent bien grandes, ces pertes de territoire bien douloureuses ; mais elles furent peu de chose, comparées à ces autres conséquences de la victoire de l'étranger : les drapeaux de la France abaissés ; sa gloire militaire obscurcie ; sa puissance morale, déjà bien amoindrie en 1814, annulée pour longtemps ; une réaction sanguinaire déchirant tout le Midi ; des lois tyranniques promulguées, appliquées cruellement ; la terreur planant sur tout le pays, deux années durant, jusqu'au jour où le chef des Bourbons lui-même recula devant tant d'excès.

Ainsi, cette aventure du 20 mars, aussi prodigieuse par la rapidité du succès que par la promptitude de la chute, avait attiré sur la France les plus horribles calamités.

Celui qui venait d'en être le héros ne devait pas échapper à sa part d'expiation.

Après s'être laissé arracher une abdication pénible, il était resté retiré au fond du palais de l'Élysée-Bourbon, écoutant dans les angoisses de son ambition tour à tour vivace et défaillante, si les soldats, si les masses populaires, subitement ramenées à la confiance, à l'enthousiasme, ne venaient pas lui rendre la couronne à regret déposée ; mais il n'avait rien entendu, que les clameurs de quelques milliers de personnes réunies de temps à autre devant sa demeure, bien plus par la curiosité du spectacle d'une grandeur déchue que par aucun fanatisme de dévouement pour lui.

Après trois jours de vaine attente, il avait dû céder aux injonctions, à peine atténuées dans la forme, de Fouché, exprimant la volonté des chambres, et il avait gagné la Malmaison, cette ancienne résidence du premier consul, du vainqueur de Marengo. Là, il s'était trouvé surveillé, gardé à vue, réellement prisonnier ; mais, sans paraître s'en apercevoir, dès la nouvelle du passage de l'Oise par les Prussiens, de leur approche de Paris, il avait demandé au pouvoir exécutif de lui permettre de reprendre le commandement de l'armée, de la mener au combat, de servir comme simple général, assurant qu'il n'aspirait plus à aucun autre rôle. Fouché, bien instruit sur la valeur de ces assurances, comme ses collègues, engagé d'ailleurs dans la voie où il ne voulait pas s'arrêter, Fouché avait rudement rejeté l'offre du souverain déchu, et l'avait poussé de toute son habileté et de toutes ses forces sur la route de Rochefort.

Alors, il restait à Napoléon une chance presque assurée de salut. Mais l'indécision de son esprit, qui n'avait pas cessé un moment, l'indécision de la veille, du jour et du lendemain de Waterloo la lui fit perdre ; et bientôt, pour ne pas tomber aux mains des Bourbons, ulcérés du meurtre d'un des leurs[1], il fut réduit à aller prendre asile à bord d'une escadre anglaise.

Au prince régent d'Angleterre, à la nation qu'il avait cent fois couverte de publiques insultes, il demanda la vie libre sous la protection de la loi. Elle lui fut refusée. Le conseil des souverains alliés avait, par avance, prononcé sur son sort. La vie sauve, mais la vie dans un espace de terrain limité, gardé comme les abords d'une prison, la vie séquestrée, sans la famille, presque sans amis, la vie sous un climat meurtrier, tel avait été l'arrêt. L'Angleterre se chargea de l'exécuter.

Cette terrible fin d'un pareil homme et d'un pareil règne a excité des récriminations bien violentes, des lamentations bien amères, bien éplorées. L'histoire, la poésie, le théâtre, le pamphlet, la littérature, tous les arts y ont trouvé une source intarissable d'inspirations.

Oubliant que l'homme n'avait eu qu'un but : sa propre élévation ; que le règne avait, par deux fois, abouti à la ruine de la France ; négligeant les fautes, les folies, les crimes, ils ont créé une légende à la place de la vérité, montré le martyre là où fut l'expiation ; et, grâce à ces imaginations plus ou moins sincères, il est advenu, un jour, que celui qui avait dévasté l'Europe, foulé les peuples, épuisé la France, excité des haines internationales implacables, éteint le flambeau de la Révolution, ramené notre patrie aux institutions, aux abus de la vieille monarchie ; que celui-là, disons-nous, a passé pour l'ange libérateur des nationalités, pour le messie du progrès, de la civilisation.

On revient de ces incroyables erreurs, et cela est heureux. On voit dans la fin de Napoléon un châtiment providentiel, une légitime expiation. [1]

Toutes les religions, d'accord en cela avec un sentiment inné chez l'homme, placent dans une autre vie la récompense et la peine assurées des actions humaines. C'est une croyance universelle, tout à la fois consolatrice des justes, des opprimés, et tutélaire des sociétés. Cependant, au spectacle prolongé de la perversité triomphante, cette croyance s'ébranle même chez les plus fermes ; et le scepticisme gagne les âmes. Il est donc souverainement bon, souverainement utile que, parfois, au moins, sur cette terre même, ces grands coupables de lèse-nation, de lèse-humanité, ces ambitieux turbulents qui sacrifient les peuples à leur égoïsme, qui les désolent par la conquête, soient précipités des sommets dans les abîmes.

Les plaindre alors, c'est obéir à un faux sentiment de générosité, c'est insulter à la justice céleste, donner encouragement à qui serait tenté de les imiter.

Pour moi, je le dis bien haut, je contemple d'un œil sec Napoléon cloué sur un rocher au milieu des mers ; je réserve mes larmes pour ceux qui furent victimes de son ambition. Elles ont coulé, quand j'ai foulé les champs où dorment tant de milliers de soldats tombés sous le drapeau de la France, ensevelis ici dans un éphémère triomphe, là dans une trop durable défaite.

Cette défaite pèse encore sur notre patrie, il ne faut pas se le dissimuler, car on a vu, on est parvenu à faire voir la France luttant tout entière dans un suprême effort, là où n'ont combattu qu'un homme et une armée : un homme dont le génie militaire s'était épuisé dans les excès du despotisme ; une armée restée numériquement faible, dénuée de toutes réserves par suite de lenteurs, d'hésitations inouïes dans l'organisation de la défense, par suite encore et surtout de la duplicité d'une politique odieusement énervante.

Le peuple vit la lutte, il ne put y prendre part.

GARNET JOSEPH WOLSELEY

Le Déclin et la chute de Napoléon

(1894)

Garnet Joseph Wolseley (1833-1913) est un officier anglo-irlandais qui a servi dans l'armée britannique et participé à la guerre de Crimée, ainsi qu'à des conflits dans les colonies de l'Empire en Inde, en Égypte ou au Canada. Il est commandant en chef de l'armée de 1895 à 1900. En récompense de ses services, la reine Victoria le fait vicomte de Wolseley, dans le comté de Stafford.

Il publie plusieurs articles dans des revues et se taille une réputation dans les lettres grâce à une biographie de John Churchill, une autobiographie qu'il intitule L'Histoire de la vie d'un soldat, *et surtout grâce à la parution en 1894 de son œuvre majeure consacrée à Napoléon Ier.* Le Déclin et la chute de Napoléon *est un témoignage précieux sur l'histoire du Premier Empire parce qu'il est un des rares ouvrages de la littérature anglaise qui ne présente pas une approche purement négative de la carrière et de la personnalité de Napoléon Bonaparte. Wolseley considère Napoléon comme un « Colosse » dont toute l'existence inspire le sentiment de grandeur. Malgré les torts de Napoléon, il est évident, pour l'auteur anglais, que l'empereur est une figure à nulle autre pareille parce qu'il est aussi grand à l'apogée de son règne, après Austerlitz, que dans sa chute à Waterloo. La victoire et la gloire l'ont abandonné en 1815, mais il demeure l'incarnation du mythe du héros. C'est tout le paradoxe de Napoléon que relève Wolseley, en guise d'avertissement au lecteur : « Cet homme malfaisant*

au suprême degré, déloyal, perfide, dont la carrière ren-
ferme de sérieuses erreurs dans la politique nationale, dont
une défaite désastreuse a terminé la vie publique, qui est
mort captif, est pourtant un si grand homme que son nom
remplit encore plus de pages dans l'histoire du monde que
celui de tout autre mortel. [...] Il est l'une des rares grandes
figures de l'histoire dont la perspective du temps ne dimi-
nue ni la dimension ni l'importance. »

   Le livre de Wolseley a une thèse majeure sur la défaite de
Waterloo : Napoléon a perdu la bataille parce qu'il était
souffrant et que sa maladie, qu'il traînait depuis la cam-
pagne de Russie en 1812 — période sur laquelle s'ouvre le
livre —, l'a privé de sa formidable capacité d'action et de
réaction au milieu du combat. Soutenir cette thèse de la
défaillance du général français plutôt que de la vaillance des
coalisés est pour le moins surprenant et rare de la part d'un
Anglais.

   L'armée française était si irrémédiablement défaite
et la victoire de Wellington si complète qu'il était au-
dessus du pouvoir de Napoléon même de s'en relever.
Grouchy, il est vrai, parvint à ramener en France, les
forces sous ses ordres, mais il n'existait plus d'armée
qui pût espérer faire face aux hordes d'envahisseurs,
alors prêtes à se répandre par-dessus ses frontières.

   Si nous jetons à présent un regard en arrière sur la
mémorable période des Cent-Jours, nous y retrou-
vons les mêmes traits caractéristiques que dans les
campagnes précédentes. Napoléon débarque en
France, presque seul et comme un fugitif, de la petite
île qui était son royaume, et réussit, en quelques
semaines, à bouleverser, sans effusion de sang, toute
l'organisation du pouvoir de la France sous son
roi légitime : l'ascendant personnel d'un homme
s'affirma-t-il jamais plus étonnamment ? Mais, d'un
bout à l'autre de cette campagne, qui fut sa dernière,

combien est remarquable l'ascendant qu'il exerçait également sur les Alliés, les obligeant à suivre son initiative, et combien peu s'en fallut qu'il ne les écrasât ? Quelle eût été la fin de cet homme extraordinaire, si le corps de d'Erlon n'eut été gâché en pure perte le 16 juin ? Si, le 17, avec un peu plus de vigueur dans les reconnaissances de sa cavalerie, Napoléon avait immédiatement découvert sa situation véritable, quel eût été le sort de l'armée prussienne ? En suivant attentivement l'histoire de cette campagne de quatre jours, telle qu'elle nous est connue aujourd'hui, on ne peut douter que Ney, d'Erlon, Grouchy, et plusieurs autres subordonnés de Napoléon, ne servirent pas leur vieil Empereur avec la vigueur et l'enthousiasme des premières années. Ils étaient, autant que l'Europe, fatigués de lui. Quant à lui, quoique souffrant certainement, de corps et d'esprit, et bien qu'il ne fût plus, comme au commencement de sa carrière, l'homme qui commande la victoire, c'est pourtant toujours autour de lui et de son initiative que nous trouvons réuni tout ce qu'il y eut de plus brillant du côté français dans cette campagne. Et pourtant, on ne peut plus en douter, il était sous un voile de lassitude et de léthargie, amené par la maladie, qui l'affaiblissait et exerçait une influence déplorable sur ses actions.

Napoléon n'eût-il jamais fait cette audacieuse tentative pour reprendre encore une fois le trône de France, que quelque chose aurait manqué à l'intérêt dramatique et à la grandeur de sa chute. Néanmoins, cette campagne de Waterloo est une chose à part : en réalité, Napoléon était déjà perdu avant qu'elle commençât. Comme l'a dit son panégyriste M. Thiers, qui ne veut lui reconnaître aucune faute comme général, son règne, tenté malgré la France autant que malgré l'Europe, était devenu une impossibilité pour l'avenir, même avant l'entrée en campagne.

Pour les fervents adorateurs du napoléonisme, l'échec final et le renversement de leur idole furent dus à un destin malfaisant qui influença les événements tout autant que la conduite des subordonnés, jadis ses habiles auxiliaires. Ils basent leurs conclusions sur les déclarations, absolument fausses sur plusieurs des points les plus importants, dictées par Napoléon à Sainte-Hélène. Son récit des événements de cette campagne est admirable comme roman ; son seul but ayant été de faire accepter partout l'erreur qui court d'un bout à l'autre, à savoir qu'il fut personnellement infaillible comme chef et nullement responsable de cette terrible défaite, au seul nom de laquelle tressaille encore le cœur des Français. Il y est parvenu pour la France, puisqu'un aussi célèbre historien que M. Thiers s'est servi de son grand talent littéraire pour flatter l'orgueil national de ses concitoyens en rejetant le blâme de l'échec de Napoléon sur Grouchy, et a rendu ainsi cette contre-vérité immortelle. Actuellement, l'histoire de Waterloo telle qu'elle est racontée par Thiers est crue aveuglément par la grande masse de la nation française, et il est rare de trouver un Français, peu importe qu'il soit anti-napoléonien ou républicain qui ne croie pas que Waterloo a été perdu parce que Grouchy a manqué ou refusé d'obéir aux ordres de l'Empereur. Beaucoup de gens sans éducation sont encore convaincus qu'il a été acheté par les Anglais pour trahir son ancien maître. Et c'est ainsi qu'a été écrite en France l'histoire même de la première partie de ce siècle !

Le critique militaire qui examine minutieusement les mesures prises par Napoléon pendant cette campagne y relève tant de fautes qu'il ne peut les expliquer que par le retour mystérieux de la maladie à laquelle j'ai fait plusieurs fois allusion. L'évidence corroborant cette idée est, à mon avis, irréfutable. Ce

mal, dont il souffrait plus ou moins depuis longtemps, et qui fut pour lui la cause de tant de désastres
en Russie et à la bataille de Dresde, le terrassait alors
plus souvent et avec plus de violence. Quand il tombait sous sa prise, il était incapable de tout effort
utile, mental ou physique ; il avait une grande difficulté à se tenir éveillé, ses traits tirés et son expression
morne indiquaient à la fois une souffrance du corps
et un abattement de l'intelligence. Sa vigueur, qui
n'était plus ce qu'elle était dix ans auparavant, avait
été sérieusement éprouvée par quinze heures de travail et de soucis journaliers durant ce dernier séjour
plein d'anxiétés à Paris. Mais, une fois débarrassé de
l'atteinte du mal, sa belle intelligence était aussi
lucide, sa fertilité de ressources aussi merveilleuse,
son génie aussi brillant, et ses conceptions aussi
grandes que jamais. Assis dans son cabinet, il pouvait, comme autrefois, faire des plans et des combinaisons avec une clairvoyance presque infaillible et
une vue pénétrante de tout ce qu'il fallait pour le succès. Il pouvait toujours dominer la position avec
toute son ancienne perspicacité. Mais l'angoisse de
ses récents échecs n'avait pas seulement affecté
sérieusement sa santé, elle lui avait enlevé beaucoup
de cette confiance en soi, si nécessaire pour la conti-
nuité du succès à la guerre. Ce n'était plus le petit
homme de Rivoli, maigre, mince, vif. Son visage
bouffi, sa large poitrine, ses jambes grasses et arron-
dies annonçaient un homme impropre à un rude travail à cheval. Son corps alourdi ne lui obéissait plus
comme jadis et il souffrait d'une somnolence irrésistible. Il était déjà vieux pour ses quarante-sept ans, et
après avoir été le plus contenu, le plus confiant, le
plus absolu des chefs, il était déjà tombé dans la
loquacité des têtes grises et porté à demander l'avis

de ceux auxquels il avait coutume de donner des ordres.

Je me suis appesanti sur l'état de santé de Napoléon, dans ce dernier acte de sa carrière, parce que plus j'étudie ce plan de campagne de 1815 si grandiosement conçu, plus je suis convaincu que la défaite écrasante qui la termina fut primitivement le résultat d'un mal physique, qui affaiblit ses facultés mentales au moment suprême où, pour réussir, s'imposait la nécessité d'une décision rapide et énergique. S'il avait pu apporter la vigueur morale et physique de la première période de sa carrière à l'exécution du vaste plan qu'il avait conçu pour l'anéantissement de Wellington et de Blücher en Belgique, et si l'on juge de ce que ces généraux auraient fait par ce qu'ils firent, je crois que le prudent Anglais aurait au moins été obligé de battre en retraite hâtivement pour se rembarquer à Ostende, tandis que l'impétueux Prussien, presque détruit à Ligny, aurait été trop heureux de mettre le Rhin entre les débris de son armée battue et le vainqueur d'Iéna.

Je ne puis m'expliquer autrement d'une façon satisfaisante les heures précieuses gaspillées par Napoléon, ni l'imperfection et la négligence de ses ordres les plus importants, ni comment deux armées dans les positions qu'occupaient les armées de Wellington et de Blücher les 14, 15, et 16 juin purent échapper, pendant les deux jours suivants à la destruction inévitable que leur préparait le plan d'opérations si habilement conçu par Napoléon. Son état de fatigue et de léthargie, le matin du 17, explique comment tant d'heures du jour furent perdues, tant d'autres dépensées inutilement. Grouchy, désireux de commencer la poursuite, tenta de voir Napoléon au point du jour et ne fut reçu qu'à huit heures ; même alors il lui fut impossible de tirer de lui aucune instruction précise.

Par le fait, aucun ordre ne fut donné avant midi ; Grouchy ne reçut le sien verbalement qu'à une heure de l'après-midi, retard qui permit à Blücher d'arriver le lendemain à Waterloo à temps pour y donner le coup final aux Français. Vandamme avait bien le droit de dire à ceux qui l'entouraient : « Le Napoléon que nous avons connu n'existe plus…, notre succès d'hier (le 16) n'aura pas de résultat. » Je crois que ce ne fut pas tant le mauvais état du pays après la grande pluie, qu'un accès de cette fatale maladie le matin de Waterloo, ajouté naturellement au fait qu'il ne s'attendait pas à voir Blücher paraître sur le champ de bataille ce jour-là, qui lui fit commencer l'action si tard et laisser si malencontreusement passer des heures qu'il aurait dû employer à détruire Wellington avant que les Prussiens pussent entrer en ligne. Nous savons qu'au cours même de la bataille, il resta assis pendant des heures devant une table placée devant lui en plein air, sans bouger, souvent endormi, la tête reposant sur les bras ; nous savons aussi que, dans la fuite du champ de bataille, il souffrait tant de cet engourdissement, que ses officiers l'empêchèrent difficilement de tomber de cheval. Pendant la durée de la bataille, il fut peu à cheval, car le cheval le faisait souffrir. Il fut ainsi dans l'impossibilité de s'assurer par lui-même de l'importance de la marche des Prussiens sur Planchenoit, et, par conséquent, il ne se rendit pas compte des dangers de sa position comme il l'aurait fait s'il avait été en état de se porter rapidement d'un point à l'autre du champ de bataille pour obtenir des renseignements par lui-même. C'est certainement à cette seule cause que nous pouvons attribuer ce fait qu'il commença la bataille sans avoir lui-même examiné préalablement la position de Wellington, s'en rapportant là-dessus aux renseignements du général Haxo.

Le caractère de Napoléon est une énigme pour bien des gens et la composition de son cerveau difficile à analyser[1]. Il n'appréciait pas réellement ce qui est beau dans la nature, sentait peu la véritable poésie de la vie, et comptait pour rien ce que nous considérons comme la vertu ; mais tout ce que nous savons, d'après ce qu'il a dit et écrit sur l'histoire dans laquelle il n'avait pas de rôle, ou sur la constitution politique, les institutions ou le mécanisme général qui font marcher les États civilisés, c'est qu'on découvre en lui une connaissance rare et profonde des autres et une sage appréciation des influences qui forment et modèlent l'esprit de l'homme en le rendant bon ou mauvais, et font ainsi les nations grandes ou petites.

Il savait fort bien à quel degré il avait satisfait les aspirations des Français vers la gloire militaire, mais il n'aurait pu prévoir que ses actes, joints à la renommée de son nom, permettraient dans la génération suivante, à l'un de ses neveux[2], de ramener un autre Empire napoléonien. S'il sait maintenant ce qui se passe sur la terre, combien le poignant souvenir de Waterloo doit être adouci (si j'en juge d'après la littérature française courante) par la pensée que parmi les souvenirs du passé les Français aiment encore par-dessus tout ceux auxquels est intimement lié son nom immortel ! Ce fut lui qui donna à la France la suprématie en Europe, une position telle que n'en eut jamais aucune nation ni avant ni depuis, et devant laquelle toutes les nations européennes, l'Angleterre exceptée, avaient humblement fléchi le genou. Il avait trouvé la France dans les angoisses d'une révolution sanguinaire avec tous ses crimes, ses assassinats, et ses pillages horriblement légalisés, et de cette révolution, avec son génie gouvernemental, il fit sortir l'ordre uni au progrès. Nous éprouvons souvent nous-mêmes, encore à présent, la fascination que, vivant, il exerçait personnellement sur ses partisans, quand nous contemplons son incomparable génie et que nous essayons de mesurer sa grandeur.

Pour le rôle de conquérant héroïque, personnage dans lequel il désirait qu'on se souvînt à jamais de lui, la mort sur le champ de bataille était une nécessité. Léonidas le Spartiate, Épaminondas le Thébain[1], Turenne le Français[2], Wolfe et Moore les Anglais[3], et au-dessus de tous, le grand Nelson[4], tous sont tombés sur le champ de leur gloire et de leur renommée. Dans beaucoup d'occasions remarquables, Napoléon montra son mépris du danger et avec quelle insouciance il savait exposer sa personne, quand il calculait que cela devait l'aider à réussir. Il sut séduire l'imagination des Français et vaincre avec des armées françaises ; mais il ne sut pas mourir de la mort d'un héros. Pourquoi n'a-t-il pas terminé ses jours avec ces âmes vaillantes qui, alors que tout était perdu, tentèrent encore pour sa cause, le soir de cette épouvantable défaite, d'arrêter l'irrésistible courant de la poursuite ? Pourquoi ne mourut-il pas avec ceux qui mouraient pour lui dans ce jour le plus mémorable de sa vie ? Il ne se montra pas assez digne de la vénération, de l'amour, et du dévouement que lui témoignait sa brave, sa fidèle, sa loyale armée ! N'est-il pas aussi naturel de mourir que de naître et alors qu'importe de tomber en soldat sur le champ de bataille, jeune et vigoureux, ou de s'éteindre dans son lit, malade et accablé d'années. Si la moyenne de la vie humaine était de cent ans au lieu de trente-trois, cette question pourrait avoir une certaine importance ; mais il n'en est pas ainsi. La marche de Napoléon à travers le monde a été marquée du sang de milliers d'héroïques soldats, qui, sans son ambition effrénée, auraient peut-être vécu pendant de longues années. Pourtant ce n'est pas pour cette raison, ni parce qu'il épuisa en d'horribles guerres les ressources de la prospérité nationale ou des bonheurs individuels, que certains hommes détestent surtout sa mémoire. C'est parce que toute sa carrière, depuis l'enfance jusqu'au jour de sa mort, fut une grande fausseté, un mélange de tromperie, de fourberie, et de l'indifférence la plus effroyable et la plus égoïste pour les sentiments et les besoins des autres ; ce ne fut en réalité qu'une grande et indigne déception. Ses plus grands admirateurs, eux-mêmes, doivent admettre franchement qu'il n'a rien fait gagner à la grande cause de la Justice et de la Paix. Acteur étudié et consommé dans toutes ses relations avec les hommes et les femmes, il paraissait parfois s'intéresser avec bienveillance au sort de ceux qui l'entouraient, sachant habilement simuler un sentiment ou un mouvement généreux et magnanime, quand il pensait en être récompensé. Pendant toute sa vie, il joua pour l'auditoire : pour son armée par d'émouvants ordres du jour, pour la France par ses bulletins inexacts, pour le monde, présent ou à venir, par sa conduite à Sainte-Hélène et par les romans qu'il y composa[1]. L'instrument dont il jouait était l'homme, dont nul être humain n'a jamais mieux compris la gamme, tiré des accords plus sonores, ni su lui en faire rendre davantage. Il connaissait les cordes qui mettent en mouvement le mécanisme moral, surtout le côté émotionnable de l'humanité, et par-dessus tout l'amour du Français pour l'expression exagérée des passions. Il parvint ainsi à se faire chérir de la France et surtout de ses admirables soldats qui l'aimaient d'un amour qui n'a de comparable que le dévouement de la Dixième Légion pour César.

Le nom de cet homme prodigieux tient dans l'histoire du monde une place beaucoup plus grande que celle occupée par tous les hommes d'action, les penseurs, les poètes, les écrivains de tous les siècles. Pourtant, cet homme, que des myriades de gens considéreront toujours comme le plus grand des êtres humains, échoua dans la mission qu'il s'était donnée lui-même à accomplir, fut même battu dans son propre métier, mis hors la loi par toute l'Europe, et mourut en prison. Aucune carrière publique des plus grands conquérants du monde ne nous donne une aussi douloureuse leçon morale sur la vanité de toute ambition terrestre, et l'histoire de sa vie privée proclame en même temps « combien les grands sont petits ». Il mourut comme il avait vécu, sans sincérité, jusqu'à la fin. « *Mane, Thecel, Pharès !* Dieu a compté les jours de ton règne et en a marqué l'accomplissement. Tu as été pesé dans la balance et on t'a trouvé trop léger ! » Ainsi écrivait le doigt sur la muraille, à propos de l'orgueilleux roi de Babylone[1] ; et cela aurait pu également s'appliquer à celui dont la défaite de Waterloo a été ainsi décrite en vers :

> *Since he miscalled the morning star*
> *Nor man nor fiend hath fallen so far*.*

* « Depuis l'ange rebelle, faussement nommé l'Étoile de l'aurore, nul homme, nul démon n'est tombé de si haut. » *[Note de l'auteur.]*

FRANÇOIS GUIZOT

Mémoires pour servir à l'histoire de mon temps

(t. I, 1858)

François Guizot appartient à cette génération d'historiens du XIXᵉ siècle qui n'eurent de cesse d'expliquer leur époque chaotique en jetant un regard sur le passé de la France. Comme on peut s'y attendre, c'est sur la Révolution française que se focalisent les projets de représentation du passé. La Grande Révolution en dit autant sur les leçons qu'il faut tirer de l'histoire, pour ne pas répéter les erreurs passées, que sur l'avenir qui se dessine, cette espérance d'en finir avec la période de troubles en établissant un gouvernement représentatif, légitime et stable. Guizot est un des principaux artisans de cette lente construction démocratique. Que ce soit comme historien ou comme ministre de la monarchie de Juillet, il s'évertue à proposer une lecture cohérente, homogène de l'histoire nationale. Ce royaliste, grand vaincu de la révolution de 1848, abandonne la scène politique pour regagner son siège à l'Académie française qu'il occupe depuis 1836.

Son œuvre est immense. Mémoires pour servir à l'histoire de mon temps *paraît de 1858 à 1867 en sept volumes. Né en 1787 à Nîmes, mort à Paris en 1874, Guizot a vingt-sept ans quand Napoléon fait son retour de l'île d'Elbe et reprend le pouvoir. Depuis 1812, il est professeur d'histoire moderne à la faculté des lettres de Paris, à la Sorbonne. Dans le courant de l'année 1815, il quitte la capitale pour gagner la cour de Louis XVIII à Gand. C'est donc dans le camp des vaincus qu'il suit les événements de la campagne* de 1815. Le 18 juin au soir, après Waterloo, il appartient au camp des vainqueurs. Guizot aime trop la démocratie représentative classique, celle de 1789, pour aimer Napoléon et voir en lui le père de la nation.

Dans un essai de 1821, intitulé Des moyens de gouvernement et d'opposition dans l'état actuel, il reproche aux révolutionnaires du Directoire et à Napoléon d'avoir établi une séparation trop franche entre la société française — entendre l'opinion publique éclairée — et les gouvernants. Ces derniers auraient « oublié la France ». Or, c'est la lecture que fait Guizot de Napoléon durant les Cent-Jours. L'empereur, par déni des réalités, aurait à nouveau plongé égoïstement le pays dans la guerre. Guizot est l'exact opposé de Napoléon. Défenseur des intérêts de la bourgeoisie, anglomane, soucieux de préserver les libertés publiques, le philosophe-historien est un théoricien. À l'opposé, Napoléon est la figure du romantisme politique et de l'héroïsme militaire. L'extrait sélectionné revient sur la folle entreprise du retour au pouvoir suprême de Napoléon et sur cette renaissance opportuniste de l'enthousiasme révolutionnaire, un beau rêve qui devait s'éteindre à Waterloo.

CHAPITRE III

Les Cent-Jours

Le Roi parti et l'Empereur rentré à Paris, je retournai à la Faculté des lettres, décidé à rester en dehors de toute menée secrète, de toute agitation vaine, et à reprendre mes travaux historiques et mon cours[1], non sans un vif regret de la vie politique à peine ouverte pour moi et tout à coup fermée. À vrai dire, je ne la croyais pas fermée sans retour. Non que le prodigieux succès de Napoléon ne m'eût révélé en lui une puissance à laquelle, depuis que j'avais assisté à sa chute, j'étais loin de croire. Jamais la grandeur personnelle d'un homme ne s'était déployée avec un plus foudroyant éclat ; jamais acte plus audacieux et mieux calculé dans son audace n'avait frappé l'imagination des peuples. Et les forces extérieures ne manquaient pas à l'homme qui en trouvait tant en lui-même et en lui seul. L'armée lui appartenait avec un dévouement ardent et aveugle. Dans les masses populaires, l'esprit révolutionnaire et l'esprit guerrier, la haine de l'ancien régime et l'orgueil national s'étaient soulevés à son aspect et se précipitaient à son service. Il remontait avec un cortège passionné sur un trône délaissé à son approche.

Mais à côté de cette force éclatante et bruyante se révéla presque au même instant une immense faiblesse. L'homme qui venait de traverser la France en triomphateur, en se portant partout, de sa personne, au-devant de tous, amis ou ennemis, rentra dans Paris de nuit, comme Louis XVIII en était sorti, sa voiture entourée de cavaliers et ne rencontrant sur son passage qu'une population rare et morne. L'enthousiasme l'avait accompagné sur sa route : il trouva au terme la froideur, le doute, les méfiances libérales, les abstentions prudentes, la France profondément inquiète et l'Europe irrévocablement ennemie.

On a souvent reproché aux classes élevées, surtout aux classes moyennes, leur indifférence et leur égoïsme ; elles ne consultent, dit-on, que leur intérêt personnel et sont incapables de dévouement et de sacrifice. Je suis de ceux qui pensent que les nations, et toutes les classes au sein des nations, et surtout les nations qui veulent être libres, ne peuvent vivre avec sûreté comme avec honneur qu'à des conditions d'énergie et de persévérance morale, en sachant faire acte de dévouement à leur cause et opposer aux périls le courage et les sacrifices. Mais le dévouement n'exclut pas le bon sens, ni le courage l'intelligence. Il serait trop commode pour les ambitieux et les charlatans d'avoir toujours à leur disposition des dévouements hardis et aveugles. C'est trop souvent la condition des passions populaires; ignorante, irréfléchie et imprévoyante, la multitude, peuple ou armée, devient trop souvent, dans ses généreux instincts, l'instrument et la dupe d'égoïsmes bien plus pervers et bien plus indifférents à son sort que celui dont on accuse les classes riches et éclairées. Napoléon est peut-être, de tous les grands hommes de sa sorte, celui qui a mis le dévouement, civil et militaire, aux plus rudes épreuves; et lorsque le 21 juin 1815, envoyé par lui à la Chambre des représentants, son frère Lucien reprochait à la France de ne pas le soutenir avec assez d'ardeur et de constance, M. de La Fayette avait raison de s'écrier : «De quel droit accuse-t-on la nation d'avoir manqué, envers l'empereur Napoléon, de dévouement et de persévérance ? Elle l'a suivi dans les sables brûlants de l'Égypte et dans les déserts glacés de la Russie, sur cinquante champs de bataille, dans ses revers comme dans ses succès; depuis dix ans, trois millions de Français ont péri à son service; nous avons assez fait pour lui. » Grands et petits, nobles, bourgeois et paysans, riches et pauvres, savants et simples, généraux et soldats, les Français avaient du moins assez fait et assez souffert au service de Napoléon pour avoir le droit de ne plus le suivre aveuglément et d'examiner s'il les conduisait au salut ou à la ruine. L'inquiétude des classes moyennes, en 1815, était une inquiétude légitime et patriotique ; ce qu'elles souhaitaient, ce qu'elles avaient raison de souhaiter, dans l'intérêt du peuple entier comme dans leur intérêt propre, c'était la paix et la liberté sous la loi ; elles avaient bien raison de douter que Napoléon pût les leur assurer.

Le doute devint bien plus pressant quand on connut

les résolutions des puissances alliées réunies au
congrès de Vienne, leur déclaration du 13 mars et
leur traité du 25. Nul homme sensé ne comprend
aujourd'hui qu'à moins d'avoir un parti pris d'aveuglement, on ait pu alors se faire illusion sur la situation de l'empereur Napoléon et sur les chances de son
avenir. Non seulement les puissances, en l'appelant
« ennemi et perturbateur de la paix du monde, » lui
déclaraient une guerre à outrance, et s'engageaient à
réunir contre lui toutes leurs forces ; mais elles se
disaient « prêtes à donner au roi de France et à la
nation française les secours nécessaires pour rétablir
la tranquillité publique » ; et elles invitaient expressément Louis XVIII à donner à leur traité du 25 mars
son adhésion. Elles posaient ainsi en principe que
l'œuvre de pacification et de reconstruction européenne, accomplie à Paris par le traité du 30 mai 1814
entre le roi de France et l'Europe, n'était point anéan-
tie par la perturbation violente qui venait d'éclater, et
qu'elles la maintiendraient contre Napoléon dont le
retour et le succès soudains, fruit d'un entraînement
militaire et révolutionnaire, ne pouvaient lui créer
aucun droit en Europe, et n'étaient point, à leurs
yeux, le vœu réel et général de la France.

Solennel exemple des justices implacables que,
Dieu et le temps aidant, les grandes fautes attirent
sur leurs auteurs ! Les partisans de Napoléon pouvaient contester l'opinion des alliés sur le vœu de
la France ; ils pouvaient croire que, pour l'honneur de son indépendance, elle lui devait son appui ;
mais ils ne pouvaient prétendre que les nations étrangères n'eussent pas aussi leur propre indépendance à
cœur, ni leur persuader qu'avec Napoléon maître de
la France elles seraient en sûreté. Nulle promesse,
nul traité, nul embarras, nul revers ne donnait
confiance dans sa modération future ; son caractère

et son histoire enlevaient tout crédit à ses paroles. Et ce n'étaient pas les gouvernements seuls, les rois et leurs conseillers qui se montraient ainsi prévenus et aliénés sans retour; les peuples étaient bien plus méfiants et plus ardents contre Napoléon. Il ne les avait pas seulement accablés de guerres, de taxes, d'invasions, de démembrements; il les avait offensés autant qu'opprimés. Les Allemands surtout lui portaient une haine violente; ils voulaient venger la reine de Prusse de ses insultes et la nation allemande de ses dédains. Les paroles dures et blessantes qu'il avait souvent laissé échapper sur leur compte étaient partout répétées, répandues, commentées, probablement avec une crédule exagération. Après la campagne de Russie, l'Empereur causant un jour avec quelques personnes des pertes de l'armée française dans cette terrible épreuve, l'un des assistants, le duc de Vicence, les estimait à plus de 200 000 hommes. — «Non, non, dit Napoléon, vous vous trompez, ce n'est pas tant»; et après avoir un moment cherché dans sa mémoire: «Vous pourriez bien ne pas avoir tort: mais il y avait là beaucoup d'Allemands.» C'est au duc de Vicence lui-même que j'ai entendu raconter ce méprisant propos; et l'empereur Napoléon s'était complu sans doute dans son calcul et dans sa réponse, car le 28 juin 1813, à Dresde, dans un entretien devenu célèbre, il tint le même langage au premier ministre de la première des puissances allemandes, à M. de Metternich lui-même[1]. Qui pourrait mesurer la profondeur des colères amassées par de tels actes et de telles paroles dans l'âme, je ne dis pas seulement des chefs de gouvernement et d'armée, des Stein, des Gneisenau, des Blücher, des Müffling, mais de la race allemande tout entière? Le sentiment des peuples de l'Allemagne eut, aux résolutions du congrès de Vienne, au moins autant de part que la prévoyance de ses diplomates et la volonté de ses souverains.

Napoléon se faisait-il lui-même, en quittant l'île d'Elbe, quelque illusion sur les dispositions de l'Europe à son égard ? Concevait-il quelque espérance soit de traiter avec la coalition, soit de la diviser ? On l'a beaucoup dit, et c'est possible ; les plus fermes esprits ne s'avouent guère tout le mal de leur situation. Mais une fois arrivé à Paris et instruit des actes du congrès, Napoléon vit la sienne telle qu'elle était et l'apprécia sur-le-champ avec son grand et libre jugement. Ses entretiens avec les hommes sérieux qui l'approchaient alors, entre autres avec M. Molé et le duc de Vicence, en font foi. Il essaya de prolonger quelque temps dans le public l'incertitude qu'il n'avait pas ; la déclaration du congrès du 13 mars ne fut publiée dans le *Moniteur* que le 5 avril, le traité du 25 mars que le 3 mai, et Napoléon les fit accompagner de longs commentaires pour établir que ce ne pouvait être là, envers lui, le dernier mot de l'Europe. Il fit à Vienne, et par des lettres solennellement publiques, et par des émissaires secrets, quelques tentatives pour renouer avec l'empereur François, son beau-père, quelques relations, pour rappeler auprès de lui sa femme et son fils, pour semer, entre l'empereur Alexandre et les souverains d'Angleterre et d'Autriche, la désunion ou du moins la défiance, pour regagner à sa cause le prince de Metternich et M. de Talleyrand lui-même. Il n'attendait probablement pas grand-chose de ces démarches et ne s'étonna guère de ne trouver, dans les liens et les sentiments de famille, nul appui contre les intérêts et les engagements de la politique. Il comprit et accepta, sans colère contre personne et probablement aussi sans retour sur lui-même, la situation que lui faisait en ce moment sa vie passée : c'était celle d'un joueur effréné, complétement ruiné quoique encore debout, et qui joue seul, contre tous ses rivaux réunis, une partie désespérée, sans autre chance qu'un de ces coups imprévus que l'habileté la plus consommée ne saurait amener, mais que la fortune accorde quelquefois à ses favoris.

On a prétendu, quelques-uns même de ses plus chauds admirateurs, qu'à cette époque le génie et l'énergie de Napoléon avaient baissé ; on a cherché dans son embonpoint, dans ses accès de langueur, dans ses longs sommeils, l'explication de son insuccès. Je crois le reproche injuste et la plainte frivole ; je n'aperçois, dans l'esprit et la conduite de Napoléon, durant les Cent-Jours, aucun symptôme d'affaiblissement ; je lui trouve, et dans le jugement et dans l'action, ses qualités accoutumées. Les causes de son mauvais sort sont plus hautes. Il n'était plus alors, comme il l'avait été longtemps, porté et soutenu par le sentiment général et le besoin d'ordre et de sécurité d'un grand peuple ; il tentait au contraire une mauvaise œuvre, une œuvre inspirée par ses seules passions et ses seules nécessités personnelles, réprouvée par le sens moral et le bon sens comme par le véritable intérêt de la France. Et il tentait cette œuvre profondément égoïste avec des moyens contradictoires et dans une situation impossible. De là est venu le revers qu'il a subi comme le mal qu'il a fait.

C'était, pour les spectateurs intelligents, un spectacle étrange et, des deux parts, un peu ridicule, que Napoléon et les chefs du parti libéral aux prises, non pour se combattre, mais pour se persuader, ou se séduire, ou se dominer mutuellement. On n'avait pas besoin d'y regarder de très près pour s'apercevoir que ni les uns, ni les autres ne prenaient au sérieux ni le rapprochement, ni la discussion. Les uns et les autres savaient bien que la vraie lutte n'était pas entre eux, et que la question dont dépendait leur sort se déciderait ailleurs que dans leurs entretiens. Si Napoléon eût vaincu l'Europe, à coup sûr il ne serait pas resté long-temps le rival de M. de La Fayette et le disciple de M. Benjamin Constant ; et dès qu'il fut vaincu à Waterloo, M. de La Fayette et ses amis se mirent à l'œuvre pour le renverser. Par nécessité, par calcul, les vraies idées et les vraies passions des hommes des-cendent quelquefois au fond de leur cœur ; mais elles remontent promptement à la surface dès qu'elles se croient quelque chance d'y reparaître avec succès. Le plus souvent, Napoléon se résignait avec une sou-plesse, une finesse et des ressources d'esprit infinies, à la comédie que les libéraux et lui jouaient ensemble ; tantôt il défendait doucement, quoique obstinément, sa vieille politique et sa propre pensée ; tantôt il les abandonnait de bonne grâce sans les renier, et comme par complaisance, pour des opinions qu'il ne partageait pas. Mais quelquefois, soit préméditation, soit impatience, il redevenait violemment lui-même, et le despote, à la fois fils et dompteur de la Révolu-tion, reparaissait tout entier. Quand on voulut lui faire insérer dans l'Acte additionnel aux constitutions de l'Empire l'abolition de la confiscation proclamée par la Charte de Louis XVIII, il se récria avec colère : « On me pousse dans une route qui n'est pas la mienne. On m'affaiblit, on m'enchaîne. La France me cherche et ne me retrouve plus. L'opinion était excel-lente ; elle est exécrable. La France se demande ce qu'est devenu le vieux bras de l'Empereur, ce bras dont elle a besoin pour dompter l'Europe. Que me parle-t-on de bonté, de justice abstraite, de lois natu-relles ? La première loi, c'est la nécessité ; la première justice, c'est le salut public... À chaque jour sa peine, à chaque circonstance sa loi, à chacun sa nature. La mienne n'est pas d'être un ange. Quand la paix sera faite, nous verrons. » Un autre jour, dans ce même travail de préparation de l'Acte additionnel, à propos de l'institution de la pairie héréditaire, il s'abandonna à la riche mobilité de son esprit, prenant tour à tour la question sous ses diverses faces, et jetant à pleines mains, sans conclure, les observations et les vues contraires : « La pairie est en désaccord avec l'état présent des esprits ; elle blessera l'orgueil de l'armée ; elle trompera l'attente des partisans de l'égalité ; elle soulèvera contre moi mille prétentions individuelles. Où voulez-vous que je trouve les éléments d'aristocratie que la pairie exige ?... Pourtant une constitution sans aristocratie n'est qu'un ballon perdu dans les airs. On dirige un vaisseau parce qu'il y a deux forces qui se balancent ; le gouvernail trouve un point d'appui. Mais un ballon est le jouet d'une seule force ; le point d'appui lui manque ; le vent l'emporte et la direction est impossible. » Quand la question de principe fut décidée et qu'il en vint à nommer sa Chambre des pairs héréditaire, il avait grande envie d'y appeler beaucoup de noms de l'ancienne monarchie ; après mûre réflexion, il y renonça, « non sans tristesse », dit Benjamin Constant, et en s'écriant : « Il faudra pourtant y revenir une fois ou une autre ; mais les souvenirs sont trop récents ; ajournons cela jusqu'après la bataille ; je les aurai bien si je suis le plus fort. » Il eût bien voulu ajourner ainsi toutes les questions, et ne rien faire avant d'être redevenu le plus fort ; mais avec la Restauration, la liberté était rentrée en France, et il venait, lui, d'y réveiller la Révolution ; il était en face de ces deux puissances, contraint de les tolérer et essayant de s'en servir, en attendant qu'il pût les vaincre.

Quand il eut adopté toutes les institutions, toutes les garanties de liberté que l'Acte additionnel empruntait à la Charte, il eut à traiter avec un autre vœu, un autre article de foi des libéraux encore plus déplaisant pour lui. Ils demandèrent que ce fût là une constitution toute nouvelle, qui lui déférât la couronne impériale par la volonté du peuple et aux conditions que cette volonté y attacherait. C'était toujours la prétention de créer à nouveau, au nom de la souveraineté populaire, le gouvernement tout entier, institutions et dynastie : arrogante et chimérique manie qui avait possédé, un an auparavant, le Sénat impérial quand il rappela Louis XVIII, et qui vicie dans leur source la plupart des théories politiques de notre temps. Napoléon, en la proclamant sans cesse, n'entendait point ainsi la souveraineté du peuple : « Vous m'ôtez mon passé, dit-il à ses docteurs ; je veux le conserver. Que faites-vous donc de mes onze ans de règne ? J'y ai quelques droits, je pense ; l'Europe le sait. Il faut que la nouvelle constitution se rattache à l'ancienne ; elle aura la sanction de plusieurs années de gloire et de succès. » Il avait raison : l'abdication qu'on voulait de lui eût été plus humiliante que celle de Fontainebleau, car, si on lui rendait le trône, c'était lui-même et sa grande histoire qu'on lui demandait d'abdiquer. Il fit, en s'y refusant, acte de fierté intelligente, et par le préambule comme par le nom même de l'Acte additionnel, il maintint le vieil Empire en le réformant. Quand vint le jour de la promulgation, le 1er juin, au Champ-de-Mai, sa fidélité aux traditions impériales fut moins sérieuse et moins digne ; il voulut paraître devant le peuple avec toutes les pompes de sa cour, entouré des princes de sa famille vêtus en taffetas blanc, de ses grands dignitaires en manteau orange, de ses chambellans, de ses pages : attachement puéril à des splendeurs de palais qui s'accordaient mal avec l'état des affaires et des esprits, et dont le public fut choqué en voyant défiler, au milieu de cet apparat magnifique, vingt mille soldats qui saluaient l'Empereur en passant pour aller mourir.

ALBERT SOREL

L'Europe et la Révolution française
(t. VIII, 1904)

Albert Sorel (1842-1906) est un historien français qui se fit très tôt une spécialité de l'histoire de la diplomatie européenne. Il entra en 1866 au ministère des Affaires étrangères pour ne le quitter que dix ans après. Nommé au secrétariat de la présidence du Sénat en 1876, il collabore régulièrement à des revues, comme la Revue des Deux Mondes ou la Revue politique. Cet historien autodidacte devient professeur à l'École libre des sciences politiques, où il enseignera pendant trente-cinq ans.

L'Europe et la Révolution française, son œuvre majeure, publiée entre 1885 et 1904, lui vaut d'être lauréat du grand prix Gobert de l'Académie française, en 1888. L'année suivante, il fait son entrée à l'Académie des sciences morales et politiques, puis, en 1894, à l'Académie française, où il succède à l'historien Hippolyte Taine. L'Europe et la Révolution française comprend huit volumes ; celui sur la campagne de 1815 et les ressorts diplomatiques de la défaite de Waterloo paraît en 1904. Sorel reprend en grande partie un article qu'il avait publié en 1901, dans ses Études de littérature et d'histoire, dans lequel il se livrait à un commentaire élogieux du livre de son collègue à l'Académie française, Henry Houssaye, consacré à la bataille de Waterloo. Sorel appartient à la droite conservatrice et catholique. S'il se montre particulièrement critique dans ses analyses consacrées à la Révolution française, il est de ceux qui voient en Napoléon, l'auteur du Concordat, une gloire nationale. C'est *pourquoi Sorel admire tant les travaux de Houssaye qui réveillent l'orgueil napoléonien et louent la valeur du commandement de l'empereur à Waterloo. Pour Sorel, la bataille fut perdue parce que « le vent avait tourné ». À la différence de 1792, 1795, 1805, désormais en 1815, « tout va de travers, tout se gauchit, se fêle, dérive ». Cette explication ne peut satisfaire. L'intérêt de l'extrait sélectionné réside dans le fait que son auteur met l'accent sur l'enjeu diplomatique de Waterloo et les conséquences sur l'Europe de la défaite française.*

CHAPITRE III

Waterloo
1815

Le congrès avait mis Napoléon hors le droit des gens. À la chambre des communes, un whig, Graham, le voua à l'exécration du genre humain et à la vengeance de l'Angleterre. « Le gouvernement français, c'est la guerre, ses armées vivent pour combattre et combattent pour vivre. Leur constitution a pour essence la guerre, et l'objet de cette guerre, c'est la conquête de l'Europe. Ce n'était pas une armée, c'était un gouvernement militaire qui était en marche, semblable à ces légions romaines du plus mauvais temps de Rome, l'Italique, la Rapace, troupes sans loi, sans frein, sans responsabilité devant Dieu ni devant l'homme... Il a pris possession de la plus grande partie de l'Europe et formé son plan pour conquérir la couronne d'Angleterre. L'Angleterre a fait échec à ses desseins ; d'un coup de trident, elle a bouleversé son empire*. » Les Prussiens réclament la ligne des

---

* 23 mai 1815, traduction de Villemain. *Cours de littérature*, t. VIII. [*Note de l'auteur.*]

Vosges, le Néerlandais, la Flandre française ; tous les Allemands, la vengeance et la purification de la moderne Babylone, par le pillage cosmopolite des Croates, pandours, cosaques et Prussiens. Il fallait humilier la France, la traîner dans la cendre, la confondre dans sa honte et la réduire, pour un demi-siècle, à l'impuissance de nuire !

C'est donc, encore une fois, pour l'existence et l'indépendance que va lutter l'armée française, et il semble, à voir les Prussiens avancer par les Pays-Bas, flanqués des anglais de Wellington, les Autrichiens et les Russes arrivant par l'est à la rescousse, que l'invasion de 1792 et le déluge de 1799, les grands périls nationaux vont recommencer. Toutefois ce ne fut point par la guerre, cette fois, que la France fut préservée, ni par l'habileté de sa diplomatie : elle le fut seulement par les divisions de ses vainqueurs sur le partage de ses dépouilles, la volonté des plus puissants de rétablir une paix durable et d'en jouir, l'impossibilité d'obtenir cette paix d'un autre gouvernement que celui des Bourbons, et l'impossibilité d'obtenir de ces princes une paix qui, en abaissant leur couronne, eût rendu leur retour odieux au peuple français. La France fut perdue par le plus grand militaire qui eût commandé ses armées, et sauvée par le roi impotent qu'elle avait laissé fuir. Louis XVIII allait exercer entre l'Europe et la France cet arbitrage que les derniers conseillers de la couronne destinaient à Louis XVI et gagner la restauration de son trône par les mêmes services à l'État dont les politiques de 1791 pensaient que Louis XVI tirerait la régénération de sa monarchie [1]. Mais auparavant la France connut une de ses aventures les plus tragiques et endura l'une des plus cruelles invasions qu'elle ait subies.

Lorsqu'il entra en Belgique, le 15 juin 1815, Napoléon comptait frapper un coup brusque et décisif, rompre la coalition avant que les armées ennemies se fussent rejointes, séparer les Anglais des Prussiens, les battre l'un après l'autre, déconcerter les Russes, arrêter les Autrichiens, forcer la victoire et bâcler la paix. Il avait préparé son plan de guerre avec un art supérieur. Il crut tenir la victoire deux fois : le 16 juin, à Ligny ; le matin du 18, à Waterloo. Il perdit l'occasion le 16 ; le 18, il disait encore : « Wellington a jeté les dés, et ils sont pour nous. » Les chances de succès disparurent une à une, la victoire s'échappa par morceaux et la bataille se tourna en déroute. Ce devait être un recommencement ; ce fut la catastrophe de la grande armée, de l'empereur et de l'empire.

Un espion de Wellington compare l'armée reformée par Napoléon à celle de 1792 ; un historien la montre « plus fougueuse, plus exaltée, plus ardente à combattre qu'aucune autre armée républicaine ou impériale. Jamais Napoléon n'avait eu dans la main un instrument de guerre si redoutable ni si fragile[1] ». Il se faussa dans sa main même et se rompit, sans que ni lui, qui se croyait sûr de ses combinaisons et les voyait se détruire l'une après l'autre, ni ses soldats, qui se donnaient du même élan héroïque qu'aux jours des grands triomphes, pussent comprendre pourquoi la journée ne finissait pas comme Austerlitz ou Iéna.

Les physiciens, pour expliquer les phénomènes de la lumière, du son, de la chaleur, supposent l'existence d'un fluide impondérable où nous vivons comme baignés et dont les vibrations ébranlent nos nerfs. Il faut bien admettre quelque chose d'analogue dans le monde des âmes, dans le monde de l'émotion, de la passion et de l'action humaine : une sorte d'atmosphère qui se modifie incessamment et insensiblement, qui a ses dépressions lourdes et ses envolées de brises vivifiantes, ses calmes et ses tempêtes ; elle semble, dans les crises, se dénaturer et nous dénaturer au point que nos impressions et nos actes nous surprennent et nous déconcertent : nous ne nous reconnaissons plus. Bref, comme dit le peuple, il y a l'air du temps, qui influe sur toutes choses. Or, le vent a tourné. Il souffle en ouragan contre les Français, il les aveugle, tantôt de poussière, tantôt de pluie, toujours de la fumée de leurs propres armes. Il porte, au contraire, l'ennemi et fait le jour devant ses pas.

Les lieutenants de Napoléon attendent ses ordres et les remplissent mal. Ceux de Wellington préviennent les instructions qu'il a négligé de leur donner. Tandis que Napoléon se prépare à le surprendre et à le couper, il est au bal, à Bruxelles, où il parade en fat solennel et demi-dieu de salon[1]. Ses ordres étaient pitoyables. S'ils avaient été exécutés, il ouvrait lui-même la trouée aux Français. Heureusement pour lui, ses lieutenants voient le danger et prennent sur eux d'y parer ; médiocres cependant, Napoléon en avait d'une autre graine que ceux-là ; mais *la cause* de la défaite est précisément celle qui faisait que les lieutenants de Wellington se montrèrent au-dessus de leur tâche, au-dessus d'eux-mêmes, et que ceux de Napoléon, encore que leurs maîtres, manquèrent à l'œuvre et défaillirent au conseil.

Wellington quitte le bal et trouve son armée prête. Sur le champ de bataille, il prend sa revanche : « Il n'y a pas d'autre ordre que de tenir jusqu'au dernier homme ! » disait-il au milieu des assauts furieux des Français. « Deux fois, raconte-t-il, j'ai sauvé la journée par mon obstination ; mais j'espère n'avoir jamais à livrer une pareille bataille. » Il tint, persuadé que les Prussiens arriveraient et décideraient la victoire. Tenir de la sorte, s'armer de cette confiance, c'étaient choses nouvelles dans l'histoire des coalitions. De

1792 à 1799 on n'attendait point l'allié, parce qu'on se savait soi-même incapable de le rejoindre. Les choses allèrent encore de la sorte, en plus d'une occasion, dans la campagne de France, en 1814. Cependant Wellington eut raison de tenir : sa constance désespérée eut sa récompense, et l'ardeur enragée de Blücher lui donna raison.

Celui-ci surprit et déconcerta plus encore Napoléon par son impétuosité que Wellington ne l'avait fait par sa résistance. Battu et blessé à Ligny, cramponné au champ de bataille, forcé malgré lui de lâcher pied, il s'était ressaisi dans la retraite. Grouchy le cherchait partout où, d'après les usages et les précédents, il aurait dû le trouver, c'est-à-dire très loin. Blücher se montra là où on ne l'attendait point, et ses Prussiens écharpés, éreintés, affamés reparurent, frénétiques et féroces, à l'assaut de l'armée française. Napoléon est pris entre deux feux. Tout à coup, le cri « la garde recule ! » retentit comme le glas de la grande armée... Les masses anglaises sabrent les fuyards avec ce cri féroce : *No quarter ! no quarter !* Napoléon conservait l'espoir d'organiser la retraite. Il établit trois bataillons de la garde en autant de carrés. Il comptait qu'à l'abri de cette digue l'armée pourrait se rallier et s'écouler. Dans cette héroïque retraite, la garde marchait littéralement inondée d'ennemis.

Mais à quoi bon en tuer ? Il en venait, il en viendrait toujours, et après ceux d'aujourd'hui, ceux de demain ; il en viendrait de partout, jusque de ces confins d'Illyrie où Napoléon avait porté ses avant-postes, jusque de cette Russie où il avait essayé de s'enfoncer et qui l'avait rejeté en lambeaux. Les conquêtes de Napoléon sur l'Europe ressemblaient à celles que les peuples des côtes font sur les grèves de l'Océan. Il avait, pour protéger son empire, essayé d'enchaîner la mer, il avait étendu toujours plus loin

ses digues et ses estacades. La force des eaux avait
tout balayé et la mer arrivait plus fatale, plus irrésistible, parce qu'elle arrivait de plus loin et que l'obstacle l'avait plus longtemps retenue. Ce qui faisait la
puissance des Prussiens à Waterloo, c'est qu'ils
étaient l'avant-garde d'une armée innombrable de
peuples, d'une invasion colossale qui les poussait, à
vrai dire, plus qu'elle ne les soutenait. Ils venaient,
dans ce formidable flux de l'Europe, comme les premiers flots de la marée mugissante, furieuse, qui se
heurtent aux rochers de la grève, les enveloppent, s'y
brisent, s'abattent et s'étalent en écume, relevés aussitôt et ramenés à l'assaut par la pesée massive, écrasante de l'Océan qui tombe de l'autre hémisphère et
monte en déluge derrière eux. Les carrés de la garde
n'étaient plus qu'une épave, le radeau du *Vengeur*[1]
crachant sa dernière mitraille, saluant la mort plutôt
que menaçant l'ennemi, et s'engouffrant, envahi par
les eaux.

Toute guerre se fait en vue de la paix, toute bataille
se livre en vue du lendemain. Il n'y avait plus, en
1815, ni de paix possible pour l'empereur, ni de lendemain pour la victoire. Napoléon avait dressé ses
plans comme Carnot avait dressé les siens en 1794,
comme il en avait lui-même dressé tant d'autres, et
admirables, en 1800, 1805, 1807, 1809. Tout, encore
une fois, allait dépendre d'une seule bataille : il pourrait, il devait la gagner : mais qu'en ferait-il ? Quand
il pensait à recommencer Marengo, Austerlitz, Iéna,
il oubliait qu'après Marengo et pour le compléter il
avait fallu Hohenlinden ; que pour conserver les
conquêtes de Marengo et de Hohenlinden il avait
fallu Austerlitz ; que pour tirer d'Austerlitz ses conséquences, c'est-à-dire paralyser la Prusse après
l'Autriche, il avait fallu Iéna ; que pour tirer d'Iéna ses
conséquences, c'est-à-dire paralyser la Russie après

la Prusse, il avait fallu Friedland ; et qu'après cette victoire il avait fallu recommencer avec l'Autriche, que tout avait failli être remis en question à Essling, et qu'il avait fallu Wagram pour ramener les choses au point où elles étaient au lendemain de Friedland.

Or, depuis octobre 1812, Napoléon battait en retraite, et le pire était que l'Europe autour de lui se concentrait. Il n'agissait plus comme le coin qui s'enfonce dans le bois et le fend ; il était pris lui-même entre deux mâchoires énormes qui se refermaient sur lui. La *fortune* qui abandonnait Napoléon, et avec lui la grande armée, et avec eux la France, c'était la révolution qui naguère les avait poussés sur l'Europe et qui maintenant se retournait contre les Français. Ni les généraux ni les soldats ne la reconnaissaient ; et comment l'auraient-ils reconnue « dans cette horde d'esclaves, de traîtres, de rois conjurés » ? Car ils en étaient toujours à l'âge héroïque, au temps où ils étaient jeunes et où ils s'étaient engagés pour la vie. La révolution, pour eux, c'était le 14 juillet, les Français s'embrassant avec des larmes de joie ; c'était la fédération, la patrie en danger, la royauté brisée parce que le roi pactisait avec l'étranger ; le salut public, la France délivrée, la France élargie jusqu'au Rhin ; des peuples qu'on proclamait frères, appelés à la liberté, des républiques que l'on se donnait pour sœurs, fondées sur les frontières de la France républicaine, étendue aux limites de la Gaule de César ; c'était la voie triomphale de Milan, de Rome, de Naples, de Vienne, de Berlin, de Moscou même. Comme à travers cette sublime aventure, ils se jugeaient demeurés toujours les mêmes, ayant passé sans le savoir de la guerre de défense à la guerre de conquête, de la république jacobine à la république consulaire, puis à la république césarienne, dont Napoléon s'était fait l'empereur, ils n'imaginaient pas que les autres peuples eussent changé, qu'il se fût fait autour de la France et par leur propre ouvrage une révolution, revers et contrepartie de celle qu'ils avaient glorifiée, mais tout aussi puissante dans la guerre, aussi redoutable et conquérante. Cette étrange moisson de peuples qu'ils avaient semée, les surprenait. Sans doute ils avaient rencontré çà et là, autrefois, des résistances bizarres : en Vendée, en France, en Calabre, aux Abruzzes, en Italie ; puis toute l'Espagne, qui n'était que de vastes Calabres. Mais ils avaient une explication toute prête : le fanatisme, la superstition, les moines, les brigands, la chouannerie ! Et ils avaient conservé l'illusion qu'ils emportaient à la fois, dans leurs gibernes le bâton de maréchal pour tout soldat de France, le Code civil et la liberté pour tout enfant de l'Europe conquise par les Français.

Ils en étaient toujours au temps où, en Italie, on qualifiait de *patriotes* les partisans du Directoire de Paris, et d'*anarchistes* les partisans de l'Italie aux Italiens. De quoi se mêlaient donc ces peuples barbares ? Que voulaient ces prétendues nations ? La « grande nation » ne suffisait-elle plus à la liberté des peuples ? N'y avait-il plus de place dans le Panthéon de l'empereur pour toutes les icônes et tous les dieux, comme dans son église des Invalides pour tous les trophées ? Quel délire emportait ces Russes misérables et asservis et leur faisait brûler leurs masures, leurs villes, leurs récoltes sur les pas du libérateur ? De quoi se mêlaient ces Allemands absurdes et dénaturés ? Des Allemands féroces qui marchaient à l'assaut, des Prussiens qui ne fuyaient plus, ne se ménageaient plus, comme au temps de Brunswick et du « vertueux » Mœllendorf ; des Autrichiens mêmes qui allaient de l'avant ! Les alliés entrant dans Paris, Pitt et Cobourg ressuscités en chair et en os ; les émigrés revenus, les Bourbons rétablis sur le trône, le

drapeau blanc, les processions, et sur la frontière, res-
serrée aux lignes des vieilles cartes, Wellington qui
arrivait du Portugal, en passant sur le corps de la
France ; les Anglais en Belgique, qui ne se rembar-
quaient pas à première sommation comme au temps
de Brune ; des coalisés qui ne se dispersaient pas
comme au temps de Jourdan, de Pichegru, de Hoche,
c'était le monde renversé pour ces âmes demeurées
enthousiastes et naïves, malgré les panaches et les
couronnes de prince, de ducs et de comtes dont
quelques-uns s'étaient parés. Le dernier des voltigeurs, sous ce rapport, en savait aussi long et en
comprenait aussi peu que le premier des maréchaux.
« Je ne crains qu'une chose, disait le Gaulois au grand
Alexandre, c'est que le ciel me tombe sur la tête. » Le
ciel était tombé.

LENOTRE

Napoléon. Croquis de l'épopée
(1832)

Au milieu des historiens académiques et des grands noms de la littérature républicaine qui ont écrit sur Waterloo, Louis Léon Théodore Gosselin, plus connu sous le nom de G. Lenotre (1855-1935), occupe une place à part. Cet obscur employé au ministère des Finances s'ennuie à établir les statistiques des douanes et publie des articles dans Le Figaro, Le Temps, Le Monde illustré. Sa passion pour l'histoire le conduit dans les archives pour trouver des sources neuves lui permettant de composer des ouvrages historiques qui rencontrent un grand succès. L'Académie française lui ouvre ses portes en 1909. Lenotre écrit des pièces de théâtre, dont une sur l'Empire intitulée Les Grognards. Dans sa série d'ouvrages qu'il intitule « La Petite Histoire », il fait paraître en 1932 Napoléon. Croquis de l'épopée, où figurent les deux extraits présentés.

Lenotre n'est pas un historien ordinaire. Ce qui l'intéresse ne sont pas les grands récits historiques, les courants historiographiques, mais les anecdotes dont fourmille le passé et qu'il essaie de faire revivre grâce à un style coloré et plein d'ironie. Conteur et faiseur d'histoires, davantage qu'historien, Lenotre recherche les détails qui éclairent sous un jour nouveau les grands événements. La Révolution française est ainsi évoquée à travers la vie privée de Robespierre ou encore le procès de Danton dans la perspective d'une évocation réaliste de la Terreur. Celui qu'on surnomme « le pape de la petite histoire » était prédestiné à évoquer le mot de

Cambronne dont la littérature a fait tout un roman. Pour Lenotre, c'est l'anecdote idéale pour cerner la bataille, ce qui lui permet de tracer la postérité de la saillie célèbre de Cambronne et de s'interroger sur sa valeur historique. À l'inverse de Victor Hugo qui a le culte de la légende, Lenotre préfère la véracité des faits, prouvés par les archives. L'histoire particulière de Waterloo, c'est aussi pour lui les souvenirs qu'a gardés le jeune Dumas de l'année 1815. Mais la source est tout aussi peu fiable puisqu'il s'agit des Mémoires de Dumas. Qu'importe à l'auteur ! L'histoire anecdotique est sa manière à lui d'évoquer les historiettes qui forment l'histoire. Émile Gabory, cet autre historien de la Révolution et de la Vendée, a écrit qu'« il avait le culte du parfait détail et la foi dans une impalpable survivance du passé ».

Que ce soit dans un récit à la périphérie de la campagne de 1815, avec le jeune Alexandre Dumas voyant passer devant lui Napoléon, aller puis revenir de Waterloo, ou dans la dissection du mot de Cambronne, prononcé au plus fort de la bataille, Lenotre nous en dit plus qu'il n'y paraît sur l'événement. Sans parler réellement de la bataille de Waterloo, il nous en livre pourtant l'histoire intime.

DEUX RELAIS DE NAPOLÉON [1]

Alors qu'Alexandre Dumas était enfant, il habitait Villers-Cotterêts.

Un jour de juin 1815 — le futur auteur des *Mousquetaires* avait alors treize ans — le bruit circula par la ville que l'empereur allait passer, se dirigeant vers la frontière du Nord, où se concentrait son armée. Le petit Dumas courut à la poste aux chevaux. La scène à laquelle il assista le frappa si vivement qu'il la racontait, bien des années plus tard, d'une façon saisissante. La berline impériale arriva. Tandis que les palefreniers s'empressaient à changer les chevaux, on vit paraître à la portière le visage grave de Napoléon. L'empereur tenait entre ses doigts une prise de tabac qu'il s'apprêtait à humer.

— Où sommes-nous ? demanda-t-il.

— À Villers-Cotterêts, sire, répondit un écuyer.

— À combien de lieues de Paris ?

— À vingt lieues, sire.

— À combien de lieues de Soissons ?

— À six lieues, sire.

— Faites vite.

Et Napoléon, respirant sa prise, se renfonça dans la berline.

Huit jours plus tard, l'empereur, revenant vers Paris, s'arrêta de nouveau à la poste de Villers-Cotterêts. Alexandre Dumas était encore là, Napoléon se pencha vers l'écuyer qui présidait au relais :

— Où sommes-nous ?

— À Villers-Cotterêts, sire.

— À combien de lieues de Soissons ?

— À six lieues, sire.

— À combien de lieues de Paris ?

— À vingt lieues, sire.

— Faites vite.

Le profil du César s'effaça. Entre ces deux apparitions, un monde, à Waterloo, s'était écroulé.

Un érudit habitant de Laon[1], M. Jean Marquiset, s'est appliqué à reconstituer d'après les archives et les traditions locales, les circonstances du passage, au chef-lieu de l'Aisne, de l'empereur parvenu à ce suprême chapitre de son épopée. Laon, il faut le rappeler, est bâti au sommet d'un roc isolé, haut de cent mètres, dominant une immense étendue de pays plat couvert de champs et de bois. Une route pavée, montante et sinueuse, conduit de la plaine au cœur de la ville. Mais le relais de poste était installé au bas de la côte, afin d'éviter aux voyageurs de passage, que rien n'appelait à Laon, l'ascension de *la Montagne*[1].

Le 11 juin 1815, un fourrier du palais arrivait en ville et avisait la municipalité que l'empereur passerait le lendemain et coucherait à la préfecture. Le lundi 12, les conseillers municipaux se réunirent de bon matin à la mairie, et vers neuf heures, escortés de la garde nationale et des pompiers, se mirent en chemin ; ils se postèrent à Semilly[2], où commençait la montée. On avait dressé là un arc de triomphe ; les gardes nationaux formèrent les faisceaux, et l'on attendit.

On attendit longtemps, car les courriers qui précédaient l'empereur ne furent là que vers trois heures de l'après-midi. Les tambours se mirent à battre, et presque aussitôt la voiture impériale parut. Elle était suivie de deux autres. En l'absence du maire, le premier adjoint prononça un discours. La foule immense, qui, sortie de Laon ou venue des environs, couvrait les champs et s'étageait des escarpements de la Montagne, poussa les cris de « Vive l'empereur ! Vive la patrie ! » Puis les voitures s'engagèrent vers la route montante, encadrées d'une double haie formée par les pompiers et les gardes nationaux.

À la préfecture, réception des autorités, toute cordiale et sans aucune étiquette. L'empereur y mit fin en annonçant qu'il allait visiter les fortifications. Il sortit, un piquet de la garde nationale l'accompagnait, et la foule se bousculait pour voir le grand homme. Il paraissait soucieux, absorbé ; pourtant, pressé par les curieux qui devenaient familiers, il répondait à tous ceux qui lui adressaient la parole. Sa tournée faite, il rentra à la préfecture, soupa, dicta trois lettres et se coucha.

À trois heures du matin les adjoints — ils étaient sans doute fourbus — se présentèrent pour lui offrir leurs vœux et leurs hommages. Une heure plus tard, l'empereur montait en voiture et prenait la route d'Avesnes, où il devait arriver dans la journée et passer la nuit.

Huit jours après, le mardi 20 juin, vers six heures du matin, des Laonnais prenant le frais sur le rempart Saint-Remy, virent sur la route de Marle, qui se déroule en ligne droite dans la plaine, une troupe en désordre s'avançant vers la ville. Dans le faubourg de Vaux, au pied de la Montagne, l'éveil fut vite donné et les habitants coururent à la rencontre des arrivants. C'était une débandade d'officiers et de soldats, fantassins désarmés, cavaliers démontés ; leurs uniformes étaient en lambeaux, maculés de boue et de sang. Presque tous blessés, exténués de fatigue, mourant de faim, avaient l'air abattus et la mine consternée. On les entoura, on les pressa de questions. On ne put tirer d'eux qu'une réponse :

— Tout est perdu ; l'armée a été détruite aux environs de Bruxelles.

Dans l'après-midi, d'autres bandes, en aussi piteux état, suivirent, confirmant la nouvelle ; les hommes s'entassaient au faubourg de Vaux, sans aller plus loin, trop fatigués pour tenter l'ascension de la Montagne. C'est dans ce faubourg qu'était la maison de poste, située dans l'angle formé par la rencontre de la route de Reims et de la route de Marle. Peu après six heures du soir, un officier de dragons s'y présenta, mit pied à terre, et appelant le maître de poste Lecat, lui annonça l'empereur. Quelques instants plus tard, une voiture en mauvais état qu'escortaient cinq ou six cavaliers, s'arrêtait devant la maison. Napoléon en descendit ; comme la porte charretière était fermée, il se dirigea vers celle du logement de Lecat ; les curieux s'étaient attroupés. L'un d'eux s'approcha du héros vaincu et lui dit « très brusquement » : « Vos soldats se sauvent ! » L'empereur détourna la tête sans dire mot.

Le court séjour qu'il fit ce soir-là, à Laon, n'est point passé inaperçu des historiens ; mais les détails recueillis par le chroniqueur local sont très pittoresques et valent d'être rapportés : ce sont des croquis, pris, en quelque sorte, d'après nature, où se retrouvent les minutes qui ne peuvent prendre place dans les grands tableaux.

Deux mauvaises voitures arrivèrent peu après celle de Napoléon : elles amenaient le duc de Bassano, Bertrand, Drouot et ses aides de camp. La suite de l'empereur se trouva ainsi composée d'une douzaine de personnes, auxquelles se joignirent plus tard Jérôme Napoléon et trois ou quatre généraux.

La grande porte de la maison de poste avait été ouverte, découvrant une vaste cour de ferme, dans laquelle les badauds, massés sur la route, apercevaient l'empereur, marchant de long en large, silencieusement, la tête baissée, l'air morne, les bras croisés sur la poitrine. Comme les écuries ouvraient sur la cour, le pavé de celle-ci était jonché de paille où traînaient les pas de Napoléon. Une voix dit :

— C'est Job sur son fumier. [1]

On le vit tout à coup interrompre sa promenade. Il demanda à boire. Une femme parut, portant un verre de vin, qu'il refusa. On lui présenta un verre d'eau. Il le porta à ses lèvres ; et à ce moment, on entendit dans la foule quelques cris de « Vive l'empereur ! » Mais son accablement et sa tristesse étaient si impressionnants que les acclamations furent faibles, timides, presque étouffées et restèrent isolées. Quand il eut fini de boire, il salua en soulevant son chapeau. À quelqu'un qui osa émettre l'opinion que « la défaite était probablement due à la trahison », il répondit :

— Non, c'est la force des circonstances !

Un conseil fut tenu dans cette maison de poste. Napoléon ne prenait aucune décision ; il répondait laconiquement aux différents projets qui lui étaient soumis, et retombait dans sa rêverie. Les gens massés aux portes s'épuisaient en conjectures sur les causes de cette longue station, dans un lieu si peu convenable. Ils avertissaient les soldats, dont le passage ne cessait pas, que l'empereur était là ; mais les soldats détournaient la tête et ne s'arrêtaient pas. Pourtant dans la cohue des fuyards, survint un officier général, que suivaient quelques domestiques.

— C'est le maréchal Ney ! cria-t-on. C'est le maréchal Ney ! L'empereur est là. N'entrez-vous pas le voir ?

Le maréchal sembla très ému. Il fit halte et pénétra dans la maison de poste ; après quelques instants, on l'en vit ressortir, plus calme, le visage rasséréné.

Vers dix heures du soir enfin, Napoléon se décida à quitter la maison Lecat. Il monta dans une voiture empruntée à un habitant de Laon, traversa la ville en rumeur, et partit par la route de Paris. Il arrivait à l'Élysée à huit heures du matin. Le lendemain, il abdiquait.

LE MOT DE CAMBRONNE

Le 18 juin 1815, à la fin de la grande bataille, vers huit heures et demie du soir, comme l'armée française, rompue, disloquée, se retirait en déroute vers Charleroi, trois bataillons de la vieille garde, commandés par les généraux Christiani, Cambronne et Roguet, formés en carrés près de la Haye-Sainte, la droite appuyée à la route de Bruxelles, résistaient au torrent ennemi. Poussés, déchiquetés, mordus de toutes parts par les lanciers de Brunswick, les dragons et l'infanterie, ils reculaient lentement vers Belle-Alliance, « littéralement entourés, a dit Henry Houssaye, comme à l'hallali courant le sanglier parmi la meute ». Au milieu du 2e bataillon du 1er chasseurs, Cambronne, à cheval, la figure en sueur, les habits lacérés, noirs de poudre, voyait fondre autour de lui ses hommes dans la mêlée, et comme les ennemis renouvelaient leurs sommations, la rage au cœur, il répondit...

Au fait, que répondit-il ? C'est le problème auquel on a déjà consacré nombre d'enquêtes, aussi érudites et bien ordonnées que décevantes en leurs résultats. Ah ! qu'Empédocle[1] avait raison quand il disait, il y a déjà bien des siècles : « Toutes choses nous sont occultes ; il n'en est aucune de laquelle nous puissions établir ce qu'elle est. »

Le désastre de Waterloo ne fut connu à Paris que le 21. Dans l'après-midi, le *Moniteur* publia un supplément avec un récit de la bataille : pas une allusion à la fameuse phrase ; dans les gazettes du 22 et du 23, même silence ; mais le 24, le *Journal général de France* publiait, en « écho », cette note :

> Parmi les faits qui honorent la mémorable et cruelle bataille de Mont-Saint-Jean, on cite le dévouement sublime de la malheureuse garde impériale... Les généraux anglais, pénétrés d'admiration pour la valeur de ces braves, ont député vers eux pour les engager à se rendre... Le général Cambronne a répondu à ce message par ces mots : *La garde impériale meurt et ne se rend pas !*

La phrase arrivait-elle apportée toute fraîche à Paris par un témoin de Waterloo ? Non, très probablement ; elle était éclose dans une salle de rédaction et due, vraisemblablement, à l'imagination de Rougemont. L'apostrophe avait belle allure, d'autres feuilles la reproduisirent et, le 28 juin, à la Chambre, comme Garat proposait de recueillir « les beaux traits des soldats vaincus à la fatale journée », particulièrement celui d'un héros qui dit : « *On meurt et on ne se rend pas* », de sa place, le député Pénières — un ancien conventionnel[1] — s'écria : « Le nom de l'officier qui a prononcé ces paroles ne doit pas être ignoré ; c'est le brave Cambronne ! » Et c'est ainsi que la phrase, à la suite de cette reconnaissance effective, entra dans l'histoire officielle. Depuis lors, la plupart des historiens et des biographes, se copiant, se pillant à l'envi, continuèrent sans contrôle à désigner Cambronne comme l'auteur de la fameuse riposte.

Pourtant il y eut des protestations : en 1818, la question ayant été soulevée à l'occasion d'une tragédie de Jouy, *Bélisaire, Le Journal des Débats*, organe royaliste, entra dans la lice : le 16 décembre, dans un article signé d'un V, il disait :

> ... Nous nous faisons un devoir de déclarer que tout Paris a pu savoir de la bouche du général Cambronne lui-même qu'il avait appris cette exclamation monumentale par la gazette et qu'il ne se souvenait nullement d'avoir rien dit qui s'en approchât. Il est donc juste d'en restituer la gloire à qui elle appartient, c'est-à-dire à un rédacteur du *Journal général* qui l'a proférée trois jours après l'affaire, à la tête d'une des colonnes... de ce journal, auquel le sobriquet de *Journal militaire* en est resté.

Et le lendemain, le *Journal général* répliquait par un semblant d'aveu : « L'héroïsme de cette parole, écrivait-il, n'est certes pas dans l'articulation des syllabes dont elle se compose, mais dans le sentiment qu'elle exprime et dans l'action qu'elle accompagna. » La discussion continua pendant quelques jours, puis on s'en lassa. Cependant Cambronne — un homme admirable de loyauté, de franchise et de délicatesse —

ne laissait passer aucune occasion de décliner l'honneur qui lui était fait. Était-ce respect de la vérité, était-ce modestie ? Au préfet de la Loire-Inférieure, Maurice Duval, il attesta que « ces paroles héroïques ne lui appartenaient pas plus qu'à la garde impériale, qui tout entière les a scellées de son sang ». Au colonel Magnant, il affirma « ne les avoir point prononcées ni entendues ; que sûrement elles avaient été dites par un de ses camarades ; qu'il voudrait le connaître pour lui faire rendre l'honneur qu'elles devraient lui mériter ».

Ce camarade n'était-il pas le général Michel, qui fut tué aux côtés de Cambronne ? Il semble bien que c'est à lui que Napoléon attribuait la noble riposte ; mais l'empereur n'était pas là, et sans doute fut-il incomplètement informé des incidents qui suivirent l'heure où il quitta le champ de bataille.

Quoi qu'il en soit, Cambronne n'a pas jeté aux Anglais la cornélienne réplique, cela paraît certain ; pourtant bien des gens l'ont entendue ! Expliquez cela. En 1862, un vieux brave, Antoine Deleau, ancien grenadier de la vieille garde, 2e régiment, devenu adjoint au maire de la commune de Vicq, dans le département du Nord, comparut solennellement devant le maréchal de Mac-Mahon, à son quartier général de Lille, et en présence du préfet du Nord, d'un général de division et d'un colonel d'état-major, il déclara :

> J'étais à Waterloo, dans le carré de la garde, au premier rang, en raison de ma grande taille… L'artillerie anglaise nous foudroyait et nous répondions à chaque décharge par une fusillade de moins en moins nourrie. Entre deux décharges, le général anglais nous cria : « Grenadiers, rendez-vous ! » Le général Cambronne répondit (je l'ai parfaitement entendu, ainsi que tous mes camarades) :
>
> « La garde meurt et ne se rend pas. — Feu ! » dit immédiatement le général anglais. Nous serrâmes le

carré et nous ripostâmes avec nos fusils. — « Grenadiers, rendez-vous, vous serez traités comme les premiers soldats du monde ! » reprit d'une voix affectée le
général anglais. — « La garde meurt et ne se rend
pas ! » répondit encore Cambronne, et sur toute la
ligne, les officiers et les soldats répétèrent avec lui :
« La garde meurt et ne se rend pas ! » Je me souviens
parfaitement de l'avoir dit comme les autres. Nous
essuyâmes une nouvelle décharge et nous y répondîmes par la nôtre. « Rendez-vous, grenadiers, rendez-
vous ! » crièrent en masse les Anglais qui nous enve-
loppaient de tous côtés ; Cambronne répondit à cette
dernière sommation par un geste de colère accompagné de paroles que je n'entendis plus, atteint en ce
moment d'un boulet qui m'enleva mon bonnet à poils
et me renversa sur un tas de cadavres...

Cette déclaration si précise fut signée du vieux soldat et de toutes les autorités présentes ; la même
année, un autre *grognard* écrivait au *Monde illustré*
cette lettre d'une forme plus énergique que correcte :

... Tout les soldats sur-vivant de Waterloo savent
bien que sait lillustre général Cambronne, comte
Michel (*sic*), qui a dit la frase de la garde, et il n'y a pas
à dire, mon bel ami ! Quand on écrit pour les journaux il
faudrait savoir bien son histoire, ou la demandé à ceux
qui la savent. — JEAN BAULDU, ancien de l'ancienne,
aujourd'hui concierge rue du Chemin-Vert, n° 54.

Cette pittoresque déclaration n'est pas, il est vrai,
décisive ; mais elle enchâsse un si précieux conseil
qu'elle mérite, elle aussi, d'être conservée. En 1877,
un survivant du dernier carré, Louis Mellet, ancien
chirurgien du 61e de ligne, existait encore à Angers ;
ses souvenirs, étaient également très nets : « J'étais là,
j'atteste que le propos a été dit et répété par les restes
de la vieille garde, par la jeune garde et par tous les
soldats présents. Je criai avec tous les autres : "Vive
Cambronne ! La garde meurt et ne se rend pas !" »

Qui croire ? Cambronne qui nie ou les témoins qui affirment ? Je sais bien qu'il y a une échappatoire et que le mot du héros passe auprès de l'immense majorité des gens pour avoir été beaucoup plus court et beaucoup plus énergique que la phrase de Rougemont. Eh bien, ceci encore est une légende, et bien postérieure à l'autre. On voit naître la *phrase* dès le surlendemain de la bataille ; le *mot* ne commence à poindre timidement que vers 1830. C'était au café des Variétés, alors tenu par un certain Dehodenc qui avait su y attirer une clientèle d'artistes et d'écrivains. Un jour, devant Charles Nodier, on y discutait l'authenticité de la réplique du général de la vieille garde, et quelqu'un insinua :

— Peut-être a-t-on répondu un mot moins apprêté, mais toujours est-il que Cambronne a dû dire quelque chose d'approchant.

— Vous ne savez rien ! s'écria Genty — un nouvelliste d'assez mauvais ton. Je sais le mot vrai, moi ! Voulez-vous que je vous le dise… Il leur a répondu…

Il y en eut qui estimèrent cela charmant ; on applaudit Genty. Charles Nodier se contenta de sourire ; d'autres étaient indignés. Le mot toutefois était tombé en bonne terre ; il est devenu grand, et Victor Hugo lui fit, dans les *Misérables*, une auréole. Cambronne, s'il eût vécu, en eût été bien marri. Il avait épousé, en 1810, une Anglaise, une Anglaise âgée de quarante-sept ans, c'est-à-dire doublement pudibonde, et sa femme lui avait probablement inculqué la continence de sa langue maternelle, dans laquelle ce mot impur *le ventre* est appelé *the stomach*. Pour conclure, il paraît établi, d'après la pittoresque étude de M. Marquiset, que Cambronne riposta à l'ennemi par un cri qui, sans doute, se perdit dans le bruit des fusillades et des clameurs ; que ce cri, Rougemont et Genty l'ont transmis à la postérité en l'interprétant chacun à sa manière : Rougemont, auteur d'un certain talent, donna une traduction noble, mais fantaisiste ; Genty, bohême de lettres, en donna une courte, mais vraisemblable. À Waterloo, c'est sûr, la phrase bouillonnait dans les cœurs et le mot crépitait dans les airs, et c'est pourquoi la légende, sur ce point spécial, a si vite et si complètement usurpé la place de l'histoire.

VI

Les biographes

ANTOINE DE JOMINI

Vie politique et militaire de Napoléon, raconté par lui-même au tribunal de César, d'Alexandre et de Frédéric

(1827)

Rien ne prédestinait Antoine de Jomini (1779-1869), jeune banquier suisse établi à Paris sous le Directoire, à emprunter la voie de la carrière militaire. Il commence secrétaire général au ministère de la Guerre dans la république helvétique. Dès 1802, de retour en France, il travaille à la composition d'un manuel de stratégie militaire et propose ses services comme aide de camp à Ney. Ce dernier en fait dès lors son plus proche collaborateur technique. Napoléon repère ce jeune talent et le prend à ses côtés. Le jeune Suisse publie en 1804 un très remarqué Traité des grandes opérations militaires, loué par Napoléon, et étudie les guerres révolutionnaires. Après la paix de Tilsit de 1807, Jomini est fait colonel et chef d'état-major de Ney. Il devient général et occupe la fonction de directeur de la section historique de l'état-major général de la Grande Armée. Ses qualités de stratège servent l'empereur à Iéna, en Espagne, en Russie et durant la campagne de Prusse, mais il se sent humilié de ne pas monter en grade, et passe au service du tsar Alexandre Ier dont il devient le principal conseiller militaire en 1813. Napoléon ne le considérera jamais comme un traître parce que Jomini n'était pas français.

En 1815, les guerres de l'Empire prennent fin sur le théâtre de l'Europe. Jomini, devenu précepteur militaire du nouveau tsar Nicolas Ier, en profite pour se consacrer à l'écriture. Mais c'est en 1827, dans sa Vie politique et militaire de Napoléon, qu'il excelle, en parvenant à renouveler le genre de l'histoire militaire grâce à un récit des campagnes à la première personne, avec Napoléon pour narrateur. La critique s'enthousiasme pour cette innovation formelle et donne à Jomini le surnom de « Devin de Napoléon » tant il a su coller au style lapidaire de l'empereur et à son énergie légendaire. Cet ouvrage publié en quatre volumes est encensé par Sainte-Beuve qui voit en Jomini un historien qui rivalise en justesse et en talent avec Charras et Thiers, « n'étant occupé ni d'excuser, ni d'accuser, ne surfaisant rien, ne diminuant rien, exempt même de patriotisme, mais opposant le pour et le contre au seul point de vue de l'art[1] ».

Le propos du livre consiste en une autojustification de Napoléon, prononcée au tribunal des grands stratèges de l'histoire que sont César, Alexandre et Frédéric. Ce sont ses juges ; devant eux, Napoléon plaide le génie militaire en exposant les tactiques qu'il employa sur les champs de bataille jusqu'aux confins de l'Europe et en Égypte. Waterloo, sa dernière bataille, est narrée simplement ; le récit peut être vu comme une synthèse de la conduite de la guerre. Même défait, même condamné à fuir le champ de bataille, Napoléon reçoit les honneurs des généraux et les rejoint au panthéon de ces grands hommes qui furent à la fois chefs d'État et stratèges militaires de génie, avec la palme du plus illustre. Jomini livre ainsi son jugement final sur Napoléon aux côtés duquel il assista aux batailles célèbres, conçues comme autant de monuments à sa gloire. Est-il alors vraiment aussi impartial que Sainte-Beuve le suggère ? Il pourrait y avoir polémique ; mais, en réalité, Jomini s'emploie à reprendre le discours de Napoléon lui-même.

En effet, à Sainte-Hélène, l'empereur, féru d'histoire militaire et antique, se plaît à porter un jugement sur César, Hannibal et d'autres. Ses réflexions le conduisent naturellement à s'identifier à eux. « Il n'est pas de grandes actions suivies, explique-t-il, qui soient l'œuvre du hasard et de la fortune ; elles dérivent toujours de la combinaison et du

1. Sainte-Beuve, Le Général Jomini, Michel Lévy frères, 1869.

*génie. Rarement on voit échouer les grands hommes dans
leurs entreprises les plus périlleuses.* » Combien a-t-il raison ! Car Napoléon a révolutionné et modernisé l'art de la
guerre ; il a triomphé de l'Europe coalisée contre la France.
Cela ne saurait être remis en question s'il n'y avait eu
le désastre en Russie et en Espagne, et l'hécatombe de
Waterloo. Qu'en dit Jomini, cet autre Clausewitz ?

Dès que l'ennemi trouvait le secret d'amener
500 mille hommes sur le Rhin en deux mois, mon
système de défense ne valait plus rien, parce que les
moyens de résistance étaient trop au-dessous du danger. Il fallait recommencer une révolution, pour me
donner toutes les ressources qu'elle crée ; il fallait
remuer toutes les passions, pour profiter de leur
aveuglement : sans cela, je ne pouvais plus sauver la
France.

J'en aurais été quitte pour régulariser cette seconde
révolution, comme je l'avais fait de la première[1] ; mais
je n'ai jamais aimé les orages populaires, parce qu'il
n'y a point de frein pour les mener. J'ai voulu faire
cependant une partie de cette révolution ; j'offris à la
nation de la liberté, parce qu'elle s'était plainte d'en
avoir manqué sous mon premier règne ; je lui donnai
un acte additionnel aux constitutions de l'empire, et
j'imaginai la solennité d'une assemblée au Champ-de-
Mai. Cette liberté factice produisit son effet ordinaire ;
elle mit les paroles à la place des actions, et amena plus
tard la division dans l'État. Il eût peut-être mieux valu
me saisir simplement de la dictature sans reprendre la
couronne impériale, et en ajournant les discussions
intérieures jusqu'après la paix : j'aurais tout aussi bien
sauvé la France avec le titre de dictateur de l'empire
français. Mes concessions, loin de satisfaire personne,

armèrent les factions et leur donnèrent plus d'importance[1].

À la fin de mai, j'avais 180 mille hommes disponibles pour tenir la campagne ; au milieu de juillet,
j'en aurais eu 300 mille ; toutes mes places auraient eu
pour garnisons des gardes nationales, des dépôts de la
ligne et de quelques bons régiments. Mes efforts pour
entamer des négociations ayant été vains, j'eus alors à
opter entre deux partis : le premier, d'aller en juin au-
devant des Anglo-Prussiens à Bruxelles et à Namur ;
le second, d'attendre les alliés sous Paris et Lyon. Le
dernier avait l'inconvénient de livrer la moitié de la
France aux ravages de l'ennemi ; mais il offrait l'avantage de gagner jusqu'au mois d'août pour compléter
les levées et terminer les préparatifs, puis de combattre, avec tous nos moyens réunis, les armées alliées
affaiblies par beaucoup de corps d'observation.

En transportant le théâtre des hostilités en
Belgique, on sauvait la France de l'invasion ; mais,
en cas de revers, on attirait l'ennemi dès le commencement de juillet, c'est-à-dire, six semaines plus tôt
qu'il ne serait venu de lui-même ; l'armée d'élite,
ébranlée par un revers, n'eût plus été à même de soutenir une lutte trop inégale, et les levées ne se fussent
pas achevées.

Ce parti nous offrait par compensation l'espoir de
prendre l'ennemi au dépourvu : il était plus conforme
à l'esprit de la nation, qui ne comprend pas les
Fabius[2]. On peut faire le Fabius comme l'empereur
de Russie, quand on a un empire sans fin ; ou comme
Wellington, quand on le fait sur le territoire des
autres, et outre-mer. Mais, en France et dans la position où je me trouvais, l'idée de laisser venir toute
l'Europe armée jusqu'au pied de Montmartre eût
consterné les plus déterminés. Je résolus donc de
prendre l'initiative.

[...]

Le combat[1] s'engagea vers les onze heures, par une attaque de ma gauche contre la droite de l'ennemi ; je l'ordonnai pour lui donner le change sur mes intentions. En effet, Wellington renforça sa droite de ses meilleures troupes.

Dans cet intervalle, un événement fâcheux arrivait à ma droite. Ney, déjà formé vis-à-vis Papelotte, mit ses divisions en marche par masses et par le flanc gauche pour opérer l'attaque convenue sur le centre. L'artillerie, embourbée dans ces terres délayées par huit jours de pluie, ne pouvait suivre ses colonnes : la cavalerie anglaise s'en aperçut, et s'élança, partie sur la division Marcognet, partie sur les pièces éloignées de tout secours ; l'infanterie trop serrée se mit en désordre ; quelques bataillons furent entamés ; les 80 pièces de Ney furent enlevées, ou plutôt les cavaliers anglais, sabrant les conducteurs, coupent les traits, ainsi que les jarrets des chevaux, et les mettent hors de service. Les cuirassiers de Milhaud accourent et anéantissent cette brigade anglaise ; mais Ney est forcé de continuer, sans artillerie, sa marche sur la Haie-Sainte. Je le fais soutenir par mes batteries du centre, et il marche à l'ennemi avec l'audace qu'on lui connaît ; ma cavalerie exécute une charge brillante sur la ligne anglaise, et perce jusqu'aux réserves ; mais, faute de soutien, elle est forcée à revenir. Ney continue à s'avancer ; les Anglais, à la faveur d'une artillerie supérieure, sèment la mort dans ses rangs ; rien ne l'effraie : notre canon ne peut suivre dans les boues ; celui des Anglais en position peut seul continuer à tirer, et ses ravages arrêtent l'élan de nos colonnes. Le nôtre se borne à répondre de loin aux batteries ; Ney redouble d'efforts pour enlever la position : il importe de frapper le coup décisif, ou il va succomber. Je suis prêt à en donner l'ordre et à lancer

mes gardes, quand on vient m'avertir qu'on aperçoit
des troupes en marche du côté de Saint-Lambert. Je
crus d'abord que c'était Grouchy, mais des prisonniers qu'on amène nous font connaître que c'est le
corps prussien de Bulow qui va déboucher sur notre
flanc droit; j'avais.peine à y croire, mais comment se
refuser à l'évidence? Je fus obligé de distraire le corps
des jeunes gardes destiné à l'attaque du centre, afin de
l'opposer à Bulow, en formant un crochet pour couvrir ma droite.

Wellington avait prévenu Blücher de son intention
d'accepter bataille à Mont-Saint-Jean: le maréchal
prussien, à qui malheureusement on avait laissé
toute la journée du 17 pour se réunir à Bulow et réorganiser son armée, avait promis son assistance aux
Anglais. Il laissa à Wavres un de ses corps pour
contenir Grouchy, et, avec les trois autres, il se mit
en marche le 18 de grand matin pour Saint-Lambert,
vers Mont-Saint-Jean. Le mauvais état des chemins
ralentit sa marche, et si le défilé eût été gardé par une
division seulement, jamais Blücher n'eût pu prendre
part à la bataille; à deux heures après midi, il n'y
avait encore que le corps de Bulow d'engagé: nous
réussîmes à le contenir. Pendant ce temps, l'attaque
du centre s'était effectuée. Notre cavalerie eut des
succès, quoique l'absence d'une partie des troupes
que j'avais destinées à cette attaque ne nous permît
pas de lui donner l'énergie convenable. Wellington
sentait qu'il y allait ici de toute sa renommée: il était
décidé à vaincre ou à mourir; car le chemin de
Bruxelles était si encombré d'artillerie démontée et
de chariots de blessés, qu'il n'y avait plus moyen
de se retirer. L'arrivée du gros de l'armée prussienne
changea l'état des affaires. Le corps de Ziethen couvrit l'intervalle qui se trouvait entre la gauche des
Anglais et la droite de Bulow; le second corps ren-

força ce dernier, et lui donna les moyens de prolonger sa ligne de façon à tourner décidément notre droite. Mes troupes qui, pendant toute la journée, avaient combattu avec avantage contre des forces supérieures, étaient épuisées ; se voyant attaquées en flanc et à revers, elles commencèrent à rétrograder ; le désordre s'y mit.

Dans ce moment, Wellington, instruit de ce qui vient d'arriver, passe subitement d'une défense passive à une offensive impétueuse : toute sa ligne se porte sur nous ; nos troupes abîmées se pelotonnent, et le désordre commence à s'y introduire. En redoublant la vitesse de leur retraite, elles sont bientôt à la débandade. La garde, entourée, succombe sous les coups ennemis ; on m'arrache avec peine de ce champ de carnage.

Des charges de la cavalerie ennemie achevèrent la déroute ; tout s'enfuit du côté de Charleroy. Il n'y eut plus de moyen d'arrêter le torrent ; la jonction des Prussiens et des Anglais se fait sur le plateau de Belle-Alliance ; la cavalerie prussienne profita d'un clair de lune pour nous poursuivre à toute outrance et empêcher notre ralliement. L'armée se trouva ainsi totalement dispersée.

Telle fut l'issue de cette journée, qui avait commencé sous de si heureux auspices pour nous, et qui devint plus funeste à la France que ne l'avaient été celles d'Azincourt et de Poitiers. Je n'ai jamais dissimulé mes fautes ; j'en ai commis quelques-unes dans le cours de ma longue carrière militaire, mais je n'ai qu'un bien faible reproche à me faire sur ma conduite à Waterloo ; ce sont les fautes de mes lieutenants et non les miennes qui nous ont perdus.

[...]

Je m'étais rendu à Paris pour aviser aux moyens d'amortir le coup que la France venait de recevoir ;

j'espérais qu'à l'approche d'une nouvelle invasion de l'étranger, les bons Français se réuniraient à moi pour la défense de la patrie. Je me trompai cruellement ; le malheur m'avait déconsidéré ; j'éprouvai des résistances auxquelles j'étais loin de m'attendre. Les chambres, remuées par les intrigants de tous les partis, se mirent en état d'insurrection contre moi. Sur la foi de quelques vétérans usés du jacobinisme[1], elles crurent pouvoir se saisir des rênes du gouvernement, et ne prévirent point qu'elles deviendraient le jouet des étrangers. Elles s'imaginaient acquérir toute la prépondérance du comité de salut public, parce que Carnot, républicain incorrigible, pouvait laisser le portefeuille de l'Intérieur pour prendre celui de la guerre, réorganiser la victoire, et fixer cette infidèle sous nos drapeaux. Personne n'apprécia la différence des temps et des hommes.

J'aurais pu me défendre encore quelques jours, car mes soldats ne m'eussent pas abandonné : mais on n'en voulait qu'à moi seul, on demandait aux Français de me livrer aux ennemis ; c'était les forcer à se battre jusqu'à extinction. J'eus scrupule d'exiger d'eux un si grand sacrifice ; je signai une seconde abdication. Décidé à me rendre en Amérique, j'espérais que les alliés se contenteraient de l'otage que j'allais mettre à leur discrétion, et qu'ils placeraient la couronne sur la tête de mon fils. C'était le moyen de fondre les intérêts anciens avec les nouveaux, et d'empêcher la guerre civile ; ce qui pouvait faire parcourir encore une fois tout le cercle de 1789 à 1800. Je m'abusais ; ce n'était pas du repos de la France qu'il s'agissait, mais bien des principes du droit divin. Peu importait aux étrangers qu'ils fussent appelés une troisième fois à Paris, pourvu que les dogmes de la légitimité triomphassent partout. La suite prouvera s'ils ont eu raison ; pour

moi, je m'en console : mon successeur, c'est la postérité.

Je n'ai quitté la France qu'au moment où l'ennemi
s'est approché de ma retraite. Les Anglo-Prussiens
s'étaient avancés rapidement sur Paris : ils auraient
pu y devancer Grouchy ; mais ils le suivirent de très
près. Wellington avait emporté d'emblée Péronne et
Cambrai, où de lâches citoyens, ne voulant voir en
lui que le chevalier de la légitimité, le secondèrent
ignominieusement. À la rapidité de l'invasion, on
s'aperçut que le temps des Mack était passé : cependant les Prussiens firent une faute grave ; voulant
éviter les ouvrages élevés au nord de Paris, ils passèrent la Seine seuls près de Sèvres, avant de pouvoir être soutenus par Wellington. On aurait pu se
jeter sur eux avec 70 mille braves, et les anéantir ; je
proposai au gouvernement provisoire de prendre le
commandement de l'armée, et de le quitter après
avoir vaincu. De basses intrigues m'empêchèrent de
laver la tache de Waterloo, et de prendre congé de la
France par une victoire qui lui eût permis de traiter honorablement avec les souverains alliés, au lieu
de se rendre à discrétion à un général anglais et à un
housard[1] prussien, comme le gouvernement provisoire l'a fait. Je partis immédiatement après pour
Rochefort : j'avais d'abord l'intention de m'embarquer à Bordeaux sur un navire marchand frété par
Joseph ; les objections d'un fâcheux conseiller m'y
firent renoncer. Je craignis de me livrer à mes ennemis dans un port de commerce. Je me décidai en conséquence à monter à bord d'un bâtiment de l'État. Mon
frère Joseph s'embarqua seul à Bordeaux, et arriva sans
obstacle en Amérique.

Je fus moins heureux que lui : voyant, à ma sortie
du port, qu'il était impossible d'échapper à la croi-
sière anglaise, je poussai droit à elle, espérant me

placer sous la sauvegarde de l'honneur et des lois britanniques. Mon mécompte a été bien cruel.

La postérité jugera le traitement qu'on m'a fait essuyer. Prisonnier sur un autre hémisphère, il ne me restait qu'à défendre la réputation que l'histoire me prépare et que les partis dénaturent encore selon leurs passions. La mort m'a surpris au moment où je rédigeais mes commentaires. Je les laisse imparfaits, et c'est un de mes plus grands regrets. Toutefois, je suis tranquille ; les pygmées ne m'atteindront pas ; j'ai acquis dans les victoires de Montenotte, Castiglione, Rivoli, les Pyramides, Marengo, Ulm, Austerlitz, Iéna, Friedland, Abensberg, Ratisbonne, Wagram, Dresde, Champ-Aubert, Montmirail, Ligny, assez de gloire pour effacer le désastre de Waterloo ; mes cinq codes [1] sont dignes de l'approbation des sept sages de la Grèce. Les monuments que j'ai laissés en France, en Italie, attesteront ma grandeur aux siècles les plus reculés. Enfin, pour me laver du reproche d'ambition, je dirai comme Mahomet :

> *Je fus ambitieux......*
> *Mais jamais roi, pontife, ou chef ou citoyen,*
> *Ne conçut un projet aussi grand que le mien.*

À peine Napoléon eut-il terminé son récit, que ses illustres auditeurs déclarèrent d'une voix unanime, bien qu'il eût échoué dans ses vastes projets, qu'il les avait surpassés en force d'âme et en génie.

Chacun d'eux en particulier donna des éloges aux traits de sa vie qui offrent le plus de ressemblance avec la leur. Alexandre loua Napoléon d'avoir pardonné à des ennemis vaincus. César trouva piquant qu'il eût élevé comme lui sa fortune sur les débris des libertés publiques, et affermi son pouvoir avec les légions destinées à les défendre. Frédéric applaudit à son esprit d'ordre et d'économie, et témoigna surtout le plaisir de voir que son système de guerre avait reçu de l'empereur de nouveaux développements.

Depuis ce moment les quatre héros sont inséparables, et leurs entretiens d'où découle une source inépuisable d'instruction politique et militaire, font le charme des ombres illustres qui habitent l'Élysée.

WALTER SCOTT

Vie de Napoléon Buonaparte
(1827)

L'écrivain écossais Walter Scott (1771-1832) s'est consacré à toutes les formes de littérature ou presque. Il est
l'auteur de ballades sur son pays natal et a composé de nombreux poèmes, dont un sur la bataille de Waterloo, publié en
1815. Ce maître du courant romantique s'est surtout rendu
célèbre et a révolutionné la littérature en inventant le roman
historique. Waverley l'a révélé en 1814, puis Rob Roy en
1817 et Ivanhoé en 1819 lui ont valu la gloire bien au-delà
de la Grande-Bretagne. Pouchkine écrit de lui : « L'influence
de Walter Scott se fait sentir dans tous les domaines de la
littérature de son époque. La nouvelle école des historiens
français s'est formée sous l'influence du romancier écossais.
Il leur a montré des sources entièrement nouvelles qui
étaient jusqu'alors inconnues malgré l'existence du drame
historique créé par Shakespeare et Goethe[1]. » La narration
de l'action romanesque et la description des mœurs des
figures les plus humbles, plutôt que celles des princes, ont
permis au talent de Scott de s'exprimer dans un cadre littéraire libre et réaliste, ainsi que de porter au plus haut le génie
de l'imagination.

C'est un autre travail que celui de l'historien qui doit
s'appuyer sur des sources sûres pour composer le récit du
passé. Scott est surtout connu pour ses romans, mais sa

---

1. Propos cité par Georg Lukács dans Le Roman historique,
Paris, Payot, 1965, p. 30.

Vie de Napoléon Buonaparte, empereur des Français, *publiée en 1827 (la même année que la biographie de Jomini), témoigne de sa passion pour l'histoire et de son désir de conter une vie romanesque par essence, celle de Napoléon. L'empereur français déchu vient de mourir à Sainte-Hélène quand Scott se lance dans ce projet immense de raconter les péripéties de cette vie d'aventure. C'est une somme considérable de neuf volumes qui sont publiés en plusieurs fois chez un éditeur célèbre de Londres, Longman, mais aussi chez Cadell and Co à Édimbourg. La célébrité de l'auteur fait que le livre est également publié l'année de sa sortie aux États-Unis à Philadelphie et, en traduction française, par Théodore Licquet, à Paris. Les bonapartistes critiquent ce livre qui fait le portrait d'un Napoléon guerrier et chef militaire, dont le bilan se compte en centaines de milliers de morts, uniquement pour assouvir une soif personnelle de gloire. Napoléon est présenté en héritier d'une Révolution française que Scott réprouve, en lecteur d'Edmund Burke. Le général Gourgaud, qui avait suivi Napoléon à Sainte-Hélène, est outré par cette biographie sans concession pour les proches de l'empereur et pour Napoléon lui-même.*

La description de Waterloo est essentiellement factuelle, même si l'auteur réaffirme son patriotisme britannique et fait des analyses critiques aussi bien de la conduite de Napoléon sur le champ de bataille, le 18 juin, que des relations de Waterloo que l'empereur a faites à Sainte-Hélène. Il n'empêche que les neuf volumes de Scott ont contribué grandement à élever le mythe de Napoléon en figure incontournable dans le genre historique mais aussi dans le genre littéraire et poétique. Scott avait pour habitude dans ses romans de suivre le parcours d'un héros moyen qui, par ses actions et sa psychologie, pouvait atteindre la hauteur du grand homme. En ce sens, on peut dire que sa biographie de Napoléon reflète la construction narrative inverse : Napoléon incarne cette grande figure toute-puissante de l'histoire, le type du héros classique, mais ce qui lui manque, postule Scott, c'est cette grandeur d'âme des hommes qui, chacun à leur niveau, inscrivent leurs

pas sur la route du progrès du genre humain. La philoso-
phie individualiste de Scott ne pouvait se concilier avec le
patriotisme classique des Anciens qui est celui de Napo-
léon. Scott adopte ainsi le point de vue britannique, ce qui
ne saurait surprendre son lecteur.

[Tome VIII]

CHAPITRE XVIII

On pourrait trouver plusieurs avis différents sur la
question purement militaire de savoir si le général
anglais devait hasarder une bataille pour la défense
de Bruxelles, ou si, se jetant dans la forte ville
d'Anvers, il devait s'y tenir à l'abri jusqu'à ce que les
renforts qu'il attendait fussent arrivés. Mais la position de Bruxelles était de la dernière importance
sous le point de vue moral et politique. Napoléon
a déclaré que s'il eût gagné la bataille de Waterloo, il
aurait eu le temps de révolutionner la Belgique ; et
quoique cette déclaration soit hasardée, il est hors
de doute que les Français avaient un grand nombre
de partisans dans un pays qu'ils avaient si longtemps
possédé. Le gain de la bataille de Ligny n'avait point
eu de résultats remarquables, encore moins l'action
indécise de Quatre-Bras ; mais si ces rencontres
eussent été suivies de la retraite de l'armée anglaise
à Anvers, et de la prise de Bruxelles, la principale
ville des Pays-Bas, elles auraient pu être mises au
rang des victoires les plus décisives.

Napoléon voyait dans une telle victoire des résultats encore plus brillants, et n'attendait rien de moins
que la dissolution de l'alliance européenne, comme le
prix de la défaite totale des Anglais en Belgique. Tant

qu'il n'était pas question des moyens par lesquels serait déterminée cette dissolution, ceux qui n'avaient pas moins de confiance dans les intrigues de Napoléon que dans ses talents militaires, durent supposer qu'il avait déjà préparé, au milieu des puissances étrangères, quelque plan bien profond tendant à saper les fondements de leur alliance, et prêt à être exécuté aussitôt que les succès de Buonaparte se seraient accrus à un certain point, mais quand on découvre que ces grandes espérances reposaient sur cette pensée de Napoléon, qu'une simple défaite du duc de Wellington eût occasionné un changement total d'administration en Angleterre ; que, suivant l'usage, les hommes d'État de l'opposition entrant en place auraient conclu aussitôt la paix avec lui, et que la coalition ainsi privée de subsides eût retiré les armées qui touchaient la frontière de la France dans toute sa ligne septentrionale et orientale, les extravagantes combinaisons de Napoléon ne servent qu'à montrer combien peu il devait connaître la nation anglaise qu'il avait si longtemps combattue[1]. La guerre avec la France avait duré plus de vingt ans, et quoique plusieurs de ces années eussent été marquées par de mauvais succès et des défaites, la nation avait persévéré dans une résistance qui se termina par un triomphe complet. L'opinion publique sur le grand général qui conduisait les troupes anglaises, était trop enracinée pour qu'elle pût céder dans le cas d'un revers ; et l'événement de la campagne de 1814, dans laquelle Napoléon, plusieurs fois victorieux, fut à la fin totalement défait et détrôné, aurait encouragé un peuple moins persévérant que le peuple anglais, à continuer la guerre. Malgré une simple défaite, si on eût dû l'éprouver, le duc avait à son arrière-garde et la forteresse presque imprenable d'Anvers, et le port de cette ville, par où il pouvait attendre des renforts de l'Angleterre. Blücher avait souvent montré combien peu il se laissait décourager par une défaite ; le pis eût été qu'il se fût replié sur une armée russe de deux cent mille hommes qui s'avançait. Les espérances que la bataille de Waterloo, si elle était gagnée par les Français, mettrait fin à la guerre, devaient être abandonnées comme des chimères ; que l'on considérât, soit le caractère constant et ferme du grand personnage qui est à la tête de la monarchie anglaise[1], soit les dispositions de la Chambre des Communes, où un grand nombre des membres distingués de l'opposition s'étaient joints au ministère dans la question de la guerre, soit enfin que l'on réfléchît à l'unanimité des sentiments de la nation, qui avait vu avec indignation la nouvelle irruption de Buonaparte. Cependant on ne peut nier que si Napoléon eût remporté quelques succès dans cette première campagne, ils auraient beaucoup ajouté à son influence, tant en France qu'en d'autres pays, et peut-être compromis la possession de la Flandre. Le duc de Wellington forma donc la résolution de protéger Bruxelles, s'il était possible, même au risque d'une action générale.

En se dirigeant des Quatre-Bras à Waterloo, le duc avait rétabli sa communication avec Blücher, qui avait été dérangée par la retraite des Prussiens à Wavres. Quand il y fut établi, Blücher fut encore une fois sur la même ligne que les Anglais ; l'aile droite prussienne et la gauche des Anglais n'étant séparées que par un espace d'environ cinq lieues et demie. Le terrain qui était entre les deux points extrêmes, nommé les hauteurs de Saint-Lambert, était très rude et boisé ; et les chemins qui s'y croisaient, formant le seul moyen de communication entre les Anglais et les Prussiens, avaient été horriblement dégradés par les derniers mauvais temps.

Le duc donna connaissance au prince Blücher de sa position devant Waterloo, lui faisant part en même temps de sa résolution de livrer à Napoléon la bataille qu'il paraissait désirer, pourvu que le prince voulût y concourir avec deux divisions de l'armée prussienne. La réponse fut digne de cet infatigable et indomptable vétéran, qui n'était jamais assez déconcerté par une défaite pour n'être pas toujours prêt à combattre le lendemain. Il répondit donc qu'il ne viendrait pas au secours de Wellington avec deux divisions seulement, mais avec toute son armée, et que, pour se préparer à ce mouvement, il ne demandait pas plus de temps qu'il n'était nécessaire pour distribuer à ses soldats du pain et des cartouches.

Il était trois heures de l'après-midi du 17, quand les Anglais vinrent dans la plaine, et prirent leurs bivouacs pour la nuit dans l'ordre de bataille suivant lequel ils devaient combattre le lendemain. Napoléon en personne n'atteignit que beaucoup plus tard les hauteurs de Belle-Alliance, et son armée ne déploya toutes ses forces que le matin du 18. Une grande partie des Français avait passé la nuit dans le petit village de Gennape, et le propre quartier de Napoléon avait été à la ferme du Caillou, à environ un mille sur les derrières de la Belle-Alliance.

Le matin, quand Napoléon eut formé sa ligne de bataille, son frère Jérôme, à qui il attribuait de très grands talents militaires, reçut le commandement de l'aile gauche ; les comtes d'Erlon et Reille commandèrent le centre, et le comte Lobau l'aile droite. Les maréchaux Soult et Ney devaient agir comme lieutenants-généraux sous l'Empereur. La force des Français sur le champ de bataille devait se composer d'environ soixante-quinze mille hommes. L'armée anglaise n'excédait pas ce nombre, d'après le calcul le plus élevé ; chaque armée était commandée par un chef sous lequel elle aurait défié tout l'univers. Ainsi les forces étaient à peu près égales, mais les Français avaient le très grand avantage d'être des soldats de la même nation, formés à la guerre et en ayant l'expérience ; tandis que les Anglais, dans l'armée du duc de Wellington, ne passaient pas trente-cinq mille hommes, et quoique la légion allemande fût formée de vieilles troupes, les autres soldats que commandait le duc appartenaient aux contingents des États d'Allemagne, troupes nouvellement levées, n'ayant pas l'usage d'agir de concert, et que quelques précédents faisaient soupçonner de tiédeur pour la cause dans laquelle ils étaient engagés, de sorte que l'on ne pouvait se fier à leur assistance et à leur coopération qu'autant qu'on ne pouvait l'éviter. En adoptant la manière de calculer de Buonaparte, qui prétendait qu'un Français valait un Anglais, mais qu'un Français ou un Anglais valait deux hommes de toute autre nation, l'inégalité de forces du côté du duc de Wellington était très considérable.

[...]

Sur les six heures et demie ou environ, la seconde grande division de l'armée prussienne commença à entrer en communication avec la gauche anglaise par le village de Ohain, tandis que Bulow s'avançait de Chapelle-Lambert sur la droite et sur la queue de l'armée française, par un chemin creux ou vallée, appelé Frischemont. Il devint alors évident que les Prussiens allaient prendre une part sérieuse à la bataille, et avec des forces considérables. Napoléon avait encore les moyens de leur résister et de faire sa retraite, certain néanmoins d'être attaqué le jour suivant par les armées combinées de l'Angleterre et de la Prusse. Sa célèbre garde n'avait encore pris aucune part au combat, et aurait été en état de le protéger après une bataille dans laquelle il avait eu jusque-là le

désavantage, mais sans éprouver de défaite. Les circonstances critiques dans lesquelles il se trouvait
enveloppé devaient se confondre dans son esprit; il
n'avait pas de secours à attendre; une jonction avec
Grouchy était la seule ressource qui pût augmenter
ses forces; les Russes s'avançaient sur le Rhin à
marches forcées; à Paris, les Républicains formaient
des plans contre son autorité; il semblait que tout
devait être décidé dans cette journée et dans ces lieux.
Troublé par tant de circonstances de funeste présage,
il s'imagina qu'un effort désespéré forçant la victoire
avant que les Prussiens pussent agir effectivement,
chasserait peut-être les Anglais de leur position, et il
résolut de se hasarder à cette audacieuse épreuve.

À sept heures environ, la garde impériale se forma
en deux colonnes sous les propres yeux de l'Empereur, au pied du coteau de la Belle-Alliance; elle était
commandée par l'intrépide Ney. Buonaparte dit aux
soldats, et soutint la même fiction à leur commandant, que les Prussiens qu'ils voyaient sur la droite se
retiraient devant Grouchy. Peut-être le pensait-il
ainsi lui-même. La garde répondit, pour la dernière
fois, avec des cris de *vive l'Empereur!* et s'avança
avec résolution, ayant pour appui quatre bataillons
de la vieille garde en réserve, qui étaient tout prêts à
soutenir leurs camarades. Un changement progressif
avait eu lieu dans la ligne de bataille anglaise, par
suite des attaques réitérées et toujours repoussées
des Français. La droite, qui au commencement du
combat présentait un segment de cercle convexe,
maintenant avait pris la forme concave, parce que
l'extrême droite, après avoir été repoussée, avait été
ramenée en avant; de sorte que le feu de l'artillerie et
de l'infanterie tombait sur le flanc des Français, dont
la tête avait de plus à soutenir le feu des hauteurs.
Les Anglais étaient disposés sur une ligne profonde

de quatre hommes pour recevoir les colonnes avancées de la garde française, sur lesquelles ils firent
tomber une grêle de mousqueterie qui ne se ralentit
pas un instant. Les soldats tirèrent à volonté, chaque
homme chargeant et déchargeant son arme aussi
vite qu'il le pouvait. À la fin les Anglais firent un
mouvement en avant comme pour cerner les têtes
des colonnes, et en même temps ils continuaient
de tirer sur les flancs de l'ennemi. Les Français tentèrent courageusement de se déployer ; mais l'effort
qu'ils firent sous un feu si meurtrier ne réussit
pas. On les vit s'arrêter, hésiter, fuir, se mettre en
désordre, se mêler, céder enfin, en se retirant, ou
plutôt en fuyant dans une extrême confusion. Ce fut
le dernier effort de l'ennemi, et Napoléon donna
des ordres pour la retraite. Il ne lui restait plus de
troupes pour la protéger, excepté les quatre derniers
bataillons de la vieille garde. En arrière des colonnes
d'attaque, ils se formèrent d'eux-mêmes en bataillons
carrés et tinrent ferme. Mais, dans ce moment,
Wellington fit avancer toute la ligne anglaise, de
sorte que, malgré le courage exercé de ces intrépides
vétérans, ils furent aussi mis en désordre et entraînés
dans la déroute générale, en dépit des efforts de Ney,
qui, ayant eu son cheval tué sous lui, combattit
l'épée à la main, et à pied, jusqu'au dernier instant
au front même de la ligne. Ce maréchal, dont les
qualités militaires sont du moins hors de toute
contestation, a démenti par sa conduite dans l'action deux circonstances répandues par les amis de
Buonaparte. L'une de ces fictions se trouve dans son
propre bulletin, qui attribue la perte de la bataille
à une terreur panique causée par la perfidie de
quelques voix inconnues qui élevèrent le cri de *sauve
qui peut !* Une autre relation, accréditée à Paris, portait que les quatre bataillons de la vieille garde qui

conservèrent les derniers une apparence d'ordre, sommés de se rendre, firent cette réponse magnanime : *La garde meurt et ne se rend pas !* Une édition de cette histoire ajoute que dans ce moment les bataillons, firent un demi-tour en dedans, et déchargèrent leurs fusils les uns sur les autres afin de ne pas mourir par les mains des Anglais. Ni la réplique, ni le prétendu sacrifice de la garde n'ont le moindre fondement. Cambrone, dans la bouche duquel cette réponse est mise, rendit lui-même son épée et resta prisonnier. De plus, la noble conduite de la vieille garde reçoit un plus digne hommage de l'aveu unanime qu'elle combattit jusqu'à l'extrémité avec un inébranlable courage, que de ceux qui lui attribuent une espèce de suicide militaire sur le champ d'une bataille perdue. Tous ces soldats combattirent comme des braves, et ce n'est pas les louer que de les représenter comme des insensés. Que ces paroles aient été ou non proférées par Cambrone, la garde impériale a bien mérité qu'elles fussent inscrites sur son monument.

Pendant ce mouvement décisif, Bulow, qui avait concentré ses troupes, et qui à la fin se trouvait en force pour agir, emporta le village de Planchenoit à l'arrière-garde française, et fit un feu si actif sur leur droite que la canonnade gêna la poursuite des Anglais, et fut suspendue en conséquence. Les armées anglaise et prussienne s'avançant en lignes obliques, se réunirent sur les hauteurs si récemment occupées par les Français, et célébrèrent leur victoire par des cris de félicitation mutuelle.

L'armée française était en ce moment dans une complète déroute ; et quand les généraux victorieux se rencontrèrent à la ferme de la Belle-Alliance, il fut convenu que les Prussiens se mettraient à la poursuite de l'ennemi, parce que les Anglais étaient épuisés par les fatigues d'une bataille de huit heures.

Pendant toute l'action, Napoléon conserva une grande sérénité. Il se tint sur les hauteurs de la Belle-Alliance, et assez près du centre. De cette position son regard embrassait toute la plaine, qui n'a pas plus de deux milles d'étendue. Longtemps il n'exprima aucune inquiétude sur le sort de la bataille ; il observa la conduite de chaque régiment, loua plus d'une fois les Anglais, mais toujours en parlant d'eux comme d'une proie assurée. Quand sa garde se disposa au dernier effort, qui lui fut si fatal, il descendit lui-même à moitié chemin de la chaussée de la Belle-Alliance, afin de lui faire une dernière exhortation. Il suivit attentivement leur marche avec une lorgnette, et refusa d'écouter un ou deux aides de camp qui venaient en ce moment de la droite l'informer de l'apparition des Prussiens. Enfin, voyant les colonnes d'attaque chanceler et se confondre, celui de qui nous tenons ces renseignements nous dit qu'il devint pâle comme un cadavre ; qu'il se dit à lui-même, et à ceux qui l'entouraient, « Tout est perdu à présent ». Il quitta alors le champ de bataille sans s'arrêter ni se rafraî-chir jusqu'à Charleroi, où il resta un moment dans une prairie, et occupa une tente qu'on lui avait prépa-rée*.

Cependant Blücher ne cessait de poursuivre l'ar-mée française en déroute. Il accéléra la marche de l'avant-garde prussienne, et envoya tous ses cavaliers

---

* Nous avons été instruit de ces détails par un paysan flamand appelé Lacoste[1], qui, obligé de servir de guide à Buonaparte, resta avec lui pendant toute l'action et l'accompagna à Charleroi. Il paraissait être un homme intelligent, et racontait son histoire avec la plus grande simplicité. L'auteur l'a vu, et a entendu son récit très peu de temps après l'action. [*Note de l'auteur.*]

sur les traces des Français fugitifs. À Gennappe, ils tentèrent une espèce de défense, en barricadant le pont et les rues. Mais les Prussiens les forcèrent en un moment; et, quoique les Français fussent assez nombreux pour opposer de la résistance, le désordre était si grand, et leur force morale si complètement abattue pour le moment, qu'ils furent la plupart égorgés comme des troupeaux, et chassés de bivouac en bivouac, sans montrer l'ombre de leur courage accoutumé. Cent cinquante canons furent abandonnés aux Anglais, et les Prussiens en prirent un nombre égal. Ces derniers s'emparèrent aussi de tout le bagage de Napoléon et de sa voiture, où, entre autres objets de curiosité, l'on trouva une proclamation qui devait être publiée à Bruxelles le lendemain.

La perte des Anglais dans cette terrible bataille fut immense, comme le dit le duc de Wellington, qui n'est pas un faiseur de phrases exagérées. Cent officiers tués, cinq cents blessés, dont plusieurs mortellement, quinze mille hommes tués ou blessés (indépendamment de la perte des Prussiens à Wavres), plongèrent la moitié de l'Angleterre dans le deuil. Plusieurs officiers de distinction succombèrent. Il faut toute la gloire et tous les solides avantages de cette immortelle journée, pour consoler du prix auquel elle fut achetée. Le commandant en chef, forcé de se porter partout, fut continuellement dans le plus grand péril. Le duc et un officier de son nombreux état-major furent les seuls qui ne furent point blessés, ni eux, ni leurs chevaux.

Il serait difficile de calculer l'étendue de la perte des Français. Outre ceux qui succombèrent dans le combat et dans la fuite, un grand nombre déserta. Nous ne croyons pas que de soixante-quinze mille hommes, il en soit resté la moitié sous les armes.

Ayant fini notre récit de cette mémorable action, nous nous croyons obligé de parler de ce que Napoléon lui-même en a dit, afin d'y trouver de nouvelles lumières sur ce sujet, mais surtout sur son caractère.

Le récit de la bataille de Waterloo, dicté par Napoléon à Gourgaud, et que le général Grouchy[1] traite de roman rempli de suppositions gratuites, de déguisements et de faussetés, accuse les généraux qui combattirent sous Buonaparte, d'avoir dégénéré. Ney et Grouchy sont plus particulièrement désignés ; le premier par son nom, le second par une allusion évidente. Il y est dit qu'ils avaient perdu cet énergique et audacieux génie qui les distinguait autrefois, et auquel la France dut ses triomphes ; ils étaient devenus craintifs et circonspects dans toutes leurs opérations ; et malgré leur bravoure personnelle, l'objet important pour eux avait été de s'exposer le moins possible. Cette remarque générale, faite à dessein, pour transporter de l'Empereur à ses lieutenants, le blâme du mauvais succès de cette campagne, est à la fois injuste et ingrate. Avaient-ils perdu leur énergie, ceux qui, dans le champ de Waterloo, combattaient encore longtemps après que l'Empereur l'eut quitté ? Grouchy était-il irrésolu dans ses opérations, lui qui ramena sa division à Paris, malgré tous les obstacles que lui opposa une armée victorieuse, trois fois plus forte que la sienne ? Ces deux chefs avaient abandonné pour Napoléon, le rang et la fortune, qu'ils auraient pu garder paisiblement sous les Bourbons. Montrèrent-ils la répugnance à s'exposer dont on les accuse, quand, pour le rejoindre dans sa carrière aventureuse, ils oublièrent non seulement leur intérêt et leur sûreté, mais encore leur honneur, à la face de l'Europe, en s'exposant à une mort certaine, si les Bourbons l'emportaient ? Ceux qui combattirent la

corde au cou, et tels étaient certainement Ney et
Grouchy, agissaient, il nous semble, en désespérés.
Est-il croyable, qu'en de telles circonstances, ceux
dont la fortune et la vie dépendaient de la victoire,
braves d'ailleurs comme on le reconnaît, soient restés
en arrière quand leur sort était dans un des bassins
de la balance ?

On ne peut guère attendre que celui qui était
injuste envers les siens fût plus vrai à l'égard d'un
ennemi. Le duc de Wellington, en toute occasion, n'a
pas refusé aux talents militaires de Napoléon cette
justice qu'un esprit généreux est jaloux de rendre
à un adversaire, et il a volontiers déclaré que la
conduite de Napoléon et de son armée dans cette
mémorable bataille fut digne de leur grande réputation. On dira peut-être qu'il est facile au vainqueur
d'accorder des louanges au vaincu, mais qu'il faut un
plus haut degré de candeur au vaincu pour rendre
justice au vainqueur. Napoléon paraît ne pas avoir eu
cette noble grandeur d'âme, car lui-même, et les différentes personnes par lesquelles il faisait circuler
ses paroles, s'accordent dans le futile expédient
d'excuser la défaite de Waterloo par une foule de jus-
tifications fondées en grande partie sur de faux
exposés.

[...]

Presque tous les historiens français, et quelques
anglais, se sont plu à dire que les Anglais étaient au
moment d'être défaits quand les Prussiens arrivèrent.
C'est le contraire : les Français avaient attaqué, et les
Anglais avaient résisté depuis onze heures jusqu'à
près de sept ; et quoique la bataille fût très meurtrière, les premiers n'avaient remporté aucun avantage, excepté au bois d'Hougomont et à la ferme de la
Haye-Sainte ; avantages aussitôt perdus que gagnés.
C'est avec raison que le baron Muffling[1] dit que « la

bataille n'eût pas été plus favorable à l'ennemi, quand
bien même les Prussiens ne seraient pas arrivés ».
C'est un témoin et un juge irrécusable ; et sans doute
il voulait exalter, autant que la vérité et l'honneur le
permettraient, la gloire acquise par ses compatriotes
dans cette mémorable action ; où il eut personnellement une grande part. Lorsque Napoléon faisait les
derniers efforts, les troupes de Bulow étaient à la
vérité sur le champ de bataille, mais elles n'avaient
pas encore combattu, et leur présence n'avait excité
aucune crainte. Napoléon annonça à sa garde, avant
ce dernier effort, que les Prussiens qu'ils voyaient
étaient poursuivis par les Français de l'armée de
Grouchy. Peut-être le croyait-il lui-même ; car le feu
de l'artillerie de Grouchy, qu'on supposait à une lieue
et demie, mais qui était réellement à près de trois
lieues, s'entendait distinctement. Quelqu'un de la
suite de Napoléon vit la fumée des hauteurs de
Wavres. « La bataille est gagnée, dit-il ; il faut forcer
la position des Anglais, et les jeter sur les défilés.
Allons ! la garde en avant ! » Ils attaquèrent donc dans
la soirée, quand l'armée était déjà repoussée en deçà
de sa propre position. Ainsi, avant que les Prussiens
arrivassent, Napoléon avait fait tout ce qu'il pouvait
faire, et il ne lui restait plus un corps qui ne fût désorganisé, excepté quatre bataillons de la vieille garde.
On ne peut donc dire que nos alliés protégèrent
l'armée anglaise contre un ennemi qui était totalement défait[1] ; mais les Prussiens méritent la
reconnaissance de l'Angleterre et de l'Europe, par
la généreuse et courageuse confiance avec laquelle
ils vinrent au secours de Wellington à travers tant de
dangers, et par le zèle et l'activité avec lesquels ils
complétèrent la victoire.

Il est généralement reconnu que l'armée anglaise,
épuisée par un si long combat, n'aurait pu profiter,

en le terminant, du désordre de l'ennemi, tandis que rien ne peut surpasser la dextérité et la rapidité que les Prussiens mirent à le poursuivre.

Les lauriers de Waterloo doivent être partagés : les Anglais gagnèrent la bataille, les Prussiens l'achevèrent et assurèrent les fruits de la victoire*.

---

* Les observations du baron Muffling, sur l'armée anglaise, intéresseront nos lecteurs :

> Il n'y a peut-être pas dans toute l'Europe une armée supérieure à l'armée anglaise, sur le champ de bataille ; c'est-à-dire que c'est une armée dans laquelle l'instruction militaire est entièrement dirigée de ce côté, comme vers son objet exclusif. Le soldat anglais est fortement constitué, et la nature l'a doué de courage et d'intrépidité. Il est accoutumé à une discipline sévère, et il est bien armé. L'infanterie résiste avec succès à la cavalerie, et se montre plus indifférente qu'aucune autre armée de l'Europe, quand elle est attaquée en flanc ou en queue. Ces qualités expliquent pourquoi les Anglais n'ont jamais été défaits en bataille rangée, depuis qu'ils sont commandés par le duc de Wellington.

Le baron ajoute dans une note, sur la même opinion :

> Les peuples qui habitent les autres parties du monde, et qui ne sont pas arrivés au même état que nous de civilisation, en sont la preuve. Ils savent mieux que les Européens combattre d'homme à homme, mais ils ne peuvent nous gagner une bataille. La discipline, dans toute la force du mot, est le fruit de l'instruction morale et religieuse.

Histoire de la campagne de l'armée anglaise, etc., sous les ordres du duc de Wellington, et de l'armée prussienne sous les ordres du prince Blücher de Wahlstadt, 1815 ; par C. de W., Stuttgardt et Tubingue, 1817. *[Note de l'auteur.]*

ALEXANDRE DUMAS

Napoléon
(1840)

Après Walter Scott, voici un autre grand nom de la littérature européenne du XIXe siècle et un auteur spécialisé dans le genre du roman historique, qui prend le destin hors norme de Napoléon Bonaparte pour sujet d'un livre historique. La biographie que consacre Alexandre Dumas à l'empereur paraît en 1840 à Paris. Dumas est alors âgé de trente-huit ans et a trente ans encore à vivre. L'auteur a déjà composé une œuvre célèbre sur Napoléon, parue dix ans plus tôt. Il s'agissait d'un drame en six actes, pas moins de vingt-trois tableaux, contenant soixante-seize personnages, créé au Théâtre royal de l'Odéon le 10 janvier 1831, intitulé Napoléon Bonaparte, ou trente ans d'histoire de France. Le projet pharaonique consistait en une sorte de biographie théâtrale de l'empereur. La pièce, en général bien accueillie, fut retirée au bout de quelques semaines à peine à cause de la faible affluence du public. Il faut dire que la concurrence était grande : à cette époque, les théâtres représentaient un grand nombre de pièces sur Napoléon (six en 1830). La fresque historique que voulait dédier Dumas à Napoléon fut donc un échec. Il est surprenant que l'acte V sur l'île d'Elbe et les Cent-Jours ne fasse quasiment pas mention de Waterloo. Conscient que ses convictions républicaines déplaisent en haut lieu, Dumas justifie son style libre dans la préface d'une édition de sa pièce : « La création tout entière appartient au poète : rois et citoyens sont égaux pour lui, et dans sa main, comme dans celle de Dieu, pèsent *juste le même poids. Il soulève le linceul des morts, il arrache le masque des vivants, il fustige le ridicule, il stigmatise le crime : sa plume est tantôt un fouet, tantôt un fer rouge. Malheur donc à ceux qui méritent qu'il les fouette. Honte et malheur à ceux qui méritent qu'il les marque ! »*

C'est dans sa biographie de 1840 que Dumas peut s'étendre comme bon lui semble sur l'épopée impériale, sans les contraintes du théâtre. La conduite de l'empereur à Waterloo y trouve légitimement sa place. L'œuvre est peu connue. Pourtant, Dumas sait reproduire — même s'il prend des libertés vis-à-vis de la réalité historique — l'intensité des combats et le drame de l'absence de Grouchy sur le champ de bataille. C'est la clé de la défaite, pour Dumas, qui prend un malin plaisir à peindre un Napoléon abandonné par son général, tournant la tête dans tous les sens pour apercevoir le renfort tant attendu, et ne perdant pas espoir, jusqu'aux dernières lueurs du jour, de remporter la victoire. Dumas reproduit avec une énergie sans pareille l'héroïsme qu'il admirait tant chez Napoléon. Ce faisant, il innocente complètement l'empereur de la défaite.

Le père d'Alexandre Dumas avait servi dans les armées républicaines avec un zèle infaillible, notamment lors de la campagne d'Italie. Pourtant, il mourut disgracié par Bonaparte parce qu'il avait désapprouvé la conduite de celui-ci en Égypte. Alexandre Dumas ne vengera pas le père. Cette biographie littéraire fait la louange de « la puissance du génie » de Napoléon, jusqu'à son dernier souffle. La fin de l'empereur, qui avait fait de Sainte-Hélène son « piédestal », a quelque chose de la mort sur le Golgotha, selon Dumas. Il écrit au sujet de la condamnation à la déportation de Napoléon par les Anglais, alors que l'empereur déchu s'était livré de plein gré, ces mots qui trahissent l'admiration que l'auteur porte à Napoléon : « les rois eurent leur Christ et les peuples leur Judas ». Dumas force sans doute le trait, mais le trait est beau. Napoléon a dit un jour : « Quel roman que ma vie ! » Dumas a projeté de l'écrire : il s'est fait le « nègre » de l'empereur.

La nuit s'écoule ainsi : chacun pressent bien qu'on est à la veille de Zama ; mais on ignore encore lequel sera Scipion, et lequel Annibal.

Au point du jour, Napoléon sort inquiet de sa tente, car il n'espère pas retrouver Wellington dans sa position de la veille : il croit que le général anglais et le général prussien ont dû profiter de la nuit pour se réunir devant Bruxelles, et qu'ils l'attendent à la sortie des défilés de la forêt de Soignes. Mais, au premier coup d'œil, il est rassuré : les troupes anglo-hollandaises couronnent toujours la ligne des hauteurs où elles se sont arrêtées la veille ; en cas de défaite, leur retraite est impossible. Napoléon ne jette qu'un coup d'œil sur ses dispositions ; puis, se retournant vers ceux qui l'accompagnent :

— La journée dépend de Grouchy, dit-il : et, s'il suit les ordres qu'il a reçus, nous avons quatre-vingt-dix chances contre une.

À huit heures du matin, le temps s'éclaircit, et des officiers d'artillerie, que Napoléon a envoyés examiner la plaine, reviennent lui annoncer que les terres commencent à se sécher, et que, dans une heure, l'artillerie pourra commencer à manœuvrer. Aussitôt, Napoléon, qui a mis pied à terre pour déjeuner, remonte à cheval, se porte vers la Belle-Alliance et reconnaît la ligne ennemie ; mais, doutant encore de lui-même, il charge le général Haxo de s'en approcher le plus près possible, pour s'assurer si l'ennemi n'est point protégé par quelque retranchement élevé pendant la nuit. Une demi-heure après, ce général est de retour : il n'a aperçu aucune fortification, et l'ennemi n'est défendu que par la nature même du terrain. Les soldats reçoivent l'ordre d'apprêter et de faire sécher leurs armes.

Napoléon avait d'abord eu l'idée de commencer l'attaque par la droite ; mais, sur les onze heures du matin, Ney, qui s'est chargé d'examiner cette partie du terrain, revient lui dire qu'un ruisseau qui traverse le ravin est devenu, par la pluie de la veille, un torrent bourbeux qu'il lui sera impossible de traverser avec de l'infanterie et qu'il sera forcé de sortir du village par files. Alors Napoléon change son plan : il évitera cette difficulté locale, remontera à la naissance du ravin, percera l'armée ennemie par le centre, lancera de la cavalerie et de l'artillerie sur la route de Bruxelles ; et ainsi, les deux corps d'armée, tranchés par le milieu, auront toute retraite coupée, l'un par Grouchy, qui ne peut manquer d'arriver sur les deux ou trois heures, l'autre par la cavalerie et l'artillerie, qui défendront la chaussée de Bruxelles. En conséquence, l'empereur porte toutes ses réserves au centre.

Puis, comme chacun est à son poste et n'attend plus que l'ordre de marcher, Napoléon met son cheval au galop et parcourt la ligne, éveillant, partout où il passe, et les sons de la musique militaire, et les cris des soldats, manœuvre qui donne toujours au commencement de ses batailles un air de fête qui contraste avec la froideur des armées ennemies, où jamais nul, parmi les généraux qui les commandent, n'excite assez de confiance ou de sympathie pour éveiller un tel enthousiasme. Wellington, une lunette à la main, appuyé contre un arbre du petit chemin de traverse en avant duquel ses soldats sont rangés en ligne, assiste à ce spectacle imposant d'une armée tout entière qui jure de vaincre ou de mourir.

Napoléon revient mettre pied à terre sur les hauteurs de Rossomme, d'où il découvre tout le champ de bataille. Derrière lui, les cris et la musique retentissent encore, pareils à la flamme d'une traînée de poudre ; puis, tout rentre bientôt dans ce silence solennel qui plane toujours sur deux armées prêtes à combattre.

Bientôt, ce silence est rompu par une fusillade qui éclate vers notre extrême gauche, et dont on aperçoit la fumée au-dessus du bois du Goumont : ce sont les tirailleurs de Jérôme qui ont reçu l'ordre d'engager le combat pour attirer l'attention des Anglais de ce côté. En effet, l'ennemi démasque son artillerie, le tonnerre des canons domine le pétillement de la fusillade ; le général Reille fait avancer la batterie de la division Foy, et Kellermann lance au galop ses douze pièces d'artillerie légère ; en même temps, au milieu de l'immobilité générale du reste de la ligne, la division Foy s'ébranle et s'avance au secours de Jérôme.

Au moment où Napoléon a les yeux fixés sur ce premier mouvement, un aide de camp envoyé par le maréchal Ney, qui a été chargé de diriger l'attaque du centre sur la ferme de la Haie-Sainte par la chaussée de Bruxelles, arrive au galop et annonce que tout est prêt et que le maréchal n'attend plus que le signal ; en effet, Napoléon voit les troupes désignées pour cette attaque échelonnées devant lui en masses profondes, et il va donner l'ordre, lorsque tout à coup, en jetant un dernier coup d'œil sur l'ensemble du champ de bataille, il aperçoit au milieu de la brume comme un nuage qui s'avance dans la direction de Saint-Lambert. Il se retourne vers le duc de Dalmatie, qui, en sa qualité de major général, est près de lui, et lui demande ce qu'il pense de cette apparition. Toutes les lunettes de l'état-major sont braquées à l'instant même de ce côté : les uns soutiennent que ce sont des arbres, les autres soutiennent que ce sont des hommes ; Napoléon le premier reconnaît une colonne ; mais est-ce Grouchy ? est-ce Blücher ? C'est ce qu'on ignore. Le maréchal Soult penche pour Grouchy ; mais Napoléon, comme par pressentiment, doute encore : il fait appeler le général Domon et lui ordonne de se porter vers Saint-Lambert, avec sa division de cavalerie légère et celle du général Subervie, pour éclairer sa droite, communiquer promptement avec les corps qui arrivent, opérer sa réunion avec eux si c'est le détachement de Grouchy, et les contenir si c'est l'avant-garde de Blücher.

L'ordre est à peine donné, que le mouvement s'exécute. Trois mille hommes de cavalerie font un à-droite par quatre, se déroulent comme un immense ruban, serpentent un instant dans les lignes de l'armée, puis, s'échappant par notre extrême droite, se portent rapidement et se reforment comme à une parade, à trois mille toises à peu près de son extrémité.

À peine ont-ils opéré ce mouvement, qui par sa précision et son élégance a un instant détourné l'attention des bois du Goumont, où l'artillerie continue de gronder, qu'un officier de chasseurs amène à Napoléon un hussard prussien qui vient d'être enlevé, entre Wavre et Planchenoit, par une reconnaissance volante. Il est porteur d'une lettre du général Bulow, qui annonce à Wellington qu'il arrive par Saint-Lambert, et lui demande ses ordres. Outre cette explication, qui lève tous les doutes relativement aux masses que l'on aperçoit, le prisonnier donne de nouveaux renseignements, qu'il faut croire, tout incroyables qu'ils paraissent ; c'est que, le matin encore, les trois corps de l'armée prusso-saxonne étaient à Wavre, où Grouchy ne les a nullement inquiétés ; c'est ensuite qu'il n'y a aucun Français devant eux, puisqu'une patrouille de son régiment a poussé cette nuit même une reconnaissance jusqu'à deux lieues de Wavre sans avoir rien rencontré.

Napoléon se retourne vers le maréchal Soult.

— Ce matin, lui dit-il, nous avions quatre-vingt-dix chances pour nous ; l'arrivée de Bulow nous en fait perdre trente ; mais nous en avons encore soixante contre quarante, et, si Grouchy répare l'horrible faute qu'il a commise hier, de s'amuser à Gembloux, s'il

envoie son détachement avec rapidité, la victoire en
sera plus décisive, car le corps de Bulow sera entièrement perdu. Faites venir un officier.

Un officier d'état-major s'avance aussitôt : il est
chargé de porter à Grouchy la lettre de Bulow et de le
presser d'arriver. D'après ce qu'il a dit lui-même, il
doit, à cette heure, être devant Wavre. L'officier fera
un détour et le joindra par ses derrières : c'est quatre
ou cinq lieues à faire par d'excellents chemins ; l'officier, qui est bien monté, promet d'être près de lui en
une heure et demie. Au même instant, le général
Domon envoie un aide de camp qui confirme la nouvelle : ce sont les Prussiens qu'il a devant lui, et, de son
côté, il vient de lancer plusieurs patrouilles d'élite
pour se mettre en communication avec le maréchal
Grouchy.

L'empereur ordonne au général Lobau de traverser
avec deux divisions la grande route de Charleroi, et de
se porter sur l'extrême droite pour soutenir la cavalerie légère : il choisira une bonne position où il puisse
avec dix mille hommes en arrêter trente mille. Tels
sont les ordres que Napoléon donne, quand il connaît
ceux auxquels il les adresse. Ce mouvement est exécuté sur-le-champ. Napoléon ramène ses yeux sur le
champ de bataille.

Les tirailleurs viennent de commencer le feu sur
toute la ligne, et cependant, à l'exception du combat
qui continue avec le même acharnement dans le bois
du Goumont, rien n'est sérieux encore. À l'exception
d'une division que l'armée anglaise a détachée de son
centre et fait marcher au secours des gardes, toute
la ligne anglo-hollandaise est immobile, et, à son
extrême gauche, les troupes de Bulow se reposent et
se forment en attendant leur artillerie, encore engagée dans le défilé. En ce moment, Napoléon envoie
au maréchal Ney l'ordre de faire commencer le feu

de ses batteries, de marcher sur la Haie-Sainte, de s'en emparer à la baïonnette, d'y laisser une division d'infanterie, de s'élancer aussitôt sur les deux fermes de Papelotte et de la Haie et d'en débusquer l'ennemi, afin de séparer l'armée anglo-hollandaise du corps de Bulow. L'aide de camp porteur de cet ordre part, traverse la petite plaine qui sépare Napoléon du maréchal, et se perd dans les rangs pressés des colonnes qui attendent le signal. Au bout de quelques minutes, quatre-vingts canons éclatent à la fois et annoncent que l'ordre du chef suprême va être exécuté.

Le comte d'Erlon s'avance avec trois divisions, soutenu par ce feu terrible, qui commence à trouer les lignes anglaises, lorsque tout à coup, en traversant un bas-fond, l'artillerie s'embourbe. Wellington, qui, de sa ligne de hauteurs, a vu cet accident, en profite et lance sur elle une brigade de cavalerie qui se divise en deux corps et charge avec la rapidité de la foudre, partie sur la division Marcognet, partie sur les pièces éloignées de tout secours, et qui, ne pouvant manœuvrer, non seulement ont cessé d'attaquer, mais ne sont même plus en état de se défendre : l'infanterie, trop pressée, est enfoncée et deux aigles sont prises ; l'artillerie est sabrée, les traits des canons et les jarrets des chevaux sont coupés : déjà sept pièces de canon sont hors de service, lorsque Napoléon s'aperçoit de cette bagarre et ordonne aux cuirassiers du général Milhaud de courir au secours de leurs frères. La muraille de fer se met en mouvement, secondée par le 4e régiment de lanciers, et la brigade anglaise, surprise en flagrant délit, disparaît sous ce choc terrible, écrasée, écharpée, mise en pièces ; deux régiments de dragons, entre autres, ont entièrement disparu : les canons sont repris et la division Marcognet est dégagée.

Cet ordre, si admirablement exécuté, a été porté par Napoléon lui-même, qui s'est élancé à la tête de la ligne, au milieu des boulets et des obus, qui tuent à ses côtés le général Devaux et blessent le général Lallemand.

Cependant Ney, quoique privé d'artillerie, n'en continue pas moins à s'avancer ; et, tandis que cet échec si fatal, quoique si promptement réparé, a lieu sur la droite de la chaussée de Charleroi à Bruxelles, il a fait avancer, par la grande route et dans les terres à gauche, une autre colonne qui aborde enfin la Haie-Sainte.

Là, sous le feu de toute l'artillerie anglaise, à laquelle la nôtre ne peut plus répondre que faible-ment, se concentre tout le combat. Pendant trois heures, Ney, qui a retrouvé toute la force de ses belles années, s'acharne à cette position, dont il parvient enfin à s'emparer, et qu'il trouve encombrée de cadavres ennemis. Trois régiments écossais y sont couchés côte à côte, à leur rang, morts comme ils ont combattu, et la deuxième division belge, les cin-quième et sixième divisions anglaises, y ont laissé un tiers de leurs hommes. Napoléon lance sur les fuyards les infatigables cuirassiers de Milhaud, qui les pour-suivent, le sabre dans les reins, jusqu'au milieu des rangs de l'armée anglaise, où ils viennent mettre le désordre. De la hauteur où il est placé, l'empereur voit les bagages, les chariots et les réserves anglais, s'éloi-gner du combat et se presser sur la route de Bruxelles. La journée est à nous si Grouchy paraît.

Les yeux de Napoléon sont constamment tournés du côté de Saint-Lambert, où les Prussiens ont enfin engagé le combat, et où, malgré la supériorité de leur nombre, ils sont contenus par les deux mille cinq cents cavaliers de Domon et de Subervie, et par les sept mille hommes de Lobau, qui lui seraient si utiles à cette heure pour soutenir son attaque du centre, vers laquelle il ramène les yeux, n'entendant rien, ne voyant rien qui lui annonce l'arrivée tant attendue de Grouchy[1].

Napoléon envoie l'ordre au maréchal de se maintenir, coûte que coûte, dans sa position. Il a besoin de voir clair un instant sur son échiquier.

À l'extrême gauche, Jérôme s'est emparé d'une partie du bois et du château du Goumont, dont il ne reste plus que les quatre murs, tous les toits ayant été enfoncés par les obus ; mais les Anglais continuent de tenir dans le chemin creux qui longe le verger : ce n'est donc, de ce côté, qu'une demi-victoire.

En face et vers le centre, le maréchal s'est emparé de la Haie-Sainte et s'y maintient, malgré l'artillerie de Wellington et ses charges de cavalerie, qui viennent s'arrêter sous le feu effroyable de notre mousqueterie. Il y a ici victoire complète.

À droite de la chaussée, le général Durutte est aux prises avec les fermes de Papelotte et de la Haie ; et, là, il y a chance de victoire.

Enfin, à l'extrême droite, les Prussiens de Bulow, qui se sont enfin mis en bataille, viennent de s'établir perpendiculairement à notre droite ; trente mille hommes et soixante bouches à feu marchent contre les dix mille hommes des généraux Domon, Subervie et Lobau. C'est donc là que, pour le moment, est le véritable danger.

Le danger grandit encore des rapports qui arrivent : les patrouilles du général Domon sont revenues sans avoir aperçu Grouchy. Bientôt on reçoit une dépêche du maréchal lui-même. Au lieu de partir de Gembloux au point du jour, comme il avait promis de le faire dans sa lettre de la veille, il n'en est parti qu'à neuf heures et demie du matin. Cependant, il est quatre heures et demie de l'après-midi, le canon gronde depuis cinq heures ; Napoléon espère encore que, obéissant à la première loi de la guerre, il se ralliera au canon. À sept heures et demie, il peut être sur le champ de bataille : il faut redoubler d'efforts jusque-là, et surtout arrêter les progrès des trente mille hommes de Bulow, qui, si Grouchy débouche enfin, se trouveront, à cette heure, pris entre deux feux.

Napoléon ordonne au général Duhesme, qui commande les deux divisions de la jeune garde, de se porter sur Planchenoit, vers lequel Lobau, pressé par les Prussiens, exécute sa retraite en échiquier : Duhesme part avec huit mille hommes et vingt-quatre canons, qui arrivent au grand galop, se mettent en batterie, et commencent leur feu au moment où l'artillerie prussienne laboure de sa mitraille la chaussée de Bruxelles. Ce renfort arrête le mouvement progressif des Prussiens, et paraît même un instant les faire reculer. Napoléon profite de ce répit : l'ordre est donné à Ney de marcher au pas de charge vers le centre de l'armée anglo-hollandaise et de l'enfoncer ; il appelle à lui les cuirassiers de Milhaud, qui chargent en tête pour ouvrir la trouée ; le maréchal les suit, et bientôt couronne le plateau avec ses troupes. Toute la ligne anglaise s'enflamme, et vomit la mort à bout portant ; Wellington lance tout ce qui lui reste de cavalerie contre Ney, pendant que son infanterie se forme en carré. Napoléon sent la nécessité de soutenir le mouvement, et envoie l'ordre au comte de Valmy[1] de se porter avec ses deux divisions de cuirassiers sur le plateau, pour appuyer les divisions de Milhaud et Lefèvre-Desnouettes. Au même moment, le maréchal Ney fait avancer la grosse cavalerie du général Guyot ; les divisions Milhaud et Lefèvre-Desnouettes sont ralliées par elle et ramenées à la charge ; trois mille cuirassiers et trois mille dragons de la garde, c'est-à-dire les premiers soldats du monde, s'avancent au grand galop de leurs chevaux et viennent se heurter aux carrés anglais, qui s'ouvrent, vomissent leur mitraille, et se referment. Mais rien n'arrête l'élan terrible de nos soldats. La cavalerie anglaise, repoussée, la longue épée des cuirassiers et des dragons dans les reins, repasse dans les intervalles, et va se reformer en arrière, sous la protection de son artillerie ; aussitôt, cuirassiers et dragons se ruent sur les carrés, dont quelques-uns sont enfin entrouverts, mais meurent sans reculer d'un pas. Alors commence une terrible boucherie, qu'interrompent de temps en temps des charges désespérées de cavalerie, contre lesquelles nos soldats sont obligés de se retourner, et pendant lesquelles les carrés anglais respirent et se reforment, pour être rompus de nouveau. Wellington, poursuivi de carrés en carrés, verse des pleurs de rage en voyant poignarder ainsi sous ses yeux douze mille hommes de ses meilleures troupes ; mais il sait qu'elles ne reculeront pas d'une semelle, et, calculant le temps matériel qui doit s'écouler avant que la destruction soit accomplie, il tire sa montre et dit à ceux qui l'entourent :

— Il y en a pour deux heures encore, et, avant une heure, la nuit sera venue ou Blücher.

Cela dure ainsi trois quarts d'heure.

Alors, de la hauteur d'où il domine tout le champ de bataille, Napoléon voit déboucher une masse profonde par le chemin de Wavre... Enfin Grouchy, qu'il a tant attendu, arrive, tard il est vrai, mais encore assez à temps pour compléter la victoire. À la vue de ce renfort, il envoie des aides de camp annoncer dans toutes les directions que Grouchy paraît et va entrer en ligne. En effet, des masses successives se déploient et se mettent en bataille ; nos soldats redoublent d'ardeur, car ils croient qu'ils n'ont plus qu'un dernier coup à frapper. Tout à coup, une formidable artillerie tonne en avant de ces nouveaux venus, et les boulets, au lieu d'être dirigés contre les

Prussiens, nous emportent des rangs entiers. Chacun, autour de Napoléon, se regarde avec stupéfaction ; l'empereur se frappe le front : ce n'est point Grouchy, c'est Blücher !

Napoléon juge du premier coup d'œil sa position : elle est terrible. Soixante mille hommes de troupes fraîches, sur lesquelles il ne comptait pas, sont tombés successivement sur ses troupes, écrasées par huit heures de lutte ; l'avantage se maintient pour lui au centre, mais il n'a plus d'aile droite ; s'acharner pour couper l'ennemi en deux serait maintenant chose inutile et même dangereuse. L'empereur conçoit et ordonne alors une des plus belles manœuvres qu'il ait jamais rêvées dans ses combinaisons stratégiques les plus hasardées : c'est un grand changement de front oblique sur le centre, et à l'aide duquel il fera face aux deux armées. D'ailleurs, le temps s'écoule, et la nuit, qui devait venir pour les Anglais, vient aussi pour lui.

[...]

Celui qui écrit ces lignes n'a vu Napoléon que deux fois dans sa vie, à huit jours de distance, et cela pendant le court espace d'un relai ; la première fois lorsqu'il allait à Ligny, la seconde fois lorsqu'il revenait de Waterloo ; la première fois à la lumière du soleil, la seconde fois à la lueur d'une lampe ; la première fois au milieu des acclamations de la multitude, la seconde fois au milieu du silence d'une population.

Chaque fois, Napoléon était assis dans la même voiture, à la même place, vêtu du même habit ; chaque fois, c'était le même regard vague et perdu ; chaque fois, c'était la même tête, calme et impassible ; seulement, il avait le front un peu plus incliné sur la poitrine en revenant qu'en allant [1].

Était-ce d'ennui de ce qu'il ne pouvait dormir, ou de douleur d'avoir perdu le monde ?

FRANÇOIS-RENÉ DE CHATEAUBRIAND

Mémoires d'outre-tombe
(1848-1850)

En 1799, quand il apprend que Napoléon a pris le pouvoir à la suite du coup d'État du 18 brumaire, Chateaubriand rentre clandestinement en France pour obtenir sa radiation de la liste des émigrés qui l'avait condamné à l'exil pendant la Révolution. Le jeune royaliste espère trouver dans le jeune général, porté récemment au faîte du pouvoir, un homme éclairé, modéré, qui mettra un terme à la guerre civile et à l'instabilité politique. Il obtient satisfaction et témoigne de son admiration pour l'homme nouveau qu'incarne Bonaparte, le père du Concordat de 1801, en lui dédiant la deuxième édition du Génie du christianisme *: « Au Premier consul, au génial Bonaparte ». Les deux hommes se rencontrent chez Lucien, le frère de Napoléon ; Chateaubriand est nommé en ambassade à Rome, mais l'assassinat d'un prince de sang royal, le duc d'Enghien, en 1804, ordonné par Bonaparte, conduit Chateaubriand, demeuré monarchiste, à donner sa démission. Il restera irréconciliable avec celui qui se fait couronner empereur. La nouvelle de l'abdication de Napoléon à Fontainebleau en 1814 ramène les Bourbons sur le trône. Chateaubriand publie un pamphlet contre celui qu'il appelle « le lion », intitulé* De Buonaparte et des Bourbons, *moque Napoléon et fait le bilan macabre du despotisme militaire de ce dernier et de ses folles campagnes. Chateaubriand tire à boulets rouges sur « le faux grand homme », ennemi de la liberté, qui a saigné la France pour satisfaire son ambition personnelle. L'écrivain reprendra partiellement cet argumentaire quand il décrira la*

bataille de Waterloo, dans ses causes, ses conséquences et son
esprit, ce qu'il fait dans ses Mémoires d'outre-tombe.

Au cours de sa longue carrière d'homme de lettres,
d'ambassadeur et d'homme politique, Chateaubriand a
croisé les personnages les plus illustres de son temps, les
a conseillés ou maudits, leur a dédié des portraits élogieux
ou placés sous le signe de la déconsidération. On pourrait
juger curieux que le poète ait consacré une biographie à
Napoléon Bonaparte, qui commence au Livre XIX des
Mémoires d'outre-tombe. En effet, dans son projet de
Mémoires personnels, Chateaubriand insère une œuvre historique consacrée à l'épopée impériale. Il s'en justifie :
« Passons donc à lui ; parlons du vaste édifice qui se
construisait en dehors de mes songes. Je deviens maintenant historien sans cesser d'être écrivain de Mémoires ; un
intérêt public va soutenir mes confidences privées ; mes
petits récits se grouperont autour de ma narration. » Or,
cette ambition de Chateaubriand se comprend mieux
quand on réalise qu'il ne pouvait pas y avoir de plus cohérente démarche pour le prince du romantisme et de l'exaltation du moi mélancolique de l'écrivain que de peindre la
tragédie de l'empereur dans lequel on retrouve le génie du
moi et ce romantisme politique qui l'a conduit à appréhen-
der sa vie comme un vaste roman. Le récit de la destinée de
Napoléon peut alors être lu comme un jeu de miroir imparfait entre deux figures qui, dans une même époque, ne se
sont jamais autant à la fois attirées et opposées. Si Chateaubriand réprouve et condamne moralement le machia-
vélisme politique et l'égoïsme de Napoléon, il ne demeure
pas moins fasciné par le malheur auquel l'homme est
condamné une fois qu'il a chuté de son piédestal. La défaite
de Waterloo donne tout son sens à l'attirance, mêlée de rejet,
qu'a Chateaubriand pour Napoléon. Waterloo contient
d'une part ce qui doit faire haïr l'empereur : une guerre sanglante de plus de quinze ans et cette soif de grandeur jamais
assouvie. Waterloo recèle d'autre part le mystère de Napoléon parce que la bataille précipite et inaugure sa fin, son
supplice chargé de malheur à Sainte-Hélène. Chateaubriand
a le pressentiment que la fin de l'empereur a quelque chose

*qui s'apparente à sa propre fin, d'où cette vaste réflexion sur la mort qui suit chaque pas du vainqueur d'Arcole et, aussi, en réalité, de l'auteur d'*Atala.

Dans ces extraits tirés des Mémoires d'outre-tombe, *narrant la chute de l'aigle à Waterloo, Chateaubriand se livre lui-même intimement. Il s'emploie à raconter ses souvenirs de ces longs mois passés à la cour de Gand, auprès de Louis XVIII, quand le monde était suspendu à l'issue de la bataille qui se livrait à quelques kilomètres à peine et dont Chateaubriand entendait les canons au loin. Les textes sélectionnés commencent avec le début des Cent-Jours pour s'achever avec la mort de Napoléon. Waterloo signifie plus qu'une bataille, c'est le châtiment divin, c'est l'instinct de la mort qui scelle l'existence de Napoléon, cet ange déchu, comme celle de chacun. En cela, Waterloo est le dénouement annoncé des Cent-Jours, comme Sainte-Hélène est l'horizon naturel du destin de Napoléon.*

Livre XXIII

CHAPITRE 1

Commencement des Cent-Jours. — Retour de l'île d'Elbe

Tout à coup[1] le télégraphe annonça aux braves et aux incrédules le débarquement de l'homme : *Monsieur*[2] court à Lyon avec le duc d'Orléans et le maréchal Macdonald ; il en revient aussitôt. Le maréchal Soult[3] dénoncé à la Chambre des députés, cède sa place le 11 mars au duc de Feltre. Bonaparte rencontra devant lui, pour ministre de la Guerre de Louis XVIII, en 1815, le général qui avait été son dernier ministre de la Guerre en 1814.

La hardiesse de l'entreprise était inouïe. Sous le point de vue politique, on pourrait regarder cette entreprise comme le crime irrémissible et la faute

capitale de Napoléon. Il savait que les princes encore
réunis en congrès[1], que l'Europe encore sous les
armes, ne souffriraient pas son rétablissement ; son
jugement devait l'avertir qu'un succès, s'il l'obtenait,
ne pouvait être que d'un jour : il immolait à sa passion de reparaître sur la scène le repos d'un peuple
qui lui avait prodigué son sang et ses trésors ; il exposait au démembrement la patrie dont il tenait tout ce
qu'il avait été dans le passé et tout ce qu'il sera dans
l'avenir. Il y eut dans cette conception fantastique un
égoïsme féroce, un manque effroyable de reconnaissance et de générosité envers la France.

Tout cela est vrai selon la raison pratique, pour un
homme à entrailles plutôt qu'à cervelle ; mais, pour
les êtres de la nature de Napoléon, une raison d'une
autre sorte existe ; ces créatures à haut renom ont
une allure à part : les comètes décrivent des courbes
qui échappent au calcul ; elles ne sont liées à rien, ne
paraissent bonnes à rien ; s'il se trouve un globe sur
leur passage, elles le brisent et rentrent dans les
abîmes du ciel ; leurs lois ne sont connues que de
Dieu. Les individus extraordinaires sont les monuments de l'intelligence humaine ; ils n'en sont pas la
règle.

Bonaparte fut donc moins déterminé à son entreprise par les faux rapports de ses amis que par la
nécessité de son génie : il se croisa en vertu de la foi
qu'il avait en lui. Ce n'est pas tout de naître, pour un
grand homme : il faut mourir. L'île d'Elbe était-elle
une fin pour Napoléon ? Pouvait-il accepter la souveraineté d'une tour, comme Tibère à Caprée[2], d'un
carré de légumes, comme Dioclétien à Salone ? S'il
eût attendu plus tard, aurait-il eu plus de chances de
succès, alors qu'on eût été moins ému de son souvenir, que ses vieux soldats eussent quitté l'armée, que
les nouvelles positions sociales eussent été prises ?

Eh bien ! il fit un coup de tête contre le monde :
à son début, il dut croire ne s'être pas trompé sur le
prestige de sa puissance[1].

[...]

CHAPITRE 14

Résolution à Vienne. — Mouvement à Paris

Napoléon n'avait trouvé de fidèles que les fantômes
de sa gloire passée ; ils l'escortèrent, ainsi que je vous
l'ai dit, du lieu de son débarquement jusqu'à la capitale de la France. Mais les aigles, qui avaient *volé de
clocher en clocher*[2] de Cannes à Paris, s'abattirent fati-
guées sur les cheminées des Tuileries, sans pouvoir
aller plus loin.

Napoléon ne se précipite point, avec les popula-
tions émues, sur la Belgique, avant qu'une armée
anglo-prussienne s'y fût rassemblée : il s'arrête ; il
essaie de négocier avec l'Europe et de maintenir
humblement les traités de la légitimité. Le congrès
de Vienne oppose à M. le duc de Vicence[3] l'abdication du 11 avril 1814 : par cette abdication Bonaparte *reconnaissait qu'il était le seul obstacle au rétablissement de la paix en Europe*, et en conséquence
*renonçait, pour lui et ses héritiers, aux trônes de
France et d'Italie*. Or, puisqu'il vient rétablir son pouvoir, il viole manifestement le traité de Paris[4], et se
replace dans la situation politique antérieure au
31 mars 1814 : donc c'est lui Bonaparte qui déclare
la guerre à l'Europe, et non l'Europe à Bonaparte.
Ces arguties logiques de procureurs diplomates,
comme je l'ai fait remarquer à propos de la lettre de
M. de Talleyrand, valaient ce qu'elles pouvaient
avant le combat.

La nouvelle du débarquement de Bonaparte à Cannes était arrivée à Vienne le 3 mars[1], au milieu d'une fête où l'on représentait l'assemblée des divinités de l'Olympe et du Parnasse. Alexandre[2] venait de recevoir le projet d'alliance entre la France, l'Autriche et l'Angleterre : il hésita un moment entre les deux nouvelles, puis il dit : « Il ne s'agit pas de moi, mais du salut du monde. » Et une estafette porte à Saint-Pétersbourg l'ordre de faire partir la garde. Les armées qui se retiraient s'arrêtent ; leur longue ligne fait volte-face, et huit cent mille ennemis tournent le visage vers la France. Bonaparte se prépare à la guerre ; il est attendu à de nouveaux champs catalauniques : Dieu l'a ajourné à la bataille qui doit mettre fin au règne des batailles.

Il avait suffi de la chaleur des ailes de la renommée de Marengo et d'Austerlitz pour faire éclore des armées dans cette France qui n'est qu'un grand nid de soldats. Bonaparte avait rendu à ses légions leurs surnoms d'*invincible*, de *terrible*, d'*incomparable* ; sept armées reprenaient le titre d'armées des Pyrénées, des Alpes, du Jura, de la Moselle, du Rhin : grands souvenirs qui servaient de cadre à des troupes supposées, à des triomphes en espérance. Une armée véritable était réunie à Paris et à Laon[3] ; cent cinquante batteries attelées, dix mille soldats d'élite entrés dans la garde ; dix-huit mille marins illustrés à Lützen et à Bautzen ; trente mille vétérans, officiers et sous-officiers, en garnison dans les places fortes ; sept départements du nord et de l'est prêts à se lever en masse ; cent quatre-vingt mille hommes de la garde nationale rendus mobiles ; des corps francs dans la Lorraine, l'Alsace et la Franche-Comté ; des fédérés[4] offrant leurs piques et leurs bras ; Paris fabriquant par jour trois mille fusils : telles étaient les ressources de l'empereur. Peut-être aurait-il encore une fois bouleversé le monde, s'il avait pu se résoudre, en affranchissant la patrie, à appeler les nations étrangères à l'indépendance. Le moment était propice : les rois qui promirent à leurs sujets des gouvernements constitutionnels venaient de manquer honteusement à leur parole. Mais la liberté était antipathique à Napoléon depuis qu'il avait bu à la coupe du pouvoir ; il aimait mieux être vaincu avec des soldats que de vaincre avec des peuples. Les corps qu'il poussa successivement vers les Pays-Bas se montaient à soixante-dix mille hommes.

CHAPITRE 15

Ce que nous faisions à Gand. — M. de Blacas

Nous autres émigrés, nous étions dans la ville de Charles Quint[1] comme les femmes de cette ville : assises derrière leurs fenêtres, elles voient dans un petit miroir incliné les soldats passer dans la rue. Louis XVIII était là dans un coin complètement oublié ; à peine recevait-il de temps en temps un billet du prince de Talleyrand revenant de Vienne, quelques lignes des membres du corps diplomatique résidant auprès du duc de Wellington en qualité de commissaires, MM. Pozzo di Borgo, de Vincent, etc., etc. On avait bien autre chose à faire qu'à songer à nous ! Un homme étranger à la politique n'aurait jamais cru qu'un impotent caché au bord de la Lys serait rejeté sur le trône par le choc des milliers de soldats prêts à s'égorger : soldats dont il n'était ni le roi ni le général, qui ne pensaient pas à lui, qui ne connaissaient ni son nom ni son existence. De deux points si rapprochés, Gand et Waterloo, jamais l'un ne parut si obscur,

l'autre si éclatant : la légitimité[1] gisait au dépôt
comme un vieux fourgon brisé.

Nous savions que les troupes de Bonaparte s'approchaient ; nous n'avions pour nous couvrir que nos
deux petites compagnies sous les ordres du duc de
Berry, prince dont le sang ne pouvait nous servir, car
il était déjà demandé ailleurs[2]. Mille chevaux,
détachés de l'armée française, nous auraient enlevés
en quelques heures. Les fortifications de Gand étaient
démolies ; l'enceinte qui reste eût été d'autant plus
facilement forcée que la population belge ne nous
était pas favorable. La scène dont j'avais été témoin
aux Tuileries se renouvela : on préparait secrètement
les voitures de Sa Majesté ; les chevaux étaient commandés. Nous, fidèles ministres, nous aurions
pataugé derrière, à la grâce de Dieu. MONSIEUR partit
pour Bruxelles, chargé de surveiller de plus près les
mouvements.

[...]

CHAPITRE 16

Bataille de Waterloo

Le 18 juin 1815, vers midi, je sortis de Gand par la
porte de Bruxelles ; j'allai seul achever ma promenade
sur la grande route. J'avais emporté les *Commentaires
de César* et je cheminais lentement, plongé dans ma
lecture. J'étais déjà à plus d'une lieue de la ville,
lorsque je crus ouïr un roulement sourd : je m'arrêtai,
regardai le ciel assez chargé de nuées, délibérant en
moi-même si je continuerais d'aller en avant, ou si je
me rapprocherais de Gand dans la crainte d'un orage.
Je prêtai l'oreille ; je n'entendis plus que le cri d'une
poule d'eau dans des joncs et le son d'une horloge de

village. Je poursuivis ma route : je n'avais pas fait trente pas que le roulement recommença, tantôt bref, tantôt long et à intervalles inégaux ; quelquefois il n'était sensible que par une trépidation de l'air, laquelle se communiquait à la terre sur ces plaines immenses, tant il était éloigné. Ces détonations moins vastes, moins onduleuses, moins liées ensemble que celles de la foudre, firent naître dans mon esprit l'idée d'un combat. Je me trouvais devant un peuplier planté à l'angle d'un champ de houblon. Je traversai le chemin et je m'appuyai debout contre le tronc de l'arbre, le visage tourné du côté de Bruxelles. Un vent du sud s'étant levé m'apporta plus distinctement le bruit de l'artillerie. Cette grande bataille, encore sans nom, dont j'écoutais les échos au pied d'un peuplier, et dont une horloge de village venait de sonner les funérailles inconnues, était la bataille de Waterloo !

Auditeur silencieux et solitaire du formidable arrêt des destinées, j'aurais été moins ému si je m'étais trouvé dans la mêlée : le péril, le feu, la cohue de la mort ne m'eussent pas laissé le temps de méditer ; mais seul sous un arbre, dans la campagne de Gand, comme le berger des troupeaux qui paissaient autour de moi, le poids des réflexions m'accablait : Quel était ce combat ? Était-il définitif ? Napoléon était-il là en personne ? Le monde, comme la robe du Christ, était-il jeté au sort ? Succès ou revers de l'une ou de l'autre armée, quelle serait la conséquence de l'événement pour les peuples, liberté ou esclavage ? Mais quel sang coulait ! chaque bruit parvenu à mon oreille n'était-il pas le dernier soupir d'un Français ? Était-ce un nouveau Crécy, un nouveau Poitiers, un nouvel Azincourt, dont allaient jouir les plus implacables ennemis de la France ? S'ils triomphaient, notre gloire n'était-elle pas perdue ? Si Napoléon l'emportait, que devenait notre liberté ? Bien qu'un succès de

Napoléon m'ouvrît un exil éternel, la patrie l'emportait dans ce moment dans mon cœur ; mes vœux étaient pour l'oppresseur de la France, s'il devait, en sauvant notre honneur, nous arracher à la domination étrangère.

Wellington triomphait-il ? La légitimité rentrerait donc dans Paris derrière ces uniformes rouges qui venaient de reteindre leur pourpre au sang des Français ! La royauté aurait donc pour carrosses de son sacre les chariots d'ambulance remplis de nos grenadiers mutilés ! Que sera-ce qu'une restauration accomplie sous de tels auspices ?... Ce n'est là qu'une bien petite partie des idées qui me tourmentaient. Chaque coup de canon me donnait une secousse et doublait le battement de mon cœur. À quelques lieues d'une catastrophe immense, je ne la voyais pas ; je ne pouvais toucher le vaste monument funèbre croissant de minute en minute à Waterloo, comme du rivage de Boulaq, au bord du Nil, j'étendais vainement mes mains vers les Pyramides[1].

Aucun voyageur ne paraissait ; quelques femmes dans les champs, sarclant paisiblement des sillons de légumes, n'avaient pas l'air d'entendre le bruit que j'écoutais. Mais voici venir un courrier : je quitte le pied de mon arbre et je me place au milieu de la chaussée ; j'arrête le courrier et l'interroge. Il appartenait au duc de Berry et venait d'Alost. Il me dit : « Bonaparte est entré hier (17 juin) dans Bruxelles, après un combat sanglant. La bataille a dû recommencer aujourd'hui (18 juin). On croit à la défaite définitive des alliés, et l'ordre de la retraite est donné. » Le courrier continua sa route.

Je le suivis en me hâtant : je fus dépassé par la voiture d'un négociant qui fuyait en poste avec sa famille ; il me confirma le récit du courrier.

CHAPITRE 17

Confusion à Gand. — Quelle fut la bataille de Waterloo

Tout était dans la confusion quand je rentrai à Gand : on fermait les portes de la ville ; les guichets seuls demeuraient entrebâillés ; des bourgeois mal armés et quelques soldats de dépôt faisaient sentinelle. Je me rendis chez le Roi.

Monsieur venait d'arriver par une route détournée : il avait quitté Bruxelles sur la fausse nouvelle que Bonaparte y allait entrer, et qu'une première bataille perdue ne laissait aucune espérance du gain d'une seconde. On racontait que les Prussiens ne s'étant pas trouvés en ligne, les Anglais avaient été écrasés.

Sur ces bulletins, le *sauve-qui-peut* devint général : les possesseurs de quelques ressources partirent ; moi, qui ai la coutume de n'avoir jamais rien, j'étais toujours prêt et dispos. Je voulais faire déménager avant moi madame de Chateaubriand, grande bonapartiste, mais qui n'aime pas les coups de canon : elle ne me voulut pas quitter.

Le soir, conseil auprès de S. M. : nous entendîmes de nouveau les rapports de Monsieur et les *on-dit* recueillis chez le commandant de la place ou chez le baron d'Eckstein[1]. Le fourgon des diamants de la couronne était attelé : je n'avais pas besoin de fourgon pour emporter mon trésor. J'enfermai le mouchoir de soie noire dont j'entortille ma tête la nuit dans mon flasque portefeuille de ministre de l'Intérieur, et je me mis à la disposition du prince, avec ce document important des affaires de la légitimité. J'étais plus riche dans ma première émigration, quand mon havresac me tenait lieu d'oreiller et servait de maillot à *Atala* : mais en 1815 *Atala* était une grande petite fille dégingandée de treize à quatorze ans, qui courait le monde toute seule, et qui, pour l'honneur de son père, avait fait trop parler d'elle.

Le 19 juin, à une heure du matin, une lettre de M. Pozzo, transmise au Roi par estafette, rétablit la vérité des faits. Bonaparte n'était point entré dans Bruxelles ; il avait décidément perdu la bataille de Waterloo. Parti de Paris le 12 juin, il rejoignit son armée le 14. Le 15, il force les lignes de l'ennemi sur la Sambre. Le 16, il bat les Prussiens dans ces champs de Fleurus où la victoire semble à jamais fidèle aux Français[1]. Les villages de Ligny et de Saint-Amand sont emportés. Aux Quatre-Bras, nouveau succès : le duc de Brunswick reste parmi les morts. Blücher en pleine retraite se rabat sur une réserve de trente mille hommes, aux ordres du général de Bulow ; le duc de Wellington, avec les Anglais et les Hollandais, s'adosse à Bruxelles.

Le 18 au matin, avant les premiers coups de canon, le duc de Wellington déclara qu'il pourrait tenir jusqu'à trois heures ; mais qu'à cette heure, si les Prussiens ne paraissaient pas, il serait nécessairement écrasé : acculé sur Planchenois et Bruxelles, toute retraite lui était interdite. Surpris par Napoléon, sa position militaire était détestable ; il l'avait acceptée et ne l'avait pas choisie.

Les Français emportèrent d'abord, à l'aile gauche de l'ennemi, les hauteurs qui dominent le château d'Hougoumont jusqu'aux fermes de la Haie-Sainte et de Papelotte ; à l'aile droite ils attaquèrent le village de Mont-Saint-Jean ; la ferme de la Haie-Sainte est enlevée au centre par le prince Jérôme. Mais la réserve prussienne paraît vers Saint-Lambert à six heures du soir : une nouvelle et furieuse attaque est donnée au village de la Haie-Sainte ; Blücher survient avec des troupes fraîches et isole du reste de nos troupes déjà rompues les carrés de la garde impériale. Autour de cette phalange immobile, le débordement des fuyards entraîne tout parmi des flots de poussière, de fumée ardente et de mitraille, dans des ténèbres sillonnées de fusées à la congrève[1], au milieu des rugissements de trois cents pièces d'artillerie et du galop précipité de vingt-cinq mille chevaux : c'était comme le sommaire de toutes les batailles de l'Empire. Deux fois les Français ont crié : Victoire ! deux fois leurs cris sont étouffés sous la pression des colonnes ennemies. Le feu de nos lignes s'éteint ; les cartouches sont épuisées ; quelques grenadiers blessés, au milieu de trente mille morts, de cent mille boulets sanglants, refroidis et conglobés[2] à leurs pieds, restent debout appuyés sur leur mousquet, baïonnette brisée, canon sans charge. Non loin d'eux l'homme des batailles écoutait, l'œil fixe, le dernier coup de canon qu'il devait entendre de sa vie. Dans ces champs de carnage, son frère Jérôme combattait encore avec ses bataillons expirants accablés par le nombre, mais son courage ne peut ramener la victoire.

Le nombre des morts du côté des alliés était estimé à dix-huit mille hommes, du côté des Français à vingt-cinq mille ; douze cents officiers anglais avaient péri ; presque tous les aides de camp du duc de Wellington étaient tués ou blessés ; il n'y eut pas en Angleterre une famille qui ne prît le deuil. Le prince d'Orange[3] avait été atteint d'une balle à l'épaule ; le baron de Vincent, ambassadeur d'Autriche, avait eu la main percée. Les Anglais furent redevables du succès aux Irlandais et à la brigade des montagnards écossais que les charges de notre cavalerie ne purent rompre. Le corps du général Grouchy, ne s'étant pas avancé, ne se trouva point à l'affaire. Les deux armées croisèrent le fer et le feu avec une bravoure et un acharnement qu'animait une inimitié nationale de dix siècles. Lord Castlereagh, rendant compte de la bataille à la Chambre des lords, disait : « Les soldats anglais et les soldats français, après l'affaire, lavaient leurs mains sanglantes dans un même ruisseau, et d'un bord à l'autre se congratulaient mutuellement sur leur courage. » Wellington avait toujours été funeste à Bonaparte[1], ou plutôt le génie rival de la France, le génie anglais, barrait le chemin à la victoire. Aujourd'hui les Prussiens réclament contre les Anglais l'honneur de cette affaire décisive ; mais, à la guerre, ce n'est pas l'action accomplie, c'est le nom qui fait le triomphateur : ce n'est pas Bonaparte qui a gagné la véritable bataille d'Iéna[2].

Les fautes des Français furent considérables : ils se trompèrent sur des corps ennemis ou amis ; ils occupèrent trop tard la position des Quatre-Bras ; le maréchal Grouchy, qui était chargé de contenir les Prussiens avec ses trente-six mille hommes, les laissa passer sans les voir : de là des reproches que nos généraux se sont adressés. Bonaparte attaqua de front selon sa coutume au lieu de tourner les Anglais, et s'occupa, avec la présomption du maître, de couper la retraite à un ennemi qui n'était pas vaincu.

Beaucoup de menteries et quelques vérités assez curieuses ont été débitées sur cette catastrophe. Le mot : *La garde meurt et ne se rend pas*, est une invention qu'on n'ose plus défendre. Il paraît certain qu'au commencement de l'action, Soult fit quelques observations stratégiques à l'empereur : « Parce que Wellington vous a battu, » lui répondit sèchement Napoléon, « vous croyez toujours que c'est un grand général. » À la fin du combat, M. de Turenne[3] pressa Bonaparte de se retirer pour éviter de tomber entre les mains de l'ennemi : Bonaparte, sorti de ses pensées comme d'un rêve, s'emporta d'abord ; puis tout à coup, au milieu de sa colère, il s'élance sur son cheval et fuit.

CHAPITRE 18

Retour de l'empereur. — Réapparition de La Fayette. —
Nouvelle abdication de Bonaparte

Le 19 juin cent coups de canon des Invalides avaient annoncé les succès de Ligny, de la Sambre, de Charleroi, des Quatre-Bras ; on célébrait des victoires mortes la veille à Waterloo. Le premier courrier qui transmit à Paris la nouvelle de cette défaite, une des plus grandes de l'histoire par ses résultats, fut Napoléon lui-même : il rentra dans les barrières la nuit du 21 ; on eût dit de ses mânes revenant pour apprendre à ses amis qu'il n'était plus. Il descendit à l'Élysée-Bourbon : lorsqu'il arriva de l'île d'Elbe, il était descendu aux Tuileries ; ces deux asiles, instinctivement choisis, révélaient le changement de sa destinée.

Tombé à l'étranger dans un noble combat, Napoléon eut à supporter à Paris les assauts des avocats qui voulaient mettre à sac ses malheurs : il regrettait de n'avoir pas dissous la Chambre avant son départ pour l'armée ; il s'est souvent aussi repenti de n'avoir pas fait fusiller Fouché et Talleyrand. Mais il est certain que Bonaparte, après Waterloo, s'interdit toute violence, soit qu'il obéît au calme habituel de son tempérament, soit qu'il fût dompté par la destinée ; il ne dit plus comme avant sa première abdication : « On verra ce que c'est que la *mort d'un grand homme*. » Cette verve était passée. Antipathique à la liberté, il songea à casser cette Chambre des représentants que présidait Lanjuinais, de citoyen devenu sénateur, de sénateur devenu pair, de pair redevenu citoyen, de citoyen allant redevenir pair. Le général La Fayette, député, lut à la tribune une proposition qui déclarait : « la Chambre en permanence, crime de haute trahison toute tentative pour la dissoudre, traître à la patrie, et jugé comme tel, quiconque s'en rendrait coupable ». (21 juin 1815.)

Le discours du général commençait par ces mots :

« Messieurs, lorsque pour la première fois depuis bien des années j'élève une voix que les vieux amis de la liberté reconnaîtront encore, je me sens appelé à vous parler du danger de la patrie. [...] Voici l'instant de nous rallier autour du drapeau tricolore, de celui de 89, celui de la liberté, de l'égalité et de l'ordre public. »

L'anachronisme de ce discours causa un moment d'illusion ; on crut voir la Révolution, personnifiée dans La Fayette, sortir du tombeau et se présenter pâle et ridée à la tribune. Mais ces motions d'ordre, renouvelées de Mirabeau, n'étaient plus que des armes hors d'usage, tirées d'un vieil arsenal. Si La Fayette rejoignait noblement la fin et le commencement de sa vie, il n'était pas en son pouvoir de souder les deux bouts de la chaîne rompue du temps. Benjamin Constant se rendit auprès de l'empereur à l'Élysée-Bourbon ; il le trouva dans son jardin. La foule remplissait l'avenue de Marigny et criait : *Vive l'empereur !* cri touchant échappé des entrailles populaires ; il s'adressait au vaincu ! Bonaparte dit à Benjamin Constant : « Que me doivent ceux-ci ? je les ai trouvés, je les ai laissés pauvres. » C'est peut-être le seul mot qui lui soit sorti du cœur, si toutefois l'émotion du député n'a pas trompé son oreille. Bonaparte, prévoyant l'événement, vint au-devant de la sommation qu'on se préparait à lui faire ; il abdiqua pour n'être pas contraint d'abdiquer : « Ma vie politique est finie », dit-il : « je déclare mon fils, sous le nom de

Napoléon II, empereur des Français. » Inutile disposition, telle que celle de Charles X en faveur de
Henri V : on ne donne des couronnes que lorsqu'on
les possède, et les hommes cassent le testament de
l'adversité. D'ailleurs l'empereur n'était pas plus sincère en descendant du trône une seconde fois qu'il
ne l'avait été dans sa première retraite ; aussi, lorsque
les commissaires français allèrent apprendre au duc
de Wellington que Napoléon avait abdiqué, il leur
répondit : « Je le savais depuis un an. »

[...]

Livre XXIV

CHAPITRE 1

Bonaparte à la Malmaison. — Abandon général

Si un homme était soudain transporté des scènes
les plus bruyantes de la vie au rivage silencieux de
l'océan glacé, il éprouverait ce que j'éprouve auprès
du tombeau de Napoléon, car nous voici tout à coup
au bord de ce tombeau.

Sorti de Paris le 29 juin[1], Napoléon attendait à la
Malmaison l'instant de son départ de France. Je
retourne à lui : revenant sur les jours écoulés, antici-
pant sur les temps futurs, je ne le quitterai plus
qu'après sa mort.

La Malmaison, où l'empereur se reposa, était vide.
Joséphine était morte ; Bonaparte dans cette retraite
se trouvait seul. Là il avait commencé sa fortune ; là il
avait été heureux ; là il s'était enivré de l'encens du
monde ; là, du sein de son tombeau, partaient les
ordres qui troublaient la terre. Dans ces jardins où
naguère les pieds de la foule râtelaient les allées

sablées, l'herbe et les ronces verdissaient ; je m'en
étais assuré en m'y promenant. Déjà, faute de soins,
dépérissaient les arbres étrangers ; sur les canaux ne
voguaient plus les cygnes noirs de l'Océanie ; la cage
n'emprisonnait plus les oiseaux du tropique : ils
s'étaient envolés pour aller attendre leur hôte dans
leur patrie.

Bonaparte aurait pu cependant trouver un sujet de
consolation en tournant les yeux vers ses premiers
jours : les rois tombés s'affligent surtout, parce qu'ils
n'aperçoivent en amont de leur chute qu'une splendeur héréditaire et les pompes de leur berceau : mais
que découvrait Napoléon antérieurement à ses pros-
pérités ? la crèche de sa naissance dans un village de
Corse. Plus magnanime en jetant le manteau de
pourpre, il aurait repris avec orgueil le sayon du che-
vrier ; mais les hommes ne se replacent point à leur
origine quand elle fut humble ; il semble que l'injuste
ciel les prive de leur patrimoine lorsqu'à la loterie du
sort ils ne font que perdre ce qu'ils avaient gagné, et
néanmoins la grandeur de Napoléon vient de ce qu'il
était parti de lui-même : rien de son sang ne l'avait
précédé et n'avait préparé sa puissance.

À l'aspect de ces jardins abandonnés, de ces
chambres déshabitées, de ces galeries fanées par les
fêtes, de ces salles où les chants et la musique avaient
cessé, Napoléon pouvait repasser sur sa carrière : il se
pouvait demander si avec un peu plus de modération
il n'aurait pas conservé ses félicités. Des étrangers,
des ennemis, ne le bannissaient pas maintenant ; il ne
s'en allait pas quasi-vainqueur, laissant les nations
dans l'admiration de son passage, après la prodigieuse campagne de 1814 ; il se retirait battu. Des
Français, des amis, exigeaient son abdication immédiate, pressaient son départ, ne le voulaient plus
même pour général, lui dépêchaient courriers sur

courriers, pour l'obliger à quitter le sol sur lequel il avait versé autant de gloire que de fléaux.

À cette leçon si dure se joignaient d'autres avertissements : les Prussiens rôdaient dans le voisinage de la Malmaison ; Blücher, aviné, ordonnait en trébuchant de saisir, de *pendre* le conquérant qui avait mis *le pied sur le cou des rois*. La rapidité des fortunes, la vulgarité des mœurs, la promptitude de l'élévation et de l'abaissement des personnages modernes ôtera, je le crains, à notre temps, une partie de la noblesse de l'histoire : Rome et la Grèce n'ont point parlé de *pendre* Alexandre et César.

Les scènes qui avaient eu lieu en 1814 se renouvelèrent en 1815, mais avec quelque chose de plus choquant, parce que les ingrats étaient stimulés par la peur : il se fallait débarrasser de Napoléon vite ; les alliés arrivaient ; Alexandre n'était pas là, au premier moment, pour tempérer le triomphe et contenir l'insolence de la fortune ; Paris avait cessé d'être orné de sa lustrale inviolabilité ; une première invasion avait souillé le sanctuaire ; ce n'était plus la colère de Dieu qui tombait sur nous, c'était le mépris du ciel : le foudre s'était éteint.

Toutes les lâchetés avaient acquis par les Cent-Jours un nouveau degré de malignité ; affectant de s'élever, par amour de la patrie, au-dessus des attachements personnels, elles s'écriaient que Bonaparte était aussi trop criminel d'avoir violé les traités de 1814. Mais les vrais coupables, n'étaient-ils pas ceux qui favorisèrent ses desseins ? Si, en 1815, au lieu de lui refaire des armées, après l'avoir délaissé une première fois pour le délaisser encore, ils lui avaient dit, lorsqu'il vint coucher aux Tuileries : « Votre génie vous a trompé ; l'opinion n'est plus à vous ; prenez pitié de la France. Retirez-vous après cette dernière visite à la terre ; allez vivre dans la patrie de Washington. Qui

sait si les Bourbons ne commettront point de fautes ?
qui sait si un jour la France ne tournera pas les yeux
vers vous, lorsque, à l'école de la liberté, vous aurez
appris le respect des lois ? Vous reviendrez alors, non
en ravisseur qui fond sur sa proie, mais en grand
citoyen pacificateur de son pays. »

Ils ne lui tinrent point ce langage : ils se prêtèrent
aux passions de leur chef revenu ; ils contribuèrent
à l'aveugler, sûrs qu'ils étaient de profiter de sa victoire ou de sa défaite. Le soldat seul mourut pour
Napoléon avec une sincérité admirable ; le reste ne
fut qu'un troupeau paissant, s'engraissant à droite et
à gauche. Encore si les vizirs du calife dépouillé
s'étaient contentés de lui tourner le dos ! mais non :
ils profitaient de ses derniers instants ; ils l'accablaient de leurs sordides demandes ; tous voulaient
tirer de l'argent de sa pauvreté.

Oncques ne fut plus complet abandon ; Bonaparte
y avait donné lieu : insensible aux peines d'autrui, le
monde lui rendit indifférence pour indifférence. Ainsi
que la plupart des despotes, il était bien avec sa
domesticité ; au fond il ne tenait à rien : homme solitaire, il se suffisait ; le malheur ne fit que le rendre au
désert de sa vie.

Quand je recueille mes souvenirs, quand je me rappelle avoir vu Washington dans sa petite maison
de Philadelphie, et Bonaparte dans ses palais, il me
semble que Washington, retiré dans son champ de la
Virginie, ne devait pas éprouver les syndérèses[1]
de Bonaparte attendant l'exil dans ses jardins de la
Malmaison. Rien n'était changé dans la vie du premier ; il retombait sur ses habitudes modestes ; il ne
s'était point élevé au-dessus de la félicité des labou-
reurs qu'il avait affranchis ; tout était bouleversé dans
la vie du second.

[...]

CHAPITRE 7

Si Bonaparte nous a laissé en renommée
ce qu'il nous a ôté en force ?

Pour ne pas avouer l'amoindrissement de territoire et de puissance que nous devons à Bonaparte, la génération actuelle se console en se figurant que ce qu'il nous a retranché en force, il nous l'a rendu en illustration. « Désormais ne sommes-nous pas », dit-elle, « renommés aux quatre coins de la terre ? un Français n'est-il pas craint, remarqué, recherché, connu à tous les rivages ? »

Mais étions-nous placés entre ces deux conditions, ou l'immortalité sans puissance, ou la puissance sans immortalité ? Alexandre fit connaître à l'univers le nom des Grecs ; il ne leur en laissa pas moins quatre empires en Asie ; la langue et la civilisation des Hellènes s'étendirent du Nil à Babylone et de Babylone à l'Indus. À sa mort, son royaume patrimonial de Macédoine, loin d'être diminué, avait centuplé de force. Bonaparte nous a fait connaître à tous les rivages ; commandés par lui, les Français jetèrent l'Europe si bas à leurs pieds que la France prévaut encore par son nom, et que l'Arc de l'Étoile peut s'élever sans paraître un puéril trophée ; mais avant nos revers ce monument eût été un témoin au lieu de n'être qu'une chronique. Cependant Dumouriez avec des réquisitionnaires n'avait-il pas donné à l'étranger les premières leçons, Jourdan gagné la bataille de Fleurus, Pichegru conquis la Belgique et la Hollande, Hoche passé le Rhin, Masséna triomphé à Zurich, Moreau à Hohenlinden ; tous exploits les plus difficiles à obtenir et qui préparaient les autres ? Bonaparte a donné un corps à ces succès épars ; il les a continués, il a fait rayonner ces victoires : mais sans ces premières merveilles eût-il obtenu les dernières ? il n'était au-dessus de tout que quand la raison chez lui exécutait les inspirations du poète.

L'illustration de notre suzerain ne nous a coûté que deux ou trois cent mille hommes par an ; nous ne l'avons payée que de trois millions de nos soldats ; nos concitoyens ne l'ont achetée qu'au prix de leurs souffrances et de leurs libertés pendant quinze années : ces bagatelles peuvent-elles compter ? Les générations venues après ne sont-elles pas resplendissantes ? Tant pis pour ceux qui ont disparu ! Les calamités sous la République servirent au salut de tous ; nos malheurs sous l'Empire ont bien plus fait : ils ont déifié Bonaparte ! cela nous suffit.

Cela ne me suffit pas à moi, je ne m'abaisserai point à cacher ma nation derrière Bonaparte ; il n'a pas fait la France, la France l'a fait. Jamais aucun talent, aucune supériorité ne m'amènera à consentir au pouvoir qui peut d'un mot me priver de mon indépendance, de mes foyers, de mes amis ; si je ne dis pas de ma fortune et de mon honneur, c'est que la fortune ne me paraît pas valoir la peine qu'on la défende ; quant à l'honneur, il échappe à la tyrannie : c'est l'âme des martyrs ; les liens l'entourent et ne l'enchaînent pas ; il perce la voûte des prisons et emporte avec soi tout l'homme.

Le tort que la vraie philosophie ne pardonnera pas à Bonaparte, c'est d'avoir façonné la société à l'obéissance passive, repoussé l'humanité vers les temps de dégradation morale, et peut-être abâtardi les caractères de manière qu'il serait impossible de dire quand les cœurs commenceront à palpiter de sentiments généreux. La faiblesse où nous sommes plongés vis-à-vis de nous-mêmes et vis-à-vis de l'Europe, notre abaissement actuel, sont la conséquence de l'esclavage napoléonien : il ne nous est resté que les facultés du joug. Bonaparte a dérangé jusqu'à l'avenir ; point ne m'étonnerais si l'on nous voyait dans le malaise de notre impuissance nous amoindrir, nous barricader contre l'Europe au lieu de l'aller chercher, livrer nos franchises au-dedans pour nous délivrer au-dehors d'une frayeur chimérique, nous égarer dans d'ignobles prévoyances, contraires à notre génie et aux quatorze siècles dont se composent nos mœurs nationales. Le despotisme que Bonaparte a laissé dans l'air descendra sur nous en forteresses.

La mode est aujourd'hui d'accueillir la liberté d'un rire sardonique, de la regarder comme vieillerie tombée en désuétude avec l'honneur. Je ne suis point à la mode, je pense que sans la liberté il n'y a rien dans le monde ; elle seule donne du prix à la vie ; dussé-je rester le dernier à la défendre, je ne cesserai de proclamer ses droits. Attaquer Napoléon au nom de choses passées, l'assaillir avec des idées mortes, c'est lui préparer de nouveaux triomphes. On ne le peut combattre qu'avec quelque chose de plus grand que lui, la liberté : il s'est rendu coupable envers elle et par conséquent envers le genre humain.

CHAPITRE 8

Inutilité des vérités ci-dessus exposées

Vaines paroles ! mieux que personne j'en sens l'inutilité. Désormais toute observation, si modérée qu'elle soit, est réputée profanatrice : il faut du courage pour oser braver les cris du vulgaire, pour ne pas craindre de se faire traiter d'intelligence bornée, incapable de comprendre et de sentir le génie de

Napoléon, par la seule raison qu'au milieu de l'admiration vive et vraie que l'on professe pour lui, on ne peut néanmoins encenser toutes ses imperfections. Le monde appartient à Bonaparte ; ce que le ravageur n'avait pu achever de conquérir, sa renommée l'usurpe ; vivant il a manqué le monde, mort il le possède. Vous avez beau réclamer, les générations passent sans vous écouter. L'Antiquité fait dire à l'ombre du fils de Priam : « Ne juge pas Hector d'après sa petite tombe : l'*Iliade*, Homère, les Grecs en fuite, voilà mon sépulcre : je suis enterré sous toutes ces grandes actions [1]. »

Bonaparte n'est plus le vrai Bonaparte, c'est une figure légendaire composée des lubies du poète, des devis du soldat et des contes du peuple ; c'est le Charlemagne et l'Alexandre des épopées du moyen âge que nous voyons aujourd'hui. Ce héros fantastique restera le personnage réel ; les autres portraits disparaîtront. Bonaparte appartenait si fort à la domination absolue, qu'après avoir subi le despotisme de sa personne, il nous faut subir le despotisme de sa mémoire. Ce dernier despotisme est plus dominateur que le premier, car si l'on combattit quelquefois Napoléon alors qu'il était sur le trône, il y a consentement universel à accepter les fers que mort il nous jette. Il est un obstacle aux événements futurs : comment une puissance sortie des camps pourrait-elle s'établir après lui ? n'a-t-il pas tué en la surpassant toute gloire militaire ? Comment un gouvernement libre pourrait-il naître, lorsqu'il a corrompu dans les cœurs le principe de toute liberté ? Aucune puissance légitime ne peut plus chasser de l'esprit de l'homme le spectre usurpateur : le soldat et le citoyen, le républicain et le monarchiste, le riche et le pauvre, placent également les bustes et les portraits de Napoléon à leurs foyers, dans leurs palais ou dans leurs chaumières ; les anciens vaincus sont d'accord avec les anciens vainqueurs ; on ne peut faire un pas en Italie qu'on ne le retrouve ; on ne pénètre pas en Allemagne qu'on ne le rencontre, car dans ce pays la jeune génération qui le repoussa est passée. Les siècles s'asseyent d'ordinaire devant le portrait d'un grand homme, ils l'achèvent par un travail long et successif. Le genre humain cette fois n'a pas voulu attendre : peut-être s'est-il trop hâté d'estamper un pastel.

[...]

CHAPITRE 12

Funérailles

[...]

Napoléon, botté, éperonné, habillé en uniforme de colonel de la garde, décoré de la Légion d'honneur, fut exposé mort dans sa couchette de fer ; sur ce visage qui ne s'étonna jamais, l'âme, en se retirant, avait laissé une stupeur sublime. Les planeurs[1] et les menuisiers soudèrent et clouèrent Bonaparte en une quadruple bière d'acajou, de plomb, d'acajou encore et de fer-blanc ; on semblait craindre qu'il ne fût jamais assez emprisonné. Le manteau que le vainqueur d'autrefois portait aux vastes funérailles de Marengo servit de drap mortuaire au cercueil.

Les obsèques se firent le 28 mai[2]. Le temps était beau ; quatre chevaux, conduits par des palefreniers à pied, tiraient le corbillard ; vingt-quatre grenadiers anglais, sans armes, l'environnaient ; suivait le cheval de Napoléon. La garnison de l'île bordait les précipices du chemin. Trois escadrons de dragons précédaient le cortège ; le 20e régiment d'infanterie, les soldats de marine, les volontaires de Sainte-Hélène,

l'artillerie royale avec quinze pièces de canon, fer-
maient la marche. Des groupes de musiciens placés
de distance en distance sur les rochers, se ren-
voyaient des airs lugubres. À un défilé, le corbillard
s'arrêta ; les vingt-quatre grenadiers sans armes enle-
vèrent le corps et eurent l'honneur de le porter sur
leurs épaules jusqu'à la sépulture. Trois salves
d'artillerie saluèrent les restes de Napoléon au
moment où il descendit dans la terre : tout le bruit
qu'il avait fait sur cette terre ne pénétrait pas à deux
lignes au-dessous.

Une pierre qui devait être employée à la construction d'une nouvelle maison pour l'exilé est abaissée sur
son cercueil comme la trappe de son dernier cachot.

On récita les versets du psaume 87 : « J'ai été pauvre
et plein de travail dans ma jeunesse ; j'ai été élevé, puis
humilié... j'ai été percé de vos colères. » De minute en
minute le vaisseau amiral tirait. Cette harmonie de la
guerre, perdue dans l'immensité de l'Océan, répondait
au *requiescat in pace*. L'empereur, enterré par ses
vainqueurs de Waterloo, avait ouï le dernier coup de
canon de cette bataille ; il n'entendit point la dernière
détonation dont l'Angleterre troublait et honorait son
sommeil à Sainte-Hélène. Chacun se retira, tenant à
la main une branche de saule comme on revient de la
fête des Palmes.

Quand Napoléon quitta la France on prétendit qu'il
aurait dû s'ensevelir sous les ruines de sa dernière
bataille ; lord Byron disait dans son Ode satirique
déjà citée [1] :

> *To die a prince or live a slave*
> *Thy choice is most ignobly brave.*

> Mourir prince ou vivre esclave,
> Ton choix est très ignoblement brave.

C'était mal juger la force de l'espérance dans une âme irréméable[1] qui gardait tout, et d'où rien ne pouvait revenir ; lord Byron crut que le dictateur des rois avait abdiqué sa renommée avec son glaive, qu'il allait s'éteindre oublié. Le poète aurait dû savoir que la destinée de Napoléon était une muse, comme toutes les hautes destinées. Cette muse sut changer un dénouement avorté en une péripétie qui renouvelait son héros. La solitude de l'exil et de la tombe de Napoléon a répandu sur une mémoire éclatante une autre sorte de prestige. Alexandre ne mourut point sous les yeux de la Grèce ; il disparut dans les lointains superbes de Babylone. Bonaparte n'est point mort sous les yeux de la France ; il s'est perdu dans les fastueux horizons des zones torrides. Il dort comme un ermite ou comme un paria dans un vallon au bout d'un sentier désert. La grandeur du silence qui le presse égale l'immensité du bruit qui l'environna. Les nations sont absentes, leur foule s'est retirée ; l'oiseau des tropiques, *attelé*, dit Buffon, *au char du soleil*, se précipite de l'astre de la lumière ; où se repose-t-il aujourd'hui ? Il se repose sur des cendres dont le poids a fait pencher le globe.

[...]

CHAPITRE 17

Ma visite à Cannes

En Europe je suis allé visiter les lieux où Bonaparte aborda après avoir rompu son ban à l'île d'Elbe. Je descendis à l'auberge de Cannes au moment même que le canon tirait en commémoration du 29 juillet ; un de ces résultats de l'incursion de l'empereur, non sans doute prévu par lui. La nuit était close quand j'arrivai au golfe Juan ; je mis pied à terre à une maison isolée au bord de la grande route. Jacquelin, potier et aubergiste, propriétaire de cette maison, me mena à la mer. Nous prîmes des chemins creux entre des oliviers sous lesquels Bonaparte avait bivouaqué : Jacquemin lui-même l'avait reçu et me conduisait. À gauche du sentier de traverse s'élevait une espèce de hangar : Napoléon, qui envahissait seul la France, avait déposé dans ce hangar les effets de son débarquement.

Parvenu à la grève, je vis une mer calme que ne ridait pas le plus petit souffle ; la lame, mince comme une gaze, se déroulait sur le sablon sans bruit et sans écume. Un ciel émerveillable, tout resplendissant de constellations, couronnait ma tête. Le croissant de la lune s'abaissa bientôt et se cacha derrière une montagne. Il n'y avait dans le golfe qu'une seule barque à l'ancre, et deux bateaux : à gauche on apercevait le phare d'Antibes, à droite les îles de Lérins ; devant moi, la haute mer s'ouvrait au midi vers cette Rome où Bonaparte m'avait d'abord envoyé.

Les îles de Lérins, aujourd'hui îles Sainte-Marguerite, reçurent autrefois quelques chrétiens fuyant devant les Barbares. Saint Honorat venant de Hongrie aborda l'un de ces écueils : il monta sur un palmier, fit le signe de la croix, tous les serpents expirèrent, c'est-à-dire le paganisme disparut, et la nouvelle civilisation naquit dans l'Occident.

Quatorze cents ans après, Bonaparte vint terminer cette civilisation dans les lieux où le saint l'avait commencée. Le dernier solitaire de ces laures fut le Masque de fer, si le Masque de fer est une réalité. Du silence du golfe Juan, de la paix des îles aux anciens anachorètes, sortit le bruit de Waterloo, qui traversa l'Atlantique, et vint expirer à Sainte-Hélène.

Entre les souvenirs de deux sociétés, entre un monde éteint et un monde prêt à s'éteindre, la nuit, au bord abandonné de ces marines, on peut supposer ce que je sentis. Je quittai la plage dans une espèce de consternation religieuse, laissant le flot passer et repasser, sans l'effacer, sur la trace de l'avant-dernier pas de Napoléon.

À la fin de chaque grande époque, on entend quelque voix dolente des regrets du passé, et qui sonne le *couvre-feu* : ainsi gémirent ceux qui virent disparaître Charlemagne, saint Louis, François Ier, Henri IV et Louis XIV. Que ne pourrais-je pas dire à mon tour, témoin oculaire que je suis de deux ou trois mondes écroulés ? Quand on a rencontré comme moi Washington et Bonaparte, que reste-t-il à regarder derrière la charrue du Cincinnatus américain et la tombe de Sainte-Hélène ? Pourquoi ai-je survécu au siècle et aux hommes à qui j'appartenais par la date de ma vie ? Pourquoi ne suis-je pas tombé avec mes contemporains, les derniers d'une race épuisée ? Pourquoi suis-je demeuré seul à chercher leurs os dans les ténèbres et la poussière d'une catacombe remplie ? Je me décourage de durer. Ah ! si du moins j'avais l'insouciance d'un de ces vieux Arabes de rivage, que j'ai rencontrés en Afrique ! Assis les jambes croisées sur une petite natte de corde, la tête enveloppée dans leur burnous, ils perdent leurs dernières heures à suivre des yeux, parmi l'azur du ciel, le beau phénicoptère qui vole le long des ruines de Carthage ; bercés du murmure de la vague, ils entroublient leur existence et chantent à voix basse une chanson de la mer : ils vont mourir.

VII

Le roman

HONORÉ DE BALZAC

Le Médecin de campagne
(1833)

Balzac avait eu pour ambition d'écrire un ouvrage uniquement consacré à l'étude des batailles napoléoniennes. Il projeta aussi de faire une description approfondie d'une bataille de l'Empire dans ses Scènes de la vie militaire. *Aucun de ces projets ne vit le jour. Eylau est la toile de fond du* Colonel Chabert, *et la campagne d'Égypte est traitée en surface dans* Une passion dans le désert. *C'est dans ses* Scènes de la vie de campagne *que l'auteur de la* Comédie humaine *s'étend le plus largement et le plus brillamment aussi sur l'épopée militaire napoléonienne.*

Le Médecin de campagne *paraît à Paris en 1833. L'histoire se déroule dans le Dauphiné, aux environs de Grenoble. Le narrateur, Pierre-Joseph Genestas, est un ancien chef d'escadron de la Grande Armée ; il débarque dans cet arrière-pays montagneux et isolé, où se trouve le village La Gardeuse. Il y fait la conaissance de Benassis, un médecin dont le dévouement à porter secours à autrui est sans limite. Chaque personnage recèle un secret qu'il ne livre qu'après être venu à maturité et quand les conditions s'y prêtent. L'aveu est une catharsis qui sublime la vérité quand celle-ci a été longtemps enfouie. Balzac a écrit la dédicace en ce sens : « Aux cœurs blessés, l'ombre et le silence ». Parmi les personnages blessés du roman, il est un ancien soldat de la Garde Impériale, du nom de Goguelat. Sa blessure est celle de la Grande Armée : il fut pris d'un soudain dégoût de la vie depuis que Napoléon a quitté ce monde. C'est la même meurtrissure qui accable le colonel Chabert, lequel confie : « Quand je pense que Napoléon est à Sainte-Hélène, tout ici-bas m'est indifferent. Je ne puis plus être soldat, voilà tout mon malheur. » Heureusement, il reste à Goguelat le génie de la parole qui lui fait revivre, comme à ceux qui l'écoutent, les instants de sa gloire passée, quand il livrait bataille et jouait sa vie à la baïonnette pour l'empereur. Balzac prend l'apparence de ce vieux et robuste ancien grenadier pour faire le récit qu'il ambitionnait sur Napoléon, cette comète partie de rien, qui connut son apothéose à Austerlitz et qui se brisa à Waterloo.*

En 1815, Balzac est interne à la pension Lepître, à Paris, quand Napoléon débarque de l'île d'Elbe. A la manière de ses camarades, il doit prendre part aux manifestations antiroyalistes, comme le suggère Bernard Guyon. Il vient d'avoir seize ans quand le canon de Waterloo tonne dans le ciel et annonce la fin de l'Empire. Plus tard, dans Le Médecin de campagne, il écrira que « l'infaillibilité a fait Napoléon, elle en eût fait un Dieu, si l'univers ne l'avait entendu tomber à Waterloo ». Balzac nous raconte un « Napoléon du peuple » qui sut se faire aimer du peuple de son armée durant son règne et qui continue à être l'objet de l'adoration des Français, à mesure que ceux qui l'ont côtoyé sur les champs de bataille égrènent leurs récits dans les auberges de France. Dans quel recoin du pays pouvait-on mieux goûter l'aventure d'un ancien hussard que dans ces villages montagneux autour de Grenoble, dans le Dauphiné, où Napoléon a triomphé à son retour de l'île d'Elbe ? Goguelat choisit ce lieu symbolique pour partager son expérience et faire revivre le son du clairon, des tambours et de la mitraille. C'est un hymne qu'entonne Goguelat à la mémoire de Napoléon.

Stefan Zweig a senti ce qu'il y avait d'intime entre ces deux athlètes, Balzac et Napoléon. L'écrivain autrichien imagine Balzac croisant le regard de Napoléon quand ce dernier passa un jour devant lui. Il se figure cet enfant en adoration devant le conquérant et l'imagine avoir deux ans de plus. Le jeune Honoré « aurait pris rang parmi les soldats de Napoléon, il eût peut-être, près de la Belle-Alliance, donné l'assaut aux hauteurs où la mitraille anglaise balayait tout devant *elle*[1]*». Balzac serait sans doute mort à Waterloo, comme tant d'autres. On peut alors imaginer Balzac présent dans cette campagne, vieux, pauvre en argent mais riche en histoires; il aurait conté sa grandeur passée et ses infortunes; Balzac aurait été à la place de Goguelat, dans ce bourg perdu, à raconter les batailles qu'il aurait livrées. Dire cela, c'est déjà suggérer que Goguelat, c'est Balzac.*

Mais avec deux ans de moins que l'âge requis pour mourir à Waterloo, Honoré de Balzac ne peut pas s'élever par les armes. Il lui reste la littérature. Zweig a pénétré le ressort de l'énergie créatrice de Balzac : le romancier voudra imiter Napoléon par le moyen de son art, les deux partageant une même soif d'absolu. Balzac s'est imaginé en conquérant, mais ses conquêtes seront celles de l'esprit.

CHAPITRE III

Le Napoléon du peuple

[...]

— Je n'aime point ces histoires-là, elles me font rêver, dit la Fosseuse. J'aime mieux les aventures de Napoléon.

— C'est vrai, dit le garde champêtre. Voyons, monsieur Goguelat, racontez-nous l'Empereur.

— La veillée est trop avancée, dit le piéton, et je n'aime point à raccourcir les victoires.

— C'est égal, dites tout de même ! Nous les connaissons pour vous les avoir vu dire bien des fois ; mais ça fait toujours plaisir à entendre.

— Racontez-nous l'Empereur ! crièrent plusieurs personnes ensemble.

---

1. Stefan Zweig, *Trois Maîtres. Balzac, Dickens, Dostoïevski*, Paris, Le Livre de Poche, 2014, p. 15.

— Vous le voulez, répondit Goguelat. Eh ! bien,
vous verrez que ça ne signifie rien quand c'est dit au
pas de charge. J'aime mieux vous raconter toute une
bataille. Voulez-vous Champaubert[1], où il n'y avait
plus de cartouches, et où l'on s'est astiqué[2] tout de
même à la baïonnette ?

— Non ! l'Empereur ! l'Empereur !

Le fantassin se leva de dessus sa botte de foin, promena sur l'assemblée ce regard noir, tout chargé de
misère, d'événements et de souffrances qui distingue
les vieux soldats. Il prit sa veste par les deux basques
de devant, les releva comme s'il s'agissait de recharger
le sac où jadis étaient ses hardes, ses souliers, toute sa
fortune ; puis il s'appuya le corps sur la jambe gauche,
avança la droite et céda de bonne grâce aux vœux de
l'assemblée. Après avoir repoussé ses cheveux gris
d'un seul côté de son front pour le découvrir, il porta
la tête vers le ciel afin de se mettre à la hauteur de la
gigantesque histoire qu'il allait dire.

— Voyez-vous, mes amis, Napoléon est né en Corse,
qu'est une île française, chauffée par le soleil d'Italie,
où tout bout comme dans une fournaise, et où l'on se
tue les uns les autres, de père en fils, à propos de rien :
une idée qu'ils ont[3]. Pour vous commencer l'extraordinaire de la chose, sa mère, qui était la plus belle femme
de son temps et une finaude, eut la réflexion de le
vouer à Dieu, pour le faire échapper à tous les dangers
de son enfance et de sa vie, parce qu'elle avait rêvé que
le monde était en feu le jour de son accouchement.
C'était une prophétie ! Donc elle demande que Dieu le
protège, à condition que Napoléon rétablira sa sainte
religion, qu'était alors par terre. Voilà qu'est convenu,
et ça s'est vu[4].

« Maintenant, suivez-moi bien, et dites-moi si ce
que vous voulez entendre est naturel.

« Il est sûr et certain qu'un homme qui avait eu l'imagination de faire un pacte secret pouvait seul être susceptible de passer à travers les lignes des autres, à travers les balles, les décharges de mitraille qui nous emportaient comme des mouches, et qui avaient du respect pour sa tête. J'ai eu la preuve de cela, moi particulièrement, à Eylau. Je le vois encore, monte sur une hauteur, prend sa lorgnette, regarde sa bataille et dit : « Ça va bien ! » Un de mes intrigants à panaches qui l'embêtaient considérablement et le suivaient partout, même pendant qu'il mangeait, qu'on nous a dit, veut faire le malin, et prend la place de l'empereur quand il s'en va. Oh ! raflé ! plus de panache. Vous entendez ben que Napoléon s'était engagé à garder son secret pour lui seul. Voilà pourquoi tous ceux qui l'accompagnaient, même ses amis particuliers, tombaient comme des noix : Duroc, Bessières, Lannes[1], tous hommes forts comme des barres d'acier et qu'il fondait à son usage. Enfin, à preuve qu'il était l'enfant de Dieu, fait pour être le père du soldat, c'est qu'on ne l'a jamais vu ni lieutenant ni capitaine ! Ah ! bien oui, en chef tout de suite. [...] *[Goguelat raconte les campagnes d'Italie et d'Égypte.]* Alors, quand il se trouve à son aise sur son trône, et si bien le maître de tout, que l'Europe attendait sa permission pour faire ses besoins : comme il avait quatre frères et trois sœurs, il nous dit en manière de conversation, à l'ordre du jour : « Mes enfants, est-il juste que les parents de votre empereur tendent la main ? Non. Je veux qu'ils soient flambants, tout comme moi ! Pour lors, il est de toute nécessité de conquérir un royaume pour chacun d'eux, afin que le Français soit le maître de tout ; que les soldats de la garde fassent trembler le monde, et que la France crache où elle veut, et qu'on lui dise, comme sur ma monnaie, *Dieu vous protège !* — Convenu ! répond l'armée, on t'ira pêcher des royaumes à la baïonnette. » Ha ! c'est qu'il n'y avait pas à reculer, voyez-vous ! et s'il

avait eu dans sa boule de conquérir la lune, il aurait
fallu s'arranger pour ça, faire ses sacs, et grimper[1];
heureusement qu'il n'en a pas eu la volonté. Les rois,
qu'étaient habitués aux douceurs de leur trône, se font
naturellement tirer l'oreille; et alors, en avant, nous
autres. Nous marchons, nous allons, et le tremblement
recommence avec une solidité générale. En a-t-il fait
user, dans ce temps-là, des hommes et des souliers!
Alors, on se battait à coups de nous si cruellement, que
d'autres que les Français s'en seraient fatigués. Mais
vous n'ignorez pas que le Français est né philosophe,
et, un peu plus tôt, un peu plus tard, sait qu'il faut mourir. Aussi nous mourions tous sans rien dire, parce
qu'on avait le plaisir de voir l'empereur faire ça sur les
géographies. (Là, le fantassin décrivit lestement un
rond avec son pied sur l'aire de la grange.) Et il disait :
« Ça, ce sera un royaume! » Et c'était un royaume. Quel
bon temps! Les colonels passaient généraux, le temps
de les voir; les généraux maréchaux, les maréchaux
rois. Et il y en a encore un, qui est debout pour le dire à
l'Europe, quoique ce soit un Gascon, traître à la France
pour garder sa couronne[2], qui n'a pas rougi de honte,
parce que, voyez-vous, les couronnes sont en or! Enfin,
les sapeurs qui savaient lire devenaient nobles tout de
même. Moi qui vous parle, j'ai vu à Paris onze rois et un
peuple de princes qui entouraient Napoléon, comme
les rayons du soleil! Vous entendez bien que chaque
soldat, ayant la chance de chausser un trône, pourvu
qu'il en eût le mérite, un caporal de la garde était
comme une curiosité qu'on l'admirait passer, parce que
chacun avait son contingent dans la victoire, parfaitement connu dans le bulletin. Et y en avait-il de ces
batailles! Austerlitz, où l'armée a manœuvré comme à
la parade; Eylau, où l'on a noyé les Russes dans un lac,
comme si Napoléon avait soufflé dessus[3]; Wagram, où
l'on s'est battu trois jours sans bouder. Enfin, y en avait

autant que de saints au calendrier. Aussi alors fut-il prouvé que Napoléon possédait dans son fourreau la véritable épée de Dieu. Alors le soldat avait son estime, et il en faisait son enfant, s'inquiétait si vous aviez des souliers, du linge, des capotes, du pain, des cartouches ; quoiqu'il tînt sa majesté, puisque c'était son métier à lui de régner. Mais c'est égal ! un sergent et même un soldat pouvait lui dire : « Mon empereur », comme vous me dites à moi quelquefois : « Mon bon ami. » Et il répondait aux raisons qu'on lui faisait, couchait dans la neige comme nous autres ; enfin, il avait presque l'air d'un homme naturel. Moi qui vous parle, je l'ai vu, les pieds dans la mitraille, pas plus gêné que vous êtes là, et mobile[1], regardant avec sa lorgnette, toujours à son affaire ; alors nous restions là, tranquilles comme Baptiste[2]. Je ne sais pas comment il s'y prenait, mais quand il nous parlait, sa parole nous envoyait comme du feu dans l'estomac ; et, pour lui montrer qu'on était ses enfants, incapables de bouquer[3], on allait pas ordinaire devant des polissons de canons qui gueulaient et vomissaient des régiments de boulets, sans dire gare. Enfin, les mourants avaient la chose de se relever pour le saluer et lui crier : « Vive l'empereur ! »

« Était-ce naturel ! auriez-vous fait cela pour un simple homme ? »

[…]

[Balzac narre ensuite les défaites de Napoléon qui le conduisent à abdiquer une première fois à Fontainebleau en 1814. Il est envoyé à l'île d'Elbe.]

Sûr de son affaire et d'être toujours empereur, il va dans une île pendant quelque temps étudier le tempérament de ceux-ci, qui ne manquent pas à faire des bêtises sans fin. Pendant qu'il faisait sa faction, les Chinois et les animaux de la côte d'Afrique, barbaresques et autres qui ne sont pas commodes du tout, le tenaient si bien pour autre chose qu'un homme, qu'ils respectaient son pavillon en disant qu'y toucher, c'était se frotter à Dieu. Il régnait sur le monde entier, tandis que ceux-ci l'avaient mis à la porte de sa France. Alors s'embarque sur la même coquille de noix d'Égypte[1], passe à la barbe des vaisseaux anglais, met le pied sur la France, la France le reconnaît, le sacré coucou s'envole de clocher en clocher[2], toute la France crie : « Vive l'empereur ! » Et par ici l'enthousiasme pour cette merveille des siècles a été solide, le Dauphiné s'est très bien conduit[3] ; et j'ai été particulièrement satisfait de savoir qu'on y pleurait de joie en revoyant sa redingote grise. Le 1er mars Napoléon débarque avec deux cents hommes pour conquérir le royaume de France et de Navarre, qui le 20 mars était redevenu l'empire français. L'Homme se trouvait ce jour-là dans Paris, ayant tout balayé, il avait repris sa chère France, et ramassé ses troupiers en ne leur disant que deux mots : « Me voilà ! » C'est le plus grand miracle qu'a fait Dieu ! Avant lui, jamais un homme avait-il pris d'empire rien qu'en montrant son chapeau ? L'on croyait la France abattue ? Du tout. À la vue de l'aigle, une armée nationale se refait, et nous marchons tous à Waterloo. Pour lors, là, la garde meurt d'un seul coup. Napoléon au désespoir se jette trois fois au-devant des canons ennemis à la tête du reste, sans trouver la mort ! Nous avons vu ça, nous autres ! Voilà la bataille perdue. Le soir, l'empereur appelle ses vieux soldats, brûle dans un champ plein de notre sang ses drapeaux et ses aigles ; ces pauvres aigles, toujours victorieuses, qui criaient dans les batailles : « En avant ! » et qui avaient volé sur toute l'Europe,

furent sauvées de l'infamie d'être à l'ennemi. Les trésors de l'Angleterre ne pourraient pas seulement lui
donner la queue d'un aigle. Plus d'aigles ! Le reste est
suffisamment connu. L'Homme Rouge passe aux
Bourbons comme un gredin qu'il est. La France est
écrasée, le soldat n'est plus rien, on le prive de son
dû, on te le renvoie chez lui pour prendre à sa place
des nobles qui ne pouvaient plus marcher, que ça
faisait pitié. L'on s'empare de Napoléon par trahison,
les Anglais le clouent dans une île déserte de la
grande mer, sur un rocher élevé de dix mille pieds au-
dessus du monde[1]. Fin finale, est obligé de rester là,
jusqu'à ce que l'Homme Rouge lui rende son pouvoir
pour le bonheur de la France. Ceux-ci disent qu'il est
mort ! Ah ! bien oui, mort ! on voit bien qu'ils ne le
connaissent pas. Ils répètent c'te bourde-là pour
attraper le peuple et le faire tenir tranquille dans leur
baraque de gouvernement. Écoutez. La vérité du tout
est que ses amis l'ont laissé seul dans le désert, pour
satisfaire à une prophétie faite sur lui, car j'ai oublié
de vous apprendre que son nom de Napoléon veut
dire *le lion du désert*. Et voilà ce qui est vrai comme
l'Évangile. Toutes les autres choses que vous enten-
drez dire sur l'empereur sont des bêtises qui n'ont pas
forme humaine. Parce que, voyez-vous, ce n'est pas à
l'enfant d'une femme que Dieu aurait donné le droit
de tracer son nom en rouge comme il a écrit le sien
sur la terre, qui s'en souviendra toujours ! Vive Napoléon, le père du peuple et du soldat !

— Vive le général Eblé ! cria le pontonnier.

— Comment avez-vous fait pour ne pas mourir
dans le ravin de la Moskowa ? dit une paysanne.

— Est-ce que je sais ? Nous y sommes entrés un
régiment, nous n'y étions debout que cent fantassins,
parce qu'il n'y avait que des fantassins capables de le

prendre ! l'infanterie, voyez-vous, c'est tout dans une armée…

— Et la cavalerie, donc ! s'écria Genestas en se laissant couler du haut du foin et apparaissant avec une rapidité qui fit jeter un cri d'effroi aux plus courageux. Hé ! mon ancien, tu oublies les lanciers rouges de Poniatowski[1], les cuirassiers, les dragons, tout le tremblement ! Quand Napoléon, impatient de ne pas voir avancer sa bataille vers la conclusion de la victoire, disait à Murat : « Sire, coupe-moi ça en deux ! », nous partions d'abord au trot, puis au galop ; *une*, *deux !* l'armée ennemie était fendue comme une pomme avec un couteau. Une charge de cavalerie, mon vieux, mais c'est une colonne de boulets de canon !

— Et les pontonniers ? cria le sourd.

— Ha ! çà, mes enfants ! reprit Genestas tout honteux de sa sortie en se voyant au milieu d'un cercle silencieux et stupéfait, il n'y a pas d'agents provocateurs ici ! Tenez, voilà pour boire au petit caporal.

— Vive l'empereur ! crièrent d'une seule voix les gens de la veillée.

— Chut ! enfants, dit l'officier en s'efforçant de cacher sa profonde douleur. Chut ! *il est mort* en disant : « Gloire, France et bataille. » Mes enfants, il a dû mourir, lui, mais sa mémoire !… jamais.

FRÉDÉRIC SOULIÉ

L'Orpheline de Waterloo

(1835)

Frédéric Soulié (1800-1847) est une figure majeure des lettres françaises dans le genre du roman-feuilleton, au même titre qu'Eugène Sue ou Dumas. Aujourd'hui, seuls sont passées à la postérité ses Mémoires du Diable. *Napoléon inspira beaucoup cet écrivain au sentiment national exacerbé. Le sujet napoléonien revient en effet souvent sous sa plume. Soulié a fondé un journal bonapartiste,* Napoléon, *et publié une brochure dédiée à la mémoire de l'empereur, l'année du retour de ses cendres à Paris, en 1840. Dans* La Lanterne magique. Histoire de Napoléon racontée par deux soldats, *ouvrage pour la jeunesse (1838), le narrateur propose que chaque enfant apprenne par cœur les événements de Waterloo pour ne jamais oublier que la première victoire que remportera l'armée française sera la vengeance de cette défaite. Soulié a aussi édité une œuvre poétique sur Waterloo dans ses* Amours françaises, *où l'on peut suivre une Anglaise qui a perdu la tête après la mort à Waterloo de son amant, un soldat de la Garde Impériale. Le malheur de la défaite inspire à Soulié ces vers :*

La lune se leva sur ce morne tableau.
J'aperçus le sol des soldats et des armes,
Et des Anglais criant : Waterloo ! Waterloo !
Et moi, fille de l'Angleterre,
Indifférente aux miens qui dormaient sur la terre,
J'appelais un Français et pleurais sans remords.

*Il est vrai qu'il fallait être doué d'une étonnante imagina-
tion pour peindre les larmes d'une maîtresse anglaise pour
son amant français, en juin 1815. Soulié a l'accent patriotique et affiche son dédain pour les Anglais quand il s'agit
de Waterloo. La nouvelle* L'Orpheline de Waterloo, *parue
pour la première fois en avril 1835 dans le* Journal des
Enfants, *est un conte militaire revenant sur l'épisode de
Waterloo. Il sera réédité en 1840 et 1841, puis figurera
parmi les contes de Soulié, réunis en 1866 dans les* Contes
et récits de ma grand'mère. *Il sera même réédité en 1887
et en 1921.*

*L'histoire est celle de Louise, une fille d'un grenadier de la
Vieille Garde et d'une vivandière dans l'armée impériale,
tous deux morts à Waterloo. Accablée de chagrin, l'orpheline
est enlevée par un Anglais qui lui fait faire la manche à Londres. Soulié pousse à son paroxysme le drame de la bataille
de juin 1815 en montrant parmi ses conséquences le déshonneur de la France, incarnée ici par une enfant d'un soldat de
la Garde humiliée. Une génération est sacrifiée et les Anglais,
personnifiés par un brigand, sont les ennemis du bien et de
la morale. Le talent de Soulié consiste à établir un parallèle
entre le sacrifice des soldats de Waterloo et cette jeune enfant
qui va restaurer l'honneur de sa famille et de sa patrie en
entrant en révolte contre le despotisme de son geôlier anglais.
Le sentiment national de Soulié transparaît dans ce conte
militaire qui mythifie la valeur du peuple français. L'âme
de ce dernier, sous les traits de l'orpheline, et sur fond du
champ de bataille de Waterloo, exhorte à se montrer digne
de l'histoire de nos aïeux et à nous rendre conscients de la
nécessité de faire perdurer l'héroïsme national. Soulié
change alors la défaite de Waterloo en une victoire de notre
conscience collective et semble attester cette phrase célèbre
de Maurice Barrès, selon laquelle « une nation, c'est la possession en commun d'un antique cimetière ». Le jour de
l'inhumation de Soulié au cimetière du Père-Lachaise,
Victor Hugo prononça un discours et on raconte que Dumas
fondit en larmes.*

Enfants, il y a des sentiments qui vous sont inconnus et qu'il faut vous apprendre. Car on peut dire de ceux-là qu'ils ne nous viennent pas tout de suite au cœur, comme ceux d'amour pour vos parents ; ils sont plus réfléchis, ils résultent de l'éducation, et cependant ils n'en sont pas moins sacrés. Autour de vous, enfants, il y a votre famille à laquelle vous devez votre affection, dont vous devez chérir l'honneur, parce qu'il est le vôtre. Au delà de cette première famille, il y en a une autre plus vaste, plus innombrable, et qui a sur vous des droits non moins puissants. Celle-là, c'est la nation ; pour nous, enfants, c'est la France. Jeunes que vous êtes, vous ne comprenez pas par quelle réciprocité merveilleuse cette affection est utile autant qu'honorable. Ne vous est-il jamais arrivé, lorsque vous êtes sortis de votre famille, d'entendre dire : cet enfant est le fils de M. un tel ; et parce que le nom de votre père est respecté, n'avez-vous pas remarqué que vous avez trouvé quelque chose de plus bienveillant dans l'accueil qu'on vous a fait, et n'avez-vous pas senti en vous-mêmes qu'il était bien de garder par votre bonne conduite le respect de tous au nom que vous portez et qui vous protège ? Eh bien ! enfants, à côté du nom de votre père, il y en a un autre aussi saint, c'est celui de Français ; un nom de famille aussi, à la considération duquel vous devez votre vie, et qui vous rendra votre dévouement par une noble protection. Oh ! mes enfants, il a été un temps où cette protection a été magnifique, un temps où votre père était encore un jeune homme, et qui cependant ressemble à un conte de fées des vieilles époques du monde. Alors, voyez-vous, quand un Français passait dans une ville d'Europe, on le saluait. En ce temps, un homme seul au milieu d'étrangers furieux et ennemis passait tranquillement : car en disant : je suis français, il voulait dire en un seul mot : la grande nation me suit de ses regards de mère, et si vous insultez ma mère en la personne de l'un de ses enfants, elle se lèvera avec sa grande armée et ses généraux et viendra corriger tout un peuple pour venger l'honneur de l'un de ses fils.

Rome une fois méprisa cet avis et sa populace furieuse assassina un général français le brave Duphot[1]. Un mois après, Rome était prisonnière dans les filets de nos soldats, et ses magistrats, à genoux sur la tombe de Duphot, demandaient pardon à la France de leur crime. Ce jour-là, elle ne put que protéger la mémoire du brave général ; mais combien de fois cette terrible leçon arrêta les projets coupables qui se tramaient contre les Français isolés ! On savait qu'il en était entré un dans un royaume étranger, et tout le royaume devait compte de cet homme à la France ; il fallait qu'on le lui rendît quand elle le réclamait, et qu'on le lui rendît sans qu'il eût à se plaindre d'aucune injure.

Vous n'avez pas vu ce beau temps, enfants ; mais aussi vous n'avez pas vu celui où la France, battue par la réunion de tous les rois et de tous les peuples de l'Europe, a subi le malheur d'une conquête. Si jeunes que vous eussiez été, cela vous eût déchiré le cœur. Comprenez-vous qu'un soldat insolent entre dans votre maison, prenne avec effronterie la meilleure place au foyer ; qu'il en écarte avec brutalité votre mère qui est malade, et réponde par un coup de sabre à votre père qui veut la défendre ! Nous avons vu cela, nous autres, enfants, nous en avons pleuré[2] ; et si l'on s'étonne quelquefois que, jeunes encore, nous soyons si graves et si tristes, c'est que nous vivons depuis vingt ans avec un affront dans le cœur, un soufflet sur la joue, dont nous n'avons pas obtenu réparation. Nous avons vu cela deux fois, et c'était si épouvantable, qu'après avoir subi ce désespoir en 1814, nous avons tous crié en 1815, enfants que nous étions : Donnez-nous des fusils ! Croyez-moi, nous serions morts pour sauver nos mères et nos sœurs, si on eût voulu nous laisser mourir. On nous le défendit, et sans doute on sauva à la France un désespoir de plus ; car la destinée semblait avoir marqué l'heure de notre humiliation.

Dites-moi, enfants, n'y a-t-il pas un grand nom qui tourne autour de vous comme un bruit triste et fâcheux ? N'entendez-vous pas prononcer souvent le mot de Waterloo, et n'arrive-t-il pas qu'alors des éclairs de colère et de désespoir brillent dans les yeux de ceux qui vous entourent ? Cela ne vous étonne-t-il pas que ce mot blesse le cœur de ceux qui le prononcent et de ceux qui l'entendent, comme lorsqu'on parle du jour où est mort l'enfant qu'on aime ou le père qui nous chérit ? C'est que ce jour, enfants, ce jour de Waterloo, fut celui où la France, notre mère commune, fut jetée à genoux devant l'Europe et foulée aux pieds par ses soldats.

Je ne veux point vous faire l'histoire de cette bataille ; il faudrait vous raconter toute notre gloire pour vous faire comprendre tout notre malheur. Et puis, il faudrait prononcer devant vous des mots que vous apprendrez plus tard ; il faudrait parler de trahison ; il faudrait vous apprendre qu'il y a des enfants qui ont abandonné leur mère. Oh ! ne le sachez jamais, ne le voyez jamais ; enfants, notre avenir, notre espoir, jurez que cela n'arrivera plus.

Cependant je vous en dirai ce qu'il faut que vous en sachiez, ce qui est nécessaire à l'intelligence de cette histoire, comme j'ai dû vous expliquer ce que c'est que l'amour de la patrie, pour que vous en compreniez le dévouement. Laissez-moi, pour vous le raconter, me servir d'un récit qui m'a brisé le cœur, à moi, quand je l'ai entendu.

C'était au boulevard du Temple, dans une petite baraque en bois comme il n'en existe plus ; on y avait exposé un plan en relief de la bataille de Waterloo. Un plan en relief est une image en petit d'un pays, comme seraient vos joujoux de petites maisons et de petits soldats, si vous les disposiez comme une ville connue et comme l'a été une armée.

J'entrai dans cette baraque avec un ami. Un vieux soldat qui tenait, de la seule main qui lui restait, une petite badine[1], montrait et expliquait les mouvements de la bataille : là, les Français ; ici, la vieille garde ; sur cette hauteur, Napoléon ; là-bas, les Anglais ; plus loin, les Prussiens. À chaque mouvement qu'il nous faisait passer sous les yeux, le vieux soldat disait d'une voix solennelle : — À midi, la bataille était gagnée. Il continuait, nous montrait comment le génie de Napoléon avait conduit ses soldats, et répétait : — À deux heures, la bataille était gagnée. Il suivait son récit, et reprenait : — À quatre heures, la bataille était gagnée. Il s'oubliait alors, et continuant à nous expliquer les mouvements acharnés du combat, il redisait encore : — À six heures, la bataille était gagnée. Puis, au bout de l'horizon, il nous montrait une nouvelle armée accourant sur le champ de bataille. Ce devait être des Français. L'empereur les attendait ; l'armée les accueillit avec des cris de joie. C'étaient trente mille Prussiens. Une armée de plus à combattre après douze heures de combat ! — À sept heures, la bataille était perdue. C'était le dernier mot du vieux soldat à qui la voix manquait alors pour nous raconter comment Napoléon se jeta furieux et désespéré dans les rangs ennemis pour y mourir, et comment il ne le put pas ; comment cette vieille garde impériale, à qui les Anglais demandaient de se rendre, répondit par la voix de son intrépide général Cambronne : *La garde meurt, et ne se rend pas !*

Or, enfants, il y avait dans cette vieille garde impériale un soldat qui s'appelait Louis Beuchaud. Ce soldat avait un enfant, une petite fille, qui, avec sa mère, suivait le régiment : la mère Beuchaud était vivandière. Quand la bataille commença, elle alla, comme c'était sa coutume, se placer derrière son régiment, pour donner par-ci par-là un verre d'eau-de-vie aux blessés. Quand le soir fut venu, Louise, c'était le nom de l'enfant, ne vit point revenir sa mère ; elle ne vit point son père. Tout fuyait autour d'elle, et Louise demeura seule jusqu'au milieu de la nuit, dans une cabane où on l'avait laissée. Alors, ne sachant que faire, elle se décida à aller chercher son père et sa mère[1]. Elle alla les chercher où elle avait coutume de les trouver, sur le champ de bataille, se réjouissant et criant : Vive la France ! Ce n'était pas ainsi qu'elle devait les y retrouver. Vous avez déjà sans doute appris combien l'habitude de voir souvent la même chose en détruit l'effet. Ainsi, il ne faut pas vous étonner si cette petite fille de huit ans s'avança sans crainte parmi ces champs couverts de cadavres et labourés de boulets. Mais ce à quoi elle n'était pas accoutumée, c'était à ce silence morne et lugubre qui régnait sur la plaine ; ce qui ne lui était jamais arrivé, c'était de n'avoir pas rencontré quelques soldats français à qui demander où était bivouaquée la garde impériale. Louise allait donc devant elle, trébuchant çà et là sur des corps morts qui étaient épars sur la terre. De temps en temps elle voyait bien quelques groupes de soldats passer près d'elle ; mais, à la lueur de la lune, elle voyait reluire leurs habits rouges comme du sang, et elle savait que c'étaient des ennemis. Elle se blottissait alors contre un mort ou dans un creux de fossé, et les laissait passer, puis elle

poursuivait sa route. Enfin, elle arriva à un endroit
où les corps étaient serrés comme dans une ligne de
bataille, et une pensée funeste lui vint : c'est que son
père était peut-être parmi tous ces cadavres. Enfant,
elle lui avait très souvent entendu dire dans ses
moments de gaieté, que la mort l'avait trouvé trop
dur pour l'avaler ; elle l'avait vu si souvent revenir
sain et sauf de terribles combats, que l'idée que son
père pouvait mourir semblait impossible. Mais à ce
moment elle vit bien que c'était une bataille qui
n'était pas comme les autres. Où étaient les bivouacs
avec leurs feux flamboyants et leurs chants de victoire ? Rien que la nuit, le silence et des morts !

Alors, elle qui n'avait point tremblé de rencontrer
des milliers de soldats couchés par terre, se prit à
frémir à l'idée de voir son père pâle comme des
cadavres qu'elle avait vus, les yeux fermés, froid et
raide comme eux, et elle tomba à genoux en criant :

— Mon père, mon père, répondez-moi ! mon père !
Un long soupir la fit tressaillir, et du milieu de ces
cadavres un corps se souleva, et d'une voix dure, mais
abattue, lui demanda : Que cherches-tu ?

— Je cherche mon père, dit Louise, qui reconnut
l'uniforme du grenadier, mon père, Louis Beuchaud,
et ma mère, la mère Beuchaud.

— Ah ! fit le soldat qui se soutenait sur son coude,
Beuchaud, le premier grenadier de la première...
Cherche par ici, petite ; c'est là qu'était le régiment, tu
le retrouveras, il n'en manque pas un.

Puis il retomba, et quand Louise lui parla encore, il
ne répondit plus : il était mort. Alors cette enfant, le
corps penché vers la terre, alla de cadavre en cadavre,
s'agenouillant près d'eux, et soulevant leur tête pour
les regarder à la faible clarté de la lune. Ce fut bien
long et bien horrible que cette épouvantable revue de
tous ces vieux soldats, passée par cette enfant qui

s'essuyait les yeux pour mieux voir ; car ses larmes la gênaient et lui troublaient la vue. Enfin elle arrive à celui qu'elle cherchait. Si elle avait réfléchi, elle qui savait l'ordre d'un régiment, elle l'aurait trouvé tout de suite, le premier de la compagnie, tombé à son rang comme les autres, mais elle ne savait plus ce qu'elle faisait ; elle regardait ces morts sans comprendre que son père n'avait plus rien à lui dire, et quand elle arriva à son père, elle souleva sa tête et lui cria !

— Ah ! c'est vous, mon père.

La tête retomba sur la terre, et Louise demeura à genoux, froide, immobile, sans parole, regardant son père, qu'elle secouait machinalement. Alors se formait dans sa tête l'idée du malheur de cette journée ; toute la garde était là, morte autour d'elle ; plus loin sans doute toute l'armée. Cette pensée la confondait ; elle était plus grande qu'elle, elle aurait brisé sa pauvre petite tête, si elle n'en eût été détournée par un nouvel incident.

Des maraudeurs, des misérables, semblables aux corbeaux qui viennent sur les champs de bataille pour dévorer les morts, parcouraient la plaine de Waterloo pour les dépouiller de leurs habits, comme les corbeaux de leur chair[1]. Ils aperçurent cette enfant et l'entourèrent. Elle voulut s'échapper, mais ils l'eurent bientôt attrapée, et l'un d'eux l'ayant attachée, la plaça sur un cheval et l'emmena avec lui. C'était une espèce de mendiant anglais, qui suivait l'armée pour ramasser les dépouilles des morts. Louise le suivit longtemps de village en village, pendant qu'il vendait les croix, les épaulettes d'or et d'argent qu'il avait ramassées. Elle subissait alors un malheur qu'elle croyait affreux. Elle ne savait point l'anglais ; son maître, car elle lui appartenait presque, ne savait pas non plus le français, et c'était en la battant qu'il s'en faisait obéir. La pauvre Louise ne se doutait pas qu'un plus affreux malheur l'attendait encore. Lorsque cet homme, qui s'appelle Swith, eut fini les affaires de son odieux commerce, il se trouva avoir assez d'argent, il s'embarqua à Anvers pour retourner en Angleterre, où il emmena Louise. Celle-ci ne pouvait comprendre pourquoi cet homme la gardait si soigneusement ; elle ne savait pas par quel horrible calcul il avait prévu le parti qu'il voulait en tirer.

Il arriva à Londres avec une assez forte somme d'argent ; mais il la dissipa dans les tavernes où il s'enivrait tous les jours, et au bout d'un an, il ne lui restait plus rien. C'est alors que Louise apprit ce que Swith voulait faire d'elle : comme beaucoup de mendiants font à Paris, il profita de la pitié qu'inspire l'enfance pour la forcer à mendier le pain qu'il pouvait gagner en travaillant. Mais, par un raffinement odieux, il apprit à Louise une phrase anglaise dont elle ne comprenait pas le sens, et qui voulait dire :

« Je suis la fille d'un soldat français tué à Waterloo : bons Anglais, donnez-moi la charité. »

Et lorsqu'elle la sut bien, il la plaça au pied d'une colonne monumentale érigée dans la ville, et assis dans un coin de la place, il la surveillait et la menaçait de l'œil pour qu'elle répétât continuellement la même phrase.

Cette colonne, enfants, c'est celle que les Anglais ont élevée en commémoration de leur victoire de Waterloo[1]. Nous n'avons pas craint de vous la nommer, et si les Anglais s'étonnaient de notre impartialité, nous vous nommerions aussi leur place de Waterloo, leur pont de Waterloo, leur square de Waterloo, partout ce seul nom de Warterloo écrit sur leurs monuments de triomphe, car ils n'ont que celui-là, et ils savent à quel prix ils l'ont acheté ; ils savent qu'il a fallu toute l'Europe pour leur donner ce trophée.

Vous devez comprendre ce qu'il y avait d'odieux à placer Louise au pied de cette colonne triomphale, monument de notre malheur, pour faire dire à cette enfant française : « Je suis la fille d'un soldat français tué à Waterloo : bons Anglais, donnez-moi la charité. »

La première fois qu'elle y alla, son accent étranger arrêta quelques passants, qui lui dirent de répéter, et lorsqu'ils eurent compris la phrase qu'elle répétait comme un perroquet, ils se mirent à rire, et lui tournèrent le dos. Mais un matelot, ayant passé par là, trouva la chose drôle, s'arrêta et lui donna un penny, en lui faisant répéter la malheureuse phrase dont il riait comme un fou ; et quelques personnes s'étant assemblées, on jeta une foule de pièces de monnaie à la mendiante française, par dérision, et comme s'ils avaient insulté dans cette petite enfant la gloire de la France humiliée au pied de cette colonne.

[...]

[Un Français, passant par là, s'offusque des propos de Louise et finit par lui en révéler le sens. Swith interdit au Français de secourir la jeune fille. Mais celle-ci comprend que ce qu'elle disait était mal et, dès lors, se révolte.]

Louise rentra chez Swith, et celui-ci la maltraita plus rudement que jamais. Cependant ces deux scènes renouvelées l'avertirent qu'on pourrait bien chercher à savoir quelle était cette enfant, et il ne l'envoya pas à la colonne pendant plusieurs jours. Mais s'étant couché, sérieusement malade, et ayant épuisé tout son argent, il lui ordonna un matin d'aller reprendre sa place et de recommencer à demander la charité.

Louise répondit qu'elle n'irait pas. Swith pensa que c'était un moment de rébellion et la menaça ; mais l'enfant lui répondit qu'elle ne bougerait pas de la chambre. À force d'habiter avec Swith qui parlait un peu français, Louise s'était habituée à l'entendre et elle avait même fini par comprendre les mots anglais qu'il mêlait à ses phrases ; nous n'en donnerons que le sens, car elles seraient inintelligibles pour nos jeunes lecteurs.

— Veux-tu aller à la place demander la charité ? disait Swith furieux et étendu sur son lit, d'où il ne pouvait se lever.

— Je n'irai pas, dit Louise.

— Sais-tu que je vais te battre, petite drôlesse ?

— Battez-moi ; non, je n'irai pas.

— Ah ! tu n'iras pas ! cria Swith, et s'emparant d'une écuelle qui était sur la table près de lui, il la lança à la tête de Louise, qu'elle effleura et écorcha profondément. Le sang coula sur le visage de l'enfant, et Swith cria :

— Iras-tu, maintenant ?

— Non, dit Louise, en essuyant le sang qui coulait sur son visage, je n'irai pas.

Puis s'approchant de lui, elle lui dit :

— Tenez, vous pouvez me tuer, mais je n'irai pas demander la charité à ceux qui ont tué mon père.

Swith la prit et il l'eût tuée s'il n'avait réfléchi qu'elle était sa dernière espérance. Il compta que le lendemain il en viendrait à bout, et la journée se passa, lui sur son lit, Louise dans un coin, la tête dans ses mains, ne pleurant pas. La nuit se passa de même. Le lendemain vint ; Swith se souleva sur son lit, et dit à Louise :

— J'ai faim.

— Moi aussi, dit l'enfant.

— Eh bien, ma bonne Louise, va à la place demander la charité.

— Non, dit Louise, je n'irai pas.

— Mais je mourrai de faim sur ce grabat ! s'écria Swith.

— Eh bien, dit Louise, nous mourrons tous deux, car ni pour vous, ni pour moi, je n'irai m'asseoir au pied de la colonne de Waterloo.

— Misérable ! s'écria Swith, en se tordant sur son lit d'où il ne pouvait s'arracher.

Le jour se passa encore, et la nuit vint.

— Louise, dit Swith, haletant, je brûle ; à boire.

L'enfant voulut se lever, mais elle retomba assise, tant elle était faible.

— Oh ! s'écria le moribond, maintenant tu voudrais bien y être allée !

— Non, dit Louise en défaillance et en tombant sur ses genoux, je n'irai pas.

Swith furieux fit un effort désespéré et sortit de son lit.

— Eh bien ! disait-il en rugissant, tu mourras puisque tu le veux ! J'ai faim, et... Il n'acheva pas, mais l'horrible impression de sa figure, le rire hideux qui laissa voir la blancheur de ses dents, fit à Louise l'effet d'une bête féroce qui allait la dévorer. Elle se leva pour fuir, mais elle n'en eut pas la force ; elle tomba, il tomba aussi, mais sans l'atteindre. Alors ce fut une horrible chose à voir, que cet homme horrible se traînant dans cette chambre pour attraper cette enfant qui se traînait aussi pour lui échapper, et à chaque effort, oubliant tous deux que la force leur manquait, l'un disait avec rage :

— Iras-tu ?

L'enfant répondait avec résolution :

— Non, je n'irai pas.

C'est que dans cette jeune tête d'enfant, un long

travail de réflexion s'était opéré. C'est qu'elle avait rassemblé tous ses souvenirs d'enfant, qu'elle s'était rappelé les larmes de son père à la première invasion des
étrangers ; c'est qu'elle avait donné un sens à ces mots
qu'il prononçait alors avec désespoir : Pauvre France !
pauvre armée ! C'est qu'elle avait compris, sinon tout
le malheur de son peuple, du moins qu'il avait à souffrir encore comme il avait souffert. Et lorsqu'il lui
revenait en mémoire l'exécration que son père lançait
contre ceux qui avaient accueilli les étrangers, elle
pensait qu'il la maudirait s'il vivait et qu'il sût ce
qu'elle avait fait ; et l'héroïque enfant se répétait à
elle-même : J'ai demandé du pain à ceux qui ont tué
mon père, j'ai servi d'amusement à ceux qui ont tué
mon père, à ceux qui ont chassé son empereur et
brûlé les villages où l'on parle français. Elle comprenait tout cela, et elle aimait mieux mourir, mourir de
faim ! le plus horrible supplice de ce monde. Et elle
serait morte si le Français qui l'avait rencontrée ne se
fût adressé à l'ambassade pour qu'on fît rechercher
cette jeune fille. Elle avait tellement fixé l'attention
des gens qui la voyaient passer tous les jours, qu'on
découvrit facilement sa demeure, et on y entra au
moment où elle se débattait entre les mains de Swith.
On la secourut, on la ramena à la vie, et ce fut d'elle
qu'on apprit cet héroïsme qui lui avait fait supporter
les tortures de la faim et les approches de la mort,
plutôt que de faire une lâcheté contre son pays.
Enfants, ceci est beau comme de mourir pour son
pays sur le champ de bataille ; et ceci est vrai, car
Louise Beuchaud est aujourd'hui une grande et jeune
femme qui habite Meudon, au fils de laquelle j'appre-
nais à lire cet été ; bel enfant, courageux aussi, pour
qui j'ai fait ce récit afin qu'il le lût à sa mère, qui ne
sait pas lire.

STENDHAL

La Chartreuse de Parme
(1839)

L'œuvre littéraire de Stendhal est traversée par le mythe de Napoléon. Dans Le Rouge et le Noir, *son premier roman, paru en 1830, Julien Sorel grandit dans la campagne française avec un livre sous le bras, le* Mémorial de Sainte-Hélène. *L'épopée de l'empereur enflamme cette âme jeune qui rêve d'une vie d'aventures et ne pense qu'à suivre l'exemple de son héros dont il admire tant les batailles. Quand Sorel observe un oiseau de proie fendant le ciel, Stendhal analyse :* « Ses mouvements tranquilles et puissants le frappaient, il enviait cette force, il enviait cet isolement. C'était la destinée de Napoléon, serait-ce un jour la sienne ? » *Julien Sorel livrera des batailles sociales. Dans* Lucien Leuwen, *écrit en 1834, Stendhal évoque le souvenir napoléonien sous la monarchie de Juillet en suivant la carrière militaire désenchantée d'un jeune bourgeois lui aussi épris d'aventures. Le romancier se consacre même, durant l'année 1836, à des* Mémoires sur Napoléon. *On retrouve dans le roman* La Chartreuse de Parme, *publié en 1839, alors que Stendhal a cinquante-cinq ans, la même prégnance de la figure de Napoléon qui incarne le romantisme militaire. La légende des victoires de l'Empire exerce une force d'attraction à laquelle cèdent les héros stendhaliens. Faut-il s'en étonner ? Stendhal lui-même a décrit, dans son autobiographie intitulée* Vie de Henry Brulard, *sa fascination pour le mouvement révolutionnaire qui proclama les idéaux de patriotisme et de liberté, dont le flambeau a été* repris par Napoléon. Le messianisme révolutionnaire est continué par le Consulat et l'Empire selon Stendhal, qui a servi dans la Grande Armée comme sous-lieutenant parmi les dragons durant les campagnes militaires de 1800-1801, mais aussi en Prusse en 1806 et en Russie en 1812. Le romancier connaît son sujet quand il évoque les guerres napoléoniennes : il en était.

Fabrice del Dongo est un jeune aristocrate italien que la conquête de l'Italie du Nord et de Milan par Napoléon en 1796 a enthousiasmé. Stendhal ouvre son roman par l'entrée dans Milan de l'armée d'Italie, commandée par Napoléon. « Bientôt, écrit-il, surgirent des mœurs nouvelles et passionnées. Un peuple tout entier s'aperçut, le 15 mai 1796, que tout ce qu'il avait respecté jusque-là était souverainement ridicule et quelquefois odieux. Le départ du dernier régiment d'Autriche marqua la chute des idées anciennes : exposer sa vie devint à la mode ; on vit que pour être heureux après des siècles de sensations affadissantes, il fallait aimer la patrie d'un amour réel et chercher les actions héroïques. » Une révolution s'opère donc dans le cœur ardent et républicain du héros du roman qui représente un peuple nouveau et régénéré. Ainsi, plus tard, en apprenant que Napoléon avait débarqué au golfe Juan en 1815 et entrait en guerre contre les puissances européennes coalisées contre lui, Fabrice del Dongo n'eut plus qu'une idée en tête : prendre les armes pour la liberté dans l'armée de Napoléon qu'il idolâtre. Il part « chercher une action héroïque » et la trouvera à Waterloo. Pour Stendhal, ce que la Révolution française — et avec elle Napoléon qui la personnifie — a inculqué à la génération à laquelle appartient Fabrice, c'est le rejet de l'esprit bourgeois. Fabrice ne veut plus et ne peut plus vivre dans le confort que lui offre le statut social privilégié de sa famille. L'appel de la gloire et, comme le dit Stendhal, le désir de risquer sa vie le poussent dans les bras de l'irrationnel et du romantisme militaire qu'incarne l'empereur. Son retour de l'île d'Elbe offre sa dernière chance à un enfant comme Fabrice de se confronter au mythe de l'Empire qui va peut-être disparaître et de participer à l'his-

toire qui est en train de s'écrire sur le champ de bataille de Waterloo.

Stendhal a écrit La Chartreuse de Parme *en sept semaines. Il est conscient que les chapitres sur Waterloo occupent une place centrale de son roman. Il en publie d'ailleurs des passages dans* Le Constitutionnel*, avant la première édition en deux volumes du roman. Les extraits ici sélectionnés témoignent de ces différentes étapes qui conduisent le héros à la bataille et de la symbolique de sa démarche qui se veut héroïque. Le cadre de la seule descripton de la bataille de Waterloo est ainsi dépassé pour pouvoir retracer le voyage initiatique qu'accomplit Fabrice du moment où il quitte sa famille en Italie au soir du 18 juin 1815. La marche au combat ainsi que le canon de Waterloo lui-même doivent être interprétés comme une expérence formatrice qui éduque le héros et lui montre la réalité de la guerre après qu'il a nourri tant d'illusions romantiques sur la beauté des batailles. Même si Waterloo désapprend, plus que nulle autre bataille, à aimer la guerre, il faut en passer par là pour prendre conscience de l'horreur des combats. Le sentiment de révolte qui anime Fabrice est le même que celui que Stendhal connut lorsqu'il quitta ses parents pour aller chercher l'aventure et se retrouva plus tard parmi les grognards de la Grande Armée. Dans le chapitre* XL *de la* Vie de Henry Brulard*, Stendhal raconte comment, au moment où il franchit les Alpes, il affronta le feu et fut confronté à la guerre pour la première fois, même si ce n'était en réalité que des escarmouches. Le romancier livre alors cette réflexion :* « C'était un pucelage qui me pesait autant que l'autre. » *Il en va de même pour Fabrice del Dongo à Waterloo : il vit son baptême du feu, ou, pour reprendre Stendhal, il perd son* « pucelage »*. Waterloo est donc un voyage initiatique : le héros ne sait pas à quoi ressemble la guerre, ne s'est jamais battu, ne sait pas tirer un coup de fusil, n'a jamais vu un mort, et n'a jamais vu un homme se faire tuer. Il découvre tout cela progressivement, ce qui donne l'occasion à Stendhal de peindre avec ironie son candide personnage qui apparaît comme un Don Quichotte naïf et maladroit mais ne perd jamais sa galanterie, son innocence et son esprit* *chevaleresque. Complètement inconscient du fait qu'il risque sa vie, Fabrice se lance un défi à lui-même en se disant « je vais voir si je suis un lâche ». Il est aveuglé par son dévouement à Napoléon et est une sorte de « victime du livre », pour reprendre une expression de Jules Vallès. Sous la plume de Stendhal, Waterloo est donc présenté à travers les yeux de son personnage qui, dans ces circonstances, est un civil pathétique et burlesque. Aucune des scènes de la bataille n'est décrite du point de vue de l'histoire militaire et Napoléon, pour lequel Fabrice est prêt à sacrifier sa vie, échappe à son regard sans qu'il l'ait même aperçu. Fabrice demeure le vrai sujet du livre ; Waterloo n'est que la toile de fond du roman historique : il y a une antidescription de la bataille qui correspond au antihéros qu'est Fabrice. C'est une interprétation de Waterloo comme événement anti-bourgeois et ennemi de l'hypocrisie de son siècle que propose Stendhal grâce au portrait psychologique de Fabrice. Stendhal écrit dans sa* Vie de Henry Brulard *qu'enfant, une maxime lui faisait verser des larmes : « Vivre libre ou mourir ». Il y a de cela dans les convictions politiques de Fabrice, et dans celles de Stendhal, son créateur.*

[Livre premier]

CHAPITRE DEUXIÈME

[...]

La marquise fondit en larmes en apprenant l'étrange projet de son fils ; elle n'en sentait pas l'héroïsme, et fit tout son possible pour le retenir. Quand elle fut convaincue que rien au monde, excepté les murs d'une prison, ne pourrait l'empêcher de partir, elle lui remit le peu d'argent qu'elle possédait ; puis elle se souvint qu'elle avait depuis la veille huit ou dix petits diamants valant peut-être dix mille francs, que le marquis lui avait confiés pour les faire monter à Milan. Les sœurs de Fabrice entrèrent chez leur mère tandis que la comtesse cousait ces diamants dans l'habit de voyage de notre héros; il rendait à ces pauvres femmes leurs chétifs napoléons. Ses sœurs furent tellement enthousiasmées de son projet, elles l'embrassaient avec une joie si bruyante, qu'il prit à la main quelques diamants qui restaient encore à cacher, et voulut partir sur-le-champ.

« Vous me trahiriez à votre insu, dit-il à ses sœurs. Puisque j'ai tant d'argent, il est inutile d'emporter des hardes; on en trouve partout. » Il embrassa ces personnes qui lui étaient si chères, et partit à l'instant même sans vouloir rentrer dans sa chambre. Il marcha si vite, craignant toujours d'être poursuivi par des gens à cheval, que le soir même il entrait à Lugano. Grâce à Dieu, il était dans une ville suisse, et ne craignait plus d'être violenté sur la route solitaire par des gendarmes payés par son père. De ce lieu, il lui écrivit une belle lettre, faiblesse d'enfant qui donna de la consistance à la colère du marquis. Fabrice prit la poste, passa le Saint-Gothard[1]; son voyage fut rapide, et il entra en France par Pontarlier. L'Empereur était à Paris. Là commencèrent les malheurs de Fabrice; il était parti dans la ferme intention de parler à l'Empereur: jamais il ne lui était venu à l'esprit que ce fût chose difficile. À Milan, dix fois par jour il voyait le prince Eugène, et eût pu lui adresser la parole. À Paris, tous les matins il allait dans la cour du château des Tuileries assister aux revues passées par Napoléon; mais jamais il ne put approcher de l'Empereur. Notre héros croyait tous les Français profondément émus comme lui de l'extrême danger que courait la patrie. À la table de l'hôtel où il était descendu, il ne fit point mystère de ses projets et de son dévouement; il trouva des jeunes gens d'une douceur aimable, encore plus enthousiastes que lui,

et qui, en peu de jours, ne manquèrent pas de lui
voler tout l'argent qu'il possédait. Heureusement, par
pure modestie, il n'avait pas parlé des diamants
donnés par sa mère. Le matin où, à la suite d'une
orgie[1], il se trouva décidément volé, il acheta deux
beaux chevaux, prit pour domestique un ancien soldat palefrenier du maquignon[2], et, dans son mépris
pour les jeunes Parisiens beaux parleurs, partit pour
l'armée. Il ne savait rien, sinon qu'elle se rassemblait
vers Maubeuge. À peine fut-il arrivé sur la frontière,
qu'il trouva ridicule de se tenir dans une maison,
occupé à se chauffer devant une bonne cheminée,
tandis que des soldats bivouaquaient. Quoi que pût
lui dire son domestique, qui ne manquait pas de bon
sens, il courut se mêler imprudemment aux bivouacs
de l'extrême frontière, sur la route de Belgique. À
peine fut-il arrivé au premier bataillon placé à côté de
la route, que les soldats se mirent à regarder ce jeune
bourgeois, dont la mise n'avait rien qui rappelât l'uniforme. La nuit tombait, il faisait un vent froid.
Fabrice s'approcha d'un feu, et demanda l'hospitalité
en payant. Les soldats se regardèrent étonnés surtout
de l'idée de payer, et lui accordèrent avec bonté une
place au feu ; son domestique lui fit un abri. Mais,
une heure après, l'adjudant du régiment passant à
portée du bivouac, les soldats allèrent lui raconter
l'arrivée de cet étranger parlant mal français. L'adjudant interrogea Fabrice, qui lui parla de son enthousiasme pour l'Empereur avec un accent fort suspect[3] ;
sur quoi ce sous-officier le pria de le suivre jusque
chez le colonel, établi dans une ferme voisine. Le
domestique de Fabrice s'approcha avec les deux chevaux. Leur vue parut frapper si vivement l'adjudant
sous-officier, qu'aussitôt il changea de pensée, et se
mit à interroger aussi le domestique. Celui-ci, ancien
soldat, devinant d'abord le plan de campagne de son

interlocuteur, parla des protections qu'avait son maître, ajoutant que, certes, on ne lui *chiperait* pas ses beaux chevaux. Aussitôt un soldat appelé par l'adjudant lui mit la main sur le collet ; un autre soldat prit soin des chevaux, et, d'un air sévère, l'adjudant ordonna à Fabrice de le suivre sans répliquer.

Après lui avoir fait faire une bonne lieue, à pied, dans l'obscurité rendue plus profonde en apparence par le feu des bivouacs qui de toutes parts éclairaient l'horizon, l'adjudant remit Fabrice à un officier de gendarmerie qui, d'un air grave, lui demanda ses papiers. Fabrice montra son passeport qui le qualifiait marchand de baromètres *portant sa marchandise*.

« Sont-ils bêtes, s'écria l'officier, c'est aussi trop fort ! »

Il fit des questions à notre héros qui parla de l'Empereur et de la liberté dans les termes du plus vif enthousiasme ; sur quoi l'officier de gendarmerie fut saisi d'un rire fou.

« Parbleu ! tu n'es pas trop adroit ! s'écria-t-il. Il est un peu fort de café que l'on ose nous expédier des blancs-becs de ton espèce ! » Et, quoi que pût dire Fabrice, qui se tuait à expliquer qu'en effet il n'était pas marchand de baromètres, l'officier l'envoya à la prison de B***, petite ville du voisinage où notre héros arriva sur les 3 heures du matin, outré de fureur et mort de fatigue.

Fabrice, d'abord étonné, puis furieux, ne comprenant absolument rien à ce qui lui arrivait, passa trente-trois longues journées dans cette misérable prison ; il écrivait lettres sur lettres au commandant de la place, et c'était la femme du geôlier, belle Flamande de trente-six ans, qui se chargeait de les faire parvenir. Mais comme elle n'avait nulle envie de faire fusiller un aussi joli garçon, et que d'ailleurs il payait bien, elle ne manquait pas de jeter au feu toutes ces lettres. Le soir, fort tard, elle daignait venir écouter les doléances du prisonnier ; elle avait dit à son mari que le blanc-bec avait de l'argent, sur quoi le prudent geôlier lui avait donné carte blanche. Elle usa de la permission et reçut quelques napoléons d'or, car l'adjudant n'avait enlevé que les chevaux, et l'officier de gendarmerie n'avait rien confisqué du tout. Une après-midi du mois de juin, Fabrice entendit une forte canonnade assez éloignée. On se battait donc enfin ! son cœur bondissait d'impatience. Il entendit aussi beaucoup de bruit dans la ville ; en effet un grand mouvement s'opérait, trois divisions traversaient B***. Quand, sur les 11 heures du soir, la femme du geôlier vint partager ses peines, Fabrice fut plus aimable encore que de coutume ; puis, lui prenant les mains :

« Faites-moi sortir d'ici, je jurerai sur l'honneur de revenir dans la prison dès qu'on aura cessé de se battre.

— Balivernes que tout cela ! as-tu du *quibus* ? » Il parut inquiet, il ne comprenait pas le mot *quibus* [1]. La geôlière voyant ce mouvement, jugea que les eaux étaient basses, et, au lieu de parler de napoléons d'or comme elle l'avait résolu, elle ne parla plus que de francs.

« Écoute, lui dit-elle, si tu peux donner une centaine de francs, je mettrai un double napoléon sur chacun des yeux du caporal qui va venir relever la garde pendant la nuit. Il ne pourra te voir partir de prison, et si son régiment doit filer dans la journée, il acceptera. »

Le marché fut bientôt conclu. La geôlière consentit même à cacher Fabrice dans sa chambre, d'où il pourrait plus facilement s'évader le lendemain matin.

Le lendemain, avant l'aube, cette femme tout attendrie dit à Fabrice :

« Mon cher petit, tu es encore bien jeune pour faire ce vilain métier : crois-moi, n'y reviens plus.

— Mais quoi ! répétait Fabrice, il est donc criminel de vouloir défendre la patrie ?

— Suffit. Rappelle-toi toujours que je t'ai sauvé la vie ; ton cas était net, tu aurais été fusillé ; mais ne le dis à personne, car tu nous ferais perdre notre place à mon mari et à moi ; surtout ne répète jamais ton mauvais conte d'un gentilhomme de Milan déguisé en marchand de baromètres, c'est trop bête. Écoute-moi bien, je vais te donner les habits d'un hussard mort avant-hier dans la prison : n'ouvre la bouche que le moins possible ; mais enfin, si un maréchal des logis ou un officier t'interroge de façon à te forcer de répondre, dis que tu es resté malade chez un paysan qui t'a recueilli par charité comme tu tremblais la fièvre dans un fossé de la route. Si l'on n'est pas satisfait de cette réponse, ajoute que tu vas rejoindre ton régiment. On t'arrêtera peut-être à cause de ton accent : alors dis que tu es né en Piémont, que tu es un conscrit resté en France l'année passée, etc., etc. »

Pour la première fois, après trente-trois jours de fureur, Fabrice comprit le fin mot de tout ce qui lui arrivait. On le prenait pour un espion. Il raisonna avec la geôlière, qui, ce matin-là, était fort tendre ; et enfin, tandis qu'armée d'une aiguille elle rétrécissait les habits du hussard, il raconta son histoire bien clairement à cette femme étonnée. Elle y crut un instant ; il avait l'air si naïf, et il était si joli habillé en hussard !

« Puisque tu as tant de bonne volonté pour te battre, lui dit-elle enfin à demi persuadée, il fallait donc en arrivant à Paris t'engager dans un régiment. En payant à boire à un maréchal des logis, ton affaire était faite ! » La geôlière ajouta beaucoup de bons avis

pour l'avenir, et enfin, à la petite pointe du jour mit
Fabrice hors de chez elle, après lui avoir fait jurer
cent et cent fois que jamais il ne prononcerait son
nom, quoi qu'il pût arriver. Dès que Fabrice fut sorti
de la petite ville, marchant gaillardement le sabre de
hussard sous le bras, il lui vint un scrupule. Me voici,
se dit-il, avec l'habit et la feuille de route d'un hussard
mort en prison, où l'avait conduit, dit-on, le vol d'une
vache et de quelques couverts d'argent ! J'ai pour
ainsi dire succédé à son être… et cela sans le vouloir
ni le prévoir en aucune manière ! Gare la prison !…
Le présage est clair, j'aurai beaucoup à souffrir de la
prison !

Il n'y avait pas une heure que Fabrice avait quitté
sa bienfaitrice, lorsque la pluie commença à tomber
avec une telle force qu'à peine le nouvel hussard
pouvait-il marcher, embarrassé par des bottes grossières qui n'étaient pas faites pour lui. Il fit rencontre
d'un paysan monté sur un méchant cheval, il acheta
le cheval en s'expliquant par signes ; la geôlière lui
avait recommandé de parler le moins possible, à
cause de son accent.

Ce jour-là l'armée, qui venait de gagner la bataille
de Ligny, était en pleine marche sur Bruxelles ; on
était à la veille de la bataille de Waterloo. Sur le midi,
la pluie à verse continuant toujours, Fabrice entendit
le bruit du canon ; ce bonheur lui fit oublier tout à fait
les affreux moments de désespoir que venait de lui
donner cette prison si injuste. Il marcha jusqu'à la
nuit très avancée, et comme il commençait à avoir
quelque bon sens, il alla prendre son logement dans
une maison de paysan fort éloignée de la route. Ce
paysan pleurait et prétendait qu'on lui avait tout pris ;
Fabrice lui donna un écu, et il trouva de l'avoine. Mon
cheval n'est pas beau, se dit Fabrice ; mais n'importe,
il pourrait bien se trouver du goût de quelque adju-

dant, et il alla coucher à l'écurie à ses côtés. Une heure
avant le jour, le lendemain, Fabrice était sur la route,
et, à force de caresses, il était parvenu à faire prendre
le trot à son cheval. Sur les 5 heures, il entendit la
canonnade : c'étaient les préliminaires de Waterloo.

CHAPITRE TROISIÈME

Fabrice trouva bientôt des vivandières, et l'extrême
reconnaissance qu'il avait pour la geôlière de B*** le
porta à leur adresser la parole ; il demanda à l'une
d'elles où était le 4e régiment de hussards, auquel il
appartenait.

« Tu ferais tout aussi bien de ne pas tant te presser,
mon petit soldat », dit la cantinière touchée par la
pâleur et les beaux yeux de Fabrice. « Tu n'as pas
encore la poigne assez ferme pour les coups de sabre
qui vont se donner aujourd'hui. Encore si tu avais un
fusil, je ne dis pas, tu pourrais lâcher ta balle tout
comme un autre. »

Ce conseil déplut à Fabrice ; mais il avait beau
pousser son cheval, il ne pouvait aller plus vite que la
charrette de la cantinière. De temps à autre le bruit
du canon semblait se rapprocher et les empêchait de
s'entendre, car Fabrice était tellement hors de lui
d'enthousiasme et de bonheur, qu'il avait renoué la
conversation. Chaque mot de la cantinière redoublait
son bonheur en le lui faisant comprendre. À l'exception de son vrai nom et de sa fuite de prison, il finit
par tout dire à cette femme qui semblait si bonne.
Elle était fort étonnée et ne comprenait rien du tout à
ce que lui racontait ce beau jeune soldat.

« Je vois le fin mot, s'écria-t-elle enfin d'un air de
triomphe : vous êtes un jeune bourgeois amoureux
de la femme de quelque capitaine du 4e de hussards.

Votre amoureuse vous aura fait cadeau de l'uniforme
que vous portez, et vous courez après elle. Vrai,
comme Dieu est là-haut, vous n'avez jamais été soldat ; mais, comme un brave garçon que vous êtes,
puisque votre régiment est au feu, vous voulez y
paraître, et ne pas passer pour un capon[1]. »

Fabrice convint de tout : c'était le seul moyen qu'il
eût de recevoir de bons conseils. J'ignore toutes les
façons d'agir de ces Français, se disait-il, et, si je ne
suis pas guidé par quelqu'un, je parviendrai encore
à me faire jeter en prison, et l'on me volera mon
cheval.

« D'abord, mon petit », lui dit la cantinière, qui
devenait de plus en plus son amie, « conviens que tu
n'as pas vingt et un ans : c'est tout le bout du monde
si tu en as dix-sept. »

C'était la vérité, et Fabrice l'avoua de bonne grâce.

« Ainsi, tu n'es pas même conscrit ; c'est uniquement à cause des beaux yeux de la madame que tu
vas te faire casser les os. Peste ! elle n'est pas dégoû-
tée. Si tu as encore quelques-uns de ces *jaunets*[2]
qu'elle t'a remis, il faut *primo* que tu achètes un autre
cheval ; vois comme ta rosse dresse les oreilles quand
le bruit du canon ronfle d'un peu près ; c'est là un
cheval de paysan qui te fera tuer dès que tu seras en
ligne. Cette fumée blanche, que tu vois là-bas par-
dessus la haie, ce sont des feux de peloton, mon petit !
Ainsi, prépare-toi à avoir une fameuse venette[3],
quand tu vas entendre siffler les balles. Tu ferais
aussi bien de manger un morceau tandis que tu en as
encore le temps. »

Fabrice suivit ce conseil, et, présentant un napoléon à la vivandière, la pria de se payer.

« C'est pitié de le voir ! s'écria cette femme ; le
pauvre petit ne sait pas seulement dépenser son
argent ! Tu mériterais bien qu'après avoir empoigné

ton napoléon je fisse prendre son grand trot à Cocotte ; du diable si ta rosse pourrait me suivre. Que ferais-tu, nigaud, en me voyant détaler ? Apprends que, quand le brutal gronde, on ne montre jamais d'or. Tiens, lui dit-elle, voilà dix-huit francs cinquante centimes, et ton déjeuner te coûte cinquante sous. Maintenant, nous allons bientôt avoir des chevaux à revendre. Si la bête est petite, tu en donneras dix francs, et, dans tous les cas, jamais plus de vingt francs, quand ce serait le cheval des quatre fils Aymon[1]. »

Le déjeuner fini, la vivandière, qui pérorait toujours, fut interrompue par une femme qui s'avançait à travers champs, et qui passa sur la route.

« Holà, hé ! lui cria cette femme ; holà ! Margot ! ton 6e léger est sur la droite.

— Il faut que je te quitte, mon petit, dit la vivandière à notre héros ; mais en vérité tu me fais pitié ; j'ai de l'amitié pour toi, sacredié ! Tu ne sais rien de rien, tu vas te faire moucher, comme Dieu est Dieu ! Viens-t'en au 6e léger avec moi.

— Je comprends bien que je ne sais rien, lui dit Fabrice, mais je veux me battre et suis résolu d'aller là-bas vers cette fumée blanche.

— Regarde comme ton cheval remue les oreilles ! Dès qu'il sera là-bas, quelque peu de vigueur qu'il ait, il te forcera la main, il se mettra à galoper, et Dieu sait où il te mènera. Veux-tu m'en croire ? Dès que tu seras avec les petits soldats, ramasse un fusil et une giberne, mets-toi à côté des soldats et fais comme eux, exactement. Mais, mon Dieu, je parie que tu ne sais pas seulement déchirer une cartouche. »

Fabrice, fort piqué, avoua cependant à sa nouvelle amie qu'elle avait deviné juste.

« Pauvre petit ! il va être tué tout de suite ; vrai comme Dieu ! ça ne sera pas long. Il faut absolument que tu viennes avec moi, reprit la cantinière d'un air d'autorité.

— Mais je veux me battre.

— Tu te battras aussi ; va, le 6ᵉ léger est un fameux, et aujourd'hui il y en a pour tout le monde.

— Mais serons-nous bientôt à votre régiment ?

— Dans un quart d'heure tout au plus. »

Recommandé par cette brave femme, se dit Fabrice, mon ignorance de toutes choses ne me fera pas prendre pour un espion, et je pourrai me battre. À ce moment, le bruit du canon redoubla, un coup n'attendait pas l'autre. C'est comme un chapelet, dit Fabrice.

« On commence à distinguer les feux de peloton », dit la vivandière en donnant un coup de fouet à son petit cheval qui semblait tout animé par le feu.

La cantinière tourna à droite et prit un chemin de traverse au milieu des prairies ; il y avait un pied de boue ; la petite charrette fut sur le point d'y rester : Fabrice poussa à la roue. Son cheval tomba deux fois ; bientôt le chemin, moins rempli d'eau, ne fut plus qu'un sentier au milieu du gazon. Fabrice n'avait pas fait cinq cents pas que sa rosse s'arrêta tout court : c'était un cadavre, posé en travers du sentier, qui faisait horreur au cheval et au cavalier.

La figure de Fabrice, très pâle naturellement, prit une teinte verte fort prononcée ; la cantinière, après avoir regardé le mort, dit, comme se parlant à elle-même : « Ça n'est pas de notre division. » Puis, levant les yeux sur notre héros, elle éclata de rire.

« Ha, ha ! mon petit ! s'écria-t-elle, en voilà du nanan[1] ! » Fabrice restait glacé. Ce qui le frappait surtout c'était la saleté des pieds de ce cadavre qui déjà était dépouillé de ses souliers, et auquel on n'avait laissé qu'un mauvais pantalon tout souillé de sang.

« Approche, lui dit la cantinière ; descends de cheval ; il faut que tu t'y accoutumes ; tiens, s'écria-t-elle, il en a eu par la tête. »

Une balle, entrée à côté du nez, était sortie par la tempe opposée, et défigurait ce cadavre d'une façon hideuse ; il était resté avec un œil ouvert.

« Descends donc de cheval, petit, dit la cantinière, et donne-lui une poignée de main pour voir s'il te la rendra. »

Sans hésiter, quoique prêt a rendre l'âme de dégoût, Fabrice se jeta à bas de cheval et prit la main du cadavre qu'il secoua ferme ; puis il resta comme anéanti ; il sentait qu'il n'avait pas la force de remonter à cheval. Ce qui lui faisait horreur surtout c'était cet œil ouvert.

La vivandière va me croire un lâche, se disait-il avec amertume ; mais il sentait l'impossibilité de faire un mouvement : il serait tombé. Ce moment fut affreux ; Fabrice fut sur le point de se trouver mal tout à fait. La vivandière s'en aperçut, sauta lestement à bas de sa petite voiture, et lui présenta, sans mot dire, un verre d'eau-de-vie qu'il avala d'un trait ; il put remonter sur sa rosse, et continua la route sans dire une parole. La vivandière le regardait de temps à autre du coin de l'œil.

« Tu te battras demain, mon petit, lui dit-elle enfin, aujourd'hui tu resteras avec moi. Tu vois bien qu'il faut que tu apprennes le métier de soldat.

— Au contraire, je veux me battre tout de suite », s'écria notre héros d'un air sombre, qui sembla de bon augure à la vivandière. Le bruit du canon redoublait et semblait s'approcher. Les coups commençaient à former comme une basse continue ; un coup n'était séparé du coup voisin par aucun intervalle, et sur cette basse continue, qui rappelait le bruit d'un torrent lointain, on distinguait fort bien les feux de peloton.

Dans ce moment la route s'enfonçait au milieu d'un bouquet de bois : la vivandière vit trois ou quatre soldats des nôtres qui venaient à elle courant à toutes jambes ; elle sauta lestement à bas de sa voiture et courut se cacher à quinze ou vingt pas du chemin. Elle se blottit dans un trou qui était resté au lieu où l'on venait d'arracher un grand arbre. Donc, se dit Fabrice, je vais voir si je suis un lâche ! Il s'arrêta auprès de la petite voiture abandonnée par la cantinière et tira son sabre. Les soldats ne firent pas attention à lui et passèrent en courant le long du bois, à gauche de la route.

« Ce sont des nôtres… » dit tranquillement la vivandière en revenant tout essoufflée vers sa petite voiture. « Si ton cheval était capable de galoper, je te dirais pousse en avant jusqu'au bout du bois, vois s'il y a quelqu'un dans la plaine. » Fabrice ne se le fit pas dire deux fois, il arracha une branche à un peuplier, l'effeuilla et se mit à battre son cheval à tour de bras ; la rosse prit le galop un instant puis revint à son petit trot accoutumé. La vivandière avait mis son cheval au galop : « Arrête-toi donc, arrête ! » criait-elle à Fabrice. Bientôt tous les deux furent hors du bois ; en arrivant au bord de la plaine, ils entendirent un tapage effroyable, le canon et la mousqueterie tonnaient de tous les côtés, à droite, à gauche, derrière. Et comme le bouquet de bois d'où ils sortaient occupait un tertre élevé de huit ou dix pieds au-dessus de la plaine, ils aperçurent assez bien un coin de la bataille ; mais enfin il n'y avait personne dans le pré au-delà du bois. Ce pré était bordé, à mille pas de distance, par une longue rangée de saules, très touffus ; au-dessus des saules paraissait une fumée blanche qui quelquefois s'élevait dans le ciel en tournoyant.

« Si je savais seulement où est le régiment ! disait la cantinière embarrassée. Il ne faut pas traverser ce grand pré tout droit. À propos, toi, dit-elle à Fabrice, si tu vois un soldat ennemi, pique-le avec la pointe de ton sabre, ne va pas t'amuser à le sabrer. »

À ce moment, la cantinière aperçut les quatre soldats dont nous venons de parler, ils débouchaient du bois dans la plaine à gauche de la route. L'un d'eux était à cheval.

« Voilà ton affaire, dit-elle à Fabrice. Holà, ho ! crie-t-elle à celui qui était à cheval, viens donc ici boire le verre d'eau-de-vie » ; les soldats s'approchèrent.

« Où est le 6e léger ? cria-t-elle.

— Là-bas, à cinq minutes d'ici, en avant de ce canal qui est le long des saules ; même que le colonel Macon vient d'être tué.

— Veux-tu cinq francs de ton cheval, toi ?

— Cinq francs ! tu ne plaisantes pas mal, petite mère, un cheval d'officier que je vais vendre cinq napoléons avant un quart d'heure.

— Donne-m'en un de tes napoléons », dit la vivandière à Fabrice. Puis s'approchant du soldat à cheval : « Descends vitement, lui dit-elle, voilà ton napoléon. »

Le soldat descendit, Fabrice sauta en selle gaiement, la vivandière détachait le petit portemanteau qui était sur la rosse.

« Aidez-moi donc, vous autres ! dit-elle aux soldats, c'est comme ça que vous laissez travailler une dame ! »

Mais à peine le cheval de prise sentit le portemanteau, qu'il se mit à se cabrer, et Fabrice, qui montait fort bien, eut besoin de toute sa force pour le contenir.

« Bon signe ! dit la vivandière, le monsieur n'est pas accoutumé au chatouillement du portemanteau.

— Un cheval de général, s'écriait le soldat qui l'avait vendu, un cheval qui vaut dix napoléons comme un liard !

— Voilà vingt francs », lui dit Fabrice, qui ne se sentait pas de joie de se trouver entre les jambes un cheval qui eût du mouvement.

À ce moment, un boulet donna dans la ligne de saules, qu'il prit de biais, et Fabrice eut le curieux spectacle de toutes ces petites branches volant de côté et d'autre comme rasées par un coup de faux.

« Tiens, voilà le brutal qui s'avance », lui dit le soldat en prenant ses vingt francs. Il pouvait être 2 heures.

Fabrice était encore dans l'enchantement de ce spectacle curieux, lorsqu'une troupe de généraux, suivis d'une vingtaine de hussards, traversèrent au galop un des angles de la vaste prairie au bord de laquelle il était arrêté : son cheval hennit, se cabra deux ou trois fois de suite, puis donna des coups de tête violents contre la bride qui le retenait. Eh bien, soit! se dit Fabrice.

Le cheval laissé à lui-même partit ventre à terre et alla rejoindre l'escorte qui suivait les généraux. Fabrice compta quatre chapeaux bordés. Un quart d'heure après, par quelques mots que dit un hussard son voisin, Fabrice comprit qu'un de ces généraux était le célèbre maréchal Ney. Son bonheur fut au comble ; toutefois il ne put deviner lequel des quatre généraux était le maréchal Ney ; il eût donné tout au monde pour le savoir, mais il se rappela qu'il ne fallait pas parler. L'escorte s'arrêta pour passer un large fossé rempli d'eau par la pluie de la veille ; il était bordé de grands arbres et terminait sur la gauche la prairie à l'entrée de laquelle Fabrice avait acheté le cheval. Presque tous les hussards avaient mis pied à terre ; le bord du fossé était à pic et fort glissant, et l'eau se trouvait bien à trois ou quatre pieds en contrebas au-dessous de la prairie. Fabrice, distrait par sa joie, songeait plus au maréchal Ney et à la gloire qu'à son cheval, lequel, étant fort animé, sauta dans le canal ; ce qui fit rejaillir l'eau à une hauteur considérable. Un des généraux fut entièrement mouillé par la nappe d'eau, et s'écria en jurant : « Au diable la f... bête ! » Fabrice se sentit profondément blessé de cette injure. Puis-je en demander raison ? se dit-il. En attendant, pour prouver qu'il n'était pas si gauche, il entreprit de faire monter à son cheval la rive opposée du fossé ; mais elle était à pic et haute de cinq à six pieds. Il fallut y renoncer ; alors il remonta le courant, son cheval ayant de l'eau jusqu'à la tête, et enfin trouva une sorte d'abreuvoir ; par cette pente douce il gagna facilement le champ de l'autre côté du canal. Il fut le premier homme de l'escorte qui y parut ; il se mit à trotter fièrement le long du bord : au fond du canal les hussards se démenaient, assez embarrassés de leur position ; car en beaucoup d'endroits l'eau avait cinq pieds de profondeur. Deux ou trois chevaux prirent peur et voulurent nager, ce qui fit un barbotement épouvantable. Un maréchal des logis s'aperçut de la manœuvre que venait de faire ce blanc-bec, qui avait l'air si peu militaire.

« Remontez ! il y a un abreuvoir à gauche ! » s'écriait-il, et peu à peu tous passèrent.

En arrivant sur l'autre rive, Fabrice y avait trouvé les généraux tout seuls ; le bruit du canon lui sembla redoubler ; ce fut à peine s'il entendit le général, par lui si bien mouillé, qui criait à son oreille :

« Où as-tu pris ce cheval ? »

Fabrice était tellement troublé qu'il répondit en italien : « *L'ho comprato poco fa*. (Je viens de l'acheter à l'instant.)

— Que dis-tu ? » lui cria le général.

Mais le tapage devint tellement fort en ce moment, que Fabrice ne put lui répondre. Nous avouerons que notre héros était fort peu héros en ce moment. Toutefois, la peur ne venait chez lui qu'en seconde ligne ;

il était surtout scandalisé de ce bruit qui lui faisait mal aux oreilles. L'escorte prit le galop ; on traversait une grande pièce de terre labourée, située au-delà du canal, et ce champ était jonché de cadavres.

« Les habits rouges[1] ! les habits rouges ! » criaient avec joie les hussards de l'escorte, et d'abord Fabrice ne comprenait pas ; enfin il remarqua qu'en effet presque tous les cadavres étaient vêtus de rouge. Une circonstance lui donna un frisson d'horreur ; il remarqua que beaucoup de ces malheureux habits rouges vivaient encore ; ils criaient évidemment pour demander du secours, et personne ne s'arrêtait pour leur en donner. Notre héros, fort humain, se donnait toutes les peines du monde pour que son cheval ne mît les pieds sur aucun habit rouge. L'escorte s'arrêta ; Fabrice, qui ne faisait pas assez d'attention à son devoir de soldat, galopait toujours en regardant un malheureux blessé.

« Veux-tu bien t'arrêter, blanc-bec ! » lui cria le maréchal des logis. Fabrice s'aperçut qu'il était à vingt pas sur la droite en avant des généraux, et précisément du côté où ils regardaient avec leurs lorgnettes. En revenant se ranger à la queue des autres hussards restés à quelques pas en arrière, il vit le plus gros de ces généraux qui parlait à son voisin, général aussi, d'un air d'autorité et presque de réprimande ; il jurait. Fabrice ne put retenir sa curiosité ; et, malgré le conseil de ne point parler, à lui donné par son amie la geôlière, il arrangea une petite phrase bien française, bien correcte, et dit à son voisin :

« Quel est-il ce général qui *gourmande* son voisin ?

— Pardi, c'est le maréchal !

— Quel maréchal ?

— Le maréchal Ney, bêta ! Ah çà ! où as-tu servi jusqu'ici ? »

Fabrice, quoique fort susceptible, ne songea point

à se fâcher de l'injure ; il contemplait, perdu dans une admiration enfantine, ce fameux prince de la Moskowa, le brave des braves.

Tout à coup on partit au grand galop. Quelques instants après, Fabrice vit, à vingt pas en avant, une terre labourée qui était remuée d'une façon singulière. Le fond des sillons était plein d'eau, et la terre fort humide, qui formait la crête de ces sillons, volait en petits fragments noirs lancés à trois ou quatre pieds de haut. Fabrice remarqua en passant cet effet singulier ; puis sa pensée se remit à songer à la gloire du maréchal. Il entendit un cri sec auprès de lui ; c'étaient deux hussards qui tombaient atteints par des boulets ; et, lorsqu'il les regarda, ils étaient déjà à vingt pas de l'escorte. Ce qui lui sembla horrible, ce fut un cheval tout sanglant qui se débattait sur la terre labourée, en engageant ses pieds dans ses propres entrailles ; il voulait suivre les autres : le sang coulait dans la boue.

Ah ! m'y voilà donc enfin au feu ! se dit-il. J'ai vu le feu ! se répétait-il avec satisfaction[1]. Me voici un vrai militaire. À ce moment, l'escorte allait ventre à terre, et notre héros comprit que c'étaient des boulets qui faisaient voler la terre de toutes parts. Il avait beau regarder du côté d'où venaient les boulets, il voyait la fumée blanche de la batterie à une distance énorme, et, au milieu du ronflement égal et continu produit par les coups de canon, il lui semblait entendre des décharges beaucoup plus voisines ; il n'y comprenait rien du tout[2].

À ce moment, les généraux et l'escorte descendirent dans un petit chemin plein d'eau, qui était à cinq pieds en contrebas.

Le maréchal s'arrêta, et regarda de nouveau avec sa lorgnette. Fabrice, cette fois, put le voir tout à son aise ; il le trouva très blond, avec une grosse tête rouge[3]. Nous n'avons point des figures comme celle-

là en Italie, se dit-il. Jamais, moi qui suis si pâle et qui
ai des cheveux châtains, je ne serai comme ça,
ajoutait-il avec tristesse. Pour lui ces paroles voulaient dire : Jamais je ne serai un héros. Il regarda les
hussards ; à l'exception d'un seul, tous avaient des
moustaches jaunes. Si Fabrice regardait les hussards
de l'escorte, tous le regardaient aussi. Ce regard le fit
rougir, et, pour finir son embarras, il tourna la tête
vers l'ennemi. C'étaient des lignes fort étendues
d'hommes rouges ; mais, ce qui l'étonna fort, ces
hommes lui semblaient tout petits. Leurs longues
files, qui étaient des régiments ou des divisions, ne lui
paraissaient pas plus hautes que des haies. Une ligne
de cavaliers rouges trottait pour se rapprocher du
chemin en contrebas que le maréchal et l'escorte
s'étaient mis à suivre au petit pas, pataugeant dans la
boue. La fumée empêchait de rien distinguer du côté
vers lequel on s'avançait ; l'on voyait quelquefois
des hommes au galop se détacher de cette fumée
blanche.

Tout à coup, du côté de l'ennemi, Fabrice vit quatre
hommes qui arrivaient ventre à terre. Ah ! nous
sommes attaqués, se dit-il ; puis il vit deux de ces
hommes parler au maréchal. Un des généraux de la
suite de ce dernier partit au galop du côté de l'ennemi,
suivi de deux hussards de l'escorte et des quatre
hommes qui venaient d'arriver. Après un petit canal
que tout le monde passa, Fabrice se trouva à côté d'un
maréchal des logis qui avait l'air fort bon enfant. Il
faut que je parle à celui-là, se dit-il, peut-être ils cesseront de me regarder. Il médita longtemps.

— Monsieur, c'est la première fois que j'assiste à la
bataille, dit-il enfin au maréchal des logis ; mais ceci
est-il une véritable bataille ?

— Un peu. Mais vous, qui êtes-vous ?

— Je suis frère de la femme d'un capitaine.

— Et comment l'appelez-vous, ce capitaine ?

Notre héros fut terriblement embarrassé ; il n'avait point prévu cette question. Par bonheur le maréchal et l'escorte repartaient au galop. Quel nom français dirai-je ? pensait-il. Enfin il se rappela le nom du maître de l'hôtel où il avait logé à Paris ; il rapprocha son cheval de celui du maréchal des logis, et lui cria de toutes ses forces :

— Le capitaine Meunier[1] ! L'autre, entendant mal à cause du roulement du canon, lui répondit : — Ah ! le capitaine Teulier ? Eh bien ! il a été tué. Bravo ! se dit Fabrice. Le capitaine Teulier ; il faut faire l'affligé. — Ah, mon Dieu ! cria-t-il ; et il prit une mine piteuse. On était sorti du chemin en contrebas, on traversait un petit pré, on allait ventre à terre, les boulets arrivaient de nouveau, le maréchal se porta vers une division de cavalerie. L'escorte se trouvait au milieu de cadavres et de blessés ; mais ce spectacle ne faisait déjà plus autant d'impression sur notre héros ; il avait autre chose à penser.

Pendant que l'escorte était arrêtée, il aperçut la petite voiture d'une cantinière, et sa tendresse pour ce corps respectable l'emportant sur tout, il partit au galop pour la rejoindre.

— Restez donc, s...[2] ! lui cria le maréchal des logis.

Que peut-il me faire ici ? pensa Fabrice, et il continua de galoper vers la cantinière. En donnant de l'éperon à son cheval, il avait eu quelque espoir que c'était sa bonne cantinière du matin ; les chevaux et les petites charrettes se ressemblaient fort, mais la propriétaire était tout autre, et notre héros lui trouva l'air fort méchant. Comme il l'abordait, Fabrice l'entendit qui disait : Il était pourtant bien bel homme ! Un fort vilain spectacle attendait là le nouveau soldat ; on coupait la cuisse à un cuirassier, beau jeune homme de cinq pieds dix pouces. Fabrice ferma les yeux et but coup sur coup quatre verres d'eau-de-vie.

— Comme tu y vas, gringalet ! s'écria la cantinière. L'eau-de-vie lui donna une idée : il faut que j'achète la bienveillance de mes camarades les hussards de l'escorte.

— Donnez-moi le reste de la bouteille, dit-il à la vivandière.

— Mais sais-tu, répondit-elle, que ce reste-là coûte dix francs, un jour comme aujourd'hui ?

Comme il regagnait l'escorte au galop :

— Ah ! tu nous rapportes la goutte ! s'écria le maréchal des logis, c'est pour ça que tu désertais ? Donne.

La bouteille circula ; le dernier qui la prit la jeta en l'air après avoir bu. — Merci, camarade ! cria-t-il à Fabrice. Tous les yeux le regardèrent avec bienveillance. Ces regards ôtèrent un poids de cent livres de dessus le cœur de Fabrice : c'était un de ces cœurs de fabrique trop fine qui ont besoin de l'amitié de ce qui les entoure. Enfin il n'était plus mal vu de ses compagnons, il y avait liaison entre eux ! Fabrice respira profondément, puis d'une voix libre, il dit au maréchal des logis :

— Et si le capitaine Teulier a été tué, où pourrai-je rejoindre ma sœur ? Il se croyait un petit Machiavel, de dire si bien Teulier au lieu de Meunier.

— C'est ce que vous saurez ce soir, lui répondit le maréchal des logis.

L'escorte repartit et se porta vers des divisions d'infanterie. Fabrice se sentait tout à fait enivré ; il avait bu trop d'eau-de-vie, il roulait un peu sur sa selle : il se souvint fort à propos d'un mot que répétait le cocher de sa mère : Quand on a levé le coude, il faut regarder entre les oreilles de son cheval, et faire comme fait le voisin. Le maréchal s'arrêta longtemps auprès de plusieurs corps de cavalerie qu'il fit charger ; mais pendant une heure ou deux notre héros n'eut guère la conscience de ce qui se passait autour de lui. Il se sentait fort las, et quand son cheval galopait il retombait sur la selle comme un morceau de plomb.

Tout à coup le maréchal des logis cria à ses hommes :

— Vous ne voyez donc pas l'Empereur, s... ! Sur-le-champ l'escorte cria *vive l'Empereur !* à tue-tête. On peut penser si notre héros regarda de tous ses yeux, mais il ne vit que des généraux qui galopaient, suivis, eux aussi, d'une escorte. Les longues crinières pendantes que portaient à leurs casques les dragons de la suite l'empêchèrent de distinguer les figures [1]. Ainsi, je n'ai pu voir l'Empereur sur un champ de bataille, à cause de ces maudits verres d'eau-de-vie ! Cette réflexion le réveilla tout à fait.

On redescendit dans un chemin rempli d'eau, les chevaux voulurent boire.

— C'est donc l'Empereur qui a passé là ? dit-il à son voisin.

— Eh ! certainement, celui qui n'avait pas d'habit brodé. Comment ne l'avez-vous pas vu ? lui répondit le camarade avec bienveillance. Fabrice eut grande envie de galoper après l'escorte de l'Empereur et de s'y incorporer. Quel bonheur de faire réellement la guerre à la suite de ce héros ! C'était pour cela qu'il était venu en France. J'en suis parfaitement le maître, se dit-il, car enfin je n'ai d'autre raison pour faire le service que je fais, que la volonté de mon cheval qui s'est mis à galoper pour suivre ces généraux.

Ce qui détermina Fabrice à rester, c'est que les hussards ses nouveaux camarades lui faisaient bonne mine ; il commençait à se croire l'ami intime de tous les soldats avec lesquels il galopait depuis quelques heures. Il voyait entre eux et lui cette noble amitié des

VII. Le roman

héros du Tasse et de l'Arioste. S'il se joignait à l'escorte de l'Empereur, il y aurait une nouvelle connaissance à faire ; peut-être même on lui ferait la mine, car ces autres cavaliers étaient des dragons, et lui portait l'uniforme de hussard ainsi que tout ce qui suivait le maréchal. La façon dont on le regardait maintenant mit notre héros au comble du bonheur ; il eût fait tout au monde pour ses camarades ; son âme et son esprit étaient dans les nues. Tout lui semblait avoir changé de face depuis qu'il était avec des amis, il mourait d'envie de faire des questions. Mais je suis encore un peu ivre, se dit-il, il faut que je me souvienne de la geôlière. Il remarqua en sortant du chemin creux que l'escorte n'était plus avec le maréchal Ney ; le général qu'ils suivaient était grand, mince, et avait la figure sèche et l'œil terrible.

Ce général n'était autre que le comte d'A***, le lieu-tenant Robert du 15 mai 1796. Quel bonheur il eût trouvé à voir Fabrice del Dongo !

Il y avait déjà longtemps que Fabrice n'apercevait plus la terre volant en miettes noires sous l'action des boulets ; on arriva derrière un régiment de cuiras-siers, il entendit distinctement les biscaïens[1] frapper sur les cuirasses et il vit tomber plusieurs hommes.

Le soleil était déjà fort bas, et il allait se coucher lorsque l'escorte, sortant d'un chemin creux, monta une petite pente de trois ou quatre pieds pour entrer dans une terre labourée. Fabrice entendit un petit bruit singulier tout près de lui : il tourna la tête, quatre hommes étaient tombés avec leurs chevaux ; le général lui-même avait été renversé, mais il se rele-vait tout couvert de sang. Fabrice regardait les hus-sards jetés par terre : trois faisaient encore quelques mouvements convulsifs, le quatrième criait : Tirez-moi de dessous. Le maréchal des logis et deux ou trois hommes avaient mis pied à terre pour secourir le général qui, s'appuyant sur son aide de camp, essayait de faire quelques pas ; il cherchait à s'éloigner de son cheval qui se débattait renversé par terre et lançait des coups de pied furibonds.

Le maréchal des logis s'approcha de Fabrice. À ce moment notre héros entendit dire derrière lui et tout près de son oreille : C'est le seul qui puisse encore galoper. Il se sentit saisir les pieds ; on les élevait en même temps qu'on lui soutenait le corps par-dessous les bras ; on le fit passer par-dessus la croupe de son cheval, puis on le laissa glisser jusqu'à terre, où il tomba assis.

L'aide de camp prit le cheval de Fabrice par la bride ; le général, aidé par le maréchal des logis, monta et partit au galop ; il fut suivi rapidement par les six hommes qui restaient. Fabrice se releva furieux, et se mit à courir après eux en criant : *Ladri ! ladri !* (voleurs ! voleurs !) Il était plaisant de courir après des voleurs au milieu d'un champ de bataille.

L'escorte et le général, comte d'A***, disparurent bientôt derrière une rangée de saules. Fabrice, ivre de colère, arriva aussi à cette ligne de saules ; il se trouva tout contre un canal fort profond qu'il traversa. Puis, arrivé de l'autre côté, il se mit à jurer en apercevant de nouveau, mais à une très grande distance, le général et l'escorte qui se perdaient dans les arbres. Voleurs ! voleurs ! criait-il maintenant en français. Désespéré, bien moins de la perte de son cheval que de la trahison, il se laissa tomber au bord du fossé, fatigué et mourant de faim. Si son beau cheval lui eût été enlevé par l'ennemi, il n'y eût pas songé ; mais se voir trahir et voler par ce maréchal des logis qu'il aimait tant et par ces hussards qu'il regardait comme des frères ! c'est ce qui lui brisait le cœur. Il ne pouvait se consoler de tant d'infamie, et, le dos appuyé contre un saule[1], il se mit à pleurer à chaudes larmes. Il

défaisait un à un tous ses beaux rêves d'amitié chevaleresque et sublime, comme celle des héros de la
Jérusalem délivrée[1]. Voir arriver la mort n'était rien,
entouré d'âmes héroïques et tendres, de nobles amis
qui vous serrent la main au moment du dernier soupir ! mais garder son enthousiasme, entouré de vils
fripons !!! Fabrice exagérait comme tout homme indigné. Au bout d'un quart d'heure d'attendrissement, il
remarqua que les boulets commençaient à arriver
jusqu'à la rangée d'arbres à l'ombre desquels il médi-
tait. Il se leva et chercha à s'orienter. Il regardait ces
prairies bordées par un large canal et la rangée de
saules touffus : il crut se reconnaître. Il aperçut un
corps d'infanterie qui passait le fossé et entrait dans
les prairies, à un quart de lieue en avant de lui. J'allais
m'endormir, se dit-il ; il s'agit de n'être pas prisonnier ; et il se mit à marcher très vite. En avançant il fut
rassuré, il reconnut l'uniforme, les régiments par lesquels il craignait d'être coupé étaient français. Il obliqua à droite pour les rejoindre.

Après la douleur morale d'avoir été si indignement
trahi et volé, il en était une autre qui, à chaque instant,
se faisait sentir plus vivement ! il mourait de faim. Ce
fut donc avec une joie extrême qu'après avoir marché,
ou plutôt couru pendant dix minutes, il s'aperçut que
le corps d'infanterie, qui allait très vite aussi, s'arrêtait
comme pour prendre position. Quelques minutes
plus tard, il se trouvait au milieu des premiers soldats.

— Camarades, pourriez-vous me vendre un morceau de pain ?

— Tiens, cet autre qui nous prend pour des bou-
langers[2] !

Ce mot dur et le ricanement général qui le suivit
accablèrent Fabrice. La guerre n'était donc plus ce
noble et commun élan d'âmes amantes de la gloire
qu'il s'était figuré d'après les proclamations de Napo-

léon ! Il s'assit, ou plutôt se laissa tomber sur le gazon ; il devint très pâle. Le soldat qui lui avait parlé, et qui s'était arrêté à dix pas pour nettoyer la batterie de son fusil avec son mouchoir, s'approcha et lui jeta un morceau de pain ; puis, voyant qu'il ne le ramassait pas, le soldat lui mit un morceau de ce pain dans la bouche. Fabrice ouvrit les yeux, et mangea ce pain sans avoir la force de parler[1]. Quand enfin il chercha des yeux le soldat pour le payer, il se trouva seul, les soldats les plus voisins de lui étaient éloignés de cent pas et marchaient. Il se leva machinalement et les suivit. Il entra dans un bois ; il allait tomber de fatigue, et cherchait déjà de l'œil une place commode ; mais quelle ne fut pas sa joie en reconnaissant d'abord le cheval, puis la voiture, et enfin la cantinière du matin ! Elle accourut à lui et fut effrayée de sa mine.

— Marche encore, mon petit, lui dit-elle ; tu es donc blessé ? et ton beau cheval ? En parlant ainsi elle le conduisait vers sa voiture, où elle le fit monter, en le soutenant par-dessous les bras. À peine dans la voiture, notre héros, excédé de fatigue, s'endormit profondément.

CHAPITRE QUATRIÈME

Rien ne put le réveiller, ni les coups de fusil tirés fort près de la petite charrette, ni le trot du cheval que la cantinière fouettait à tour de bras. Le régiment, attaqué à l'improviste par des nuées de cavalerie prussienne, après avoir cru à la victoire toute la journée, battait en retraite, ou plutôt s'enfuyait du côté de la France.

Le colonel, beau jeune homme, bien *ficelé*, qui venait de succéder à Macon, fut sabré ; le chef de bataillon qui le remplaça dans le commandement,

vieillard à cheveux blancs, fit faire halte au régiment.
— F...[1]! dit-il aux soldats, du temps de la république
on attendait pour filer d'y être forcé par l'ennemi...
Défendez chaque pouce de terrain et faites-vous tuer,
s'écriait-il en jurant ; c'est maintenant le sol de la
patrie que ces Prussiens veulent envahir !

La petite charrette s'arrêta, Fabrice se réveilla tout
à coup. Le soleil était couché depuis longtemps ; il fut
tout étonné de voir qu'il était presque nuit. Les soldats couraient de côté et d'autre dans une confusion
qui surprit fort notre héros ; il trouva qu'ils avaient
l'air penaud.

— Qu'est-ce donc ? dit-il à la cantinière.

— Rien du tout. C'est que nous sommes flambés,
mon petit ; c'est la cavalerie des Prussiens qui nous
sabre, rien que ça. Le bêta de général a d'abord cru
que c'était la nôtre. Allons, vivement, aide-moi à réparer le trait de Cocotte qui s'est cassé.

Quelques coups de fusil partirent à dix pas de distance : notre héros, frais et dispos, se dit : Mais réellement, pendant toute la journée, je ne me suis pas
battu, j'ai seulement escorté un général. — Il faut que
je me batte, dit-il à la cantinière.

— Sois tranquille, tu te battras, et plus que tu ne
voudras ! Nous sommes perdus.

Aubry[2], mon garçon, cria-t-elle à un caporal qui
passait, regarde toujours de temps en temps où en
est la petite voiture.

— Vous allez vous battre ? dit Fabrice à Aubry.

— Non, je vais mettre mes escarpins pour aller à la
danse !

— Je vous suis.

— Je te recommande le petit hussard, cria la cantinière, le jeune bourgeois a du cœur. Le caporal Aubry
marchait sans dire mot. Huit ou dix soldats le rejoignirent en courant, il les conduisit derrière un gros

chêne entouré de ronces. Arrivé là il les plaça au bord du bois, toujours sans mot dire, sur une ligne fort étendue ; chacun était au moins à dix pas de son voisin.

— Ah çà ! vous autres, dit le caporal, et c'était la première fois qu'il parlait, n'allez pas faire feu avant l'ordre, songez que vous n'avez plus que trois cartouches.

Mais que se passe-t-il donc ? se demandait Fabrice. Enfin, quand il se trouva seul avec le caporal, il lui dit :

— Je n'ai pas de fusil.

— Tais-toi d'abord ! Avance-toi là, à cinquante pas en avant du bois, tu trouveras quelqu'un des pauvres soldats du régiment qui viennent d'être sabrés ; tu lui prendras sa giberne et son fusil. Ne va pas dépouiller un blessé, au moins ; prends le fusil et la giberne d'un qui soit bien mort, et dépêche-toi, pour ne pas recevoir les coups de fusil de nos gens. Fabrice partit en courant et revint bien vite avec un fusil et une giberne.

— Charge ton fusil et mets-toi là derrière cet arbre, et surtout ne va pas tirer avant l'ordre que je t'en donnerai... Dieu de Dieu ! dit le caporal en s'interrompant, il ne sait pas même charger son arme !... Il aida Fabrice en continuant son discours. Si un cavalier ennemi galope sur toi pour te sabrer, tourne autour de ton arbre et ne lâche ton coup qu'à bout portant, quand ton cavalier sera à trois pas de toi ; il faut presque que ta baïonnette touche son uniforme.

— Jette donc ton grand sabre, s'écria le caporal, veux-tu qu'il te fasse tomber, nom de D... ! Quels soldats on nous donne maintenant ! En parlant ainsi, il prit lui-même le sabre qu'il jeta au loin avec colère.

— Toi, essuie la pierre de ton fusil avec ton mouchoir. Mais as-tu jamais tiré un coup de fusil ?

— Je suis chasseur.

— Dieu soit loué ! reprit le caporal avec un gros soupir. Surtout ne tire pas avant l'ordre que je te donnerai ; et il s'en alla.

Fabrice était tout joyeux. Enfin, je vais me battre réellement, se disait-il, tuer un ennemi ! Ce matin ils nous envoyaient des boulets, et moi je ne faisais rien que m'exposer à être tué ; métier de dupe. Il regardait de tous côtés avec une extrême curiosité. Au bout d'un moment, il entendit partir sept à huit coups de fusil tout près de lui. Mais, ne recevant point l'ordre de tirer, il se tenait tranquille derrière son arbre. Il était presque nuit ; il lui semblait être à *l'espère*[1], à la chasse de l'ours, dans la montagne de la Tramezzina[2], au-dessus de Grianta. Il lui vint une idée de chasseur ; il prit une cartouche dans sa giberne et en détacha la balle : si je le vois, dit-il, il ne faut pas que je le manque, et il fit couler cette seconde balle dans le canon de son fusil. Il entendit tirer deux coups de feu tout à côté de son arbre ; en même temps, il vit un cavalier vêtu de bleu qui passait au galop devant lui, se dirigeant de sa droite à sa gauche. Il n'est pas à trois pas, se dit-il, mais à cette distance je suis sûr de mon coup, il suivit bien le cavalier du bout de son fusil et enfin pressa la détente ; le cavalier tomba avec son cheval. Notre héros se croyait à la chasse : il courut tout joyeux sur la pièce qu'il venait d'abattre. Il touchait déjà l'homme qui lui semblait mourant, lorsque, avec une rapidité incroyable deux cavaliers prussiens arrivèrent sur lui pour le sabrer. Fabrice se sauva à toutes jambes vers le bois ; pour mieux courir il jeta son fusil. Les cavaliers prussiens n'étaient plus qu'à trois pas de lui lorsqu'il atteignit une nouvelle plantation de petits chênes gros comme le bras et bien droits qui bordaient le bois. Ces petits chênes arrêtèrent un instant les cavaliers, mais ils passèrent et

se remirent à poursuivre Fabrice dans une clairière.
De nouveau ils étaient près de l'atteindre, lorsqu'il se
glissa entre sept à huit gros arbres. À ce moment,
il eut presque la figure brûlée par la flamme de cinq
ou six coups de fusil qui partirent en avant de lui. Il
baissa la tête ; comme il la relevait, il se trouva vis-à-
vis du caporal.

— Tu as tué le tien ? lui dit le caporal Aubry.

— Oui, mais j'ai perdu mon fusil.

— Ce n'est pas les fusils qui nous manquent ; tu es
un bon b...[1] ; malgré ton air cornichon, tu as bien
gagné ta journée, et ces soldats-ci viennent de manquer ces deux qui te poursuivaient et venaient droit
à eux ; moi, je ne les voyais pas. Il s'agit maintenant
de filer rondement ; le régiment doit être à un demi-
quart de lieue, et, de plus, il y a un petit bout de
prairie où nous pouvons être ramassés au demi-
cercle[2].

Tout en parlant, le caporal marchait rapidement à
la tête de ses dix hommes. À deux cents pas de là, en
entrant dans la petite prairie dont il avait parlé, on
rencontra un général blessé qui était porté par son
aide de camp et par un domestique.

— Vous allez me donner quatre hommes, dit-il au
caporal d'une voix éteinte, il s'agit de me transporter
à l'ambulance ; j'ai la jambe fracassée.

— Va te faire f..., répondit le caporal, toi et tous les
généraux. Vous avez tous trahi l'Empereur aujour-
d'hui.

— Comment, dit le général en fureur, vous
méconnaissez mes ordres ! Savez-vous que je suis le
général comte B***, commandant votre division, etc.,
etc. Il fit des phrases. L'aide de camp se jeta sur les
soldats. Le caporal lui lança un coup de baïonnette
dans le bras, puis fila avec ses hommes en doublant
le pas. Puissent-ils être tous comme toi, répétait le

caporal en jurant, les bras et les jambes fracassés ! Tas
de freluquets ! Tous vendus aux Bourbons, et trahis-
sant l'Empereur ! Fabrice écoutait avec saisissement
cette affreuse accusation.

Vers les dix heures du soir, la petite troupe rejoignit
le régiment à l'entrée d'un gros village qui formait
plusieurs rues fort étroites, mais Fabrice remarqua
que le caporal Aubry évitait de parler à aucun des
officiers. Impossible d'avancer, s'écria le caporal !
Toutes ces rues étaient encombrées d'infanterie, de
cavaliers et surtout de caissons d'artillerie et de fourgons. Le caporal se présenta à l'issue de trois de ces
rues ; après avoir fait vingt pas il fallait s'arrêter : tout
le monde jurait et se fâchait.

Encore quelque traître qui commande ! s'écria le
caporal ; si l'ennemi a l'esprit de tourner le village
nous sommes tous prisonniers comme des chiens.
Suivez-moi, vous autres. Fabrice regarda ; il n'y avait
plus que six soldats avec le caporal. Par une grande
porte ouverte ils entrèrent dans une vaste basse-cour ;
de la basse-cour ils passèrent dans une écurie, dont la
petite porte leur donna entrée dans un jardin. Ils s'y
perdirent un moment errant de côté et d'autre. Mais
enfin, en passant une haie, ils se trouvèrent dans une
vaste pièce de blé noir. En moins d'une demi-heure,
guidés par les cris et le bruit confus, ils eurent regagné
la grande route au-delà du village. Les fossés de cette
route étaient remplis de fusils abandonnés ; Fabrice
en choisit un ; mais la route, quoique fort large, était
tellement encombrée de fuyards et de charrettes,
qu'en une demi-heure de temps, à peine si le caporal
et Fabrice avaient avancé de cinq cents pas ; on disait
que cette route conduisait à Charleroi. Comme onze
heures sonnaient à l'horloge du village :

— Prenons de nouveau à travers champs, s'écria le
caporal. La petite troupe n'était plus composée que

de trois soldats, le caporal et Fabrice. Quand on fut à un quart de lieue de la grande route :

— Je n'en puis plus, dit un des soldats.

— Et moi itou, dit un autre.

— Belle nouvelle ! Nous en sommes tous logés là, dit le caporal ; mais obéissez-moi, et vous vous en trouverez bien. Il vit cinq ou six arbres le long d'un petit fossé au milieu d'une immense pièce de blé. Aux arbres ! dit-il à ses hommes ; couchez-vous là, ajouta-t-il quand on y fut arrivé, et surtout pas de bruit. Mais, avant de s'endormir, qui est-ce qui a du pain ?

— Moi, dit un des soldats.

— Donne, dit le caporal, d'un air magistral ; il divisa le pain en cinq morceaux et prit le plus petit.

— Un quart d'heure avant le point du jour, dit-il en mangeant, vous allez avoir sur le dos la cavalerie ennemie. Il s'agit de ne pas se laisser sabrer. Un seul est flambé, avec de la cavalerie sur le dos, dans ces grandes plaines, cinq au contraire peuvent se sauver : restez avec moi bien unis, ne tirez qu'à bout portant, et demain soir je me fais fort de vous rendre à Charleroi. Le caporal les éveilla une heure avant le jour ; il leur fit renouveler la charge de leurs armes, le tapage sur la grande route continuait, et avait duré toute la nuit : c'était comme le bruit d'un torrent entendu dans le lointain.

— Ce sont comme des moutons qui se sauvent, dit Fabrice au caporal, d'un air naïf.

— Veux-tu bien te taire, blanc-bec ! dit le caporal indigné ; et les trois soldats qui composaient toute son armée avec Fabrice regardèrent celui-ci d'un air de colère, comme s'il eût blasphémé. Il avait insulté la nation.

Voilà qui est fort ! pensa notre héros ; j'ai déjà remarqué cela chez le vice-roi à Milan ; il ne fuient pas, non ! Avec ces Français il n'est pas permis de dire la vérité quand elle choque leur vanité. Mais quant à leur air méchant, je m'en moque, et il faut que je le leur fasse comprendre. On marchait toujours à cinq cents pas de ce torrent de fuyards qui couvraient la grande route. À une lieue de là le caporal et sa troupe traversèrent un chemin qui allait rejoindre la route et où beaucoup de soldats étaient couchés. Fabrice acheta un cheval assez bon qui lui coûta quarante francs, et parmi tous les sabres jetés de côté et d'autre, il choisit avec soin un grand sabre droit. Puisqu'on dit qu'il faut piquer, pensa-t-il, celui-ci est le meilleur. Ainsi équipé il mit son cheval au galop et rejoignit bientôt le caporal qui avait pris les devants. Il s'affermit sur ses étriers, prit de la main gauche le fourreau de son sabre droit, et dit aux quatre Français :

— Ces gens qui se sauvent sur la grande route ont l'air d'un troupeau de moutons... ils marchent comme des moutons effrayés...

Fabrice avait beau appuyer sur le mot *mouton*, ses camarades ne se souvenaient plus d'avoir été fâchés par ce mot une heure auparavant. Ici se trahit un des contrastes des caractères italien et français ; le Français est sans doute le plus heureux, il glisse sur les événements de la vie et ne garde pas rancune.

Nous ne cacherons point que Fabrice fut très satisfait de sa personne après avoir parlé des *moutons*. On marchait en faisant la petite conversation. À deux lieues de là le caporal, toujours fort étonné de ne point voir la cavalerie ennemie, dit à Fabrice :

— Vous êtes notre cavalerie, galopez vers cette ferme sur ce petit tertre, demandez au paysan s'il veut nous *vendre* à déjeuner, dites bien que nous ne sommes que cinq. S'il hésite, donnez-lui cinq francs d'avance de votre argent mais soyez tranquille, nous reprendrons la pièce blanche après le déjeuner.

Fabrice regarda le caporal, il vit en lui une gravité

imperturbable, et vraiment l'air de la supériorité morale ; il obéit. Tout se passa comme l'avait prévu le commandant en chef, seulement Fabrice insista pour qu'on ne reprît pas de vive force les cinq francs qu'il avait donnés au paysan.

— L'argent est à moi, dit-il à ses camarades, je ne paie pas pour vous, je paie pour l'avoine qu'il a donnée à mon cheval.

Fabrice prononçait si mal le français, que ses camarades crurent voir dans ses paroles un ton de supériorité ; ils furent vivement choqués, et dès lors dans leur esprit un duel se prépara pour la fin de la journée. Ils le trouvaient fort différent d'eux-mêmes, ce qui les choquait ; Fabrice au contraire commençait à se sentir beaucoup d'amitié pour eux.

On marchait sans rien dire depuis deux heures, lorsque le caporal, regardant la grande route, s'écria avec un transport de joie : Voici le régiment ! On fut bientôt sur la route ; mais, hélas ! autour de l'aigle il n'y avait pas deux cents hommes. L'œil de Fabrice eut bientôt aperçu la vivandière : elle marchait à pied, avait les yeux rouges, et pleurait de temps à autre. Ce fut en vain que Fabrice chercha la petite charrette et Cocotte.

— Pillés, perdus, volés, s'écria la vivandière répondant aux regards de notre héros. Celui-ci, sans mot dire, descendit de son cheval, le prit par la bride, et dit à la vivandière : Montez. Elle ne se le fit pas dire deux fois.

— Raccourcis-moi les étriers, fit-elle.

Une fois bien établie à cheval, elle se mit à raconter à Fabrice tous les désastres de la nuit. Après un récit d'une longueur infinie, mais avidement écouté par notre héros qui, à dire vrai, ne comprenait rien à rien, mais avait une tendre amitié pour la vivandière, celle-ci ajouta :

— Et dire que ce sont des Français qui m'ont pillée, battue, abîmée…

— Comment! ce ne sont pas les ennemis? dit Fabrice d'un air naïf, qui rendait charmante sa belle figure grave et pâle.

— Que tu es bête, mon pauvre petit! dit la vivandière, souriant au milieu de ses larmes; et quoique ça, tu es bien gentil.

— Et tel que vous le voyez, il a fort bien descendu son Prussien, dit le caporal Aubry qui, au milieu de la cohue générale, se trouvait par hasard de l'autre côté du cheval monté par la cantinière. Mais il est fier, continua le caporal… Fabrice fit un mouvement. Et comment t'appelles-tu? continua le caporal, car enfin, s'il y a un rapport, je veux te nommer.

— Je m'appelle Vasi, répondit Fabrice, faisant une mine singulière, c'est-à-dire *Boulot*, ajouta-t-il se reprenant vivement.

Boulot avait été le nom du propriétaire de la feuille de route que la geôlière de B*** lui avait remise; l'avant-veille il l'avait étudiée avec soin, tout en marchant, car il commençait à réfléchir quelque peu et n'était plus si étonné des choses. Outre la feuille de route du hussard Boulot, il conservait précieusement le passeport italien d'après lequel il pouvait prétendre au noble nom de Vasi, marchand de baromètres. Quand le caporal lui avait reproché d'être fier, il avait été sur le point de répondre: Moi fier! moi Fabrice Valserra, *marchesino* del Dongo, qui consens à porter le nom d'un Vasi, marchand de baromètres!

Pendant qu'il faisait des réflexions et qu'il se disait: Il faut bien me rappeler que je m'appelle Boulot, ou gare la prison dont le sort me menace, le caporal et la cantinière avaient échangé plusieurs mots sur son compte.

— Ne m'accusez pas d'être une curieuse, lui dit la

cantinière en cessant de le tutoyer ; c'est pour votre bien que je vous fais des questions. Qui êtes-vous, là, réellement ?

Fabrice ne répondit pas d'abord ; il considérait que jamais il ne pourrait trouver d'amis plus dévoués pour leur demander conseil, et il avait un pressant besoin de conseils. Nous allons entrer dans une place de guerre, le gouverneur voudra savoir qui je suis, et gare la prison si je fais voir par mes réponses que je ne connais personne au 4e régiment de hussards dont je porte l'uniforme ! En sa qualité de sujet de l'Autriche, Fabrice savait toute l'importance qu'il faut attacher à un passeport. Les membres de sa famille, quoique nobles et dévots, quoique appartenant au parti vainqueur, avaient été vexés plus de vingt fois à l'occasion de leurs passeports ; il ne fut donc nullement choqué de la question que lui adressait la cantinière. Mais comme, avant que de répondre, il cherchait les mots français les plus clairs, la cantinière, piquée d'une vive curiosité, ajouta pour l'engager à parler : Le caporal Aubry et moi nous allons vous donner de bons avis pour vous conduire.

— Je n'en doute pas, répondit Fabrice : je m'appelle Vasi et je suis de Gênes ; ma sœur, célèbre par sa beauté, a épousé un capitaine. Comme je n'ai que dix-sept ans, elle me faisait venir auprès d'elle pour me faire voir la France, et me former un peu ; ne la trouvant pas à Paris, et sachant qu'elle était à cette armée, j'y suis venu, je l'ai cherchée de tous les côtés sans pouvoir la trouver. Les soldats, étonnés de mon accent, m'ont fait arrêter. J'avais de l'argent alors, j'en ai donné au gendarme, qui m'a remis une feuille de route, un uniforme et m'a dit : File, et jure-moi de ne jamais prononcer mon nom.

— Comment s'appelait-il ? dit la cantinière.

— J'ai donné ma parole, dit Fabrice.

— Il a raison, reprit le caporal, le gendarme est un gredin, mais le camarade ne doit pas le nommer. Et comment s'appelle-t-il, ce capitaine, mari de votre sœur ? Si nous savons son nom nous pourrons le chercher.

— Teulier, capitaine au 4ᵉ de hussards, répondit notre héros.

— Ainsi, dit le caporal avec assez de finesse, à votre accent étranger, les soldats vous prirent pour un espion ?

— C'est là le mot infâme ! s'écria Fabrice, les yeux brillants. Moi qui aime tant l'Empereur et les Français ! Et c'est par cette insulte que je suis le plus vexé.

— Il n'y a pas d'insulte, voilà ce qui vous trompe ; l'erreur des soldats était fort naturelle, reprit gravement le caporal Aubry.

Alors il lui expliqua avec beaucoup de pédanterie qu'à l'armée il faut appartenir à un corps et porter un uniforme, faute de quoi il est tout simple qu'on vous prenne pour un espion. L'ennemi nous en lâche beaucoup ; tout le monde trahit dans cette guerre. Les écailles tombèrent des yeux de Fabrice ; il comprit pour la première fois qu'il avait tort dans tout ce qui lui arrivait depuis deux mois.

— Mais il faut que le petit nous raconte tout, dit la cantinière dont la curiosité était de plus en plus excitée. Fabrice obéit. Quand il eut fini :

— Au fait, dit la cantinière parlant d'un air grave au caporal, cet enfant n'est point militaire ; nous allons faire une vilaine guerre maintenant que nous sommes battus et trahis [1]. Pourquoi se ferait-il casser les os *gratis pro Deo* ?

— Et même, dit le caporal, qu'il ne sait pas charger son fusil, ni en douze temps, ni à volonté. C'est moi qui ai chargé le coup qui a descendu le Prussien.

— De plus, il montre son argent à tout le monde,

ajouta la cantinière ; il sera volé de tout dès qu'il ne sera plus avec nous.

— Le premier sous-officier de cavalerie qu'il rencontre, dit le caporal, le confisque à son profit pour se faire payer la goutte, et peut-être on le recrute pour l'ennemi, car tout le monde trahit. Le premier venu va lui ordonner de le suivre, et il suivra ; il ferait mieux d'entrer dans notre régiment.

— Non pas, s'il vous plaît, caporal ! s'écria vivement Fabrice ; il est plus commode d'aller à cheval, et d'ailleurs je ne sais pas charger un fusil, et vous avez vu que je manie un cheval.

Fabrice fut très fier de ce petit discours. Nous ne rendrons pas compte de la longue discussion sur sa destinée future, qui eut lieu entre le caporal et la cantinière. Fabrice remarqua qu'en discutant ces gens répétaient trois ou quatre fois toutes les circonstances de son histoire : les soupçons des soldats, le gendarme lui vendant une feuille de route et un uniforme, la façon dont la veille il s'était trouvé faire partie de l'escorte du maréchal, l'Empereur vu au galop, le cheval *escofié*[1], etc., etc.

Avec une curiosité de femme, la cantinière revenait sans cesse sur la façon dont on l'avait dépossédé du bon cheval qu'elle lui avait fait acheter.

— Tu t'es senti saisir par les pieds, on t'a fait passer doucement par-dessus la queue de ton cheval, et l'on t'a assis par terre ! Pourquoi répéter si souvent, se disait Fabrice, ce que nous connaissons tous trois parfaitement bien ? Il ne savait pas encore que c'est ainsi qu'en France les gens du peuple vont à la recherche des idées.

— Combien as-tu d'argent ? lui dit tout à coup la cantinière. Fabrice n'hésita pas à répondre ; il était sûr de la noblesse d'âme de cette femme : c'est là le beau côté de la France.

— En tout, il peut me rester trente napoléons en or et huit ou dix écus de cinq francs.

— En ce cas, tu as le champ libre ! s'écria la cantinière ; tire-toi du milieu de cette armée en déroute ; jette-toi de côté, prends la première route un peu frayée que tu trouveras là sur ta droite ; pousse ton cheval ferme, toujours t'éloignant de l'armée. À la première occasion achète des habits de pékin. Quand tu sera à huit ou dix lieues, et que tu ne verras plus de soldats, prends la poste, et va te reposer huit jours et manger des biftecks dans quelque bonne ville. Ne dis jamais à personne que tu as été à l'armée ; les gendarmes te ramasseraient comme déserteur ; et, quoique tu sois bien gentil, mon petit, tu n'es pas encore assez futé pour répondre à des gendarmes. Dès que tu auras sur le dos des habits de bourgeois, déchire ta feuille de route en mille morceaux et reprends ton nom véritable ; dis que tu es Vasi. Et d'où devra-t-il dire qu'il vient ? fit-elle au caporal.

— De Cambrai-sur-l'Escaut : c'est une bonne ville toute petite, entends-tu ? et où il y a une cathédrale et Fénelon.

— C'est ça, dit la cantinière ; ne dis jamais que tu as été à la bataille, ne souffle mot de B***, ni du gendarme qui t'a vendu la feuille de route. Quand tu voudras rentrer à Paris, rends-toi d'abord à Versailles, et passe la barrière de Paris de ce côté-là en flânant, en marchant à pied comme un promeneur. Couds tes napoléons dans ton pantalon ; et surtout quand tu as à payer quelque chose, ne montre tout juste que l'argent qu'il faut pour payer. Ce qui me chagrine, c'est qu'on va t'empaumer[1], on va te chiper tout ce que tu as ; et que feras-tu une fois sans argent, toi qui ne sais pas te conduire ? etc.

La bonne cantinière parla longtemps encore ; le caporal appuyait ses avis par des signes de tête, ne

pouvant trouver jour à saisir la parole. Tout à coup
cette foule qui couvrait la grande route, d'abord dou-
bla le pas ; puis, en un clin d'œil, passa le petit fossé
qui bordait la route à gauche, et se mit à fuir à toutes
jambes. — Les Cosaques ! les Cosaques[1] ! criait-on de
tous les côtés.

— Reprends ton cheval ! s'écria la cantinière.

— Dieu m'en garde ! dit Fabrice. Galopez ! fuyez !
je vous le donne. Voulez-vous de quoi racheter une
petite voiture ? La moitié de ce que j'ai est à vous.

— Reprends ton cheval, te dis-je ! s'écria la cantinière en colère ; et elle se mettait en devoir de descendre. Fabrice tira son sabre : — Tenez-vous bien !
lui cria-t-il, et il donna deux ou trois coups de plat de
sabre au cheval, qui prit le galop et suivit les fuyards.

Notre héros regarda la grande route ; naguère
trois ou quatre mille individus s'y pressaient, serrés
comme des paysans à la suite d'une procession.
Après le mot *cosaques*, il n'y vit exactement plus personne ; les fuyards avaient abandonné des shakos,
des fusils, des sabres, etc. Fabrice, étonné, monta
dans un champ à droite du chemin, et qui était élevé
de vingt ou trente pieds ; il regarda la grande route
des deux côtés et la plaine, il ne vit pas trace de
cosaques. Drôles de gens, que ces Français ! se dit-il.
Puisque je dois aller sur la droite, pensa-t-il, autant
vaut marcher tout de suite ; il est possible que ces
gens aient pour courir une raison que je ne connais
pas. Il ramassa un fusil, vérifia qu'il était chargé,
remua la poudre de l'amorce, nettoya la pierre, puis
choisit une giberne bien garnie, et regarda encore de
tous les côtés ; il était absolument seul au milieu de
cette plaine naguère si couverte de monde. Dans
l'extrême lointain, il voyait les fuyards qui commençaient à disparaître derrière les arbres, et couraient
toujours. Voilà qui est bien singulier ! se dit-il ; et, se

rappelant la manœuvre employée la veille par le caporal, il alla s'asseoir au milieu d'un champ de blé. Il ne s'éloignait pas, parce qu'il désirait revoir ses bons amis, la cantinière et le caporal Aubry.

Dans le blé, il vérifia qu'il n'avait plus que dix-huit napoléons, au lieu de trente comme il le pensait ; mais il lui restait de petits diamants qu'il avait placés dans la doublure des bottes du hussard, le matin, dans la chambre de la geôlière, à B***. Il cacha ses napoléons du mieux qu'il put, tout en réfléchissant profondément à cette disparition si soudaine. Cela est-il d'un mauvais présage pour moi ? se disait-il. Son principal chagrin était de ne pas avoir adressé cette question au caporal Aubry : Ai-je réellement assisté à une bataille ? Il lui semblait que oui, et il eût été au comble du bonheur s'il en eût été certain [1].

WILLIAM MAKEPEACE THACKERAY

La Foire aux vanités
(1848)

Thackeray (1811-1863) est issu d'une riche famille britannique ; il perd son père alors qu'il est encore enfant. L'esprit aventurier, il traverse l'Europe et effectue un voyage en Orient. Après des études d'art à Paris, il se marie avec une Irlandaise rencontrée dans cette ville. Ruiné en 1833, il devient journaliste à Londres. Mais c'est dans la carrière de romancier que la fortune va lui sourire.

La Foire aux vanités *est son roman le plus fameux, paru sous la forme de roman-feuilleton dans le journal anglais* Punch *entre 1846 et 1847 puis en volume en 1848, et traduit en français par Georges Guiffrey en 1855. C'est la traduction retenue ici. Le titre fait référence à un roman allégorique du XVIIᵉ siècle,* Le Voyage du pèlerin *(1678) de John Bunyan, puisqu'il s'agit de mettre l'accent sur les vanités matérielles ou sociales qui entravent le chemin du pèlerin et qui corrompent sa conscience pure. Thackeray a d'ailleurs donné comme titre exact à son roman :* Vanity fair : A novel without a hero *(Roman sans héros). Dans l'Angleterre victorienne, Thackeray est un auteur libéral qui refuse, comme ce titre l'indique, d'admirer les grandes figures politiques et historiques qui traversent les âges. Thackeray préfère prendre comme personnages de ses romans des individus ordinaires. C'est la raison pour laquelle les nombreux développements qu'il consacre à la campagne militaire de 1815, opposant la France à l'Angleterre, ne font quasiment pas* mention de cette figure de l'héroïsme traditionnel qu'est Napoléon Bonaparte.

On pourrait en dire de même des événements historiques. La bataille de Waterloo est essentiellement abordée à la périphérie, pour ce qui se passe avant et après le combat, mais aussi à l'écart du canon, puisque Thackeray insiste sur la guerre vécue à Bruxelles. Ainsi, le romancier néglige ce que l'affrontement contient d'héroïsme sur le champ de bataille, pour préférer la guerre en dentelles. D'ailleurs, Thackeray réserve un sort tragique à George, un descendant d'une famille de la noblesse anglaise, parti combattre volontairement à Waterloo. Cette figure patriotique et héroïque, qui meurt au combat, est moquée par Thackeray qui y voit un personnage égoïste qui a le tort de sacrifier sa relation avec la femme qui l'aime pour assouvir son désir de gloire. Thackeray avec George, comme Stendhal avec Fabrice dans La Chartreuse de Parme, donne à voir un civil qui s'en va en guerre, sauf que Thackeray dénonce la folie de l'entreprise tandis que Stendhal garde de la sympathie pour le héros raté qu'est Fabrice.

Les personnages principaux de l'action sont deux femmes et amies d'enfance : Rebecca Sharp (Becky), d'une famille modeste mais ambitieuse, mariée à Rawdon Crawley ; et Amélia Sedley, une aristocrate, qui a pour frère Joseph Sedley (Joe) et pour époux George Osborne, issu lui aussi de la noblesse. Amélia se consolera de la perte de son mari en épousant le capitaine William Dobbin, épris d'elle depuis toujours.

La Foire aux vanités est une satire sociale. Thackeray fait la peinture des mœurs de son époque pour mieux les dénoncer. La guerre est la toile de fond historique et non le sujet du roman. Elle est secondaire bien qu'elle permette de faire surgir le contraste entre les drames privés et la grande affaire publique qu'est Waterloo. C'est pourquoi les extraits réunis concernent des scènes qui ne touchent qu'indirectement à la bataille de Waterloo. Il s'agit des turpitudes d'une poignée d'aristocrates ayant suivi l'armée anglaise jusqu'à Bruxelles. L'atmosphère dans cette ville avant la bataille, Bruxelles changée en immense bivouac le jour des combats, et la description de la douleur d'une famille ayant perdu son enfant à la guerre, les mois qui suivent le 18 juin, sont les passages du roman qui témoignent le mieux de l'art de Thackeray. Ce dernier diminue la valeur des héros et grandit les humbles, qui se transforment ainsi en héros des temps modernes en devenant les personnages principaux de l'action du roman. Cette société des vanités désole Thackeray qui cherche un impossible équilibre entre la fureur du canon de Waterloo et les mignardises de l'aristocratie anglaise.

Le talent de Thackeray est de nous montrer les coulisses de Waterloo : c'est une vraie foire où se joue le spectacle de la vie. L'auteur nous en avertit dans la préface : « On y voit des scènes en tout genre : de terribles combats, de nobles et gran-dioses exploits équestres, des scènes du grand monde, et d'autres appartenant à un monde vraiment très moyen ; quelques échanges amoureux pour les sentimentaux, et un peu de comédie légère ; le tout accompagné des décors appro-priés et brillamment illuminé par les bougies de l'auteur en personne[1]. » Tout n'est que vanité… Waterloo aussi.

CHAPITRE XXVIII

Amélia envahit les Pays-Bas

Officiers et soldats du ***ᵉ devaient prendre pas-sage sur les navires équipés à cet effet par le gou-vernement. Le surlendemain du thé de mistress O'Dowd, au milieu des bruyantes clameurs des mate-lots et des troupes, des fanfares de la musique répé-tant l'air national du *God save the king*, des officiers qui agitaient leurs chapeaux, enfin des hourras de la flotte entière, le convoi descendit lentement sur le fleuve et appareilla pour Ostende.

1. Voir l'édition de Sylvère Monod en « Folio classique », p. 34.

Joe, toujours galant, avait consenti à servir d'escorte à sa sœur, et à la femme du major, dont les malles immenses, y compris le fameux oiseau de paradis, étaient parties avec les bagages du régiment. Nos deux héroïnes, après s'être rendues en voiture à Ramsgate sans le plus mince paquet, s'embarquèrent pour Ostende, au milieu de la cohue des passagers qui se pressaient en foule pour cette destination.

Cette période de la vie de Joe à laquelle nous allons assister, est si remplie d'incidents du genre le plus dramatique, qu'elle lui fournit pendant longtemps des sujets de conversation aussi neuve qu'animée et fit même grand tort à la chasse au tigre, remplacée désormais par les récits les plus émouvants de l'héroïque campagne de Waterloo.

Dès qu'il eut pris le grand parti d'accompagner les dames, il cessa de se raser la lèvre supérieure. À Chatham, il assistait avec la plus invariable exactitude aux revues et aux exercices. Il prêtait une oreille attentive aux conversations de *ses confrères les officiers*, comme il se plaisait à les appeler, et il faisait tout son possible pour retenir les expressions techniques du métier. L'excellente mistress O'Dowd l'aidait beaucoup dans cette étude en lui prêtant le secours de ses lumières.

Le jour de l'embarquement à bord de *La Belle-Rose*, il arriva pour le départ avec un habit à brandebourgs, un pantalon d'ordonnance et un bonnet de police garni d'une élégante bande d'or. Il disait d'un air de mystère à qui voulait l'entendre qu'il allait rejoindre l'armée du duc de Wellington, et comme il avait sa voiture avec lui, on le prenait pour quelque grand personnage, pour un commissaire général ou tout au moins pour un courrier du gouvernement.

Son cœur eut horriblement à souffrir du voyage ; les dames éprouvèrent aussi un état de malaise

pitoyable. Mais Amélia sentit la vie renaître en elle
quand le navire entra dans le port d'Ostende : c'est
qu'elle voyait le bâtiment sur lequel se trouvait le
régiment de son mari. Joe alla tout droit à l'hôtel,
le cœur encore mal à sa place ; et le capitaine Dobbin,
après avoir escorté les dames, s'occupa de réclamer
au navire, puis à la douane, la voiture et les effets de
M. Joe, car M. Joe se trouvait alors sans valet. Le
sien, d'accord avec celui de M. Osborne, avait refusé
catégoriquement de se livrer aux flots trompeurs
d'Amphitrite[1]. Cette conspiration, ayant éclaté au
dernier moment, avait jeté la consternation dans
l'âme de M. Joe Sedley, et il s'en fallut de bien peu
qu'il ne laissât le convoi partir tout seul. Mais les
railleries du capitaine Dobbin triomphèrent de ses
hésitations. Ses moustaches avaient d'ailleurs atteint
toute leur croissance ; ce dernier motif acheva ce
qu'avait commencé l'éloquence de Dobbin, et Joe
s'embarqua.

Dobbin, pour récompenser Joe d'avoir obtempéré à
sa demande, se mit en quête d'un domestique et lui
amena un petit Belge olivâtre qui ne parlait aucun
idiome connu, mais qui, par son air affairé et sa ponc-
tualité à n'appeler M. Sedley que milord, se concilia
promptement les bonnes grâces de notre ami.

Ostende a bien changé de physionomie sous le rapport des Anglais qu'on y voit maintenant : les grands
seigneurs y sont fort rares, et ceux qu'on y rencontre
ne trahissent guère une origine aristocratique. La plupart du temps, ce sont des gens mal vêtus, en linge
sale, qui sentent l'eau-de-vie et le tabac, et vont jouer
aux cartes ou pousser les billes dans des estaminets
enfumés. On peut dire que, dans l'armée du duc de
Wellington, chacun paya rigoureusement sa dépense.
Pour une nation de boutiquiers, c'est un des souvenirs
qui ne saurait s'effacer de la mémoire. Être envahi par

une armée de pratiques qui payent bien, avoir à nourrir des héros parfaitement solvables, que peut désirer de plus un pays industriel ?

La Belgique n'est pas du reste, par elle-même, fort belliqueuse, car son histoire atteste, depuis des siècles, qu'elle se contente de fournir un champ de bataille aux autres nations.

Ce riche et florissant pays plat présentait aux premiers jours de l'été de 1815, un air de bien-être et d'opulence qui rappelait les plus beaux temps de son passé. Ses vastes campagnes et ses paisibles cités s'animaient de la présence de nos beaux uniformes rouges ; ses magnifiques promenades étaient sillonnées en tout sens par de fringants équipages, par de brillantes cavalcades ; ses rivières côtoyant de riches pâturages, d'antiques et pittoresques hameaux, de vieux châteaux cachés sous d'épais ombrages, promenaient doucement sur leurs ondes la foule indolente des touristes anglais ; le soldat buvait à l'auberge du village et, chose plus rare, payait libéralement sa dépense ; le Highlander, logé dans les fermes flamandes, berçait le nouveau-né, tandis que Jean et Jeannette allaient rentrer les fourrages. Un pinceau délicat trouverait là un charmant sujet comme épisode de la guerre à cette époque. On eût dit les préparatifs d'une revue inoffensive et brillante. Cependant Napoléon, abrité par une ceinture de forteresses, se préparait, lui aussi, à envahir ce pays.

Le général en chef de l'armée anglaise, le duc de Wellington, avait su inspirer à tous ses soldats une foi comparable seulement à l'enthousiasme fanatique éprouvé un moment par les Français pour Napoléon. Ses dispositions pour la défense étaient si bien combinées, ses renforts, en cas de besoin, étaient si proches et si nombreux, que la crainte était bannie de tous les cœurs, et que nos voyageurs, parmi lesquels s'en trouvaient deux d'une timidité excessive, partageaient néanmoins la sécurité générale.

Le régiment parmi les officiers duquel sont nos amis allait être transporté par eau jusqu'à Bruges et Gand et marcher ensuite de là sur Bruxelles. Joe accompagnait les dames, qui prirent passage sur les bateaux publics, dont le luxe et l'aménagement ont droit à quelque place dans le souvenir des vieux touristes des Flandres. Ces lents mais commodes véhicules s'étaient fait, pour la bonne chère, une réputation parfaitement justifiée et à laquelle se rattache la tradition suivante : Un voyageur anglais, qui était venu en Belgique avec l'intention d'y passer seulement une semaine, étant monté à bord de l'un de ces navires, se trouva si bien de la cuisine, qu'une fois arrivé à Gand, il repartit pour Bruges, et recommença de nouveau le même voyage. Enfin les chemins de fer furent inventés[1]. Alors, de désespoir, notre homme se noya dans le fleuve au moment où le dernier navire qui faisait le dernier voyage touchait à sa destination.

Joe ne devait point en venir à cette extrémité, mais il fit largement honneur à la table servie devant lui. Mistress O'Dowd affirmait que, pour compléter son bonheur, il ne lui manquait plus que d'épouser sa sœur Glorvina. Toute la journée se passa pour lui à boire sur le pont de la bière flamande, à tempêter contre Isidore, son nouveau domestique, et à faire le galant auprès des dames.

Son courage était monté à un diapason des plus élevés et devait beaucoup aux fumées bachiques.

« Que le Corse[2] vienne donc nous attaquer ! s'écriait-il ; Emmy ! ma chère âme, si je tremble, ce n'est que pour lui. Dans deux mois, morbleu ! les alliés seront à Paris, et je vous payerai à dîner au

Palais-Royal. Trois cent mille Russes, entendez-vous ? vont entrer en France par Mayence et le Rhin ; trois cent mille, ma chère sœur, sous les ordres de Wittgenstein et de Barclay de Tolly[1]. Vous n'êtes pas au fait de la stratégie militaire, chère petite ; mais en homme qui m'y connais, je puis vous dire qu'il n'y a pas d'infanterie en France capable de tenir tête à l'infanterie russe. Le Corse a-t-il un général en état de moucher la chandelle à Wittgenstein ? Viennent ensuite les Autrichiens, au nombre de cinq cent mille, aussi vrai que me voilà. Avant dix jours, vous les verrez à la frontière de France, sous les ordres de Schwarzenberg[2] et du prince Charles. Et puis les Prussiens, les Prussiens, entendez-vous ? commandés par le brave général Blücher. Maintenant que Murat n'y est plus, trouvez-moi un général de cavalerie à comparer à celui-là[3]. N'est-ce pas, mistress O'Dowd, que votre jeune amie aurait tort de se tourmenter ? Allons, Isidore, ne tremblez pas ainsi ; vite, monsieur, versez-moi de la bière. »

Mistress O'Dowd, pour toute réponse, insista sur le courage de Glorvina. C'était une femme à ne pas reculer devant homme qui vive, et encore moins devant un Français. Après cet éloge, elle avala un verre de bière, et, par une grimace de satisfaction, témoigna de ses sympathies pour ce genre de liquide.

De fréquentes escarmouches avec l'ennemi, c'est-à-dire avec le beau sexe de Cheltenham et de Bath, avaient fini par ôter beaucoup à l'ancienne timidité de notre ami, le receveur de Boggley-Wollah. Dans cette circonstance, enhardi par les fumées pétillantes de la bière, il se sentait plus que jamais des dispositions à la faconde. Au régiment, on était enchanté de lui ; les jeunes officiers lui savaient gré des splendides festins qu'il leur offrait et des occasions de rire qu'il leur procurait par ses allures martiales. Dans l'armée, les régiments adoptent tous, plus ou moins, un animal favori qui les suit dans leurs pérégrinations. George, par allusion à son beau-frère, disait que son régiment avait choisi un éléphant.

[...]

CHAPITRE XXX

« La fille que j'ai laissée au pays »

Nous n'élevons pas nos prétentions jusqu'à vouloir prendre rang parmi les chroniqueurs de bataille. Notre place est marquée loin de la mêlée et nous y tenons. Pendant le branle-bas du combat nous descendons à la cale pour y attendre humblement la fin de l'action. À quoi bon venir nous jeter à la traverse des manœuvres que de braves gens exécutent au-dessus de nos têtes. Ainsi donc après avoir accompagné le ***e aux portes de la ville, nous laissons le major O'Dowd faire son devoir, et nous retournons auprès de la femme du major, des autres dames et des bagages.

Mais il est indispensable de dire auparavant que le major et sa femme n'ayant pas été invités au bal[1] où nous venons de voir figurer nos autres amis, avaient eu, pour goûter les douceurs de l'édredon, bien plus de temps que ceux qui avaient voulu partager la nuit entre le plaisir et le devoir.

« Peggy, ma chère », disait le major, en tirant tranquillement son bonnet de nuit sur ses oreilles, « laissez faire et dans deux ou trois jours nous allons commencer une danse comme certains n'en ont pas vu de pareilles. »

Le lit, après un bon verre de genièvre, avalé à son aise, lui paraissait bien préférable à l'ennui et à la fatigue de ces corvées du grand monde. Quant à Peggy, elle regrettait de n'avoir pu faire à l'éclat des lumières l'exhibition de son turban et de son oiseau de paradis, lorsque les paroles de son mari vinrent lui offrir un plus grave sujet de méditation.

« Éveillez-moi, je vous prie, une heure avant le rappel, dit le major à sa femme, vers une heure et demie, ma chère Peggy ; donnez un coup d'œil à ce qu'il ne me manque rien. Je ne rentrerai sans doute pas pour déjeuner, mistress O'Dowd. »

Après lui avoir ainsi fait comprendre que le régiment devait se mettre en route le lendemain, le major cessa de parler et s'endormit.

Mistress O'Dowd, en camisole et en papillotes, comme une bonne ménagère, sentit que c'était le moment d'agir et non de se coucher.

« Nous aurons assez le temps de dormir, se dit-elle, quand Mick ne sera plus là. »

Elle se mit donc à l'œuvre, prépara la valise de campagne, brossa l'habit et le tricorne, disposa le reste du fourniment militaire de manière que son mari trouvât sous sa main ses affaires prêtes et en ordre. Elle garnit les poches de son manteau d'une petite provision de comestibles, y joignit une bouteille d'osier contenant presque une pinte d'excellent cognac, qui était fort de son goût et de celui du major. Lorsque l'aiguille de sa montre à répétition, dont la sonnerie pouvait rivaliser avec les cloches d'une cathédrale, au dire de la propriétaire, arriva enfin sur l'heure fatale et fit sonner comme un glas funèbre, mistress O'Dowd éveilla le major.

Une tasse de café, la meilleure peut-être qui eût été préparée ce matin là à Bruxelles, lui fut servie toute chaude par les soins de sa femme. Les attentions délicates et empressées de cette digne épouse n'auront-elles pas, aux yeux de tout le monde, un prix bien supé-

rieur à ces flots de larmes, à ces crises nerveuses qui
sont toujours le plus grand témoignage que les femmes
sensibles sachent donner de leur tendresse. Cette tasse
de café prise en commun au bruit des clairons et des
tambours qui se répondaient des différents quartiers,
n'était-elle pas alors bien plus à sa place qu'un vain
luxe de douleur dont tant d'autres, en cette circonstance, ne se seraient pas fait faute ? Au moins le major
put se montrer à la parade frais, allègre et dispos, les
joues roses et le menton rasé ; et sa tournure martiale,
sur son cheval de bataille, répandit la confiance et la
bonne humeur dans le cœur de tous ses hommes.

Tous les officiers saluèrent mistress O'Dowd quand
le régiment défila sous le balcon où se tenait cette
digne épouse. Si elle n'accompagnait point le brave
***^e jusqu'au milieu de la mêlée, ce n'était point par
manque de courage, mais seulement par un senti-
ment de délicatesse et de retenue féminine ; ses vœux
du moins étaient avec ces braves soldats.

Dans les grandes circonstances, mistress O'Dowd
avait coutume de lire avec la plus religieuse attention
quelques pages d'un énorme volume de sermons com-
posés par son oncle le doyen. Sur le point de faire
naufrage à son retour des Indes-Occidentales, elle
avait puisé dans ce livre une énergie et une force nouvelles. Elle chercha alors dans ce volume des sujets de
méditation, peut-être sans bien comprendre ce qu'elle
lisait. Son esprit avait peine à se détacher des préoc-
cupations qui l'accablaient ; en vain elle avait placé à
côté d'elle sur l'oreiller le bonnet de coton du pauvre
Mick, ses paupières étaient restées sans sommeil.

Ainsi va le monde. Pierre et Jacques courent à
la gloire le sac sur le dos et fredonnant gaiement : *La
fille que j'ai laissée au pays*. Derrière eux un cœur
aimant se consume dans l'incertitude de l'avenir et
dans d'amers retours sur le passé.

Bien persuadée de l'inutilité des regrets, qui n'ont pour résultat que de nous rendre plus malheureux, Rebecca jugea à propos de se dispenser de ces émotions aussi superflues que fatigantes. Elle supporta le départ de son mari avec l'héroïsme d'une fille de Sparte.

[...]

Il est une dernière personne de notre connaissance qui, n'étant point un des acteurs du drame sanglant qui va se passer à quelques heures de Bruxelles, tombe à ce titre sous notre juridiction et sur les émotions duquel nous avons des droits imprescriptibles : nous voulons parler de notre ami l'ex-collecteur de Boggley-Wollah, dont le sommeil, comme celui de tout le monde, avait été troublé à une heure matinale par le bruit aigu des clairons. Notre ami était, pour le sommeil, de la famille des marmottes ; son lit avait pour lui des charmes indicibles. Peut-être, en dépit des tambours, des clairons et des fifres de toute l'armée anglaise, ses ronflements se seraient-ils prolongés jusqu'à l'heure ordinaire de son lever, si une interruption, à laquelle George était tout à fait étranger, n'était venue le tirer de sa léthargie.

George occupait le même appartement de moitié avec son beau-frère, mais ses préparatifs et le chagrin de quitter sa femme ne lui laissèrent pas le temps de songer à maître Joe, profondément enfoncé dans ses draps. George n'entra donc pour rien dans l'attentat dirigé contre le sommeil de son beau-frère : le capitaine Dobbin fut le seul coupable. Le capitaine vint le secouer rudement dans son lit, ne pouvant, disait-il, partir sans lui avoir serré la main.

« C'est bien aimable à vous », fit Joe avec un épouvantable bâillement et le sincère désir de voir le capitaine au diable.

« C'est que... vous savez... je n'aurais pas voulu partir sans vous dire adieu », dit Dobbin dont les paroles confuses trahissaient le trouble des idées ; « parce que, voyez-vous, il en est plus d'un parmi nous qui ne reviendra pas… et alors je n'étais pas fâché de vous voir tous en bonne santé… et puis… enfin… voilà… vous m'entendez ?

— Je ne vous comprends pas ! » dit Joe en se frottant les yeux.

Mais le capitaine ne faisait pas la moindre attention au gros garçon en bonnet de nuit pour lequel il venait de protester d'un si tendre intérêt. L'hypocrite dirigeait toutes les facultés de son âme du côté des appartements de George, dans l'espérance de recueillir un murmure, d'apercevoir une ombre fugitive. Il allait et venait dans la chambre de Joe, dérangeait les chaises, battait la mesure sur les vitres, rongeait ses ongles et donnait mille preuves non équivoques du désordre intérieur de son être.

Joe, qui ne s'était jamais formé une bien haute idée du capitaine, commença à concevoir quelques doutes sur son courage.

« Qu'y a-t-il pour votre service, capitaine Dobbin ? » demanda-t-il d'un ton railleur.

« Je vais vous le dire », répondit le capitaine en s'approchant de son lit. « Le régiment part dans une heure, Sedley, et qui sait le sort qui nous est réservé, à George et à moi ! Comprenez bien ceci, vous ne quitterez cette ville que lorsque vous serez bien renseigné sur l'état des choses. Votre place, Joe, est marquée à côté de votre sœur, pour veiller sur elle, la soutenir et la protéger contre tout danger. Si quelque malheur arrivait à George, c'est à vous qu'appartiendrait le soin de la défendre ; en cas de défaite pour l'armée, vous aurez à ramener votre sœur en Angleterre. Eh bien ! donnez-moi votre parole de ne point l'abandonner. Mais je n'ai pas besoin de vous demander cette promesse. Quant à l'argent, comme vous ne l'avez guère ménagé, si vous en avez besoin, je vous en offre, parlez sans détour, avez-vous encore assez d'or pour effectuer votre retour en Angleterre en cas de désastre ?

— Monsieur », dit Joe avec un air majestueux, « quand j'ai besoin d'argent, je sais où en prendre ; et quant à ma sœur, je n'ai point à apprendre de vous mes devoirs à son endroit.

— Vous parlez en homme de cœur, Joe, repartit l'excellent Dobbin, et je suis heureux de penser que George laisse sa femme en si bonnes mains. Je pourrai donc lui rapporter votre parole d'honneur, qu'elle trouvera en vous appui et protection, si elle était menacée de quelque péril.

— Certainement, certainement », répondit M. Joe.

Dobbin le savait fort bien du reste, ce n'était pas les sacrifices d'argent qui devaient coûter le plus au frère d'Amélia.

« Et en cas de défaite, vous l'accompagnerez hors de Bruxelles, jusqu'à ce qu'elle soit en sûreté.

— La défaite ?… morbleu ! monsieur, c'est chose impossible, vous chercheriez en vain à m'effrayer », vociféra le héros, en allongeant sa tête entre les deux draps de son lit.

Le capitaine se sentait l'esprit plus tranquille en entendant Joe se prononcer si résolument.

« Au moins, pensa Dobbin, la retraite est assurée pour elle dans le cas où nos affaires prendraient une mauvaise tournure. »

Si le capitaine Dobbin avait espéré, avant son départ, puiser dans la vue d'Amélia un nouveau courage, une dernière consolation, ce mouvement d'égoïsme trouva sa punition dans la satisfaction même du désir qu'il avait inspiré.

Un salon commun à la famille séparait la chambre de Joe de celle d'Amélia. C'était dans cette pièce que le domestique de George procédait à l'emballage, à mesure que son maître lui apportait les objets dont il pensait avoir besoin pour l'expédition. À travers les portes à demi entrouvertes, Dobbin put contempler encore une fois les traits d'Amélia. Mais, hélas ! la pâleur, l'abattement, le désespoir étaient peints sur sa figure. Ce souvenir tortura longtemps l'âme de Dobbin, cette image lui apparaissait comme un remords à travers les douloureuses angoisses d'une tendresse inquiète et compatissante.

Elle avait jeté à la hâte sur ses épaules son peignoir du matin, ses cheveux tombaient en désordre, ses grands yeux étaient ternes et fixes. Comme pour aider aux préparatifs de départ et montrer qu'en ces circonstances critiques elle aussi pouvait être utile, elle avait pris dans la commode une ceinture de George, et la tenant toujours à la main, suivait son mari pas à pas et en silence. Elle entra dans le salon, et là, appuyée contre le mur, elle pressait cet objet sur son sein d'où le tissu pourpre descendait comme une longue traînée de sang. À ce pénible spectacle, notre bon et sensible capitaine entendit une voix accusatrice s'élever dans sa conscience.

« Mon Dieu, pensa-t-il, voilà pourtant l'affliction, dont je n'ai pas su respecter le mystère. »

C'était une de ces douleurs immenses que les paroles ne sauraient ni calmer ni adoucir. Pénétré d'une vive sympathie, il s'arrêta un moment à contempler cette femme avec la tendresse d'une mère qui voit souffrir son enfant.

Enfin George prit la main d'Emmy, la reconduisit dans sa chambre à coucher, et reparut immédiatement, mais seul cette fois. Les derniers adieux avaient eu lieu ; il partit.

« Grâce au ciel », pensa George en descendant

l'escalier son épée sous le bras, « voilà un terrible moment de passé. »

Il se rendit en toute hâte au lieu de ralliement, où soldats et officiers arrivaient de toutes parts et en tumulte. Son pouls battait bien fort, ses joues étaient bien brûlantes, on allait jouer au grand jeu des batailles, et il avait sa part dans l'enjeu !

George, répondant ainsi au premier appel de la trompette guerrière, s'était élancé des bras de sa femme pour se soustraire à des pensées qui auraient pu amollir son courage. Il rougissait presque de cette faiblesse de cœur, de ce mouvement de tendresse. Ce reproche, hélas ! il n'avait eu, jusqu'ici, que trop rarement à se l'adresser. Du reste, le même sentiment d'anxiété et d'exaltation régnait dans tout le régiment, depuis le gros major, qui conduisait ses hommes au feu, jusqu'à l'enseigne Stubble, qui ce jour-là portait le drapeau.

Le soleil se montrait à peine à l'horizon, lorsque le régiment commença à s'ébranler ; il faisait beau à voir l'air martial de toutes ces figures avec la musique en tête jouant une marche guerrière. Le major venait ensuite sur Pyrame, son cheval de bataille, puis les grenadiers commandés par leur capitaine, et au centre le drapeau porté par de jeunes et vieux enseignes. Enfin George à la tête de sa compagnie.

Il leva les yeux, sourit à Amélia en passant sous sa fenêtre, puis disparut avec ses hommes, et bientôt le son même de la musique se perdit dans le lointain.

[...]

CHAPITRE XXXII

Où Joseph prend la fuite et la guerre prend fin

[...]

Le succès ou la défaite préoccupait moins ces deux femmes que le sort de ceux qui leur étaient chers. À la nouvelle de la victoire, Amélia se sentit prise d'une inquiétude plus vive encore que par le passé. Elle voulait rejoindre l'armée, et tout en larmes suppliait son frère de l'y conduire. L'anxiété et la terreur étaient arrivées chez elle au dernier degré. La pauvre femme qui depuis plusieurs heures paraissait en proie à une léthargie profonde courait maintenant de côté et d'autre avec tous les symptômes de la folie : elle sanglotait, pleurait et criait.

Joe avait l'âme trop sensible pour supporter longtemps le spectacle d'une telle douleur. Il laissa sa sœur aux mains de son énergique compagne et redescendit à la porte de l'hôtel où l'on était encore réuni à causer en attendant de plus amples informations.

Le jour était enfin arrivé, et avec lui ne tardèrent pas à venir des nouvelles plus complètes du champ de bataille. On les reçut de la bouche même de ceux qui avaient été acteurs dans ce terrible drame. Des charrettes, des voitures chargées de blessés commencèrent à entrer dans la ville, au milieu des plaintes et des gémissements de ceux qu'elles ramenaient. On apercevait sur des litières de paille des figures décomposées par la souffrance. Un de ces fourgons attira plus particulièrement la curiosité de Joe Sedley. Les cris de ceux qu'on y avait couchés avaient de quoi fendre le cœur, les chevaux fatigués pouvaient à peine traîner la voiture.

« C'est là », cria une voix faible et méconnaissable, et la voiture s'arrêta en face de l'hôtel de Sedley.

« C'est George, je le reconnais », s'écria Amélia la figure toute bouleversée et les cheveux en désordre.

Ce n'était point George, mais au moins elle allait avoir de ses nouvelles. C'était le pauvre Tom Stubble, qui vingt-quatre heures auparavant partait d'un pas résolu agitant avec orgueil le drapeau de son régiment. Il l'avait vaillamment défendu sur le champ de bataille, et la cuisse traversée d'un coup de lance, il était tombé en serrant toujours son étendard. À la fin de l'action notre jeune héros avait trouvé une place dans une charrette qui l'avait ramené dans ce triste état à Bruxelles.

« Monsieur Sedley ! monsieur Sedley ! » criait le blessé d'une voix défaillante.

À cet appel, Joe tressaillit d'abord ; puis s'avança tout effrayé. Le pauvre Stubble lui tendait une main brûlante et affaiblie.

« C'est ici qu'on doit me déposer, ajouta-t-il, Osborne et Dobbin l'ont dit, et vous donnerez deux napoléons à l'homme de la charrette, ma mère vous les rendra. »

Pendant les longues heures passées dans la charrette, en proie aux souffrances de la fièvre, le jeune enseigne s'était transporté en imagination à la cure de son père, qu'il avait quittée quelques mois auparavant, et par instants ses souvenirs l'avaient aidé à oublier sa douleur.

L'hôtel était vaste, ceux qui l'habitaient étaient bons et compatissants. Les blessés de la charrette trouvèrent chacun un lit. Le jeune enseigne fut porté dans l'appartement d'Osborne ; Amélia et la femme du major étaient venues à sa rencontre, après l'avoir reconnu du balcon. Le cœur de ces femmes se sentit plus à l'aise lorsqu'elles eurent appris que la lutte était interrompue et que leurs maris n'avaient pas la moindre égratignure. Amélia, transportée de joie, se jeta au cou de son amie, l'embrassa, et dans l'élan de sa reconnaissance, tomba à genoux pour élever son cœur à Dieu et remercier le Tout-Puissant d'avoir protégé son George bien-aimé.

Tous les médecins de la terre n'auraient pu apporter à cette jeune femme, dans son état de surexcitation nerveuse, un soulagement aussi puissant que celui que le hasard lui offrait. Assistée de mistress O'Dowd elle soigna le blessé et s'efforça d'adoucir ses cruelles souffrances. Cette occupation forcée l'enlevait aux inquiétudes et aux craintes de son esprit, et son activité fébrile prenait, de cette manière, une autre direction.

Notre jeune ami racontait avec la simplicité du soldat les événements de la journée et les faits d'armes de ses vaillants compagnons du ***e. Ils avaient eu beaucoup à souffrir. Ils avaient perdu beaucoup de monde. Le cheval du major avait été tué sous lui pendant une charge du régiment, et on avait d'abord cru que c'en était fait d'O'Dowd et que Dobbin allait lui succéder. Mais en revenant à leur point de ralliement ils avaient trouvé le major assis sur le flanc de Pyrame et demandant des consolations à la bouteille d'osier. Le capitaine Osborne avait sabré le lancier qui avait blessé l'enseigne.

À ce récit, une telle pâleur se répandit sur la figure d'Amélia, que mistress O'Dowd interrompit bien vite le jeune enseigne. À la fin de la journée, le capitaine Dobbin, bien que blessé lui-même, avait pris son jeune camarade dans ses bras pour le porter aux chirurgiens ; la charrette l'avait ensuite ramené à Bruxelles.

Le capitaine avait promis deux louis au conducteur pour transporter l'enseigne à l'hôtel de M. Sedley, et annoncer à mistress la capitaine Osborne que le feu avait cessé et que son mari n'avait pas la plus légère blessure.

« Il a bon cœur, ce William Dobbin, observa mistress O'Dowd, quoiqu'il ait toujours l'air de rire de moi. »

Le jeune Stubble déclara que Dobbin n'avait pas son pareil dans toute l'armée. C'étaient des éloges sans fin sur les qualités de l'excellent capitaine, sur sa modestie, sur sa bonté, sur son sang-froid au feu. À toutes ces paroles, Amélia ne prêtait qu'une oreille fort distraite ; elle n'écoutait que lorsqu'on parlait de George, et lorsqu'on n'en parlait plus, ses pensées étaient encore pour lui.

La journée s'écoula assez rapide pour Amélia, au milieu des soins qu'elle donnait au malade et des récits merveilleux de la bataille. Pour elle, toutefois, il n'y avait qu'un homme dans l'armée britannique, et son salut l'inquiétait bien plus que tous les mouvements des alliés et les attaques de l'ennemi. Les nouvelles que Joe lui rapportait de la rue faisaient à ses oreilles l'effet d'un vague bourdonnement. Notre craintif ami ne s'y montrait pas toutefois aussi indifférent que sa sœur, et il était en proie aux inquiétudes les plus sérieuses. Les Français avaient été repoussés, certes ; mais, après une lutte acharnée et indécise, soutenue par une seule division de l'armée française. L'empereur, avec le corps principal, se trouvait à Ligny, où il avait culbuté les Prussiens sur toute la ligne, et débarrassé de ce premier obstacle, il se disposait à concentrer toutes ses forces contre les alliés. Le duc de Wellington se repliait sur Bruxelles. Toutes les éventualités étaient pour une grande bataille à livrer sous les murs de la capitale, et dont l'issue paraissait fort douteuse. Le duc de Wellington n'avait que vingt mille hommes de troupes anglaises sur lesquelles il pût compter. Les troupes allemandes se composaient de nouvelles recrues, et les Belges ne suivaient le reste de l'armée qu'à contrecœur. Avec

cette poignée d'hommes le duc devait résister aux
cent cinquante mille hommes qui envahissaient la
Belgique sous les ordres de Napoléon, jusqu'alors
invincible et contre lequel aucun capitaine ne semblait pouvoir mener avec succès une lutte inégale.

En présence de ces réflexions qui se pressaient dans
son esprit, Joe ne trouvait d'autre ressource que
de trembler de tous ses membres. Du reste, tout le
monde en était là à Bruxelles, car chacun comprenait
que le combat de la veille n'était que le prélude d'une
bataille inévitable et plus terrible encore. Déjà l'empereur avait fait subir un échec à l'armée qu'il avait trouvée sur son chemin. Il lui en coûterait à peine un effort
pour passer sur le corps de quelques Anglais qui
le séparaient de Bruxelles. Malheur alors à ceux qu'il y
trouverait ! On rédigeait d'avance les discours ; les
autorités s'étaient réunies pour discuter en secret le
cérémonial à observer. On préparait les appartements,
les drapeaux tricolores, les emblèmes de triomphe,
pour l'entrée de Sa Majesté l'Empereur et Roi[1].

L'émigration continuait de plus belle : dès qu'on
avait trouvé des moyens de transport, on suivait le
mouvement général. Quand Joe se présenta dans
l'après-midi à l'hôtel de Rebecca, il remarqua que la
voiture des Bareacres avait enfin débarrassé la porte
cochère. Le comte s'était procuré une paire de chevaux à un prix fabuleux, et, en dépit de mistress
Crawley, galopait maintenant sur la route de Gand.
Louis XVIII était tout prêt lui-même à abandonner les
murs de cette ville. Le malheur semblait s'acharner à
poursuivre de pays en pays le royal exilé.

La pénétration de Joe allait jusqu'à prévoir l'imminence d'une crise finale. D'un moment à l'autre, il
allait avoir besoin des chevaux qui lui coûtaient si
cher. Cette journée se passa pour lui au milieu
d'angoisses impossibles à dépeindre. Par précaution,

il ramena ses chevaux des écuries où ils se trouvaient dans celles de son hôtel. Dans un cas urgent, cette distance eût été encore trop grande ; et, en outre, il les tenait ainsi à l'abri d'un enlèvement de vive force. Isidore faisait bonne garde à la porte de l'écurie. Les chevaux étaient tout sellés et tout prêts pour le départ qu'il attendait impatiemment.

Après l'accueil de la veille, Rebecca n'était pas fort pressée de venir auprès de sa chère Amélia ; mais la femme la fit penser au mari et elle rafraîchit les queues du bouquet de George, en changea l'eau et relut sa lettre.

« L'infortunée », dit-elle en roulant entre l'index et le pouce le minable billet, « avec cela je pourrais la rendre bien malheureuse ! Dire qu'elle a la bonté de se torturer le cœur pour un être pareil, un sot, un fat, qui la néglige et la dédaigne ! Mon pauvre Rawdon, tout bête qu'il est, vaut dix fois plus. »

Alors elle se mit à réfléchir sur ce qu'elle aurait à faire si... s'il arrivait quelque malheur au pauvre Rawdon. Il avait eu une bien bonne idée de lui laisser ses chevaux.

Mistress Crawley qui, dans le courant du jour, avait eu le regret de voir les Bareacres trouver les moyens de partir, songea à son tour à prendre les mêmes précautions que la comtesse. À l'aide de quelques coups d'aiguille, elle mit en sûreté la meilleure partie de ses bijoux, billets et bank-notes, et se trouva ainsi prête à tout événement, soit qu'elle se décidât à prendre la fuite ou à attendre de pied ferme les vainqueurs anglais ou français. Tandis que Rawdon, enveloppé dans son manteau, bivouaque au mont Saint-Jean par une pluie battante et pense de toutes les forces de son âme à sa chère petite femme, qui pourrait affirmer que celle-ci ne songe pas, dans un cas donné, à devenir Mme la maréchale et à se décorer d'un titre de duchesse ?

Le lendemain, qui était un dimanche, mistress la major O'Dowd eut la satisfaction de voir que le repos bienfaisant de la nuit avait rendu le calme et le courage à ses deux malades. Elle-même avait pris quelque sommeil sur le grand fauteuil de la chambre d'Amélia, toute prête à courir auprès de son amie ou de l'enseigne, suivant que l'un ou l'autre aurait réclamé ses soins. Dans la matinée, elle se rendit à sa demeure pour procéder à sa toilette avec toute la recherche et l'élégance qu'exigeait la solennité du jour. Il est fort possible que se trouvant seule dans cette chambre qu'elle avait partagée avec son mari, que, voyant le bonnet de coton du pauvre Mick encore sur l'oreiller et sa canne dans un coin, elle ait adressé ses prières au ciel pour le brave soldat.

Elle rapporta avec elle son livre de prières et le fameux recueil des sermons de son oncle le doyen ; elle n'y comprenait trop rien à la vérité, et ne prononçait même pas très correctement tous ces mots barbares et abstraits, mais elle n'aurait pour rien au monde manqué à sa lecture des dimanches.

« Que de fois, mon cher Mick, pensait-elle, a écouté avec recueillement ces sermons que je lisais dans le calme de la traversée. »

Ce jour-là elle comptait bien avoir pour auditeurs de cette lecture intéressante Amélia et l'enseigne commis à ses soins. Le même jour, le même office se lisait à la même heure dans plus de vingt mille églises, et des millions d'hommes et de femmes imploraient à genoux, de l'autre côté du détroit, la protection du Tout-Puissant.

Mais leurs oreilles ne furent point troublées par le bruit qui émut notre petite colonie de Bruxelles, bruit bien plus menaçant encore que celui de l'avant-veille. Tandis que mistress O'Dowd débitait l'office de sa voix la plus claire, le canon de Waterloo commença à gronder.

À ce bruit redoutable, Joe, de plus en plus convaincu que son tempérament ne lui permettait pas de supporter ces alertes si souvent répétées, décida qu'il n'y avait plus à hésiter, et que, sans plus tarder, il allait prendre la fuite. Il s'élança, en conséquence, vers la chambre où nos trois amis avaient suspendu leurs prières qu'il interrompit encore plus brutalement par son appel.

« Emmy », dit-il brusquement à sa sœur, « il m'est impossible de rester plus longtemps ici ; je finirais par en mourir. Venez avec moi : j'ai acheté un cheval pour vous ; quant au prix, c'est mon affaire. Allons ! habillez-vous vite, et en route ; vous monterez derrière Isidore…

— Dieu me pardonne, monsieur Sedley, vous m'avez tout l'air d'un poltron », dit mistress O'Dowd en posant son livre.

« Allons Amélia, entendez-vous, continua l'employé civil, ne vous arrêtez pas aux sornettes de cette radoteuse ; belle avance d'attendre les Français pour être massacrés par eux !

— Vous oubliez le ***e, mon cher monsieur », dit de son lit le jeune Stubble, « et vous, mistress O'Dowd, vous consentiriez donc à me quitter.

— Non, non », répondit-elle en s'approchant de lui le caressant comme elle eût fait à son enfant, « ne craignez rien. Je ne bougerai pas sans un ordre de Mick. La jolie figure que je ferais à califourchon derrière ce monsieur. »

Cette saillie fit éclater de rire le jeune malade, et provoqua même un sourire de la part d'Amélia.

« Est-ce qu'on la demande ? murmurait Joe ; est-ce qu'on lui parle, seulement ? Voyons, Amélia, une fois pour toutes, oui ou non, voulez-vous venir ?

— Sans mon mari, Joseph ? » fit Amélia avec un regard de surprise, et en même temps elle tendit la main à la femme du major.

La patience de Joe était à bout :

« Eh bien ! alors, bonsoir ! » s'écria-t-il en brandissant son poing avec colère et tirant violemment la porte par laquelle il venait de sortir.

Une minute plus tard, Joe était en selle, et mistress O'Dowd entendait le piétinement des chevaux qui franchissaient la porte de l'hôtel. Elle alla à la fenêtre pour voir passer M. Joe, escorté d'Isidore en chapeau galonné. Les deux montures, qui n'étaient pas sorties depuis plusieurs jours, se livraient à des pointes de gaieté et faisaient toutes sortes de courbettes dans la rue. Joe, naturellement gauche et timide en selle, avait toutes les peines du monde à se tenir en équilibre.

« Regardez-le donc, Amélia ma chère, bon ! le voilà qui va entrer par la fenêtre du salon. Je n'ai jamais vu pareil éléphant dans un magasin de porcelaine. »

Enfin les deux cavaliers s'élancèrent au galop dans la direction de Gand. Mistress O'Dowd les accompagna des railleries les plus méprisantes tant qu'elle put les apercevoir.

Tout le jour, du matin jusqu'après le coucher du soleil, le canon ne cessa de gronder. Il faisait nuit quand la canonnade s'interrompit tout soudain.

Nous connaissons tous par des ouï-dire ou par nos lectures le choc terrible qui, pendant ce temps, avait lieu à quelques heures de Bruxelles. Le souvenir de cette fameuse journée est resté gravé dans le cœur de tous les braves soldats qui, vainqueurs ou vaincus, prirent part à cette grande bataille. Faudra-t-il qu'une nouvelle lutte donnant la victoire à ceux qui pleurent encore leur défaite, fasse succéder nos enfants à un héritage maudit de haine et de vengeance ? Faudra-

t-il ne voir jamais terminer ces massacres dans lesquels deux nations généreuses arrosent les champs
de bataille du plus pur de leur sang ? Depuis tant de
siècles de lutte et d'égorgement, Anglais et Français
n'ont-ils pas payé assez chèrement leur tribut à cette
loi diabolique qu'on appelle le code de l'honneur.

Tous nos amis se conduisirent en hommes de cœur
dans cette grande journée. Tandis que les femmes
agenouillées priaient loin du champ de bataille, les
lignes inébranlables d'infanterie anglaise essuyaient
et repoussaient les charges furieuses des régiments
français. La fusillade, dont les roulements arrivaient
jusqu'à Bruxelles, portait la mort au milieu des rangs
ennemis ; ceux qui tombaient étaient aussitôt remplacés par d'autres aussi résolus à faire leur devoir.
Vers le soir, l'attaque des Français, si bravement
conduite, si énergiquement repoussée, sembla se
ralentir un peu. Ils semblaient délibérer pour savoir
s'ils tourneraient leurs efforts d'un autre côté, ou s'ils
réuniraient leurs forces pour un suprême assaut. À
un signal donné, les colonnes de la garde impériale
gravissent les hauteurs du mont Saint-Jean pour
débusquer les Anglais qui, tout le jour, s'étaient main-
tenus dans leur position. Cette imposante colonne,
déployant ses mouvants anneaux dans la plaine,
commença à escalader la colline sans paraître entamée par l'artillerie anglaise qui vomissait la mort du
sein de nos bataillons. Déjà elle attaquait le sommet
du mamelon occupé par les Anglais, quand soudain
elle se ralentit et hésita dans sa marche. Elle s'arrêta
alors faisant face au feu, mais enfin les Anglais
repoussèrent leurs agresseurs en s'élançant du poste
d'où nul ennemi n'avait pu les déloger.

Aucun bruit n'arrivait plus à Bruxelles, la lutte
s'était engagée à quelques milles plus loin. D'épaisses
ténèbres couvraient de leurs voiles la ville et le champ

de bataille. Amélia adressait au ciel de ferventes prières pour son bien-aimé, et George, couché sur la face, gisait sans vie le cœur traversé d'une balle.

[...]

CHAPITRE XXXV

Veuve et mère

On reçut à la fois en Angleterre la nouvelle des deux succès remportés par l'armée anglaise aux Quatre-Bras et à Waterloo. Les détails suivirent. Les Trois-Royaumes tressaillirent d'orgueil et de douleur à l'annonce de ces glorieux faits d'armes, car les chants de victoire ne pouvaient faire oublier les pleurs que l'on devait aux blessés et aux morts. Dans chaque village, dans chaque chaumière, à l'arrivée des grandes nouvelles de Flandre, c'étaient des explosions de joie à côté des sanglots et des larmes, les enivrements du triomphe mêlés au deuil et à l'affliction. Pendant qu'on parcourait avec une anxieuse avidité la liste des victimes de la guerre et qu'on apprenait par elle la mort ou le salut d'un ami ou d'un parent, on passait successivement à travers les angoisses les plus accablantes, les incertitudes de l'espoir et du doute.

Cette liste sanglante se complétait chaque jour. On peut juger encore à distance du supplice cruel de ceux qui devaient attendre jusqu'au lendemain la suite de cette histoire de deuil, de l'empressement sauvage avec lequel on se disputait les feuilles encore humides de l'imprimerie. Si pour une seule bataille où nous n'avions que vingt mille hommes engagés, l'émotion était si forte dans tous les cœurs, on peut se faire une idée de l'état de l'Europe pendant vingt années de boucherie alors que chaque nation envoyait des millions d'hommes sur les champs de bataille, et que chacun d'eux, en frappant son adversaire, mettait une famille au désespoir.

Les nouvelles apportées par la *Gazette* tombèrent comme un coup de foudre dans la maison Osborne. Les jeunes filles ne cherchèrent point à dissimuler leur douleur. Le vieux père, déjà miné par un noir chagrin, s'affaissa davantage sous le poids de cette dernière infortune. Il tenta de se persuader que la main de Dieu avait frappé son fils, par suite de sa désobéissance[1]. Il ne voulait pas encore reconnaître la sévérité de la sentence qu'il avait portée contre lui, il ne voulait pas avouer ses regrets du trop rapide accomplissement de ses menaces.

Parfois saisi d'une terreur subite, il frissonnait de tous ses membres, comme si une voix accusatrice lui reprochait le malheur qu'il avait appelé sur la tête de son fils. Jusqu'alors la réconciliation lui était apparue comme une vague et lointaine espérance ; la femme de son fils pouvait mourir : l'enfant prodigue pouvait rentrer au foyer domestique, et dire : « Mon père, j'ai péché[2]. » Mais maintenant plus rien. Son fils était à l'autre bord du gouffre que l'on franchit pour l'éternité.

Puis il se rappelait le terrible accès de fièvre auquel chacun avait cru que son fils ne pourrait résister, il le voyait encore sur son lit, sans voix, sans mouvements, les yeux d'une fixité effrayante. Comme il s'attachait alors aux pas du docteur, comme il interrogeait ses moindres gestes avec une navrante anxiété ; et quelle joie dans son cœur, après la fin de cette terrible crise, quand son fils eut repris ses sens, quand il rouvrit les yeux pour voir son père, pour le reconnaître par un regard de tendresse. Tandis que maintenant plus rien, pas même cette dernière espérance qui n'abandonne pas au chevet du malade condamné ; plus rien qu'un corps froid et inanimé, dont il n'avait plus à attendre les paroles de soumission que réclamait son orgueil irrité, son autorité froissée et méconnue. Car, chose pénible, à dire, le cœur du vieil Osborne souffrait avant tout de la pensée que son fils l'avait quitté sans implorer son pardon, et que sa vanité n'avait plus désormais d'excuses à espérer de lui.

Le malheureux vieillard succombait sous le faix de cette grande infortune, sans vouloir ouvrir son cœur à personne. On ne l'entendit pas prononcer une seule fois le nom de son fils, il ordonna à l'aînée de ses filles de faire prendre le deuil à toute la maison. La demeure des Osborne, si joyeuse autrefois, ne devait plus de longtemps retenir des cris de fêtes et de plaisir. Il ne dit rien à son futur gendre, pour le mariage duquel on avait déjà pris jour ; celui-ci avait lu dans les traits de M. Osborne qu'il n'y avait point à le questionner, ni à hâter l'époque de la cérémonie. On se contentait d'en parler tout bas dans le salon, où le père de famille ne paraissait plus, comme s'il eût craint de donner dans ces épanchements du cœur une marque de faiblesse ou d'y trouver une condamnation de sa conduite. Du reste, le deuil fut observé avec la plus rigoureuse exactitude.

Trois semaines environ après le 18 juin, un ami de la maison, sir William Dobbin, se présenta chez M. Osborne, à Russell Square. Sa figure était pâle et décomposée : il demanda à voir le père de George, et fut introduit dans le cabinet du maître de la maison. Après un échange de paroles banales et inintelligibles, le visiteur finit par tirer de son portefeuille une lettre scellée d'un grand cachet rouge.

« Mon fils le major Dobbin », dit l'alderman[1] après quelque hésitation, « m'a fait remettre une lettre par un officier du ***e arrivé d'hier. La lettre de mon fils en renfermait une pour vous, Osborne. »

L'alderman déposa le paquet sur la table et

Osborne, pendant une ou deux minutes, arrêta sur lui ses yeux mornes et fixes. Cette fixité du regard porta le trouble dans l'âme du visiteur, car, après un coup d'œil de compassion donné à cet infortuné, il se retira sans prononcer un mot de plus.

La lettre était de l'écriture ferme et décidée de George. Il l'avait faite dans la matinée du 16 juin, un peu avant de prendre congé d'Amélia. Le grand cachet rouge portait les armoiries empruntées par Osborne au Dictionnaire de la Pairie ; on y lisait pour devise : *Pax in bello* [1]. Tout cela appartenait à la maison ducale avec laquelle le vieillard s'efforçait d'imaginer qu'il avait des liens de parenté. La main qui avait signé cette lettre ne devait plus désormais tenir ni la plume ni l'épée. Le lendemain de la bataille, ce cachet dont la cire portait l'empreinte avait été dérobé au cadavre de George. Le père l'ignorait, et cependant il contemplait cette lettre avec des yeux hagards et consternés, et lorsqu'il voulut l'ouvrir, il crut un moment qu'il n'en pourrait venir à bout.

La lettre du pauvre George n'était pas bien longue. Un sentiment de fierté ne lui avait pas permis de s'abandonner aux doux épanchements du cœur. Il disait seulement qu'il n'avait point voulu partir pour la bataille sans faire ses adieux à son père, sans lui recommander, dans ce moment solennel, la femme et peut-être l'enfant qu'il laissait derrière lui. Il exprimait son repentir d'avoir déjà, par ses folles dépenses, fait une si large brèche à son héritage maternel. Il remerciait son père de tout ce qu'il avait fait pour lui, et lui promettait, quel que fût le sort que lui réservait la destinée, de se montrer toujours digne du nom qu'il portait.

Un sentiment d'orgueil, ou peut-être un faux respect humain, l'avait empêché d'en dire plus long ; et puis, d'ailleurs, son père pouvait-il voir les baisers dont il avait couvert l'adresse ? L'âme partagée entre d'amers

regrets et des désirs de vengeance, M. Osborne laissa
échapper la lettre de ses mains ; il aimait toujours son
fils, mais il ne lui avait point pardonné.

Deux mois environ après la réception de cette lettre,
les demoiselles Osborne ayant accompagné leur père
à l'église, le virent se mettre à une autre stalle que
celle qu'il occupait d'ordinaire pendant le service
divin ; de cette place, il tenait ses yeux constamment
fixés sur la partie du mur qui s'étendait au-dessus de
leur tête. Les yeux des jeunes filles prirent aussitôt la
même direction, et elles aperçurent un bas-relief
scellé dans la muraille, où l'on voyait la Grande-
Bretagne en pleurs appuyée sur une urne ; une épée
brisée, un lion couché indiquaient assez que c'était
quelque monument commémoratif consacré au souvenir d'un guerrier frappé au champ d'honneur. Les
marbriers fabriquaient, à cette époque, quantité de
ces emblèmes funèbres qu'on peut voir, pour la plupart, sur les murs de Saint-Paul[1], où l'orgueil humain
étale jusque dans la mort l'orgueil de sa vanité.

Au-dessous du marbre funéraire on voyait sculp-
tées les armes des Osborne, et une inscription ainsi
conçue :

À LA MÉMOIRE
DE GEORGE OSBORNE, ESQUIRE
CAPITAINE AU ***E RÉGIMENT D'INFANTERIE
DE SA MAJESTÉ,
MORT À L'ÂGE DE VINGT-HUIT ANS,
EN COMBATTANT POUR SON ROI ET SON PAYS,
DANS LA FAMEUSE JOURNÉE DE WATERLOO,
LE 18 JUIN 1815.

Dulce et decorum est pro patria mori[2]

À cette vue, les deux jeunes sœurs éprouvèrent une telle émotion que miss Maria fut obligée de quitter l'église. Les assistants s'écartèrent respectueusement pour donner passage à ces deux jeunes filles en noir dont les sanglots n'excitaient pas moins la compassion que la douleur muette de leur vieux père, immobile à sa place devant le monument élevé à la mémoire de son fils.

« Peut-être songe-t-il à pardonner à mistress George », se dirent les deux filles après le premier débordement de la douleur.

Les amis de la famille Osborne, qui s'étaient d'abord entretenus de la brouille entre le père et le fils, par suite du mariage de ce dernier, s'entretinrent alors des chances d'une réconciliation entre le père de George et la jeune veuve. Il y eut même des paris engagés à ce sujet dans Russell-Square et jusque dans la Cité.

Si les deux sœurs redoutaient de voir la maison de leur père se rouvrir à la femme de George, leurs craintes à ce sujet durent s'accroître encore lorsqu'à la fin de l'automne leur père annonça qu'il allait partir pour un voyage sur le continent. Il ne s'expliquait point sur le but de son départ, mais elles savaient qu'il devait tourner ses pas du côté de la Belgique, et elles n'ignoraient pas non plus que la veuve de George se trouvait toujours à Bruxelles. Lady Dobbin et ses filles leur avaient donné des nouvelles fort détaillées sur la pauvre Amélia. L'honnête capitaine avait remplacé le second major du régiment resté sur le champ de bataille, et le brave O'Dowd, qui, suivant son habitude, s'était distingué par son sang-froid et son courage, fut nommé colonel et chevalier du Bain.

Plus d'un brave soldat du ***e, si cruellement éprouvé dans les deux journées meurtrières de Waterloo et des Quatre-Bras, passa l'automne à

Bruxelles pour s'y remettre de ses blessures. Plusieurs mois après ces terribles luttes, la ville présentait encore l'aspect d'un hôpital militaire. À mesure que les blessures se refermaient, les jardins et les endroits publics se remplissaient de héros estropiés qui, échappés une fois de plus à la mort, jouaient, riaient et courtisaient des femmes tout comme si de rien n'était. Dans le nombre, M. Osborne en retrouva plusieurs du ***e ; leur uniforme les lui fit reconnaître. Il savait en outre les promotions et les changements comme s'il eût fait partie du régiment. Tout ce qui tenait à ce corps, à ses officiers, éveillait son plus vif intérêt. Le lendemain de son arrivée à Bruxelles, en sortant de son hôtel, il aperçut un soldat revêtu du susdit uniforme et assis sur un banc de pierre : M. Osborne s'approcha et s'assit tout ému à côté du convalescent.

« Étiez-vous dans la compagnie du capitaine Osborne ? » demanda-t-il à cet homme ; puis il ajouta, après une pause : « C'était mon fils, monsieur. »

Ce brave soldat était d'une autre compagnie ; mais il fit au malheureux vieillard qui lui adressait cette question un salut empreint de tristesse et de respect.

« C'était un de nos plus beaux et de nos plus vaillants officiers que le capitaine George », dit ensuite le soldat.

Un sergent de la compagnie du capitaine se trouvait maintenant à la ville, et achevait de guérir d'un coup de feu reçu à l'épaule. Ce sergent ne manquerait pas de lui donner tous les renseignements qu'il pourrait désirer sur… sur le régiment. Mais il avait vu sans doute le major Dobbin, l'ami intime du brave capitaine, et mistress Osborne, qui se trouvait aussi à Bruxelles et dans un bien pitoyable état, à ce qu'on disait. On racontait que, pendant plus de six semaines, la pauvre femme avait été comme folle.

« Mais pardon », fit en terminant le soldat, « monsieur doit savoir tous ces détails. »

Osborne mit une guinée dans la main de cet homme et lui en promit une seconde dès qu'il lui aurait amené, à l'hôtel du Parc, le sergent dont il lui avait parlé. Grâce à cette promesse, M. Osborne ne tarda pas à voir le sous-officier qu'il demandait. Quant à l'autre soldat, il alla trouver un ou deux camarades, leur conta sa rencontre avec le père du capitaine Osborne, et la générosité de ce dernier, et ils se mirent à boire ensemble et à se réjouir avec les guinées qu'ils devaient à la fastueuse libéralité de cette orgueilleuse affliction.

En compagnie du sergent dont la blessure était presque cicatrisée, Osborne partit pour Waterloo et les Quatre-Bras. Les Anglais s'y rendaient par caravanes ; M. Osborne fit monter le sergent dans sa voiture et parcourut le théâtre du combat en recueillant de sa bouche les détails de ces sanglantes journées. Il vit l'endroit où, le 16, le ***e régiment était venu se mettre en ligne de bataille, l'éminence d'où il avait arrêté la cavalerie française qui chassait devant elle les Belges en déroute. Ici c'était la place où le brave capitaine avait abattu l'officier français qui voulait arracher le drapeau aux mains du jeune enseigne, au moment où les sergents préposés à la garde du drapeau venaient de tomber à ses côtés. Le jour suivant on avait fait un mouvement rétrograde, et on était venu bivouaquer derrière une éminence, où une pluie battante avait fort tourmenté l'armée pendant toute la nuit du 17. À la pointe du jour on avait fait un mouvement en avant, et l'on avait passé de longues heures à se reformer, au milieu des charges continuelles de la cavalerie ennemie et sous le feu terrible des batteries françaises. Le soir, toute la ligne anglaise avait reçu l'ordre de s'ébranler, au moment où l'ennemi battait en retraite, après avoir donné une dernière fois. C'était alors que le capitaine Osborne, excitant ses soldats du geste et de la voix, et agitant son épée avec un noble enthousiasme, avait été mortellement blessé.

« Le major Dobbin a fait transporter à Bruxelles le corps du capitaine, dit le sergent à demi-voix, et lui a fait rendre les derniers honneurs, comme Votre Seigneurie doit le savoir. »

Tandis que le soldat faisait ce récit, des paysans du voisinage et autres chasseurs de reliques se pressaient autour d'eux et leur offraient des tronçons d'armes recueillis sur le champ de bataille, des croix, des épaulettes, des cuirasses brisées, des aigles mutilées, etc.

Après ce douloureux pèlerinage sur le théâtre des derniers exploits du capitaine, M. Osborne paya généreusement son guide. Le malheureux père avait déjà vu le lieu de la sépulture de son fils ; il s'y était rendu tout d'abord dès son arrivée à Bruxelles. Le corps de George reposait dans le petit cimetière de Laeken, tout près de la ville.

Un jour, le capitaine étant allé en partie de plaisir dans les environs de Bruxelles, avait dit, sans pressentir, hélas ! une si prochaine réalisation de ses vœux, qu'il choisissait cet endroit pour s'y faire enterrer, et le capitaine Dobbin, conservant dans son cœur le désir exprimé par son ami, avait transporté le corps du jeune officier dans le lieu de repos qu'il avait désigné lui-même.

VICTOR HUGO

Les Misérables

(1862)

C'est sur l'île de Guernesey, où il s'est fixé depuis 1855, que Victor Hugo (1802-1885) écrit Les Misérables, *dont la première partie est publiée à Bruxelles en 1862. Hugo n'est pas seulement une des figures emblématiques de l'opposition républicaine au Second Empire, il l'incarne. Proscrit après le coup d'État du 2 décembre 1851, il refuse l'amnistie qui lui est offerte par Napoléon III. Son œuvre d'exil est empreinte de son engagement philosophique et politique pour la défense des principes républicains de liberté et de respect du droit. Poèmes, pamphlets, essais, drames, romans, tout se prête à la revendication d'une certaine conception de la nation française, héritée de la Révolution de 1789. Le récit historique ne fait pas exception. Hugo a lu les historiens républicains, Lamartine, Vaulabelle, Charras et Thiers. Il veut prendre part à la bataille de Waterloo, évoquer sa mémoire, interpréter la teneur politique de cet événement.*

Victor Hugo a presque achevé Les Misérables, *sa grande fresque sociale, quand il fait un voyage en Belgique et visite, de mai à juillet 1861, les plaines de la bataille de Waterloo. Il a trouvé le sujet historique qui manquait à son roman. Il consacre une étude complète à la bataille, comprenant en tout dix-huit chapitres. La journée de Waterloo peut être vue comme un roman à part entière, avec ses personnages, son intrigue et son dénouement. Le récit de Waterloo par Hugo est alors un roman dans le roman, en ce que l'auteur laisse aller sa plume à une description totale de la bataille. Il ne se* contente pas d'une narration militaire, ni d'un commentaire politique, pas plus que d'une étude philosophique de la journée du 18 juin. L'histoire qu'il propose est globale. Le poète recherche l'esprit, le sens de la bataille ; et ce qu'il découvre dépasse de loin les péripéties d'une défaite. La charge de la cavalerie de Ney est plus qu'une boucherie. Le massacre de la Vieille Garde est plus qu'un dernier assaut. Le mot de Cambronne est plus qu'un mot. Pas même besoin de dire ce mot pour qu'apparaisse toute sa signification. Hugo a senti l'essence de Waterloo ; il y voit la fin d'un temps légendaire. Waterloo est une épopée du lever au coucher du soleil, dont il s'agit de retranscrire l'âme dans un style épique. C'est ce qui fait l'originalité du traitement de la bataille de Waterloo par Hugo. L'œuvre est singulière, inclassable.

Waterloo est pour l'auteur un événement qui touche au religieux, au sacré, non seulement parce que la bataille précipite le châtiment de Napoléon mais aussi parce qu'elle est une aube nouvelle pour le progrès, un tournant solsticial. Waterloo sonne la fin de l'Empire et la restauration de la monarchie, avec la recrudescence des ultras et des réactionnaires décadents. Mais elle annonce surtout le recommencement de la marche du progrès, après plus de vingt ans d'une guerre européenne. L'astre impérial décroît et c'est justice, parce qu'il a trop longtemps éclipsé la majesté et la liberté du peuple. 1789 reprend ses droits sur l'histoire.

Même avec le souci de proposer la lecture la plus large possible du texte de Victor Hugo, il est difficile de livrer les dix-neuf chapitres dans leur totalité (IIe partie, Livre premier). On retrouvera les analyses militaire, politique et philosophique de Victor Hugo qui a su, mieux que les historiens avant lui et après lui, élever une colonne dédiée à la mémoire de Waterloo, afin de se souvenir que cette journée appartient au panthéon des mythes et que, sans eux, le roman national ne serait pas ce qu'il est.

CHAPITRE III

Le 18 juin 1815

[...]

S'il n'avait pas plu dans la nuit du 17 au 18 juin 1815, l'avenir de l'Europe était changé. Quelques gouttes d'eau de plus ou de moins ont fait pencher Napoléon. Pour que Waterloo fût la fin d'Austerlitz, la providence n'a eu besoin que d'un peu de pluie, et un nuage traversant le ciel à contresens de la saison a suffi pour l'écroulement d'un monde[1].

La bataille de Waterloo, et ceci a donné à Blücher le temps d'arriver, n'a pu commencer qu'à onze heures et demie. Pourquoi ? Parce que la terre était mouillée. Il a fallu attendre un peu de raffermissement pour que l'artillerie pût manœuvrer.

Napoléon était officier d'artillerie, et il s'en ressentait. Le fond de ce prodigieux capitaine, c'était l'homme qui, dans le rapport au Directoire sur Aboukir, disait : *Tel de nos boulets a tué six hommes.* Tous ses plans de bataille sont faits pour le projectile. Faire converger l'artillerie sur un point donné, c'était là sa clef de victoire. Il traitait la stratégie du général ennemi comme une citadelle, et il la battait en brèche. Il accablait le point faible de mitraille ; il nouait et dénouait les batailles avec le canon. Il y avait du tir dans son génie. Enfoncer les carrés, pulvériser les régiments, rompre les lignes, broyer et disperser les masses, tout pour lui était là, frapper, frapper, frapper sans cesse, et il confiait cette besogne au boulet. Méthode redoutable, et qui, jointe au génie, a fait invincible pendant quinze ans ce sombre athlète du pugilat de la guerre[2].

Le 18 juin 1815, il comptait d'autant plus sur l'artillerie qu'il avait pour lui le nombre. Wellington n'avait que cent cinquante-neuf bouches à feu ; Napoléon en avait deux cent quarante.

Supposez la terre sèche, l'artillerie pouvant rouler, l'action commençait à six heures du matin. La bataille était gagnée et finie à deux heures, trois heures avant la péripétie prussienne.

Quelle quantité de faute y a-t-il de la part de Napoléon dans la perte de cette bataille ? le naufrage est-il imputable au pilote ?

Le déclin physique évident de Napoléon se compliquait-il à cette époque d'une certaine diminution intérieure ? les vingt ans de guerre avaient-ils usé la lame comme le fourreau, l'âme comme le corps ? le vétéran se faisait-il fâcheusement sentir dans le capitaine ? en un mot, ce génie, comme beaucoup d'historiens considérables l'ont cru, s'éclipsait-il ? entrait-il en frénésie pour se déguiser à lui-même son affaiblissement ? commençait-il à osciller sous l'égarement d'un souffle d'aventure ? devenait-il, chose grave dans un général, inconscient du péril ? dans cette classe de grands hommes matériels qu'on peut appeler les géants de l'action, y a-t-il un âge pour la myopie du génie ? La vieillesse n'a pas de prise sur les génies de l'idéal ; pour les Dantes et les Michel-Anges, vieillir, c'est croître, pour les Annibals et les Bonapartes, est-ce décroître ? Napoléon avait-il perdu le sens de la victoire ? en était-il à ne plus reconnaître l'écueil, à ne plus deviner le piège, à ne plus discerner le bord croulant des abîmes ? manquait-il du flair des catastrophes ? lui qui jadis savait toutes les routes du triomphe et qui, du haut de son char d'éclairs, les indiquait d'un doigt souverain, avait-il maintenant cet ahurissement sinistre de mener aux précipices son tumultueux attelage de légions ? était-il pris, à quarante-six ans, d'une folie suprême ? ce cocher titanique du destin n'était-il plus qu'un immense casse-cou ?

Nous ne le pensons point.

Son plan de bataille était, de l'aveu de tous, un chef-d'œuvre. Aller droit au centre de la ligne alliée, faire un trou dans l'ennemi, le couper en deux, pousser la moitié britannique sur Hal et la moitié prussienne sur Tongres, faire de Wellington et de Blücher deux tronçons, enlever Mont-Saint-Jean, saisir Bruxelles, jeter l'Allemand dans le Rhin et l'Anglais dans la mer. Tout cela, pour Napoléon, était dans cette bataille. Ensuite on verrait.

Il va sans dire que nous ne prétendons pas faire ici l'histoire de Waterloo ; une des scènes génératrices du drame que nous racontons se rattache à cette bataille ; mais cette histoire n'est pas notre sujet ; cette histoire d'ailleurs est faite, et faite magistralement, à un point de vue par Napoléon, à l'autre point de vue par toute une pléiade d'historiens*. Quant à nous, nous laissons les historiens aux prises ; nous ne sommes qu'un témoin à distance, un passant dans la plaine, un chercheur penché sur cette terre pétrie de chair humaine, prenant peut-être des apparences pour des réalités ; nous n'avons pas le droit de tenir tête, au nom de la science, à un ensemble de faits où il y a sans doute du mirage, nous n'avons ni la pratique militaire ni la compétence stratégique qui autorisent un système ; selon nous, un enchaînement de hasards domine à Waterloo les deux capitaines ; et quand il s'agit du destin, ce mystérieux accusé, nous jugeons comme le peuple, ce juge naïf.

---

* Walter Scott, Lamartine, Vaulabelle, Charras, Quinet, Thiers. *[Note de l'auteur.]*

CHAPITRE IV

A.

Ceux qui veulent se figurer nettement la bataille de Waterloo n'ont qu'à coucher sur le sol par la pensée un A majuscule. Le jambage gauche de l'A est la route de Nivelles, le jambage droit est la route de Genappe, la corde de l'A est le chemin creux d'Ohain à Braine-l'Alleud. Le sommet de l'A est Mont-Saint-Jean, là est Wellington ; la pointe gauche inférieure est Hougomont, là est Reille avec Jérôme Bonaparte ; la pointe droite inférieure est la Belle-Alliance, là est Napoléon. Un peu au-dessous du point où la corde de l'A rencontre et coupe le jambage droit est la Haie-Sainte. Au milieu de cette corde est le point précis où s'est dit le mot final de la bataille. C'est là qu'on a placé le lion, symbole involontaire du suprême héroïsme de la garde impériale.

Le triangle compris au sommet de l'A, entre les deux jambages et la corde, est le plateau de Mont-Saint-Jean. La dispute de ce plateau fut toute la bataille.

Les ailes des deux armées s'étendent à droite et à gauche des deux routes de Genappe et de Nivelles ; d'Erlon faisant face à Picton, Reille faisant face à Hill.

Derrière la pointe de l'A, derrière le plateau de Mont-Saint-Jean, est la forêt de Soignes.

Quant à la plaine en elle-même, qu'on se représente un vaste terrain ondulant[1] ; chaque pli domine le pli suivant, et toutes les ondulations montent vers Mont-Saint-Jean, et y aboutissent à la forêt.

Deux troupes ennemies sur un champ de bataille sont deux lutteurs. C'est un bras-le-corps. L'une cherche à faire glisser l'autre. On se cramponne à

tout ; un buisson est un point d'appui ; un angle de
mur est un épaulement ; faute d'une bicoque où
s'adosser, un régiment lâche pied ; un ravalement de
la plaine, un mouvement de terrain, un sentier trans-
versal à propos, un bois, un ravin, peuvent arrêter
le talon de ce colosse, qu'on appelle une armée et
l'empêcher de reculer. Qui sort du champ est battu.
De là, pour le chef responsable, la nécessité d'examiner la moindre touffe d'arbres et d'approfondir le
moindre relief.

Les deux généraux avaient attentivement étudié la
plaine de Mont-Saint-Jean, dite aujourd'hui plaine de
Waterloo. Dès l'année précédente, Wellington, avec
une sagacité prévoyante, l'avait examinée comme un
en-cas de grande bataille. Sur ce terrain et pour ce
duel, le 18 juin, Wellington avait le bon côté, Napoléon le mauvais. L'armée anglaise étant en haut,
l'armée française en bas.

Esquisser ici l'aspect de Napoléon, à cheval, sa
lunette à la main, sur la hauteur de Rossomme, à
l'aube du 18 juin 1815, cela est presque de trop. Avant
qu'on le montre, tout le monde l'a vu. Ce profil calme
sous le petit chapeau de l'école de Brienne, cet uniforme vert, le revers blanc cachant la plaque, la redingote grise cachant les épaulettes, l'angle du cordon
rouge sous le gilet, la culotte de peau, le cheval blanc
avec sa housse de velours pourpre ayant aux coins
des N couronnées et des aigles, les bottes à l'écuyère
sur des bas de soie, les éperons d'argent, l'épée de
Marengo[1], toute cette figure du dernier césar est
debout dans les imaginations, acclamée des uns,
sévèrement regardée par les autres.

Cette figure a été longtemps toute dans la lumière ;
cela tenait à un certain obscurcissement légendaire
que la plupart des héros dégagent et qui voile toujours

plus ou moins longtemps la vérité ; mais aujourd'hui l'histoire et le jour se font.

Cette clarté, l'histoire, est impitoyable ; elle a cela d'étrange et de divin que, toute lumière qu'elle est, et précisément parce qu'elle est lumière, elle met souvent de l'ombre là où l'on voyait des rayons ; du même homme elle fait deux fantômes différents, et l'un attaque l'autre, et en fait justice, et les ténèbres du despote luttent avec l'éblouissement du capitaine. De là une mesure plus vraie dans l'appréciation définitive des peuples. Babylone violée diminue Alexandre ; Rome enchaînée diminue César ; Jérusalem tuée diminue Titus. La tyrannie suit le tyran. C'est un malheur pour un homme de laisser derrière lui de la nuit qui a sa forme.

CHAPITRE V

Le « quid obscurum »
des batailles [1]

Tout le monde connaît la première phase de cette bataille ; début trouble, incertain, hésitant, menaçant pour les deux armées, mais pour les Anglais plus encore que pour les Français.

Il avait plu toute la nuit ; la terre était défoncée par l'averse ; l'eau s'était çà et là amassée dans les creux de la plaine comme dans des cuvettes ; sur de certains points les équipages du train en avaient jusqu'à l'essieu ; les sous-ventrières des attelages dégouttaient de boue liquide ; si les blés et les seigles couchés par cette cohue de charrois en masse n'eussent comblé les ornières et fait litière sous les roues, tout mouvement, particulièrement dans les vallons du côté de Papelotte, eût été impossible.

L'affaire commença tard ; Napoléon, nous l'avons expliqué, avait l'habitude de tenir toute l'artillerie dans sa main comme un pistolet, visant tantôt tel point, tantôt tel autre de la bataille, et il avait voulu attendre que les batteries attelées pussent rouler et galoper librement ; il fallait pour cela que le soleil parût et séchât le sol. Mais le soleil ne parut pas. Ce n'était plus le rendez-vous d'Austerlitz. Quand le premier coup de canon fut tiré, le général anglais Colville regarda à sa montre et constata qu'il était onze heures trente-cinq minutes.

L'action s'engagea avec furie, plus de furie peut-être que l'empereur n'eût voulu, par l'aile gauche française sur Hougomont. En même temps Napoléon attaqua le centre en précipitant la brigade Quiot sur la Haie-Sainte, et Ney poussa l'aile droite française contre l'aile gauche anglaise qui s'appuyait sur Papelotte.

L'attaque sur Hougomont avait quelque simulation : attirer là Wellington, le faire pencher à gauche, tel était le plan. Ce plan eût réussi, si les quatre compagnies des gardes anglaises et les braves Belges de la division Perponcher n'eussent solidement gardé la position, et Wellington, au lieu de s'y masser, put se borner à y envoyer pour tout renfort quatre autres compagnies de gardes et un bataillon de Brunswick.

L'attaque de l'aile droite française sur Papelotte était à fond ; culbuter la gauche anglaise, couper la route de Bruxelles, barrer le passage aux Prussiens possibles, forcer Mont-Saint-Jean, refouler Wellington sur Hougomont, de là sur Braine-l'Alleud, de là sur Hal, rien de plus net. À part quelques incidents, cette attaque réussit. Papelotte fut pris ; la Haie-Sainte fut enlevée.

Détail à noter. Il y avait dans l'infanterie anglaise, particulièrement dans la brigade de Kempt, force recrues. Ces jeunes soldats, devant nos redoutables fantassins, furent vaillants ; leur inexpérience se tira intrépidement d'affaire ; ils firent surtout un excellent service de tirailleurs ; le soldat en tirailleur, un peu livré à lui-même, devient pour ainsi dire son propre général ; ces recrues montrèrent quelque chose de l'invention et de la furie françaises. Cette infanterie novice eut de la verve. Ceci déplut à Wellington.

Après la prise de la Haie-Sainte, la bataille vacilla.

Il y a dans cette journée, de midi à quatre heures, un intervalle obscur ; le milieu de cette bataille est presque indistinct et participe du sombre de la mêlée. Le crépuscule s'y fait. On aperçoit de vastes fluctuations dans cette brume, un mirage vertigineux, l'attirail de guerre d'alors presque inconnu aujourd'hui, les colbacks à flamme, les sabretaches flottantes, les buffleteries croisées, les gibernes à grenade, les dolmans des hussards, les bottes rouges à mille plis, les lourds shakos enguirlandés de torsades, l'infanterie presque noire de Brunswick mêlée à l'infanterie écarlate d'Angleterre, les soldats anglais ayant aux entournures pour épaulettes de gros bourrelets blancs circulaires, les chevau-légers hanovriens avec leur casque de cuir oblong à bandes de cuivre et à crinières de crins rouges, les Écossais aux genoux nus et aux plaids quadrillés, les grandes guêtres blanches de nos grenadiers, des tableaux, non des lignes stratégiques, ce qu'il faut à Salvator Rosa, non ce qu'il faut à Gribeauval[1].

Une certaine quantité de tempête se mêle toujours à une bataille. *Quid obscurum, quid divinum*[2]. Chaque historien trace un peu le linéament qui lui plaît dans ces pêle-mêle. Quelle que soit la combinaison des généraux, le choc des masses armées a d'incalculables reflux ; dans l'action, les deux plans des deux chefs entrent l'un dans l'autre et se déforment l'un par l'autre. Tel point du champ de bataille dévore plus de

combattants que tel autre, comme ces sols plus ou
moins spongieux qui boivent plus ou moins vite l'eau
qu'on y jette. On est obligé de reverser là plus de soldats
qu'on ne voudrait. Dépenses qui sont l'imprévu. La
ligne de bataille flotte et serpente comme un fil, les traînées de sang ruissellent illogiquement, les fronts des
armées ondoient, les régiments entrant ou sortant font
des caps ou des golfes, tous ces écueils remuent continuellement les uns devant les autres ; où était l'infanterie, l'artillerie arrive ; où était l'artillerie, accourt la
cavalerie ; les bataillons sont des fumées. Il y avait là
quelque chose, cherchez, c'est disparu ; les éclaircies
se déplacent ; les plis sombres avancent et reculent ;
une sorte de vent du sépulcre pousse, refoule, enfle et
disperse ces multitudes tragiques. Qu'est-ce qu'une
mêlée ? une oscillation. L'immobilité d'un plan mathé-
matique exprime une minute et non une journée. Pour
peindre une bataille, il faut de ces puissants peintres
qui aient du chaos dans le pinceau ; Rembrandt vaut
mieux que Van Der Meulen. Van der Meulen, exact à
midi, ment à trois heures. La géométrie trompe ; l'ouragan seul est vrai. C'est ce qui donne à Folard le droit de
contredire Polybe[1]. Ajoutons qu'il y a toujours un certain instant où la bataille dégénère en combat, se parti-
cularise, et s'éparpille en d'innombrables faits de détails
qui, pour emprunter l'expression de Napoléon lui-
même, « appartiennent plutôt à la biographie des régiments qu'à l'histoire de l'armée ». L'historien, en ce cas,
a le droit évident de résumé. Il ne peut que saisir les
contours principaux de la lutte, et il n'est donné à
aucun narrateur, si consciencieux qu'il soit, de fixer
absolument la forme de ce nuage horrible, qu'on
appelle une bataille.

Ceci, qui est vrai de tous les grands chocs armés,
est particulièrement applicable à Waterloo.

Toutefois, dans l'après-midi, à un certain moment, la bataille se précisa.

[...]

CHAPITRE VIII

L'empereur fait une question au guide Lacoste [1]

Donc, le matin de Waterloo, Napoléon était content.

Il avait raison ; le plan de bataille conçu par lui, nous l'avons constaté, était en effet admirable.

Une fois la bataille engagée, ses péripéties très diverses, la résistance d'Hougomont, la ténacité de la Haie-Sainte, Bauduin tué, Foy mis hors de combat, la muraille inattendue où s'était brisée la brigade Soye, l'étourderie fatale de Guilleminot n'ayant ni pétards ni sacs à poudre, l'embourbement des batteries, les quinze pièces sans escorte culbutées par Uxbridge dans un chemin creux, le peu d'effet des bombes tombant dans les lignes anglaises, s'y enfouissant dans le sol détrempé par les pluies et ne réussissant qu'à y faire des volcans de boue, de sorte que la mitraille se changeait en éclaboussure, l'inutilité de la démonstration de Piré sur Braine-l'Alleud, toute cette cavalerie, quinze escadrons, à peu près annulée, l'aile droite anglaise mal inquiétée, l'aile gauche mal entamée, l'étrange malentendu de Ney massant, au lieu de les échelonner, les quatre divisions du premier corps, des épaisseurs de vingt-sept rangs et des fronts de deux cents hommes livrés de la sorte à la mitraille, l'effrayante trouée des boulets dans ces masses, les colonnes d'attaque désunies, la batterie d'écharpe brusquement démasquée sur leur flanc, Bourgeois, Donzelot et Durutte compromis, Quiot repoussé, le lieutenant Vieux, cet hercule sorti de l'école polytechnique, blessé au moment où il enfonçait à coups de hache la porte de la Haie-Sainte sous le feu plongeant de la barricade anglaise barrant le coude de la route de Genappe à Bruxelles, la division Marcognet, prise entre l'infanterie et la cavalerie, fusillée à bout portant dans les blés par Best et Pack, sabrée par Ponsonby ; sa batterie de sept pièces enclouée, le prince de Saxe-Weimar tenant et gardant, malgré le comte d'Erlon, Frischemont et Smohain, le drapeau du 105e pris, le drapeau du 45e pris, ce hussard noir prussien arrêté par les coureurs de la colonne volante de trois cents chasseurs battant l'estrade entre Wavre et Plancenoit, les choses inquiétantes que ce prisonnier avait dites, le retard de Grouchy, les quinze cents hommes tués en moins d'une heure dans le verger d'Hougomont, les dix-huit cents hommes couchés en moins de temps encore autour de la Haie-Sainte, tous ces incidents orageux, passant comme les nuées de la bataille devant Napoléon, avaient à peine troublé son regard et n'avaient point assombri cette face impériale de la certitude. Napoléon était habitué à regarder la guerre fixement ; il ne faisait jamais chiffre·à chiffre l'addition poignante du détail ; les chiffres lui importaient peu, pourvu qu'ils donnassent ce total : victoire ; que les commencements s'égarassent, il ne s'en alarmait point, lui qui se croyait maître et possesseur de la fin ; il savait attendre, se supposant hors de question, et il traitait le destin d'égal à égal. Il paraissait dire au sort : tu n'oserais pas.

Mi-parti lumière et ombre, Napoléon se sentait protégé dans le bien et toléré dans le mal. Il avait, ou croyait avoir pour lui, une connivence, on pourrait presque dire une complicité des événements, équivalente à l'antique invulnérabilité.

Pourtant, quand on a derrière soi la Bérésina, Leipsick et Fontainebleau, il semble qu'on pourrait se défier de Waterloo. Un mystérieux froncement de sourcil devient visible au fond du ciel.

Au moment où Wellington rétrograda, Napoléon tressaillit. Il vit subitement le plateau de Mont-Saint-Jean se dégarnir et le front de l'armée anglaise disparaître. Elle se ralliait, mais se dérobait. L'empereur se souleva à demi sur ses étriers. L'éclair de la victoire passa dans ses yeux.

Wellington acculé à la forêt de Soignes et détruit, c'était le terrassement définitif de l'Angleterre par la France ; c'était Crécy, Poitiers, Malplaquet et Ramillies vengés[1]. L'homme de Marengo raturait Azincourt.

L'empereur alors, méditant la péripétie terrible, promena une dernière fois sa lunette sur tous les points du champ de bataille. Sa garde, l'arme au pied derrière lui, l'observait d'en bas avec une sorte de religion. Il songeait ; il examinait les versants, notait les pentes, scrutait le bouquet d'arbres, le carré de seigles, le sentier ; il semblait compter chaque buisson. Il regarda avec quelque fixité les barricades anglaises des deux chaussées, deux larges abatis d'arbres, celle de la chaussée de Genappe au-dessus de la Haie-Sainte, armée de deux canons, les seuls de toute l'artillerie anglaise qui vissent le fond du champ de bataille, et celle de la chaussée de Nivelles où étincelaient les baïonnettes hollandaises de la brigade Chassé. Il remarqua près de cette barricade la vieille chapelle de Saint-Nicolas peinte en blanc qui est à l'angle de la traverse vers Braine-l'Alleud. Il se pencha et parla à demi-voix au guide Lacoste. Le guide fit un signe de tête négatif, probablement perfide.

L'empereur se redressa et se recueillit.

Wellington avait reculé. Il ne restait plus qu'à achever ce recul par un écrasement.

Napoléon, se retournant brusquement, expédia

une estafette à franc étrier à Paris pour y annoncer que la bataille était gagnée[1].

Napoléon était un de ces génies d'où sort le tonnerre.

Il venait de trouver son coup de foudre.

Il donna l'ordre aux cuirassiers de Milhaud d'enlever le plateau de Mont-Saint-Jean.

CHAPITRE IX

L'inattendu

Ils étaient trois mille cinq cents. Ils faisaient un front d'un quart de lieue. C'étaient des hommes géants sur des chevaux colosses. Ils étaient vingt-six escadrons ; et ils avaient derrière eux, pour les appuyer, la division de Lefebvre-Desnouettes, les cent six gendarmes d'élite, les chasseurs de la garde, onze cent quatre-vingt-dix-sept hommes, et les lanciers de la garde, huit cent quatre-vingts lances. Ils portaient le casque sans crins et la cuirasse de fer battu, avec les pistolets d'arçon dans les fontes et le long sabre-épée. Le matin toute l'armée les avait admirés quand, à neuf heures, les clairons sonnant, toutes les musiques chantant *Veillons au salut de l'empire*[2], ils étaient venus, colonne épaisse, une de leurs batteries à leur flanc, l'autre à leur centre, se déployer sur deux rangs entre la chaussée de Genappe et Frischemont, et prendre leur place de bataille dans cette puissante deuxième ligne, si savamment composée par Napoléon, laquelle, ayant à son extrémité de gauche les cuirassiers de Kellermann et à son extrémité de droite les cuirassiers de Milhaud, avait, pour ainsi dire, deux ailes de fer.

L'aide de camp Bernard leur porta l'ordre de l'empereur. Ney tira son épée et prit la tête. Les escadrons énormes s'ébranlèrent.

Alors on vit un spectacle formidable.

Toute cette cavalerie, sabres levés, étendards et trompettes au vent, formée en colonne par division, descendit, d'un même mouvement et comme un seul homme, avec la précision d'un bélier de bronze qui ouvre une brèche, la colline de la Belle-Alliance, s'enfonça dans le fond redoutable où tant d'hommes déjà étaient tombés, y disparut dans la fumée, puis, sortant de cette ombre, reparut de l'autre côté du vallon, toujours compacte et serrée, montant au grand trot, à travers un nuage de mitraille crevant sur elle, l'épouvantable pente de boue du plateau de Mont-Saint-Jean. Ils montaient, graves, menaçants, imperturbables ; dans les intervalles de la mousqueterie et de l'artillerie, on entendait ce piétinement colossal. Étant deux divisions, ils étaient deux colonnes ; la division Wathier avait la droite, la division Delord avait la gauche. On croyait voir de loin s'allonger vers la crête du plateau deux immenses couleuvres d'acier. Cela traversa la bataille comme un prodige.

Rien de semblable ne s'était vu depuis la prise de la grande redoute de la Moskowa par la grosse cavalerie ; Murat y manquait, mais Ney s'y retrouvait. Il semblait que cette masse était devenue monstre et n'eût qu'une âme. Chaque escadron ondulait et se gonflait comme un anneau du polype. On les apercevait à travers une vaste fumée déchirée çà et là. Pêle-mêle de casques, de cris, de sabres, bondissement orageux des croupes des chevaux dans le canon et la fanfare, tumulte discipliné et terrible ; là-dessus les cuirasses, comme les écailles sur l'hydre.

Ces récits semblent d'un autre âge. Quelque chose de pareil à cette vision apparaissait sans doute dans les vieilles épopées orphiques racontant les hommes-chevaux, les antiques hippanthropes, ces titans à face humaine et à poitrail équestre dont le galop escalada

l'Olympe, horribles, invulnérables, sublimes ; dieux et
bêtes.

Bizarre coïncidence numérique, vingt-six bataillons
allaient recevoir ces vingt-six escadrons. Derrière la
crête du plateau, à l'ombre de la batterie masquée,
l'infanterie anglaise, formée en treize carrés, deux
bataillons par carré, et sur deux lignes, sept sur la première, six sur la seconde, la crosse à l'épaule, couchant
en joue ce qui allait venir, calme, muette, immobile,
attendait. Elle ne voyait pas les cuirassiers et les cuirassiers ne la voyaient pas. Elle écoutait monter cette
marée d'hommes. Elle entendait le grossissement du
bruit des trois mille chevaux, le frappement alternatif
et symétrique des sabots au grand trot, le froissement
des cuirasses, le cliquetis des sabres, et une sorte de
grand souffle farouche. Il y eut un silence redoutable,
puis, subitement, une longue file de bras levés brandissant des sabres apparut au-dessus de la crête, et les
casques et les trompettes, et les étendards, et trois
mille têtes à moustaches grises criant : vive l'empereur ! toute cette cavalerie déboucha sur le plateau, et
ce fut comme l'entrée d'un tremblement de terre.

Tout à coup, chose tragique, à la gauche des
Anglais, à notre droite, la tête de colonne des cuirassiers se cabra avec une clameur effroyable. Parvenus
au point culminant de la crête, effrénés, tout à leur
furie et à leur course d'extermination sur les carrés et
les canons, les cuirassiers venaient d'apercevoir entre
eux et les Anglais un fossé, une fosse. C'était le chemin creux d'Ohain.

L'instant fut épouvantable. Le ravin était là, inattendu, béant, à pic sous les pieds des chevaux, profond de deux toises entre son double talus ; le second
rang y poussa le premier, et le troisième y poussa le
second ; les chevaux se dressaient, se rejetaient en
arrière, tombaient sur la croupe, glissaient les quatre

pieds en l'air, pilant et bouleversant les cavaliers, aucun moyen de reculer, toute la colonne n'était plus qu'un projectile, la force acquise pour écraser les Anglais écrasa les Français, le ravin inexorable ne pouvait se rendre que comblé, cavaliers et chevaux y roulèrent pêle-mêle se broyant les uns les autres, ne faisant qu'une chair dans ce gouffre, et, quand cette fosse fut pleine d'hommes vivants, on marcha dessus et le reste passa. Presque un tiers de la brigade Dubois croula dans cet abîme.

Ceci commença la perte de la bataille.

Une tradition locale, qui exagère évidemment, dit que deux mille chevaux et quinze cents hommes furent ensevelis dans le chemin creux d'Ohain. Ce chiffre vraisemblablement comprend tous les autres cadavres qu'on jeta dans ce ravin le lendemain du combat.

Notons en passant que c'était cette brigade Dubois, si funestement éprouvée, qui, une heure auparavant, chargeant à part, avait enlevé le drapeau du bataillon de Lunebourg.

Napoléon, avant d'ordonner cette charge des cuirassiers de Milhaud[1], avait scruté le terrain, mais n'avait pu voir ce chemin creux qui ne faisait pas même une ride à la surface du plateau. Averti pourtant et mis en éveil par la petite chapelle blanche qui en marque l'angle sur la chaussée de Nivelles, il avait fait, probablement sur l'éventualité d'un obstacle, une question au guide Lacoste. Le guide avait répondu non. On pourrait presque dire que de ce signe de tête d'un paysan est sortie la catastrophe de Napoléon.

D'autres fatalités encore devaient surgir. Était-il possible que Napoléon gagnât cette bataille ? nous répondons non. Pourquoi ? À cause de Wellington ? à cause de Blücher ? Non. À cause de Dieu. Bonaparte

vainqueur à Waterloo, ceci n'était plus dans la loi du
dix-neuvième siècle. Une autre série de faits se préparait, où Napoléon n'avait plus de place. La mauvaise
volonté des événements s'était annoncée de longue
date. Il était temps que cet homme vaste tombât.

L'excessive pesanteur de cet homme dans la destinée humaine troublait l'équilibre. Cet individu comptait à lui seul plus que le groupe universel. Ces
pléthores de toute la vitalité humaine concentrée
dans une seule tête, le monde montant au cerveau
d'un homme, cela serait mortel à la civilisation si cela
durait. Le moment était venu pour l'incorruptible
équité suprême d'aviser. Probablement les principes
et les éléments, d'où dépendent les gravitations régulières dans l'ordre moral comme dans l'ordre matériel, se plaignaient. Le sang qui fume, le trop-plein des
cimetières, les mères en larmes, ce sont des plaidoyers
redoutables. Il y a, quand la terre souffre d'une sur-
charge, de mystérieux gémissements de l'ombre, que
l'abîme entend.

Napoléon avait été dénoncé dans l'infini, et sa
chute était décidée. Il gênait Dieu.

Waterloo n'est point une bataille ; c'est le changement de front de l'univers.

[...]

CHAPITRE XII

La garde

On sait le reste : l'irruption d'une troisième armée,
la bataille disloquée, quatre-vingt-six bouches à feu
tonnant tout à coup, Pirch Ier survenant avec Bülow,
la cavalerie de Zieten menée par Blücher en personne,
les Français refoulés, Marcognet balayé du plateau

d'Ohain, Durutte délogé de Papelotte, Donzelot et Quiot reculant, Lobau pris en écharpe, une nouvelle bataille se précipitant à la nuit tombante sur nos régiments démantelés, toute la ligne anglaise reprenant l'offensive et poussée en avant, la gigantesque trouée faite dans l'armée française, la mitraille anglaise et la mitraille prussienne s'entraidant, l'extermination, le désastre de front, le désastre en flanc, la garde entrant en ligne sous cet épouvantable écroulement.

Comme elle sentait qu'elle allait mourir, elle cria : vive l'empereur ! L'histoire n'a rien de plus émouvant que cette agonie éclatant en acclamations.

Le ciel avait été couvert toute la journée. Tout à coup, en ce moment-là même, il était huit heures du soir, les nuages de l'horizon s'écartèrent et laissèrent passer, à travers les ormes de la route de Nivelles, la grande rougeur sinistre du soleil qui se couchait. On l'avait vu se lever à Austerlitz.

Chaque bataillon de la garde, pour ce dénouement, était commandé par un général. Friant, Michel, Roguet, Harlet, Mallet, Poret de Morvan, étaient là. Quand les hauts bonnets des grenadiers de la garde avec la large plaque à l'aigle apparurent, symétriques, alignés, tranquilles, superbes, dans la brume de cette mêlée, l'ennemi sentit le respect de la France ; on crut voir vingt victoires entrer sur le champ de bataille, ailes déployées, et ceux qui étaient vainqueurs, s'estimant vaincus, reculèrent ; mais Wellington cria : *Debout, gardes, et visez juste !* le régiment rouge des gardes anglaises, couché derrière les haies, se leva, une nuée de mitraille cribla le drapeau tricolore frissonnant autour de nos aigles, tous se ruèrent, et le suprême carnage commença. La garde impériale sentit dans l'ombre l'armée lâchant pied autour d'elle, et le vaste ébranlement de la déroute, elle entendit le sauve-qui-peut ! qui avait remplacé le vive l'empereur ! et,

avec la fuite derrière elle, elle continua d'avancer, de
plus en plus foudroyée et mourant davantage à chaque
pas qu'elle faisait. Il n'y eut point d'hésitants ni de
timides. Le soldat dans cette troupe était aussi héros
que le général. Pas un homme ne manqua au suicide.

Ney, éperdu, grand de toute la hauteur de la mort
acceptée, s'offrait à tous les coups dans cette tourmente. Il eut là son cinquième cheval tué sous lui. En
sueur, la flamme aux yeux, l'écume aux lèvres, l'uniforme déboutonné, une de ses épaulettes à demi coupée par le coup de sabre d'un horse-guard, sa plaque
de grand-aigle bosselée par une balle, sanglant, fan-
geux, magnifique, une épée cassée à la main, il disait :
*Venez voir comment meurt un maréchal de France sur
le champ de bataille !* Mais en vain ; il ne mourut pas. Il
était hagard et indigné. Il jetait à Drouet d'Erlon cette
question : *Est-ce que tu ne te fais pas tuer, toi ?* Il criait
au milieu de toute cette artillerie écrasant une poignée d'hommes : — *Il n'y a donc rien pour moi ! Oh ! je
voudrais que tous ces boulets anglais m'entrassent
dans le ventre !* — Tu étais réservé à des balles françaises, infortuné !

CHAPITRE XIII

La catastrophe

La déroute derrière la garde fut lugubre.

L'armée plia brusquement de tous les côtés à la
fois, de Hougomont, de la Haie-Sainte, de Papelotte,
de Plancenoit. Le cri : Trahison ! fut suivi du cri :
Sauve-qui-peut ! Une armée qui se débande, c'est un
dégel. Tout fléchit, se fêle, craque, flotte, roule,
tombe, se heurte, se hâte, se précipite. Désagréga-
tion inouïe. Ney emprunte un cheval, saute dessus,

et, sans chapeau, sans cravate, sans épée, se met en travers de la chaussée de Bruxelles, arrêtant à la fois les Anglais et les Français. Il tâche de retenir l'armée, il la rappelle, il l'insulte, il se cramponne à la déroute. Il est débordé. Les soldats le fuient, en criant : *Vive le maréchal Ney !* Deux régiments de Durutte vont et viennent effarés et comme ballottés entre le sabre des uhlans et la fusillade des brigades de Kempt, de Best, de Pack et de Rylandt ; la pire des mêlées, c'est la déroute ; les amis s'entre-tuent pour fuir ; les escadrons et les bataillons se brisent et se dispersent les uns contre les autres, énorme écume de la bataille. Lobau à une extrémité comme Reille à l'autre sont roulés dans le flot. En vain Napoléon fait des murailles avec ce qui lui reste de la garde ; en vain il dépense à un dernier effort ses escadrons de service. Quiot recule devant Vivian, Kellermann devant Vandeleur, Lobau devant Bülow, Morand devant Pirch, Domon et Subervic devant le prince Guillaume de Prusse. Guyot, qui a mené à la charge les escadrons de l'empereur, tombe sous les pieds des dragons anglais. Napoléon court au galop le long des fuyards, les harangue, presse, menace, supplie. Toutes ces bouches qui criaient le matin vive l'empereur, restent béantes ; c'est à peine si on le connaît. La cavalerie prussienne, fraîche venue, s'élance, vole, sabre, taille, hache, tue, extermine. Les attelages se ruent, les canons se sauvent ; les soldats du train détellent les caissons et en prennent les chevaux pour s'échapper ; des fourgons culbutés les quatre roues en l'air entravent la route et sont des occasions de massacre. On s'écrase, on se foule, on marche sur les morts et sur les vivants. Les bras sont éperdus. Une multitude vertigineuse emplit les routes, les sentiers, les ponts, les plaines, les collines, les vallées, les bois, encombrés par cette éva-

sion de quarante mille hommes. Cris, désespoir,
sacs et fusils jetés dans les seigles, passages frayés à
coups d'épée, plus de camarades, plus d'officiers,
plus de généraux, une inexprimable épouvante.
Zieten[1] sabrant la France à son aise. Les lions devenus chevreuils. Telle fut cette fuite.

À Genappe, on essaya de se retourner, de faire
front, d'enrayer. Lobau rallia trois cents hommes. On
barricada l'entrée du village ; mais à la première volée
de la mitraille prussienne, tout se remit à fuir ; et
Lobau fut pris. On voit encore aujourd'hui cette volée
de mitraille empreinte sur le vieux pignon d'une
masure en brique à droite de la route, quelques
minutes avant d'entrer à Genappe. Les Prussiens
s'élancèrent dans Genappe, furieux sans doute d'être
si peu vainqueurs. La poursuite fut monstrueuse.
Blücher ordonna l'extermination. Roguet avait donné
ce lugubre exemple de menacer de mort tout grenadier français qui lui amènerait un prisonnier prussien. Blücher dépassa Roguet. Le général de la jeune
garde, Duhesme, acculé sur la porte d'une auberge de
Genappe, rendit son épée à un hussard de la Mort qui
prit l'épée et tua le prisonnier. La victoire s'acheva par
l'assassinat des vaincus. Punissons, puisque nous
sommes l'histoire : le vieux Blücher se déshonora.
Cette férocité mit le comble au désastre. La déroute
désespérée traversa Genappe, traversa les Quatre-
Bras, traversa Gosselies, traversa Frasnes, traversa
Charleroi, traversa Thuin, et ne s'arrêta qu'à la frontière. Hélas ! et qui donc fuyait de la sorte ? la grande
armée.

Ce vertige, cette terreur, cette chute en ruine de la
plus haute bravoure qui ait jamais étonné l'histoire,
est-ce que cela est sans cause ? Non. L'ombre d'une
droite énorme se projette sur Waterloo. C'est la journée du destin. La force au-dessus de l'homme a donné

ce jour-là. De là le pli épouvanté des têtes ; de là toutes ces grandes âmes rendant leur épée. Ceux qui avaient vaincu l'Europe sont tombés terrassés, n'ayant plus rien à dire ni à faire, sentant dans l'ombre une présence terrible. *Hoc erat in fatis* [1]. Ce jour-là, la perspective du genre humain a changé. Waterloo, c'est le gond du dix-neuvième siècle. La disparition du grand homme était nécessaire à l'avènement du grand siècle. Quelqu'un à qui on ne réplique pas s'en est chargé. La panique des héros s'explique. Dans la bataille de Waterloo, il y a plus que du nuage, il y a du météore. Dieu a passé.

À la nuit tombante, dans un champ près de Genappe, Bernard et Bertrand saisirent par un pan de sa redingote et arrêtèrent un homme hagard, pensif, sinistre, qui, entraîné jusque-là par le courant de la déroute, venait de mettre pied à terre, avait passé sous son bras la bride de son cheval, et, l'œil égaré, s'en retournait seul vers Waterloo. C'était Napoléon essayant encore d'aller en avant, immense somnambule de ce rêve écroulé.

CHAPITRE XIV

Le dernier carré

Quelques carrés de la garde, immobiles dans le ruissellement de la déroute comme des rochers dans de l'eau qui coule, tinrent jusqu'à la nuit. La nuit venant, la mort aussi, ils attendirent cette ombre double, et, inébranlables, s'en laissèrent envelopper. Chaque régiment, isolé des autres et n'ayant plus de lien avec l'armée rompue de toutes parts, mourait pour son compte. Ils avaient pris position, pour faire cette dernière action, les uns sur les hauteurs de

Rossomme, les autres dans la plaine de Mont-Saint-Jean. Là, abandonnés, vaincus, terribles, ces carrés sombres agonisaient formidablement. Ulm, Wagram, Iéna, Friedland, mouraient en eux.

Au crépuscule, vers neuf heures du soir, au bas du plateau de Mont-Saint-Jean, il en restait un. Dans ce vallon funeste, au pied de cette pente gravie par les cuirassiers, inondée maintenant par les masses anglaises, sous les feux convergents de l'artillerie ennemie victorieuse, sous une effroyable densité de projectiles, ce carré luttait. Il était commandé par un officier obscur nommé Cambronne. À chaque décharge, le carré diminuait, et ripostait. Il répliquait à la mitraille par la fusillade, rétrécissant continuellement ses quatre murs. De loin des fuyards, s'arrêtant par moment essoufflés, écoutaient dans les ténèbres ce sombre tonnerre décroissant.

Quand cette légion ne fut plus qu'une poignée, quand leur drapeau ne fut plus qu'une loque, quand leurs fusils épuisés de balles ne furent plus que des bâtons, quand le tas de cadavres fut plus grand que le groupe vivant, il y eut parmi les vainqueurs une sorte de terreur sacrée autour de ces mourants sublimes, et l'artillerie anglaise, reprenant haleine, fit silence. Ce fut une espèce de répit. Ces combattants avaient autour d'eux comme un fourmillement de spectres, des silhouettes d'hommes à cheval, le profil noir des canons, le ciel blanc aperçu à travers les roues et les affûts ; la colossale tête de mort que les héros entrevoient toujours dans la fumée au fond de la bataille, s'avançait sur eux et les regardait. Ils purent entendre dans l'ombre crépusculaire qu'on chargeait les pièces, les mèches allumées pareilles à des yeux de tigre dans la nuit firent un cercle autour de leurs têtes, tous les boute-feu des batteries anglaises s'approchèrent des canons, et alors, ému, tenant la minute suprême suspendue au-dessus de ces hommes, un général anglais, Colville selon les uns, Maitland selon les autres, leur cria : Braves Français, rendez-vous ! Cambronne répondit : Merde !

CHAPITRE XV

Cambronne

Le lecteur français voulant être respecté, le plus beau mot peut-être qu'un Français ait jamais dit ne peut lui être répété. Défense de déposer du sublime dans l'histoire.

À nos risques et périls, nous enfreignons cette défense.

Donc, parmi tous ces géants, il y eut un titan, Cambronne.

Dire ce mot, et mourir ensuite[1]. Quoi de plus grand ! car c'est mourir que de le vouloir, et ce n'est pas la faute de cet homme, si, mitraillé, il a survécu.

L'homme qui a gagné la bataille de Waterloo, ce n'est pas Napoléon en déroute, ce n'est pas Wellington pliant à quatre heures, désespéré à cinq, ce n'est pas Blücher qui ne s'est point battu ; l'homme qui a gagné la bataille de Waterloo, c'est Cambronne.

Foudroyer d'un tel mot le tonnerre qui vous tue, c'est vaincre.

Faire cette réponse à la catastrophe, dire cela au destin, donner cette base au lion futur, jeter cette réplique à la pluie de la nuit, au mur traître de Hougomont, au chemin creux d'Ohain, au retard de Grouchy, à l'arrivée de Blücher, être l'ironie dans le sépulcre, faire en sorte de rester debout après qu'on sera tombé, noyer dans deux syllabes la coalition européenne, offrir aux rois ces latrines déjà connues des césars, faire du dernier des mots le premier en y mêlant l'éclair de la France, clore insolemment Waterloo par le mardi gras, compléter Léonidas par Rabelais, résumer cette victoire dans une parole suprême impossible à prononcer, perdre le terrain et garder l'histoire, après ce carnage avoir pour soi les rieurs, c'est immense.

C'est l'insulte à la foudre. Cela atteint la grandeur eschylienne.

Le mot de Cambronne fait l'effet d'une fracture. C'est la fracture d'une poitrine par le dédain ; c'est le trop-plein de l'agonie qui fait explosion. Qui a vaincu ? Est-ce Wellington ? Non. Sans Blücher il était perdu. Est-ce Blücher ? Non. Si Wellington n'eût pas commencé, Blücher n'aurait pu finir. Ce Cambronne, ce passant de la dernière heure, ce soldat ignoré, cet infiniment petit de la guerre, sent qu'il y a là un mensonge, un mensonge dans une catastrophe, redoublement poignant, et, au moment où il en éclate de rage, on lui offre cette dérision, la vie ! Comment ne pas bondir ?

Ils sont là, tous les rois de l'Europe, les généraux heureux, les Jupiters tonnants, ils sont cent mille soldats victorieux, et derrière les cent mille, un million, leurs canons, mêche allumée, sont béants, ils ont sous leurs talons la garde impériale et la grande armée, ils viennent d'écraser Napoléon, et il ne reste plus que Cambronne ; il n'y a plus pour protester que ce ver de terre [1]. Il protestera. Alors il cherche un mot comme on cherche une épée. Il lui vient de l'écume, et cette écume, c'est le mot. Devant cette victoire prodigieuse et médiocre, devant cette victoire sans victorieux, ce désespéré se redresse ; il en subit l'énormité, mais il en constate le néant ; et il fait plus que cracher sur elle ; et sous l'accablement du nombre, de la force et de la matière, il trouve à l'âme une expression, l'excrément. Nous le répétons. Dire cela, faire cela, trouver cela, c'est être le vainqueur[1].

L'esprit des grands jours entra dans cet homme inconnu à cette minute fatale. Cambronne trouve le mot de Waterloo comme Rouget de l'Isle trouve la Marseillaise, par visitation du souffle d'en haut. Un effluve de l'ouragan divin se détache et vient passer à travers ces hommes, et ils tressaillent, et l'un chante le chant suprême et l'autre pousse le cri terrible. Cette parole du dédain titanique, Cambronne ne la jette pas seulement à l'Europe au nom de l'empire, ce serait peu ; il la jette au passé au nom de la Révolution[2]. On l'entend, et l'on reconnaît dans Cambronne la vieille âme des géants. Il semble que c'est Danton qui parle ou Kléber qui rugit.

Au mot de Cambronne, la voix anglaise répondit : feu ! les batteries flamboyèrent, la colline trembla, de toutes ces bouches d'airain sortit un dernier vomissement de mitraille, épouvantable, une vaste fumée, vaguement blanchie du lever de la lune, roula, et quand la fumée se dissipa, il n'y avait plus rien. Ce reste formidable était anéanti ; la garde était morte. Les quatre murs de la redoute vivante gisaient, à peine distinguait-on çà et là un tressaillement parmi les cadavres ; et c'est ainsi que les légions françaises, plus grandes que les légions romaines, expirèrent à Mont-Saint-Jean sur la terre mouillée de pluie et de sang, dans les blés sombres, à l'endroit où passe maintenant, à quatre heures du matin, en sifflant et en fouettant gaîment son cheval, Joseph, qui fait le service de la malle-poste de Nivelles.

CHAPITRE XVI

Quot libras in duce[1] ?

La bataille de Waterloo est une énigme. Elle est aussi obscure pour ceux qui l'ont gagnée que pour celui qui l'a perdue. Pour Napoléon, c'est une panique; Blücher n'y voit que du feu; Wellington n'y comprend rien. Voyez les rapports. Les bulletins sont confus, les commentaires sont embrouillés. Ceux-ci balbutient, ceux-là bégayent. Jomini partage la bataille de Waterloo en quatre moments; Muffling[2] la coupe en trois péripéties; Charras, quoique sur quelques points nous ayons une autre appréciation que lui, a seul saisi de son fier coup d'œil les linéaments caractéristiques de cette catastrophe du génie humain aux prises avec le hasard divin. Tous les autres historiens ont un certain éblouissement, et dans cet éblouissement ils tâtonnent. Journée fulgurante, en effet, écroulement de la monarchie militaire qui, à la grande stupeur des rois, a entraîné tous les royaumes, chute de la force, déroute de la guerre.

Dans cet événement, empreint de nécessité surhumaine, la part des hommes n'est rien.

Retirer Waterloo à Wellington et à Blücher, est-ce ôter quelque chose à l'Angleterre et à l'Allemagne? Non. Ni cette illustre Angleterre ni cette auguste Allemagne ne sont en question dans le problème de Waterloo. Grâce au ciel, les peuples sont grands en dehors des lugubres aventures de l'épée. Ni l'Allemagne, ni l'Angleterre, ni la France, ne tiennent dans un fourreau. Dans cette époque où Waterloo n'est qu'un cliquetis de sabres, au-dessus de Blücher l'Allemagne a Gœthe et au-dessus de Wellington l'Angleterre a Byron. Un vaste lever d'idées est propre à notre siècle, et dans cette aurore l'Angleterre et l'Allemagne ont leur lueur magnifique. Elles sont majestueuses par ce qu'elles pensent. L'élévation de niveau qu'elles apportent à la civilisation leur est intrinsèque ; il vient d'elles-mêmes, et non d'un accident. Ce qu'elles ont d'agrandissement au dix-neuvième siècle n'a point Waterloo pour source. Il n'y a que les peuples barbares qui aient des crues subites après une victoire. C'est la vanité passagère des torrents enflés d'un orage. Les peuples civilisés, surtout au temps où nous sommes, ne se haussent ni ne s'abaissent par la bonne ou mauvaise fortune d'un capitaine. Leur poids spécifique dans le genre humain résulte de quelque chose de plus qu'un combat. Leur honneur, Dieu merci, leur dignité, leur lumière, leur génie, ne sont pas des numéros que les héros et les conquérants, ces joueurs, peuvent mettre à la loterie des batailles. Souvent bataille perdue, progrès conquis. Moins de gloire, plus de liberté. Le tambour se tait, la raison prend la parole. C'est le jeu à qui perd gagne. Parlons donc de Waterloo froidement des deux côtés. Rendons au hasard ce qui est au hasard et à Dieu ce qui est à Dieu. Qu'est-ce que Waterloo ? Une victoire ? Non. Un quine[1]. Quine gagné par l'Europe, payé par la France. Ce n'était pas beaucoup la peine de mettre là un lion[2].

Waterloo du reste est la plus étrange rencontre qui soit dans l'histoire. Napoléon et Wellington. Ce ne sont pas des ennemis, ce sont des contraires. Jamais Dieu, qui se plaît aux antithèses, n'a fait un plus saisissant contraste et une confrontation plus extraordinaire. D'un côté la précision, la prévision, la géométrie, la prudence, la retraite assurée, les réserves ménagées, un sang-froid opiniâtre, une méthode imperturbable, la stratégie, qui profite du terrain, la tactique qui équilibre les bataillons, le carnage tiré au cordeau, la guerre réglée montre en

main, rien laissé volontairement au hasard, le vieux
courage classique, la correction absolue ; de l'autre
l'intuition, la divination, l'étrangeté militaire, l'instinct surhumain, le coup d'œil flamboyant, on ne
sait quoi qui regarde comme l'aigle et qui frappe
comme la foudre, un art prodigieux dans une impétuosité dédaigneuse, tous les mystères d'une âme
profonde, l'association avec le destin, le fleuve, la
plaine, la forêt, la colline, sommés et en quelque
sorte forcés d'obéir, le despote allant jusqu'à tyran-
niser le champ de bataille, la foi à l'étoile mêlée à la
science stratégique, la grandissant, mais la trou-
blant. Wellington était le Barrême de la guerre,
Napoléon en était le Michel-Ange ; et cette fois le
génie fut vaincu par le calcul.

Des deux côtés on attendait quelqu'un. Ce fut le
calculateur exact qui réussit. Napoléon attendait
Grouchy ; il ne vint pas. Wellington attendait Blücher ;
il vint.

Wellington, c'est la guerre classique qui prend sa
revanche. Bonaparte, à son aurore, l'avait rencontrée
en Italie, et superbement battue. La vieille chouette
avait fui devant le jeune vautour. L'ancienne tactique
avait été non seulement foudroyée, mais scandalisée.
Qu'était-ce que ce Corse de vingt-six ans, que signifiait
cet ignorant splendide qui, ayant tout contre lui, rien
pour lui, sans vivres, sans munitions, sans canons,
sans souliers, presque sans armée, avec une poignée
d'hommes contre des masses, se ruait sur l'Europe
coalisée, et gagnait absurdement des victoires dans
l'impossible ? D'où sortait ce forcené foudroyant qui,
presque sans reprendre haleine, et avec le même jeu de
combattants dans la main, pulvérisait l'une après
l'autre les cinq armées de l'empereur d'Allemagne,
culbutant Beaulieu sur Alvinzi, Wurmser sur Beaulieu,
Mélas sur Wurmser, Mack sur Mélas [1] ? Qu'était-ce que

ce nouveau venu de la guerre ayant l'effronterie d'un astre ? L'école académique militaire l'excommuniait en lâchant pied. De là une implacable rancune du vieux césarisme contre le nouveau, du sabre correct contre l'épée flamboyante, et de l'échiquier contre le génie. Le 18 juin 1815, cette rancune eut le dernier mot, et au-dessous de Lodi, de Montebello, de Montenotte, de Mantoue, de Marengo, d'Arcole, elle écrivit : Waterloo. Triomphe des médiocres, doux aux majorités. Le destin consentit à cette ironie. À son déclin, Napoléon retrouva devant lui Wurmser jeune.

Pour avoir Wurmser en effet, il suffit de blanchir les cheveux de Wellington.

Waterloo est une bataille du premier ordre gagnée par un capitaine du second.

Ce qu'il faut admirer dans la bataille de Waterloo, c'est l'Angleterre, c'est la fermeté anglaise, c'est la résolution anglaise, c'est le sang anglais ; ce que l'Angleterre a eu là de superbe, ne lui en déplaise, c'est elle-même. Ce n'est pas son capitaine, c'est son armée.

Wellington, bizarrement ingrat, déclare dans une lettre à lord Bathurst que son armée, l'armée qui a combattu le 18 juin 1815, était une « détestable armée ». Qu'en pense cette sombre mêlée d'ossements enfouis sous les sillons de Waterloo ?

L'Angleterre a été trop modeste vis-à-vis de Wellington. Faire Wellington si grand, c'est faire l'Angleterre petite. Wellington n'est qu'un héros comme un autre. Ces Écossais gris, ces horse-guards, ces régiments de Maitland et de Mitchell, cette infanterie de Pack et de Kempt, cette cavalerie de Ponsonby et de Somerset, ces highlanders jouant du pibroch sous la mitraille, ces bataillons de Rylandt, ces recrues toutes fraîches qui savaient à peine manier le mousquet tenant tête aux vieilles bandes d'Essling et

de Rivoli, voilà ce qui est grand. Wellington a été
tenace, ce fut là son mérite, et nous ne le lui marchan-
dons pas, mais le moindre de ses fantassins et de ses
cavaliers a été tout aussi solide que lui. L'iron-soldier
vaut l'iron-duke[1]. Quant à nous, toute notre glorification va au soldat anglais, à l'armée anglaise, au peuple
anglais. Si trophée il y a, c'est à l'Angleterre que le
trophée est dû. La colonne de Waterloo serait plus
juste si au lieu de la figure d'un homme, elle élevait
dans la nue la statue d'un peuple.

Mais cette grande Angleterre s'irritera de ce que
nous disons ici. Elle a encore, après son 1688 et
notre 1789, l'illusion féodale. Elle croit à l'hérédité
et à la hiérarchie. Ce peuple, qu'aucun ne dépasse en
puissance et en gloire, s'estime comme nation, non
comme peuple. En tant que peuple, il se subordonne
volontiers et prend un lord pour une tête. Workman,
il se laisse dédaigner ; soldat, il se laisse bâtonner.
On se souvient qu'à la bataille d'Inkermann un sergent qui, à ce qu'il paraît, avait sauvé l'armée, ne put
être mentionné par lord Raglan, la hiérarchie militaire anglaise ne permettant de citer dans un rapport
aucun héros au-dessous du grade d'officier.

Ce que nous admirons par-dessus tout, dans une
rencontre du genre de celle de Waterloo, c'est la prodigieuse habileté du hasard. Pluie nocturne, mur de
Hougomont, chemin creux d'Ohain, Grouchy sourd
au canon, guide de Napoléon qui le trompe, guide de
Bülow qui l'éclaire ; tout ce cataclysme est merveilleu-
sement conduit.

Au total, disons-le, il y eut à Waterloo plus de massacre que de bataille.

Waterloo est de toutes les batailles rangées celle
qui a le plus petit front sur un tel nombre de combattants. Napoléon, trois quarts de lieue, Wellington,

une demi-lieue ; soixante-douze mille combattants de chaque côté. De cette épaisseur vint le carnage.

On a fait ce calcul et établi cette proportion : Perte d'hommes : à Austerlitz, Français, quatorze pour cent ; Russes, trente pour cent ; Autrichiens, quarante-quatre pour cent. À Wagram, Français, treize pour cent ; Autrichiens, quatorze. À la Moskowa, Français, trente-sept pour cent ; Russes, quarante-quatre. À Bautzen, Français, treize pour cent ; Russes et Prussiens, quatorze. À Waterloo, Français, cinquante-six pour cent ; Alliés, trente et un. Total pour Waterloo, quarante et un pour cent. Cent quarante-quatre mille combattants ; soixante mille morts.

Le champ de Waterloo aujourd'hui a le calme qui appartient à la terre, support impassible de l'homme, et il ressemble à toutes les plaines.

La nuit pourtant une espèce de brume visionnaire s'en dégage, et si quelque voyageur s'y promène, s'il regarde, s'il écoute, s'il rêve comme Virgile devant les funestes plaines de Philippes, l'hallucination de la catastrophe le saisit. L'effrayant 18 juin revit ; la fausse colline-monument s'efface, ce lion quelconque se dissipe, le champ de bataille reprend sa réalité ; des lignes d'infanterie ondulent dans la plaine, des galops furieux traversent l'horizon ; le songeur effaré voit l'éclair des sabres, l'étincelle des baïonnettes, le flamboiement des bombes, l'entrecroisement monstrueux des tonnerres ; il entend, comme un râle au fond d'une tombe, la clameur vague de la bataille fantôme ; ces ombres, ce sont les grenadiers ; ces lueurs, ce sont les cuirassiers ; ce squelette, c'est Napoléon ; ce squelette, c'est Wellington ; tout cela n'est plus et se heurte et combat encore ; et les ravins s'empourprent, et les arbres frissonnent, et il y a de la furie jusque dans les nuées, et, dans les ténèbres, toutes ces hauteurs farouches, Mont-Saint-Jean,

Hougomont, Frischemont, Papelotte, Plancenoit, apparaissent confusément couronnées de tourbillons de spectres s'exterminant.

CHAPITRE XVII

Faut-il trouver bon Waterloo ?

Il existe une école libérale très respectable qui ne hait point Waterloo. Nous n'en sommes pas. Pour nous, Waterloo n'est que la date stupéfaite de la liberté. Qu'un tel aigle sorte d'un tel œuf, c'est à coup sûr l'inattendu.

Waterloo, si l'on se place au point de vue culminant de la question, est intentionnellement une victoire contre-révolutionnaire. C'est l'Europe contre la France, c'est Pétersbourg, Berlin et Vienne contre Paris, c'est le *statu quo* contre l'initiative, c'est le 14 juillet 1789 attaqué à travers le 20 mars 1815, c'est le branle-bas des monarchies contre l'indomptable émeute française. Éteindre enfin ce vaste peuple en éruption depuis vingt-six ans, tel était le rêve. Solidarité des Brunswick, des Nassau, des Romanoff, des Hohenzollern, des Habsbourg, avec les Bourbons. Waterloo porte en croupe le droit divin. Il est vrai que, l'empire ayant été despotique, la royauté, par la réaction naturelle des choses, devait forcément être libérale, et qu'un ordre constitutionnel à contrecœur est sorti de Waterloo, au grand regret des vainqueurs. C'est que la révolution ne peut être vraiment vaincue, et qu'étant providentielle et absolument fatale, elle reparaît toujours, avant Waterloo, dans Bonaparte jetant bas les vieux trônes, après Waterloo, dans Louis XVIII octroyant et subissant la Charte. Bonaparte met un postillon sur le trône de Naples et

un sergent sur le trône de Suède[1], employant l'inégalité à démontrer l'égalité ; Louis XVIII à Saint-Ouen
contresigne la déclaration des droits de l'homme.
Voulez-vous vous rendre compte de ce que c'est que
la révolution, appelez-la Progrès ; et voulez-vous vous
rendre compte de ce que c'est que le progrès, appelez-
le Demain. Demain fait irrésistiblement son œuvre, et
il la fait dès aujourd'hui. Il arrive toujours à son but,
étrangement. Il emploie Wellington à faire de Foy,
qui n'était qu'un soldat, un orateur. Foy tombe à
Hougomont et se relève à la tribune[2]. Ainsi procède
le progrès. Pas de mauvais outil pour cet ouvrier-là. Il
ajuste à son travail divin, sans se déconcerter,
l'homme qui a enjambé les Alpes, et le bon vieux
malade chancelant du père Élysée. Il se sert du
podagre comme du conquérant ; du conquérant au
dehors, du podagre au dedans. Waterloo, en coupant
court à la démolition des trônes européens par l'épée,
n'a eu d'autre effet que de faire continuer le travail
révolutionnaire d'un autre côté. Les sabreurs ont fini,
c'est le tour des penseurs. Le siècle que Waterloo voulait arrêter a marché dessus et a poursuivi sa route.
Cette victoire sinistre a été vaincue par la liberté.

En somme, et incontestablement, ce qui triomphait
à Waterloo, ce qui souriait derrière Wellington, ce qui
lui apportait tous les bâtons de maréchal de l'Europe,
y compris, dit-on, le bâton de maréchal de France, ce
qui roulait joyeusement les brouettées de terre pleine
d'ossements pour élever la butte du lion, ce qui a
triomphalement écrit sur ce piédestal cette date :
18 juin 1815, ce qui encourageait Blücher sabrant la
déroute, ce qui du haut du plateau de Mont-Saint-
Jean se penchait sur la France comme sur une proie,
c'était la contre-révolution. C'est la contre-révolution
qui murmurait ce mot infâme : démembrement. Arrivée à Paris, elle a vu le cratère de près, elle a senti que

cette cendre lui brûlait les pieds, et elle s'est ravisée.
Elle est revenue au bégayement d'une charte.

Ne voyons dans Waterloo que ce qui est dans
Waterloo. De liberté intentionnelle, point. La contre-
révolution était involontairement libérale, de même
que, par un phénomène correspondant, Napoléon
était involontairement révolutionnaire. Le 18 juin
1815, Robespierre à cheval[1] fut désarçonné.

CHAPITRE XVIII

Recrudescence du droit divin

Fin de la dictature. Tout un système d'Europe
croula.

L'empire s'affaissa dans une ombre qui ressembla à
celle du monde romain expirant. On revit de l'abîme
comme au temps des barbares. Seulement la barbarie
de 1815, qu'il faut nommer de son petit nom, la
contre-révolution, avait peu d'haleine, s'essouffla
vite, et resta court. L'empire, avouons-le, fut pleuré,
et pleuré par des yeux héroïques. Si la gloire est dans
le glaive fait sceptre, l'empire avait été la gloire
même. Il avait répandu sur la terre toute la lumière
que la tyrannie peut donner ; lumière sombre. Disons
plus : lumière obscure. Comparée au vrai jour, c'est
de la nuit. Cette disparition de la nuit fit l'effet d'une
éclipse.

Louis XVIII rentra dans Paris. Les danses en rond
du 8 juillet effacèrent les enthousiasmes du 20 mars[2].
Le Corse devint l'antithèse du Béarnais. Le drapeau du
dôme des Tuileries fut blanc. L'exil trôna. La table de
sapin de Hartwell prit place devant le fauteuil fleurde-
lisé de Louis XIV. On parla de Bouvines et de Fontenoy
comme d'hier, Austerlitz ayant vieilli. L'autel et le

trône fraternisèrent majestueusement. Une des formes les plus incontestées du salut de la société au dix-neuvième siècle s'établit sur la France et sur le continent. L'Europe prit la cocarde blanche. Trestaillon[1] fut célèbre. La devise *non pluribus impar*[2] reparut dans des rayons de pierre figurant un soleil sur la façade de la caserne du quai d'Orsay. Où il y avait eu une garde impériale, il y eut une maison rouge. L'arc du carrousel, tout chargé de victoires mal portées, dépaysé dans ces nouveautés, un peu honteux peut-être de Marengo et d'Arcole, se tira d'affaire avec la statue du duc d'Angoulême. Le cimetière de la Madeleine, redoutable fosse commune de 93, se couvrit de marbre et de jaspe, les os de Louis XVI et de Marie-Antoinette étant dans cette poussière. Dans le fossé de Vincennes, un cippe sépulcral sortit de terre, rappelant que le duc d'Enghien était mort dans le mois même où Napoléon avait été couronné. Le pape Pie VII, qui avait fait ce sacre très près de cette mort, bénit tranquillement la chute comme il avait béni l'élévation. Il y eut à Schœnbrunn une petite ombre âgée de quatre ans qu'il fut séditieux d'appeler le roi de Rome. Et ces choses se sont faites, et ces rois ont repris leurs trônes, et le maître de l'Europe a été mis dans une cage, et l'ancien régime est devenu le nouveau, et toute l'ombre et toute la lumière de la terre ont changé de place, parce que, dans l'après-midi d'un jour d'été, un pâtre a dit à un Prussien dans un bois : passez par ici et non par là !

Ce 1815 fut une sorte d'avril lugubre. Les vieilles réalités malsaines et vénéneuses se couvrirent d'apparences neuves. Le mensonge épousa 1789, le droit divin se masqua d'une charte, les fictions se firent constitutionnelles, les préjugés, les superstitions et les arrière-pensées, avec l'article 14 au cœur, se vernirent de libéralisme. Changement de peau des serpents.

L'homme avait été à la fois agrandi et amoindri

par Napoléon. L'idéal, sous ce règne de la matière
splendide, avait reçu le nom étrange d'idéologie.
Grave imprudence d'un grand homme, tourner en
dérision l'avenir. Les peuples cependant, cette chair à
canon si amoureuse du canonnier, le cherchaient des
yeux. Où est-il ? Que fait-il ? Napoléon est mort, disait
un passant à un invalide de Marengo et de Waterloo.
— *Lui mort !* s'écria ce soldat, *vous le connaissez
bien !* Les imaginations défiaient cet homme terrassé.
Le fond de l'Europe, après Waterloo, fut ténébreux.
Quelque chose d'énorme resta longtemps vide par
l'évanouissement de Napoléon.

Les rois se mirent dans ce vide. La vieille Europe en
profita pour se reformer. Il y eut une Sainte-Alliance.
Belle-Alliance, avait dit d'avance le champ fatal de
Waterloo.

En présence et en face de cette antique Europe
refaite, les linéaments d'une France nouvelle s'ébau-
chèrent. L'avenir, raillé par l'empereur, fit son
entrée. Il avait sur le front cette étoile, Liberté. Les
yeux ardents des jeunes générations se tournèrent
vers lui. Chose singulière, on s'éprit en même temps
de cet avenir, Liberté, et de ce passé, Napoléon. La
défaite avait grandi le vaincu. Bonaparte tombé
semblait plus haut que Napoléon debout. Ceux qui
avaient triomphé eurent peur. L'Angleterre le fit garder par Hudson Lowe[1] et la France le fit guetter par
Montchenu[2]. Ses bras croisés devinrent l'inquiétude
des trônes. Alexandre le nommait : mon insomnie.
Cet effroi venait de la quantité de révolution qu'il
avait en lui. C'est ce qui explique et excuse le libéralisme bonapartiste. Ce fantôme donnait le tremblement au vieux monde. Les rois régnèrent mal à leur
aise, avec le rocher de Sainte-Hélène à l'horizon.

Pendant que Napoléon agonisait à Longwood, les
soixante mille hommes tombés dans le champ de

Waterloo pourrirent tranquillement, et quelque chose de leur paix se répandit dans le monde. Le congrès de Vienne en fit les traités de 1815, et l'Europe nomma cela la restauration.

Voilà ce que c'est que Waterloo.

Mais qu'importe à l'infini ? toute cette tempête, tout ce nuage, cette guerre, puis cette paix, toute cette ombre, ne troubla pas un moment la lueur de l'œil immense devant lequel un puceron sautant d'un brin d'herbe à l'autre égale l'aigle volant de clocher en clocher aux tours de Notre-Dame[1].

ERCKMANN-CHATRIAN

Waterloo
(1865)

Émile Erckmann (1822-1899) et Alexandre Chatrian (1826-1890) ont eu les plus grandes peines à se faire un nom en littérature. Dans leur jeunesse, le premier ne parvient pas à achever ses études de droit à Paris ; le second est contraint d'aller gagner sa vie comme contremaître en Belgique, à cause de la faillite de son père qui possédait une verrerie. Les deux hommes se rencontrent à Phalsbourg en 1847 et se lient immédiatement d'amitié. Il faut dire que tout les rapproche : en échec social, ils sont tous deux fiers d'être natifs de la région Lorraine, ils partagent des convictions républicaines et ont des prétentions littéraires. Ils décident d'unir leurs talents et proposent plusieurs pièces de théâtre qui sont refusées à Paris. Les drames affichent tant leur penchant républicain qu'après deux jours de représentation, L'Alsacien *en 1814 est interdit à Strasbourg en janvier 1850. Après le coup d'État de 1851, les deux auteurs sont inquiétés par la police. Ils vont d'échec en échec lorsque, à partir de 1861, leurs romans obtiennent plusieurs succès, notamment* Maître Daniel Rock *et* Le Fou Yégov. *Mais c'est surtout* Histoire d'un conscrit de 1813, *publié en 1864 dans* Le Journal des Débats *en 18 feuilletons, puis chez Hetzel, qui les révèle au grand public avec près de 100 000 exemplaires vendus en quelques mois et de nombreuses rééditions jusqu'en 1885. Un an plus tard, en 1865, paraît* Waterloo, *qui est la suite de l'*Histoire d'un conscrit de 1813. *Les deux auteurs se font une spécialité du récit militaire et publient* *encore* La Guerre, Le Blocus *ou encore* Souvarov l'invincible.

Leur style est caractérisé par un réalisme naïf et simple qui s'inscrit dans la littérature populaire de l'époque. Leurs romans nationaux excitent les sentiments républicains et patriotiques de la Lorraine, et plus généralement du nord-est de la France, en contant des légendes populaires ou fantastiques. S'ils sont dénigrés par une partie de la critique littéraire, dont Barbey d'Aurevilly qui leur reproche de ne rien inventer, voire d'imiter maladroitement Edgard Poe ou Hoffmann, Alphonse de Lamartine, lui, est séduit et parle de « *phénomène, c'est-à-dire d'un nouveau genre de beauté en littérature, inventé comme par accident, sorti du néant, ne répondant à rien de ce qui a été conçu jusqu'ici, n'ayant été ni prédit, ni annoncé, ni vanté d'avance, mais né de soi-même, comme un instinct irréfléchi*[1] ». *Lamartine leur consacre même un cours de littérature à partir de 1867. Cette forme de* « *roman vrai* », *à laquelle auraient donné naissance Erckmann-Chatrian, se retrouve tout particulièrement dans leur* Histoire d'un conscrit de 1813, *à laquelle appartient* Waterloo.

Le lecteur découvre le cycle des défaites napoléoniennes, à partir de 1813, en suivant un jeune garçon, du nom de Joseph Bertha, qui était un ouvrier heureux dans une horlogerie à Phalsbourg quand il fut porté sur une liste de conscription qui l'enrôla dans l'armée. C'est sous la forme des Mémoires *de ce jeune conscrit qu'Erckmann-Chatrian conduisent la narration des campagnes napoléoniennes. À la manière des habitantes des campagnes lorraines, Joseph Bertha est fasciné par la légende de l'empereur. Il dit sur Napoléon, au début de l'*Histoire d'un conscrit de 1813 : « On aurait cru que c'était Dieu ; qu'il faisait respirer le monde, et que si par malheur il mourait, tout serait fini. » L'idée de la chute de Napoléon était inconcevable à cette époque, et pourtant l'empereur va être précipité de son piédestal, une première fois en 1814, une seconde après*

---

1. Lamartine, préface à *Waterloo* ; voir l'édition Taillandier, 1987.

Waterloo. *Erckmann-Chatrian conçoivent l'abîme qui sépare les espérances et les croyances populaires en Napoléon et l'immense désillusion qui va marquer sa fin. Joseph Bertha participe aux défaites de Lützen et de Leipzig dans le premier volume de 1864. Le mythe de Napoléon est taché du sang des soldats et des frères d'armes du héros. Ce dernier, s'il a cru un moment au triomphe des valeurs de la Révolution grâce à l'instinct populaire de Napoléon, ne croit plus dans la promesse de l'Empire comme défenseur des droits du peuple. C'est la raison pour laquelle Joseph, en 1815, n'aspire plus qu'à la paix, même sous le joug des Bourbons. Le roman* Waterloo *commence par cette évocation du retour de Louis XVIII à Paris, après la première abdication de Napoléon :*

> Je n'ai jamais rien vu d'aussi joyeux que le retour de Louis XVIII en 1814. C'était au printemps, quand les haies, les jardins et les vergers refleurissent. On avait eu tant de misères depuis des années, on avait craint tant de fois d'être pris par la conscription et de ne plus revenir, on était si las de toutes ces batailles, de toute cette gloire, de tous ces canons enlevés, de tous ces *Te Deum*, qu'on ne pensait plus qu'à vivre en paix, à jouir du repos.

Mais la guerre va reprendre de plus belle avec les Cent-Jours, et conduire notre personnage sur les champs de bataille de Ligny et de Waterloo. Les extraits sélectionnés racontent la marche au front, la bataille de Ligny, le soir de ce premier carnage, puis les charges de la cavalerie anglaise à Waterloo.

Émile Zola n'affectionnait pas particulièrement les romans d'Erckmann-Chatrian. Il refusait d'ailleurs de les qualifier de romans, les trouvant trop naïfs, décrivant des personnages sous le seul angle physique et matériel, comme s'ils étaient des « pantins » dépourvus d'âme. À l'inverse, l'auteur de Germinal *admirait la manière d'Erckmann-Chatrian dans leurs récits sur le conscrit de 1813 qui combat à Waterloo. « L'écrivain, analyse Zola, a trouvé des couleurs admirables de vérité et de vigueur pour peindre cette lutte dernière d'un homme contre tous les peuples ; il a*

*rencontré, dans la simplicité et dans la réalité, des accents
déchirants et nous a donné, par fragments, le poème épique
moderne*[1]. » C'est qu'Erckmann-Chatrian ont une approche
populaire de la guerre qui redonne aux batailles une dimension humaine. Puisque le sang qui coule est celui des
hommes, qui sont ces hommes ? Que pensent-ils au
moment de monter au front ? Comment vivent-ils, dans
leur chair, la mort d'un frère ? Et puis, tout simplement :
ont-ils peur ? La mort est omniprésente et plane au-dessus
des soldats qui sont conscients de marcher à la mort. Ce
sentiment, proche de la folie, inconnu de ceux qui n'ont pas
fait la guerre comme on la faisait auparavant, au corps à
corps, est transposé admirablement par les deux auteurs.
Chaque soldat a son expérience des combats et du canon,
chacun vit et supporte différemment la charge des dragons
et l'éclat des bombes, mais tous affrontent la mort et sont
volontairement présentés comme des « poupées » qui
donnent la mort dans la confusion extrême des chocs et de
la fumée. Zola a souligné cette dénonciation des malheurs
de la guerre par Erckmann-Chatrian pour critiquer l'absence de réflexions historiques sur les circonstances de
l'époque. Il faut lire ces pages en effet moins comme un
roman historique que comme un roman psychologique,
nerveux et tendu, où l'homme est aux prises avec la mort et
danse avec elle, comme Jacob avec l'Ange, dans la fresque
de Delacroix. Or, qu'est-ce que Waterloo ? C'est certes la
dernière bataille de l'empereur, mais c'est aussi l'incarnation d'une lutte démesurée, barbare et absurde à laquelle
prennent part les soldats du peuple, le peuple des soldats. Le
legs de la guerre, c'est le dégoût de la guerre.

Le goût d'Erckmann-Chatrian pour les légendes populaires et les contes fantastiques trouve dans Waterloo un
sujet qui correspond idéalement aux deux écrivains lor-
rains et républicains. Lamartine a saisi la portée de leur
œuvre : « Voulez-vous, après tant d'adulation, verser une
goutte de vérité populaire dans la mémoire de vos enfants ?

---

1. Voir Zola, *Mes haines*, Paris, GF, 2012.

ne la cherchez dans aucune de vos histoires, mais dans le
roman vrai d'Erckmann et Chatrian ! »

CHAPITRE XV

[...]

Le 8 juin, de grand matin, le bataillon partit du
village et repassa près de Metz, mais sans entrer. Les
portes de la ville étaient fermées et les canons sur les
remparts, comme en temps de guerre. Nous allâmes
coucher à Chatel, le lendemain à Etain, le jour suivant à Dannevoux, où je fus logé chez un bon patriote
qui s'appelait M. Sébastien Perrin. C'était un homme
riche. Il voulait tout savoir en détail, et comme avant
nous un grand nombre d'autres bataillons avaient
suivi la même route, il disait :

— Dans un mois ou peut-être avant, nous saurons
de grandes choses... Toutes les troupes marchent sur
la Belgique... L'Empereur va tomber sur les Anglais
et les Prussiens !

C'était notre dernière bonne étape, car le lendemain nous arrivâmes à Yong, qui est un mauvais
pays. Nous allâmes coucher le 12 juin à Vivier ; le 13,
à Cul-de-Sard. Plus nous avancions, plus nous rencontrions de troupes, et comme j'avais déjà vu ces
choses en Allemagne, je disais à mon camarade Jean
Buche :

— Maintenant ça va chauffer !

De tous les côtés, dans toutes les directions, la
cavalerie, l'infanterie, l'artillerie s'avançaient par
files, couvrant les routes à perte de vue. On ne pouvait voir de plus beau temps ni de plus magnifiques
récoltes ; seulement il faisait trop chaud. Ce qui
m'étonnait, c'était de ne découvrir aucun ennemi, ni
devant ni derrière, ni à droite ni à gauche. On ne

savait rien. Le bruit courait entre nous que, cette fois, nous allions tomber sur les Anglais. J'avais déjà vu les Prussiens, les Autrichiens, les Russes, les Bavarois, les Wurtembergeois, les Suédois ; je connaissais les gens de tous les pays du monde, et maintenant j'allais aussi connaître les Anglais. Je pensais : « Puisqu'il faut s'exterminer, j'aime autant que ce soit avec ceux-ci qu'avec les Allemands. Nous ne pouvons pas éviter notre sort : si je dois en réchapper, j'en réchapperai ; si je dois laisser ma peau, tout ce que je ferais pour la sauver, ou rien, ce serait la même chose. Mais il faut en exterminer le plus possible des autres ; de cette façon, nous augmentons les chances pour nous.

Voilà les raisonnements que je me tenais à moi-même, et s'ils ne me faisaient pas de bien, au moins ils ne me causaient pas de mal.

CHAPITRE XVI

Nous avions passé la Meuse le 12 ; le 13 et le 14, nous continuâmes à marcher dans de mauvais chemins bordés de champs de blé, d'orge, d'avoine, de chanvre, qui n'en finissaient plus. — Il faisait une chaleur extraordinaire, la sueur me coulait sous le sac et la giberne jusqu'au bas des reins. Quel malheur d'être pauvre, et de ne pas pouvoir s'acheter un homme qui marche et qui reçoive des coups de fusil pour nous[1] ! — Après avoir supporté la pluie, le vent, la neige et la boue en Allemagne, le tour de la poussière et du soleil était venu.

Je voyais aussi que l'extermination approchait ; on n'entendait plus dans toutes les directions que le son des tambours et des trompettes ; quand le bataillon passait sur une hauteur, des files de casques, de lances, de baïonnettes se découvraient à perte de vue.

Zébédé, le fusil sur l'épaule, me criait quelquefois
d'un air joyeux :

— Eh bien ! Joseph, nous allons donc encore une
fois nous regarder le blanc des yeux avec les Prussiens ?

Et j'étais forcé de lui répondre :

— Oh ! oui, la noce va recommencer !

Comme si j'avais été content de risquer ma vie et
de laisser Catherine[1] veuve avant l'âge, pour des
choses qui ne me regardaient pas.

Ce jour même, vers sept heures, nous arrivâmes à
Roly. Des hussards occupaient déjà ce village, et l'on
nous fit bivouaquer dans un chemin creux, le long de
la côte.

Nos fusils étaient à peine en faisceaux, que plusieurs officiers supérieurs arrivèrent. Le commandant Gémeau, qui venait de mettre pied à terre,
remonta sur son cheval et courut à leur rencontre ;
ils causèrent un instant ensemble et descendirent
dans notre chemin, où tout le monde regardait en se
disant :

« Quelque chose se passe ! »

Un des officiers supérieurs, le général Pécheux,
que nous avons connu depuis, ordonna le roulement
et nous cria :

— Formez le cercle !

Mais comme le chemin était trop étroit, les soldats
montèrent des deux côtés sur le talus ; d'autres restèrent en bas. Tout le bataillon regardait, et le général se mit à dérouler un papier en nous criant :

— Proclamation de l'Empereur !

Quand il eut dit cela, le silence devint si grand,
qu'on aurait dit qu'il était seul au milieu des champs.
Depuis le dernier conscrit jusqu'au commandant
Gémeau, tout le monde écoutait ; et même aujour-
d'hui, quand j'y pense après cinquante ans, cela me

remue le cœur : c'était quelque chose de grand et de terrible.

Voici ce que le général nous lut :

> Soldats ! c'est aujourd'hui l'anniversaire de Marengo et de Friedland, qui décidèrent deux fois du sort de l'Europe. Alors, comme après Austerlitz, comme après Wagram, nous fûmes trop généreux, nous crûmes aux protestations et aux serments des princes que nous laissâmes sur le trône. Aujourd'hui cependant, coalisés entre eux, ils en veulent à l'indépendance et aux droits les plus sacrés de la France. Ils ont commencé la plus injuste des agressions ; marchons à leur rencontre : eux et nous, nous ne sommes plus les mêmes hommes !

Tout le bataillon frémit et se mit à crier : *Vive l'Empereur !* Le général leva la main, et l'on se tut en se penchant encore plus pour entendre.

> Soldats ! — À Iéna, contre ces mêmes Prussiens, aujourd'hui si arrogants, nous étions un contre trois, et à Montmirail, un contre six. Que ceux d'entre vous qui ont été prisonniers des Anglais vous fassent le récit de leurs pontons et des maux affreux qu'ils y ont soufferts.
>
> Les Saxons, les Belges, les Hanovriens, les soldats de la Confédération du Rhin gémissent d'être obligés de prêter leurs bras à la cause de princes ennemis de la justice et des droits de tous les peuples ; ils savent que cette coalition est insatiable : après avoir dévoré douze millions de Polonais, douze millions d'Italiens, un million de Saxons, six millions de Belges, elle devra dévorer les États de second ordre de l'Allemagne.
>
> Les insensés ! Un moment de prospérité les aveugle ; l'oppression et l'humiliation du peuple français sont hors de leur pouvoir. S'ils entrent en France, ils y trouveront leur tombeau.
>
> Soldats, nous avons des marches forcées à faire, des batailles à livrer, des périls à courir ; mais avec de la constance, la victoire sera à nous ; les Droits de l'homme et le bonheur de la patrie seront reconquis.

Pour tout Français qui a du cœur, le moment est arrivé
de vaincre ou de périr.

Napoléon [1].

On ne se figurera jamais les cris qui s'élevèrent
alors ; c'était un spectacle qui vous grandissait l'âme ;
on aurait dit que l'Empereur nous avait soufflé son
esprit des batailles, et nous ne demandions plus qu'à
tout massacrer.

Le général était parti depuis longtemps, que les cris
continuaient encore, et moi-même j'étais content ; je
voyais que tout cela c'était la vérité : que les Prussiens,
les Autrichiens, les Russes, qui dans le temps ne parlaient que de la délivrance des peuples, avaient pro-
fité de la première occasion pour tout happer ; que
tous ces grands mots de liberté, qu'ils avaient mis en
avant en 1813 pour entraîner la jeunesse contre nous,
toutes les promesses de constitutions qu'ils avaient
faites, ils les avaient mises de côté. Je les regardais
comme des gueux, comme des gens qui ne tenaient
pas à leur parole, qui se moquaient des peuples, et
qui n'avaient qu'une idée très petite, très misérable :
c'était toujours de rester à la meilleure place, avec
leurs enfants et descendants bons ou mauvais, justes
ou injustes, sans s'inquiéter de la loi de Dieu.

Voilà ce que je voyais. Cette proclamation me
paraissait très belle. Je pensais même que le père
Goulden [2] en serait très content, parce que l'Empereur n'avait pas oublié les Droits de l'homme, qui sont
la liberté, l'égalité, la justice, et toutes ces grandes
idées qui font que les hommes, au lieu d'agir comme
les animaux, se respectent eux-mêmes et respectent
aussi les droits de leur prochain.

Notre courage était donc beaucoup augmenté par
ces paroles fortes et justes. Les anciens disaient en
riant :

— Cette fois, nous n'allons pas languir... à la première marche, nous tombons sur les Prussiens !

Et les conscrits, qui n'avaient pas encore entendu ronfler les boulets, se réjouissaient plus que les autres. Les yeux de Buche brillaient comme ceux d'un chat ; il s'était assis au bord du chemin, son sac ouvert sur le talus, et repassait lentement son sabre, en essayant le fil à la pointe de son soulier. D'autres affilaient leur baïonnette, ou rajustaient leur pierre à fusil, ce qui se fait toujours en campagne, la veille d'une rencontre.

— Dans ces moments, mille idées vous passent par la tête, on fronce le sourcil, on serre les lèvres, on a de mauvaises figures.

Le soleil se penchait de plus en plus derrière les blés ; quelques détachements allaient chercher du bois au village, ils en rapportaient aussi des oignons, des poireaux, du sel, et même des quartiers de vache pendus à de grandes perches sur leurs épaules.

C'est autour des feux, lorsque les marmites commençaient à bouillonner et que la fumée tournait dans le ciel, qu'il aurait fallu voir la mine joyeuse qu'on avait ; l'un parlait de Lutzen, l'autre d'Austerlitz, l'autre de Wagram, d'Iéna, de Friedland, de l'Espagne, du Portugal, de tous les pays du monde. Tous parlaient ensemble ; mais on n'écoutait que les anciens, les bras couverts de chevrons, qui parlaient mieux et montraient les positions à terre avec le doigt, en expliquant les par file à droite et les par file à gauche, par trente ou quarante en bataille. On croyait tout voir en les écoutant.

Chacun avait sa cuiller d'étain à la boutonnière et pensait :

« Le bouillon va bien... c'est une bonne viande bien grasse. »

La nuit alors était venue. Après la distribution on avait l'ordre d'éteindre les feux et de ne pas sonner la retraite, ce qui signifiait que l'ennemi n'était pas loin, et qu'on craignait de l'effaroucher.

Il commençait à faire clair de lune. Buche et moi nous mangions à la même gamelle. Quand nous eûmes fini, durant plus de deux heures il me raconta leur vie au Harberg, leur grande misère lorsqu'il fallait traîner des cinq et six stères de bois sur une *schlitte*[1], en risquant d'être écrasés, surtout à la fonte des neiges. L'existence des soldats, la bonne gamelle, le bon pain, la ration régulière, les bons habits chauds, les chemises bien solides en grosse toile, tout cela lui paraissait admirable. Jamais il ne s'était figuré qu'on pouvait vivre aussi bien ; et la seule idée qui le tourmentait, c'était de faire savoir à ses deux frères, Gaspard et Jacob, sa belle position, pour les décider à s'engager aussitôt qu'ils auraient l'âge.

— Oui, lui disais-je, c'est bien ; mais les Russes, les Anglais, les Prussiens... tu ne penses pas à cela.

— Je me moque d'eux, faisait-il ; mon sabre coupe comme un tranchet, ma baïonnette pique comme une aiguille. C'est plutôt eux qui doivent avoir peur de me rencontrer.

Nous étions les meilleurs amis du monde ; je l'aimais presque autant que mes anciens camarades Klipfel, Furst et Zébédé. Lui m'aimait bien aussi ; je crois qu'il se serait fait hacher pour me tirer d'embarras. — Les anciens camarades de lit ne s'oublient jamais ; de mon temps, le vieux Harwig, que j'ai connu plus tard à Phalsbourg, recevait encore une pension de son ancien camarade Bernadotte, roi de Suède. Si j'étais devenu roi, j'aurais aussi fait une pension à Jean Buche, car s'il n'avait pas un grand esprit, il avait un bon cœur, ce qui vaut encore mieux.

Pendant que nous étions à causer, Zébédé vint me frapper sur l'épaule.

— Tu ne fumes pas, Joseph ? me dit-il.

— Je n'ai pas de tabac.

Aussitôt il m'en donna la moitié d'un paquet.

Je vis qu'il m'aimait toujours, malgré la différence des grades, et cela m'attendrit. Lui ne se possédait plus de joie, en songeant que nous allions tomber sur les Prussiens.

— Quelle revanche ! s'écriait-il. Pas de quartier... Il faut que tout soit payé depuis la Katzbach[1] jusqu'à Soissons.

On aurait cru que ces Prussiens et ces Anglais n'allaient pas se défendre, et que nous ne risquions pas d'attraper des boulets et de la mitraille, comme à Lutzen, à Gross-Beren, à Leipzig et partout. Mais que peut-on dire à des gens qui ne se rappellent rien et qui voient tout en beau ? Je fumais tranquillement ma pipe et je répondais :

— Oui !... oui !... nous allons les arranger, ces gueux-là !... Nous allons les bousculer... Ils vont en voir des dures...

J'avais laissé bourrer sa pipe à Jean Buche ; et comme nous étions de garde, Zébédé, vers neuf heures, alla relever les premières sentinelles à la tête du piquet. Moi, je sortis de notre cercle, et j'allai m'étendre quelques pas en arrière, l'oreille sur le sac, au bord d'un sillon. Le temps était si chaud, qu'on entendait les cigales chanter longtemps encore après le coucher du soleil ; quelques étoiles brillaient au ciel, pas un souffle n'arrivait sur la plaine, les épis restaient droits, et dans le lointain les horloges des villages sonnaient neuf heures, dix heures, onze heures. Je finis par m'endormir. C'était la nuit du 14 au 15 juin 1815.

Entre deux et trois heures du matin, Zébédé vint me secouer.

— Debout, disait-il, en route !

Buche était aussi venu s'étendre près de moi, nous

nous levâmes. C'était notre tour de relever les postes. Il faisait encore nuit, mais le jour étendait une ligne blanche au bord du ciel, le long des blés. À trente pas plus loin, le lieutenant Bretonville nous attendait au milieu du piquet. C'est dur de se lever, quand on dort si bien après une marche de dix heures. Tout en bouclant notre sac, nous avions rejoint le piquet. Au bout de deux cents pas, derrière une haie, je relevai la sentinelle en face de Roly. Le mot d'ordre était : « Jemmapes et Fleurus ! » Cela me revient d'un coup... Comme pourtant les choses dorment dans notre esprit durant des années ! ce mot d'ordre ne m'était pas revenu depuis 1815.

Je crois encore voir le piquet qui rentre dans le chemin, pendant que je renouvelle mon amorce à la lueur des étoiles ; et j'entends au loin les autres sentinelles marcher lentement, tandis que les pas du piquet s'éloignent à l'intérieur de la colline.

Je me mis à marcher l'arme au bras le long de la haie. Le village, avec ses petits toits de chaume et plus loin son clocher d'ardoises, s'élevait au-dessus des moissons. Un hussard à cheval, en sentinelle au milieu du chemin, regardait, son mousqueton appuyé sur la cuisse. C'est tout ce qu'on voyait.

Longtemps j'attendis là, songeant, écoutant et marchant. Tout dormait. La ligne blanche du ciel grandissait.

Cela dura plus d'une demi-heure. La lumière matinale grisonnait au loin le pays ; deux ou trois cailles s'appelaient et se répondaient d'un bout de la plaine à l'autre. Je m'étais arrêté tout mélancolique, car, en entendant ces voix, je me représentais les Quatre-Vents, Danne, les Baraques-du-Bois-de-Chênes ; je pensais : « Là-bas, dans nos blés, les cailles chantent aussi sur la lisière du bois de la Bonne-Fontaine. Est-ce que Catherine dort... et la tante Grédel, et M. Goulden, et toute la ville ?... Les gardes nationaux de Nancy nous ont relevés maintenant ! » Et je voyais les sentinelles des deux poudrières, les corps de garde des deux portes ; enfin des idées innombrables me venaient, quand, dans le lointain, le galop d'un cheval s'entendit. Je regardai d'abord sans rien voir. Ce galop, au bout de quelques minutes, entra dans le village ; ensuite tout se tut. Seulement il se fit une rumeur confuse. Qu'est-ce que cela signifiait ? Un instant après, le cavalier sortit de Roly dans notre chemin, ventre à terre ; je m'avançai au bord de la haie, l'arme prête, en criant :

— Qui vive ?

— France !

— Quel régiment ?

— Douzième chasseurs... estafette.

— Quand il vous plaira.

Il poursuivit sa route en redoublant de vitesse. Je l'entendis s'arrêter au milieu de notre campement et crier :

— Le commandant ?

Je m'avançai sur le dos de la colline pour voir ce qui se passait. Presque aussitôt il se fit un grand mouvement : les officiers arrivaient ; le chasseur, toujours à cheval, parlait au commandant Gémeau ; des soldats s'approchaient aussi. J'écoutais, mais c'était trop loin. Le chasseur repartit en remontant la côte. Tout paraissait en révolution ; on criait, on gesticulait.

[...]

Vers huit heures et demie, plusieurs de nos régiments avaient passé le bois ; bientôt on battit le rappel, tous les bataillons prirent les armes. Le général comte Gérard[1] et son état-major arrivaient. Ils passèrent au galop jusque sur la colline au-dessus de Fleurus, sans nous regarder.

Presque aussitôt la fusillade s'engagea ; des tirailleurs du corps de Vandamme s'approchaient du village, à gauche ; deux pièces de canon partaient aussi traînées par des artilleurs à cheval. Elles tirèrent cinq ou six coups du haut de la colline ; puis la fusillade cessa, nos tirailleurs étaient à Fleurus, et nous voyions trois ou quatre cents Prussiens remonter la côte plus loin, vers Ligny.

Le général Gérard regarda ce petit engagement, puis il revint avec ses officiers d'ordonnance, et passa lentement sur le front de nos bataillons, en nous inspectant d'un air pensif, comme pour voir la mine que nous avions. C'était un homme brun, la figure ronde ; il pouvait avoir quarante-cinq ans ; il avait le bas de la figure large, le menton pointu, la tête grosse ; on trouve beaucoup de paysans chez nous qui lui ressemblent, ce ne sont pas les plus bêtes.

Il ne nous dit rien, et, quand il eut parcouru la ligne d'un bout à l'autre, tous les commandants et les colonels se réunirent sur notre droite. On nous commanda de mettre l'arme au pied. — Les officiers d'ordonnance allaient alors comme le vent, on ne voyait que cela ; mais rien ne bougeait. Seulement le bruit s'était répandu que le maréchal Grouchy nous commandait en chef, et que l'Empereur attaquait les Anglais à quatre lieues de nous, sur la route de Bruxelles.

Cette nouvelle ne nous rendait pas de bonne humeur ; plus d'un disait :

— Ce n'est pas étonnant que nous soyons encore là depuis ce matin sans rien faire ; si l'Empereur était avec nous, la bataille serait engagée depuis longtemps ; les Prussiens n'auraient pas eu le temps de se reconnaître.

Voilà les propos qu'on tenait, ce qui montre bien l'injustice des hommes, car, trois heures après, vers midi, tout à coup des milliers de cris de : *Vive l'Empereur !* s'élevèrent à gauche ; Napoléon arrivait. Ces cris se rapprochaient comme un orage, et se prolongèrent bientôt jusqu'en face de Sombref[1]. On trouvait que tout était bien ; ce qu'on reprochait au maréchal Grouchy, l'Empereur avait bien fait de le faire, puisque c'était lui.

Aussitôt l'ordre arriva de se porter à cinq cents pas en avant, en appuyant sur la droite, et nous partîmes à travers les blés, les orges, les seigles, les avoines, qui se courbaient devant nous. La grande ligne de bataille, sur notre gauche, ne bougeait toujours pas.

Comme nous approchions d'une grande chaussée que nous n'avions pas encore vue, et que nous découvrions aussi Fleurus, à mille pas en avant de nous, avec son ruisseau bordé de saules, on nous cria :

— Halte !

Dans toute la division on n'entendait qu'un murmure :

— Le voilà !

L'Empereur arrivait à cheval avec un petit état-major ; de loin, on ne reconnaissait que sa capote grise et son chapeau ; sa voiture, entourée de lanciers, était en arrière. — Il entra par la grande route à Fleurus, et resta dans ce village plus d'une heure, pendant que nous rôtissions dans les blés.

Au bout de cette heure, et lorsqu'on pensait que cela ne finirait plus, des files d'officiers d'ordonnance partirent, les reins pliés, le nez entre les oreilles de leurs chevaux ; deux s'arrêtèrent auprès du général comte Gérard, un resta, l'autre repartit. Après cela, nous attendîmes encore, et tout à coup, d'un bout du pays à l'autre, toutes les musiques des régiments se mirent à jouer ; tout se mêlait : les tambours, les trompettes ! et tout marchait ; cette grande ligne, qui s'étendait bien loin derrière Saint-Amand jusqu'au bois, se courbait, l'aile droite en avant. Comme elle dépassait notre division par derrière, on nous fit encore obliquer à droite, puis on nous cria de nouveau :

636   *VII. Le roman*

— Halte !

Nous étions en face de la route qui sort de Fleurus.
Nous avions à gauche un mur blanc ; derrière ce mur
s'élevaient des arbres, une grande maison, et devant
nous se dressait un moulin à vent en briques rouges,
haut comme une tour.

À peine faisions-nous halte, que l'Empereur sortit
de ce moulin avec trois ou quatre généraux, et deux
paysans en blouse, deux vieux qui tenaient leur bonnet de coton à la main. C'est alors que la division se
mit à crier : *Vive l'Empereur !* et que je le vis bien, car
il arrivait juste en face du bataillon par un sentier, les
mains derrière le dos et la tête penchée, en écoutant
un de ces vieux tout chauve. Lui ne faisait pas attention à nos cris ; deux fois il se retourna, montrant le
village de Ligny. Je le voyais comme le père Goulden,
lorsque nous étions assis l'un en face de l'autre à
table. Il était devenu beaucoup plus gros et plus
jaune depuis Leipzig ; s'il n'avait pas eu sa capote
grise et son chapeau, je crois qu'on aurait eu de la
peine à le reconnaître : il avait l'air vieux et ses joues
tombaient. Cela venait sans doute de ses chagrins à
l'île d'Elbe, en songeant à toutes les fautes qu'il avait
commises ; car c'était un homme rempli de bon sens
et qui voyait bien ses fautes : il avait détruit la Révolution qui le soutenait ; il avait rappelé les émigrés,
qui ne voulaient pas de lui ; il avait pris une archidu-
chesse qui restait à Vienne ; il avait choisi ses plus
grands ennemis pour leur demander des conseils...
Enfin, il avait tout remis dans le même état qu'avant
la Révolution ; il n'y manquait plus que Louis XVIII ;
alors les rois avaient mis Louis XVIII à sa place.
— Maintenant il était venu renverser le roi légitime ;
les uns l'appelaient despote et les autres jacobin !
C'était malheureux, puisqu'il avait tout arrangé lui-
même d'avance pour rétablir les Bourbons. Il ne lui

restait plus que son armée; s'il la perdait, tout était perdu pour lui, parce que, dans la nation, les uns voulaient la liberté comme le père Goulden, et les autres voulaient l'ordre et la paix, comme la mère Grédel, comme moi, comme tous ceux qu'on enlevait à la guerre.

Ces choses le forçaient de réfléchir terriblement. Il avait perdu la confiance de tout le monde. Les vieux soldats seuls lui conservaient leur attachement; ils voulaient vaincre ou mourir; avec des idées pareilles, on est toujours sûr que l'un ou l'autre ne vous manquera pas; tout devient très simple et très clair; mais bien des gens n'avaient pas les mêmes idées, et, pour ma part, j'aimais beaucoup plus Catherine que l'Empereur.

En arrivant au coin du mur, où des hussards l'attendaient, il monta sur son cheval, et le général Gérard, qui l'avait vu, descendit au galop jusque sur la chaussée. Lui se retourna deux secondes pour l'écouter, ensuite ils entrèrent ensemble dans Fleurus.

Il fallut encore attendre.

Sur les deux heures, le général Gérard revint; on nous fit obliquer une troisième fois à droite, et toute la division, en colonnes, suivit la grande chaussée de Fleurus, les canons et les caissons dans l'intervalle des brigades. Il faisait une poussière qu'on ne peut s'imaginer, Buche me disait:

— À la première mare que nous rencontrons, coûte que coûte, il faut que je boive.

Mais nous ne rencontrions pas d'eau.

Les musiques jouaient toujours; derrière nous arrivaient des masses de cavalerie, principalement des dragons. Nous étions encore en marche, lorsque le roulement de la fusillade et des coups de canons commença comme une digue qui se rompt, et dont l'eau tombe, en entraînant tout de fond en comble.

Je connaissais cela, mais Buche devint tout pâle ; il ne disait rien et me regardait d'un air étonné.

— Oui, oui, Jean, lui dis-je, ce sont les autres là-bas, qui commencent l'attaque de Saint-Amand, mais tout à l'heure notre tour viendra.

Ce roulement redoublait, les musiques en même temps avaient cessé ; on criait de tous les côtés :

— Halte !

La division s'arrêta sur la chaussée, les canonniers sortirent des intervalles et mirent leurs pièces en ligne, à cinquante pas devant nous, les caissons derrière.

Nous étions en face de Ligny. On ne voyait qu'une ligne blanche de maisons à moitié cachées par les vergers — le clocher au-dessus — des rampes de terre jaune, des arbres, des haies, des palissades. Nous étions de douze à quinze mille hommes, sans compter la cavalerie, et nous attendions l'ordre d'attaquer.

La bataille du côté de Saint-Amand continuait, des masses de fumée montaient au ciel.

En attendant notre tour, je me mis à penser avec une tendresse extraordinaire à Catherine, l'idée qu'elle aurait un enfant me traversa l'esprit, je suppliai Dieu de me conserver la vie, mais la bonne pensée me vint aussi que, si je mourais, notre enfant serait là pour les consoler tous, Catherine, la tante Grédel et le père Goulden ; que si c'était un garçon, ils l'appelleraient Joseph, et qu'ils le caresseraient ; que M. Goulden le ferait danser sur ses genoux, que la tante Grédel l'aimerait, et que Catherine, en l'embrassant, penserait à moi. Je me dis que je ne serais pas tout à fait mort. Mais j'aurais bien voulu pourtant vivre, et je voyais que ce serait terrible.

Buche aussi me dit :

— Écoute, j'ai une croix… si je suis tué… il faut que tu me promettes quelque chose.

Il me serrait la main.

— Je te le promets, lui dis-je.

— Eh bien ! elle est là sur ma poitrine ; je veux que tu la rapportes au Harberg, et que tu la pendes dans la chapelle, en souvenir de Jean Buche, mort dans la croyance du Père, du Fils et du Saint-Esprit.

Il me parlait gravement, et je trouvais sa volonté très naturelle, puisque les uns meurent pour les droits de l'homme, d'autres en pensant à leur mère, d'autres à l'exemple des hommes justes qui se sont sacrifiés pour le genre humain : tout cela, c'est une seule et même chose, qu'on appelle autrement, selon sa manière de voir.

Je lui promis donc ce qu'il me demandait, et nous attendîmes encore près d'une demi-heure. Tous ceux qui sortaient du bois vinrent se serrer contre nous ; nous voyions aussi la cavalerie se déployer sur notre droite, comme pour attaquer Sombref.

De notre côté, jusqu'à deux heures et demie, pas un coup de fusil n'avait été tiré, lorsqu'un aide de camp de l'Empereur arriva ventre à terre sur la route de Fleurus, et je pensai tout de suite : « Voici notre tour. Maintenant, que Dieu veille sur nous ; car ce n'est pas nous autres, pauvres malheureux, qui pouvons nous sauver dans des massacres pareils ! »

J'avais à peine eu le temps de me faire ces réflexions, que deux bataillons partirent à droite sur la chaussée, avec de l'artillerie, du côté de Sombref, où des uhlans et des hussards prussiens se déployaient en face de nos dragons. Ces deux bataillons eurent la chance de rester en position sur la route toute cette journée pour observer la cavalerie ennemie, pendant que nous allions enlever le village où les Prussiens étaient en force.

On forma les colonnes d'attaque sur le coup de trois heures ; j'étais dans celle de gauche, qui partit la

première, au pas accéléré, dans un chemin tournant.
De ce côté de Ligny se trouvait une grosse masure en
briques ; elle était ronde et percée de trous ; elle
regardait dans le chemin où nous montions, et nous
la regardions aussi par-dessus les blés. La seconde
colonne au milieu partit ensuite, parce qu'elle n'avait
pas tant de chemin à faire et montait tout droit ; nous
devions la rencontrer à l'entrée du village. Je ne sais
pas quand la troisième partit, nous ne l'avons rencontrée que plus tard.

Tout alla bien jusque dans un endroit où le chemin
coupe une petite hauteur et redescend plus loin dans
le village. Comme nous entrions entre ces deux petites
buttes couvertes de blé, et que nous commencions à
découvrir les premières maisons, tout à coup une
véritable grêle de balles arriva sur notre tête de
colonne avec un bruit épouvantable : de tous les trous
de la grosse masure, de toutes les fenêtres et de toutes
les lucarnes des maisons, des haies, des vergers, par-
dessus les petits murs en pierres sèches, la fusillade se
croisait sur nous comme des éclairs. En même temps,
d'un champ en arrière de la grosse tour à gauche, et
plus haut que Ligny, du côté des moulins à vent, une
quinzaine de grosses pièces mises exprès commencèrent un autre roulement, auprès duquel celui de la
fusillade n'était encore, pour ainsi dire, rien du tout.
Ceux qui, par malheur, avaient déjà dépassé le chemin creux tombaient les uns sur les autres en tas dans
la fumée. Et dans le moment où cela nous arrivait,
nous entendions aussi le feu de l'autre colonne s'engager à notre droite, et le grondement d'autres canons,
sans savoir si c'étaient les nôtres ou ceux des Prussiens qui tiraient.

Heureusement, le bataillon n'avait pas encore
dépassé la colline ; les balles sifflaient et les boulets
ronflaient dans les blés au-dessus de nous, en rabo-

tant la terre, mais sans nous faire de mal. Chaque fois qu'il passait des rafles pareilles, les conscrits près de moi baissaient la tête. Je me rappelle que Buche me regardait avec de gros yeux. Les anciens serraient les lèvres.

La colonne s'arrêta. Chacun réfléchissait s'il ne valait pas mieux redescendre, mais cela ne dura qu'une seconde ; dans le moment où la fusillade paraissait se ralentir, tous les officiers, le sabre en l'air, se mirent à crier :

— En avant !

Et la colonne repartit au pas de course. Elle se jeta d'abord dans le chemin qui descend à travers les haies, par-dessus les palissades et les murs où les Prussiens embusqués continuaient à nous fusiller. — Malheur à ceux qu'on trouvait, ils se défendaient comme des loups, mais les coups de crosse et de baïonnette les étendaient bientôt dans un coin. Un assez grand nombre, les vieux à moustaches grises, avaient préparé leur retraite ; ils s'en allaient d'un pas ferme, en se retournant pour tirer leur dernier coup, et refermaient une porte, ou bien se glissaient dans une brèche. Nous les suivions sans relâche ; on n'avait plus de prudence ni de miséricorde, et finalement nous arrivâmes tout débandés aux premières maisons, où la fusillade recommença sur nous des fenêtres, du coin des rues et de partout.

Nous avions bien alors les vergers, les jardins, les murs de pierres sèches qui descendaient le long de la colline, mais tout saccagés, bouleversés, les palissades arrachées, et qui ne pouvaient plus servir d'abri. Les cassines en face, bien barricadées, continuaient leur feu roulant sur nous. En dix minutes, ces Prussiens nous auraient exterminés jusqu'au dernier. Alors, en voyant cela, la colonne se mit à redescendre, les tambours, les sapeurs, les officiers et les soldats

pêle-mêle sans tourner la tête. Moi je sautais par-
dessus les palissades, où jamais de la vie, dans un
autre moment, je n'aurais eu l'amour-propre de croire
que je pouvais sauter, principalement avec le sac et la
giberne sur le dos ; et tous les autres faisaient comme
moi : — tout dégringolait comme un pan de mur.

Une fois dans le chemin creux, entre les collines,
on s'arrêta pour reprendre haleine, car la respiration
vous manquait. Plusieurs même se couchaient par
terre, d'autres s'essuyaient le dos contre le talus. Les
officiers s'indignaient contre nous, comme s'ils
n'avaient pas suivi le mouvement de retraite ; beaucoup criaient :

— Qu'on fasse avancer les canons !

D'autres voulaient reformer les rangs, et c'est à
peine si l'on s'entendait, au milieu de ce grand bourdonnement de la canonnade, dont l'air tremblait
comme pendant un orage.

Je vis Buche revenir en allongeant le pas ; sa baïonnette était rouge de sang ; il vint se placer près de moi
sans rien dire, en rechargeant.

Plus de cent hommes du bataillon, le capitaine
Grégoire, le lieutenant Certain, plusieurs sergents et
caporaux restaient dans les vergers ; les deux premiers bataillons de la colonne avaient autant souffert
que nous.

Zébédé, son grand nez crochu, tout pâle, en m'apercevant de loin, se mit à crier :

— Joseph... pas de quartier !

Des masses de fumée blanche passaient au-dessus
de la butte. Toute la côte, depuis Ligny jusqu'à Saint-
Amand, derrière les saules, les trembles et les peu-
pliers qui bordent ces collines, était en feu.

J'avais grimpé jusqu'au niveau des blés, les deux
mains à terre, et, voyant ce terrible spectacle, voyant
jusqu'au haut de la côte, près des moulins, de grandes

lignes d'infanterie noire, l'arme au pied, prêtes à descendre sur nous, et de la cavalerie innombrable sur les ailes, je redescendis en pensant :

« Jamais nous ne viendrons à bout de cette armée ; elle remplit les villages, elle garde les chemins, elle couvre la côte à perte de vue, elle a des canons partout ; c'est contraire au bon sens de s'obstiner dans une entreprise pareille ! »

J'étais indigné contre nos généraux, j'en étais même dégoûté.

Tout cela ne prit pas dix minutes. Dieu sait ce que nos deux autres colonnes étaient devenues ; toute cette grande fusillade arrivant de la gauche, et ces volées de mitraille que nous entendions passer dans les airs étaient sans doute pour elles.

Je croyais que nous avions déjà notre bonne part de malheurs, lorsque le général Gérard et deux autres généraux, Vichery et Schœffer, arrivèrent de la route au-dessous de nous, ventre à terre, en criant comme des furieux :

— En avant !... en avant !...

Ils allongeaient leurs sabres, et l'on aurait dit que nous n'avions qu'à monter. Ce sont ces êtres obstinés qui poussent les autres à l'extermination, parce que leur fureur gagne tout le monde.

Nos canons, de la route plus bas, ouvraient leur feu dans le même moment sur Ligny ; les toits du village s'écroulaient, les murs s'affaissaient ; et d'un seul coup on se remit à courir en avant, les généraux en tête, l'épée à la main, et les tambours par derrière battant la charge. On criait : *Vive l'Empereur !* Les boulets prussiens vous raflaient par douzaines, les balles arrivaient comme la grêle, les tambours allaient toujours : *Pan ! pan !... pan !...* On ne voyait plus rien, on n'entendait plus rien, on passait à travers les vergers ; ceux qui tombaient, on n'y faisait pas attention et deux minutes après on entrait dans le village, on enfonçait les portes à coups de crosse, pendant que les Prussiens vous fusillaient des fenêtres. C'était un vacarme mille fois pire que dehors, parce que les cris de fureur s'y mêlaient ; on s'engouffrait dans les maisons à coup de baïonnette ; on se massacrait sans miséricorde. De tous les côtés ne s'élevait qu'un cri :

— Pas de quartier !

Les Prussiens surpris dans les premières maisons n'en demandaient pas non plus. C'étaient tous de vieux soldats, qui savaient bien ce que signifiait : « Pas de quartier ! » Ils se défendaient jusqu'à la mort.

Je me souviens qu'à la troisième ou quatrième maison d'une rue assez large, qui passe devant l'église et plus loin sur un petit pont, je me souviens qu'en face de cette maison, à droite, — pendant que les grosses tuiles creuses, les ardoises, les briques pleuvaient dans la rue, que les incendies allumés par nos obus remplissaient l'air de fumée, que tout criait, sifflait, pétillait autour de nous, — Zébédé me prit par le bras d'un air terrible en criant :

— Arrive !

Et que nous entrâmes dans cette maison, dont la grande chambre en bas, toute sombre parce qu'on avait blindé les fenêtres avec des sacs de terre, était déjà pleine de soldats. On apercevait dans le fond un escalier en bois, très roide, où le sang coulait ; des coups de fusil partaient d'en haut, et leurs éclairs montraient, de seconde en seconde, cinq ou six des nôtres affaissés contre la rampe, les bras pendants, et les autres qui leur passaient sur le corps, la baïonnette en avant, pour forcer l'entrée de la soupente.

C'était quelque chose d'horrible que tous ces hommes, — avec leurs moustaches, leurs joues brunes, la fureur peinte dans les rides, — qui voulaient monter à toute force. En voyant cela, je ne sais quelle rage me prit, et je me mis à crier :

— En avant !... pas de quartier !...

Si j'avais eu le malheur d'être près de l'escalier, j'aurais été capable de vouloir monter et de me faire hacher. Par bonheur, tous avaient la même idée, pas un n'aurait donné sa place. C'est un vieux tout criblé de coups qui monta sous les baïonnettes. En arrivant à la soupente, il étendit les bras en lâchant son fusil, et se cramponna des deux mains à la balustrade ; deux balles à bout portant ne purent le faire descendre ; et derrière lui trois ou quatre autres, qui se bousculaient pour arriver les premiers, le jetèrent dans la chambre en enjambant les dernières marches.

Alors nous entendîmes là-haut un vacarme qu'on ne peut pas se figurer ; les coups de fusil se suivaient cette chambre étroite, les piétinements, les cris faisaient croire que la maison s'abîmait, que tout éclatait. Et d'autres montaient toujours ! — Lorsque j'arrivai derrière Zébédé, tout était encombré de morts et de blessés, les fenêtres en face avaient sauté, le sang avait éclaboussé les murs, il ne restait plus un Prussien debout, et cinq ou six des nôtres se tenaient adossés aux meubles en souriant et regardant d'un air féroce ; ils avaient presque tous des balles dans le corps ou des coups de baïonnette, mais le plaisir de la vengeance était plus fort que le mal. — Quand je songe à cela, les cheveux m'en dressent sur la tête.

Aussitôt que Zébédé vit que les Prussiens étaient bien morts, il redescendit en me répétant :

— Arrive ! il n'y a plus rien à faire ici.

Et nous sortîmes. Dehors, la colonne avait déjà dépassé l'église ; des milliers de coups de fusil pétillaient sur le pont, comme le feu d'une charbonnière qui s'effondre. La seconde colonne, en descendant la grand-rue à droite, était venue rejoindre la

nôtre, pendant qu'une de ces grandes colonnes de
Prussiens, que j'avais vues sur la côte, en arrière de
Ligny, descendait pour nous rejeter hors du village.
C'est là qu'on se rencontrait pour la première fois en
masse. Deux officiers d'état-major filaient par la rue
d'où nous venions.

— Ceux-ci, dit Zébédé, vont chercher des canons.
Lorsque nous aurons des canons ici, tu verras, Joseph,
si l'on peut nous dénicher.

Il courait, et je le suivais.

L'engagement près du pont continuait. La vieille
église sonnait cinq heures ; nous avions alors exterminé tous les Prussiens de ce côté du ruisseau,
excepté ceux qui se trouvaient embusqués dans la
grande masure à gauche, en forme de tour et les murs
percés de trous. Des obus avaient mis le feu dans le
haut, mais la fusillade continuait au-dessous ; il fallait
éviter ce passage.

En avant de l'église nous étions en force ; nous trouvâmes la petite place encombrée de troupes, l'arme au
bras, prêtes à marcher ; il en arrivait encore d'autres
par une grande rue qui traverse Ligny dans sa longueur. Une seule tête de colonne restait engagée en
face du petit pont. Les Prussiens voulaient la repousser ; les feux de file se suivant sans interruption,
comme une eau qui coule. On ne voyait sur place, à
travers la fumée, que des baïonnettes, la façade de
l'église, les généraux sur le perron donnant leurs
ordres, les officiers d'ordonnance partant au galop, et
dans les airs la vieille flèche d'ardoises, où les cor-
neilles tourbillonnaient effrayées de ce bruit.

Le canon de Saint-Amand tonnait toujours.

Entre les pignons à gauche, on apercevait sur la
côte de grandes lignes bleues et des masses de cavalerie en route du côté de Sombref, pour nous tourner. C'est là-bas, derrière nous, que devaient se livrer

des combats à l'arme blanche entre les uhlans et nos hussards ! Combien nous en avons vu, le lendemain, de ces uhlans étendus dans la plaine !

Notre bataillon, ayant le plus souffert, passait alors en seconde ligne. Nous retrouvâmes tout de suite notre compagnie, que le capitaine Florentin commandait. Des canons arrivaient aussi par la même rue que nous ; les chevaux galopaient en écumant et secouant la tête comme furieux ; les pièces et les caissons écrasaient tout ; cela devait produire une grand vacarme ; mais, au milieu des coups de canon et du bourdonnement de la fusillade, on n'entendait rien. Tous les soldats criaient, quelques-uns chantaient la main en l'air et le fusil sur l'épaule, mais on ne voyait que leurs bouches ouvertes.

J'avais repris mon rang auprès de Buche, et je commençais à respirer, lorsque tout se remit en mouvement.

Cette fois, il s'agissait de passer le ruisseau, de rejeter les Prussiens de Ligny, de remonter la côte derrière, et de couper leur armée en deux ; alors la bataille serait gagnée ! Chacun comprenait cela, mais avec la masse de troupes qu'ils tenaient en réserve, ce n'était pas une petite affaire.

Tout marchait pour attaquer le pont ; on ne voyait que les cinq ou six hommes devant soi. J'étais content de savoir que la colonne s'étendait bien loin en avant.

Ce qui me fit le plus de plaisir, c'est qu'au milieu de la rue, devant une grange dont la porte était défoncée, le capitaine Florentin arrêta la compagnie, et qu'on posta les restes du bataillon dans ces masures à moitié démolies, pour soutenir la colonne d'attaque en tirant par les fenêtres.

Nous étions quinze hommes dans cette grange, que je vois encore avec son échelle qui monte par un trou carré, deux ou trois Prussiens morts contre les murs, la vieille porte criblée de balles, qui ne tenait plus qu'à l'un de ses gonds, et, dans le fond, une lucarne qui donnait sur l'autre rue derrière. — Zébédé commandait notre poste ; le lieutenant Bretonville s'établit avec un autre peloton dans la maison en face, le capitaine Florentin ailleurs.

La rue était garnie de troupes jusqu'aux deux coins, près du ruisseau.

La première chose que nous essayâmes de faire, ce fut de redresser et de raffermir la porte ; mais nous avions à peine commencé cet ouvrage, qu'on entendit dans la rue un fracas épouvantable : les murs, les volets, les tuiles, tout était raflé d'un coup ; deux hommes du poste, restés dehors pour soutenir la porte, tombèrent comme fauchés. En même temps, dans le lointain, près du ruisseau, les pas de la colonne en retraite se mirent à rouler sur le pont, pendant qu'une dizaine de coups pareils au premier soufflaient dans l'air et vous faisaient reculer malgré vous. C'étaient six pièces chargées à mitraille, que Blücher avait masquées au bout de la rue et qui commençaient leur feu.

Toute la colonne, tambours, soldats, officiers, à pied et à cheval, repassèrent en se poussant et se bousculant, comme un véritable ouragan. Personne ne regardait en arrière ; ceux qui tombaient étaient perdus. — À peine les derniers avaient-ils dépassé notre porte, que Zébédé se pencha dehors pour voir, et, dans la même seconde, il nous cria d'une voix terrible :

— Les Prussiens !

Il fit feu. Plusieurs d'entre nous étaient déjà sur l'échelle ; mais avant que l'idée de grimper me fût venue, les Prussiens étaient là. Zébédé, Buche et tous ceux qui n'avaient pas eu le temps de monter les repoussaient à la baïonnette. Il me semble encore voir ces Prussiens, — avec leurs grandes moustaches ; leurs figures rouges et leurs shakos plats, — furieux d'être arrêtés. Je n'ai jamais eu de secousse pareille. Zébédé criait :

— Pas de quartier ! comme si nous avions été plus forts.

Aussitôt il reçut un coup de crosse sur la tête et tomba.

Je vis qu'il allait être massacré, cela me retourna le cœur... Je sortis en criant :

— À la baïonnette !

Et tous ensemble nous tombâmes sur ces gueux, pendant que les camarades tiraient d'en haut, et que les maisons en face commençaient la fusillade.

Ces Prussiens alors reculèrent, mais il en venait plus loin un bataillon tout entier. Buche prit Zébédé sur ses épaules et monta. Nous n'eûmes que le temps de le suivre, en criant :

— Dépêche-toi !

Nous l'aidions de toutes nos forces à grimper. J'étais l'avant-dernier. Je croyais que cette échelle n'en finirait jamais, car des coups de fusil éclataient déjà dans la grange. Enfin nous arrivâmes heureusement.

Nous avions tous la même idée, c'était de retirer l'échelle ; et voyez quelle chose affreuse ! en la tirant à travers les coups de fusil qui partaient d'en bas, et qui firent sauter la tête d'un de nos camarades, nous reconnûmes qu'elle était trop grande pour entrer dans le grenier. Cela nous rendit tout pâles. Zébédé, qui se réveillait, nous dit :

— Mettez donc un fusil dans les échelons !

Et cette idée nous parut inspiration d'en haut.

Mais c'est au-dessous qu'il fallait entendre le vacarme. Toute la rue était pleine de Prussiens, et notre grange aussi. Ces gens ne se possédaient plus de rage ; ils étaient pires que nous et répétaient sans cesse :

— Pas de prisonniers !

Nos coups de fusil les indignaient ; ils enfonçaient les portes, et l'on entendait les combats dans les maisons, les chutes, les malédictions en français et en allemand, des commandements du lieutenant Bretonville en face, ceux des officiers prussiens ordonnant d'aller chercher de la paille pour mettre le feu. Par bonheur, les récoltes n'étaient pas faites ; ils nous auraient tous brûlés.

On tirait dans notre plancher ; mais c'étaient de bons madriers en chêne, où les balles tapaient comme des coups de marteau. Nous, les uns derrière les autres, nous continuions la fusillade dans la rue ; chaque coup portait.

Il paraît que ces gens avaient repris la place de l'Église, car on n'entendait plus le roulement de notre feu que bien loin. Nous étions seuls, à deux ou trois cents hommes, au milieu de trois ou quatre mille.

Alors je m'écriai en moi-même :

« Voici ta fin, Joseph ! jamais tu ne te réchapperas d'ici, c'est impossible ! »

Et je n'osais pas seulement penser à Catherine, mon cœur grelottait. Nous n'avions pas de retraite ; les Prussiens tenaient les deux bouts de la rue et les ruelles derrières, ils avaient déjà repris quelques maisons. — Mais tout se taisait… ils préparaient quelque chose : ils cherchaient du foin, de la paille, des fagots, ou bien ils faisaient avancer leurs pièces pour nous démolir.

Nos fusiliers regardaient aux lucarnes et ne voyaient rien, la grange était vide. Ce silence près de nous était plus terrible que le tumulte de tout à l'heure.

Zébédé venait de se relever, le sang lui coulait du nez et de la bouche.

— Attention ! disait-il, nous allons voir arriver l'attaque ; les gueux se préparent. — Chargez.

Il finissait à peine de parler que la maison tout entière, depuis les pignons jusqu'aux fondements, était secouée comme si tout entrait sous terre ; les poutres, les lattes, les ardoises, tout descendaient dans cette secousse, pendant qu'une flamme rouge montait d'en bas sous nos pieds jusqu'au-dessus du toit.

Nous tombâmes tous à la renverse. Une bombe allumée, que les Prussiens avaient fait rouler dans la grange, venait d'éclater.

En me relevant, j'entendis un sifflement dans mes oreilles ; mais cela ne m'empêcha pas de voir une échelle se poser à notre lucarne, et Buche qui lançait au dehors de grands coups de baïonnette.

Les Prussiens voulaient profiter de notre surprise pour monter et nous massacrer ; cette vue me donna froid, je courus bien vite au secours de Buche.

Ceux des camarades qui n'avaient pas été tués arrivèrent aussi criant :

— *Vive l'Empereur !*

Je n'entendais pour ainsi dire plus. Le bruit devait être épouvantable, car la fusillade d'en bas et celle des fenêtres éclairaient toute la rue, comme une flamme qui se promène. Nous avions renversé l'échelle, et nous étions encore six : deux sur le devant qui tiraient, quatre derrière qui chargeaient et leur passaient les fusils.

Dans cette extrémité, j'étais devenu calme, je me résignais à mon malheur, en pensant :

« Tâche de conserver ta vie ! »

Les autres sans doute pensaient la même chose, et nous faisions un grand carnage.

Ce moment de presse dura bien un quart d'heure ; ensuite le canon se mit à tonner, et quelques secondes après, les camarades en avant se penchèrent à la fenêtre et cessèrent le feu.

Ma giberne était presque vide, j'allai reprendre des cartouches chez les morts.

Les cris de *Vive l'Empereur !* se rapprochaient : tout à coup notre tête de colonne, son drapeau tout noir et déchiré, déboucha sur la petite place en gagnant notre rue.

Les Prussiens battaient en retraite. Nous aurions tous voulu descendre, mais deux ou trois fois notre colonne s'arrêta devant la mitraille. Les cris et la canonnade se confondaient de nouveau. Zébédé, qui regardait dehors, courut enfin descendre l'échelle ; notre colonne dépassait la grange, et nous descendîmes tous à la file, sans regarder les camarades, hachés par les éclaboussures de la bombe, et dont plusieurs nous criaient d'une voix déchirante de les emporter.

Mais voilà les hommes : la peur d'être pris les rend barbares !

Longtemps après, ces choses abominables nous reviennent. On donnerait tout pour avoir eu du cœur, de l'humanité : mais il est trop tard.

[...]

À huit heures, nous mangeâmes avec un appétit qu'on peut s'imaginer. Non, pas même le jour de mes noces, je n'ai fait un meilleur repas ; c'est encore une satisfaction aujourd'hui pour moi d'y penser. Quand l'âge arrive, on n'a plus l'enthousiasme de la jeunesse pour de pareilles choses ; mais ce sont toujours d'agréables souvenirs. Et ce bon repas nous a soutenus longtemps ; les pauvres conscrits, avec leur reste de pain trempé comme de la pâte par l'averse, devaient en voir de dures le demain 18. Nous

devions avoir une campagne bien courte et bien terrible. Enfin tout est passé maintenant ; mais ce n'est
pas sans attendrissement qu'on songe à ces grandes
misères, et qu'on remercie Dieu d'en être réchappé.

Le temps semblait se remettre au beau, le soleil
recommençait à briller dans les nuages. Nous venions
à peine de manger que le rappel battait sur toute la
ligne.

Il faut savoir qu'en ce moment les Prussiens retiraient seulement leur arrière-garde de Sombref, et
qu'il était question de se mettre à leur poursuite. Plusieurs même disaient qu'on aurait dû commencer par
là, en envoyant bien loin notre cavalerie légère pour
récolter des prisonniers. Mais on ne les écoutait pas ;
l'Empereur savait bien ce qu'il faisait.

Je me rappelle pourtant que tout le monde s'étonnait, parce que c'est l'habitude de profiter des victoires. Les anciens n'avaient jamais vu cela. On
croyait que l'Empereur préparait un grand coup, qu'il
avait fait tourner l'ennemi par Ney, et d'autres choses
semblables.

En attendant, l'appel commença ; le général Gérard
vint passer la revue du 4e corps. Notre bataillon avait
le plus souffert, à cause des trois attaques où nous
avions toujours été en tête : — nous avions le
commandant Gémeau et le capitaine Vidal blessés ;
les capitaines Grégoire et Vignot tués ; sept lieutenants et sous-lieutenants et trois cent soixante
hommes hors de combat.

Zébédé disait que c'était pire qu'à Montmirail, et
qu'on allait nous compléter pour sûr avant de partir.

Heureusement le quatrième bataillon, commandant Delong, arrivant de Metz, vint alors nous remplacer en ligne.

Le capitaine Florentin, qui nous commandait cria :
— Par file à gauche ! — et nous descendîmes au

village jusque près de l'église, où stationnaient une quantité de charrettes.

On nous distribua par escouades pour surveiller l'enlèvement des blessés. Quelques détachements de chasseurs eurent l'ordre d'escorter les convois jusqu'à Fleurus, parce qu'à Ligny la place manquait ; l'église était déjà pleine de ces malheureux.

Ce n'est pas nous qui choisissions les blessés, mais les chirurgiens militaires et quelques médecins du pays mis en réquisition ; il était trop difficile de reconnaître un grand nombre de ces blessés d'entre les morts. Nous aidions seulement à les étendre sur la paille dans les charrettes.

Je connaissais cela depuis Lutzen ; je savais ce qu'il fallait souffrir pour réchapper d'une balle, d'un bis-caïen[1], ou d'un coup de pointe, comme en donnent nos cuirassiers. Chaque fois que je voyais enlever un de ces malheureux, je louais le Seigneur de ne pas m'avoir réduit à cet état, et, pensant que la même chose aurait pu m'arriver, je me disais : « Tu ne sais pas combien de balles et de morceaux de mitraille ont passé près de toi ; sans cela, cette idée te ferait horreur. »

Je m'étonnais que tant d'entre nous eussent pu réchapper de ce carnage, — bien pire qu'à Lutzen et même qu'à Leipzig, — parce que la bataille n'avait duré que cinq heures, et que les morts, dans bien des endroits, s'élevaient jusqu'à deux et trois pieds. Le sang coulait au-dessous comme des ruisseaux. Dans toute la grande rue, où les pièces avaient passé, c'était de la boue rouge : de la boue de chair et d'os écrasés.

Il faut bien qu'on dise cela pour éclairer la jeunesse. Moi, je n'irai plus me battre, j'ai dépassé l'âge, Dieu merci ! Mais tous ces jeunes gens qui ne pensent qu'à la guerre, au lieu de vouloir travailler honnêtement et d'aider leurs vieux parents, doivent savoir comment les hommes sont traités. Ils doivent se figurer ce que les malheureux qui n'ont pas rempli leurs devoirs pensent lorsqu'ils sont couchés dans une rue, ou sur la grande route avec un membre de moins, et qu'ils entendent arriver ces pièces de canon, qui pèsent douze à quinze mille et leurs gros chevaux bien ferrés qui sautent en hennissant.

C'est dans cette minute qu'ils doivent voir les pauvres vieux qui leur tendaient les bras devant la petite maison du village, pendant qu'ils s'éloignaient en s'écriant :

— Je pars... je reviendrai avec la croix et les épaulettes !

Oui ! oui ! s'ils pouvaient pleurer et demander pardon à Dieu, ceux-là, on entendrait leurs cris et leurs plaintes ! Mais il n'est plus temps, — les canons et les caissons avec leurs charges d'obus et de boulets arrivent, — ils entendent eux-mêmes craquer leurs os d'avance... et tout cela leur passe sur le corps comme dans la boue.

Quand on est vieux et qu'on a des enfants qu'on aime, c'est une chose abominable de songer que des malheurs pareils pourraient leur arriver, on donnerait jusqu'à sa dernière chemise pour les empêcher de partir.

Mais tout cela ne sert à rien ; les mauvais cœurs sont incorrigibles, et les bons font leur devoir. S'il leur arrive des malheurs, au moins la confiance dans la justice de Dieu leur reste. Ceux-ci ne vont pas tuer leurs semblables pour l'amour de la gloire... ils y vont par force ; ils n'ont pas de reproches à se faire : ils défendent leur vie, et le sang répandu ne retombe pas sur eux.

Enfin, il faut pourtant que je finisse de vous raconter cette bataille et ce relèvement des blessés.

J'ai vu là des choses qu'on ne peut presque pas

croire : des hommes tués au moment de la plus grande
fureur, et dont les figures horribles n'étaient pas changées ; ils tenaient encore leurs fusils, debout contre les
murs, et rien qu'en les regardant il vous semblait les
entendre crier :

— À la baïonnette ! Pas de quartier !

C'est avec cette pensée et ce cri qu'ils étaient arrivés
d'un seul coup devant Dieu... C'était lui qui les attendait. Il pouvait leur dire :

— Me voilà... tu veux tuer tes frères ?... tu ne veux
pas de quartier ? On n'en fera point !

J'en ai vu d'autres à demi morts qui s'étranglaient
entre eux. Et vous saurez qu'à Fleurus il fallait séparer les Prussiens des Français, parce qu'ils se levaient
de leurs lits ou de leurs bottes de paille pour se déchirer et se dévorer !

La guerre !... ceux qui veulent la guerre, ceux qui
rendent les hommes semblables à des animaux
féroces, doivent avoir un compte terrible à régler là-
haut !...

[...]

Une chose que je n'oublierai jamais, c'est le moment
où je me réveillai, vers les cinq heures du matin : les
cloches des villages sonnaient matines sur cette grande
plaine ; et, regardant les blés renversés, les camarades
couchés à droite et à gauche, le ciel gris, cette grande
désolation me fit grelotter le cœur. Le son des cloches
qui se répondaient de Planchenois à Genappe, à
Frichemont, à Waterloo me rappelaient Phalsbourg ;
je me disais :

« C'est aujourd'hui dimanche, un jour de paix et de
repos. M. Goulden a mis hier son bel habit au dos de
la chaise, avec une chemise blanche. Il se lève maintenant et pense à moi... Catherine aussi se lève dans
notre petite chambre ; elle est assise sur le lit et
pleure ; et la tante Grédel aux Quatre-Vents pousse

ses volets ; elle a tiré de l'armoire son livre de prières pour aller à la messe. »

Et j'entendais les cloches de Danne, de Mittelbronn, de Bigelberg bourdonner dans le silence. Je me figurais cette bonne vie tranquille... J'aurais voulu fondre en larmes ! Mais le roulement commençait, un roulement sourd comme dans les temps humides, quelque chose de sinistre. Du côté de la grande route, à gauche, on battait la générale, les trompettes de cavalerie sonnaient le réveil. On se levait, on regardait par-dessus les blés. Ces trois jours de marches et de combats, le mauvais temps et l'oubli des rations avaient rendu les hommes plus sombres. On ne parlait pas comme à Ligny ; chacun regardait et réfléchissait pour son propre compte.

On voyait aussi que ce serait une plus grande bataille, parce qu'au lieu d'avoir des villages bien occupés en première ligne, et qui font autant de combats séparés, ici c'était une grande plaine nue, élevée, occupée par les Anglais ; derrière leurs lignes, au haut de la côte, se trouvait le village de Mont-Saint-Jean, et beaucoup plus loin, à près d'une lieue et demie, une grande forêt qui bordait le ciel.

[...]

[Erckmann-Chatrian décrivent le champ de bataille de Waterloo et le positionnement des Anglais.]

Plusieurs racontent que nous étions tout réjouis et que nous chantions, mais c'est faux ! Quand on a marché toute la nuit sans recevoir de ration, quand on a couché dans l'eau, avec défense d'allumer des feux et qu'on va recevoir de la mitraille, cela vous ôte l'envie de chanter ; nous étions bien contents de retirer nos souliers des trous où l'on enfonçait à chaque pas ; les blés mouillés vous rafraîchissaient les cuisses, et les plus courageux, les plus durs avaient l'air ennuyé.

Il est vrai que les musiques jouaient les marches de leurs régiments, et que les trompettes de la cavalerie, les tambours de l'infanterie, les grosses caisses et les trombones mêlés ensemble produisaient un effet terrible, comme toujours. Il est aussi vrai que tous ces milliers d'hommes en bon ordre, allongeant le pas, le sac au dos, le fusil sur l'épaule ; les lignes blanches des cuirassiers qui suivaient les lignes rouges, brunes, vertes des dragons, des hussards, des lanciers dont les petits drapeaux en queue d'hirondelles remplissaient l'air ; les canonniers dans l'intervalle des brigades, à cheval autour de leurs pièces, qui coupaient la terre jusqu'aux essieux — tout cela traversant les moissons dont pas un épi ne restait debout — il est vrai qu'on ne pouvait rien voir de plus épouvantable.

Et les Anglais en face, bien rangés, leurs canonniers la mèche allumée, étaient aussi quelque chose qui vous faisait réfléchir. Mais cela ne vous réjouissait pas la vue autant que plusieurs le disent ; les gens amoureux de recevoir des coups de canon sont encore assez rares.

Le père Goulden me disait bien que, dans son temps, les soldats chantaient, mais c'est qu'ils étaient partis volontairement et non par force. Ils se battaient pour garder leurs champs et les droits de l'homme, qu'ils aimaient mieux que les yeux de leur tête, et ce n'était pas la même chose que de se faire éreinter pour savoir si l'on aurait d'anciens nobles ou de nouveaux. Moi, je n'ai jamais entendu chanter ni à Leipzig ni à Waterloo.

Nous marchions, les musiques jouaient par ordre supérieur ; et lorsque les musiques se turent, le plus grand silence suivit. Alors nous étions au haut du petit vallon, à mille ou douze cents pas de la gauche des Anglais. Nous formions le centre de notre armée ; des chasseurs s'étendaient sur notre flanc droit avec des lanciers.

On prit les distances, on resserra les intervalles, la première brigade de la première division obliqua sur la gauche et se mit à cheval sur la chaussée. Notre bataillon faisait partie de la seconde division : nous fûmes donc en première ligne, avec une seule brigade de la première devant nous. — On fit passer toutes les pièces sur notre front ; celles des Anglais se voyaient en face, à la même hauteur. Et bien longtemps encore d'autres divisions vinrent nous appuyer. On aurait cru que toute la terre marchait ; les anciens disaient :

— Voici les cuirassiers de Milhaud ! voici les chasseurs de Lefebvre-Desnoëttes ; voilà là-bas le corps de Lobau !

De tous les côtés, aussi loin que pouvait s'étendre la vue, on ne voyait que des cuirasses, des casques, des colbacks, des sabres, des lances, des files de baïonnettes.

— Quelle bataille ! s'écriait Buche ; malheur aux Anglais !

Et je pensais comme lui, je croyais que pas un Anglais n'en réchapperait. On peut dire que nous avons eu du malheur en ce jour ; sans les Prussiens, je crois encore que nous aurions tout exterminé.

Durant deux heures que nous restâmes l'arme au pied, nous n'eûmes pas même le temps de voir la moitié de nos régiments et de nos escadrons ; c'était toujours du nouveau. Je me souviens qu'au bout d'une heure, on entendit tout à coup, sur la gauche, s'élever comme un orage les cris de : *Vivre l'Empereur !* et que ces cris se rapprochaient en grandissant toujours, qu'on se dressait sur la pointe des pieds en

allongeant le cou ; que cela se répandait dans tous les
rangs, que, derrière, les chevaux eux-mêmes hennis-
saient comme s'ils avaient voulu crier, et que dans ce
moment un tourbillon d'officiers généraux passa
devant notre ligne ventre à terre. Napoléon s'y trouvait, je crois bien l'avoir vu, mais je n'en suis pas sûr ;
il allait si vite, et tant d'hommes levaient leurs shakos
au bout de leurs baïonnettes, qu'on avait à peine le
temps de reconnaître son dos rond et sa capote grise
au milieu des uniformes galonnés. Quand le capitaine avait crié :

— Portez armes ! Présentez armes ! c'était fini.

Voilà comment on le voyait presque toujours, à
moins d'être de la garde.

Quand il fut passé, quand les cris se furent prolongés à droite, toujours plus loin, l'idée vint à tout le
monde que dans vingt minutes la bataille serait commencée.

[...]

On n'avait pas le temps de nous former en colonnes
d'attaque, mais cela paraissait solide tout de même ;
nous étions les uns derrière les autres, sur cent cinquante à deux cents hommes de front ; les capitaines
entre les compagnies, les commandants entre les
bataillons. Seulement, les boulets, au lieu d'enlever
deux hommes, en enlevaient huit d'un coup ; ceux de
derrière ne pouvaient pas tirer, parce que les premiers rangs les gênaient ; et l'on vit aussi par la suite
qu'on ne pouvait pas se former en carrés. Il aurait
fallu penser à cela d'avance, mais l'ardeur d'enfoncer
les Anglais et de gagner tout de suite était trop
grande.

On fit marcher notre division dans le même ordre :
à mesure que le premier bataillon s'avançait, le
second emboîtait le pas, ainsi de suite. Comme on
commençait par la gauche, je vis avec plaisir que nous

allions être au vingt-cinquième rang, et qu'il faudrait en hacher terriblement avant d'arriver sur nous.

Les deux divisions à notre droite se formèrent également en colonnes massives, les colonnes à trois cents pas l'une de l'autre.

C'est ainsi que nous descendîmes dans le vallon, malgré le feu des Anglais. La terre grasse où l'on enfonçait retardait notre marche ; nous criions tous ensemble :

— À la baïonnette !

À la montée, nous recevions une grêle de balles par-dessus la chaussée à gauche. Si nous n'avions pas été si touffus, cette fusillade épouvantable nous aurait peut-être arrêtés. La charge battait... Les officiers criaient :

— Appuyez à gauche !

Mais ce feu terrible nous faisait allonger malgré nous la jambe droite plus que l'autre ; de sorte qu'en arrivant près du chemin bordé de haies, nous avions perdu nos distances et que notre division ne formait pour ainsi dire plus qu'un grand carré plein avec la troisième.

Alors deux batteries se mirent à nous balayer, la mitraille qui sortait d'entre les haies, à cent pas, nous perçait d'outre en outre. Ce ne fut qu'un cri d'horreur, et l'on se mit à courir sur les batteries, en bousculant les habits rouges qui voulaient nous arrêter.

Dans ce moment, je vis pour la première fois de près les Anglais, qui sont des gens solides, blancs, bien rasés, comme de bons bourgeois. Ils se défendent bien, mais nous les valons ! Ce n'est pas notre faute à nous autres simples soldats s'ils nous ont vaincus, tout le monde sait que nous avons montré autant et plus de courage qu'eux !

On a dit que nous n'étions plus les soldats d'Austerlitz, d'Iéna, de Friedland, de la Moskowa ; sans doute !

mais ceux-là, puisqu'ils étaient si bons, il aurait fallu les ménager. Nous n'aurions pas mieux demandé que de les voir à notre place.

Tous les coups des Anglais portaient, ce qui nous força de rompre les rangs : les hommes ne sont pas des palissades : ils ont besoin de se défendre quand on les fusille.

Un grand nombre s'étaient donc détachés, quand des milliers d'Anglais se levèrent du milieu des orges et tirèrent sur eux à bout portant, ce qui produisit un grand carnage ; à chaque seconde, d'autres rangs allaient au secours des camarades, et nous aurions fini par nous répandre comme une fourmillière sur la côte, si l'on n'avait entendu crier :

— Attention ! la cavalerie !

Presque aussitôt nous vîmes arriver une masse de dragons rouges sur des chevaux gris, ils arrivaient comme le vent ; tous ceux qui s'étaient écartés furent hachés sans miséricorde.

Il ne faut pas croire que ces dragons tombèrent sur nos colonnes pour les enfoncer, elles étaient trop profondes et trop massives ; ils descendirent entre nos divisions, sabrant à droite et à gauche, et poussant leurs chevaux dans le flanc des colonnes pour les couper en deux, mais ils ne purent y réussir ; seulement ils nous tuèrent beaucoup de monde, et nous mirent dans un grand désordre.

C'est un des plus terribles moments de ma vie. Comme ancien soldat, j'étais à la droite du bataillon ; j'avais vu de loin ce que ces gens allaient faire : ils passaient en s'allongeant de côté sur leurs chevaux tant qu'ils pouvaient, pour faucher dans les rangs ; leurs coups se suivaient comme des éclairs, et, plus de vingt fois, je crus avoir la tête en bas des épaules. Heureusement pour moi, le sergent Rabot était en serre-file[1] ; c'est lui qui reçut cette averse épouvantable, en se défendant jusqu'à la mort. À chaque coup, il criait :

— Lâches ! lâches !

Et son sang sautait sur moi comme de la pluie. À la fin, il tomba. J'avais encore mon fusil chargé, et voyant l'un de ces dragons, qui, de loin, me regardait d'avance, en se penchant pour me lancer son coup de pointe, je l'abattis à bout portant. Voilà le seul homme que j'aie vu tomber devant mon coup de feu.

Le pire, c'est que dans le même instant, leurs fantassins ralliés recommencèrent à nous fusiller, et qu'ils prirent même l'audace de nous attaquer à la baïonnette. Les deux premiers rangs pouvaient seuls se défendre. C'était une véritable abomination de nous avoir rangés de cette manière.

Alors les dragons rouges, pêle-mêle avec nos colonnes, descendirent dans le vallon.

Notre division s'était encore le mieux défendue, car nous conservions nos drapeaux, et les deux autres, à côté de nous, avaient perdu deux aigles.

Nous redescendîmes donc de cette façon dans la boue, à travers les pièces qu'on avait amenées pour nous soutenir, et dont les attelages venaient d'être sabrés par les dragons. Nous courions de tous les côtés, Buche et moi toujours ensemble ; et ce ne fut qu'au bout de dix minutes qu'on parvint à nous rallier près de la chaussée, par pelotons de tous les régiments.

Ceux qui veulent se mêler de commander à la guerre devraient toujours avoir de pareils exemples sous les yeux et réfléchir avant de faire de nouvelles inventions ; ces inventions coûtent cher à ceux qui sont forcés d'y entrer.

Nous regardions derrière nous en reprenant haleine, et nous voyions déjà les dragons rouges monter la côte pour enlever notre grande batterie de

quatre-vingts pièces ; mais, Dieu merci ! leur tour était
aussi venu d'être massacrés. L'Empereur avait vu de
loin notre retraite, et, comme ces dragons montaient,
deux régiments de cuirassiers à droite, avec un régiment de lanciers à gauche, tombèrent sur eux en flanc
comme le tonnerre ; le temps de regarder, ils étaient
dessus. On entendait chaque coup glisser sur les cuirasses, les chevaux souffler ; on voyait, à cent pas, les
lances monter et descendre, les grands sabres s'allonger, les hommes se courber pour piquer en dessous,
les chevaux furieux se dresser et mordre en hennissant d'une voix terrible ; et puis les hommes à terre
sous les pieds des chevaux, essayer de se lever en se
garant de la main.

Quelle horrible chose que les batailles ! — Buche
criait :

— Hardi !

Moi, je sentais la sueur me couler du front.
D'autres, avec des balafres et les yeux pleins de sang,
s'essuyaient en riant d'un air féroce.

En dix minutes, sept cents dragons étaient hors de
combat ; leurs chevaux gris couraient de tous les
côtés, le mors aux dents. Quelques centaines d'entre
eux rentraient dans leurs batteries, mais plus d'un
ballottait et se cramponnait à la crinière de son cheval. — Ils avaient vu que ce n'est pas tout de tomber
sur les gens, et qu'il peut aussi vous arriver des choses
auxquelles on ne s'attend pas.

De tout ce spectacle affreux, ce qui m'est le plus
resté dans l'esprit, c'est que nos cuirassiers en revenant, leurs grands sabres rouges jusqu'à la garde,
riaient entre eux, et qu'un gros capitaine, avec de
grandes moustaches brunes, en passant près de nous,
clignait de l'œil d'un air de bonne humeur, comme
pour nous dire :

« Eh bien !... vous avez vu... nous les avons ramenés vivement. »

Oui, mais il en restait trois mille des nôtres dans ce vallon ! — Et ce n'était pas fini, les compagnies, les bataillons et les brigades se reformaient ; du côté de la Haie-Sainte, la fusillade roulait ; plus loin, près de Hougoumont, le canon tonnait. Tout cela n'était qu'un petit commencement, les officiers disaient :

— C'est à recommencer.

On aurait cru que la vie des hommes ne coûtait rien.

ARTHUR CONAN DOYLE

Les Aventures du général de brigade Gérard
(1903)

L'écrivain écossais, né à Édimbourg en 1859, est un jeune médecin quand le succès de ses premières nouvelles le décide à se consacrer entièrement à la littérature. Lorsque Conan Doyle publie, en 1903, The Adventures of Gerard, *il est déjà un romancier célèbre grâce au succès des* Aventures de Sherlock Holmes, *parues au début des années 1890. Aux enquêtes du subtil détective répondent les exploits militaires d'un ardent grenadier dans l'armée napoléonienne. Le roman historique succède au roman policier. Conan Doyle admire la vie de Napoléon Bonaparte sur lequel il publie plusieurs ouvrages. Avec le général de brigade Gérard, soldat dévoué à Napoléon dès la première heure, c'est la fascination qu'exerce l'empereur sur ses soldats que Doyle explore. Le cavalier Gérard est un hussard qui appartient à l'élite de la Grande Armée. Doué d'un sens inné de l'honneur et du sacrifice, il contribue, grâce à son ardeur au combat, à la gloire du drapeau français. La bataille de Waterloo voit son dernier coup de sabre et, avec la fin de l'épopée impériale, il achève son existence de demi-solde seul, pauvre et nu, en racontant les exploits guerriers du temps de sa grandeur passée qui se confond avec celle de l'Empire. Ses souvenirs sont sa seule richesse. Il les étale comme des trésors avec le sentiment d'avoir pris part à quelque chose d'héroïque qu'on ne reverra plus. C'est donc une œuvre à mi-chemin entre le roman et le témoignage que propose Conan Doyle, qui s'est inspiré des généraux Gérard et Marbot pour forger son personnage haut en couleur. Brave au combat, galant avec les femmes et vaniteux dans ses récits, il incarne une époque qui prend fin sur le champ de bataille de Waterloo.*

Dans la journée du 18 juin, Gérard ne participe pas à la mêlée parce qu'il se voit confier par l'empereur la mission de porter un message à Grouchy que Napoléon croit reconnaître au loin, alors qu'il s'agit de Blücher. Le hussard quitte le champ de bataille alors que l'armée française est sur le point de triompher des Anglais — du moins le croit-on —, et revient à Waterloo le soir du 18 juin pour assister à la catastrophe militaire et au carnage de la Vieille Garde. Entre-temps, Napoléon a fui. Ce sont ces deux moments de la journée que Doyle raconte, et que relatent les extraits sélectionnés. L'espace d'un instant, Conan Doyle nous assoit près du hussard qui conte son histoire. Victor Hugo avait choisi ce mélange du roman et du témoignage historique pour son premier roman Bug-Jargal, *écrit alors qu'il était âgé de seize ans. Il voulait d'abord intituler son œuvre* Contes sous la tente *parce que « pendant les guerres de la révolution, plusieurs officiers français conviennent entre eux d'occuper chacun à leur tour la longueur des nuits du bivouac par le récit de quelqu'une de leurs aventures[1] ». On voit que cette tradition a perduré avec les légendes de l'Empire napoléonien. Doyle ressuscite le passé, et Waterloo continue d'occuper les Mémoires parce qu'à la tradition orale s'est jointe la tradition écrite.*

COMMENT LE GÉNÉRAL DE BRIGADE SE COMPORTA À WATERLOO

1. L'histoire de l'auberge dans la forêt

De toutes les grandes batailles où j'ai eu l'honneur de tirer le sabre pour l'Empereur et pour la France,

---

1. Préface de la première édition (1826) ; voir l'édition « Folio classique », p. 22.

aucune ne fut perdue. À Waterloo, j'étais certes présent, dans un sens, mais je n'ai pas pu me battre, et l'ennemi l'emporta. Il ne m'appartient pas de dire s'il existe un lien entre ces deux faits. Vous me connaissez trop bien, mes amis, pour imaginer que je pourrais avoir de pareilles prétentions. Mais cela fait réfléchir, et certains en ont tiré des conclusions flatteuses.

Après tout, il fallait simplement culbuter quelques carrés d'infanterie anglaise pour que la journée nous appartînt. Si les hussards de Conflans, menés par Étienne Gérard, en étaient incapables, alors même les meilleurs juges de ces affaires se trompent.

Mais passons. Les Parques avaient décrété que je retiendrais ma main et que l'Empire s'effondrerait. Mais elles avaient aussi décrété que ce jour triste et funeste me vaudrait plus d'honneur que je n'en avais eu lorsque, planant sur les ailes de la victoire, j'allais de Boulogne à Vienne.

Jamais je n'avais brillé avec autant d'éclat qu'au moment suprême où les ténèbres m'encerclaient de toutes parts. Vous savez bien que je suis resté fidèle à l'Empereur dans l'adversité et que j'ai refusé de vendre mon sabre et mon honneur aux Bourbons. Jamais plus je n'allais avoir de cheval de guerre entre les genoux, jamais plus je n'allais entendre sonner le tambour et le clairon d'argent dans mon dos en chevauchant à la tête de mes petits chenapans. Mais mon cœur se réchauffe, mes amis, et les larmes me viennent aux yeux, quand je pense à la grandeur dont j'ai fait preuve en ce dernier jour de ma vie de soldat et quand je me souviens que, de tous les exploits remarquables qui m'ont gagné l'amour de tant de belles femmes, et le respect de tant de nobles hommes, aucun, par la splendeur, l'audace, et le grand but qu'il permit d'atteindre, n'a surpassé ma célèbre chevauchée de la nuit du 18 juin 1815[1]. Je sais bien qu'on raconte souvent cette histoire à table dans les mess et dans les dortoirs des casernes, si bien qu'il n'y a que peu de soldats qui ne l'ont pas entendue, mais la modestie avait scellé mes lèvres. Mais je suis maintenant disposé, mes amis, dans l'intimité d'un de ces rassemblements privés, à vous raconter ce qui s'est véritablement passé.

En premier lieu, il y a une chose dont je peux vous assurer. Dans toute sa carrière, Napoléon n'avait jamais eu d'armée aussi splendide que celle qu'il mena sur le champ de bataille lors de cette campagne. En 1813, la France était à bout de forces. Pour chaque vétéran présent dans l'armée il y avait cinq enfants — des Marie-Louise, comme nous les appelions, car l'Impératrice s'était chargée de lever des troupes tandis que l'Empereur faisait la guerre. Mais la situation était très différente en 1815. Les prisonniers étaient tous revenus, qui des neiges de Russie, qui des cachots espagnols, qui des pontons anglais.

C'étaient des hommes dangereux, des vétérans qui avaient connu vingt batailles, désiraient reprendre leur ancien métier et dont le cœur plein de haine souhaitait une revanche. Les lignes étaient pleines de soldats qui portaient sur la manche deux ou trois chevrons[2] — un chevron représentant cinq années de service. Et l'esprit qui animait ces hommes était terrifiant. C'étaient des enragés, des furieux, des fanatiques qui adoraient l'Empereur comme les mamelouks adorent leur prophète, ils étaient prêts à se jeter sur leurs propres baïonnettes si leur sang pouvait lui être utile. Si vous aviez vu ces féroces vétérans de la première heure aller au combat, le visage écarlate, le regard sauvage, la bouche tordue dans un cri de fureur, vous vous étonneriez qu'on eût pu les arrêter. L'esprit de la France volait si haut

à cette époque que tout autre esprit aurait reculé
devant lui, mais ces gens-là, les Anglais, n'avaient
pas d'esprit, pas d'âme, ils avaient seulement de la
viande de bœuf, solide et immuable, contre laquelle
nous nous fracassâmes en vain. Voilà l'histoire, mes
amis ! D'un côté, la poésie, la galanterie, l'esprit de
sacrifice — la beauté et l'héroïsme. De l'autre côté,
de la viande de bœuf. Nos espoirs, nos idéaux, nos
rêves… tous volèrent en éclats face au terrible bœuf
de la vieille Angleterre.

Vous avez déjà lu comment l'Empereur avait rassemblé ses forces et comment ensuite, lui et moi, et
cent trente mille vétérans, nous nous étions précipités
à la frontière, au nord, et avions attaqué les Prussiens
et les Anglais. Le 16 juin, Ney avait fait jeu égal avec
les Anglais aux Quatre-Bras tandis que nous battions
les Prussiens à Ligny. Il ne m'appartient pas de parler
de l'étendue de ma contribution à cette victoire, mais
on sait bien que les hussards de Conflans s'y couvrirent de gloire. Ils combattirent vaillamment, ces
Prussiens, et huit mille d'entre eux restèrent sur le
champ de bataille. L'Empereur pensait qu'on en avait
fini avec eux, puisqu'il avait envoyé le Maréchal
Grouchy et trente-deux mille hommes à leur poursuite afin de les empêcher d'interférer dans ses plans.
Puis, avec presque quatre-vingt mille hommes, il
s'était tourné vers ces « satanés » Anglais. Nous avions
tant de choses à leur faire payer, nous les Français :
les guinées de Pitt, les pontons de Portsmouth [1], l'invasion de Wellington, les perfides victoires de Nelson !
Le jour du châtiment semblait s'être enfin levé.

Wellington avait soixante-sept mille hommes avec
lui, mais on savait que bon nombre d'entre eux
étaient des Néerlandais et des Belges qui n'avaient
pas grande envie de se battre contre nous. Il n'avait
pas cinquante mille bons soldats. Comme il se trou-

vait en présence de l'Empereur en personne accompagné de quatre-vingt mille hommes, cet Anglais était tellement paralysé par la peur qu'il était incapable de se mouvoir ou de mouvoir son armée[1]. Vous savez ce que fait le lapin quand le serpent approche. Ainsi de l'Anglais sur la crête de Waterloo. La nuit précédant la bataille, l'Empereur, qui avait perdu un aide de camp à Ligny, m'avait ordonné de rejoindre son état-major, et j'avais laissé le Major Victor à la tête de mes hussards. Je ne sais qui d'eux ou de moi était le plus peiné de me voir appelé loin de mon régiment à la veille de la bataille, mais un ordre est un ordre et un bon soldat ne peut que hausser les épaules et obéir. Je chevauchai avec l'Empereur le long des lignes ennemies le 18 au matin. Il les observait avec sa lunette et élaborait un plan pour les anéantir le plus rapidement possible. Soult était à ses côtés, ainsi que Ney, Foy, et que d'autres qui avaient combattu les Anglais au Portugal et en Espagne. « Prenez garde, sire, dit Soult, l'infanterie anglaise est très solide. »

« Vous croyez que ce sont de bons soldats parce qu'ils vous ont battu », dit l'Empereur, et nous, les plus jeunes, nous détournâmes les yeux et sourîmes. Mais Ney et Foy avaient l'air grave et sérieux. Pendant tout ce temps, la ligne anglaise, vêtue de bleu et de rouge et parsemée de batteries d'artillerie, s'étirait, silencieuse et vigilante, presque à portée de nos fusils. De l'autre côté de la vallée peu profonde, nos hommes, qui avaient fini leur soupe, se rassemblaient pour la bataille. Il avait énormément plu, mais à cet instant le soleil perça et toucha l'armée française, transformant nos brigades de cavalerie en autant d'éblouissantes rivières d'acier, faisant briller et étinceler les innombrables baïonnettes de l'infanterie. À la vue de cette armée splendide, de sa beauté et de sa majesté, je ne pus me retenir plus longtemps et, debout sur mes étriers, j'agitai mon busby[1] et criai « Vive l'Empereur ! », et ce cri fut repris, grondement, rugissement, fracas, d'un bout à l'autre de la ligne tandis que les cavaliers agitaient leurs sabres et que les fantassins portaient leurs shakos au bout de leurs baïonnettes. Les Anglais restèrent pétrifiés sur leur crête. Ils savaient que leur heure était venue.

Et il en aurait été ainsi si l'on avait donné l'ordre d'attaquer à ce moment-là et si l'on avait permis à toute l'armée d'avancer. Nous n'avions qu'à fondre sur eux et à les balayer de la surface du globe. Toute considération sur le courage des armées mise à part, nous avions le nombre, l'expérience et la stratégie pour nous. Mais l'Empereur voulait tout faire dans l'ordre, et il attendit que le sol fût plus sec et plus ferme afin que son artillerie pût manœuvrer. Trois heures furent donc gâchées, et onze heures avaient déjà sonné quand nous vîmes les colonnes menées par Jérôme Bonaparte avancer sur notre gauche et que le tumulte des canons nous annonça que la bataille avait commencé. Ces trois heures perdues furent la raison de notre destruction. L'attaque sur la gauche portait sur un corps de ferme que tenait la Garde anglaise, et nous entendîmes les défenseurs crier avec force les trois sommations qu'ils avaient l'obligation de formuler. Ils tenaient toujours bon, et le corps d'armée de D'Erlon avançait sur la droite pour engager le combat avec une autre portion de la ligne anglaise lorsque notre attention fut détournée du combat qui se déroulait sous notre nez et se porta au loin, sur un autre endroit du champ de bataille.

L'Empereur regardait à travers sa lunette en direction de l'extrémité gauche de la ligne anglaise quand il se tourna brutalement vers le Duc de Dalmatie, ou

Soult, comme nous autres soldats préférions l'appeler.

« Qu'est-ce que c'est, Maréchal ? » demanda-t-il.

Nous suivîmes tous son regard, les uns à travers leur lunette, les autres en ayant la main en visière. Il y avait, au loin, un bois touffu, puis une longue pente découverte, et, au-delà, un autre bois. Sur la bande de terre déserte entre les deux bois, quelque chose de sombre, comme l'ombre mouvante d'un nuage, se détachait.

« Je crois que ce sont des vaches, sire », dit Soult.

À cet instant, un bref scintillement au milieu de la sombre masse nous parvint.

« C'est Grouchy, dit l'Empereur en baissant sa lunette. Ils sont pris sur les deux côtés, ces Anglais. Je les tiens dans le creux de ma main. Ils ne peuvent pas m'échapper. »

Il regarda autour de lui et s'arrêta sur moi.

« Ah, voilà le prince des messagers ! dit-il. Avez-vous une bonne monture, Colonel Gérard ? »

J'étais sur le dos de ma petite Violette[1], la fierté de toute la brigade.

Je répondis affirmativement.

« Eh bien, allez vite trouver le Maréchal Grouchy dont vous voyez les troupes là-bas. Dites-lui qu'il doit se concentrer sur le flanc gauche et sur l'arrière des Anglais tandis que je les attaque par le devant. Nous devrions les écraser à nous deux sans que personne ne s'échappe. »

Je saluai et me mis en route sans un mot, le cœur dansant de joie que pareille mission me fût confiée. Je jetai un regard sur la longue et solide ligne bleu et rouge qu'on devinait dans la fumée des canons, et je secouai mon poing en sa direction tandis que je galopais. « Nous les écraserons sans que personne ne s'échappe. »

Tels étaient les mots de l'Empereur et c'était moi, Étienne Gérard, qui allais leur donner corps. Je brûlais de rejoindre le maréchal, et pendant un instant je considérai la possibilité de couper à travers l'aile gauche des Anglais, puisque c'était le chemin le plus court. J'ai accompli des exploits plus hardis et m'en suis sorti sain et sauf, mais je songeai que si les choses venaient à tourner mal pour moi et que je fusse capturé ou abattu, le message serait perdu et les plans de l'Empereur échoueraient. Je longeai par conséquent la cavalerie et dépassai les chasseurs, les lanciers de la Garde, les carabiniers, les grenadiers à cheval, et, enfin, mes petits chenapans, qui me suivirent du regard avec mélancolie. Après la cavalerie, il y avait la Vieille Garde, douze régiments en tout. Ils avaient tous connu de nombreuses batailles, ces hommes sombres et sévères vêtus de longs manteaux bleus et de bonnets d'oursin dont on avait retiré les plumets. Chacun d'entre eux avait dans le sac en peau de chèvre qu'il portait sur le dos l'uniforme de parade bleu et blanc qu'il mettrait pour entrer dans Bruxelles le jour d'après. Tandis que je passais à côté d'eux sur mon cheval, je me fis la réflexion que ces hommes n'avaient jamais été vaincus, et, comme je regardais leur visage tanné et leur air austère et silencieux, je me dis qu'ils ne le seraient jamais. Grands dieux, comme il m'était impossible de savoir ce qui allait se passer quelques heures plus tard !

À droite de la Vieille Garde il y avait la Jeune Garde et le VIᵉ corps de Lobau, et je dépassai ensuite les lanciers de Jacquinot et les hussards de Marbot qui tenaient l'extrémité du flanc de la ligne. Tous ces soldats ignoraient tout du corps d'armée qui s'avançait vers eux à travers le bois. La bataille qui faisait rage sur leur gauche attirait toute leur attention. Plus de cent canons tonnaient de chaque côté et le tumulte était si grand que, de toutes les batailles où j'ai combattu, je serais bien incapable d'en citer plus d'une demi-douzaine qui furent aussi bruyantes. Je jetai un regard derrière moi, par-dessus mon épaule, et vis deux brigades de cuirassiers, une anglaise et une française, dévaler la colline ensemble, les lames des sabres étincelant parmi ces hommes comme la foudre en plein été. Comme je désirais faire faire demi-tour à Violette et mener mes hussards au sein de la mêlée ! Quel tableau se dessinait ! Étienne Gérard tournait le dos à la bataille et un beau mouvement de cavalerie se déroulait derrière lui.

Mais il faut bien faire son devoir. Je dépassai donc les vedettes de Marbot et continuai mon chemin en direction du bois, laissant le village de Frichermont sur ma gauche.

Devant moi s'étendait le grand bois, qu'on appelait le Bois de Paris, composé principalement de chênes et traversé par quelques chemins étroits. Je fis halte et tendis l'oreille quand je l'atteignis, mais de ses lugubres profondeurs ne me parvenait nulle sonnerie de trompette, nul bruissement de roue, nul piétinement de cheval annonçant l'avancée de cette grande colonne que j'avais vue de mes propres yeux se diriger vers le bois. La bataille se déroulait derrière moi avec fracas, mais devant moi tout était silencieux comme la tombe dans laquelle tant de courageux soldats allaient bientôt reposer. Les arches de feuilles au-dessus de ma tête arrêtaient la lumière du soleil et une lourde odeur d'humidité s'élevait du sol détrempé. Je galopai sur plusieurs kilomètres à un train que peu de cavaliers oseraient suivre au vu des racines au sol et des branches basses. Puis, enfin, j'aperçus pour la première fois l'avant-garde de Grouchy. Des groupes éparpillés de hussards me dépassèrent d'un côté et de l'autre,

mais à une certaine distance, au milieu des arbres.
J'entendis le roulement d'un tambour au loin ainsi
que le murmure sourd et vague que fait une armée
en marche. Je pouvais à tout moment tomber sur
l'état-major et transmettre mon message à Grouchy
en personne car je savais bien que lors d'une marche
comme celle-là, un Maréchal de France chevauche-
rait certainement avec l'avant-garde de son armée.

Les arbres se firent brusquement plus rares devant
moi, et je compris avec joie que j'approchais de la fin
du bois et que de là je pourrais voir l'armée et trouver le Maréchal.

À l'endroit où la piste sort du couvert des arbres, il y
a un petit cabaret où les bûcherons et les charretiers
vont boire leur vin. J'arrêtai mon cheval un instant en
tirant sur les rênes devant la porte de cet établisse-
ment afin d'apprécier la scène qui s'offrait à moi. Je
vis une deuxième grande forêt à quelques kilomètres,
la forêt de Saint-Lambert, d'où l'Empereur avait vu
sortir les troupes. Il était cependant aisé de comprendre pourquoi tant de temps s'était écoulé entre
leur sortie d'un bois et leur entrée dans l'autre puisqu'il y avait entre les deux le profond défilé de Lasne à
franchir. Et, assurément, une longue colonne de soldats — des cavaliers, des fantassins, et des artilleurs
— descendait, tel un torrent, d'un côté du ravin et se
massait en haut de l'autre tandis que l'avant-garde
était déjà parmi les arbres qui m'entouraient. Une batterie d'artillerie à cheval avançait sur la route, et
j'étais sur le point de galoper jusqu'à elle et de demander à l'officier responsable s'il pouvait me dire où je
pourrais trouver le Maréchal quand je remarquai
brusquement que, bien que ces artilleurs portassent
un uniforme bleu, leurs dolmans n'étaient pas ornés
de brandebourgs rouges comme ceux de nos artilleurs
à cheval. Plongé dans la perplexité, je regardais ces

soldats à ma droite et à ma gauche lorsqu'une main me toucha la cuisse : c'était l'aubergiste qui avait couru depuis sa maison.

« Pauvre fou ! cria-t-il, pourquoi est-ce que vous êtes là ? Qu'est-ce que vous faites ?

— Je cherche le Maréchal Grouchy.

— Vous êtes au milieu de l'armée prussienne. Faites demi-tour et fuyez !

— C'est impossible. C'est le corps d'armée de Grouchy.

— Comment est-ce que vous savez ça ?

— Parce que l'Empereur l'a dit.

— Eh bien l'Empereur a fait une énorme erreur ! Je vous dis qu'une patrouille de hussards silésiens vient de quitter l'auberge. Vous ne les avez pas vus dans le bois ?

— J'ai vu des hussards.

— C'étaient des ennemis.

— Où est Grouchy ?

— Derrière. Ils l'ont dépassé.

— Alors comment pourrai-je retourner d'où je viens ? Si j'avance, je pourrai peut-être encore le voir. Je dois obéir à mes ordres et le trouver, où qu'il soit. »

L'homme réfléchit pendant un instant.

« Vite, vite », cria-t-il en se saisissant de la bride de mon cheval. « Faites ce que je dis et vous pourrez peut-être encore vous en tirer. Ils ne vous ont pas encore remarqué. Venez avec moi et je vous cacherai jusqu'à ce qu'ils soient passés. »

Il y avait une écurie basse de plafond derrière sa maison et il y fit brutalement entrer Violette. Puis, en me traînant à moitié, il me mena à la cuisine de l'auberge. C'était une salle dépouillée au sol de brique.

Une grosse femme au visage rouge faisait cuire des côtelettes sur le feu.

« Qu'est-ce qui se passe ? » demanda-t-elle, et elle nous regarda successivement, moi et l'aubergiste, en fronçant les sourcils. « Qui est-ce que tu as ramené ?

— C'est un officier français, Marie. On ne peut pas laisser les Prussiens le faire prisonnier.

— Pourquoi pas ?

— Pourquoi pas ? Mais sacré nom d'un chien, est-ce que je n'ai pas été moi-même soldat de Napoléon ? Est-ce qu'on ne m'a pas donné un fusil d'honneur alors que j'étais dans les vélites[1] de la Garde ? Et je verrais un camarade fait prisonnier sous mes yeux ? Marie, on doit le sauver. »

Mais la dame me regardait d'un œil on ne peut plus hostile.

« Pierre Charras, dit-elle, tu ne t'arrêteras pas tant qu'on n'aura pas brûlé ta maison. Tu ne comprends pas, bougre d'andouille, que si tu t'es battu pour Napoléon, c'est parce que Napoléon régnait sur la Belgique ? Ce n'est plus le cas. Les Prussiens sont nos alliés et voici notre ennemi. Je n'accueillerai pas de Français dans cette maison. Livre-le ! »

L'aubergiste se gratta la tête et me regarda, l'air désespéré, mais il était tout à fait évident pour moi que cette femme n'avait cure ni de la France ni de la Belgique, mais que c'était la sécurité de sa maison qui lui tenait particulièrement à cœur.

« Madame », dis-je, avec toute la dignité et l'assurance dont je disposais, « l'Empereur est en train de défaire les Anglais et l'armée française sera là avant ce soir. Si vous me traitez bien, on vous récompensera, et si vous me dénoncez, on vous punira et la prévôté brûlera certainement votre maison. »

Cela l'ébranla, et je me dépêchai d'achever ma victoire par d'autres moyens.

« Bien évidemment, dis-je, il est impossible qu'une femme si belle puisse avoir un cœur de pierre. Vous ne refuserez pas de m'abriter alors que j'en ai besoin. »

Elle regarda ma moustache et je vis qu'elle s'était attendrie. Je lui pris la main, et, en deux minutes, nous nous entendions si bien que son mari jura catégoriquement qu'il me livrerait lui-même si j'insistais encore.

« Et puis la route est pleine de Prussiens, cria-t-il. Vite, vite, dans le grenier !

— Vite, vite, dans le grenier ! » répéta sa femme, et ils me pressèrent tous les deux de grimper à une échelle qui menait à une trappe au plafond. On frappa avec force à la porte, vous pensez donc bien que je ne tardai pas à passer dans l'ouverture en faisant sonner mes éperons et à laisser retomber le panneau derrière moi. Un instant après, j'entendis les voix des Allemands dans les salles du rez-de-chaussée.

[...]

[Gérard reste caché dans le grenier quand des Anglais et des Prussiens entrent. Blücher est là et donne l'ordre à un dragon d'assassiner l'empereur Napoléon lorsque ce dernier prendra la fuite, de peur qu'il ne forme une nouvelle armée.]

Quant à moi, mes chers amis, imaginez la fièvre, l'effervescence et la folie qui pouvaient régner dans mon esprit ! Toute pensée au sujet de Grouchy s'était évanouie. On n'entendait aucun bruit de canon à l'est. Il ne pouvait pas être près. S'il venait à arriver, il était maintenant trop tard pour qu'il pût changer l'issue de la bataille. Le soleil était déjà bas dans le ciel et il ne devait rester que deux ou trois heures de lumière. Ma

mission, à présent inutile, pouvait être abandonnée.
Mais il y avait là une autre mission, plus urgente, plus
immédiate, une mission dont dépendait la sécurité, et
peut-être la vie, de l'Empereur. Je devais à tout prix,
peu importaient les dangers, retourner à son côté.

Mais comment allais-je y parvenir ? L'armée prussienne dans son intégralité me séparait à présent des
lignes françaises. Ils barraient toutes les routes, mais
ils ne pouvaient pas barrer le chemin du devoir quand
il se présentait devant Étienne Gérard. Je ne pouvais
pas attendre davantage. Je devais partir.

Il n'y avait qu'un seul accès au grenier : je ne pouvais donc descendre que par l'échelle. Je jetai un œil
dans la cuisine et vis que le jeune chirurgien[1] y était
encore. L'aide de camp anglais était assis sur une
chaise et deux soldats prussiens au comble de l'épuisement étaient allongés dans la paille. Les autres soldats s'étaient tous remis et avaient été renvoyés. Mes
ennemis étaient là, et je devais passer entre eux pour
atteindre mon cheval. Je n'avais rien à craindre du
chirurgien ; l'Anglais était blessé, son épée et sa
capote étaient dans un coin ; les deux Allemands
n'étaient qu'à demi conscients, leurs fusils n'étaient
pas à portée de main. L'affaire pouvait-elle se présenter plus simplement ? J'ouvris la trappe, me glissai le
long de l'échelle, et apparus au milieu d'eux, le sabre
à la main.

Quelle fut la surprise qui se peignit sur leurs
visages ! Le chirurgien, bien sûr, était au courant de
tout, mais il dut sembler à l'Anglais et aux deux Allemands que le dieu de la guerre en personne était descendu des cieux. Vu mon arrivée soudaine, mon
allure, mon uniforme gris et argenté et le sabre étincelant que j'avais au poing, je dus en effet faire une
apparition mémorable. Les deux Allemands restèrent
pétrifiés, le regard fixé sur moi. L'officier anglais se

leva à moitié, mais, pris de faiblesse, il se rassit, la bouche ouverte et la main sur le dossier de la chaise.

« Que diantre ! répétait-il sans arrêt, que diantre !

— Ne bougez pas, je vous prie, dis-je. Je ne ferai de mal à personne, mais malheur à celui qui porte la main sur moi pour m'arrêter. Vous n'avez rien à craindre si vous me laissez en paix, et rien à espérer si vous essayez de me retarder. Je suis le Colonel Étienne Gérard, des hussards de Conflans.

— Que diantre ! dit l'Anglais. C'est vous qui avez tué le renard[1]. » Son visage s'était assombri : son front se plissait terriblement. La jalousie est une vile passion chez un veneur. Il me haïssait, cet Anglais, parce que je l'avais devancé quand il avait fallu servir l'animal. Quelle différence entre nos natures ! Si je l'avais vu accomplir un tel exploit je l'aurais embrassé avec des cris de joie. Mais l'heure n'était pas à la dispute.

« Je le regrette, monsieur, dis-je, mais vous avez là une capote que je dois vous prendre. »

Il essaya de se lever de sa chaise et d'atteindre son épée qui l'attendait dans un coin, mais je m'interposai.

« S'il y a quelque chose dans les poches...

— Un étui, dit-il.

— Je ne voudrais pas vous voler », dis-je. Je soulevai alors la capote et sortis des poches une flasque d'argent, un étui rectangulaire en bois et une lunette. Je lui tendis tous ces objets. Le gredin ouvrit l'étui, en sortit un pistolet, et me le braqua droit sur la tête.

« Et maintenant, mon gaillard, dit-il, baissez votre sabre et rendez-vous. »

Je fus tellement abasourdi par ce geste indigne que je restai pétrifié devant lui. J'essayai de lui parler d'honneur et de gratitude, mais je vis son regard fixe se durcir de l'autre côté du pistolet.

« Assez parlé ! dit-il, lâchez votre arme ! »

Pouvais-je supporter pareille humiliation ? La mort aurait été préférable au fait d'être désarmé de cette façon. J'étais sur le point de dire « Tirez ! » quand l'Anglais disparut brutalement devant moi et fut remplacé par un grand tas de foin au milieu duquel gesticulaient le bras d'une tunique rouge et deux bottes à la hessoise[1]. Oh, la charmante dame ! Je devais mon salut à ma moustache.

« Fuyez, soldat, fuyez ! » cria-t-elle, et, ayant à nouveau pris des ballots de foin par terre, elle les entassa sur l'Anglais qui s'agitait en tous sens. En un instant j'étais dans la cour, j'avais sorti Violette de l'écurie et j'étais sur son dos. Une balle de pistolet tirée depuis la fenêtre passa en sifflant au-dessus de mon épaule, je me tournai et vis qu'un visage furieux me regardait. Je lui adressai un sourire plein de mépris et éperonnai mon cheval pour rejoindre la route. Les derniers Prussiens étaient passés, et la route et le devoir s'offraient donc à moi sans obstacle. Si la France l'emportait, tout était pour le mieux. Si la France perdait, alors quelque chose de plus important que la victoire ou la défaite dépendait de ma petite jument et de moi : la sécurité et la vie de l'Empereur. « Allons, Étienne, allons ! criai-je. De tous tes nobles exploits, le plus grand, quand bien même ce serait le dernier, t'attend ! »

2. L'histoire des neuf cavaliers prussiens

Je vous ai parlé, la dernière fois que nous nous sommes vus, mes amis, de l'importante mission que l'Empereur m'avait confiée d'aller trouver Grouchy et de son échec dont je n'ai été aucunement responsable. Je vous ai raconté comment j'ai été enfermé dans le grenier d'une auberge de campagne pendant un après-midi qui fut très long et comment il m'était impossible de sortir puisque j'étais entouré par les Prussiens. Vous vous rappelez aussi que j'ai entendu le chef d'état-major prussien donner au Comte Stein ses instructions et que j'ai ainsi appris le dangereux plan qu'ils voulaient mettre en œuvre et qui visait à tuer ou à capturer l'Empereur si la France venait à être défaite. De prime abord, je n'aurais pas cru qu'une telle chose fût possible, mais puisque les canons avaient tonné pendant toute la journée, et puisque leur tumulte ne s'était pas avancé dans ma direction, il était clair que les Anglais avaient au moins tenu leur position et repoussé toutes nos attaques.

J'ai dit que la bataille en ce jour-là opposait l'âme de la France et le bœuf d'Angleterre, mais il faut reconnaître que nous trouvâmes le bœuf extrêmement coriace. Selon toute évidence, si l'Empereur avait été incapable de battre les Anglais lorsqu'ils étaient seuls, alors les choses pouvaient en effet mal tourner pour lui à présent que soixante milliers de ces maudits Prussiens se massaient sur son flanc. Dans tous les cas, vu le secret que je détenais, ma place était à son côté.

J'avais réussi à sortir de l'auberge avec panache, comme je vous l'ai raconté la dernière fois que nous nous sommes vus, et j'avais abandonné l'aide de camp anglais qui agitait sottement le poing depuis la fenêtre. Je ne pus m'empêcher de rire lorsque je me tournai pour le regarder car son visage rouge de colère était encadré par des franges de foin. Une fois sur la route, je me dressai sur mes étriers et enfilai la superbe redingote noire à la doublure rouge que je lui avais prise. Elle arrivait au niveau de mes hautes bottes et couvrait complètement mon uniforme qui, autrement, m'aurait trahi. Quant à mon busby, il y en a beaucoup de semblables dans l'armée allemande, et il n'y avait pas de

raison qu'il attirât l'attention. Tant qu'on ne m'adresse-
rait pas la parole il n'y avait pas de raison que je ne
passasse pas au beau milieu de l'armée prussienne sur
mon cheval. En effet, bien que je comprisse l'allemand,
car j'avais compté beaucoup de dames allemandes au
nombre de mes amies pendant les agréables années où
j'avais combattu dans tout leur pays, je le parlais toujours avec un charmant accent parisien qu'on ne pouvait confondre avec leurs intonations âpres et peu
mélodieuses. Je savais que la particularité de mon
accent attirerait l'attention, mais je ne pouvais qu'espérer et prier qu'on me permît d'aller mon chemin en
silence.

Le Bois de Paris était si grand qu'il était impensable
de le contourner : je pris donc mon courage à deux
mains et remis mon cheval au galop sur la route, dans
les pas de l'armée prussienne. Il était aisé de suivre ses
traces car les roues des canons et des caissons avaient
laissé des ornières de plus d'un demi-mètre de profondeur. La route fut bientôt bordée, de part et d'autre,
par des blessés, prussiens et français, là où l'armée en
marche de Bülow avait rencontré les hussards de
Marbot. Un vieil homme à la longue barbe blanche,
un chirurgien, je suppose, s'adressa à moi en criant, et
courut après moi en criant encore, mais je ne tournai
jamais la tête et ne prêtai pas attention à lui, si ce n'est
que j'éperonnerai mon cheval pour qu'il allât plus
vite. J'entendais encore ses cris bien après que je l'eus
perdu de vue parmi les arbres.

Je tombai alors sur les réserves prussiennes. Les soldats de l'infanterie étaient appuyés sur leurs fusils ou
bien allongés sur le sol humide, épuisés, tandis que les
officiers, en groupes, écoutaient le terrible rugissement de la bataille et discutaient des rapports qui leur
parvenaient du front. Je me dépêchai de les dépasser
le plus rapidement possible, mais l'un d'eux se préci-

pita vers moi et se mit en travers de mon chemin en levant la main pour me faire signe de m'arrêter. Cinq mille yeux prussiens étaient tournés vers moi. C'était quelque chose ! Vous pâlissez, mes amis, en imaginant la scène. Dites-vous que tous les poils de mon corps se hérissaient. Mais mon courage et mon intelligence ne m'abandonnèrent jamais un instant. « Le Général Blücher ! » criai-je. N'était-ce pas mon ange gardien qui m'avait chuchoté ces mots à l'oreille ? Le Prussien s'écarta de mon chemin d'un bond, salua, et m'indiqua qu'il fallait continuer tout droit. Ils sont vraiment disciplinés, ces Prussiens, et qui était-il pour oser arrêter l'officier qui portait un message au général ?

C'était un talisman qui allait me sortir de tous les dangers, et mon cœur était en fête rien que d'y penser. J'étais tellement transporté de joie que je n'attendais plus qu'on m'interrogeât. Tandis que je traversais les rangs de l'armée sur mon cheval, je criais à droite et à gauche « Le Général Blücher ! Le Général Blücher ! » et ils m'indiquaient tous la direction à suivre et me dégageaient le chemin.

Il est des moments où l'impudence la plus radicale est la plus grande forme de sagesse. Mais il faut aussi faire preuve de discrétion, et je dois admettre que je devins peu discret. En effet, comme je continuais sur mon chemin, m'approchant toujours plus de la ligne de front, un officier prussien de Uhlans attrapa la bride de mon cheval et m'indiqua un groupe d'hommes à proximité d'une ferme en flammes. « Voilà le Maréchal Blücher. Remettez-lui votre message ! » dit-il, et, assurément, mon vieil et terrible vétéran à la moustache grise était là, à portée de pistolet, le regard tourné vers moi.

Mais le bon ange gardien ne m'abandonna pas.

Le nom du général qui commandait l'avancée des

Prussiens me revint en mémoire à la vitesse de
l'éclair.

« Le Général Bülow ! » criai-je. Le Uhlan lâcha la
bride de mon cheval. « Le Général Bülow ! Le Général
Bülow ! » hurlai-je tandis que chaque foulée de ma
chère petite jument me rapprochait des miens. Je traversai le village en flammes de Planchenoit au galop,
me faufilai entre deux colonnes d'infanterie prussienne
en éperonnant ma monture, sautai par-dessus une
haie, abattis d'un coup de sabre un hussard silésien qui
s'était jeté devant moi et, un instant après, la redingote
grande ouverte pour révéler l'uniforme que je portais
en dessous, je passai entre les rangs ouverts du dixième
régiment d'infanterie de ligne, et j'étais à nouveau au
cœur du corps de Lobau. Inférieurs en nombre et
débordés sur leur flanc, les soldats qui le composaient
reculaient lentement devant la puissance de l'avancée
prussienne. Je continuai à galoper, n'ayant pour seul
souci que d'être au côté de l'Empereur.

Mais le spectacle qui s'offrit à moi m'arrêta net
comme si j'avais été transformé en quelque noble statue équestre. Je ne pouvais pas bouger et pouvais à
peine respirer alors que je le contemplais. Il y avait
une butte sur mon chemin et, lorsque je fus arrivé à
son sommet, je regardai la longue et peu profonde
vallée de Waterloo en contrebas. Quand je l'avais quittée, deux grandes armées se tenaient de part et d'autre
d'une étendue dégagée. Il ne restait plus à présent que
de longues franges effilochées de régiments brisés et
épuisés sur les deux crêtes, mais une véritable armée
de cadavres et de blessés gisait au milieu. Ils s'entassaient et jonchaient le sol sur une bande de trois kilomètres de long et de huit cents mètres de large. Mais
la vue d'un carnage n'était pas pour moi chose nouvelle, et ce n'était pas pour cela que je restais comme
frappé par un sortilège. C'était parce qu'une forêt

noire et mouvante s'agitait, pareille à une vague, et grimpait la longue pente occupée par les Britanniques sans rien céder. N'avais-je pas reconnu les bonnets d'oursin de la Garde ? Et n'avais-je pas également compris — mon instinct de soldat ne me l'avait-il pas dit ? — qu'il s'agissait des dernières réserves de la France, et que l'Empereur, tel un joueur au désespoir, pariait tout sur sa dernière carte ? Ils grimpaient encore et encore, formidable et inébranlable masse que châtiait le feu des fusils et criblait la mitraille, et ils avançaient, semblables à une marée sombre et puissante qui venait heurter les batteries anglaises. Je vis à travers ma lunette les artilleurs anglais se jeter sous leurs canons ou prendre la fuite. La crête des bonnets d'oursin continua à déferler, et puis, dans un fracas qui parvint jusqu'à mes oreilles, elle rencontra l'infanterie britannique. Une minute passa, puis une autre, puis encore une autre. Mon cœur battait la chamade.

Ils ondulaient d'avant en arrière. Ils n'avançaient plus. On leur tenait tête. Grand Dieu ! Était-il possible qu'ils fussent en train de céder ? Un petit point noir descendit la colline en courant, puis deux, puis quatre, puis dix, puis une grande masse éparpillée qui lutta, s'arrêta, céda, s'arrêta pour enfin se déliter complètement et dévaler la pente en panique. « La Garde est vaincue ! La Garde est vaincue ! » Ce cri me parvenait de partout. Le long de toute la ligne, les soldats de l'infanterie détournèrent le visage et les artilleurs s'écartèrent de leurs canons.

« La Vieille Garde est vaincue ! La Vieille Garde bat en retraite ! » Un officier au visage livide me dépassa en hurlant ces mots de malheur. « Sauve qui peut ! Sauve qui peut ! Vous êtes à leur merci ! » cria un autre. « Sauve qui peut ! Sauve qui peut ! » Les hommes se ruaient vers l'arrière comme des fous, ils

sautaient maladroitement comme des moutons terri-
fiés. Des cris et des hurlements s'élevaient partout
autour de moi. Et c'est à ce moment-là, alors que je
regardais le terrain occupé par les Britanniques, que
je vis ce que je ne pourrai jamais oublier. La noire
silhouette d'un cavalier solitaire se découpait visiblement dans les derniers rayons rouges et furieux du
soleil couchant. Il était si sombre et si immobile,
dans cette sinistre lumière, qu'on l'aurait pris pour
l'esprit même du Combat qui planait sur cette terrible vallée. Comme je le regardais, il leva son chapeau haut dans les airs et, à ce signal, dans un
rugissement sourd et profond semblable à celui
d'une vague qui se brise, la totalité de l'armée britannique déferla de sa crête et descendit dans la vallée.

Les longues lignes rouge et bleu frangées d'acier,
les grandes vagues de cavalerie, les batteries d'artillerie à cheval qui craquaient et bondissaient — tous
fondirent sur nos lignes qui s'effritaient. C'en était
fait. Un horrible cri de souffrance, la souffrance des
hommes courageux quand il n'y a plus d'espoir en
vue, parcourut l'armée d'un flanc à l'autre, et en un
instant la totalité de cette noble armée se dispersa et,
foule que la panique faisait délirer, elle quitta le
champ de bataille. Aujourd'hui encore, mes chers
amis, je ne peux pas, comme vous le voyez, évoquer
ce terrible moment d'une voix ferme et les yeux secs.

Je fus d'abord emporté par cette ruée démente, bal-
lotté comme un fétu dans un caniveau qui déborde.
Mais, brutalement, devinez ce que je vis au milieu des
régiments mélangés qui se trouvaient devant moi ?
Un groupe de cavaliers à l'air grave, en uniformes gris
et argenté et qui brandissaient un étendard brisé et
déchiré ! Toute la puissance de l'Angleterre et de la
Prusse réunies n'avait pu faire céder les hussards de
Conflans. Mais lorsque je les rejoignis mon cœur sai-

gna à les voir ainsi. Le Major, sept capitaines, et cinq cents hommes étaient restés sur le champ de bataille. Le jeune Capitaine Sabbatier commandait, et lorsque je lui demandai où étaient les cinq escadrons manquants, il m'indiqua l'endroit d'où nous venions et répondit : « Vous les trouverez autour d'un de ces carrés britanniques. » Les hommes et les chevaux étaient à bout de souffle, couverts de sueur et de poussière, la langue noircie sortant de la bouche, mais je frissonnai d'orgueil quand je vis que les survivants de ce régiment décimé chevauchaient toujours en rangs serrés et que chaque homme, du jeune sonneur de trompette au maréchal-ferrant, était parfaitement à sa place.

Si seulement j'avais pu les emmener avec moi pour faire escorte à l'Empereur ! Au milieu des hussards de Conflans, il aurait en effet été en sécurité. Mais les chevaux étaient trop fatigués pour trotter. Je les laissai derrière moi avec l'ordre de se rallier au corps de ferme de Saint-Aunay où nous avions bivouaqué deux nuits auparavant. Quant à moi, je poussai mon cheval au milieu de la presse à la recherche de l'Empereur.

Je vis alors des choses, tandis que je me frayais un chemin dans cette terrible foule, qui ne pourront jamais sortir de mon esprit. Dans mes mauvais rêves, le souvenir de ce torrent bouillant de visages livides, hagards et hurlants que je regardais depuis mon cheval me revient. C'était un cauchemar. On ne comprend pas l'horreur de la guerre quand on est victorieux. Elle ne vous apparaît pleinement que dans le glacial aprèscoup de la défaite. Je me souviens d'un vieux grenadier de la Garde qui était allongé au bord de la route et dont la jambe cassée faisait un angle droit. « Camarades, camarades, attention à ma jambe ! » criait-il, mais cela ne les empêchait pas de buter contre lui et de trébucher. Un officier des lanciers chevauchait devant moi

sans manteau. On venait de l'amputer d'un bras dans
l'ambulance. Ses bandages étaient tombés. C'était horrible. Deux artilleurs essayèrent de passer au travers de
la foule avec leur canon. Un chasseur épaula son fusil
et tua l'un d'entre eux d'une balle dans la tête. Je vis le
Major d'un régiment de cuirassiers sortir ses deux pistolets de leurs étuis et abattre son cheval avant de se
suicider. Sur le côté de la route, un homme vêtu d'un
manteau bleu délirait et fulminait comme un forcené.
Il avait le visage noirci par la poudre, ses habits étaient
déchirés, il lui manquait une épaulette, et l'autre pen-
dait sur sa poitrine. C'est seulement quand je fus
proche de lui que je reconnus le Maréchal Ney. Il hur-
lait en direction des soldats en déroute d'une voix qui
n'était qu'à peine humaine. Puis il leva le moignon de
son sabre qui avait été brisé à une dizaine de centi-
mètres de la Garde. « Venez voir comment meurt un
Maréchal de France ! » cria-t-il. Je l'aurais volontiers
suivi, mais mon devoir m'attendait ailleurs.

Comme vous le savez, il ne trouva pas la mort qu'il
cherchait, mais il la connut quelques semaines plus
tard, de sang-froid, par la main de ses ennemis.

Selon un vieux proverbe, les Français sont plus que
des hommes quand ils attaquent et moins que des
femmes quand ils ont perdu. J'ai su que c'était vrai ce
jour-là. Mais même dans cette débandade, j'ai vu des
choses dont je peux vous parler avec fierté. Les trois
bataillons de réserve de la Garde de Cambronne, la
crème de notre armée, étaient toujours en mouvement dans les champs qui bordaient la route.

Ils marchaient lentement en carré et leurs couleurs
flottaient par-dessus la sombre ligne de leurs bonnets
d'oursin. Tout autour d'eux se déchaînaient la cavalerie anglaise et les lanciers noirs de Brunswick qui,
vague après vague, faisaient un bruit de tonnerre, se
brisaient sur les lignes avec fracas, et reculaient en

piteux état. Quand je les vis pour la dernière fois, six canons anglais les mitraillaient de concert et l'infanterie anglaise les encerclait sur trois côtés en déchargeant volée après volée, mais, pareil à un noble lion dont les flancs sont déchirés par des chiens féroces, le glorieux reste de la Garde marchait lentement, faisait halte, refermait les rangs, reformait les lignes et quittait majestueusement sa dernière bataille. Derrière eux, la batterie de canons de douze livres de la Garde était alignée sur la crête. Tous les artilleurs étaient en place, mais aucun canon ne faisait feu. « Pourquoi est-ce que vous ne faites pas feu ? » demandai-je au Colonel alors que je passais. « Nous n'avons plus de poudre. — Alors pourquoi ne battez-vous pas en retraite ? — Nous pourrons peut-être les retenir un peu par notre apparence. Nous devons donner à l'Empereur le temps de s'échapper. » C'étaient les soldats de la France.

Derrière cet écran de braves, les autres reprenaient leur souffle, puis poursuivaient leur chemin d'une manière moins désespérée. Ils s'étaient écartés de la route et je voyais dans la lumière crépusculaire se disperser dans la campagne la foule craintive et apeurée qui, dix heures auparavant, avait constitué la plus belle armée qui ait jamais marché au combat. Sur ma superbe jument, je fus rapidement en mesure de m'éloigner de la presse, et, juste après avoir dépassé Genappe, je rattrapai l'Empereur et ce qui restait de son état-major. Soult l'accompagnait toujours, ainsi que Drouot, Lobau, Bertrand, et cinq chasseurs de la Garde. Leurs chevaux pouvaient à peine marcher.

La nuit tombait, et le visage hagard de l'Empereur semblait briller dans la pénombre tant il était pâle quand il se tourna vers moi.

« Qui va là ? demanda-t-il.

— C'est le Colonel Gérard, dit Soult.

— Avez-vous vu le Maréchal Grouchy ?

— Non, Sire. Les Prussiens me barraient le chemin.

— Ça n'a pas d'importance. Plus rien n'a d'importance maintenant. Soult, j'y retourne. »

Il essaya de faire faire demi-tour à son cheval, mais Bertrand s'empara de la bride. « Ah, Sire, dit Soult, l'ennemi a déjà eu assez bonne fortune. » Ils le forcèrent à poursuivre en leur compagnie. Il chevauchait en silence, le menton sur la poitrine, et c'était le plus grand et le plus triste des hommes. Loin derrière nous, les canons sans remords continuaient à rugir. Quelquefois, des cris, des hurlements stridents et le roulement sourd de sabots au galop nous parvenaient depuis les ténèbres. À ces bruits, nous éperonnions nos chevaux et poursuivions notre route plus rapidement parmi les soldats éparpillés. Enfin, après avoir chevauché toute la nuit au clair de lune, nous découvrîmes que nous avions laissé et les poursuivis et les poursuivants derrière nous. À l'heure où nous traversâmes le pont de Charleroi, l'aurore pointait. Comme nous ressemblions à une troupe de spectres dans cette lumière froide et claire qui révélait tout, l'Empereur et son visage de cire, Soult couvert de poudre, Lobau barbouillé de sang ! Mais nous avancions à présent avec plus de facilité, et nous avions cessé de regarder par-dessus nos épaules, car Waterloo était à plus de cinquante kilomètres derrière nous.

Traduction de Pierre Labrune.

VIII

La poésie et le théâtre

WALTER SCOTT

Le Champ de bataille de Waterloo
(1815)

En août 1815, Walter Scott fait un voyage sur le continent et visite le champ de bataille de Waterloo. Accompagné par l'aide de camp du général Adam, le capitaine Campbell, et par le major Pryse Gordon, il est le premier civil britannique à visiter les lieux. Il demeure ensuite quelque temps à Paris où il rencontre Wellington et le tsar de Russie. Dans ses Lettres de Paul *(Paul's Letters to His Kinsfolk, 1816), il rapporte des épisodes de son voyage, mais c'est surtout dans son poème* La Bataille de Waterloo *qu'il livre une étude approfondie de la bataille du 18 juin 1815. Le poème est édité au profit des veuves et des orphelins des soldats morts à la bataille.*

Le poème est publié dès octobre 1815 à Londres par l'éditeur James Ballantyne, avec lequel il avait déjà travaillé pour La Dame du lac. *Le texte remporte un grand succès puisque les 6 000 exemplaires sont vendus rapidement, et qu'il est réédité trois fois avant la fin de l'année 1815. Le poème est traduit en français par Auguste-Jean-Baptiste Defauconpret en 1821, dans les* Œuvres complètes *de Scott (traduction reproduite ici). La critique n'a pourtant pas épargné l'œuvre de Scott.*

Le poète a essayé de faire revivre les scènes de carnage de la bataille et la violence de la lutte, comme en témoigne la description des cadavres sur le sol. L'Angleterre et son chevalier le duc de Wellington sont portés aux nues, à l'inverse de Napoléon qui a mérité son châtiment à Sainte-Hélène. Ce témoignage d'un poète britannique offre l'avantage

d'avoir été composé juste après la bataille. Le patriotisme de
Scott demeure douloureux, confronté à la tragédie d'une
bataille comme Waterloo.

I.

Aimable Bruxelles, tu es loin derrière nous, quoique
nous puissions encore entendre le son prolongé de la
cloche de l'horloge, dont le vent nous apporte la voix
solennelle du haut de l'orgueilleuse tour de Saint-
Michel[1]. Nous voici au milieu de la sombre forêt de
Soignies, dont les hêtres, les bouleaux et les chênes,
entrelaçant leurs branches touffues, forment sur nos
têtes un dôme de verdure. L'épais taillis semble inviter
le voyageur ; mais l'œil curieux y cherche en vain un
accès ; le tapis de feuilles fanées qui couvre le sol ne
reçoit ni les rayons du soleil, ni l'humidité de l'air, ni
l'eau de la pluie. Aucune vallée ne s'ouvre devant nos
pas ; aucun ruisseau ne traverse le sentier ; l'étroite
allée que nous suivons se prolonge en sombres
arcades, dont les voûtes uniformes se perdent dans
l'éloignement.

II.

Mais enfin un tableau plus animé s'offre à nous ; la
forêt s'écarte en groupes épars. Des halliers, des
chaumières, des prairies et des champs de blé apparaissent dans les intervalles. Le diligent villageois saisit gaiement sa faucille. — Ah ! quand ces épis étaient
encore verts, le laboureur, voyant la destruction si
près de lui, désespérait de jouir jamais de leur maturité ! Quel est ce hameau et ce clocher rustique ? —
Que vos regards ne dédaignent pas sa grossière archi-
tecture ; vous êtes à Waterloo !

III.

Ne craignez pas la chaleur, quoique le soleil éclaire
le ciel d'automne, et qu'à peine un des arbres voisins
de la forêt nous prête l'ombre de son feuillage. Ces
champs ont vu un jour plus ardent que celui qui fut
jamais embrasé par le soleil. Avancez encore un
mille : — cette haie couronne une colline qui domine
la plaine, et s'abaisse avec une pente si douce, que les
plis du voile d'une beauté ne forment pas des ondulations plus faciles. À quelque distance plus loin, le
terrain, s'élevant de nouveau, forme du côté opposé
un rideau qui borne l'horizon. Le vallon renfermé
dans cette enceinte forme un terrain uni pour le pas
des chevaux ; la nymphe la plus timide peut sans
trembler abandonner dans ces sentiers les rênes de
son blanc palefroi : aucun arbre, aucun buisson
ne s'oppose à son passage ou n'effraie sa monture ;
point de fossés, point de palissades, excepté aux lieux
où s'élèvent les tours démantelées d'Hougoumont.

IV.

Apercevez-vous dans ces lieux solitaires quelques
traces des évènements dont ils furent naguère le
théâtre ? — Un étranger pourrait répondre : — Cette
plaine couverte de chaume paraît avoir été récemment dépouillée de ses épis ; et là de noires traces
indiquent le passage des chariots pesants du laboureur, chargés des gerbes de la moisson. Sur ces larges
monceaux de terrain foulés aux pieds, peut-être les
villageois ont-ils formé de ces danses que Téniers [1]
aimait à dessiner ; là où le sol est noirci par la flamme
ils ont préparé leur repas frugal, et la matrone du
hameau a entretenu un feu de paille.

V.

Voilà ce que vous croyez! voilà ce que croient tous ceux qui voient ces lieux tels qu'ils sont en ce moment! Mais d'autres moissons que celles qui réclament la faucille du laboureur ont été recueillies par des mains plus terribles, armées de la baïonnette, du sabre et de la lance. À chaque coup fatal des rangs entiers de héros tombaient comme les tiges dorées du froment : avant la fin du jour on vit çà et là des monceaux de cadavres, moisson terrible des batailles!

VI.

Regardez encore : cette place noircie vous indique le bivouac ; ces sillons profonds, les vestiges de l'artillerie tour à tour fatale aux deux armées. Non loin de cette vase durcie, le vaillant dragon précipita son coursier au milieu des torrents de sang. Ces excavations ont été produites par l'explosion de la bombe ; ces vapeurs souillées que le soleil aspire de ce monticule, vous déclarent que le carnage s'y est rassasié de victimes.

VII.

Ah! ce sont bien d'autres moissons que celles qui appellent la faucille, dont ces campagnes furent témoins. La mort plana sur cette fête rurale, et le cri perçant des batailles invita les combattants à un banquet sanglant. L'œil du démon de la guerre observait tous les conviés à travers les nuages de fumée ; son oreille ravie distinguait tous les sons de ce tumulte confus, la voix tonnante du bronze, les aigres accents de la trompette, les acclamations des escadrons, leur charge bruyante, les gémissements des blessés, et les derniers soupirs des mourants.

VIII.

Assouvis-toi, cruel ennemi des mortels, assouvis-toi ! mais ne pense pas qu'un combat si terrible puisse longtemps durer. Les guerriers sont des hommes, et leurs efforts cessent avec leur vigueur épuisée. — Vain espoir ! Le soleil, caché par les nuages, entendit les premières clameurs du carnage ; avant d'atteindre le milieu de sa carrière, et il allait s'éclipser derrière les ombres de la nuit, quand ces mêmes clameurs montèrent de nouveau jusqu'à lui : pendant deux longues heures de nouvelles troupes entretiennent la bataille ; les colonnes ne cessent de se heurter ; l'orage des canons et des bombes continue ; la force et l'habileté guerrière s'aident réciproquement, et l'issue de cette sanglante journée est encore douteuse.

IX.

Bruxelles, quelles pensées étaient les tiennes pendant que tu entendais ce tonnerre lointain ! Chacun de tes citoyens, respirant à peine, écoutait ces sons avant-coureurs de la mort, du pillage et des flammes*. Quel affreux spectacle attristait leurs regards lorsque des blessés, victimes de ce long combat, traversaient tes rues sur des chariots, d'où le sang ruisselait sur la poussière comme des gouttes de pluie !

---

* Des prisonniers de guerre ont affirmé que Bonaparte avait promis à sa troupe le pillage de Bruxelles pendant vingt-quatre heures. *[Note de l'auteur.]*

Combien de fois le tambour semblait annoncer l'approche du cruel usurpateur, précédé du dieu des ruines qui agitait sa torche incendiaire et son glaive homicide[1] ! — Rassure-toi, belle cité ; c'est vainement que sa main est étendue comme pour saisir sa proie ; c'est vainement que, peu accoutumé à la résistance, il s'irrite jusqu'à la fureur ; c'est vainement qu'il renouvelle le combat.

X.

— Avancez, avancez, s'écrie-t-il d'un ton farouche ; bravez le feu des batteries, précipitez-vous sur ces bronzes ennemis ; avancez, ô vous, mes cuirassiers, mes hussards, ma garde, mes guerriers d'élite ; chargez pour la France, pour la France et Napoléon !

Ces braves lui répondent par leurs acclamations, et applaudissent à l'ordre qui les envoie affronter un destin que leur chef évite de partager[2].

Cependant celui qui est le bouclier et l'épée d'Albion[3], toujours à la tête des siens, présent partout où le danger l'appelle, prompt dans l'action et bref dans ses paroles, accourt comme un rayon de lumière, et s'écrie :

— Soldats, soutenez le choc ; l'Angleterre redira vos exploits.

XI.

L'orage crève ; l'éclair de l'acier brille à travers les nuages de fumée. La mêlée devient plus terrible ; trois cents canons tonnent et vomissent une grêle de fer. Le cuirassier s'élance, le lancier se précipite ; l'aigle guide au carnage ces cohortes[4] jusqu'alors invaincues ; leurs acclamations les précèdent, et font entendre le nom impérial au milieu du feu et des vapeurs sulfureuses.

XII.

Mais les Bretons reçoivent cette charge sans éprouver de terreur : leurs yeux ne perdent rien de leur fierté ; aucun d'eux ne recule, tous voient de sang-froid les mourants et les morts.

Car à peine leurs rangs sont-ils ouverts par les foudres ennemies, que chaque ligne se serre de nouveau ; la place de ceux qui ne sont plus est occupée par d'autres, jusqu'à ce qu'ils aperçoivent les casques et les panaches ennemis à la distance de trois lances ; c'est alors que leur feu se réveille : chaque fusilier décharge son arme avec la régularité qu'on admire un jour de parade. Les casques et les lances tombent ; les aigles descendent de leurs bannières, les coursiers et les cavaliers chancellent et sont renversés ; les cuirasses se brisent en éclats, et les bannières sont en lambeaux. Pour augmenter le désordre, la cavalerie anglaise prend l'ennemi en flanc, et force sa résistance. Aux décharges de mousqueterie succède alors le cliquetis des épées, le hennissement des chevaux ; les glaives retentissent sur les cuirasses comme le manteau du forgeron sur l'enclume. Les canons, bien servis, achèvent la déroute ; lanciers, cuirassiers, infanterie, cavalerie, confondent leurs rangs, et se retirent sans chefs et sans étendards.

XIII.

Wellington, ton œil perçant reconnut que c'était l'heure critique pour décider du sort de nos armes. Les guerriers de la Bretagne avaient soutenu le choc des enfants de la France comme les rochers de leur île celui des flots ; mais quand ta voix eut dit : Avancez ! ils furent eux-mêmes les flots impétueux de leur Océan.

Ô toi, dont les funestes desseins ont exposé ton armée à cette heure de honte, penses-tu que tes braves fatigués pourront résister à ces vagues qui fondent sur eux ? Tu tournes les yeux du côté de ces nouveaux escadrons qui accourent dans le lointain : d'autres bannières se déploient, d'autres canons résonnent ! — Cesse de croire que ce sont tes propres troupes qui arrivent triomphantes de la Dyle[1]... Blucher t'est-il donc inconnu ? As-tu oublié les sons de haine et de vengeance que les trompettes de la Prusse te firent entendre si souvent aux jours de tes disgrâces ?

Que te reste-t-il à faire ? te mettras-tu toi-même à la tête du reste de tes guerriers pour tenter un dernier effort ? Tu aimais à distraire tes loisirs par l'histoire de Rome, et tu n'ignores pas quels furent les destins de ce chef qui, s'égarant jadis dans les sentiers de l'ambition, entreprit avec des gladiateurs de conquérir l'empire. Ah ! si du moins il affronta les périls auxquels l'exposait son audace téméraire, il n'abandonna pas les victimes qu'il avait entraînées à leur propre ruine ; il creusa sa tombe sanglante avec sa propre épée, et fut enseveli sur le champ de bataille, théâtre de sa défaite, abhorré, mais non méprisé.

XIV.

Mais si une pensée moins généreuse te fait préférer la vie, quelque prix qu'elle doive te coûter, tourne bride ; quoique vingt mille Français soient morts dans cette journée fatale, se sacrifiant à ta gloire, que tu n'hésites pas à déserter lâchement pour prolonger tes jours. Les âges futurs croiront-ils ton histoire pleine d'inconséquences ? Es-tu l'homme du pont de

Lodi, de Marengo et de Wagram ? ou ton âme est-elle comme le torrent des montagnes, qui, enflé par les pluies d'hiver, roule ses flots redoutés ; mais qui, privé de ces secours, dégénère en un obscur ruisseau, dont le cours ignoré n'offre plus que les vestiges de ses anciens ravages ?

XV.

Fuis ! puisque tu as pu entendre sans émotion tes vétérans s'écrier, en te voyant prendre la fuite : — Ah ! s'il avait seulement su mourir ! — Fuis, puisque tu as pu voir leurs yeux verser des larmes de rage et de honte.

Mais cependant regarde encore une fois avant de quitter la colline fatale ; regarde tes guerriers en désordre sur lesquels la lune jette une sinistre clarté, comme celle qu'elle fait luire sur les flots troublés, quand les fleuves franchissent leurs rives, et qu'elle découvre à demi aux yeux du laboureur ruiné les débris que le courant entraîne. Telle est la confusion des bannières, des batteries et des armes, partout où la déroute poursuit ces guerriers qui, au lever de l'aurore, défiaient tout un monde.

XVI.

Écoute. Ces cris de vengeance t'annoncent que la lance des Prussiens est teinte du sang des vaincus. Elles furent moins terribles ces clameurs que tu entendis quand les flots glacés de la Bérésina furent rougis et fondus par le sang et la flamme, et que les enfants du Don[1] répétaient leurs sauvages hourras en te poursuivant. Non, ton oreille ne fut pas frappée d'un cri d'horreur plus sinistre quand, abandonné par toi,... oui, par toi,... le vaillant Polonais trouva le tombeau d'un soldat dans le fleuve de Leipsick, encombré de cadavres[1]. Dans ces divers périls du passé, le destin te réservait d'autres leçons pour l'avenir; du dé fatal que tu viens de jeter ne dépend pas une seule bataille, une seule campagne!... ta gloire, ton empire, ta dynastie, ton nom, sont perdus à jamais; et sur ta tête dévouée, la dernière goutte de l'urne fatale des vengeances célestes est répandue.

XVII.

Puisque tu veux vivre, ne refuse plus de courber la tête devant ces démagogues, naguère objets de ta haine et de tes mépris, qui vont livrer à de vains débats ta destinée impériale... Ou dirons-nous que tu t'abaisses moins en demandant un refuge à l'ennemi contre le sein duquel ta main dirigeait sans cesse ton glaive, aux jours de ta prospérité?

Un pareil hommage fut rendu autrefois par des héros de la Grèce et de Rome; ton choix serait honorable, s'il était fait librement... Mais viens sans crainte; dans un homme descendu si bas, et dénué de tout secours, nous ne pouvons reconnaître un ennemi, quoiqu'une expérience chèrement acquise nous force d'ajouter que jamais nous ne saluerons en toi un ami! Viens toutefois; mais ne conserve plus dans ton cœur ce germe d'orgueil qu'y découvrait dernièrement un barde inspiré*, l'espoir de ressaisir le sceptre impérial; ne pense pas que nous laissions encore une fois l'ambition relever sa tête superbe; viens sans crainte, mais aucune île ne t'appellera plus son roi[2]; tu n'auras plus de gardes, plus de symbole de ton règne passé, qui puisse devenir un poignard dans la main à laquelle nous avons arraché l'épée.

---

* Lord Byron, *Ode à Napoléon Bonaparte.* [Note de l'auteur.]

XVIII.

Cependant, dans l'étroite prison qui t'est destinée, puisses-tu penser à une victoire plus noble que toutes celles qui t'ont illustré ; une victoire remportée sans verser de sang, qui t'appartiendra tout entière ; c'est celle qui t'est réservée, si tu parviens à dompter ces passions et cette âme opiniâtre qui corrompirent tes jours de prospérité. C'est ce qu'ose te faire entendre un cœur qui ne peut comparer sans émotion et sans soupir *ce que tu es* avec *ce que tu aurais pu être.*

XIX.

Et toi, dont les faits d'armes sont au-dessus de la reconnaissance d'une nation, tu trouveras ta véritable récompense dans ton propre cœur. Les justes acclamations de tout un peuple, celles de toute l'Europe, le sourire de ton prince, les décrets honorables de notre sénat, le rang ducal, l'ordre de la Jarretière, ne pourraient te procurer une jouissance aussi pure que celle que tu goûteras en pensant à la vue de ton épée : — ce glaive fut toujours tiré du fourreau pour le bien public, et le ciel a voulu qu'il n'y rentrât jamais qu'après la victoire.

XX.

Jetons un dernier coup d'œil sur ce champ de bataille, et ne repoussons pas l'émotion plus douce qu'il produit dans nos cœurs ; le triomphe et la douleur sont proches l'un de l'autre, et la joie elle-même s'exprime souvent par des larmes. Hélas ! que de liens d'amour a brisés en ce jour la main cruelle de la guerre ! car jamais victoire ne fut si chèrement achetée. Voyez dormir d'un commun sommeil tous ceux que l'affection pleurera longtemps : ici est un père qui ne pressera plus ses enfants sur son sein ; là un fils que la voix de sa mère ne bénira plus dans sa terre natale ; à côté de l'amant qui s'est arraché aux premiers embrassements de sa pudique fiancée, repose l'époux dont de longues années d'amour fidèle avaient consacré l'hymen. Quand vous voyez une jeune fille cacher son pâle visage sous un voile de deuil, ou une femme verser soudain des larmes aussitôt qu'elle entend le son du tambour, tandis que, consumé d'une douleur plus mâle, un père étouffe un soupir dans son sein... épargnez-vous une vaine question pour en savoir la cause, et pensez à Waterloo.

XXI.

Jour de gloire et de regrets, que de héros tu vis périr ! que de noms consacrés par le souvenir de la Bretagne obtinrent ici leurs derniers titres à l'immortalité ! Tu vis expirer dans des flots de sang Picton à l'âme de feu ; Ponsonby[1] blessé, et De Lancy échanger les guirlandes de l'hymen contre les lauriers d'un beau trépas ; Miller jette son dernier regard sur les étendards d'Albion ; Cameron succombe comme un vrai descendant de Lochiel[2], et le généreux Gordon se sacrifie au salut de son chef. Ah ! quoique l'ange protecteur de la Bretagne couvrît de son bouclier le héros de notre île, la destinée lui fit éprouver ses rigueurs en le frappant dans ses amis.

XXII.

Pardonnez-moi, illustres morts, ces vers imparfaits : qui pourrait vous nommer tous ? quelle harpe sublime pourrait donner à chacun la gloire qu'il a si légitimement acquise, depuis ce capitaine déjà fameux, jusqu'au soldat encore ignoré ? Que les larmes arrosent vos tertres de gazon, que le sommeil des braves soit sacré jusqu'au moment où le temps finira ; que jamais un Anglais ne passe auprès de leur noble tombeau sans bénir les guerriers qui combattirent à Waterloo.

XXIII.

Adieu, champ de douleur, qui portes encore les traces des ravages de ce jour terrible : ma mémoire se rappellera longtemps tes chaumières renversées et toutes les traces de destruction qui noircissent les tours d'Hougoumont. Mais quoique les vertes arcades de tes jardins aient été transformées en postes d'artilleurs, quoique tes arbres aient été consumés par l'explosion de la bombe, et tes vergers dévastés, n'as-tu pas du moins conquis un nom immortel ? Oui, on peut oublier Azincourt, Crécy et Blenheim ; mais l'histoire et la poésie consacreront pendant des siècles les tours d'Hougoumont et Waterloo.

CONCLUSION.

Sombre fleuve de la vie humaine ! tu ne connais point de repos ; mais, poursuivant ton cours depuis le berceau jusqu'à la tombe, tu entraînes toujours sur tes flots de nouvelles générations à leur fin ; ton onde reçoit également la barque joyeuse sur laquelle flottent les bannières du plaisir, le bateau au fond duquel se cache le crime, l'esquif du pêcheur et la barque qui porte une cour, tous ces navires voguent ensemble vers le même port.

Sombre fleuve du temps ! quelles alternatives d'espérance et de terreur ont parcourues nos barques fragiles ! jamais des vicissitudes aussi étranges n'avaient été connues à une seule génération ; jamais ces changements multipliés, ce passage subit de la joie à la douleur et de la douleur à la joie, jamais des luttes aussi terribles ne se renouvelleront pour les âges à venir jusqu'au terme où tes flots cesseront de couler.

Tu t'es généreusement montrée, ô ma patrie ! tu as continué avec vaillance le combat dans la bonne comme dans la mauvaise fortune ; tu es restée constante dans la cause la plus juste, celle du ciel et de tes droits ; soit qu'une moitié du monde ait tourné contre toi tous ses guerriers réunis, soit que, revenue à de plus nobles projets, l'Europe ait tiré l'épée pour seconder la reine de l'Océan.

Te voilà dignement récompensée, quoique l'éclat de ta gloire ait triomphé lentement, semblable aux premières lueurs de l'aurore dans l'horizon, qui peu à peu embrasent la vaste circonférence du ciel. L'Égypte vit s'élever ses premiers rayons ; ils brillèrent enfin sur les myrtes de Maida[1], où le soldat, rempli d'une généreuse émulation, rivalisa avec les héros de la mer, et se lava d'un injuste reproche dans le sang des ennemis.

Maintenant, île impériale, lève la tête, et déploie la bannière de ton patron, saint George, la fleur des chevaliers ! car tu as affronté comme lui un dragon, délivré l'innocence et foulé aux pieds la tyrannie vaincue. Tu peux montrer fièrement au monde l'emblème de ton saint chevalier, qui humilia l'orgueil, et vengea la vertu outragée.

Toutefois, au milieu de la confiance que t'inspire une gloire chèrement acquise, mais qui ne doit t'en être que plus chère, écris, ô terre d'Albion, écris cette leçon morale :

— Ce n'est pas seulement ton courage et ta discipline admirée sur maint champ de bataille qui doivent te rendre fière ; l'amour d'une vaine gloire, la soif de l'or peuvent produire de tels exploits ; mais c'est la constance dans la bonne cause qui seule légitime les trophées de la valeur.

LORD BYRON

Le Pèlerinage du chevalier Harold
(1818)

Dans une conférence donnée en 2005 à l'Académie des sciences morales et politiques, Jean-Paul Clément, directeur de la Maison de Chateaubriand, conclut que ce qui rapproche Chateaubriand, Pouchkine et Byron dans leur pensée sur Napoléon, c'est l'idée que l'empereur est « l'homme qui dompte le destin, qui en triomphe en ayant au besoin la cruauté d'un bourreau ». Il ajoute que certes, Napoléon est, sous ces plumes inspirées, l'ennemi de la liberté, mais que les trois poètes romantiques ont contribué à forger le mythe de Napoléon, faisant, malgré eux, triompher « l'ogre » dans l'histoire. Les vers de Byron s'inscrivent pleinement dans cette dynamique à deux revers, de dénonciation et de glorification de l'œuvre de Napoléon. C'est dans le chant III de Child Harold, son chef-d'œuvre, que le poète aborde la tragédie de Waterloo.

George Gordon Byron, né en 1788 à Londres, dans une famille de l'aristocratie anglaise, effectue à vingt et un ans un voyage en Orient au cours duquel il commence la rédaction de son poème Le Pèlerinage du chevalier Harold (traduit ici par Roger Martin), dont les premiers chants sont publiés à Londres en 1812 par l'éditeur John Murray. Le triomphe est immédiat. Byron peut désormais se consacrer entièrement à la poésie. Il écrit Le Giaour et La Fiancée d'Abydos qui le confirment comme un écrivain en vogue. Byron compose en 1814 une Ode à Napoléon Bonaparte dans laquelle il chante la fin de l'empereur, après l'abdica-

*tion de Fontainebleau. Le déclin de cette puissance est ce
qui passionne Byron ; sa tournure d'esprit romantique le
conduit à préférer peindre le désespoir et l'infortune plutôt
que le bonheur. Le jeune poète reconnaît en Napoléon un
grand homme, comme il y en a peu dans l'histoire, mais il
incarne à ses yeux une sorte d'antihéros parce que sa soif
démesurée de conquêtes et son égoïste grandeur le poussent
à sacrifier la morale et le bien. Fossoyeur de la liberté, Napoléon apparaît comme cet être « ignoblement brave »,
« homme à l'esprit mauvais » que les lauriers de la gloire ont
conduit à une chute méritée et sans pareille. Byron affiche
ses convictions politiques libérales et avoue qu'entre Napoléon et Washington il préfère le général américain car il est
un homme de paix et de cœur.*

*Le retour de Napoléon en 1815, après la parenthèse de l'île
d'Elbe, force Byron à s'armer à nouveau de sa plume pour
combattre le despotisme qu'incarne pour lui Napoléon.
Après la défaite de Waterloo, le poète se rend, en avril 1816,
en Belgique et débarque à Ostende, visite Anvers, Gand puis
Bruxelles en mai. L'historien Fleischmann assure qu'il se
serait rendu sur le champ de bataille de Waterloo dans une
berline qui aurait été la réplique parfaite de la voiture
luxueuse abandonnée par Napoléon le soir de la défaite et
rapportée à Londres. Ce voyage lui inspire de nouveaux vers
qui compléteront* Child Harold. *Ils sont publiés en 1818, et
traduits en français en 1826. Le chant III sur Waterloo
retrace le bal donné à Bruxelles la veille de la lutte, mais
aussi la vision d'un champ de ruines à Waterloo. Le sentiment tragique de la vie et la pensée du caractère éphémère
des choses humaines colorent la poésie de Byron qui semble
tenté par le désespoir, sans y céder jamais entièrement. Le
poète anglais contemple un spectacle de sang qui lui fait
prendre conscience qu'il n'y a de bonheur que dans la fuite
des vanités et des malheurs de ce monde. « Fuyons tout
cela », conclut Byron. L'écrivain romantique prône la
recherche de la nature innocente, ce qui revient à poser la
nécessité du refuge en soi-même, dans l'individualisme
humaniste et le moi, pour fuir la société, la politique et l'histoire qui ont prouvé une fois de trop à Waterloo qu'elles*

*conduisaient les hommes à leur perte. Waterloo n'est pas
seulement la fin d'un empire, c'est la manifestation de la
finitude des choses de la vie.*

*Dans ses méditations sur Waterloo, Byron ne peut s'empê-
cher d'avoir une certaine sympathie pour le génie et la destinée de Napoléon, ce qui lui vaut certaines inimitiés, en
Angleterre comme en France. L'auteur prête à Napoléon un
esprit poétique, irrationnel et insatiable. Ce qu'il écrivait en
1814 dans son ode à Napoléon, il le réitère dans* Le Chevalier Harold *quand il affirme qu'il n'y a pas de pire supplice
pour un être supérieur comme Napoléon que de finir ses
jours éloigné du bruit et de la fureur, dans une île d'où l'histoire est proscrite. Byron juge que « pour les cœurs ardents,
le Repos est Enfer ». Vivre dans le néant des passions, c'est
être déjà mort. Napoléon s'éteint aux confins du monde.
Byron mourra dans la fleur de l'âge, en 1824, en Grèce, au
cours de la bataille de Missolonghi. Napoléon avait lâché
l'épée pour prendre la plume à Sainte-Hélène. Byron a abandonné la plume pour prendre les armes. Dans cette inversion
des rôles, les deux athlètes ont affiché un même cœur ardent,
une même passion exacerbée. Cependant Byron a su mourir
sur le champ de bataille, ce que Napoléon n'était pas parvenu à faire à Waterloo.*

XVI

Harold, exilé de lui-même, repart à l'aventure,
sans qu'il lui reste une espérance, mais avec moins de
    tristesse.
Le sentiment même que sa vie était vaine,
que tout était fini de ce côté du tombeau,
avait fait prendre au Désespoir un air souriant,
qui, chose insensée, comme lorsque, sur une épave
    perdue,
les marins voudraient follement affronter leur destin
en se livrant à des libations effrénées sur le pont qui
    sombre,

lui inspirait pourtant une gaîté qu'il se gardait de
contenir.

XVII

Arrête ! car ton pas foule la poussière d'un Empire !
Les débris d'un Cataclysme sont ensevelis à tes pieds !
L'endroit n'est-il marqué par aucun buste colossal,
nulle colonne ornée de trophées en signe de triomphe ?
Rien. Mais la vraie morale s'exprime plus simplement
    de la sorte :
comme ce sol était auparavant, qu'il le demeure...
Combien cette pluie rouge a fait croître la moisson !
Et est-ce là tout le profit que le monde a retiré de toi,
ô première et dernière des batailles, Victoire qui fis
    des rois ?

XVIII

Harold se tient sur ce lieu jonché de crânes,
le tombeau de la France, le Waterloo fatal !
Comme, en une heure, la puissance qui donna détruit
ses dons, et transmet à d'autres une gloire tout aussi
    éphémère !
Au plus haut de son vol c'est ici qu'enfin l'aigle s'éleva,
puis lacéra de sa serre sanglante la plaine déchirée,
transpercé par le trait des nations réunies :
la vie et les travaux de l'Ambition, tout cela fut vain ;
il porte les anneaux défaits de la chaîne qu'a brisée le
    monde.

XIX

Juste châtiment ! La Gaule peut bien ronger son frein,
et écumer dans ses fers ! Mais la Terre est-elle plus
    libre ?

Les nations ont-elles combattu pour qu'un seul se
    soumette,
ou se sont-elles liguées pour enseigner aux rois la
    vraie souveraineté ?
Eh quoi ! l'Esclavage renaissant va-t-il redevenir
l'idole replâtrée d'une époque de lumière ?
Est-ce que nous, qui abattîmes le Lion, est-ce que
nous rendrons hommage au Loup, en apportant nos
    regards soumis
et nos genoux serviles au pied des trônes ? Non,
    attendez l'épreuve avant de louer !

XX

Sinon, de la chute d'un despote cessez de tirer gloire !
En vain de beaux visages furent sillonnés de larmes
    brûlantes
versées pour la fleur de l'Europe, longtemps déraci-
    née devant
celui qui piétinait ses vignes ; c'est en vain que des
    années
de mort, de dépopulation, d'esclavage, d'épouvantes
ont toutes été endurées, et qu'y mit un terme l'entente
de millions d'hommes révoltés. Pour donner tout son
    prix
à la gloire, il faut que le myrte enguirlande l'épée
qu'un Harmodius[1] tira contre le maître tyrannique
    d'Athènes.

XXI

Il se faisait un bruit de fête dans la nuit,
et la capitale de la Belgique avait alors assemblé
ses Belles et ses Chevaliers : étincelantes
brillaient les lampes sur les jolies femmes et les braves,
et mille cœurs battaient, heureux ; et lorsque

la musique monta en ondes langoureuses,
de doux yeux parlaient d'amour à des yeux qui répondaient ;
et tout allait gaiement comme un carillon de noce.
Mais chut ! Écoutez ! Un son grave retentit, tel un glas
qui s'élève.

XXII

N'entendites-vous pas ? Non, ce n'était que le vent,
ou la voiture qui roulait avec fracas sur le pavé de la
rue.
Que la danse continue ! Que la joie soit sans bornes !
Pas de sommeil jusqu'au matin, quand la Jeunesse et
le Plaisir s'unissent
pour chasser les heures ardentes d'un pas rapide !
Mais écoutez ! Ce bruit sourd retentit encore,
comme si les nuages en voulaient renvoyer l'écho.
Le voici, plus près, plus net, plus implacable cette fois !
Aux armes ! aux armes ! Oui, c'est le grondement du
canon qui commence !

XXIII

Dans l'embrasure d'une fenêtre de ce grand palais
se tenait le chef infortuné des Brunswick ; il entendit
ce bruit le premier au milieu de la fête,
et en saisit la voix d'une oreille qui pressentait la
Mort.
Et lorsqu'on se mit à sourire parce qu'il le jugeait
proche,
son cœur plus sûr ne reconnut que trop bien le fracas
qui avait couché son père sur une bière sanglante,
et appelait une vengeance que le sang seul pouvait
assouvir.

Il s'élança vers le champ de bataille, et, combattant
au premier rang, tomba.

XXIV

Oui ! sur-le-champ il se fit un va-et-vient précipité,
avec des flots de larmes, et des tremblements de
    désespoir,
et des joues toutes pâlissantes, qui, il n'y avait qu'une
    heure,
rougissaient du compliment adressé à leur beauté ;
et il y eut de brusques séparations, de celles qui
    arrachent
la vie aux jeunes cœurs, et des soupirs étouffés
qui peut-être seraient les derniers. Qui pouvait devi-
    ner
si se rencontreraient jamais plus ces regards qui
    s'échangent,
puisque sur aussi douce nuit si terrible aurore pou-
    vait se lever !

XXV

Et on monte à cheval en fiévreuse hâte : le coursier,
l'escadron qui s'assemble, et le char tonnant
se ruent en avant avec une impétueuse célérité,
et promptement se forment en rangs de combat ;
et le sourd tonnerre dont les coups se succèdent dans
    le lointain,
et, tout près, le roulement du tambour d'alarme
réveillent le soldat avant l'étoile du matin,
cependant que s'attroupent les citoyens muets de
    terreur,
ou qui murmurent, les lèvres blêmes : « L'ennemi !
    Les voilà, les voilà ! »

XXVI

Farouche et aigu s'éleva l'appel de Cameron,
le chant de guerre de Lochiel, que les montagnes
   d'Albyn[1]
ont entendu, et entendirent aussi les ennemis saxons :
comme au milieu de la nuit cette cornemuse vibre,
sauvage et perçante ! Mais, avec le souffle qui emplit
leur pipeau des montagnes, s'emplissent aussi les
   montagnards
de la fière audace native qu'infuse
l'émouvant souvenir des exploits de mille années ;
et la gloire d'Evan et de Donald retentit aux oreilles
   de tous les hommes du clan.

XXVII

Les Ardennes agitent leur feuillage vert,
humide des pleurs de rosée de la Nature, sur leur
   passage,
s'affligeant, si objet inanimé s'afflige jamais,
sur le sort des braves qui, hélas ! ne reviendront pas.
Avant le soir, ils seront piétinés comme l'herbe
qui, maintenant sous leurs pas, poussera sur leur tête
en sa prochaine verdure, lorsque ce bloc ardent
de vivant courage, roulant sur l'ennemi,
et brûlant de nobles espoirs, abattu et glacé, tombera
   en poussière.

XXVIII

Hier, midi les aperçut pleins d'une vie robuste,
le soir, dans le cercle fier et joyeux de la Beauté :
minuit apporta le signal retentissant du combat,
l'aurore, le rassemblement en armes… et le jour,

le déploiement magnifique et grave de la bataille !
Les nuées d'orage s'amassent et, quand elles se déchi-
reront,
la terre sera abondamment couverte d'une autre
argile, rouge !
que son argile couvrira, tassée et enfouie,
cavalier et cheval, ami, ennemi confondus en une
même tombe

XXIX

Leurs louanges sont chantées par de plus nobles lyres
que la mienne.
J'en voudrais pourtant choisir un dans cette fière
multitude,
un peu parce qu'on me rattache à sa lignée,
et un peu parce que je causai quelque tort à son père,
et un peu parce que des noms glorieux rendent un
poème sacré :
or, le sien était parmi ceux des plus braves. Et quand
s'abattirent
les plus mortels des traits de mort sur les rangs
éclaircis,
là même où le plus gros orage de la guerre obscurcis-
sait le ciel,
ils ne frappèrent pas de poitrine plus noble que la
tienne, jeune et vaillant Howard.

XXX

Il y eut des pleurs pour toi, et des cœurs se brisèrent,
et les miens seraient bien peu, si j'en pouvais offrir.
Mais quand je m'arrêtai sous la fraîche verdure de
l'arbre
qui se balance, vivant, là où tu cessas de vivre,

et aperçus autour de moi les vastes campagnes
    renaître
avec des fruits et de fertiles promesses, et le Prin-
    temps
venir pour accomplir son œuvre de joie,
avec tous ses oiseaux insouciants qui ouvraient leurs
    ailes,
je me détournai de ce qu'il amenait vers ceux qu'il ne
    pouvait ramener.

XXXI

Je me tournai vers toi, vers des milliers, dont chacun,
autant qu'ils étaient, laissa une brèche affreuse
parmi ses pareils et ses proches, à qui enseigner
l'oubli serait pour eux une miséricorde :
la trompette de l'Archange, et non celle de la Gloire,
    doit éveiller
ceux après qui ils aspirent ; bien que le bruit de la
    Renommée
puisse un moment l'apaiser, elle ne peut éteindre
la fièvre de l'attente vaine, et le nom
ainsi honoré ne fait qu'acquérir un droit plus fort et
    plus amer.

XXXII

On pleure, mais on finit par sourire ; et, tout en
    souriant, on pleure.
L'arbre se flétrit toujours longtemps avant de tomber ;
le navire vogue encore, mât et voiles arrachés ;
la poutre s'affaisse, mais pourrit sur le palais
dans sa masse blanchie ; le mur en ruine
reste debout quand ses créneaux rongés ont disparu ;
les barreaux survivent au captif qu'ils emprisonnent,

et le jour s'écoule lentement, même si l'orage cache le
    soleil :
de même le cœur peut se briser, mais, brisé, il conti-
    nue à vivre,

XXXIII

tout comme un miroir brisé, que le verre
en chacun de ses fragments multiplie, formant
un millier d'images de la seule qu'il y avait,
toujours la même, et d'autant plus nombreuse qu'il se
    brise le plus.
C'est ce que fait le cœur qui demeure fidèle :
il vit sous une forme émiettée ; calme, froid,
insensible, il souffre d'un chagrin qui ne dort pas,
mais il continue à se flétrir jusqu'à ce que le dehors
    vieillisse,
sans montrer aucun signe visible, car ces choses
    restent inexprimables.

XXXIV

Il est une vraie vie dans notre désespoir,
un principe vital du poison, une racine vivace
qui nourrit ces branches mortes : car ce serait
autant que rien si nous mourions ; mais la Vie se peut
    accommoder
du fruit le plus exécré de la Douleur,
pareil aux pommes des rives de la Mer Morte,
qui ne sont que cendres au goût. Si l'homme mesurait
son existence par le plaisir, et en additionnait
les heures pour en faire des années de vie, voyons,
    compterait-il jusqu'à soixante ?

XXXV

Le Psalmiste dénombra les années de l'homme :
leur chiffre est suffisant, et, si ton compte est le bon,
ô toi qui lui refusas même cette éphémère durée,
plus que suffisant, ô Waterloo fatal !
Des millions de voix te commémorent et, derechef,
les lèvres de leurs enfants leur feront écho en disant :
« C'est ici, où tirèrent l'épée les nations unies,
que nos compatriotes guerroyèrent en ce jour ! »
En voilà beaucoup, et c'est là tout ce qui ne mourra
    pas.

XXXVI

Ici s'écroula le plus grand, mais non le pire des
    hommes,
dont l'âme toute mêlée d'antithèses,
un moment des plus puissantes, ensuite
sur de menus objets se fixait avec égale fermeté.
Si, extrême en toute chose, tu avais gardé le milieu,
ton trône t'appartiendrait encore, ou bien n'eût
    jamais été ;
car l'audace fit ton ascension comme ta chute ; tu
    cherches
aujourd'hui même à reprendre la figure impériale,
et à ébranler encore le monde, ô Dieu Tonnant de ce
    théâtre !

XXXVII

De la terre tu es le conquérant et le captif !
Elle tremble encore devant toi, et ton nom redoutable
ne sonna jamais dans l'esprit des hommes plus qu'au-
    jourd'hui,

où tu n'es que le jouet de la Renommée,
qui te courtisa jadis en vassale, et devint
l'adulatrice de ton orgueil, si bien que tu fus
un dieu pour toi-même, et non moins un dieu
pour les royaumes tout paralysés de stupeur,
qui te crurent un temps ce que tu te proclamais.

XXXVIII

Tu étais plus ou moins qu'un homme, au faîte ou
    dans l'abîme,
bataillant contre des nations, ou fuyant loin du combat,
tantôt faisant de la tête des monarques ton marche-
    pied, tantôt,
plus que le plus humble de tes soldats, contraint à te
    soumettre.
Tu pouvais écraser, commander, reconstruire un
    empire,
mais non pas gouverner la moindre de tes passions, ni,
à sonder le cœur des hommes toi pourtant si habile,
voir au fond du tien, ni modérer ta soif de guerre,
ni apprendre que si on le brave, le Destin abandonne
    la plus haute étoile.

XXXIX

Ton âme a cependant bien supporté le changement
    du sort,
avec cette philosophie non apprise, innée,
qui, sagesse, indifférence ou profond orgueil,
n'est que fiel et absinthe pour un ennemi.
Lorsque la cohorte entière de la haine se tenait près
    de toi,
pour épier et railler ta déchéance, tu as souri,
l'œil calme, et résigné à toute chose.

Lorsque la Fortune délaissa son enfant gâté et préféré,
il soutint sans fléchir les calamités qui s'entassaient
   sur lui.

XL

Plus sage que dans tes succès ; car alors
l'ambition t'endurcit, et te poussa à manifester trop
le juste et habituel mépris qui permet de dédaigner
les hommes et leurs pensées : éprouver cela était
   sage, mais non
le porter toujours sur ta lèvre et sur ton front,
et rejeter les instruments dont tu devais te servir,
et qui se sont enfin retournés pour ta ruine.
C'est un monde qui ne vaut ni d'être gagné ni perdu ;
tel il s'est révélé pour toi, et pour tous ceux qui choi-
   sissent un tel sort.

XLI

Si, comme une tour sur un promontoire de rocher,
tu avais été créé pour demeurer ou tomber seul,
un tel mépris de l'homme t'eût servi à résister au
   choc.
Mais les pensées des hommes étaient les degrés qui
   t'élevaient au trône ;
c'est leur admiration qui, par son éclat, fut ton arme
   la plus sûre.
Le rôle du fils de Philippe t'appartint, non pas,
sans quoi il eût fallu que tu rejettes la pourpre,
comme l'austère Diogène, de railler les hommes :
pour des cyniques couronnés le monde serait un
   antre bien trop vaste.

XLII

Mais la paix pour les cœurs impatients est un enfer,
et ce fut bien là ton poison. Il est un feu,
une agitation de l'âme, qui ne saurait se borner
à la sienne étroitesse, mais aspire
au-delà de la moyenne convenable du désir ;
et ce feu, une fois allumé, à jamais inextinguible,
se nourrit de vastes entreprises, ni ne se peut lasser
que du seul repos ; c'est une fièvre au fond du cœur,
fatale pour celui qui l'endure, pour tous ceux qui
    jamais l'endurèrent.

XLIII

C'est ce feu qui fait les fous qui ont rendu les hommes
    fous
par leur contagion : Conquérants et Rois,
Fondateurs de sectes et de systèmes, auxquels vous
    ajouterez
les Sophistes, les Bardes, les Politiciens, autant
    d'êtres inquiets
qui ébranlent trop fortement les secrets ressorts de l'âme,
et sont eux-mêmes les jouets de ceux dont ils se jouent,
enviés, mais combien peu enviables ! Quelles tortures
sont les leurs ! Mettre à nu un de ces cœurs serait une
    leçon
qui désapprendrait à l'humanité le désir de briller ou
    de régner.

XLIV

Leur souffle est agitation, et leur vie
une tempête qui les tient suspendus, pour retomber
    enfin ;

mais ils sont à ce point nourris et fanatiques de lutte
que si leurs jours, survivant aux périls endurés,
s'apaisaient en un calme crépuscule, ils se sentiraient
    écrasés
par le chagrin et l'inaction, et ils en mourraient,
tout comme une flamme sans aliment, qui se consume
dans ses vacillations, ou une épée mise de côté,
qui se ronge elle-même et se rouille sans gloire.

XLV

Celui qui gravit la cime des montagnes s'apercevra
que les nuages et la neige enveloppent les pics les plus
    altiers ;
celui qui surpasse ou subjugue l'humanité
doit voir à ses pieds la haine de ceux d'en bas.
Si, bien au-dessus de lui, brille le soleil de la gloire,
et très au-dessous la terre et l'océan s'étalent,
autour de lui sont des rocs glacés, et avec fracas
    soufflent
les tempêtes rivales sur sa tête nue :
ainsi sont payés les efforts qui le conduisirent à ces
    sommets.

XLVI

Fuyons tout cela ! Le monde de la vraie Sagesse sera
au sein de ses créations, ou en les tiennes,
maternelle Nature ! Qu'est-il, en effet, de fécond
    comme toi,
ici, sur les rives de ton majestueux Rhin ?
Harold contemple là une œuvre divine,
un mélange de toutes les beautés ; courants et vallons,
fruits, feuillages, rochers, bois, champs de blé, coteaux,
    pampres,

et châteaux sans maîtres, dont exhalent de tristes
    adieux
les murs gris mais feuillus, où la Ruine loge dans la
    verdure.

XLVII

Et ils se tiennent là, comme se tient un esprit altier,
épuisé, mais qui ne s'incline devant la vile populace,
n'ayant d'autre hôte que le vent dans ses brèches,
ou entrant en sombre communion avec le nuage.
Il fut un jour où ils étaient jeunes et fiers,
des bannières passaient sur leur faîte, et des batail-
    lons à leurs pieds ;
mais ceux qui combattaient sont dans un sanglant
    linceul,
de l'étoffe qui flottait, les lambeaux ne sont déjà plus
    que poussière,
et les mornes créneaux ne soutiendront plus de choc
    désormais.

CASIMIR DELAVIGNE

« Première messénienne sur la bataille de Waterloo »

(*Les Messéniennes*, 1818)

Casimir Delavigne (1793-1843) compose Les Messéniennes *en juillet 1815, au moment où les armées étrangères occupent Paris. Cette élégie est publiée en 1818 à 20 000 exemplaires. C'est un succès d'édition immense. Le poète et auteur du drame* Louis XI *obtient un poste de bibliothécaire à la Chancellerie ; il sera plus tard élu à l'Académie française, à seulement trente-deux ans.*

La « Première messénienne » est consacrée à Waterloo. L'auteur a compris très vite que les guerres napoléoniennes avaient quelque chose d'antique et que Waterloo occupait une place à part au panthéon des batailles. Delavigne a intitulé son œuvre Les Messéniennes, *en référence aux guerres de Messénie qui opposèrent Messène à Sparte depuis le VIIIᵉ siècle jusqu'à la paix de 454 avant J.-C. Delavigne se voit en nouveau Tyrtée, ce poète spartiate qui a composé des élégies sur ces guerres au VIIᵉ siècle. Le poète français s'attache à décrire la gloire que recueille le soldat qui a fait preuve de courage et de vaillance sur le champ de bataille pour défendre sa patrie et l'idéal de liberté. Delavigne prend le parti des vaincus à Waterloo et dénonce vivement l'invasion et l'occupation de la France par ses ennemis qui se comportent en vainqueurs absolus, s'autorisant à spolier les trésors du Louvre. Alors que la France est humiliée, le poète veut perpétuer le sentiment national et l'orgueil français. Les* Messéniennes *s'achèvent par un appel à la concorde des Français après le départ des troupes étrangères et par une apologie de la vie de Jeanne d'Arc, cette figure de l'indépendance nationale. Il semble cohérent pour Delavigne, au moment du déclin de l'homme d'Arcole et de Lodi, de trouver dans la mémoire de Jeanne d'Arc un mythe national qui lave et rehausse l'honneur français. Jeanne d'Arc a connu son bûcher, comme Napoléon a eu Waterloo et Sainte-Hélène. Rappeler la légende de la Pucelle et forger le mythe de Napoléon, même au lendemain de Waterloo, c'est invoquer l'histoire et la grandeur pour dépasser les circonstances présentes et assurer la gloire de sa patrie dans le temps long du passé et de l'avenir :*

> Mais poète et Français, j'aime à vanter la France.
> Qu'elle accepte en tribut de périssables fleurs.
> Malheureux de ses maux, et fier de ses victoires,
> Je dépose à ses pieds ma joie ou mes douleurs :
> J'ai des chants pour toutes ses gloires,
> Des larmes pour tous ses malheurs[1].

C'est le message spirituel de Casimir Delavigne qui relie ainsi Waterloo au bûcher de Jeanne d'Arc.

> Ils ne sont plus, laissez en paix leur cendre :
> Par d'injustes clameurs ces braves outragés
> À se justifier n'ont pas voulu descendre ;
> Mais un seul jour les a vengés,
> Ils sont tous morts pour vous défendre.

> Malheur à vous si vos yeux inhumains
> N'ont point de pleurs pour la patrie !
> Sans force contre vos chagrins,
> Contre le mal commun votre âme est aguerrie,
> Tremblez ; la mort peut-être étend sur vous ses mains !

1. « Seconde messénienne sur la mort de Jeanne d'Arc ».

Que dis-je ? quel Français n'a répandu des larmes
Sur nos défenseurs expirants ?
Prêt à revoir les rois qu'il regretta vingt ans,
Quel vieillard n'a rougi du malheur de nos armes ?
En pleurant ces guerriers par le destin trahis,
Quel vieillard n'a senti s'éveiller dans son âme
Quelque reste assoupi de cette antique flamme
Qui l'embrasait pour son pays !

Que de leçons, grand Dieu ! que d'horribles images
L'histoire d'un seul jour présente aux yeux des rois !
Clio[1], sans que la plume échappe de ses doigts,
Pourra-t-elle en tracer les pages ?

Cachez-moi ces soldats sous le nombre accablés,
Domptés par la fatigue, écrasés par la foudre,
Ces membres palpitants dispersés sur la poudre,
Ces cadavres amoncelés !
Éloignez de mes yeux ce monument funeste
De la fureur des nations :
Ô mort ! épargne ce qui reste.
Varus[2] ! rends-nous nos légions !

Les coursiers frappés d'épouvante,
Les chefs et les soldats épars,
Nos aigles et nos étendards
Souillés d'une fange sanglante,
Insultés par les léopards[3],
Les blessés mourant sur les chars,
Tout se presse sans ordre, et la foule incertaine,
Qui se tourmente en vains efforts,
S'agite, se heurte, se traîne,
Et laisse après soi dans la plaine,
Du sang, des débris et des morts.

Parmi des tourbillons de flamme et de fumée,
Ô douleur ! quel spectacle à mes yeux vient s'offrir ?
Le bataillon sacré, seul devant une armée,
S'arrête pour mourir.
C'est en vain que, surpris d'une vertu si rare,
Les vainqueurs dans leurs mains retiennent le trépas ;
Fier de le conquérir, il court il s'en empare :
LA GARDE, avait-il dit, MEURT ET NE SE REND PAS.

On dit qu'en les voyant couchés sur la poussière,
D'un respect douloureux frappé par tant d'exploits,
L'ennemi, l'œil fixé sur leur face guerrière,
Les regarda sans peur pour la première fois.

Les voilà ces héros si longtemps invincibles !
Ils menacent encor les vainqueurs étonnés !
Glacés par le trépas, que leurs yeux sont terribles !
Que de hauts faits écrits sur leurs fronts sillonnés !
Ils ont bravé les feux du soleil d'Italie,
De la Castille ils ont franchi les monts ;
Et le Nord les a vus marcher sur les glaçons
Dont l'éternel rempart protège la Russie.
Ils avaient tout dompté… Le destin des combats
Leur devait, après tant de gloire,
Ce qu'aux Français naguère il ne refusait pas,
Le bonheur de mourir dans un jour de victoire.

Ah ! ne les pleurons pas ! sur leurs fronts triomphants
La palme de l'honneur n'a pas été flétrie ;
Pleurons sur nous, Français, pleurons sur la patrie :
L'orgueil et l'intérêt divisent ses enfants.
Quel siècle en trahisons fut jamais plus fertile ?
L'amour du bien commun de tous les cœurs s'exile :
La timide amitié n'a plus d'épanchements ;
On s'évite, on se craint ; la foi n'a plus d'asile,
Et s'enfuit d'épouvante au bruit de nos serments.

Ô vertige fatal ! déplorables querelles
Qui livrent nos foyers au fer de l'étranger !
Le glaive étincelant dans nos mains infidèles
Ensanglante le sein qu'il devrait protéger.

L'ennemi cependant renverse les murailles
De nos forts et de nos cités ;
La foudre tonne encor, au mépris des traités.
L'incendie et les funérailles
Épouvantent encor nos hameaux dévastés ;
D'avides proconsuls dévorent nos provinces ;
Et, sous l'écharpe blanche, ou sous les trois couleurs,
Les Français, disputant pour le choix de leurs princes,
Détrônent des drapeaux et proscrivent des fleurs.
Des soldats de la Germanie
J'ai vu les coursiers vagabonds
Dans nos jardins pompeux errer sur les gazons,
Parmi ces demi-dieux qu'enfanta le génie.
J'ai vu des bataillons, des tentes et des chars,
Et l'appareil d'un camp dans le temple des arts.
Faut-il, muets témoins, dévorer tant d'outrages ?
Faut-il que le Français, l'olivier dans la main,
Reste insensible et froid comme ces dieux d'airain
Dont ils insultent les images ?

Nous devons tous nos maux à ces divisions
Que nourrit notre intolérance.
Il est temps d'immoler au bonheur de la France
Cet orgueil ombrageux de nos opinions.
Étouffons le flambeau des guerres intestines.
Soldats ! le ciel prononce, il relève les lis :
Adoptez les couleurs du héros de Bovines[1],
En donnant une larme aux drapeaux d'Austerlitz.

France, réveille-toi ! qu'un courroux unanime
Enfante des guerriers autour du souverain !
Divisés, désarmés, le vainqueur nous opprime ;
Présentons-lui la paix, les armes à la main.

Et vous, peuples si fiers du trépas de nos braves,
Vous, les témoins de notre deuil,
Ne croyez pas, dans votre orgueil,
Que, pour être vaincus, les Français soient esclaves.
Gardez-vous d'irriter nos vengeurs à venir ;
Peut-être que le Ciel, lassé de nous punir,
Seconderait notre courage ;
Et qu'un autre Germanicus [1]
Irait demander compte aux Germains d'un autre âge
De la défaite de Varus.

GÉRARD DE NERVAL

« Waterloo »
(*Napoléon et la France guerrière*, 1826)

La nouvelle de la mort de Napoléon en 1821 eut un écho immense en France. Les jeunes écrivains ambitieux s'engouffrèrent dans le souvenir de Napoléon pour glorifier la mémoire du disparu que le temps et la monarchie restaurée ont fait regretter. C'est ainsi qu'en 1826 un jeune poète, âgé de seulement dix-huit ans, Gérard Labrunie, publie, à Paris chez Ladvocat, l'éditeur des romantiques, une œuvre poétique qu'il intitule Napoléon et la France guerrière. Élégies nationales. Ce texte, imprimé à seulement cent exemplaires, ne serait peut-être pas passé à la postérité si son auteur n'était devenu Gérard de Nerval, l'auteur des Filles du feu et l'un des plus grands poètes du XIXᵉ siècle.

Peut-être parce que son père était médecin dans la Grande Armée, le jeune Nerval s'essaie à la poésie militaire et lui donne une résonance patriotique pleine d'énergie. Ce qui intéresse Nerval n'est pas l'époque des glorieuses victoires de l'empereur mais l'hallali qui annonce la chute de l'aigle. La composition commence ainsi avec le désastre de la retraite de Russie, se poursuit avec Waterloo et l'humiliation de l'occupation de Paris par les puissances étrangères, et s'achève avec la mort de l'exilé. Nerval chante la lente fin de l'empereur qui a commencé dans le désert glacé de la Russie pour finir par une agonie prolongée à Sainte-Hélène. On trouve au milieu de ce long déclin le canon de Waterloo qui réduit à néant les espoirs d'un être supérieur. Napoléon, juge Nerval, aurait dû rencontrer la mort sur le champ de

Waterloo car alors sa mémoire aurait rayonné à jamais.
Mais Napoléon a préféré vieillir plutôt que de mourir.
Nerval reproche à l'empereur cet effort pour survivre parce
qu'il a laissé, sur le champ de bataille, son armée mourir à
sa place. Les vers de Nerval sont pour les soldats de la
Grande Armée et la Vieille Garde, dont Waterloo est le cercueil sans couvercle, sinon celui du ciel, plus grand, plus
majestueux.

Le poète exalte le sentiment national que l'armée incarne
au plus haut degré. Nerval ne retient pas sa colère quand il
imagine la France occupée par l'ennemi. Il appelle à la vengeance de Waterloo et déplore : « ainsi le peuple roi devint le
peuple esclave ». Il écrit comme s'il pouvait remonter le
temps, il pousse un cri, mais le désespoir s'empare de sa
poésie. Le poète n'aime pas son époque et recherche dans
l'évocation du passé impérial — même dans la défaite, surtout dans la défaite — le sentiment romantique de puissance
et de grandeur qui seul offre une échappatoire à l'artiste qui
décide de vivre de ses rêves. L'histoire est alors fantasmée
pour donner du sens à la mort des soldats de Waterloo, pour
donner du sens à la mort de l'empereur. Qu'importe le
bilan de Waterloo ! Qu'importe le bilan de l'Empire ! Napoléon demeure le héros entouré « d'une sainte splendeur » que
rien ne peut vaincre parce qu'il est un homme ayant lui-
même conçu sa vie comme un rêve. Nerval écrit de Napoléon
dans Napoléon et la France guerrière :

> Gloire à lui qui fut grand, et de toutes les gloires,
> À lui qui nous combla de maux et de bienfaits,
> À lui qui fut vainqueur de toutes les victoires,
> Mais ne put se vaincre jamais.

Sous la plume de Nerval, Napoléon est ce héros romantique qui préfère se perdre dans sa passion plutôt que de la
perdre. Produit d'un rêve, il achève son existence comme un
songe prend fin, au large d'un océan couvert de brumes.
N'est-ce pas finalement autant sur Napoléon que sur lui-

même, et l'essence insaisissable de l'artiste, que Nerval
énonce sa théorie du beau et son incapacité à vivre ? Sa fin,
pendu dans une ruelle, est pleine de cette tristesse que l'on
retrouve dans le crépuscule de Napoléon comme dans les
champs fumants de Waterloo[1].

Pleure, Napoléon, ton pouvoir expirant,
Sous d'indignes revers ta gloire est étouffée ;
Qu'en est-il revenu, de ton pompeux trophée ? —
Le char brisé du conquérant !

L'étranger va fouler ta dépouille mortelle,
Tes amis d'autrefois viennent de te trahir ;
Tu tombes : et déjà sur leurs lèvres cruelles,
Un sourire de sang vient de s'épanouir.

C'est en vain qu'au Destin tu résistes encore,
Ta grandeur a passé comme un vain météore,
Comme un son qui dans l'air a longtemps éclaté : —
Peut-être que ce bruit d'une puissance humaine
A frappé les échos de la rive lointaine.....
Mais les vents ont tout emporté !

Qu'entends-tu dans les camps ? C'est le bronze qui
   tonne :
Mais ton oreille est faite à ce bruit monotone ;
« Je crains peu, disais-tu du haut de ton pouvoir,
« Ces rois paralysés cherchant à se mouvoir,
« Esclaves révoltés, que mon regard farouche,
« Qu'un signe de ma main, ou qu'un mot de ma bouche
« Fera rentrer dans le devoir. »

1. La suite de *Napoléon et la France guerrière* est consacrée
à l'étude de Napoléon et du comédien Talma, et a pour titre
Napoléon et Talma. Élégies nationales nouvelles (1826).

Quand tu vis ce torrent, grossi par la tempête,
Si longtemps refoulé, refluer sur ta tête,
Le dépit éclata dans ton œil irrité :
Arrête ! as-tu crié : Mais toujours il s'avance ;
Hélas ! ange déchu, pour toi plus d'espérance,
Il est vrai que d'un Dieu tu gardes la fierté.....
Mais tu n'en as plus la puissance.

*

Nos guerriers, où sont-ils ? Ô tableaux déchirants !
Les voilà, renversés sur la terre flétrie,
Sanglants, criblés de coups, abattus, expirants.....
Mais expirants pour la patrie !

Adieu notre avenir, nos succès, notre orgueil !
Waterlô, Mont-Saint-Jean, nos légions mourantes
Ont jeté leurs débris dans vos plaines sanglantes ;
Pourtant aucuns tombeaux élevés par le deuil,
N'y protègent leurs os, que le vent des montagnes
Enlève dans sa course, et rejette aux campagnes ;
Ils n'ont pas revêtu le funèbre linceul.
Quoi, ces fiers conquérants, que la mort seule arrête,
Ces preux, qui de l'Europe avaient fait la conquête,
N'ont pu conquérir un cercueil !...

Un cercueil, des flambeaux, et des chants funéraires,
Gardez cet appareil pour les mortels vulgaires ;
Aux pompes des humains ils ne demandent rien....
Mais la postérité gardera leur mémoire,
Et les échos des temps promèneront leur gloire
Dans les climats les plus lointains.

*

Portons, portons encor les yeux sur cette plaine,
Admirons cette ardeur, ce noble empressement
De courir, de voler vers une mort certaine :
Arrêtez !.... Mais l'honneur à la mort les enchaîne,
Tous, d'un commun accord, ont juré noblement
De vaincre ou de mourir pour la cause commune ;
Ils n'ont pu triompher de l'ingrate fortune,....
Et le trépas acquitte leur serment[1] !

Écoutez les foudres brûlantes,
De tant de peuples assemblés ;
Voyez, dans ces plaines sanglantes,
Nos preux, sous le nombre accablés :
Admirez-les ; leur troupe altière
Combat contre l'Europe entière,
Contre les destins irrités :
Gloire au Dieu qui leur donna l'être,
Gloire au pays qui les vit naître,
Gloire aux seins qui les ont portés !

Tandis que les races mortelles
S'engloutissant dans l'avenir,
Passent aux ombres éternelles,
Sans laisser même un souvenir ;
Leur gloire, sans cesse croissante,
Luira, toujours plus imposante,
Aux yeux de la postérité.
Ô fortune digne d'envie !
L'avenir, au prix de leur vie,
Leur donne l'immortalité !

On croit entendre encor ce cri mâle et sublime,
Cette voix de leurs cœurs, cet accent unanime,
Que nos preux répétaient en volant au trépas :
Quand, tout couverts de sang, et lassés d'en répandre,
Les ennemis surpris, les pressaient de se rendre :

« *La garde*, ont-ils crié, *meurt et ne se rend pas !* »
Ce cri, que répétaient nos guerriers intrépides,
Couvrit d'abord le bruit des foudres homicides,
Mais bientôt il expire en murmure confus ;
C'est le dernier éclat d'un feu qui s'évapore,
Le dernier tintement d'un son sublime encore,
Que bientôt on n'entendra plus !

Le son s'éteint et meurt ; mais l'écho s'en empare,
Et le porte aux autres échos ;
Il annonce partout que le destin barbare
Dans la nuit du cercueil a plongé nos héros :
On pleure, on gémit, on soupire,
Le deuil plane sur les Français ;
Et l'étranger lui-même admire,
Et rougit un moment de son lâche succès.

*

Ils sont morts ! Les voilà ! Sur leurs yeux intrépides,
Un tranquille sommeil a semblé s'épancher,
Le calme règne encor sur leurs faces livides :
Qu'avaient-ils à se reprocher ?
Le soin d'une juste défense
Avait pu seul armer leurs bras,
C'est pour leur chef, c'est pour la France,
Qu'ils avaient reçu le trépas ;

Leur gloire n'était point flétrie,
Ils expiraient dans leurs foyers,
Et la terre de la patrie
Ensevelissait ses guerriers.

L'esprit qu'effraie un tel carnage,
Se plonge avec horreur dans ce champ de la mort,
Il ne voit que sujets d'admirer leur courage,

Et de gémir des coups du sort.
Chaque sillon qui s'entrouvre
Aux regards offre et découvre
Les restes froids des héros :
Un pompeux monument ne charge pas leurs os,
Mais chacun d'eux, mourant sur ce sol funéraire,
D'un amas d'ennemis eut soin de le couvrir :
C'est dans cette couche guerrière
Qu'il rendit le dernier soupir.

PIERRE-JEAN DE BÉRANGER

Souvenirs du peuple
et Couplets sur la journée de Waterloo
(1828)

Pierre-Jean de Béranger (1780-1857) a façonné la tradition populaire sur Waterloo dans ses fameux Couplets sur la journée de Waterloo, publiés en 1828. L'œuvre n'est pas une des plus fameuses de ce chansonnier libéral, anticlérical, lié à Chateaubriand. Ce dernier écrit dans ses Mémoires que la gloire de Béranger fut « solitairement révélée par deux matelots qui chantaient à la vue de la mer la mort d'un soldat ». Le chansonnier aborde avec un ton léger la dernière bataille de l'empereur alors qu'elle est un thème grave et dramatique par excellence. Pourtant, à n'en pas douter, Béranger pleure la chute de Napoléon et compose un chant qui repose sur l'absence du nom « Waterloo », imprononçable tant il inspire de douleur aux Français. Hugo avait de même renoncé à citer le gros mot de Cambronne. Les deux noms sont l'indicible de la guerre, mais ils font l'honneur de la nation française parce que Waterloo, qui finit par le « Merde » de Cambronne, est « ce dernier jour de gloire et de revers » qu'on ne saurait expliquer. Triste « jour de gloire » que La Marseillaise, cet autre chant patriotique, avait annoncé.

Membre de l'Institut sous le Premier Empire, Béranger meurt sous le Second Empire. Le gouvernement finance ses funérailles au cimetière du Père-Lachaise où se pressent historiens, hommes politiques et poètes, comme Alfred de Vigny, pour lui rendre un dernier hommage.

Dans le genre de la chanson, Debraux et Eugène de Pradel ont aussi composé des chants sur Waterloo, preuve que la *bataille, la défaite et la douleur se chantent. D'ailleurs si la guerre a ses chants militaires, pourquoi le souvenir des batailles et des morts n'aurait-il pas ses chœurs ?*

SOUVENIRS DU PEUPLE

(Air : Passez vot' chemin beau sire)

1

On parlera de sa gloire
Sous le chaume bien longtemps
L'humble toit, dans cinquante ans,
Ne connaîtra plus d'autre histoire.

Là viendront les villageois
Dire alors à quelque vieille :
Par des récits d'autrefois,
Mère, abrégez notre veille.

Bien, dit-on qu'il nous ait nui,
Le peuple encor le révère,
Oui, le révère.
Parlez-nous de lui,
Parlez-nous de lui, grand-mère ;
Parlez-nous de lui,
Parlez-nous de lui.

2

Mes enfants, dans ce village,
Suivi de rois, il passa.
Voilà bien longtemps de ça ;
Je venais d'entrer en ménage.
À pied grimpant le coteau

Où pour voir je m'étais mise,
Il avait petit chapeau
Avec redingote grise.
Près de lui je me troublai ;
Il me dit : Bonjour, ma chère,
Bonjour, ma chère.
— Il vous a parlé, grand-mère !
Il vous a parlé !

3

L'an d'après, moi, pauvre femme,
À Paris étant un jour,
Je le vis avec sa cour :
Il se rendait à Notre-Dame.
Tous les cœurs étaient contents,
On admirait son cortège.
Chacun disait : Quel beau temps !
Le ciel toujours le protège.
Son sourire était bien doux.
D'un fils Dieu le rendait père,
Le rendait père.
— Quel beau jour pour vous, grand-mère !
Quel beau jour pour vous !

4

Mais quand la pauvre Champagne
Fut en proie aux étrangers,
Lui, bravant tous les dangers,
Semblait seul tenir la campagne.
Un soir, tout comme aujourd'hui,
J'entends frapper à la porte ;
J'ouvre, bon Dieu ! c'était lui,
Suivi d'une faible escorte.
Il s'assoit où me voilà,

S'écriant : Oh ! quelle guerre !
Oh ! quelle guerre !
— Il s'est assis là, grand-mère !
Il s'est assis là !

5

J'ai faim, dit-il ; et bien vite
Je sers piquette et pain bis.
Puis il sèche ses habits,
Même à dormir le feu l'invite.
Au réveil, voyant mes pleurs,
Il me dit : Bonne espérance !
Je cours de tous ses malheurs
Sous Paris, venger la France.
Il part ; et comme un trésor
J'ai depuis gardé son verre.
Gardé son verre.
— Vous l'avez encor, grand-mère !
Vous l'avez encor !

6

Le Voici. Mais à sa perte
Le héros fut entraîné.
Lui, qu'un pape a couronné,
Est mort dans une île déserte.
Longtemps aucun ne l'a cru.
On disait : Il va paraître ;
Par mer il est accouru ;
L'étranger va voir son maître.
Quand d'erreur on nous tira,
Ma douleur fut bien amère,
Fut bien amère !
— Dieu vous bénira, grand-mère ;
Dieu vous bénira.

COUPLETS SUR LA JOURNÉE
DE WATERLOO

(Air : Muse des bois et des accords champêtres)

1

De vieux soldats m'ont dit :
Grâce à ta Muse,
Le peuple enfin a des chants pour sa voix.
Ris du laurier qu'un parti te refuse ;
Consacre encor des vers à nos exploits,
Chante ce jour qu'invoquaient des perfides,
Ce dernier jour de gloire et de revers.
— J'ai répondu, baissant les yeux humides
Son nom jamais n'attristera mes vers,
Son nom jamais n'attristera mes vers.

2

Qui, dans Athènes, au nom de Chéronée [1]
Mêla jamais des sons harmonieux ?
Par la fortune Athènes détrônée
Maudit Philippe, et douta de ses dieux.
Un jour pareil voit tomber notre empire,
Voit l'étranger nous rapporter des fers,
Voit des Français lâchement leur sourire.
Son nom jamais n'attristera mes vers.

3

Périsse enfin le géant des batailles !
Disaient les rois : peuples, accourez tous.
La Liberté sonne ses funérailles ;

Par vous sauvés, nous régnerons par vous.
Le géant tombe, et ces nains sans mémoire
À l'esclavage ont voué l'univers.
Des deux côtés ce jour trompa la Gloire.
Son nom jamais n'attristera mes vers.

4

Mais quoi ! déjà les hommes d'un autre âge
De ma douleur se demandent l'objet.
Que leur importe en effet ce naufrage ?
Sur le torrent leur berceau surnageait.
Qu'ils soient heureux ! leur astre, qui se lève,
Du jour funeste efface les revers.
Mais, dût ce jour n'être plus qu'un vain rêve,
Son nom jamais n'attristera mes vers.

VICTOR HUGO

« L'expiation »

(*Les Châtiments*, 1853)

Victor Hugo est exilé à Jersey quand il écrit, durant le Noël 1852 (précisément du 25 au 30 décembre), le poème « L'expiation ». Le religieux et le surnaturel sont présents dans la date de création comme ils le sont dans les vers eux-mêmes. L'historien Fleischmann[1] affirme que Victor Hugo écrivait, corrigeait, raturait son manuscrit avec une encre rouge flambante, y voyant un signe. Hugo publiera Les Châtiments en 1853, dans une maison d'édition bruxelloise. La satire politique rencontre alors de nombreux problèmes de publication puisqu'une loi belge du 20 décembre 1852 donne droit au gouvernement du Second Empire de déclencher des poursuites pénales contre les auteurs et éditeurs qui s'en prennent au régime. C'est la raison pour laquelle deux éditions sont publiées à Bruxelles en novembre 1853, dont une seulement est complète. Le recueil n'obtient pas immédiatement le succès et n'est diffusé en France que confidentiellement. Ce n'est que lorsqu'il rentre en France après la chute du régime en 1870 que Victor Hugo triomphe, et avec lui Les Châtiments, vendu à 20 000 exemplaires en décembre 1870.

« L'expiation » est un des poèmes les plus célèbres et les plus commentés du recueil. Hugo livre une analyse du Premier Empire et de son écroulement ; il soutient qu'il faut remonter au coup d'État du 18 brumaire pour trouver le

---

1. Hector Fleischmann (éd.), *Victor Hugo, Waterloo, Napoléon*, Paris, A. Méricant, 1912, p. 105.

péché originel dont est entaché le règne de Napoléon Ier. La
dénonciation de cet attentat contre la liberté politique et le
corps législatif du Directoire en 1799 a pour fonction de
mettre en perspective le coup d'État qu'a perpétré Napo-
léon III le 2 décembre 1851. Hugo annonce la chute du
Second Empire et de « Napoléon le Petit » en mettant en vers
celle du vainqueur de Wagram. Le recueil s'ouvre avec la
retraite de Russie. Le chant II est consacré à la bataille de
Waterloo dont Hugo livre une version épique et romantique
touchant au sublime. C'est une interprétation républicaine
que Hugo donne de Waterloo en jugeant — comme il le fera
plus tard dans Les Misérables *— que la défaite du 18 juin*
est le fait de la Providence. Napoléon est le jouet du destin
dans cette journée qui scelle sa chute. Les soldats de la
Grande Armée sont les vrais héros, les « géants » de cette
lutte. Leur fuite sur le champ de bataille ne peut leur être
reprochée parce que c'est contre la providence et Dieu qu'ils
luttaient. Si leur empereur adoré leur avait réservé un sort
fatal et une mort glorieuse pour unique récompense, Hugo
dédie ses vers aux soldats français tombés à Waterloo, décer-
nant en leur mémoire les modestes lauriers d'un républicain
ami de la liberté. Eux n'expient pas, ils expirent.

[…]

II

Waterloo ! Waterloo ! Waterloo ! morne plaine !
Comme une onde qui bout dans une urne trop pleine,
Dans ton cirque de bois, de coteaux, de vallons,
La pâle mort mêlait les sombres bataillons.
D'un côté c'est l'Europe et de l'autre la France.
Choc sanglant ! des héros Dieu trompait l'espérance ;
Tu désertais, victoire, et le sort était las.
Ô Waterloo ! je pleure et je m'arrête, hélas !
Car ces derniers soldats de la dernière guerre

Furent grands ; ils avaient vaincu toute la terre,
Chassé vingt rois, passé les Alpes et le Rhin,
Et leur âme chantait dans les clairons d'airain !

Le soir tombait ; la lutte était ardente et noire.
Il avait l'offensive et presque la victoire ;
Il tenait Wellington acculé sur un bois.
Sa lunette à la main, il observait parfois
Le centre du combat, point obscur où tressaille
La mêlée, effroyable et vivante broussaille,
Et parfois l'horizon, sombre comme la mer.
Soudain, joyeux, il dit : Grouchy ! — C'était Blücher !
L'espoir changea de camp, le combat changea d'âme,
La mêlée en hurlant grandit comme une flamme.
La batterie anglaise écrasa nos carrés.
La plaine où frissonnaient les drapeaux déchirés,
Ne fut plus, dans les cris des mourants qu'on égorge,
Qu'un gouffre flamboyant, rouge comme une forge ;
Gouffre où les régiments, comme des pans de murs,
Tombaient, où se couchaient comme des épis mûrs
Les hauts tambours-majors aux panaches énormes,
Où l'on entrevoyait des blessures difformes !
Carnage affreux ! moment fatal ! l'homme inquiet
Sentit que la bataille entre ses mains pliait.
Derrière un mamelon la garde était massée,
La garde, espoir suprême et suprême pensée !
— Allons ! faites donner la garde, cria-t-il, —
Et Lanciers, Grenadiers aux guêtres de coutil[1],
Dragons que Rome eût pris pour des légionnaires,
Cuirassiers, Canonniers qui traînaient des tonnerres,
Portant le noir colback ou le casque poli,
Tous, ceux de Friedland et ceux de Rivoli,
Comprenant qu'ils allaient mourir dans cette fête,
Saluèrent leur dieu, debout dans la tempête.
Leur bouche, d'un seul cri, dit : vive l'empereur !
Puis, à pas lents, musique en tête, sans fureur,

Tranquille, souriant à la mitraille anglaise,
La garde impériale entra dans la fournaise.
Hélas ! Napoléon, sur sa garde penché,
Regardait, et, sitôt qu'ils avaient débouché
Sous les sombres canons crachant des jets de soufre,
Voyait, l'un après l'autre, en cet horrible gouffre,
Fondre ces régiments de granit et d'acier
Comme fond une cire au souffle d'un brasier.
Ils allaient, l'arme au bras, front haut, graves, stoïques.
Pas un ne recula. Dormez, morts héroïques !
Le reste de l'armée hésitait sur leurs corps
Et regardait mourir la garde. — C'est alors
Qu'élevant tout à coup sa voix désespérée,
La Déroute, géante à la face effarée,
Qui, pâle, épouvantant les plus fiers bataillons,
Changeant subitement les drapeaux en haillons,
À de certains moments, spectre fait de fumées,
Se lève grandissante au milieu des armées,
La Déroute apparut au soldat qui s'émeut,
Et, se tordant les bras, cria : Sauve qui peut !
Sauve qui peut ! affront ! horreur ! toutes les bouches
Criaient ; à travers champs, fous, éperdus, farouches,
Comme si quelque souffle avait passé sur eux,
Parmi les lourds caissons et les fourgons poudreux,
Roulant dans les fossés, se cachant dans les seigles,
Jetant schakos, manteaux, fusils, jetant les aigles,
Sous les sabres prussiens, ces vétérans, ô deuil !
Tremblaient, hurlaient, pleuraient, couraient ! — En
        un clin d'œil,
Comme s'envole au vent une paille enflammée,
S'évanouit ce bruit qui fut la grande armée,
Et cette plaine, hélas ! où l'on rêve aujourd'hui,
Vit fuir ceux devant qui l'univers avait fui !
Quarante ans sont passés, et ce coin de la terre,
Waterloo, ce plateau funèbre et solitaire,

Ce champ sinistre où Dieu mêla tant de néants,
Tremble encor d'avoir vu la fuite des géants !

Napoléon les vit s'écouler comme un fleuve ;
Hommes, chevaux, tambours, drapeaux ; — et dans
   l'épreuve,
Sentant confusément revenir son remords,
Levant les mains au ciel, il dit : — mes soldats morts,
Moi vaincu ! mon empire est brisé comme verre.
Est-ce le châtiment cette fois, Dieu sévère ? —
Alors parmi les cris, les rumeurs, le canon,
Il entendit la voix qui lui répondait : non !

VICTOR HUGO

« Le retour de l'empereur »
(1840)
(*La Légende des siècles*, 1883)

Victor Hugo compose La Légende des siècles *à Guernesey, entre 1855 et 1876. Le recueil est une vaste épopée qui traite inévitablement de la légende napoléonienne. Hugo jugeait l'empereur tyran du temps de son règne, mais il lui taille une poésie de héros sur mesure afin d'entretenir la mémoire de cet enfant de la Révolution qui fut le père de la France pendant près de quinze ans. Hugo a pourtant écrit le poème « Le retour de l'empereur » en 1840 ; il sera ajouté plus tard dans l'édition complète de* La Légende des siècles, *en 1883. L'auteur milite pour le retour en France des cendres de Napoléon, qui se fera en cette année 1840. Hugo reprend l'idée que c'est Dieu qui fit chuter Napoléon à Waterloo. Ce qu'il y a d'original dans ce poème est la description psychologique de Napoléon triste et abattu après Waterloo, ainsi que l'évocation du lion anglais élevé sur le champ de bataille qui insulterait la mémoire des soldats français morts. On retrouvera cette critique du lion dans* L'Année terrible *(voir p. 758).*

I

Après la dernière bataille,
Quand, formidables et béants,
Six cents canons sous la mitraille

Eurent écrasé les géants ;
Dans ces jours où caisson qui roule,
Blessés, chevaux, fuyaient en foule,
Où l'on vit choir l'aigle indompté,
Et, dans le bruit et la fumée,
Sous l'écroulement d'une armée,
Plier Paris épouvanté ;

Quand la vieille garde fut morte,
Trahi des uns, de tous quitté,
Le grand empereur, sans escorte,
Rentra dans la grande cité.
Dans l'ancien palais Élysée
Il s'arrêta, l'âme épuisée ;
Et, n'attendant plus de secours,
Repoussant la guerre civile,
Avant de sortir de sa ville,
Triste, il la contempla trois jours.

Sa tête enfin était courbée.
Plus de triomphes ! plus de cris !
Sa popularité tombée
Couvrait sa gloire de débris.
Partout l'abandon ou la haine !
Le soir, quelque passant à peine,
S'arrêtant, mais sans approcher,
Dans le palais cherchant le maître,
À travers la haute fenêtre
Regardait son ombre marcher.

Durant ces heures solennelles,
Tandis qu'il sondait son malheur,
L'œil des muettes sentinelles
L'interrogeait avec douleur.
Soldats toujours prêts pour la lutte,
Hélas ! ils comptaient de sa chute

Chaque symptôme avant-coureur ;
Et, comme un jour qui se retire,
Ils voyaient s'effacer l'empire
Dans le regard de l'empereur !

Adieu ses légions sans nombre !
Adieu ses camps victorieux !
Il se sentait poussé vers l'ombre
Par un souffle mystérieux.
La nuit, sa fièvre était sans trêves ;
Il voyait flotter dans ses rêves
Le spectre d'un rocher lointain ;
Déjà, l'âme d'angoisses pleine,
Il entrevoyait Sainte-Hélène
Dans les brumes de son destin.

Le jour, en proie à la pensée,
L'œil fixé sur le sol sacré,
Le front sur la vitre glacée,
Il disait : « Oh ! je reviendrai !
Je reviendrai ! toujours le même,
Seul, sans pourpre et sans diadème,
Sans bataillons et sans trésors ;
Je veux, proscrit, chassé, qu'importe ?
Choisir, pour rentrer, cette porte,
Cette porte par où je sors.

« Une nuit, dans une tempête,
Rapporté par un vent des cieux,
Avec des éclairs sur la tête,
Je surgirai, vivant, joyeux !
Mes vieux compagnons d'aventure
Dormiront dans la brume obscure,
Et tout à coup à l'orient
Ils verront luire, ô délivrance !

Mon œil rayonnant pour la France,
Pour l'Angleterre flamboyant !

« J'apparaîtrai dans les ténèbres
À ce Paris qui m'adora ;
Le jour succède aux nuits funèbres,
Et mon peuple se lèvera !

Il se lèvera plein de joie,
Pourvu que dans l'ombre il me voie
Chassant l'étranger, vil troupeau,
Pâle, la main de sang trempée,
Avec le tronçon d'une épée,
Avec le haillon d'un drapeau ! »

[...]

IV

Oh ! t'abaisser n'est pas facile,
France, sommet des nations !
Toi que l'idée a pour asile,
Mère des révolutions !
Aux choses dont tu fais le moule
Tout l'univers travaille en foule ;
Ta chaleur dans ses veines coule ;
Il t'obéit avec orgueil ;
Il marche, il forge, il tente, il fonde ;
Toi, tu penses, grave et féconde... —
La France est la tête du monde,
Cyclope dont Paris est l'œil !

Te détruire ? — audace insensée !
Crime ! folie ! impiété !
Ce serait ôter la pensée
À la future humanité !

Ce serait aveugler les races !
Car, dans le chemin que tu traces,
Dans le cercle où tu les embrasses,

Tous les peuples doivent s'unir ;
L'esprit des temps à ta voix change ;
Tout ce qui naît sous toi se range ! —
Qui donc ferait ce rêve étrange
De décapiter l'avenir ?

Te bâillonner ? — Rois ! Dieu lui-même
Pourra vous le prouver bientôt,
Ce siècle est un profond problème
Dont la France seule a le mot.
Ce siècle est debout sur la rive,
D'une voix terrible ou plaintive,
Questionnant quiconque arrive,
Tribuns, penseurs, — ou rois, hélas !
Il propose à tous, dès l'aurore,
L'énigme inexpliquée encore,
Et, comme le sphinx, il dévore
Celui qui ne le comprend pas !

T'insulter ? — mais, s'il se rencontre
Des rois pour courir ce danger,
Vois donc les choses que Dieu montre
À ceux qui voudraient t'outrager !
Vois, sous l'arche où sont nos histoires,
Wagram les mains de poudre noires,
Ulm, Essling, Eylau, cent victoires,
Défiler au bruit du tambour !
Dieu, quand l'Europe te croit morte,
Prend l'empereur et te l'apporte,
Et fait repasser sous ta porte,
Toute ta gloire en un seul jour !

T'insulter ! t'insulter ! ma mère !
Mais n'avons-nous pas tous, ô ciel !
Parmi nos livres, près d'Homère,
Quelque vieux sabre paternel ?
Nos pères sont morts, France aimée !

Mais de leur foule ranimée
Peut-être on ferait une armée
Comme on en fait un Panthéon !
Prêts à surgir au bruit des bombes,
Prêts à se lever si tu tombes,
Peut-être sont-ils dans leurs tombes
Entiers comme Napoléon !

Toi, héros de ces funérailles,
Roi ! génie ! empereur ! martyr !
Les temps sont clos ; dans nos murailles
Rentre pour ne plus en sortir !
Rentre aussi dans ta gloire entière,
Toi qui mêlais, d'une main fière,
Dans l'airain de ton œuvre altière
Tous les peuples, tous les métaux ;
Toi qui, dans ta force profonde,
Oubliant que la foudre gronde,
Voulais donner ta forme au monde
Comme Alexandre au mont Athos[1] !

Tu voulais, versant notre sève
Aux peuples trop lents à mûrir,
Faire conquérir par le glaive
Ce que l'esprit doit conquérir.
Sur Dieu même prenant l'avance,
Tu prétendais, vaste espérance !
Remplacer Rome par la France
Régnant du Tage à la Néva ;
Mais de tels projets Dieu se venge.

Duel effrayant ! guerre étrange !
Jacob ne luttait qu'avec l'ange,
Tu luttais avec Jéhova !

Nul homme en ta marche hardie
N'a vaincu ton bras calme et fort ;
À Moscou, ce fut l'incendie ;
À Waterloo, ce fut le sort.
Que t'importe que l'Angleterre
Fasse parler un bloc de pierre
Dans ce coin fameux de la terre
Où Dieu brisa Napoléon,
Et, sans qu'elle-même ose y croire,
Fasse attester devant l'histoire
Le mensonge d'une victoire
Par le fantôme d'un lion ?

Oh ! qu'il tremble, au vent qui s'élève,
Sur son piédestal incertain,
Ce lion chancelant qui rêve,
Debout dans le champ du destin !
Nous repasserons dans sa plaine !
Laisse-le donc conter sa haine
Et répandre son ombre vaine
Sur tes braves ensevelis !
Quelque jour, — et je l'attends d'elle ! —
Ton aigle, à nos drapeaux fidèle,
Le soufflettera d'un coup d'aile
En s'en allant vers Austerlitz !

VICTOR HUGO

« L'avenir »
(*L'Année terrible*, 1872)

Quand paraît L'Année terrible, *en 1872, Victor Hugo fête
ses soixante-dix ans. Le poète dénonce la guerre de 1870 et
les violences commises durant la Commune de Paris. Dans
le poème « L'avenir », il prône l'union des peuples et la paix
en Europe. Le souvenir de son voyage en Belgique au cours
de l'année 1861 et de sa visite du champ de bataille de
Waterloo lui revient en mémoire. Hugo rappelle les horreurs
de la guerre et notamment de la dernière bataille de l'empereur Napoléon. Dans un poème de 1840, il avait déjà
dénoncé la statue érigée par les Anglais à Waterloo pour commémorer leur victoire de 1815. Hugo était animé d'une ran-
cœur contre le lion de Waterloo qu'il interprétait comme
le réveil des oppositions entre nations. Trente ans plus tard,
le poète ne formule des vœux que pour la paix et prend la
bataille de Waterloo à témoin du caractère barbare et rétrograde des guerres.*

Polynice, Étéocle, Abel, Caïn ! ô frères !
Vieille querelle humaine ! échafauds ! lois agraires !
Batailles ! ô drapeaux, ô linceuls ! noirs lambeaux !
Ouverture hâtive et sombre des tombeaux !
Dieu puissant ! quand la mort sera-t-elle tuée ?
Ô sainte paix !

La guerre est la prostituée ;
Elle est la concubine infâme du hasard.
Attila sans génie et Tamerlan sans art
Sont ses amants ; elle a pour eux des préférences ;
Elle traîne au charnier toutes nos espérances,
Égorge nos printemps, foule aux pieds nos souhaits,
Et comme elle est la haine, ô ciel bleu, je la hais !
J'espère en toi, marcheur qui viens dans les ténèbres,
Avenir !

Nos travaux sont d'étranges algèbres ;
Le labyrinthe vague et triste où nous rôdons
Est plein d'effrois subits, de pièges, d'abandons ;
Mais toujours dans la main le fil obscur nous reste.
Malgré le noir duel d'Atrée et de Thyeste[1],
Malgré Léviathan combattant Béhémoth[2],
J'aime et je crois. L'énigme enfin dira son mot.
L'ombre n'est pas sur l'homme à jamais acharnée.
Non ! Non ! l'humanité n'a point pour destinée
D'être assise immobile au seuil froid des tombeaux,
Comme Jérôme, morne et blême, dans Ombos[3],
Ou comme dans Argos la douloureuse Électre.

Un jour, moi qui ne crains l'approche d'aucun spectre,
J'allai voir le lion de Waterloo. Je vins
Jusqu'à la sombre plaine à travers les ravins ;
C'était l'heure où le jour chasse le crépuscule ;
J'arrivai ; je marchai droit au noir monticule.
Indigné, j'y montai ; car la gloire du sang,
Du glaive et de la mort me laisse frémissant.
Le lion se dressait sur la plaine muette ;
Je regardais d'en bas sa haute silhouette ;
Son immobilité défiait l'infini ;
On sentait que ce fauve, au fond des cieux banni,
Relégué dans l'azur, fier de sa solitude,
Portait un souvenir affreux sans lassitude ;

Farouche, il était là, ce témoin de l'affront.
Je montais, et son ombre augmentait sur mon front.
Et tout en gravissant vers l'âpre plate-forme,
Je disais : Il attend que la terre s'endorme ;
Mais il est implacable ; et, la nuit, par moment
Ce bronze doit jeter un sourd rugissement ;
Et les hommes, fuyant ce champ visionnaire,
Doutent si c'est le monstre ou si c'est le tonnerre.
J'arrivai jusqu'à lui, pas à pas m'approchant...

J'attendais une foudre et j'entendis un chant.

Une humble voix sortait de cette bouche énorme.
Dans cette espèce d'antre effroyable et difforme
Un rouge-gorge était venu faire son nid[1] ;
Le doux passant ailé que le printemps bénit,
Sans peur de la mâchoire affreusement levée,
Entre ces dents d'airain avait mis sa couvée ;
Et l'oiseau gazouillait dans le lion pensif.
Le mont tragique était debout comme un récif
Dans la plaine jadis de tant de sang vermeille ;
Et comme je songeais, pâle et prêtant l'oreille,
Je sentis un esprit profond me visiter,
Et, peuples, je compris que j'entendais chanter
L'espoir dans ce qui fut le désespoir naguère,
Et la paix dans la gueule horrible de la guerre.

CHRISTIAN DIETRICH GRABBE

Napoléon ou les Cent-Jours
(1831)

La bataille de Waterloo a peu inspiré les auteurs de théâtre.
Dans son drame de 1900, L'Aiglon, Edmond Rostand oublie
Waterloo et peint la mémoire de Napoléon Ier sous le regard
de son fils et héritier, le duc de Reichstadt. Alexandre
Dumas, dans Napoléon Bonaparte ou Trente ans de l'his-
toire de France, aborde les Cents-Jours mais saute l'épisode
de la dernière bataille de l'empereur. Quant à Auguste
Jouhaud, il ajoute en 1839 au répertoire français La Folle de
Waterloo, un drame dans le genre du vaudeville. Il faut aller
chercher dans la littérature allemande une œuvre dramatique à la hauteur de la dimension épique de Waterloo.
Il s'agit de Napoléon ou les Cent-Jours (Napoleon oder
die hundert Tage), composé en 1830-1831 par Christian
Dietrich Grabbe (1801-1836). Fils d'un gardien de prison,
Grabbe est un Prussien d'origine sociale modeste qui est
attiré dès seize ans par le théâtre. Il fait ses études de droit à
l'université de Leipzig puis à Berlin sans pousser plus loin la
carrière de juriste. Il compose alors plusieurs tragédies qui
ne seront jamais représentées de son vivant, excepté Don
Juan et Faust. Napoléon ou les Cent-Jours est joué pour la
première fois à Francfort-sur-le-Main en 1895 et ne sera
représenté sur les planches françaises que tardivement,
en 1969, au théâtre de Gennevilliers. La pièce est un succès
en France tandis qu'elle est peu jouée en Allemagne où le
théâtre de Büchner éclipse celui de Grabbe.
Napoléon ou les Cent-Jours est donc composé la même

année qu'Hernani est représenté en France. De la même
manière que le drame de Hugo, la pièce allemande ne
répond pas aux canons classiques de l'époque. Il n'y a ni
unité de lieu, ni unité de temps, ni unité d'action dans ce
drame historique immense, constitué de cinq actes et découvrant près d'une centaine de personnages. Le tableau s'ouvre
sur le Palais-Royal à Paris en 1815 avant que Napoléon
débarque au golfe Juan. Grabbe moque le ridicule et le
superficiel de l'aristocratie française qu'il oppose à la chaleur du peuple parisien en attente de quelque grand homme
qui viendrait lui redonner le rang que la Révolution lui avait
promis. Napoléon, qui n'apparaît qu'à la scène v de l'acte I,
ne concentre pas l'action du drame dont il tient pourtant le
premier rôle puisqu'il en est la clé de voûte. Le théâtre de
Grabbe est composé de tableaux qui se succèdent sans qu'il
y ait toutefois de lien entre eux. Ce caractère déstructuré est
voulu par l'auteur qui pratique la déconstruction des règles
classiques du théâtre pour moderniser celui-ci et figurer, à
travers cet empilement des scènes, l'effondrement des
valeurs traditionnelles de la société. Grabbe demeure un
auteur pessimiste qui a compris et rejeté le matérialisme
bourgeois de son temps. Il assiste en spectateur au désenchantement du monde et à l'éclosion d'un homme nouveau
et déchiré, en mal de spiritualité et de grandeur. Or, le Napoléon des Cent-Jours incarne cet idéal du héros antique et
romantique à la fois qui revient en Europe en 1815 livrer sa
dernière guerre comme un défi à la modernité fade des
monarchies tempérées. Cependant, Grabbe ne cède en rien
au mysticisme de l'Empire puisque, s'il n'est certes pas
indifférent à la gloire de Napoléon, il voit en ce dernier à la
fois le continuateur et le corrupteur de la Révolution française. Dans la lignée de Schiller, Grabbe croit percevoir dans
la Révolution et l'Empire le produit du nationalisme français, peu libéral, qui ne saurait se concilier avec le nationalisme prussien naissant. On retrouve d'ailleurs chez Grabbe
le même rejet de la gloire impériale que l'on décèle chez
Goethe quand celui-ci écrivait en 1815 :

Le retour de Napoléon effraya l'univers ; il nous fallut vivre cent journées grosses d'une terrible fatalité. On fit revenir les troupes que l'on venait d'éloigner ; je trouvai à Wiesbaden la garde prussienne ; on recrutait des volontaires, et les citoyens qui venaient à peine de reprendre leur souffle et de retrouver leurs paisibles activités s'accommodèrent à nouveau d'un mode de vie pour lequel leurs forces physiques n'étaient pas suffisantes, et qui ne convenait pas à leurs forces spirituelles. On apprit d'abord avec terreur à Wiesbaden que la bataille de Waterloo avait été perdue, puis on annonça, pour la plus grande joie de tous, une joie soudaine, étourdissante, qu'elle avait été gagnée. Inquiets à l'idée que les troupes françaises allaient se répandre comme autrefois dans tous les pays et toutes les provinces, les curistes prenaient leurs dispositions pour faire leurs paquets ; revenus de leur terreur, ils ne regrettèrent nullement cette précaution devenue inutile[1].

Le théâtre de Grabbe déconcerte à plus d'un titre. L'action n'a pas d'intrigue unique et claire. L'auteur nous peint successivement des personnages issus de l'aristocratie monarchique, de la noblesse d'Empire et du peuple. La campagne militaire de 1815 offre le même tableau des contrastes avec une plongée successive dans les camps français, anglais et prussien, tous se retrouvant sur le champ de bataille à Ligny et à Waterloo pour une communion des peuples dans le sang et la folie. Dans la peinture militaire, Grabbe mélange les genres et traite la bataille sous l'angle de l'ironie ou du genre dramatico-épique au gré de ses fulgurances. La bataille de Waterloo en ressort confuse, macabre, humaine et donc réaliste au plus haut degré. Les extraits sélectionnés tendent à restituer l'atmosphère si singulière du théâtre de Grabbe, tour à tour épique et moderne, sublime et grotesque. Napoléon nous apparaît comme une marionnette du destin,

---

1. Goethe, *Annalen oder Tag- und Jahreshefte* (*Annales. Cahiers journaliers et annuels*), traduction de Jean-Louis Backès. — « Comme autrefois » est une allusion à l'entrée en Allemagne des troupes françaises en 1793.

incapable de vaincre les réalités d'un monde nouveau qui est
en marche et qui a déjà vaincu. Grabbe livre une version des
Cent-Jours dans laquelle Napoléon demeure la figure du
grand homme et du héros que l'histoire ne reverra plus, tout
comme Waterloo est la grande bataille par excellence, livrée
par des soldats, officiers, grenadiers ou dragons, qui méritent
pareillement le statut de héros. Dans une lettre à Kettembeil
du 4 février 1831, Grabbe explique hésiter à donner pour
titre à sa pièce : Napoléon, drame allemand. Waterloo se
termine par la victoire des Prussiens qui écrasent l'armée
française. Le soir de la bataille, Napoléon entend au loin les
cris de joie des Prussiens et contemple le spectacle navrant de
la déroute de ses soldats. Grabbe lui fait dire : « Les pauvres !
Au lieu d'un grand tyran, comme ils aiment m'appeler, ils en
auront bientôt une nuée de petits. » Grabbe a compris dès
1830 toute la valeur du XIXe siècle qui commence sur le
champ de ruines de Waterloo, au soir du 18 juin 1815.

ACTE IV

SCÈNE II

Paris. Un appartement des Tuileries. Napoléon et
Hortense [1] entrent.

NAPOLÉON. Il faut partir, Hortense. La campagne
commence. Moi et mon armée, nous saurons faire
notre devoir.

HORTENSE. Ah ! Je savais bien que cela arriverait.
Sire, je t'en prie, prends cet écrin.

NAPOLÉON. Vraiment, très joliment décoré ! Des
aigles, des abeilles et des violettes brodées ! Et
dedans, que de jolies choses ! Tout ce qu'il faut pour
écrire, en miniature. C'est un vrai bijou !

HORTENSE. Tu as l'habitude de jouer avec des
pays entiers. Mais cela, je ne peux te le donner.

Accepte donc ce petit cadeau, et pense parfois au grand amour que te porte la pauvre Hortense !

NAPOLÉON. C'est toi qui as brodé la housse ?

HORTENSE. Oui, quand... oh ! quand tu étais loin de moi, hélas !...

NAPOLÉON. Cet écrin n'aurait-il pas reçu quelques larmes ?

HORTENSE. Ah ! cruel, tu en doutes ?... Oh, ce furent des heures bien tristes ! Des heures affreuses !

NAPOLÉON. Je n'aurais pas dû poser cette question ! Au plus fort de la canonnade, je n'oublierai jamais ton écrin.

HORTENSE. Ô mon Empereur, ménage-toi ! Hélas ! Tu n'y penses jamais.

NAPOLÉON. Comment se ménager quand on fait la guerre ?

HORTENSE. La guerre ! Toujours la guerre !... Ah ! fuyons...

NAPOLÉON. Où ?

HORTENSE. En Amérique.

NAPOLÉON. Amie, cela est bon pour les bourgeois qui se sont rebellés contre leur souverain. Mais un Napoléon ne peut pas fuir, ne peut pas se cacher. Car, à moins qu'il ne soit anéanti, ou hors d'atteinte, comme la salamandre dans le feu, l'Europe le poursuivra toujours de sa haine ou de son amour. L'Amérique ?... Dans quarante ans, elle sera comme une seconde Carthage, l'Océan Atlantique comme une seconde Méditerranée plus grande que la première, sur les rives de laquelle seront face à face l'Ancien et le Nouveau Monde. Mais combien de temps cela durera-t-il, chère Hortense ? Deux ou trois misérables siècles, et alors les maîtres du genre humain résideront dans les îles et sur les rivages des mers du Sud, plus immenses encore que l'océan !

HORTENSE. Faut-il qu'à propos de tout, tu reviennes aux idées politiques les plus extravagantes !

(*Bertrand*[1] *entre.*)

NAPOLÉON. Les troupes sont-elles en marche ?

BERTRAND. Oui, sire.

NAPOLÉON. Faites mettre des crêpes de deuil sur les aigles jusqu'à la première victoire. Veillez spécialement à l'artillerie et à la cavalerie lourde, car cette fois, il faut que nous frappions plus vite et plus fort que jamais, et que nous les écrasions. Drouot commandera l'artillerie et Milhaud la cavalerie. Pour la cavalerie, prenez surtout des Alsaciens ou des Normands, ce sont les meilleurs cavaliers, mais ajoutez-y quelques Gascons qui entraîneront les autres à foncer comme des fous. Faites distribuer des cuirasses d'un tiers plus épaisses qu'autrefois, pour qu'ils n'aient pas peur de regarder l'ennemi dans le blanc des yeux. Pas besoin de manifeste de guerre, je ne veux plus de formalités. Pour l'armée, deux ou trois proclamations contre les Prussiens et les Anglais, qui seront nos premiers adversaires. Mes vieux grognards ne les liront pas, ils s'en serviront pour envelopper leurs cartouches ; mais il y en aura beaucoup qui, sans les lire, penseront qu'il y a quelque chose dedans. Parmi les vieux maréchaux dont j'ai fait des ducs et des princes, seul Ney m'accompagnera vers le Nord. J'ai intérêt à ce que l'Europe croie qu'il s'est rallié volontairement à moi, sans quoi je ne le garderais pas. Quant aux autres maréchaux, ces messieurs étaient mieux à leur place et plus sûrs quand ils étaient caporaux… Pour le reste, tu connais mes ordres. Je te prie, veille à leur exécution, aussi bien que tu l'as fait pour les ordres de route. Et merci !

BERTRAND. Ne me remercie pas, car travailler pour toi, c'est pour moi une joie et un honneur. (*Il sort.*)

HORTENSE. Si cet homme retient et exécute tout ce que tu viens de lui dire et que tu lui dis à chaque instant, c'est qu'il est un génie, et presque plus grand que toi-même.

NAPOLÉON. Si tout était une question de talent, et non d'énergie, qui, seule, est le moteur du génie, alors, c'est Berthier qui serait empereur des Français à ma place. (*Il sonne. Entre un officier d'ordonnance.*) Les membres du cabinet sont-ils réunis ?

L'OFFICIER. Oui, sire.

NAPOLÉON. Bien ! Avant de partir, je vais présider la séance pour voir ce qu'ils font et comment ils travaillent.

HORTENSE. Et ensuite, tu...

NAPOLÉON. Je ferai une visite officielle à la Chambre des pairs et à celle des députés.

HORTENSE. Et pour finir...

NAPOLÉON. Je viendrai te faire mes adieux. Puis j'écraserai la coalition, ou bien je ne te verrai jamais plus.

HORTENSE. Puissé-je alors ne plus revoir la lumière du jour !

(*Ils sortent.*)

SCÈNE III

Paris. La place devant les écuries impériales. Trois écuyers de la maison impériale.

PREMIER ÉCUYER. Allez chercher le pur-sang arabe.

TROISIÈME ÉCUYER. Pauvre bête ! (*Il sort.*)

PREMIER ÉCUYER. À quoi bon s'apitoyer ?

L'Empereur part en campagne, à ce qu'il paraît. Il pousse toujours son cheval, mais c'est un mauvais cavalier. Il va falloir dresser cette bête et la torturer jusqu'à ce que nous soyons sûrs qu'elle ne lui fera pas vider les étriers.

TROISIÈME ÉCUYER, *revenant avec le cheval*. Le voilà.

PREMIER ÉCUYER. Quelle bête splendide ! Allez, saute ! Hop là... (*Le cheval passe une haie.*) Ah ! On renâcle ? La patte de devant gauche a hésité. (*Il fouette violemment le cheval.*)

TROISIÈME ÉCUYER. Ménagez-la, cette bête.

PREMIER ÉCUYER. Hé, jeune homme ! Sais-tu bien qui est l'Empereur ?

TROISIÈME ÉCUYER. Non, je ne suis à son service que depuis trois jours.

PREMIER ÉCUYER. Alors, sache qu'il lui arrive de cravacher son écuyer plus fort que celui-ci ne cravache son cheval, quand il trébuche parce qu'il est mal dressé, comme celui-ci.

DEUXIÈME ÉCUYER. C'est vrai. Je m'en souviens. C'était à Esslingen.

PREMIER ÉCUYER. Les pistolets ! (*Il tire deux coups de pistolet près des oreilles du cheval.*) Il se cabre. Cravachez-le ! (*On obéit.*) Les canons ! (*Un détachement d'artillerie s'avance.*) Mettez-le au centre. Feu ! (*On obéit.*) Il tremble. Cravachez-le !

TROISIÈME ÉCUYER. Grand Dieu ! La pauvre bête !

PREMIER ÉCUYER. Il faudra qu'il emporte l'Empereur au milieu de la bataille. Pas question d'avoir peur du bruit. Des baïonnettes ! Faites-les étinceler devant ses yeux. (*On obéit.*) Ah ! Il n'a plus peur.

DEUXIÈME ÉCUYER. Bravo, l'Arabe !

PREMIER ÉCUYER. Chut ! Pas de compliments. Il en prendrait l'habitude. Et l'Empereur ne lui en fera jamais. Et maintenant, en selle, et fais-le courir dans le manège, jusqu'à ce qu'il soit couvert d'écume. (*Le deuxième écuyer obéit.*) Bon, bien! Et maintenant, à la rivière, et là où l'eau est la plus froide. Et enfoncez-lui les éperons dans les flancs, pour qu'il apprenne à sentir couler son sang. (*Le deuxième écuyer s'éloigne avec le cheval.*) Par Dieu, être le cheval de l'Empereur, c'est aussi dur que d'être son écuyer ou son Premier ministre. Diable! L'écuyer en chef... Encore des ordres à exécuter, c'est sûr, et tous plus urgents les uns que les autres. Avec l'Empereur, les heures ne comptent pas. Mais ce n'est pas l'occupation qui manque.

ÉCUYER EN CHEF, *avec une escorte à cheval.* Premier écuyer, dans une heure, départ pour Laon à marche forcée, avec tous les chevaux de selle et tous les équipages. Là-bas, vous recevrez des ordres.

PREMIER ÉCUYER. Aurai-je le temps de dire au revoir à ma femme et à mes enfants?

ÉCUYER EN CHEF. Non!

PREMIER ÉCUYER. Tant pis. Je garderai mes larmes pour une meilleure occasion... Mais... satanée malchance! Monsieur l'écuyer en chef, mon collègue le plus capable vient de partir à la rivière avec le meilleur cheval, et il ne rentrera pas avant une heure. Attendez! Je vais aller le chercher, ou plutôt... (*Au troisième écuyer.*) Sortez Soliman de l'écurie. C'est le plus têtu et le plus rétif, mais c'est aussi le plus rapide et le plus fougueux, presque autant que... (*Le troisième écuyer amène le cheval Soliman. Le premier écuyer se met en selle.*) Monsieur l'écuyer en chef, avant quinze jours, l'Empereur livrera une grande bataille, ou bien c'est moi qui ne comprends rien aux ordres qu'il donne à ses écuries. (*Il s'éloigne au galop.*)

[...]

[*Après Ligny et les Quatre-Bras, Français et Anglais s'affrontent à Waterloo. Au début de la bataille, Grabbe insiste
sur l'avantage qu'a l'armée française.*]

ACTE V

SCÈNE IV

*Les hauteurs de Mont-Saint-Jean. L'armée de Wellington.
Au premier plan et au centre, l'infanterie rangée en carrés ;
entre ceux-ci, l'artillerie qui fait feu sans interruption. À
l'arrière-plan, qui est bordé par la forêt de Soignies, la cavalerie et la réserve. Les boulets français pleuvent sur les rangs
anglais.*

Wellington, *entouré de son* état-major. *Près de lui, le
général* Lord Somerset.

SOMERSET. Je t'en conjure, duc ! Ne nous laisse
pas ici plus longtemps sans rien faire et ne laisse pas
ces braves gens se faire faucher par les canons du
Corse, sans avoir le droit de toucher la détente de
leur fusil.

WELLINGTON. Nos canonniers ne restent pas sans
rien faire, eux.

SOMERSET. Mais le reste des troupes, oui. Quand
vas-tu enfin leur donner l'ordre de mettre baïonnette
au canon, de tirer les sabres et de se jeter au-devant
des coqs gaulois ?

WELLINGTON. Impossible ! En cet instant, le destin de l'Europe et peut-être du monde est en jeu.
Nous ne pouvons pas courir de risques avant d'être
sûrs du succès. Et si Blücher n'arrive pas bientôt, je

crains que nous n'ayons déjà beaucoup risqué en
engageant la bataille avec Lui[1] à la ferme du Caillou.

SOMERSET. Ah! Si l'une des milliers de balles qui
s'en vont là-bas pouvait seulement le toucher! Duc,
faudra-t-il que ces collines deviennent l'abattoir
géant où la Vieille Angleterre se sacrifiera pour un
monde ingrat?

WELLINGTON. Si les choses en viennent au pire,
oui!

SOMERSET. Regarde! Encore toute une rangée de
braves montagnards écossais fauchés comme des
épis sous la faucille! Et là-bas, la première file de la
Garde royale! La seconde vient combler le vide, le
sourire aux lèvres. C'est la jeunesse la plus magnifique qui ait jamais fleuri dans la joyeuse Angleterre.
Et les voilà qui gémissent de douleur en se tordant
dans la poussière. Mères! Mères! Vos cœurs en
seront déchirés. Mon cœur à moi en est déjà brisé!

WELLINGTON. Ne vous cassez pas la tête en plus,
Somerset. Il faut tenir jusqu'à l'approche des renforts.

UN AIDE DE CAMP, *arrivant au galop.* Les Français
sont en train de prendre Belle-Alliance et pro-
gressent vers nous sur la chaussée.

WELLINGTON. Un tir de mitraille sur la chaussée!

(*Les canons anglais tirent à mitraille. Tout à coup la
canonnade des Français atteint une intensité qui dépasse de
beaucoup tout le fracas déjà énorme qui s'élevait du champ
de bataille jusqu'à ce moment. Les Anglais tombent en
nombre de plus en plus grand.*)

SOMERSET. Diable! Hé, mes boucles de cheveux?
Ne m'emportez pas avec vous! Ces boulets de six, de
douze et de vingt-quatre livres, quel souffle!
Comment? Le vacarme infernal qui nous secoue va-
t-il encore s'accroître?

WELLINGTON. Oui. C'est aussi mon avis : Lui-même, les moyens dont il dispose et la manière dont il les met en œuvre, sont encore plus impressionnants que je n'avais pensé. Je croyais trouver en lui un général un peu supérieur à Masséna ou à Soult, dont les qualités de stratèges, il faut le dire, ne sont déjà pas négligeables. Mais il n'y a pas de comparaison. Son génie commence là où les autres s'arrêtent. C'est précisément pour cela qu'il faut faire preuve de calme et d'endurance. On n'est que trop tenté de perdre la tête en présence des prodiges. Il ne nous laisse le choix qu'entre la victoire et la mort, et c'est peut-être cela qui nous permettra d'être vainqueurs.

DRAGONS ANGLAIS DÉBANDÉS. (*Pendant le dialogue qui suit jusqu'à l'arrivée de Milhaud, il en survient d'autres en nombre de plus en plus grand.*) À couvert ! Derrière nos batteries ! Derrière nos batteries !

WELLINGTON. Halte-là, les fuyards ! Vous n'avez pas honte ? Que se passe-t-il ?

LES DRAGONS. Les cuirassiers de Bonaparte sont sur nos talons. Rien ne leur résiste.

WELLINGTON. Hum ! Et ses canons se taisent pour ne pas tirer sur sa propre cavalerie qui approche. C'est évident : d'abord éclaircir nos rangs à coups de canon, puis nous faire anéantir par les sabres de ses cuirassiers. Mais pas si facile, cher monsieur... Comblez les vides des carrés ! Placez les batteries au centre des carrés ! Faites avancer la réserve ! Première rangée de l'infanterie, genou en terre ! Seconde rangée, préparez vos armes ! Baïonnettes en avant... La cavalerie reste à l'écart pour l'instant.

SOMERSET. Laisse-moi prendre la tête de la cavalerie de la Garde.

WELLINGTON. Non, c'est encore trop tôt. Tu ne pourrais pas soutenir le choc des cuirassiers de Milhaud, qui ne sont pas encore affaiblis.

SOMERSET. Comment? Avec des cavaliers et des chevaux comme les miens?

WELLINGTON. Suis-moi dans ce carré-ci. (*Il s'y rend avec Somerset.*) Oui, vous êtes des braves. Mais aussi mauvaise que soit la masse de la cavalerie française, les cuirassiers de Milhaud sont l'élite des cavaliers les plus anciens, éprouvés sous tous les climats, contre tous les peuples. (*Se retournant un instant.*) Les voilà! Regarde-les! Leurs visages sont jaunes et durs comme le cuivre de leurs casques et de leurs jugulaires[1]. N'a-t-on pas l'impression que, sous le soleil d'Espagne et dans les tempêtes de neige de la Russie, ils se sont trempés tous les jours dans le sang?

MILHAUD, *à ses divisions de cuirassiers.* Camarades, frappez fort! Ah! Quelle volupté de pouvoir crier: «Vive l'Empereur!» sous le nez de ces fous qui ne veulent pas Le connaître.

LES CUIRASSIERS. Vive l'Empereur!

MILHAUD. Et levez bien haut vos sabres pour qu'ils s'abattent comme la foudre sur toute cette racaille. (*Les cuirassiers cherchent à sabrer les Anglais qui les reçoivent en tirant des salves. Un certain nombre d'entre eux tombent, mais les balles ricochent sur la plupart des cuirasses.*) Quoi? L'Empereur ne nous a-t-il pas donné des gilets renforcés? C'était bien la peine, si on n'arrive pas à faire sauter les portes de ces carrés. (*Il tire un pistolet de la main gauche et le braque sur un capitaine anglais debout dans une rangée.*) Capitaine, gare à tes épaulettes! Elles pourraient se salir. (*Il l'abat et, passant par-dessus le cadavre, il enlève son cheval jusque dans le carré.*) Hourrah!

UN CUIRASSIER, *fonçant avec les autres à la suite de Milhaud.* À nous le drapeau!

LE PORTE-DRAPEAU ANGLAIS. Plutôt la mort !

LE CUIRASSIER. Alors, attrape !

(*Il le sabre et s'empare du drapeau. L'artillerie du carré tire à mitraille.*)

MILHAUD. Prenez ces canons ! À la charge ! (*Il fonce sur les canons avec ses cuirassiers, les canonniers font feu une dernière fois et prennent la fuite.*) Ha ! À nous les canons ! Enclouez-les !

PLUSIEURS CUIRASSIERS, *sautant de cheval.* Ça nous connaît ! Le diable lui-même ne pourra plus s'en servir !

MILHAUD. En avant, en avant ! Percez les autres carrés ! Débordez l'armée ennemie par l'Est et par l'Ouest ! Le dieu des victoires plane au-dessus de nos casques !

WELLINGTON. Somerset, maintenant, prenez la tête de la cavalerie et attendez mon ordre.

SOMERSET. Enfin ! Dieu soit loué !

UN OFFICIER ANGLAIS. Milhaud est en train de sabrer le quatrième carré.

WELLINGTON. Il va se briser sur le cinquième. Mettez-y soixante canons de réserve.

MILHAUD. Quatre carrés en pièces ! Au cinquième !

WELLINGTON. Général, celui-là va s'ouvrir tout seul.

(*Le carré s'ouvre et les soixante canons lourds font feu.*)

MILHAUD. Grand Dieu ! En avant dans cette fournaise d'enfer, même si nous devons y rôtir ! Hé, camarade, ton pied droit ?

UN CUIRASSIER. Mon pied ? Sapristi, il s'est envolé ! Déserteur, va !

MILHAUD. Tiens-toi au pommeau de ta selle, si tu te sens faible... En avant, en avant !... Non, rien à faire... Sinon, nous n'aurons même plus une moitié de cheval pour repartir... Au revoir, messieurs ! Nous aurons encore deux mots à vous dire aujourd'hui même : attendez seulement la prochaine dégelée que va vous envoyer l'Empereur.

(*Il se retire avec ses cuirassiers.*)

WELLINGTON. Et maintenant, Somerset, vas-y ! Raccompagne-les !

SOMERSET. Cavaliers de Sa Majesté George III, en avant ! Sus à ces gredins !

(*Il se lance avec la cavalerie anglaise.*)

WELLINGTON. Deux aides de camp à l'aile gauche ! Que Corke et Clinton essaient de reprendre Houguemont ! L'ennemi sera peut-être trompé par cette diversion.

(*Deux aides de camp partent en hâte. Lord Somerset revient avec la cavalerie de la Garde.*)

WELLINGTON. Déjà de retour ?

SOMERSET. Nous les avons chassés jusque sous les baïonnettes de leur infanterie. Il y en a plus d'un qui a mordu la poussière. Le général Picton vient d'être tué.

WELLINGTON. Lui aussi ? Il était mon ami très cher, mais je n'ai pas le temps de le pleurer. Le carnage est tel aujourd'hui que la mort semble quelque chose de tout ordinaire. (*La canonnade française reprend, aussi terrible qu'avant l'arrivée des cuirassiers de Milhaud.*) Ah ! Ils recommencent à tirer du Caillou pour préparer la seconde attaque. Milhaud va charger encore avec des forces nouvelles. Attendez-les de pied ferme !

UN OFFICIER DE L'ÉTAT-MAJOR. Encore quelques charges comme celle-là, et notre armée n'existe plus. Ne pourrait-on pas battre en retraite par la forêt de Soignies ?

WELLINGTON. Monsieur, une retraite est doublement impossible. Premièrement, notre honneur nous l'interdit. Deuxièmement, la grand-route qui traverse la forêt est si encombrée de fuyards et de véhicules qu'une compagnie, et à plus forte raison une armée de soixante-dix mille hommes, ne pourrait y faire dix pas en bon ordre. — Ah, si seulement le vieux Blücher était là ! Quelle heure avons-nous ?

SOMERSET. Le clocher de Waterloo vient de sonner trois heures et demie.

WELLINGTON. Petit clocher de Waterloo, tu viens de sonner l'heure la plus grave, la plus inoubliable de ma vie ! Blücher avait l'intention de se trouver à quatre heures dans les bois de Frichemont. Ciel, s'il devait ne pas... Envoyez des estafettes au bois de Frichemont, qu'elles tâchent de découvrir un shako de la territoriale prussienne dans les parages.

SOMERSET. La seconde charge de la cavalerie ennemie approche.

WELLINGTON. Que la Vieille Angleterre la repousse comme la première ! Quant à moi, je m'assieds sur ce pliant, et je n'en bougerai pas avant que nous ayons remporté la victoire ou qu'un boulet m'ait jeté à terre.

SCÈNE V

La petite colline du Caillou. Napoléon s'y tient à cheval. Autour de lui, sa suite, parmi laquelle Bertrand et

Cambronne. *Derrière lui*, la Garde. *À côté de lui, le fermier* Lacoste. Milhaud *et ses* cuirassiers *reviennent de leur seconde charge, qui a été également repoussée.*

NAPOLÉON. Général, comment cela marche-t-il là-haut ?

MILHAUD. Sire, les Anglais se défendent plus mollement qu'à notre première charge.

NAPOLÉON. Préparez-vous pour la troisième. Donnez à Drouot tous les canons disponibles. Le temps presse. Il faut agir d'autant plus vite et frapper d'autant plus fort. (*Des aides de camp partent. La canonnade française devient de plus en plus violente.*)

LE FERMIER LACOSTE. Jésus, Marie !

NAPOLÉON, *lui lançant un regard sombre*. Eh bien, qu'y a-t-il ?

LE FERMIER LACOSTE. Sire, pardonnez-moi. J'ai peur. Je n'ai pas l'habitude.

NAPOLÉON. Quand les Anglais sont-ils arrivés ici ?

LE FERMIER LACOSTE. Hier, sire. À neuf ou dix heures du matin.

NAPOLÉON. Est-ce qu'ils étaient fourbus ?

LE FERMIER LACOSTE. Ceux qui ont établi leur cantonnement dans ma ferme l'étaient, et les autres aussi, à ce qu'il m'a semblé. Mais ils n'ont pas mis longtemps à se refaire, autour des innombrables feux de camp des cantinières.

NAPOLÉON. Belle-Alliance, là-bas, devant nous... Qu'est-ce qu'il y a, autour ? Des bâtiments ? Des haies ?

LE FERMIER LACOSTE. Non. C'est la rase campagne, au bord de la chaussée.

NAPOLÉON. Milhaud est-il prêt ?

CAMBRONNE. Oui, sire.

NAPOLÉON. Que Kellermann se joigne à lui avec ses cavaliers ! Qu'il tente la troisième charge !

Pendant ce temps, les batteries de Drouot cesseront de tirer. (*Des aides de camp partent.*)

LE FERMIER LACOSTE. Malheur! Ma femme et mes enfants!

CAMBRONNE. Ta gueule, paysan!

LE FERMIER LACOSTE. Mais les boulets anglais tombent, ici!

CAMBRONNE. Ne te fais pas de souci. Si tu perds ta petite vie, tu ne perds pas grand-chose[1].

NAPOLÉON. L'armée de Wellington se défend avec les convulsions du désespoir. Envoyez six batteries légères pour appuyer Milhaud. Il faut prendre pied à Mont-Saint-Jean, coûte que coûte. Que Ney s'y dirige aussi, en passant par la Haie-Sainte! Qu'il rachète son excès de prudence à Quatre-Bras en suivant strictement mes ordres! S'il ne peut pas prendre la Haie-Sainte, qu'il la contourne sans plus s'occuper des forces ennemies qui s'y trouvent... Il faut que Mont-Saint-Jean soit à moi dans une demi-heure, ou bien je ferai comme à Lodi, en me plaçant à la tête des troupes. (*Des aides de camp partent.*) Ça ne bouge pas assez, sur notre aile droite... Allez dire ceci au comte Erlon : sur la colline derrière Papelotte, dans les carrés de l'aile gauche anglaise, il y a un bâton de maréchal de France qui l'attend.

(*Des aides de camp partent. D'autres arrivent.*)

UN AIDE DE CAMP. Le prince de la Moskova a dépassé la Haie-Sainte... Mais les Anglais y sont retranchés derrière des abattis et se défendent comme des forcenés. Le sang coule à flots.

NAPOLÉON. Qu'il déferle comme l'océan, pourvu que nous l'emportions! La victoire sera à la mesure du sang versé. L'astre du Napoléon illégitime et proscrit de 1815 brillera pour les peuples d'une lumière plus clémente que la comète du conquérant de 1811. (*Un grand nombre de blessés passent, couchés sur des voitures d'ambulances.*) Pauvres gens ! Vous ignorez pourquoi vous êtes là à gémir et à crier. Dans quarante ans, les chansons des rues vous l'expliqueront[1].

AIDES DE CAMP, *arrivant au galop*. Les dernières réserves anglaises entrent dans la bataille.

NAPOLÉON. Que Milhaud, Drouot et Ney les attaquent avec d'autant plus de violence. Que se passe-t-il sur la gauche, autour de Houguemont ?

BERTRAND. La canonnade anglaise se rapproche. Le prince Jérôme est en difficulté.

NAPOLÉON. Quoi ? difficulté ?... L'ennemi est faible à cet endroit. C'est pour cela qu'il taquine Jérôme par des diversions... Que deux escadrons de lanciers de la Garde me suivent !

(*Il part au galop en direction de Houguemont avec deux escadrons de lanciers de la Garde. Peu après, la canonnade qui venait de Houguemont s'éloigne.*)

UN OFFICIER DES GRENADIERS DE LA GARDE À CHEVAL. Les charges de Milhaud sont étonnantes, aujourd'hui. Je l'envie. Nous aurons fort à faire, si nous voulons rivaliser avec ses cuirassiers.

UN AUTRE OFFICIER. Ce n'est pas pour rien qu'il s'est bronzé pendant la guerre d'Espagne !

PREMIER OFFICIER. Il me rappelle Murat.

SECOND OFFICIER. C'est à peu près ça, mais plus par son courage que par son savoir-faire. Nous ne verrons pas aujourd'hui, je crois, une attaque brillante comme celle de Murat à Wagram.

PREMIER OFFICIER. Au lieu de se bagarrer pour ce misérable trône de Naples, Murat aurait mieux fait de venir faire flotter son panache sur ce champ de bataille.

SECOND OFFICIER. Il faut croire que les couronnes ont un attrait tout particulier. Sans quoi, je ne comprends pas comment un Français peut ne pas préférer rester simple soldat dans n'importe quel régiment de sa patrie, plutôt que de devenir roi de Naples ou empereur de Russie.

(*Napoléon revient avec sa suite.*)

BERTRAND. On a dit vrai, sire : le duc de Brunswick a été tué avant-hier. Des officiers de son corps d'armée, que nous avons capturés, viennent de me l'assurer à Houguemont.

NAPOLÉON. Un général des hussards en moins !... Lacoste, cette canonnade, sur la droite... Elle vient de Wavre ?

LE FERMIER LACOSTE. Oui, sire.

NAPOLÉON. Donc, Grouchy est en train de repousser les Prussiens dans la Dyle.

BERTRAND. La canonnade est très vive, sire. Les Prussiens résistent farouchement.

NAPOLÉON. Je ne crois pas. Ou alors, c'est que Grouchy a mené la poursuite d'une manière lamentable... Les Prussiens étaient trop mal en point... le corps d'armée de Bülow lui-même a dû être emporté dans le chaos général par la masse des fuyards. Cependant, pour parer à toute éventualité, que le comte Lobau pousse son avant-garde jusque dans le bois qui nous sépare de Wavre !

(*Énorme explosion venant de Mont-Saint-Jean. D'immenses flammes montent vers le ciel.*)

CAMBRONNE. Bravo, Drouot ! Voilà un coup de maître ! Une vingtaine de caissons anglais y ont passé, pour sûr.

NAPOLÉON. Bertrand… Cambronne…

CAMBRONNE. Sire, c'est le moment ?

NAPOLÉON. Oui.

CAMBRONNE ET BERTRAND. Gardes ! Préparez-vous à l'assaut !

NAPOLÉON. Vous irez tout droit, en passant par la Haie-Sainte, où Milhaud et Ney vous rejoindront. Qu'est-ce que ce sifflement ?

LE FERMIER LACOSTE. Malheur ! Ce sont des balles de carabine ! Les assassins sont tout près de nous.

UN OFFICIER DE LA SUITE. Sire ! Les cors de chasse prussiens ! Leurs chasseurs sont à moins de deux cents pas.

NAPOLÉON. Quelques écervelés qui se sont débandés sur la Dyle ! Envoyez quelques dragons pour les capturer.

UN AIDE DE CAMP, *arrivant au galop*. De la part du comte Lobau : le bois de Frichemont est rempli de Prussiens.

SECOND AIDE DE CAMP, *peu après*. De la part de Lobau : l'artillerie légère des Prussiens est déjà dans le bois de Frichemont. Le général fait diligence pour prévenir leur attaque.

TROISIÈME AIDE DE CAMP. De la part du comte Erlon : sur l'aile gauche des Anglais, Blücher et Bülow viennent de surgir avec des troupes innombrables, sur la hauteur du bois de Frichemont. Ils envoient sans arrêt des fusées pour annoncer leur arrivée à Wellington.

NAPOLÉON. Blücher ? Bülow ? Leurs corps d'armée doivent être en pièces.

L'AIDE DE CAMP. Non, sire. Ils sortent de la forêt, colonne après colonne, sans fin. Leur front s'élargit sans cesse. Sur les hauteurs, leurs batteries ouvrent le feu l'une après l'autre. À la faveur d'un rayon de soleil perçant les nuages, nos troupes ont pu les voir rangés en ordre de bataille.

NAPOLÉON, *en aparté*. Ce rayon, ce n'était pas le soleil d'Austerlitz.

BERTRAND. Le ciel et la terre vont-ils s'effondrer ? La lèvre de l'Empereur a frémi... Sire, sire, nous n'allons tout de même pas perdre cette bataille ?

NAPOLÉON. Grouchy n'a pas arrangé les choses. (*En aparté.*) Faut-il que le destin d'un grand pays comme la France dépende de la bêtise, de la négligence ou peut-être de la bassesse d'un seul misérable ?

UN AIDE DE CAMP, *arrivant au galop*. Le comte Lobau demande des renforts. Ziethen est en train de le prendre à revers, et toute l'armée du même coup.

NAPOLÉON. Que Mouton se défende à Planchenoit avec la même énergie qu'autrefois dans l'île de Lobau dont il porte le nom !

D'AUTRES AIDES DE CAMP. De la part d'Erlon : Bülow a enlevé Papelotte.

NAPOLÉON. Ce furent mes troupes les plus mauvaises, puisqu'elles se sont laissé enlever Papelotte si rapidement. Qu'Erlon laisse seulement son arrièregarde en face des Prussiens, et qu'il se porte sur l'aile gauche pour se joindre à Ney ! (*Les aides de camp repartent.*)

D'AUTRES AIDES DE CAMP. Le maréchal Ney et le général Milhaud vous font dire : l'armée anglaise sur tout son front se met en marche contre nous.

NAPOLÉON. Retournez auprès du maréchal et de Milhaud, et dites-leur que j'arrive tout de suite. Qu'ils se maintiennent à la Haie-Sainte, ou qu'ils craignent pour leur tête ! (*Aux aides de camp et aux officiers d'ordonnance de sa suite.*) Messieurs, allez au galop auprès de toutes les unités qui ne combattent pas à la Haie-Sainte. Qu'elles s'y rendent toutes, poursuivies ou non par l'ennemi auquel elles ont affaire.

(*Ses aides de camp et les officiers d'ordonnance partent dans toutes les directions.*)

UN AIDE DE CAMP, *arrivant.* Drouot demande des munitions.

NAPOLÉON. Envoyez-lui toutes les munitions de l'artillerie.

UN AUTRE AIDE DE CAMP. Les canons du général Drouot sont brûlants et risquent d'éclater. Il demande...

NAPOLÉON. Qu'il tire jusqu'à ce que les canons éclatent!

PLUSIEURS AIDES DE CAMP. Ziethen met des canons en batterie dans notre dos.

NAPOLÉON. Je vois bien. Un boulet vient de briser le crâne de Friant[1].

D'AUTRES AIDES DE CAMP. Milhaud et Ney vous font dire: Blücher fait avancer des colonnes importantes sur Belle-Alliance et tente de couper de vous les deux généraux.

NAPOLÉON. Et les Anglais?

UN AIDE DE CAMP. Ils avancent toujours. Ney se défend avec un désespoir farouche.

NAPOLÉON. Toujours le même style, sans vigueur, et dangereux! Et les cuirassiers de Milhaud?

L'AIDE DE CAMP. La plupart ont été tués.

NAPOLÉON, *se tournant vers la Garde, d'une voix puissante.* Gardes! Il n'y a plus que vous sur terre qui puissiez gagner cette bataille et sauver la France! Jamais vous ne m'avez déçu, et aujourd'hui encore je compte sur vous...

CAMBRONNE. Empereur, tu peux compter: tous nos coups seront des coups au but.

NAPOLÉON. Plus question d'empereur! (*Il saute de cheval.*) Je redeviens le général de Lodi. L'épée à la main, je vais vous conduire moi-même à Mont-Saint-Jean.

LA GARDE. Vive l'Empereur! Vive notre soleil!

BERTRAND. Empereur! Empereur! C'est affreux! Il est là, tête nue et l'épée à la main, comme le dernier de ses sous-lieutenants. Sire, le devoir te commande de ne pas exposer ta vie, comme tu t'apprêtes à le faire.

NAPOLÉON. Comme je m'apprête à le faire? Les boulets ne pleuvent-ils pas ici aussi denses que partout ailleurs sur le champ de bataille?

BERTRAND. Certes, sire, mais qu'en cet instant, dans cette tenue, tu...

NAPOLÉON. Comment cela, « cette tenue »? Qu'est-ce à dire? Est-il une place plus glorieuse que celle où tu me vois, à la tête de ma Garde dans le tonnerre meurtrier des batailles?

CAMBRONNE. Entendez-vous ce que dit l'Empereur?... Musique!

LA MUSIQUE DE LA GARDE, *jouant:*

> *Où peut-on être mieux*
> *Qu'au sein de sa famille*[1] *!*

BERTRAND. Au diable le cheval qui me porte, quand l'Empereur est à pied. Je me battrai comme simple fantassin.

TOUS LES OFFICIERS DE LA SUITE. Et nous de même.

(*Ils sautent de cheval et tirent l'épée.*)

NAPOLÉON. Où est le régiment de granit de Marengo?

CAMBRONNE. Le voici qui s'avance. C'est lui qui veut être le premier à t'accompagner.

NAPOLÉON. Soit. Les hommes qui le composent ont été les compagnons de mes plus beaux jours ; qu'ils soient mes compagnons et mon soutien dans les plus mauvais... Gardes de toutes armes, suivez-moi !

CAMBRONNE. Monsieur le fermier Lacoste, adieu ! Portez-vous bien et surtout, tâchez de prendre le large le plus vite que vous pourrez ! Saluez de ma part votre épouse et vos chers petits enfants. Et quand, dans dix ans, vous serez assis pour la millième fois avec eux à manger des gâteaux ou que vous offrirez de nouvelles robes à vos filles, alors réjouissez-vous une fois de plus d'être en vie et d'être heureux. Nous, nous allons nous jeter sur la bouche des canons que vous voyez là-bas, et nous n'avons plus besoin de votre misérable petite personne... Tonnerre ! Quelle grêle de balles... Musique !

LA MUSIQUE DE LA GARDE, *jouant :*

> *Réjouissez-vous d'être en vie*
> *Tant que la lampe brûle encore.*

UN DES MUSICIENS DE LA GARDE, *tombant mortellement atteint.* Ah, que la mort est douce !

(Tous se mettent en mouvement vers Mont-Saint-Jean.)

SCÈNE VI

La grand-route devant la ferme de Belle-Alliance.

NAPOLÉON, *passant avec la Garde.* Les Prussiens ont déjà rejeté le comte Lobau de Planchenoit...

Qu'il se replie sur nous et qu'il jette quelques compagnies de son arrière-garde dans cette maison pour retenir et harceler l'ennemi qui nous poursuit! (*Des aides de camp partent.*)

(*Napoléon et la Garde continuent leur marche. Les troupes du comte Lobau aux prises avec les Poméraniens*[1] *de Bülow traversent lentement la scène dans la même direction que Napoléon. Le comte Lobau apparaît.*)

LOBAU. Malédiction! Ils sont les plus forts. L'initiative et le désespoir ne peuvent donc rien contre eux?

BÜLOW, *avec les Poméraniens*. N'épargnez pas la poudre, les enfants. C'est un grand jour, aujourd'hui.

LOBAU. Tous les régiments, continuez!

BÜLOW. Poméraniens, en avant!

LOBAU. Feu!

BÜLOW. Feu aussi!

LOBAU. Comment tenir contre cette multitude?... Trois compagnies dans cette maison! Que toutes les autres me suivent à Mont-Saint-Jean!

BÜLOW. Que quatre bataillons enlèvent cette maison. Tous les autres à Mont-Saint-Jean!

(*Le corps d'armée de Bülow poursuit celui du comte Lobau. Seuls quatre bataillons restent sur place et, pendant le reste de la scène, emportent Belle-Alliance malgré la résistance acharnée des Français, qui tirent par les portes et les fenêtres.*)

ZIETHEN, *avec une troupe innombrable de cavaliers*. Salut à toi, Bülow! Ça marche. D'ici jusqu'à Mont-Saint-Jean, nous sommes dans son dos et sur ses flancs. Et les Anglais lui portent des coups de face.

BÜLOW. Oui, Ziethen. Victoire! Écoute-le hurler une dernière fois de tous ses canons sur la colline, hurler sous ces blessures de dos, de flanc et de face.

ZIETHEN. Ah! ce cri: « La Garde s'enfuit. Sauve qui peut! »

BÜLOW. Tout Mont-Saint-Jean tremble sous les pas des Français en fuite.

ZIETHEN. Épouvantable confusion! La cavalerie, l'infanterie et l'artillerie mêlées en un chaos indescriptible!

BÜLOW. Ouais! Les canons anglais et prussiens s'occupent activement à y mettre de l'ordre! Moi aussi, de là-bas, je vais faire entrer dans le jeu quelques batteries qui ne sont pas négligeables.

ZIETHEN. Fais donc! Quant à moi, même si quelques-uns de tes boulets frappent mes rangs, je me précipite au milieu de l'ennemi avec ma cavalerie. Il n'en sera que plus vite anéanti.

BÜLOW. Poméraniens! Baïonnette vers le sol! Pour changer! Pourquoi avoir toujours les baïonnettes vers le haut? En bouillie, les Français!

UNE TROUPE CONFUSE DE CAVALIERS FRANÇAIS, *fuyant au grand galop.* Tout est perdu! L'Empereur est mort. La Garde est morte. Arrière! À Genappes! À Genappes!

UNE TROUPE DE FANTASSINS FRANÇAIS, *en ordre relatif.* Arrière! À Genappes! À Genappes!

DES MASSES CONFUSES D'ARTILLEURS À CHEVAL. Place, la piétaille! Place!

UN OFFICIER DE L'INFANTERIE FRANÇAISE. Pas de ça!... Baïonnette en avant contre ces insensés!

LES ARTILLEURS. Comment, des baïonnettes? Chevaux et canons, passez dessus! (*Ils écrasent une partie de l'infanterie.*)

BÜLOW. Poméraniens! Ne pourrait-on pas s'emparer de ces canons? N'y a-t-il pas parmi vous quelques

anciens valets de ferme capables, mieux que ces fantassins ennemis, d'arrêter ces quelques chevaux et
de mettre en morceaux ces roues? (*De nombreux
soldats de son corps d'armée s'élancent et s'emparent
des canons.*) Très bien!... Elles sont excellentes, ces
trente pièces de douze! Retournez-les contre leurs
anciens propriétaires, et qu'elles leur envoient un
salut d'adieu!... Garçons! Regardez l'armée de
Bonaparte, cavaliers et fantassins, qui court et qui
s'enfuit, aussi loin que s'étend le regard par la nuit
qui tombe!... Allons-y! Fonçons là-dedans, au plus
épais. (*Il s'éloigne avec son corps d'armée.*)

SCÈNE VII

La rase campagne, de l'autre côté de Belle-Alliance. Napoléon, Bertrand *et des* officiers, à pied. *Ils sont entourés de
deux escadrons de* grenadiers de la Garde, *qui les protègent.*
Cambronne *les suit, avec ce qui reste du régiment de granit
de Marengo.*

NAPOLÉON. Il faut nous replier en passant ici, à
travers champs. La chaussée est défoncée, et aux
mains des Prussiens... La soirée fraîchit... Mon
manteau et mon cheval! (*Bertrand l'enveloppe dans
son manteau. On lui amène un cheval.*) L'Histoire n'a
jamais vu une telle débandade!... La trahison, le
hasard et la malchance rendent l'armée la plus
vaillante plus craintive qu'un enfant. C'est fini...
Depuis l'île d'Elbe, pendant cent jours, nous avons
fait de grands rêves... Bertrand, qu'y a-t-il? Tu ne
dis rien?

BERTRAND. Sire, parler... en cet instant... Ô Dieu!...
Vois ces grenadiers de la Garde! Les boulets jettent

le feu dans leurs rangs, et ils ne disent rien… Une seule chose : j'ai passé toute ma vie dans la splendeur de ta gloire. Sois juste, et laisse-moi aussi partager pour toujours le sort qui t'attend[1]. (*Il tombe aux pieds de l'empereur.*)

NAPOLÉON. Relève-toi. Oui, tu partageras avec moi le pain de la détresse… Mais ta femme ?

BERTRAND. Elle te remerciera en pleurant, comme moi !

NAPOLÉON, *regardant en arrière*. Les soldats ennemis se ruent vers nous en poussant des cris de victoire. Ils s'imaginent qu'ils ont chassé la tyrannie, conquis la paix perpétuelle et ramené l'âge d'or… Les pauvres ! Au lieu d'un grand tyran, comme ils aiment m'appeler, ils en auront bientôt une nuée de petits. Au lieu de leur donner la paix perpétuelle, on essaiera de les endormir dans le sommeil perpétuel de l'esprit. Au lieu de l'âge d'or, ce sera un âge d'argile, sans consistance, le temps de la médiocrité, de la sottise, du mensonge et de la futilité. Certes, on n'entendra plus parler de batailles ni de héros gigantesques ; mais plus que jamais, ce seront des parlotes de diplomates, des visites de convenance entre grands chefs, des comédiens, racleurs de violon, putains et danseuses d'opéra — jusqu'au jour où l'âme du monde ressuscitera et secouera les vannes derrière lesquelles seront tapis les flots tumultueux de la Révolution et de mon Empire. Alors, les vannes sauteront sous leur poussée et les flots viendront remplir le vide que j'aurai laissé en m'en allant.

CAMBRONNE. Mon Empereur, en face, les Anglais approchent. Et sur notre flanc, les Prussiens… Il est temps que tu t'éloignes. Ou alors…

NAPOLÉON. Ou alors… ?

CAMBRONNE. Ou alors, tombe, Imperator[2].

NAPOLÉON. Général, c'est ma fortune qui tombe !
Pas moi...

CAMBRONNE. Pardon, mon Empereur. Oui ! Tu as
raison.

NAPOLÉON. Qu'on attache plus solidement mon
manteau... La pluie tombe de plus en plus fort...
Bertrand, à cheval !... Et vous aussi, messieurs les
officiers. Cavaliers de la Garde, ouvrez-nous le passage. Régiment de granit, adieu !

(*Il monte à cheval, ainsi que Bertrand et les officiers qui
l'accompagnent. Tous s'éloignent avec les grenadiers de la
Garde.*)

CAMBRONNE. Il est parti... À côté de cela, tout le
reste, la terre, le soleil et les étoiles, n'est que boue !
Il nous a dit adieu en s'essuyant les yeux. Cela veut
dire : « En mourant, soyez dignes de moi. C'est tout
ce qui vous reste à faire. » Bien ! Camarades ! Lissons
la pointe de nos moustaches. Bientôt, nous serons
au ciel ou en enfer. Que ce soit au ciel ou en enfer,
un vaillant Français veille à se présenter en bonne
tenue ! (*La cavalerie prussienne et anglaise approche
de toutes parts.*) Regardez, ils nous serrent de partout, ceux qui vont nous expédier là-bas. (*À un tambour :*) Vas-y, toi, fais sonner ta peau de tambour !
Pense que parmi les milliers de tambours qui ont
retenti dans les glorieuses campagnes de l'Empereur,
le tien est le dernier. Vas-y ! Et gaiement, s'il te
plaît... Il y a de quoi : à l'avenir, tu n'auras plus
l'occasion de te fatiguer avec ton instrument... (*Le
soldat bat le tambour de toutes ses forces, sans interruption.*) Feu !

UN OFFICIER DE DRAGONS ANGLAIS. Insensés !
Cessez de tirer.

CAMBRONNE. Feu !

L'OFFICIER. Vous ne nous échapperez pas.

CAMBRONNE. Feu!

L'OFFICIER. Insensés! Rendez-vous!

CAMBRONNE. Crétin! La Garde meurt et ne se rend pas. Feu, tant que vous aurez un souffle de vie!

LA CAVALERIE PRUSSIENNE ET ANGLAISE, *sabrant*. À bas les suppôts du tyran.

CAMBRONNE. À bas? Régiment de granit, la tête haute et fière comme le soleil! Et tombons avec gloire comme le soleil!

LES SOLDATS DU RÉGIMENT DE GRANIT. D'accord!... Regarde!

(Après une lutte désespérée, Cambronne et les soldats du régiment de granit sont taillés en pièces. La cavalerie alliée poursuit son avance, avec d'autres troupes anglaises et prussiennes.)

BLÜCHER, *arrivant au galop avec Gneisenau et sa suite*. Où est mon glorieux frère d'armes, le vainqueur de Mont-Saint-Jean?

GNEISENAU. Le voici!

WELLINGTON, *arrivant au galop*. Bonsoir, maréchal.

BLÜCHER. Le soir est digne de la journée, duc.

WELLINGTON. Vous nous avez aidés à sortir de ce mauvais pas. Votre main!

BLÜCHER. En signe de belle alliance, comme dit le nom de ce lieu. Anglais, Prussiens, généraux, sous-officiers, simples soldats... Je ne peux continuer avant d'avoir soulagé mon cœur, avant d'avoir enlevé mon shako et de vous dire: vous tous, salut et respect à vous, mes compagnons d'armes, aussi braves dans le péril que dans la bonne chance. Peut-être l'avenir sera-t-il digne de vous. Dans ce cas, hourrah! S'il ne l'est pas, alors, consolez-vous en vous disant

que votre abnégation en méritait un meilleur...
Wellington, accorde un peu de repos à tes hommes.
Ce sont eux qui ont fait le plus dur, aujourd'hui.
C'est à nous de poursuivre les Français, et nous nous
en chargerons avec d'autant plus d'ardeur! Fais-
nous confiance: la poursuite sera le digne couronne-
ment de notre victoire... Prussiens, en avant!

Traduction de Joël Lefebvre et Peter Bürger.
© Aubier Montaigne, 1969.

ANNEXES

Cartes de la bataille

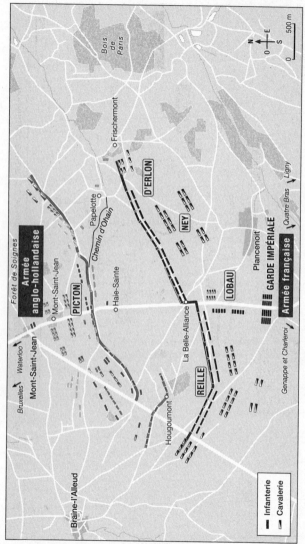

Disposition des armées le matin du 18 juin 1815

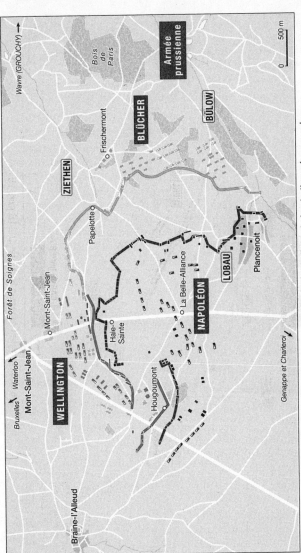

Tournant de la bataille au soir du 18 juin avec l'arrivée de l'armée prussienne

DOSSIER

CHRONOLOGIE

1815

3 janvier. À Vienne, Talleyrand conclut un traité d'alliance militaire avec l'Angleterre et l'Autriche.

15 février. On annonce comme très prochaine la clôture du congrès de Vienne qui se préoccupe de déporter Napoléon à Sainte-Lucie, à Sainte-Hélène ou dans l'une des Açores.

16 février. Napoléon prend des mesures pour réunir une flottille capable de le transporter en France.

25 février. Il rédige une proclamation au peuple et une à l'armée.

26 février. À huit heures du soir, il quitte l'île d'Elbe.

1ᵉʳ mars. Débarquement à Cannes.

5 mars. Napoléon arrive à Sisteron où il fait ses premières recrues. — À midi, Chappe apporte aux Tuileries une dépêche télégraphique. Louis XVIII l'ouvre, la lit et dit calmement : « C'est Bonaparte qui est débarqué sur les côtes de Provence. »

6 mars. Le Conseil des ministres réuni aux Tuileries décide de convoquer les Chambres. Une ordonnance royale déclare Napoléon Bonaparte traître et rebelle ; il est enjoint à tous les commandants de la force publique de lui courir sus et de le traduire devant un conseil de guerre pour le faire fusiller sur simple constatation de son identité.

7 mars. Le 5ᵉ de ligne, chargé de défendre le défilé de Laffrey, se rallie à Napoléon. Le colonel La Bédoyère lui amène le 7ᵉ de ligne. L'empereur, précédé de deux mille paysans, entre triomphalement à Grenoble. — La nouvelle de son départ de l'île d'Elbe parvient à Vienne.

9 mars. Une ordonnance royale décrète la levée de trois millions de gardes nationaux.

10 mars. Napoléon entre à Lyon abandonné par le comte d'Artois et d'où Macdonald est obligé de s'enfuir.

13 mars. Le congrès de Vienne proclame : « Napoléon Bonaparte s'est placé hors des relations civiles et sociales et, comme ennemi et perturbateur du monde, il s'est livré à la vindicte publique. »

17 mars. Ney rejoint Napoléon à la préfecture d'Auxerre.

18 mars. La Chambre des députés déclare « nationale » la guerre contre l'usurpateur Bonaparte.

19 mars. Dans la nuit, l'empereur atteint Montereau. Louis XVIII quitte les Tuileries. — Ce même jour, à la Chambre des communes, Whitbread proteste contre toute idée d'intervention anglaise en France.

20 mars. À quatre heures du matin, Napoléon arrive à Fontainebleau. À huit heures du soir, il entre aux Tuileries.

21-22 mars. Constitution du ministère. Napoléon ordonne la fabrication de trois cent mille fusils.

23 mars. Louis XVIII publie, à Lille, une ordonnance défendant à tout Français d'obéir à un décret de mobilisation émanant de Napoléon Bonaparte. À trois heures, le roi quitte Lille et passe la frontière à Menin.

25 mars. Un décret impérial ordonne l'exécution des lois rendues par les assemblées révolutionnaires contre les Bourbons.

27 mars. Le Conseil d'État annule l'acte de déchéance de Napoléon.

30 mars. Les puissances européennes bloquent les frontières de la France et interdisent même le passage des courriers diplomatiques. — À Rimini, Murat publie un appel aux armes pour l'affranchissement et l'unité de l'Italie.

1ᵉʳ avril. Napoléon écrit à son beau-père pour lui demander le retour de Marie-Louise et du roi de Rome.

2 avril. La Garde Impériale donne, au Champ-de-Mars, un banquet monstre aux garnisons de Grenoble et de Lyon et aux gardes nationaux du 20 mars.

7-8 avril. Le duc d'Angoulême, après avoir échoué dans sa marche sur Lyon, rétrograde jusqu'à Orange et capitule.

9 avril. Publication, dans le *Moniteur*, du décret du 28 mars rappelant sous les drapeaux tous les hommes en congé.

11 avril. Mobilisation des Gardes nationales actives.

13 avril. Publication, dans le *Moniteur*, du rapport de Caulaincourt signalant l'hostilité des chancelleries étrangères.

16 avril. Une salve de cent coups de canon, tirée dans toutes les villes de France, annonce au pays la fin de la guerre civile. Napoléon passe en revue, aux Tuileries, la Garde nationale parisienne et harangue les officiers, qui l'acclament.

17 avril. Le roi de Prusse appelle son peuple à la guerre sainte.

19 avril. Les coalisés tiennent à Vienne un conseil de guerre présidé par le tsar.

23 avril. L'acte additionnel est publié dans le *Moniteur*.

25 avril. Les alliés s'engagent à ne pas déposer les armes avant d'avoir abattu Napoléon.

2-3 mai. Les Autrichiens écrasent Murat à Tolentino. — Le 3, entrevue de Blücher et de Wellington à Tirlemont ; ils prennent des mesures pour se porter mutuellement secours en cas d'une attaque française.

9 mai. Dans un manifeste publié à Gand, Louis XVIII exhorte le peuple français à se délivrer de l'usurpateur. — Soult est nommé major général de l'armée du Nord.

14 mai. Aux Tuileries, l'empereur passe en revue les fédérés parisiens.

15 mai. Le marquis de La Rochejaquelein débarque à Saint-Gilles avec deux mille fusils, attaque le 26ᵉ de ligne et le force à la retraite.

26 mai. Les empereurs d'Autriche et de Russie et le roi de Prusse quittent Vienne pour se mettre à la tête de l'« armée de la libération ».

30 mai. Avec l'approbation du Conseil d'État, l'empereur ordonne la levée des conscrits de 1815.

1er juin. Assemblée du Champ de Mai.

2 juin. Les *tories* font voter par la Chambre anglaise une somme de 3 169 622 livres pour les dépenses de guerre en 1815. — La Garde Impériale quitte Paris pour Soissons. Les différents corps destinés à former l'armée du Nord commencent leur mouvement sur Philippeville.

3 juin. La Chambre des représentants se constitue. — Blücher écrit à sa femme : « Nous pourrions bien rester ici une année, Bonaparte ne nous attaquera pas. »

4 juin. L'empereur, dans la Grande Galerie du Louvre, achève la distribution des drapeaux interrompue le 1er. Fête populaire au jardin des Tuileries et aux Champs-Élysées.

7 juin. Les représentants et les pairs prêtent serment d'obéissance à la Constitution et de fidélité à l'empereur.

10 juin. Schwarzenberg présente aux souverains le plan définitif d'invasion fixant les lignes de marche des six armées sur Paris et Lyon.

12 juin. À quatre heures du matin, Napoléon monte en voiture pour aller prendre le commandement de l'armée.

14 juin. L'armée du Nord achève de se concentrer dans le saillant de Philippeville. Il dicte l'ordre de mouvement pour le lendemain. Toute l'armée devra avoir franchi la Sambre à midi.

15 juin. À deux heures et demie du matin, les avant-gardes se mettent en marche, passent la frontière, détruisent, capturent ou replient les postes prussiens. Mais, retardé par l'immobilité de Vandamme qui n'a pas reçu ses ordres, par la défection de Bourmont, le gros de l'armée n'achève de franchir la Sambre qu'à cinq heures du soir. — Blücher donne des ordres pour concentrer ses corps sur Sombreffe. Wellington assiste au bal de la duchesse de Richmond.

16 juin. Par suite de longs retards dans l'attaque et d'une extrême confusion dans les ordres, Ney est impuissant à chasser des Quatre-Bras les Anglo-Bataves, constamment renforcés. Napoléon attaque trop tard Blücher sous

Fleurus, le contraint à une retraite précipitée, mais ne l'écrase pas.

17 juin. L'empereur perd la matinée à visiter le champ de bataille de Fleurus ; Ney, à attendre les ordres. Gneisenau réussit à regrouper l'armée prussienne sur la ligne de Wavre ; Wellington à faire filer des Quatre-Bras l'armée anglo-batave vainement poursuivie par Napoléon et Ney. Elle s'arrête, à la nuit tombante, sur les fortes positions de Mont-Saint-Jean. Grouchy, détaché avec trente-trois mille hommes, cherche Blücher en direction de Namur et de Liège, alors qu'il se trouve tout près de lui sur sa gauche.

18 juin. À Paris, la batterie triomphale des Invalides tonne pour annoncer le succès de Fleurus. Le *Moniteur* annonce que l'empereur a remporté une victoire complète sur les armées prussienne et anglaise. — Perte de la bataille de Waterloo.

19 juin. Napoléon, accompagné de quelques officiers, tente inutilement, à Charleroi, d'organiser la retraite. Il passe la frontière et arrive à Philippeville, entre neuf et dix heures du matin. — Blücher occupe Charleroi à midi. — Grouchy, trompant les Prussiens par une habile manœuvre, se retire en direction de Namur.

20 juin. Napoléon part de Laon pour regagner Paris. — Blücher franchit la Sambre. — Grouchy traverse Namur où Vandamme puis la division Teste tiennent en respect tout le IIe corps prussien.

21 juin. Grouchy, avec toutes ses troupes, passe la frontière sans être inquiété. Napoléon arrive à l'Élysée. Davout l'incite à renvoyer les Chambres. — Au palais Bourbon, La Fayette, de concert avec Lanjuinais, fait décider par la Chambre que « toute tentative pour la dissoudre est un acte de haute trahison ». Le peuple manifeste aux cris de « Vive l'empereur ! À bas les députés ! ».

22 juin. Abdication de Napoléon. Au lieu d'un Conseil de régence, la Chambre élit une Commission de gouvernement formée de cinq membres : Carnot, Fouché, le général Grenier, Caulaincourt et Quinette. Discours défaitiste de Ney à la Chambre des pairs. — Louis XVIII quitte Gand pour se rapprocher de la frontière.

23 juin. Fouché s'assure la présidence de la Commission de gouvernement. — Davout est chargé de défendre Paris. La Fayette et cinq autres plénipotentiaires sont désignés pour aller négocier la paix avec les souverains alliés. — Blücher, sans coup férir, s'empare d'Avesnes. Conférence de Catillon, où Wellington et Blücher arrêtent leur plan de marche sur Paris. — L'abdication, mise à l'ordre du jour par Soult, provoque des milliers de désertions dans l'armée reconstituée à Laon, Reims et Soissons.

24 juin. La proclamation de Napoléon II ramène les déserteurs. Première demande d'armistice, adressée par Soult à Blücher. — Les manifestations populaires bonapartistes continuent autour de l'Élysée. Fouché charge Davout d'inviter Napoléon à s'éloigner de Paris.

25 juin. Napoléon se rend à Malmaison. La Fayette et les cinq autres plénipotentiaires arrivent à Laon. Une seconde demande d'armistice est adressée par eux à Blücher.

26 juin. Soult transmet le commandement de l'armée du Nord à Grouchy. Les têtes de colonnes prussiennes atteignent Chauny et Noyon. Le soir, Blücher répond à la demande des plénipotentiaires qu'il ne négociera pas avant d'être à Paris, et pose des conditions draconiennes. — Louis XVIII est accueilli avec enthousiasme à Cambrai. — À Marseille, les royalistes massacrent deux cents personnes. À Toulouse, le peuple tue six royalistes. — Les chefs vendéens signent à Cholet un traité de pacification.

27 juin. D'Erlon se heurte aux Prussiens à Compiègne et se dirige sur Dammartin. Grouchy, avec Reille, le 6ᵉ corps et la Garde, marche sur Villers-Cotterêts et Nanteuil. Vandamme est à Soissons avec l'arrière-garde. — Louis XVIII signe la déclaration de Cambrai.

28 juin. À deux heures du matin, Fouché, inquiété par l'avance prussienne, écrit aux nouveaux plénipotentiaires : « Je vous invite à conclure sur-le-champ un armistice avec Blücher. » À la suite de quoi, une troisième demande est adressée par Grouchy au feld-maréchal prussien.

29 juin. À trois heures du matin, Napoléon annonce à Decrès et à Boulay de la Meurthe qu'il partira dans la journée. — À quatre heures du matin, Grouchy arrive au quartier général de Davout, à La Villette, et résigne son commandement. Toute l'armée est réunie sous Paris. — Napoléon

fait proposer à la Commission de reprendre le commandement en chef. Elle refuse. Une quatrième demande
d'armistice est adressée à Blücher, par Davout. — Vers
cinq heures, Napoléon monte en voiture pour gagner
Rochefort. — Blücher refuse de recevoir Kellermann et
Tourton envoyés par Davout. Wellington reçoit Flaugergues, Boissy d'Anglas et leurs compagnons. Il ne leur
cache pas que le seul moyen de mettre fin aux hostilités
consiste à rappeler le roi.

30 juin. À l'aube, attaques prussiennes contre les défenses
avancées de Paris. — La Chambre manifeste une vive
hostilité aux Bourbons. Conférence de Blücher et de
Wellington : l'armée anglo-batave remplacera au nord-est
l'armée prussienne qui donnera l'assaut par le sud-ouest.
— Davout écrit à Blücher et à Wellington en renouvelant
sa demande d'armistice.

1er juillet. Exelmans anéantit à Rocquencourt la division
Sohr.

2 juillet. Les Prussiens subissent de rudes échecs à Sèvres
et à Vaugirard. Le duc écrit à Blücher pour lui conseiller
de traiter.

3 juillet. Le feld-maréchal accepte une suspension d'armes
de vingt-quatre heures. À dix heures du soir, la Chambre,
formée en comité secret, ratifie la capitulation rédigée
dans l'après-midi par les plénipotentiaires français,
anglais et prussiens.

5-6 juillet. L'armée évacue Paris, pour se retirer derrière la
Loire.

7 juillet. Les troupes du Ier corps prussien occupent Paris.

8 juillet. Louis XVIII rentre aux Tuileries.

15 juillet. Napoléon se rend à bord du *Bellérophon*.

24 juillet. Ordonnance nominale de proscription frappant
cinquante-sept personnes, dont Carnot.

28 juillet. Les alliés décident d'interner Napoléon à Sainte-
Hélène.

13 octobre. Murat est fusillé au Pizzo.

15 octobre. Napoléon arrive à Sainte-Hélène.

20 novembre. Signature du second traité de Paris.

7 décembre. Exécution de Ney.

BIBLIOGRAPHIE

BARBERO, Alessandro, *Waterloo*, Paris, Flammarion, coll. « Champs histoire », 2008.

BARRAL, Georges, *L'Épopée de Waterloo. Narration nouvelle des Cent-Jours et de la campagne de Belgique en 1815, composée d'après... les souvenirs de mes deux grands-pères, officiers de la grande-armée et combattants de Waterloo*, Paris, Flammarion, 1895.

BARRAS, Paul, *Mémoires de Barras*, Paris, Hachette, 1895.

BARTHÉLEMY, Auguste, et MÉRY, Joseph, *Napoléon en Égypte, Waterloo et le Fils de l'homme*, Paris, E. Bourdin, 1842.

BERGERAT, Émile, *Les Deux Waterloo*, Paris, Librairie générale des auteurs, 1866.

BONAPARTE, Napoléon, *Correspondance générale*, Paris, Fayard, 2004.

BOUDON, Jacques-Olivier, *Histoire du Consulat et de l'Empire. 1799-1815*, Paris, Perrin, 2000.

BRUYÈRE-OSTELLS, Walter, *La Grande Armée de la liberté*, Paris, Tallandier, 2009.

CLAUSEWITZ, Carl von, *La Campagne de 1815 en France*, traduit de l'allemand par Albert Niessel, Paris, Champ libre, 1973.

CONSTANT, Benjamin, *Mémoires sur les Cent-Jours*, Préface d'Olivier Pozzo di Borgo, Paris, Jean-Jacques Pauvert, 1961.

COPPENS, Bernard, *Les Mensonges de Waterloo*, Paris, Jourdan, 2009.

DAMMAME, Jean-Claude, *La Bataille de Waterloo*, Paris, Perrin, coll. « Tempus », 2003.

FIERRO, Alfred, et PALLUEL-GUILLARD, André, TULARD, Jean (dir.), *Histoire et dictionnaire du Consulat et de l'Empire*, Paris, Robert Laffont, 1995.

FLEISCHMANN, Hector (éd.), *Victor Hugo, Waterloo, Napoléon*, Paris, Albert Méricant, 1912.

FOUCHÉ, Pierre, *Souvenirs*, 1772-1845, Paris, Plon, 1929.

GANEAU, dit Le Mapah, *Waterloo !!! Vendredi-Saint*, Paris, 1843.

GENÈVE, Maurice de, *1815. La Garde meurt, elle ne se rend pas. 1830. La France meurt, elle ne se rend pas*, Lyon, 1830.

GIROD DE L'AIN, Maurice, *Vie militaire du général Foy*, Paris, Plon, 1900.

GOURGAUD, Gaspard, *Campagne de 1815, ou Relation des opérations militaires qui ont eu lieu en France et en Belgique pendant les Cent jours, écrite à Sainte-Hélène*, Paris, P. Mongie aîné, 1818.

GROUCHY, Emmanuel de, *Fragments historiques relatifs à la campagne et à la bataille de Waterloo*, Paris, Firmin-Didot frères, 1829.

GUENIFFEY, Patrice, *Histoires de la Révolution et de l'Empire*, Paris, Perrin, coll. « Tempus », 2011.

—, *Bonaparte (1769-1802)*, Paris, Gallimard, coll. « NRF Biographies », 2013.

HEYMES, Pierre-Agathe, *Relation de la campagne de 1815, dite de Waterloo, pour servir à l'histoire du maréchal Ney*, Paris, imprimerie de Gaultier-Laguionie, 1829.

LARGEAU, Jean-Marc, *Napoléon et Waterloo : la défaite glorieuse de 1815 à nos jours*, Paris, La Boutique de l'Histoire éditions, 2006.

LE MAYEUR, Adrien Jacques Joseph, *Ode sur la bataille de Waterloo ou de Mont-Saint-Jean, Suivie de Remarques historiques relatives à cette bataille*, Bruxelles, P. J. de Mat, 1816.

LENTZ, Thierry, *Nouvelle histoire du Premier Empire. 4. Les Cent-Jours, 1815*, Paris, Fayard, 2010.

—, *Napoléon, une ambition française, Idées reçues sur l'empereur*, Paris, Cavalier bleu éd., 2013.

LOGIE, Jacques, *Napoléon, la dernière bataille*, Bruxelles, Racine, 2002.

MARGERIT, Robert, *Waterloo. 18 juin 1815*, Paris, Gallimard, 1964.

METTERNICH, Klemens Wenzel von, *Mémoires du prince de Metternich*, traduit de l'allemand par Constantin de Grunwald, Paris, H. Javal, 1959.

MIGLIORINI, Luigi Mascilli, *Le Mythe du héros. France et Italie après la chute de Napoléon*, traduit de l'italien par Laurent Vallance, Paris, Nouveau Monde éditions / Fondation Napoléon, 2002.

PIÉRART, Z.-J., *Le Drame de Waterloo*, Paris, Bureau de la *Revue Spiritualiste*, 1868.

PIGEARD, Alain, *Dictionnaire de la Grande armée*, Paris, Tallandier, 2002.

SIBORNE, William, *The Waterloo Campaign. 1815*, Londres, 1844.

TENAILLE DE VAULABELLE, Achille, *Campagne et bataille de Waterloo*, Paris, Perrotin, 1845.

TULARD, Jean (dir.), *Dictionnaire Napoléon*, Paris, Le Grand Livre du mois, 1999.

—, *Napoléon. Les Grands Moments d'un destin*, Paris, Fayard, 2005.

WARESQUIEL, Emmanuel de, *Cent-Jours. La tentation de l'impossible. Mars-juillet 1815*, Paris, Fayard, 2008.

—, *Fouché, les silences de la pieuvre*, Paris, Fayard-Tallandier, 2014.

WELSCHINGER, Henri, *Le Maréchal Ney, 1815*, Paris, Plon, 1893.

NOTICES BIOGRAPHIQUES
DES MILITAIRES

BLÜCHER VON WAHLSTATT (1742-1819)

Issu d'une famille de la noblesse du Mecklembourg, ce militaire sert à quatorze ans dans l'armée suédoise avant de s'engager dans l'armée prussienne. Il prend part à la guerre de Sept Ans. Après une carrière agitée, en raison des excès auxquels il s'adonne dans sa vie privée, il s'illustre lors des guerres révolutionnaires et est fait lieutenant général en 1801. Il devient gouverneur militaire de Münster en 1803. Fait prisonnier en 1806 par l'armée française, il n'aura de cesse d'espérer prendre sa revanche. Blücher a plus de soixante-dix ans quand il commande à Waterloo l'armée prussienne. À la manière des Prussiens de cette époque, il nourrit une vive haine à l'égard de l'Empire napoléonien. Gouverneur militaire des forces alliées à Paris, il veut un temps faire sauter le pont d'Iéna, incarnation de la gloire de la Grande Armée. Napoléon, à Sainte-Hélène, le qualifiera d'« ivrogne de hussard, impatient de se battre ».

BONAPARTE, Jérôme (1784-1800)

Il est le plus jeune des frères de Napoléon, qui veut en faire un marin. En 1803, il épouse aux États-Unis une riche fille d'une famille de négociants. Napoléon fait annuler cette union et organise le mariage de son frère avec la princesse Catherine de Wurtemberg en 1807. Par cette alliance, Jérôme devient roi de Westphalie. Napoléon le savait sans talent ni caractère, et mit donc ce roi de pacotille sous les ordres de Davout durant la campagne de Russie, ce que

Jérôme apprécia peu. Il rallie Napoléon à son retour de l'île d'Elbe et fait exceptionnellement preuve de courage à Waterloo. Seule la prise du pouvoir de son neveu, Louis-Napoléon Bonaparte, en 1848, lui redonne un semblant de prestige. Metternich fait de lui un portrait peu flatteur : « La dépravation de ses mœurs, une vanité exaltée et sa manie d'imiter en tout point son frère l'ont couvert de ridicule. »

BOURMONT, Louis-Auguste-Victor de Gaisne,
comte de (1773-1846)

Sa famille appartient à la noblesse flamande. Dès l'âge de quinze ans, il entre dans la Garde nationale. Sous la Révolution française, il appartient au parti de la contre-révolution et se joint notamment au soulèvement en Vendée. Sous le Consulat, son nom est cité dans le complot politique de l'enlèvement du sénateur Clément de Ris. Bonaparte le fait enfermer à la prison du Temple. Il s'évade plus tard d'une prison à Besançon et prend la fuite au Portugal. La guerre d'Espagne le décide à apporter son soutien à l'armée française. Il participe à la campagne de Russie. Blessé à Lützen, il est nommé général de brigade le 28 septembre 1813. Ce gentilhomme au comportement versatile prête serment à Louis XVIII en 1814 avant de rallier l'armée de Napoléon durant les Cent-Jours, sous les ordres de Ney. Considéré comme le traître de Waterloo, il passe à l'ennemi trois jours avant la bataille. Il sera ministre de la Guerre sous le gouvernement Polignac en 1829-1830.

BÜLOW VON DENNEWITZ (1755-1816)

Né dans une famille de soldats prussiens, il entre dans la carrière militaire dès l'âge de quatorze ans. Capitaine en 1792, il est sous les ordres du duc de Brunswick lors de la campagne de France. Il prend part aux batailles d'Eylau et de Friedland, puis est fait général après la paix de Tilsit en 1807. Il commande comme général prussien à Waterloo le 4e corps de l'armée prussienne, le premier à rejoindre le champ de bataille le 18 juin, vers 4 h 30. Son arrivée surprit l'armée française, prise à revers, et décida de la victoire des alliés.

CAMBRONNE, Pierre-Jacques-Étienne (1770-1842)

Cambronne sert dans les armées révolutionnaires dès 1791 et participe à la guerre de Vendée. Il monte rapidement en grade puisqu'il est fait lieutenant en 1793, puis capitaine un an après. Lors de l'invasion de la Suisse par la France, au siège de Zurich, il prouve sa valeur en s'emparant de deux canons. En 1800, il est fait second grenadier de France. Il participe à plusieurs grandes victoires françaises à Austerlitz, Iéna, Essling et Wagram, et fait la guerre d'Espagne. Il devient baron de l'Empire en juin 1810. Ce n'est qu'à Hanau (octobre 1813) qu'il devient général. Dévoué à Napoléon, il le suit à l'île d'Elbe et débarque avec lui à Cannes où il mène l'avant-garde du vol de l'Aigle jusqu'à Paris. Cela lui vaut de passer général de division. Deux jours avant Waterloo, il avait déjà prouvé son caractère militaire en chargeant à la baïonnette à Ligny. Il sera fait prisonnier en Angleterre, après la campagne de 1815. Cambronne rentre finalement en France où il est à nouveau fait prisonnier, jugé et acquitté. Il finira vicomte en 1822, par la grâce de Louis XVIII.

DAVOUT, Louis-Nicolas, duc d'Auerstaedt (1700-1823)

La famille de Davout appartient à la noblesse française. Son père était militaire et c'est donc tout naturellement qu'il entre à l'École militaire de Paris en 1785. Il en sort avec le grade de sous-lieutenant au régiment de Royal-Champagne-cavalerie. Ardent partisan de la Révolution de 1789, sa hiérarchie lui fait éprouver quelques rigueurs. Il est notamment envoyé en prison lorsque, en 1791, il quitte l'armée. Mais un bataillon de volontaires l'élit colonel et Davout reprend du service. Il prend part aux guerres de la Révolution sous les ordres de Dumouriez. Après la chute de Robespierre, il sert comme général dans l'armée de Rhin et Moselle, cette fois sous les ordres de Desaix qui apprécie le tempérament de ce noble acquis, comme lui, aux idées de la Révolution. Il appartient au corps expéditionnaire français envoyé en Égypte. Sous le Consulat, Napoléon lui confie le commandement des grenadiers de la Garde consulaire. Il est fait maréchal le 19 mai 1804 et commande l'aile droite à

Austerlitz. En 1808, en récompense de ses mérites et d'une charge héroïque à Eylau, il devient duc d'Auerstaedt et gouverneur général du grand-duché de Varsovie. Il prend une part décisive à la victoire de Wagram, ce qui lui vaut d'être fait prince de Wagram. Davout était connu pour faire régner la discipline dans les rangs des troupes mises sous son commandement. Sous les Cent-Jours, Napoléon lui renouvelle sa confiance en le faisant ministre de la Guerre. Connu pour son caractère bien trempé et son sens rigoureux du devoir, il est le seul maréchal invaincu de Napoléon. Louis XVIII le confirmera dans son titre de maréchal de France, le faisant même entrer à la Chambre des pairs en 1819.

Drouet, Jean-Baptiste, comte d'Erlon (1765-1844)

Soldat dès 1782, il passe du grade de caporal au bataillon des chasseurs de Reims à celui de capitaine en avril 1793, après avoir été élu par les soldats. Il sert comme chef d'état-major du général Lefebvre avant de devenir général lui-même en 1799, preuve de sa rapide ascension dans la hiérarchie militaire. Blessé à la bataille de Friedland, il est fait comte d'Erlon. Il participe à la guerre d'Espagne. Il sert sans conviction lors de la Première Restauration avant de rallier Napoléon en 1815. Sa conduite à Ligny et aux Quatre-Bras a été critiquée par Napoléon mais il fit preuve de valeur sur le champ de bataille de Waterloo, notamment en prenant la ferme de la Haie-Sainte. Il est condamné à mort par contumace au retour de Louis XVIII, mais parvient à se réfugier en Bavière. L'amnistie de 1825 lui permet de rentrer en France. Il sera gouverneur de l'Algérie en 1834-1835, avant d'être nommé maréchal de France en 1843, un an avant sa mort.

Foy, Maximilien-Sébastien (1775-1825)

Fils d'un directeur des postes, il entre en 1790 à l'école d'artillerie de La Fère et en sort lieutenant. Il assiste à la bataille de Jemmapes puis est nommé capitaine en 1793. Ses convictions girondines lui doivent d'être jeté en prison sous la Terreur. Proche des généraux Moreau et Desaix, il participe à de nombreuses campagnes sous le Consulat et l'Empire. Il est notamment grièvement blessé à la bataille de Diersheim en 1797 puis à celle d'Orthiez en 1814. Fidèle à Napoléon, il est à nouveau blessé lors de la campagne de 1815. Dans sa correspondance, il appuie la tactique de l'empereur qui devait tout tenter, selon lui, pour provoquer les Anglais au combat et maintenir ainsi la séparation des armées prussienne et anglaise. Il écrit après Waterloo : « C'est le dernier jour de notre gloire ; c'est le tombeau de l'Empereur et des Français. [...] Tout a été engagé, jusqu'au dernier peloton. C'est une action de désespérés. Ordre parallèle, emploi absolu de tous les moyens. » (Maurice Girod de l'Ain, *Vie militaire du général Foy*, Plon, 1900, p. 283-284.)

GÉRARD, Maurice-Étienne (1773-1852)

Volontaire en 1791, il combat sous les ordres de Dumouriez à Jemmapes. Il participe aux batailles de Fleurus et de Charleroi durant l'année 1794. Proche de Bernadotte, il est de la campagne d'Italie où Napoléon le fait capitaine sur le champ de bataille de Gradisca, le 23 mars 1797. Cavalier de mérite, il charge à Eylau et Wagram, avant de prendre part à la guerre d'Espagne. Sa valeur de soldat lui vaut d'être fait baron de l'Empire en 1809, puis général de division en 1812. Fidèle entre les fidèles à l'empereur, il le suit en Russie et s'illustre à Lützen et Bautzen. Lors de la campagne de 1815, il combat à Ligny et est blessé à Wavre. Il aurait convaincu Napoléon de donner un commandement à Bourmont en 1815, ce qui n'eut pas le succès escompté. Maréchal au moment de la révolution de Juillet, Napoléon III le fera sénateur.

GOURGAUD, Gaspard (1783-1852)

Issu d'une famille d'artistes, il se destine d'abord à la peinture avant d'entrer à l'École polytechnique en 1799 pour servir dans l'armée. Il sort de l'école de Châlons comme lieutenant en second. Il est blessé à Austerlitz et ne devient capitaine qu'après la bataille de Friedland. Il est officier d'ordonnance de l'empereur durant la campagne de Russie. Sa loyauté est récompensée puisqu'il devient baron à la fin de 1812. Il sauve la vie de Napoléon durant la campagne de France et reçoit en récompense l'épée de Lodi. Général en 1815, il sert comme aide de camp de Napoléon dans la dernière campagne de la Grande Armée. Il est surtout célèbre pour avoir suivi l'empereur à Sainte-Hélène. Il y rédige plusieurs ouvrages sur la petite société de Sainte-Hélène et sur les différentes campagnes napoléoniennes, dont un livre remarqué sur la campagne des Cent-Jours. Peu apprécié de Las Cases, il quitte Sainte-Hélène en 1818, avant la mort de l'empereur.

GROUCHY, Emmanuel, marquis de (1766-1847)

Membre d'une famille de la noblesse normande, Grouchy fait l'école militaire de Strasbourg et sert comme officier de cavalerie sous l'Ancien Régime. Il adhère aux idées de 1789 et devient maréchal de camp en 1792. Malgré son dévouement à la cause de la Révolution, notamment en Vendée où il défendit Nantes contre les Vendéens, il est exclu de l'armée pour ses origines aristocratiques. Il prend part à l'expédition d'Irlande et sert fidèlement dans l'armée sous le Consulat. Fait prisonnier par les Autrichiens, il est libéré en 1800. Il s'illustre par la suite à Ulm, Eylau puis Friedland où il est blessé. Il fait la guerre d'Espagne et devient comte de l'Empire en 1809. Il est à la tête du 3e corps de cavalerie lors de la campagne de Russie au cours de laquelle il est à nouveau blessé, à la bataille de la Moskova. Durant les Cent-Jours, il écrase l'armée royaliste dans le Midi. Il est surtout passé à la postérité pour n'avoir pas rejoint l'armée de Napoléon sur le champ de bataille de Waterloo le 18 juin 1815, précipitant la défaite de ce dernier. Il se réfugia aux États-Unis avant de revenir en France après la révolution de 1830.

KELLERMANN, François-Étienne (1770-1835)

Duc de Valmy comme son père (le fameux général victorieux à Valmy), il est soldat depuis ses quinze ans. Il fait la campagne d'Italie et les guerres napoléoniennes. Il est blessé à Austerlitz, s'illustre à Lützen et Bautzen, puis à Waterloo où il est blessé au cours de la grande charge de cavalerie.

LEFEBVRE-DESNOUETTES, Charles (1773-1822)

Ce fils de drapier s'engage dans l'armée à dix-huit ans, puis dans la Garde nationale quand éclate la Révolution. Capitaine et aide de camp du premier consul Bonaparte en 1800, il sert dans l'état-major de la Garde consulaire, avant de devenir chef de brigade en 1802, puis général de brigade en 1806 après avoir participé à plusieurs campagnes. Il est fait prisonnier par les Anglais lors de la guerre d'Espagne mais parvient à s'échapper. Il rallie Napoléon dès le 9 mars au moment des Cent-Jours, pendant lesquels il est fait pair de France et commande la cavalerie légère de la Vieille Garde. Il vote la déchéance de l'empereur au Sénat. La Restauration le fait pair de France.

MOUTON, Georges, comte de Lobau (1770-1838)

Engagé dans l'armée révolutionnaire, il est élu lieutenant par les volontaires de la Meurthe, puis fait capitaine dès 1792. Il devient colonel en 1803. Ce soldat est toujours demeuré fidèle à Napoléon. Il est fait général de brigade en 1805 pour ses actes d'héroïsme à Landshut, en novembre 1808 — il avait franchi un pont en flamme et chargé à la baïonnette les troupes adverses. Il permit de couvrir la retraite de l'armée sur l'île de Lobau. Au cours de ce fait d'armes, il eut la main transpercée par une balle. Il est l'aide de camp de l'empereur durant plusieurs campagnes, dont celle de 1815. Il afficha une nouvelle fois sa valeur au combat en défendant Plancenoit, le soir du 18 juin, ce qui facilita la retraite de l'armée française. En 1828, les électeurs de la Meurthe le porteront à la Chambre des députés où il siégera dans le parti de l'opposition libérale.

NEY, Michel, duc d'Elchingen,
prince de la Moskova (1769-1815)

Ney appartient aux hussards dès 1787. Il sert dans l'armée du Nord en 1792, puis est fait général de brigade en 1796, maréchal d'Empire en 1804. Il se couvre de gloire à Elchingen, ce qui lui vaut le titre de duc d'Elchingen, mais aussi à Iéna, Eylau et surtout pendant la campagne de

Russie où il gagna le titre de prince de la Moskova, pour la qualité de son commandement de l'arrière-garde qui mena la retraite de Russie. Chargé par Louis XVIII d'arrêter Bonaparte débarqué au golfe Juan, il rallie l'empereur. Celui qu'on appelait « le Rougeaud » mena la grande charge de cavalerie de Waterloo et eut plusieurs chevaux tués sous lui, ce qui n'empêcha ni Bonaparte, ni les historiens militaires de lui reconnaître une part de responsabilité dans la défaite du 18 juin.

REILLE, Honoré-Charles-Michel-Joseph (1775-1860)

Ce militaire français, né dans le Var, s'engage, à l'âge de quatorze ans, dans la Garde nationale à Antibes et combat lors des guerres révolutionnaires, participant notamment à la défense de la ville de Toulon où le jeune Bonaparte dirigea l'artillerie avec succès. Napoléon reconnut sa valeur durant la campagne d'Italie en le faisant chef d'escadron. Comte de l'Empire depuis 1808, Reille participe à plusieurs campagnes napoléoniennes, dont la guerre d'Espagne pendant laquelle il a le commandement de l'armée du Portugal à partir d'avril 1812. À Waterloo, il prit part aux combats près de Hougoumont et eut deux chevaux blessés sous lui. Sous la Seconde Restauration, il est fait pair de France, puis maréchal en 1847 et sénateur en 1852.

SOULT, Jean-de-Dieu, duc de Dalmatie (1769-1851)

Soult, dont le père est notaire dans le Tarn, s'engage en 1785 dans un régiment d'infanterie. Il participe aux guerres révolutionnaires et gagne le grade de général de brigade après la victoire de Fleurus. Il sert sous les ordres de Bonaparte durant la campagne d'Italie et devient maréchal d'Empire en 1804 puis duc de Dalmatie (29 juin 1808). Durant la Première Restauration, il avait obtenu le portefeuille de ministre de la Guerre de Louis XVIII mais il se rallia à l'empereur à son retour de l'île d'Elbe. À Waterloo, il mit en garde Napoléon contre la qualité de l'infanterie anglaise qu'il avait affrontée durant la guerre d'Espagne, mais l'empereur ne l'écouta pas. Il sera banni de France jusqu'en 1819 avant de devenir pair de France en 1827, pour finir sa carrière ministre de la Guerre à partir de 1845.

WELLINGTON, Arthur Wellesley, duc de (1769-1852)

Le héros britannique qui triompha à Waterloo est issu d'une famille de la noblesse irlandaise. Après une formation dans de prestigieuses écoles militaires, Wellesley, à peine âgé de dix-huit ans, entre dans l'armée comme enseigne dans un régiment d'infanterie. Il est élevé au grade de lieutenant-colonel en 1793 et sert aux Indes. Il ne rentre en Angleterre qu'en 1805, année durant laquelle il est élu député à la Chambre des communes. Trois ans plus tard, il est envoyé au Portugal à la tête d'un corps expéditionnaire anglais. Il remporte une série de victoires contre les soldats français commandés par Junot, mais, après une brouille avec son supérieur, il quitte subitement la péninsule Ibérique, pour y revenir finalement un an après, cette fois avec le statut de commandant en chef de l'armée anglaise. Il obtient plusieurs succès militaires, notamment à la bataille de Salamanque (juillet 1812) où il bat Marmont, et poursuit la retraite de l'armée française jusqu'à Toulouse au cours de l'année 1813. Auréolé du prestige de ses victoires, il est accueilli en Angleterre en héros. Il accumule alors les titres, dont celui de duc de Wellington. Il commande l'armée anglo-hollandaise durant la campagne de 1815. Après la chute de l'Empire, il commande jusqu'en 1818 les armées d'occupation alliées. Il représente l'Angleterre au congrès de Vienne durant lequel il s'oppose au démantèlement de la France. Wellington demeure célébré en Angleterre comme un héros national, à la manière de l'amiral Nelson, à côté duquel il est inhumé en la cathédrale Saint-Paul de Londres.

NOTES

I

Textes de Napoléon

Napoléon,
Bataille de Mont-Saint-Jean

Page 40.

1. Le 18 juin, Napoléon parle de la bataille de Mont-Saint-Jean, tandis que le général victorieux Wellington lui donne le nom de Waterloo. C'est ce dernier que retiendra la postérité, du nom d'un village proche du champ de bataille où le duc de Wellington avait établi son quartier général. En Allemagne, on parle de la bataille de la Belle-Alliance.

Page 41.

1. Jacques Logie a fait un compte fiable des effectifs des armées présentes à Waterloo. Il a compté 121 500 soldats français dans l'armée du Nord ; 91 150 soldats dans l'armée anglo-hollandaise ; et 116 700 Prussiens. (J. Logie, *Waterloo, la campagne de 1815*, Bruxelles, Racine, 2003, p. 32.)

Page 42.

1. Napoléon évoque la charge du maréchal Ney, qu'il tient pour un des officiers responsables de la perte de la bataille.

Page 44.

1. C'est une réflexion qui revient souvent chez Napoléon. Las Cases lui prête ces mots, après une allusion faite à Waterloo : « Les Français sont les plus braves qu'on connaisse ; dans quelque position qu'on les essaie ils se battront ; mais ils ne savent pas se retirer devant un ennemi victorieux. S'ils ont le moindre échec, ils n'ont plus ni tenue ni discipline ; ils vous glissent dans la main. » Las Cases, *Le Mémorial de Sainte-Hélène*, Bibl. de la Pléiade, 1956, t. II, p. 297.

2. Jérôme Bonaparte (1784-1860), frère cadet de Napoléon, fait roi de Westphalie par ce dernier (voir sa Notice biographique, p. 809).

Page 45.

1. Ce bilan que dresse Napoléon, dans les jours qui suivent la bataille, n'est ni catastrophique ni alarmiste puisque l'empereur espère encore rallier à lui l'armée, la représentation nationale et l'opinion pour organiser la résistance à l'invasion du territoire. C'est de toute façon une habitude chez lui que de minimiser les pertes. — Un mot néanmoins sur le nombre de tués et de prisonniers à Waterloo. Côté français : 28 000 tués et blessés, 8 000 prisonniers sur 71 000 combattants. Côté anglo-hollandais : 15 000 tués ou blessés sur 68 000. Côté prussien : 8 000 sur 45 000. (Chiffres tirés de J.-M. Largeaud, *Napoléon et Waterloo : la défaite glorieuse de 1815 à nos jours*, La Boutique de l'histoire, 2006, p. 28.)

2. Là aussi, Napoléon force le trait puisque l'état boueux du champ de bataille avait justement entravé la marche de l'artillerie de la Grande Armée.

Napoléon,
*Mémoires pour servir à l'histoire
de France en 1815*

Page 48.

1. La Garde nationale de Paris, fondée le 13 juillet 1789, constituait, à l'origine, une milice bourgeoise de volontaires qui participa activement aux journées révolutionnaires.

2. *Montmirail :* bataille de la campagne de France remportée par l'armée française le 11 février 1814.

Page 49.

1. *Le duc de Dalmatie* : Jean-de-Dieu Soult (voir sa Notice biographique, p. 816).

2. Dans *Le Moniteur* du 4 juin 1815.

Page 50.

1. La cour de Louis XVIII s'est en effet transportée dans la ville de Gand, dans l'actuelle Belgique.

Page 52.

1. *Ohain* : aussi appelé Smohain, ce village à l'est du champ de bataille joua un rôle important le 18 juin parce que, de ce vallon boisé, part un chemin creux particulièrement accidenté qui va jusqu'à Braine-l'Alleud à l'ouest. La cavalerie française commandée par le maréchal Ney y essuiera de lourdes pertes et manqua sa perforation de l'armée anglaise retranchée derrière ce chemin d'Ohain (voir les cartes, p. 794-795).

Page 53.

1. Assertion à laquelle semble donner crédit Walter Scott. Voir l'extrait de sa *Vie de Buonaparte* p. 416-431.

Page 54.

1. Une toise est l'équivalent de six pieds, ce qui fait entre 1,50 et 2 mètres.

2. « "J'ai une armée exécrable, très faible, mal équipée, bigarrée", écrivait Wellington à lord Stewart. C'était en effet une mosaïque d'éléments fort disparates que rien, ni la langue, ni les principes, ni les usages, ne liait entre eux. Les mercenaires anglais ou allemands en formaient la plus grande partie. Le contingent proprement anglais comptait neuf brigades d'infanterie sur les vingt-six de l'armée des Pays-Bas. Cette infanterie, que Wellington encore qualifiait d'"écume de la terre, recrutée pour boire", était achetée à des marchands d'hommes, au prix de quinze à vingt guinées par tête, et comme on en trouvait peu pour se vendre, il avait fallu recourir à la "presse", prendre des soldats jusque dans les maisons de correction et les prisons. » Robert Margerit, *Waterloo, 18 juin 1815*, Gallimard, 1964, p. 184-185.

Page 55.

1. Napoléon explique que son armée formait six V : deux d'infanterie ; deux de cuirassiers ; deux de la cavalerie de la Garde, avec six lignes d'infanterie de la Garde.

Page 62.

1. Thomas Picton (1758-1815) est général de division ; il est le plus haut gradé tué à Waterloo, d'une balle dans la tête, côté anglais. Robert Margerit valide la version selon laquelle ce général aurait combattu en tenue civile, en redingote et chapeau haut de forme, parce qu'il avait perdu ses bagages (R. Margerit, *op. cit.*, p. 248).

Page 63.

1. Ce passage a été reproché à Napoléon, qui jette manifestement la faute sur ses officiers. On s'accorde aujourd'hui à dire que les ordres donnés par Napoléon à son général étaient peu clairs et qu'il lui avait donné une « mission impossible » en exigeant de lui qu'il poursuive, avec seulement 30 000 hommes, 100 000 Prussiens. (Voir Jean Tulard, dir., *Dictionnaire Napoléon*, Fayard, 1999, t. I, p. 918.)

Las Cases,
Le Mémorial de Sainte-Hélène

Page 69.

1. C'est notamment l'avis de Thibaudeau, représentant du peuple durant les Cent-Jours.

Page 70.

1. Napoléon exagère-t-il la responsabilité de ses généraux dans la perte de la bataille ? En tout cas, il semble avoir raison de dire qu'il ne disposait plus de la confiance illimitée des officiers, comme le prouve un texte du général Kellermann, écrit en 1818. Ce dernier raconte que lors de la réunion de généraux à Avesnes, le 20 juin 1815, en présence du prince Jérôme, Lallemand, Desnoettes et d'autres généraux, fut évoquée l'idée d'« ôter le commandement » à Napoléon. « L'indignation, écrit-il, était au comble dans l'armée. Il n'était pas un individu qui ne sentît que jamais

on n'avait dirigé plus follement les destinées d'un Empire et la conduite d'une armée, que celui qui s'était rendu coupable d'un tel crime était indigne de commander. Les partisans les plus dévoués même de Napoléon en jugeaient ainsi et l'on n'eût pas souffert qu'il vînt se remettre à la tête de l'armée. Il n'était question que de s'en débarrasser et son abdication était dans tous les cœurs comme dans toutes les bouches. » *Observations sur la bataille de Waterloo*, Service historique de l'armée de terre (S.H.A.T.), MR 718, f° 30.

Page 72.

1. Dans la Bible, Josué, successeur de Moïse pour conduire le peuple hébreu en Terre promise, fait le siège de plusieurs villes à l'ouest du Jourdain. Après la prise de Jéricho, Gabaon se rallie aux Hébreux. Les tribus ennemies s'unissent pour punir les habitants de Gabaon de leur faiblesse. Au moment du siège de Gabaon, Josué aurait alors dit : « Soleil, arrête-toi sur Gabaon. Et toi, lune, sur la vallée d'Ajalon ! » Il obtint la victoire.

Page 73.

1. François Nivard Charles Joseph d'Hénin (1771-1847) est un général français de la Révolution et de l'Empire qui rallia Louis XVIII en 1814 et fut fait chevalier de Saint-Louis, et même lieutenant-général par les Bourbons. On comprend pourquoi à Waterloo les soldats doutaient de son ralliement à Napoléon.

Page 80.

1. On retrouve ces critiques à l'égard de Wellington dans le *Mémorial de Sainte-Hélène* d'O'Meara. C'est donc une constante de l'analyse de Napoléon sur Waterloo. Walter Scott a dénoncé ces récits qu'a faits Napoléon de Waterloo car l'empereur français se serait montré incapable de justice et de respect pour le commandement anglais qui a, comme on peut s'en rendre compte, fait preuve d'une audace réelle en acceptant l'affrontement à Waterloo, le 18 juin.

2. Il est très intéressant de souligner que Napoléon voulait rejouer la guerre des principes de la Révolution contre ceux de l'Ancien Régime. C'est pourquoi on lit, aussi bien

dans le récit de Las Cases que dans celui d'O'Meara, l'idée de
Napoléon selon laquelle les Anglais regretteront et pleure-
ront un jour leur victoire à Waterloo. Ils se seraient opposés
à la marche du progrès incarné par l'empereur français qui
se pose en héritier des Lumières. (Voir Las Cases, *Le Mémorial de Sainte-Hélène*, Bibl. de la Pléiade, t. I, p. 422.)

II

Les vainqueurs

**Arthur Wellesley, duc de Wellington,
« Rapport officiel sur la bataille de Waterloo »**

Page 84.

1. Hans-Ernst Ziethen (1770-1848), général prussien,
chef du 1er corps de l'armée prussienne à Waterloo.

Page 85.

1. Guillaume II des Pays-Bas, de la maison Orange
Nassau (1792-1849), combattit à Waterloo où il fut blessé.
Le prince ne sera couronné qu'en 1840.

Page 87.

1. Si Napoléon fut outré par le comportement du maréchal Ney qui ne poursuivit pas les Prussiens, le jour de la
victoire des Quatre-Bras, on voit que, du côté anglais, on est
surpris de cette inactivité des troupes françaises, qui laisse
du répit aux alliés.

Page 89.

1. Wellington suggère ici qu'en réalité l'armée anglaise
avait déjà défait l'armée française avant l'arrivée des troupes
prussiennes, alors que les relations françaises de la bataille
insistent sur le fait que Waterloo fut perdu dès que les Prussiens prêtèrent main-forte aux Anglais. C'est d'ailleurs la
version du général Blücher, selon laquelle le renfort apporté
par l'armée prussienne fut la cause de la victoire des armées
alliées contre la France.

Page 90.

1. William Ponsonby (1775-1815) est un officier irlandais qui sert comme major-général dans l'armée anglaise. Après avoir participé à la guerre d'indépendance espagnole, il chargea à la tête d'une attaque décisive de la cavalerie anglaise à Waterloo ; il y perdit la vie. Les dragons anglais étaient en effet peu protégés, ne portant pas de cuirasse, et les lanciers français pouvaient les percer avec leur lance de deux mètres quatre-vingt-dix.

Page 91.

1. *Nassau* : la famille régnante des Pays-Bas.
2. Karl von Müffling (1775-1851), général prussien. « Placé auprès de Wellington, en avril 1815, comme officier de liaison, il aurait joué un rôle décisif lors de la bataille de Waterloo, en assurant la coordination des efforts alliés. De 1815 à 1818, il est ensuite l'un des chefs militaires des troupes d'occupation (gouverneur de Paris pendant quelques mois) [...]. » (Propos de Michel Kerautret, dans Jean Tulard, dir., *Dictionnaire Napoléon, op. cit.*, t. II, p. 356.) Il écrivit une histoire de la campagne de 1815.

Page 92.

1. Il s'agit sans doute des aigles prises à l'ennemi par les soldats écossais, ou Scots Greys, lors de la charge de cavalerie contre le 1er corps français. Depuis lors, les Royal Scots Greys ont pris le nom de Bird Catchers, ou « Attrapeurs d'oiseaux ».

Maréchal Blücher, « Rapport officiel sur les opérations de l'armée prussienne du Bas-Rhin »

Page 96.

1. Le corps du général prussien Thielmann, composé de vingt mille hommes, fit diversion en concentrant sur lui la surveillance et les forces du corps français du maréchal Grouchy, ce qui permit au gros de l'armée prussienne de faire la jonction avec les Anglais à Waterloo.

Page 97.

1. On retrouve ici la haine des Prussiens pour les Français puisque Blücher exigea expressément de ne pas faire de prisonniers.

Page 98.

1. Gérard Walter relève que Blücher fut particulièrement heureux de cette prise de guerre, au point de se coiffer du chapeau et de ceindre l'épée de Napoléon en demandant à ses proches : « Est-ce que je lui ressemble ainsi ? » (G. Walter, Notice « Blücher », dans Las Cases, *Le Mémorial de Sainte-Hélène*, Bibl. de la Pléiade, t. II, p. 837.)

2. Ce bilan des prises est logiquement plus important que celui du rapport de Wellington puisque ce sont les Prussiens qui, pour l'essentiel, ont poursuivi les soldats français dans leur retraite jusqu'aux environs de Paris.

Page 99.

1. Ce n'est pas seulement l'armée française qu'il faut écraser militairement, c'est la légende de Napoléon qu'il faut abattre en rabaissant l'homme vaincu. On perçoit toute l'aigreur que les Prussiens avaient à l'égard de l'empereur français.

2. *La Belle Alliance* : ce nom est resté celui de la bataille côté prussien.

Un royaliste anonyme, « Affaires de France »

Page 102.

1. Napoléon est présenté comme un agresseur pour le rendre unique responsable du conflit, alors qu'il est assez démontré qu'il tenta de convenir d'une paix avec les puissances étrangères et fut contraint d'attaquer les troupes alliées à Fleurus, en Belgique, avant que celles-ci ne livrent bataille sur le territoire français.

2. On retrouve ici le désir de flatter l'armée anglaise qui pèsera d'un poids considérable pour imposer le retour de Louis XVIII comme monarque légitime.

3. Les royalistes sont à juste titre sévères avec l'armée française puisqu'une partie de celle-ci se rallia à Bonaparte

dès son débarquement au golfe Juan, ce qui permit le vol de l'Aigle de clocher en clocher jusqu'à Paris sans même livrer bataille.

Page 104.

1. Louis XVIII était surnommé Louis-le-Désiré par les royalistes en référence à l'espoir d'une restauration de la monarchie des Bourbons, censée mettre un terme aux guerres de l'Empire.

Page 105.

1. Claude-Victor Perrin (1764-1841) a été fait maréchal de France puis duc de Bellune en 1808 par Napoléon pour ses services militaires. Il fit notamment preuve de bravoure lors de la guerre d'Espagne et lors de la retraite de la campagne de Russie. Avec la Première Restauration, Louis XVIII le fait chevalier de Saint-Louis. Il reste fidèle à la maison des Bourbons pendant les Cent-Jours puisqu'il rejoint le roi à Gand. Il commande l'armée royaliste après Waterloo, mais est contraint de fuir parce que nombre des soldats font défection pour rallier l'armée impériale.

2. On retrouve cette constante du discours royaliste consistant à souligner l'origine étrangère de Napoléon qui, né en Corse, n'aurait pas de titre à régner en France.

III

Les témoins

Maréchal Ney,
« Lettre de M. le maréchal
prince de la Moskowa, à S. Exc. M. le duc d'Otrante »

Page 111.

1. Plusieurs reproches sont faits à Ney : ceux que lui a adressés Napoléon lui-même, à savoir de n'avoir pas poursuivi et écrasé les Prussiens après la bataille de Ligny ; et d'avoir poussé trop loin son offensive au mont Saint-Jean, la journée du 18 juin. Le colonel Charras, auteur d'une étude historique fouillée sur Waterloo, innocente Ney.

Page 112.

1. *Lefebvre-Desnouettes* : voir sa Notice biographique, p. 815.

Page 114.

1. Il s'agit de la relation de la bataille de Mont-Saint-Jean par Napoléon.

Page 115.

1. Il faut dire que les soldats anglais avaient reçu pour ordre de tirer sur les chevaux pour stopper les charges de cavalerie.

Page 116.

1. *Ministre de la guerre* : Louis Nicolas Davout. (Voir sa Notice biographique, p. 811.)

Page 117.

1. Lors de la séance de la Chambre des Pairs du 22 juin, Ney prononce un discours surprenant dans lequel il constate que la guerre est perdue et qu'il faut déposer les armes. Un de ses biographes écrit à ce propos que ce fut « un emportement irréfléchi, une vivacité aveugle », ajoutant que « Ney croyait sincèrement tout perdu ; il avait le tort de le proclamer, car la France avait encore plus de soixante mille hommes valides, sans compter les dernières ressources à opposer à ses ennemis. Lui, le brave des braves, il alla jusqu'à dire : "L'ennemi peut entrer quand il voudra. Le seul moyen de sauver la patrie est d'ouvrir des négociations." La séance où il poussa ce cri fut une des plus tristes de la Chambre des représentants. » (Henri Welshinger, *Le Maréchal Ney. 1815*, Plon, 1893, p. 72-73.)

Hippolyte de Mauduit,
*Histoire des derniers jours
de la Grande armée,
ou Souvenirs, documents et correspondance
inédite de Napoléon en 1814 et 1815*

Page 120.

1. Bonapartiste, Mauduit a fait l'éloge des plans de la campagne militaire de Napoléon en 1815, et dénoncé la trahison des généraux qui auraient abandonné l'empereur et la France.

2. On retrouve la même idée chez Chateaubriand, selon laquelle seuls les soldats idolâtrèrent l'empereur et l'aimèrent sincèrement. L'armée, depuis la Révolution française, a un souffle populaire et incarne les valeurs du peuple régénéré, prêt à mourir pour la liberté. L'armée, c'est l'incarnation de la nation car elle la représente depuis que les fédérés de 1792 ont sauvé la patrie. Il y aurait, avec l'armée, filiation de la Révolution à l'Empire.

Page 121.

1. En référence à sa première abdication le 6 avril 1814. Le Sénat avait voté trois jours auparavant sa déchéance.

Page 123.

1. Horace Vernet (1789-1863) est un peintre français, admirateur de Napoléon qu'il représenta notamment à la bataille d'Iéna.

2. « À partir de 1670, une compagnie de grenadiers, compagnie d'élite, est créée dans les régiments. Dans les armées de l'Empire, non seulement chaque bataillon comporte une compagnie de grenadiers, mais encore est organisé un corps d'élite composé uniquement de grenadiers : ce sont les grenadiers réunis d'Oudinot. La Garde Impériale a été abondamment pourvue de grenadiers [...]. » Jacques Garnier, dans Jean Tulard (dir.), *Dictionnaire Napoléon, op. cit.*, t. I, p. 912.

Page 124.

1. *Frimas* : brouillard qui s'est transformé en glace en tombant du ciel.

Page 127.

1. Une livre vaut environ 500 grammes.

2. Voir à ce sujet Jean Morvan, *Le Soldat impérial. 1800-1814*, 2 vol., Plon, 1904 ; ou encore Alain Pigeard, *L'Armée de Napoléon. 1800-1815*, Tallandier, 2000 (nouv. éd., 2002).

3. En référence, sans doute, à la cérémonie militaire organisée le 1er juin 1815 sur le Champ-de-Mars, rebaptisé Champ-de-Mai, au cours de laquelle furent proclamés les résultats du plébiscite en faveur du régime impérial.

Page 130.

1. Pourtant, à sa parution, le livre de Mauduit sera la cible de critiques, au motif que l'auteur enfreignait les règles de la science historique pour justement embellir son récit. À dire vrai, c'est une injustice faite à Mauduit qui compose un récit militaire basé sur des documents historiques, tout en assumant sa prise de parti en faveur de Napoléon et de l'esprit militaire. Mauduit était alors un historien étonnamment légitimiste.

Page 131.

1. Les troupes alliées entrèrent dans Paris le 6 juillet.

Page 132.

1. Il s'agit de la convention militaire du 3 juillet 1815 décidant que l'armée doit se replier au sud de la Loire.

2. Le 3 juillet est aussi le jour de l'arrivée de l'empereur à Rochefort-sur-Mer, d'où il embarquera pour Sainte-Hélène aux mains des Anglais. Mais ce que suggère Mauduit est que la fin de la Grande Armée ne peut que coïncider avec la fin de Napoléon, tant son destin lui était lié. On comprend alors que, pour Mauduit, Waterloo ne devait pas finir l'épopée militaire de Napoléon.

3. La chose ne fut pas possible puisque Mauduit, nommé consul de France en Colombie, mourut le 13 octobre 1862 à

Sainte-Marthe dans la Nouvelle-Grenade. On ne découvrit pas ses papiers.

Lefol,
Souvenirs sur le retour de l'empereur Napoléon
de l'île d'Elbe et sur la campagne de 1815
pendant les Cent-Jours

Page 137.

1. Achille de Vaulabelle (1799-1879) est un journaliste français et homme politique de la gauche libérale et modérée, qui fut ministre de l'instruction publique et des cultes en 1848. Son *Histoire des deux Restaurations* fut éditée en sept volumes entre 1844 et 1854. Il écrivit aussi une histoire des batailles de Ligny et de Waterloo, publiée dès 1845, ainsi qu'un récit du retour de Napoléon de l'île d'Elbe.

Page 138.

1. *Le général Vandamme* : soldat au caractère trempé qui fit preuve d'héroïsme à Austerlitz et Wagram ; il fut fait comte d'Unsebourg en 1808. Il participa à la bataille de Ligny et couvrit la retraite de l'armée après Waterloo.

Toussaint-Jean Trefcon,
Carnet de campagne du colonel Trefcon
(1793-1815)

Page 145.

1. Gilbert-Désiré-Joseph Bachelu (1777-1849) fit la campagne d'Égypte, participa à l'expédition de Saint-Domingue, gagna le titre de général de brigade en Dalmatie. Fait baron de l'Empire en 1810, il resta fidèle à l'empereur pendant les Cent-Jours et fut blessé à Waterloo.

Page 146.

1. Confirmation du portrait du soldat de la Grande Armée par Mauduit (voir p. 120).

2. Évocation de la campagne de Russie puisque le Niémen est un fleuve qui traverse la Russie à l'ouest. Il fut franchi le 24 juin 1812 par la Grande Armée.

Page 147.

1. *Le petit bois de Goumont* : entendre : bois de Hougoumont.

Page 151.

1. Trefcon valide donc la thèse du « sauve qui peut » du côté français, que Ney réfute dans son récit. Cependant, Trefcon parle ici de la retraite et de la déroute, et non, comme Ney, d'une charge de la Grande Armée.

2. À l'image de Trefcon, un grand nombre de soldats coupèrent à travers champs, donnant l'exemple moins d'une retraite organisée que d'une déroute totale.

René Bourgeois,
Relation fidèle et détaillée de la dernière campagne
de Buonaparte, terminée par la bataille
de Mont-Saint-Jean, dite de Waterloo ou
de la Belle-Alliance, par un témoin oculaire

Page 154.

1. *Il* : Napoléon.

Page 155.

1. *Buonaparte* : formulation qui moque l'origine corse de l'empereur qui a francisé son nom.

Page 156.

1. Entretenant le mythe napoléonien, l'historien Vaulabelle insiste sur la véracité d'un empereur montant au front ; il écrit : « Les cavaliers anglais, arrêtés un instant par cette décharge, reprennent bientôt leur marche ; quand ils ne sont plus qu'à quelques pas, l'Empereur prend la direction du bataillon, commande le feu et ordonne d'ouvrir le carré. Décidé à mourir, il pousse son cheval pour le faire entrer dans les rangs. "Ah ! Sire, s'écrie le maréchal Soult en saisissant la bride, les ennemis ne sont-ils pas déjà assez heureux !" Napoléon résiste, le maréchal et les généraux redoublent d'efforts et parviennent à l'entraîner sur la route de Genape. » (Achille de Vaulabelle, *1815. Ligny-Waterloo*, Perrotin, 1866, p. 106.)

Page 157.

1. C'est un classique chez les royalistes que de moquer les fuites de Napoléon, abandonnant son armée, que ce soit en Égypte, en Russie, ou ici à Waterloo.

Alexandre Cavalié Mercer,
Journal de la campagne de Waterloo

Page 168.

1. Ainsi, à la manière de Napoléon, certains soldats anglais jugeaient que la retraite était préférable pour l'armée anglaise.

Page 169.

1. Les soldats français.

Page 170.

1. *Écouvillonner* : nettoyer un canon avec un écouvillon, manche surmonté d'une brosse.

Page 171.

1. 1 yard fait 0,9144 mètre.

Page 173.

1. *Un officier dans un riche uniforme* : sans doute le maréchal Ney.

Page 179.

1. En référence sans doute au peintre italien Salvator Rosa (1615-1673).
2. Napoléon Ier.

Page 180.

1. Mercer fut chargé d'envoyer des voitures et des munitions qu'il trouverait à Lillois.

Page 181.

1. Mercer fait peut-être allusion à la défection et au passage à l'ennemi de plusieurs officiers français au début de la campagne de 1815. Ou bien il renvoie au sentiment de sol-

dats français qui se sont sentis trahis quand on leur annonça l'arrivée du corps de Grouchy sur le champ de bataille, alors que c'était les Prussiens qui venaient renforcer l'armée anglaise.

Page 184.

1. Dans la mythologie grecque, Philomèle est la fille de Pandion, roi d'Athènes ; elle se changea en rossignol pour échapper à Térée, roi de Thrace.

Page 185.

1. Cuauhtémoc, dernier empereur aztèque, au XVIᵉ siècle, aurait prononcé ces paroles au moment où les conquistadores espagnols lui brûlaient les pieds pour savoir où étaient cachés les trésors de son peuple. La phrase de l'empereur symbolise la résistance à la douleur de la torture. Il est considéré comme une figure du nationalisme mexicain.

William Lawrence,
Mémoires d'un grenadier anglais
(1791-1867)

Page 190.

1. On sait que l'armée française avait obtenu deux victoires à Ligny et aux Quatre-Bras mais n'avait pas su en tirer réellement profit, comme le prouve ce passage de Lawrence qui va jusqu'à ne pas parler de victoires françaises.

Page 192.

1. *Scotch Greys* : les fameux cavaliers écossais, qu'on appelait ainsi parce que leurs chevaux avaient le poil gris. (Voir aussi p. 92, n. 1.)

Page 195.

1. On retrouve la mise en avant de l'honneur des Anglais d'avoir vaincu seuls Napoléon à Waterloo. Seuls les Anglais ont cette lecture de la bataille.

Page 197.

1. Lawrence, comme plus haut Cavalié Mercer, souligne la relative mauvaise entente entre les soldats anglais et prussiens.

IV
Histoire militaire

Henry Houssaye,
1815, Waterloo

Page 205.

1. *20 mars* : entrée de Napoléon à Paris qui s'installe aux Tuileries, vers 9 heures du soir selon le *Mémorial de Sainte-Hélène*.

Page 206.

1. Officiers ralliés à Louis XVIII lors de la Première Restauration.

Page 208.

1. *Ragusade* : trahison.

Page 210.

1. Capitulation de l'armée royaliste du duc d'Angoulême dans le village de La Palud, le 8 avril 1815, qui sera ratifiée le 14.

2. *La Marseillaise*, chant patriotique devenu hymne national en 1795, contient les valeurs populaires de la Révolution. En 1805, jugeant ce chant trop barbare, Napoléon Ier l'interdit. Après la campagne de Russie de 1812, le chant est joué à nouveau. Mais c'est surtout durant les Cent-Jours, dix ans plus tard, que l'armée refait sienne ce chant qui évoque les guerres révolutionnaires et l'indépendance nationale contre des armées coalisées étrangères.

Page 212.

1. Avant de s'embarquer pour l'île d'Elbe, après sa première abdication, Napoléon avait dit à ses soldats qu'il reviendrait avec les violettes, ces fleurs qui repoussent à chaque printemps. C'est pourquoi les bonapartistes appellent Napoléon « le caporal Bonaparte » ou encore, comme ici, « le père la Violette ».

Page 213.

1. Voir les cartes du champ de bataille, p. 794-795.

Page 216.

1. *Pibrochs* : sons émis par les cornemuses écossaises.

Page 218.

1. Fils d'un officier belge qui a combattu à Waterloo dans l'armée française, le général Brialmont voue une admiration singulière à lord Wellington auquel il a consacré plusieurs volumes. Voir Alexis Brialmont, *Histoire du duc de Wellington*, 3 vol., C. Tanera, 1856-1857.

Page 219.

1. Sur les manœuvres de l'artillerie à Waterloo, voir Philippe-Gustave Le Doulcet de Pontécoulant, *Napoléon à Waterloo 1815 ou Précis rectifié de la campagne de 1815 avec des documents nouveaux et des pièces inédites*, Dumaine, 1866. Ce dernier était à Waterloo lieutenant de l'artillerie à cheval dans la Vieille Garde.

Page 222.

1. Le général Haxo rapporta que l'armée ennemie n'avait organisé aucun retranchement, sinon une barricade d'arbres abattus sur la chaussée de Bruxelles. Or, on a vu plus haut que les Anglais avaient organisé leurs positions en retranchements.

Page 224.

1. *Dolman* : veste de militaire pouvant comporter des brandebourgs comme décoration.

Page 225.

1. *Shapska* : chapeau russe en fourrure. — *Kolbach* : coiffure de peau d'ours d'origine turque, adoptée par les chasseurs à cheval de la garde consulaire.

Alphonse de Lamartine,
Histoire de la Restauration

Page 229.

1. Sans doute le maréchal Ney.
2. Voir le rapport que fit Wellington, p. 83-92.

Page 230.

1. Joachim Murat devint roi de Naples en 1808. Durant les Cent-Jours, il s'unit à l'empereur mais fut défait à la bataille de Tolentino (2 mai 1815), et fut fusillé quelques mois plus tard.

2. Las Cases rapporte qu'à Sainte-Hélène, l'empereur regrettait que Murat ne fut pas présent à Waterloo : « Je l'eusse amené à Waterloo, nous disait Napoléon ; mais l'armée française était tellement patriotique, si morale, qu'il est douteux qu'elle eût voulu supporter le dégoût et l'horreur qu'avait inspirés celui qu'elle disait avoir trahi, perdu la France. Je ne me crus pas assez puissant pour l'y maintenir, et pourtant il nous eût valu peut-être la victoire ; car que nous fallait-il dans certains moments de la journée ? enfoncer trois ou quatre carrés anglais ; or Murat était admirable pour une telle besogne ; il était précisément l'homme de la chose ; jamais à la tête d'une cavalerie on ne vit quelqu'un de plus déterminé, de plus brave, d'aussi brillant. » (Las Cases, *Le Mémorial de Sainte-Hélène*, *op. cit.*, t. I, p. 370.)

Page 233.

1. Nous n'avons pas de témoignage sûr attestant la véracité de cette version de Napoléon s'étant mis à la tête de son armée pour chercher la victoire ou la mort. On sait que l'empereur se montra non loin des scènes de bataille, en tout cas assez près pour former les bataillons de la Garde, tout près de la Haie-Sainte. C'est ce qui ressort d'un témoignage du général Gourgaud, rapporté par le docteur O'Meara, qui contient : « Napoléon se mit donc à la tête de la colonne en s'écriant : "Il faut mourir ici ! il faut mourir sur le champ de bataille !!!" » (O'Meara, *Complément du Mémorial de Sainte-Hélène*, *op. cit.*, t. II, p. 242.) Le récit

que fait donc Lamartine relève davantage de la légende de l'empereur. Voir le témoignage de Bourgeois sur cette question car l'auteur royaliste veut discréditer Napoléon en soulignant l'ineptie d'une telle entreprise suicidaire (voir p. 153 et suivantes).

2. C'est à ce moment qu'il aurait eu cette harangue célèbre : « Suivez-moi mes amis ! Venez voir comment meurt un maréchal de France ! »

Page 239.

1. Même si Ney soutient le contraire, il semble démontré que des compagnies de la Grande Armée, se trouvant au centre, furent entraînées par le recul de la Garde, ce qui provoqua la débâcle de l'armée et des cris de sauve-qui-peut.

Page 241.

1. Voir la Notice biographique de Cambronne, p. 811.

Page 242.

1. Gaspard Gourgaud, général français dans la Grande Armée. (Voir sa Notice biographique, p. 813.)

Page 243.

1. C'est la quatrième tentative de Napoléon de se jeter dans la mêlée, selon Lamartine. Il ne faut cependant pas croire pour autant que Lamartine participe en cela à la construction de la légende napoléonienne. Bien au contraire, il la condamne et nomme cela la « fantasmagorie gigantesque de légende populaire » qu'a engendrée Napoléon et à laquelle succombe, selon lui, trop aisément Thiers dans son ouvrage *Le Consulat et l'Empire* (voir *Cours familiers de littérature*, t. VIII, p. 313, en particulier les entretiens XLIV, XLV et XLVI consacrés à un « Examen critique de l'Histoire de l'Empire par M. Thiers »).

2. La comparaison de Waterloo à la bataille des Thermopyles s'impose progressivement comme un classique de la mémoire de 1815. Émile Debraux, dans son poème sur la bataille du 18 juin, *Le Mont-Saint-Jean*, publié en 1818, a composé une strophe célèbre sur le sacrifice de la Garde Impériale, digne de celui des soldats spartiates guidés par Léonidas :

> Ô Mont-Saint-Jean ! nouvelles Thermopyles
> Si quelqu'un profanait tes funèbres asiles
> Fais-lui crier par tes échos :
> Tu vas fouler la cendre des héros.

Page 247.

1. À la nouvelle de la mort de Napoléon à Sainte-Hélène, Lamartine prit la plume et composa, en 1823, le poème « Bonaparte » dénonciation du militarisme napoléonien, qui est ce qui selon lui restera de l'empereur.

Alphonse de Beauchamp,
Histoire des campagnes de 1814 et de 1815

Page 252.

1. C'est le crime de guerre dont Napoléon, dans sa relation de la bataille, accuse les Prussiens.

2. Le rapport officiel de la bataille par le général prussien Blücher fait état de cette prise. On prit aussi une fortune en diamants et en or. Le valet de chambre de Napoléon à Waterloo, nommé Marchand, relate dans ses Mémoires, publiés en 1952, qu'il ne put sauver que des billets de banque. (Voir Louis Marchand, *Mémoires de Marchand, premier valet de chambre et exécuteur testamentaire de l'Empereur, publiés d'après le manuscrit original, par Jean Bourguignon*, Plon, 1952.)

Page 257.

1. Tite-Live, *Histoire de Rome depuis sa fondation*, livre IX, chap. XVII-XIX.

2. Il s'agit de Pompée et de son armée.

3. *Pharsale* : victoire de César sur Pompée, dans le nord de la Grèce, en 48 avant J.-C.

Edgar Quinet,
Histoire de la campagne de 1815

Page 260.

1. La bataille d'Arbelles (ou Arbèles), en 331 avant J.-C., aussi appelée bataille de Gaugamèles, fut remportée par

Alexandre le Grand sur Darius et symbolise l'effondrement de la puissance du roi perse. La bataille de Zama, quant à elle, livrée en 202 avant J.-C., voit l'armée romaine commandée par Scipion écraser l'armée carthaginoise d'Hannibal.

Page 262.

1. Le 14 juin 1800, à Marengo, en Italie, l'armée française remporta une victoire décisive sur l'armée autrichienne, notamment grâce à une charge du corps de réserve de 10 000 hommes commandée par le général Louis Charles Antoine Desaix. Ce dernier, républicain et soldat qui avait montré sa valeur lors des campagnes d'Italie et d'Égypte, trouva la mort d'une balle en plein cœur.

Page 270.

1. Wurmser, général prussien, et Alvinzi, général autrichien, nés respectivement en 1724 et 1726, ont été défaits par Napoléon, notamment lors de la campagne d'Italie qui révéla la supériorité stratégique du général Bonaparte.

2. C'est l'approche célèbre de Quinet qui avait déjà, avec son texte *Critique de la Révolution au nom de la Révolution*, dénoncé la partialité de certains historiens au sujet de la Révolution française quand ces derniers reprennent le discours des jacobins de légitimation de la Terreur. Ici, on peut dire que Quinet s'emploie à déconstruire les thèses des œuvres d'écrivains bonapartistes sur Waterloo. On peut alors s'essayer à dire qu'il fait une sorte de « critique de Napoléon au nom de Napoléon », même si Quinet est plus proche de la Révolution que de Napoléon.

Auguste Antoine Grouard,
La Critique de la campagne de 1815

Page 274.

1. Après la défaite de Leipzig, l'armée de Napoléon affronte l'Europe coalisée, près de 700 000 hommes, lors de la campagne de France. À la bataille de la Rothière, dans l'Aube, le 1er février 1814, la France obtient un succès défensif qui a fait la réputation de la qualité de la campagne de France de 1814,

mais l'armée de Napoléon, affaiblie, est condamnée à perdre contre des forces coalisées trop importantes.

Page 275.

1. Il ne faut pas oublier que c'est cette stratégie offensive qui lui avait permis de remporter autant de victoires — et si rapidement — lors de la campagne d'Italie.

Page 277.

1. Une autre explication du manque de vigueur de Napoléon à Waterloo est, selon Grouard, la maladie — les hémorroïdes — qui aurait gêné l'empereur. Il reprend en cela la thèse de Charras.

Page 278.

1. Montesquieu, *Considérations sur les causes de la grandeur des Romains et de leur décadence*, chap. XVIII (voir Folio classique nº 4806).

Page 279.

1. Frédéric II de Prusse inaugura l'ère du despotisme éclairé, salué par Voltaire et par Kant dans *Qu'est-ce que les Lumières ?*

Page 283.

1. Ceci donna l'occasion à une polémique entre Grouard et Lenient à la suite de la parution de l'ouvrage de ce dernier, intitulé *La Solution des énigmes de Waterloo*, et publié à l'occasion du bicentenaire de Waterloo, en 1915. Voir la réponse de Grouard, sous la forme d'un article, « Les derniers historiens de 1815 », dans *Revue des Études napoléoniennes*, 1917, t. XI, p. 163-198. Grouard soutient que Napoléon avait un plan de bataille de grande qualité tandis que Lenient appuie l'inverse.

Page 285.

1. Thiers.

Page 286.

1. La phrase exacte est « « Que serait-ce donc, si vous eussiez entendu le monstre lui-même ? » Propos attribué à

Eschine par Pline le Jeune, dans *Lettres*, livre II, iii, Pline à
Nepos.

V

Histoire politique

Antoine Claire Thibaudeau,
*Le Consulat et l'Empire, ou Histoire de la France
et de Napoléon Bonaparte de 1799 à 1815*

Page 291.

1. Le congrès de Vienne (18 septembre 1814-9 juin 1815),
après la bataille de Waterloo, qui réunit les pays vainqueurs
de Napoléon Ier.

Page 293.

1. Louis du Vergier, marquis de La Rochejaquelein
(1777-1815), général vendéen, à ne pas confondre avec son
frère, héros du soulèvement vendéen, le célèbre Henri de
La Rochejaquelein, tué à Nuaillé en 1794.

Page 296.

1. La revue du Champ-de-Mai, le 1er juin, cérémonie
durant laquelle Napoléon remit les aigles impériales, aux
couleurs de la nation, aux colonels et aux chefs des légions
de la Garde Impériale.

Page 298.

1. Thibaudeau semble omettre l'appel aux fédérés de
1815 qui rallia sous le drapeau un grand nombre de volontaires.

Page 300.

1. Napoléon n'avait jamais douté du double jeu de
Fouché, ainsi que le prouve cette apostrophe de l'empereur
à son ministre de la Police en 1810, en plein Conseil des
ministres : « Vous trahissez, monsieur le duc d'Otrante.
Vous me trahissez, je le sais, j'en ai les preuves ! Il ne tien-
drait qu'à moi de vous faire fusiller... » Ainsi, Fouché qui

avait trahi Napoléon une première fois en 1814 le trahit à nouveau en 1815. Le 25 mars 1815, avant Waterloo donc, il aurait d'ailleurs confié au royaliste Pasquier, au sujet de l'empereur : « Son affaire sera faite avant quatre mois. » (Étienne-Denis Pasquier, *Histoire de mon temps. Mémoires du chancelier Pasquier*, Plon, 1893, t. III, p. 171.)

Page 301.

1. Étienne Regnault de Saint-Jean d'Angély (1760-1819), député aux états généraux de 1789, lié à Bonaparte dès la campagne d'Italie, fut fait comte d'Empire et ministre d'État durant les Cent-Jours.

Page 303.

1. Antoine Jay (1770-1854), avocat, historien et homme politique, fut élu député en 1815. Thibaudeau le présente assez logiquement comme un homme de Fouché puisqu'il était agent au ministère de la Police sous l'Empire et précepteur des enfants du duc d'Otrante.

2. Le coup d'État du 18 brumaire de Napoléon n'aurait pu se faire sans le soutien indéfectible de son frère Lucien, alors président du Conseil des Cinq-Cents.

Page 304.

1. Henri Verdier de Lacoste (1767-1819) est girondin sous la Révolution, élu député en 1807, fait chevalier de l'Empire, pour devenir à nouveau représentant du peuple durant les Cent-Jours, pendant lesquels il demande, parmi les premiers, la déchéance de l'empereur. Il finit préfet de la Mayenne.

Page 305.

1. Voir ces discours parlementaires dans le *Moniteur universel* du 22 juin 1815.

Page 308.

1. Lucien conseillait à son frère un nouveau 18 brumaire contre les chambres, comprenant la dissolution du parlement et la proclamation de la patrie en danger. Napoléon lui aurait répondu : « Mon cher Lucien, il est vrai qu'au 18 brumaire nous n'avions pour nous que le salut du peuple... Aujourd'hui nous avons tous les droits, mais je

n'en dois pas user. » (Lucien Bonaparte, *La Vérité sur les Cent-Jours*, Ladvocat, 1835, p. 296-297.)

Page 309.

1. Ce sont des propos que Thibaudeau prête à l'empereur sans pouvoir en vérifier la véracité. Pour une source plus fiable du discours de Napoléon, aller voir la relation de Lucien, qui assista à la scène. (Lucien Bonaparte, *La Vérité sur les Cents-Jours*, *ibid.*)

2. Cela est réfuté par Lucien lui-même, qui aurait au contraire refusé de rédiger le texte de l'abdication, avant de céder devant l'insistance de son frère. (*Ibid.*)

Page 310.

1. *Moniteur universel* du 23 juin.

Page 311.

1. Il s'agit du futur Louis-Philippe Ier (1773-1850), de la branche des Orléans, qui ne montera sur le trône qu'avec la révolution de 1830.

Adolphe Thiers,
Histoire du Consulat et de l'Empire

Page 313.

1. *Le traité de Paris* : le congrès de Vienne commence le 1er septembre 1814 et s'achève le 4 juin 1815. Souverains et diplomates des nations alliées contre Napoléon, ainsi que Talleyrand chargé de représenter les intérêts de la France, négocient le redécoupage de l'Europe et les réparations de guerre auxquelles est condamnée la France. Un second traité de Paris sera signé le 20 novembre 1815. Il imposera à la France une indemnité de guerre de 700 millions et une occupation militaire de cinq ans. Sur cette question de la redéfinition de la carte de l'Europe et sur le congrès de Vienne, voir Charles-Otto Zieseniss, *Le Congrès de Vienne et l'Europe des princes*, Belfond, 1984.

Page 314.

1. Thiers énumère les défaites militaires de Napoléon et finit par l'humiliation que fut pour la France d'avoir connu

les canons des armées étrangères installés sur la colline de Montmartre et pointés sur la capitale en 1814.

2. Le 22 mars 1815. L'armée qui débarqua avec lui à Cannes ne mit ainsi que vingt jours pour arriver à Paris, ce qui est un exploit pour l'époque. Il ne faut pas confondre cette revue du 22 mars, quelque peu improvisée, avec celle du Champ-de-Mai du 1er juin (voir p. 296, n. 1).

Page 316.

1. Vingt-trois ans exactement, en août 1792.

Page 318.

1. 11 avril 1814, date du traité de Fontainebleau qui donnait à Napoléon la souveraineté sur l'île d'Elbe et une troupe armée d'anciens membres de la Vieille Garde.

2. Dès le 13 mars, les monarques des puissances alliées publièrent une déclaration, proposée par Talleyrand, dans laquelle ils condamnaient le retour de Napoléon et le déclaraient leur ennemi. Puis, le 25 avril, la nouvelle coalition des souverains alliés resserra l'alliance contre Napoléon.

Page 319.

1. Le *Moniteur universel* du 13 avril publia un rapport de Caulaincourt relatant le rejet des offres de paix de Napoléon par les puissances alliées et leur refus de recevoir même les diplomates envoyés par l'Empereur. Preuve de la rupture consommée avec l'Autriche, Marie-Louise, l'épouse de Napoléon et mère du roi de Rome, aurait manifesté explicitement son soutien au trône d'Autriche en déposant sur la table du Congrès les lettres non décachetées que Napoléon lui adressait. Méneval rapporte dans ses Mémoires qu'il apprit à Napoléon, dans la deuxième quinzaine de mai, la conduite de son épouse à son égard. (Voir Robert Margerit, *Waterloo*, *op. cit.*, p. 76.)

Page 325.

1. *La Vistule* : le plus grand fleuve qui traverse la Pologne.

Page 326.

1. Rappelons que Thiers est né le 15 avril 1797 et mort le 3 septembre 1877.

Page 328.

1. *Salamanque* et *Vittoria* : défaites françaises au cours de la guerre d'Espagne (1808-1813). Reille était commandant en chef de l'armée du Portugal au moment de la déroute et du refoulement de l'armée française.

Page 330.

1. *Les Nassau* : famille régnante des Pays-Bas. — *Gustave-Adolphe* : il s'agit de Gustave II Adolphe, roi de Suède, mort à la bataille de Lützen, le 6 novembre 1632. Considéré comme le père de la guerre moderne, il était notamment admiré par Napoléon.

Page 331.

1. Frédéric II, plus habile stratège militaire que fin diplomate, avait notamment compliqué les relations franco-prussiennes en comparant ironiquement Louis XV à Louis XIV.

Page 332.

1. En référence à l'insurrection parisienne et royaliste du 13 vendémiaire an IV (5 octobre 1795), réprimée à coups de canons par Bonaparte.

2. *La paix de Campo-Formio* : ce traité, signé le 18 octobre 1797 par Napoléon lui-même, mit fin à la guerre qui opposait la France à l'Autriche, et donc fin à la campagne d'Italie.

3. *Paix de Lunéville* : le 8 février 1801.

4. Thiers fait référence au second mariage de Napoléon avec la fille de l'empereur Habsbourg, Marie-Louise d'Autriche, avec laquelle il eut le futur roi de Rome.

Jean-Baptiste Charras,
Histoire de la campagne de 1815. Waterloo

Page 338.

1. Charras fait sans doute référence au temps de la première édition de l'ouvrage.

Page 340.

1. Dans sa préface, Charras s'emploie à reprocher à Thiers son manque d'objectivité historique puisque ce dernier n'aurait fait, selon lui, que reprendre la version des Cents-Jours donnée par Napoléon lui-même, dans ses Mémoires dictés à Las Cases, où l'empereur se présente en victime, trahi et abandonné par ses généraux.

Page 341.

1. *Un cruel événement* : sans doute le coup d'État de Louis-Napoléon Bonaparte du 2 décembre 1851.

Page 343.

1. Charras exagère car Thiers, comme on l'a vu, relève certaines erreurs de commandement de Napoléon durant la campagne de 1815 et rend l'empereur coresponsable de la défaite.

2. Napoléon mourra d'un cancer de l'estomac.

Page 348.

1. Le 23 juin 1815, Fouché fut élu président d'un gouvernement provisoire pour négocier la paix.

Page 350.

1. Comme la colère du soldat Mauduit (voir p. 118-133).

Page 355.

1. En référence à l'assassinat de Louis-Antoine de Bourbon-Condé, duc d'Enghien, ordonné par Napoléon, le 21 mars 1804.

Page 356.

1. C'est de même l'interprétation de la chute de Napoléon, vue comme une expiation, par l'écrivain et penseur du spiritualisme Z.-J. Piérart, qui publia *Le Drame de Waterloo* en 1868.

Garnet Joseph Wolseley,
Le Déclin et la chute de Napoléon

Page 365.

1. Rarement le cerveau et le corps d'un chef d'État ont fait l'objet d'autant de comptes rendus ou d'articles scientifiques. Francesco Antommarchi, médecin traitant de Napoléon à Sainte-Hélène et chirurgien corse choisi par Napoléon pour son autopsie, fit une analyse craniologique du cerveau impérial. À l'époque où Wolseley écrit, les scientifiques se passionnent pour le cerveau de Napoléon grâce à l'invention de l'étude microscopique ; certains affirmant que Napoléon souffrait d'une tumeur cérébrale. Sur ces questions, voir la synthèse de Thierry Lentz et Jacques Macé, *La Mort de Napoléon*, Perrin, 2012.

2. Louis-Napoléon Bonaparte (1808-1873), neveu de Napoléon Ier, sera élu président de la Deuxième République en 1848 et restaurera l'Empire, quatre ans plus tard, sous le nom de Napoléon III.

Page 366.

1. Général thébain, mort au temps de la guerre du Péloponnèse, à la bataille de Mantinée en 362 avant J.-C., remportée par les Thèbes.

2. Henri de La Tour d'Auvergne, vicomte de Turenne, était maréchal général des camps et armées du roi, héros de la guerre de Trente Ans et de la guerre de Hollande ; il mourut, à soixante-trois ans, à la bataille de Salzbach, en 1675. Louis XIV lui fera l'honneur d'être inhumé à la nécropole royale de la basilique Saint-Denis.

3. James Wolfe (1727-1759), mort au combat lors de la guerre qui opposa la France à l'Angleterre pour la possession de la colonie française du Canada. Il était un tout jeune major-général de trente-deux ans, quand il mourut à la bataille de Québec. — John Moore (1761-1809) était un général d'origine écossaise servant dans l'armée britannique. Il mourut durant la guerre d'Espagne, lors de la bataille de La Corogne. Son tombeau demeure dans les jardins de San Carlos, à La Corogne.

4. Le célèbre vice-amiral anglais Horatio Nelson (1758-1805) est le stratège des batailles navales qui affichèrent la suprématie militaire de la flotte anglaise sur la flotte française, notamment au cours de la campagne d'Égypte. Honoré en Angleterre comme le héros de la bataille de Trafalgar, Nelson y laissa la vie le 21 octobre 1805.

Page 367.

1. Allusion au récit composé par Napoléon, à Sainte-Hélène, sur la bataille de Waterloo, qui serait selon l'auteur « romanesque ».

Page 368.

1. Le chapitre v du livre de Daniel, dans l'Ancien Testament, raconte comment le roi de perse Balthazar, fils de Nabuchodonosor, donna une fête grandiose en son palais, pour célébrer les soixante-dix ans de la ruine d'Israël. Des vases sacrés furent profanés et, en guise de châtiment du roi perse, Dieu lui fit perdre toute contenance. On vit alors apparaître sous un candélabre ces lettres : « MANE, THECEL, PHARES » qui signifient « compté, pesé, divisé », et qui veulent dire la perte du trône de Balthazar, au profit de Darius, pour avoir manqué à la justice.

François Guizot,
Mémoires pour servir à l'histoire de mon temps

Page 370.

1. Cours d'histoire moderne à la faculté des lettres de Paris, la Sorbonne.

Page 374.

1. Le prince Clément-Wenceslas de Metternich (1773-1859), partisan de la société d'Ancien Régime et de l'absolutisme, est un diplomate autrichien qui participa au congrès de Vienne. On lui prête ce mot célèbre qui n'aurait été prononcé que postérieurement aux événements de 1815 : « Quand Paris s'enrhume, l'Europe prend froid. »

Albert Sorel,
L'Europe et la Révolution française

Page 382.

1. Le 20 avril 1792, Louis XVI, en monarque constitutionnel, vint demander à l'Assemblée législative de voter la déclaration de guerre à l'Autriche, et l'obtint. Louis XVI entendait par là asseoir son autorité, en misant sur une défaite de l'armée française qui eût vaincu le parti révolutionnaire.

Page 383.

1. Guizot cite un extrait de Houssaye (voir p. 213).

Page 384.

1. Il s'agit du bal de la duchesse de Richmond, donné à Bruxelles le 15 juin 1815, auquel les officiers de l'armée anglaise assistèrent, dont le duc de Wellington. Thackeray, dans *La Foire aux vanités*, en a fait une scène de son roman. L'événement est d'ailleurs régulièrement commémoré à Bruxelles par l'organisation d'un bal.

Page 386.

1. Le navire militaire français le *Vengeur-du-Peuple* fut coulé par la flotte britannique à la bataille de Prairial, le 1er juin 1794. Sorel donne foi au mythe de la fin du *Vengeur* dont l'équipage aurait préféré couler et périr en chantant *La Marseillaise* plutôt que de se rendre.

Lenotre,
Napoléon. Croquis de l'épopée

Page 391.

1. Pour une autre évocation de cette anecdote, voir p. 444 la fin du texte d'Alexandre Dumas, extrait de son *Napoléon*. Le récit qu'a fait Napoléon de la campagne de 1815, publié par Gourgaud, confirme que l'empereur s'arrêta bien le 12 juin dans Laon, qu'il visita la ville, passa en revue la garnison et fit les derniers préparatifs de la guerre.

Page 392.

1. Commune de l'Aisne, dans la région Picardie, Laon est une place-forte sur la frontière, avec ses fortifications médiévales. Napoléon, lors de la campagne de France de 1814, y subit une lourde défaite militaire.

Page 393.

1. Laon a en effet une ville haute et une ville basse. Elle est dominée par un mont que surplombe la cathédrale Notre-Dame de Laon, consacrée en présence de Charlemagne en 800.

2. *Semilly* : commune dans la Haute-Marne, région Champagne-Ardenne.

Page 395.

1. Lenotre renvoie ici au sort de Job, patriarche et prophète biblique qui, alors qu'il est riche et vertueux, est dépouillé de tous ses biens et écarté de ses enfants. Il est régulièrement représenté couché sur de la paille, en signe de résignation. La chute de Napoléon, dont la gloire s'est effondrée à Waterloo, rappellerait l'épreuve que fait subir Dieu à Job, comme un châtiment divin.

Page 397.

1. *Empédocle* : philosophe et médecin grec du Ve siècle avant J.-C.

Page 398.

1. Jean Augustin Penières-Delzors, avocat né en 1766, fut successivement membre de la Convention nationale, député au Conseil des Cinq-Cents, membre du Tribunat, député au Corps législatif de 1807 à 1811 et représentant à la Chambre sous les Cent-Jours.

VI

Les biographes

Antoine de Jomini,
Vie politique et militaire de Napoléon,
racontée par lui-même au tribunal de César,
d'Alexandre et de Frédéric

Page 407.

1. C'est ici l'idée que Napoléon a permis, en 1799, de finir la Révolution de 1789 et la guerre civile qui déchirait la France depuis.

Page 408.

1. En cela, Jomini reprend la thèse exposée par Pontécoulant qui est de considérer que Napoléon a trop ménagé les libéraux à son retour de l'île d'Elbe et a ainsi perdu l'énergie et le temps dont il avait besoin pour préparer la guerre.

2. Référence sans doute au dictateur Fabius qui, sous l'Antiquité romaine, au temps des guerres puniques, acquit le surnom de « temporisateur » car il évita le combat avec le chef carthaginois Hannibal, conscient qu'il ne disposait pas de forces suffisantes. Il fut, pour cela, peu populaire et dut partager son pouvoir avec le colonel de la cavalerie des légions romaines. Mais ce que ne dit pas Jomini, c'est que le désastre de la bataille de Cannes en 216 avant J.-C. donna raison à la stratégie de Fabius qui fut réusitée ensuite avec un certain succès.

Page 409.

1. Le 18 juin à Waterloo.

Page 412.

1. Affirmation exagérée quand on sait que ce sont les modérés Lanjuinais et La Fayette, révolutionnaires de la première heure certes, qui tinrent les discours parlementaires qui renversèrent Napoléon. Mais Jomini fait sans doute davantage allusion à Fouché, jacobin à ses débuts.

Page 413.

1. *Housard* : entendre hussard.

Page 414.

1. Allusion aux codes dont Napoléon ordonna la rédaction, dont le plus fameux reste le Code civil de 1804.

Walter Scott,
Vie de Napoléon Buonaparte

Page 419.

1. La première fois que le jeune Bonaparte affronta les Anglais, ce fut au siège de Toulon, de septembre à décembre 1793.

Page 420.

1. George III (1738-1820), de la maison de Hanovre, est roi de Grande-Bretagne et d'Irlande depuis son sacre, le 25 octobre 1760. Tombé malade dès 1810, ce n'est pas à lui que fait référence Scott, mais plutôt à Robert Jenkinson (1770-1828), Premier ministre britannique de 1812 à 1827, et artisan de la victoire politique, économique et militaire de l'Angleterre sur la France napoléonienne.

Page 426.

1. Le nom du guide est en réalité Decoster.

Page 428.

1. Grouchy a publié, après la bataille, ses *Observations sur la relation de la campagne de 1815 publiée par le général Gourgaud et réfutation de quelques-unes des assertions d'autres écrits relatifs à la bataille de Waterloo*, parues en 1818. Grouchy tente de justifier sa conduite et de réfuter la version de Napoléon qui le tient pour un des responsables de la défaite.

Page 429.

1. Sur Müffling, voir p. 91, n. 2.

Page 430.

1. Scott reprend, à ce titre, la version de Wellington (voir p. 83 et suivantes).

Alexandre Dumas,
Napoléon

Page 441.

1. Dumas insiste sur l'attente de Grouchy pour mieux accréditer l'hypothèse que tout se passa parfaitement bien jusqu'à la confirmation que Grouchy ne paraîtrait pas sur le champ de bataille. Or, on sait que les ordres de l'empereur ne furent pas tous cohérents ni parfaitement exécutés.

Page 442.

1. *Comte de Valmy* : le général Kellermann fils.

Page 444.

1. On peut lire cette anecdote dans les Mémoires d'Alexandre Dumas. Elle a aussi été reprise et augmentée par Lenotre (voir p. 391).

François-René de Chateaubriand,
Mémoires d'outre-tombe

Page 447.

1. Le 5 mars, soit cinq jours après le débarquement de Napoléon au golfe Juan.

2. *Monsieur* : le frère du roi Louis XVIII, le futur Charles X.

3. *Le maréchal Soult* : il s'agit du duc de Dalmatie, qui fut ministre de la Guerre de Napoléon durant les Cent-Jours, et banni jusqu'en 1819 par la couronne. Il récupérera le ministère de la Guerre de 1840 à 1845. (Voir aussi sa Notice biographique, p. 816.)

Page 448.

1. Sur le congrès de Vienne et les traités de Paris, voir p. 313, n. 1.

2. *Caprée* : Capri.

Page 449.

1. Ce passage de Chateaubriand, bien qu'il ne traite pas de Waterloo, est pourtant essentiel car la thèse de l'auteur est que la chute de l'empereur était déjà écrite au moment de son retour de l'île d'Elbe.

2. Référence à la proclamation de l'empereur à l'armée du 1er mars qui portait : « L'aigle volera de clocher en clocher jusqu'aux tours de Notre-Dame. »

3. Il s'agit d'Armand Augustin Louis, marquis de Caulaincourt (1773-1827). Ce militaire et diplomate français, auteur de fameux Mémoires sur l'Empire, fut ministre des Relations extérieures pendant les Cent-Jours.

4. Le premier traité de Paris, signé le 30 mai 1814, reconnaît l'intégrité du royaume de France, même si les frontières sont redéfinies, et assure la légitimité de la maison des Bourbons.

Page 450.

1. En réalité la nuit du 6 au 7 mars.

2. Alexandre Ier, tsar de Russie depuis 1801.

3. *Laon* : en Picardie, donc près de la frontière belge.

4. *Fédérés* : volontaires qui s'enrôlent dans l'armée en province dans le but de soutenir le pouvoir en place. Napoléon recréa une fédération en 1815, à l'image de celle de la Révolution en 1792.

Page 451.

1. *La ville de Charles-Quint* : Gand en Belgique, sa ville natale.

Page 452.

1. *La légitimité* : entendre la monarchie restaurée.

2. *Duc de Berry* : fils du futur Charles X, et donc héritier du trône, il fut assassiné à l'Opéra à quarante-deux ans, le 14 février 1820.

Page 454.

1. Chateaubriand fait référence à son *Itinéraire de Paris à Jérusalem.*

Page 455.

1. Ferdinand d'Eckstein, gouverneur de Gand.

Page 456.

1. Référence à la victoire remportée par les armées de la République contre la coalition des trônes, le 26 juin 1794.

Page 457.

1. En 1804, William Congrève inventa les fusées. Elles sont utilisées par l'armée anglaise depuis 1806.

2. *Conglobés* : accumulés.

3. *Le prince d'Orange* : il s'agit du futur roi des Pays-Bas, Guillaume II (1792-1849), commandant de l'armée hollandaise à Waterloo, bien qu'il n'ait alors que vingt-deux ans.

Page 458.

1. Lors de la guerre d'Espagne essentiellement.

2. Chateaubriand suggère que le véritable héros de cette bataille qui opposa Prussiens et Français fut le maréchal Davout, qui écrasa le gros de l'armée prussienne à Auerstedt le 14 octobre 1806.

3. *M. de Turenne* : aide de camp de Napoléon à Waterloo.

Page 461.

1. En réalité le 25 juin.

Page 464.

1. *Syndérèses* : remords. Terme emprunté à la théologie qui signifie la faculté qu'a l'homme de reconnaître, à un degré élevé, le bien. L'auteur du *Génie du christianisme* voit donc en la fin de Napoléon quelque chose de tragique qui éleva son âme.

Page 468.

1. Épigramme anonyme de l'*Anthologie grecque*.

Page 469.

1. *Planeurs* : ouvriers qui aplanissent le bois ou le métal avec un marteau.

2. 1821.

Page 470.

1. Lord Byron, *Miscellaneous Poems*, pièce 1, « Ode to Napoléon Buonaparte », où le poète anglais est particulièrement sévère avec Napoléon.

Page 471.

1. *Irréméable* : transposition du latin *irremeabilis*, « sans retour possible ».

VII

Le roman

Honoré de Balzac,
Le Médecin de campagne

Page 480.

1. *Champaubert*, qui s'écrit en réalité Champ-Aubert, est un village dans la Marne où Napoléon remporta une bataille importante, le 10 février 1814, lors de la campagne de France.

2. *S'astiquer* : se battre.

3. Voir le roman de Balzac *La Vendetta*, paru en 1830, sur la rivalité entre deux familles corses.

4. Napoléon réconcilia la Révolution et l'Église catholique avec la signature du Concordat en 1801.

Page 481.

1. Respectivement tués à Wurtzen (1813), Lützen (1813) et Tilsit (1809).

Page 482.

1. Cette idée du chef suprême qui ambitionne de conquérir la lune sera reprise par Camus dans sa pièce *Caligula*. Les despotes peuvent exiger l'impossible, ce qui les fait chuter tôt ou tard.

2. Il s'agit de Jean-Baptiste Jules Bernadotte (1763-1844), général puis maréchal d'Empire, nommé prince héritier de Suède en 1810, puis devenu roi de Suède et de Norvège de

1818 à sa mort. Il s'était allié avec la Russie pour combattre les armées françaises et les défaire à Leipzig en 1813.

3. Balzac a fait de la bataille d'Eylau la toile de fond de sa nouvelle *Le Colonel Chabert*. Pourtant — cette transposition est-elle consciente chez Balzac ? —, c'est à Austerlitz, le 2 décembre 1805, et non à Eylau, le 8 février 1807, que Napoléon a fait tirer à boulets rouges sur un lac gelé pour noyer les Russes, au moment de leur retraite.

Page 483.

1. *Mobile* : on peut aussi lire « immobile ».

2. Le Baptiste, c'est le niais dans les parades de saltimbanques : être tranquille comme Baptiste, c'est être à la fois calme et insouciant.

3. Faire bouquer, c'est faire embrasser de force (du latin *bucca*, bouche). Ne pas bouquer, c'est ici ne pas céder devant l'ennemi.

Page 484.

1. Navire de petites dimensions, appelé *La Fortune*.

2. Allusion, déjà citée, à la proclamation à l'armée du 1er mars 1815.

3. En référence à la célèbre « rencontre de Laffrey », près de Grenoble (7 mars) : les troupes envoyées arrêter Napoléon passèrent en bloc de son côté avec leur chef Labédoyère. Napoléon fit une entrée dans Grenoble sous les ovations du peuple.

Page 485.

1. Le relief de Sainte-Hélène subit un grandissement épique : son point culminant, le pic de Diane, s'élève à 820 mètres, soit environ 2 500 pieds.

Page 486.

1. *Poniatowski* : général polonais (1763-1813), fait maréchal de France par Napoléon. Un premier régiment de lanciers polonais fut créé par Poniatowski début 1807, à Varsovie, et incorporé dans la Garde Impériale sous le nom de « chevau-légers lanciers » ; c'est le deuxième, créé en 1810, et de recrutement français, qui fut surnommé « les

lanciers rouges ». En 1812, il y avait six régiments de lanciers français et trois de polonais.

Frédéric Soulié,
L'Orpheline de Waterloo

Page 490.

1. Le général Léonard Duphot se trouvait à Rome, à l'ambassade de France, en décembre 1797, quand il fut assassiné par des soldats du pape, le 28 décembre. L'armée française vengea sa mort en prenant Rome.

2. Soulié avait quatorze ans en juin 1815.

Page 492.

1. *Badine* : baguette.

Page 493.

1. On retrouve le même sujet, quasi pictural, que dans la pièce de Jouhaud *La Folle de Waterloo*, avec cette représentation d'une jeune fille innocente, cherchant en vain les siens sur le champ de bataille.

Page 495.

1. Tel le père Thénardier dans *Les Misérables* de Hugo. Louise a des points communs avec Cosette, orpheline et accablée de souffrances comme elle.

Page 496.

1. On trouve en effet à Londres une place Waterloo, sur laquelle s'élève une colonne dédiée au duc d'York, érigée en 1833.

Stendhal,
La Chartreuse de Parme

Page 505.

1. *Saint-Gothard* : massif dans les Alpes suisses dont le col sert de lieu de passage entre le sud et le nord, notamment grâce à plusieurs ponts. Le plus fameux est le pont du Diable, peint par Turner.

Page 506.

1. Idée de Stendhal que la société et la ville corrompent l'innocence du héros dont la mauvaise fortune à Paris annonce celle de Waterloo tant Fabrice est candide.

2. *Maquignon* : marchand de chevaux.

3. Évocation du climat de suspicion qui règne dans l'armée et de la peur des trahisons.

Page 508.

1. *Quibus* : argent, en argot.

Page 512.

1. *Capon* : lâche.

2. *Jaunets* : pièces d'or.

3. *Venette* : peur.

Page 513.

1. Allusion à la chanson de geste populaire médiévale *La Chanson des quatre fils Aymon*, qui finit avec le martyre de son héros, Renaud.

Page 514.

1. *Nanan* : expression familière qui veut dire sucrerie, et qui désigne par extension quelque chose de bon.

Page 520.

1. *Les habits rouges* : les soldats anglais.

Page 521.

1. Stendhal prête à Fabrice les sentiments qui furent les siens en mai 1800 lors de son baptême du feu. Voir la *Vie de Henry Brulard*, chap. XLIV-XLV.

2. *Il n'y comprenait rien du tout* : Stendhal est partisan du réalisme du point de vue du narrateur et de son héros, Fabrice, pendant la bataille de Waterloo, c'est-à-dire qu'il ne veut pas que son personnage voie ce que la mêlée, la distance, le tumulte des charges, les fumées des fusillades et canonnades empêchent de voir. D'ailleurs, le 21 mai 1813, à la bataille de Bautzen, Stendhal avait noté dans son Journal : « Nous voyons fort bien, de midi à 3 heures, tout ce

qu'on peut voir d'une bataille, c'est-à-dire rien. » (*Œuvres intimes*, Bibl. de la Pléiade, t. I, p. 869.)

3. Il s'agit du maréchal Ney, surnommé par ses soldats « le Rougeaud ».

Page 523.

1. *Meunier* : nom de l'ancien patron de Stendhal à Marseille, quand il travaillait dans une maison de commerce, en 1805.

2. *S...* : sacrebleu.

Page 525.

1. La fierté d'apercevoir l'empereur sur le champ de bataille réveillait et excitait le courage des soldats de la Grande Armée qui s'en vantaient. Stendhal tourne cela en dérision avec l'ivresse de Fabrice.

Page 526.

1. *Les biscaïens* : la mitraille, par allusion au « mousquet de gros calibre, à longue portée, utilisé pour la première fois en Biscaye et répandu au XVIIe siècle ».

Page 527.

1. Clin d'œil de Stendhal à la mort du chevalier Bayard.

Page 528.

1. *La Jérusalem délivrée* : épopée du Tasse, écrite à la fin du XVIe siècle, qui conte la prise de Jérusalem par Godefroi de Bouillon en 1099.

2. On sait, d'après les témoignages des soldats anglais aussi bien que français, que la faim régnait parmi les armées. Voir par exemple les conditions de vie du soldat anglais la veille de Waterloo, décrites par Cavalié Mercer, p. 165-169.

Page 529.

1. Cette scène symbolise la fraternité et l'esprit de camaraderie qui font aussi partie des mœurs militaires. Les récits de la bataille de Waterloo par les témoins anglais que sont Mercer et Lawrence, narrant des scènes où des soldats anglais apportent de la nourriture à des blessés français, le

soir de la bataille, illustrent cet esprit militaire. Fabrice, qui n'est pas un soldat, est présenté comme faible et fragile par rapport à la virilité des militaires.

Page 530.

1. *F...* : foutre. Juron de l'époque.

2. Sans doute une référence à Aubry de la Bouchardière (1773-1813), chef de bataillon français qui commandait l'artillerie à la bataille Castelfranco, en Italie, le 24 novembre 1805. Blessé à la bataille de Leipzig, en 1813, il est fait prisonnier et ne survit pas à l'amputation d'une jambe. Il n'est donc pas présent à Waterloo.

Page 532.

1. *À l'espère* : expression employée dans le midi de la France et dans la région de Lyon, signifiant « à l'affût ».

2. *Tramezzina* est une montagne qui sépare le lac de Côme et le lac de Lugano, où l'on raconte que des ours hantent les forêts.

Page 533.

1. *B...* : bougre.

2. *Être ramassé au demi-cercle* : terme d'escrime : reprendre l'avantage sur quelqu'un qui croit l'avoir.

Page 540.

1. Stendhal rappelle le sentiment qu'ont les soldats français d'avoir perdu la guerre à cause des trahisons des officiers.

Page 541.

1. *Escofié* : volé.

Page 542.

1. *Empaumer quelqu'un* : le rouler.

Page 543.

1. *Les Cosaques* : soldats russes. Il n'y en avait pas à Waterloo. Stendhal utilise cette expression pour rappeler la catastrophe militaire que fut la retraite de Russie.

Page 544.

1. Fin mars 1839, dans une lettre adressée à Stendhal, Balzac fait un éloge de la narration de la bataille de Waterloo dans *La Chartreuse de Parme* : « J'ai déjà lu dans le *Constitutionnel* un article tiré de la *Chartreuse* qui m'a fait commettre le péché d'envie. Oui, j'ai été saisi d'un accès de jalousie à cette superbe et vraie description de bataille que je rêvais pour les *Scènes de la vie militaire*, la plus difficile portion de mon œuvre, et ce morceau m'a ravi, chagriné, enchanté, désespéré. Je vous le dis naïvement. C'est fait comme Borgognone et Vouvermans, Salvator Rosa et Walter Scott. » (Voir Balzac, *Correspondance*, Bibl. de la Pléiade, t. II, p. 469-470.)

William Makepeace Thackeray, *La Foire aux vanités*

Page 549.

1. *Amphitrite* : épouse de Poséidon, le dieu des mers et des océans, dans la mythologie grecque.

Page 551.

1. C'est en 1804 que la locomotive fut inventée, par Richard Trevithick, en Cornouailles. Mais la première ligne de chemins de fer fut posée vingt ans plus tard en Angleterre.

2. *Le Corse* : Napoléon.

Page 552.

1. Louis-Adolphe Pierre de Wittgenstein (1769-1843), maréchal russe, blessé à Bar-sur-Aube en 1814. Le maréchal Mikhaïl Bogdanovitch, prince Barclay de Tolly (1761-1818), commandait les armées russes au moment de la campagne de 1815. Les armées russes entrèrent en France après Waterloo.

2. Karl Philipp, prince de Schwarzenberg, général et diplomate autrichien, avait commandé les troupes alliées et victorieuses en 1814.

3. Bien que Blücher ait près de soixante-dix ans et Murat plus de vingt ans de moins que lui, le maréchal prussien se place à la tête de son armée, charge et voit son cheval blanc

tué sous lui, ce qui amène sa chute. Un escadron de cuirassiers français serait même passé sur le corps de Blücher sans reconnaître le vieux mais valeureux maréchal.

Page 553.

1. Il s'agit du fameux bal de la duchesse de Richmond.

Page 565.

1. Thackeray suggère que les Bruxellois, à la manière des Belges, étaient favorables dans l'ensemble à Napoléon. De même, il indique que l'on crut la victoire assurée à l'empereur après les batailles de Ligny et des Quatre-Bras.

Page 572.

1. George avait épousé Amélia malgré l'opposition de son père.

2. « Père, j'ai péché contre le Ciel et contre toi. » Cet aveu de l'enfant prodigue repentant se trouve dans le *Nouveau Testament* (Luc, 15, XVIII).

Page 573.

1. *Alderman* : officier municipal ou magistrat.

Page 574.

1. *Pax in bello* : « La paix dans la guerre », devise des ducs de Leeds. Le sixième du nom s'appelait George Frederick Osborne (1775-1838).

Page 575.

1. *Saint-Paul* : la plus grande église d'Angleterre, située à Londres, reconstruite pour la dernière fois par Christopher Wren, après l'incendie de Londres en 1666.

2. « Il est doux et glorieux de mourir pour sa patrie. » On trouve cette expression latine sur le mur de la chapelle de l'Académie royale militaire de Sandhurst, l'école de formation des officiers de l'Armée de terre britannique.

Victor Hugo,
Les Misérables

Page 582.

1. Hugo écrit dans une note de travail sur l'état du sol à Waterloo : « Un sol marneux, glaiseux, visqueux dans les

pluies, qui garde l'eau et fait partout des flaques et des mares. Comme Napoléon mettait pied à terre près de la Belle-Alliance et enjambait un fossé, un grenadier lui cria :

« *Prenez garde à ce terrain-là, Sire, on y glisse.*

— On fait plus qu'y glisser, on y tombe. »

2. Si le siège de Toulon a révélé de manière précoce la stratégie du jeune Bonaparte qui misait déjà sur la puissance de son feu d'artillerie, à l'inverse le siège de Saint-Jean-d'Acre, durant la laborieuse campagne d'Égypte, fut un revers pour le général français qui utilisait à mauvais escient ses canons. (Voir Patrice Gueniffey, « L'échec d'Acre », dans *Bonaparte. 1769-1802*, Gallimard, 2013, p. 425-429.)

Page 585.

1. On notera la différence de description topographique avec la « morne plaine » du poème.

Page 586.

1. Ne sachant quel sabre portait Napoléon à Waterloo, c'est donc une image qu'emploie Victor Hugo. Cette allusion au sabre de Marengo signifie que Napoléon, ce 18 juin, était prêt à se porter au-devant de ses troupes, sabre en main, pour attiser leur courage, comme il le fit lors de la bataille de Marengo (14 juin 1800) où il remporta la victoire alors que la défaite se dessinait. Le vrai sabre de Marengo a été vendu aux enchères pour une somme record de 4,8 millions d'euros à un descendant de la lignée de Jérôme Bonaparte, en 2007.

Page 587.

1. Autre titre envisagé par Victor Hugo : « L'incertain des batailles ».

Page 589.

1. Salvator Rosa, dit Salvatoriello (1615-1673), fut poète, musicien et surtout peintre et graveur. Il s'est spécialisé dans la peinture militaire, représentant des batailles ou des marines.

Jean-Baptiste Vauquette de Gribeauval (1715-1789) fut ingénieur et officier d'artillerie, surnommé « le Vauban de l'artillerie ».

2. *Quid obscurum, quid divinum* : l'inconnu, l'incertain, le divin.

Page 590.

1. Jean-Charles de Folard (1669-1752) est un écrivain militaire, auteur de *Nouvelles découvertes sur la guerre dans une dissertation de Polybe*, ouvrage publié en 1724.

Page 591.

1. Decoster en réalité.

Page 593.

1. Défaites militaires françaises contre les Anglais.

Page 594.

1. Jusqu'au 20 juin, Paris croit en la victoire de l'armée française, d'après les relations faites des batailles de Ligny et des Quatre-Bras.

2. *Veillons au salut de l'empire* : chant patriotique composé par A.-S. Roy en 1791, sur un air de Dalayrac, supplanté en 1792 par *La Marseillaise*. Le terme « empire » renvoie à la gloire de la nation, l'État, et non au Premier Empire.

Page 597.

1. Édouard-Jean-Baptiste Milhaud (1766-1833), militaire français, député à la Convention, général de brigade en 1800, comte d'Empire en 1808, fit la plupart des campagnes napoléoniennes.

Page 602.

1. *Zieten* : ce général prussien fut un des premiers à poursuivre les Français dans leur retraite.

Page 603.

1. *Hoc erat in fatis* : « C'était dans leur destinée. »

Page 605.

1. Cambronne niera avoir prononcé le mot « merde » à Waterloo, mais Henry Houssaye insiste sur la véracité du

fait en soulignant que les sommations répétées des Anglais avaient exaspéré le général français.

Page 606.

1. On retrouve la comparaison célèbre de *Ruy Blas*, « ver de terre amoureux d'une étoile ».

Page 607.

1. Dans son manuscrit, Hugo a cette phrase sur Cambronne : « Si quelque chose, dans cette bataille, ressemble au grondement du lion, c'est, à coup sûr, le mot de Cambronne. »

2. Vaulabelle voit aussi dans Waterloo les forces de la Révolution aux prises avec les monarchies absolues :

> Effort héroïque de la Révolution armée, écrit-il, la bataille de Waterloo, malgré les résultats, fut digne de la lutte sainte engagée vingt-trois ans auparavant par la France révolutionnaire contre l'Europe coalisée. Bien que formées à la hâte, et composées, pour moitié, de conscrits ou de volontaires enrégimentés depuis quelques semaines, les troupes qui livrèrent ce combat suprême se montrèrent les égales des plus vaillantes légions de la République et de l'Empire : elles comptaient cinquante-neuf mille combattants à Ligny ; à Waterloo soixante-cinq mille ; les Alliés perdirent SOIXANTE MILLE HOMMES. Jamais armée française, on le voit, ne porta des coups plus terribles. Fantassins, cavaliers, artilleurs de la ligne et de la garde, tous les soldats furent admirables ; eux seuls, jusqu'à la dernière heure, ne commirent aucune faute.

(Vaulabelle, *Histoire des deux Restaurations*, 7 vol., Perrotin, 1844-1854 ; 5e édition, 1860, t. II, p. 512.)

Page 608.

1. *Quot libras in duce ?* : Quel est le poids, la puissance du chef ?

2. Sur Müffling, voir p. 91, n. 2.

Page 609.

1. *Un quine* : jeu d'adresse.

2. En 1826, pour commémorer la victoire de Waterloo, les Anglais érigèrent, sur le champ de bataille, une butte de

terre de 41 mètres de hauteur, et au sommet de celle-ci une sculpture représentant un lion (symbole de la victoire et de la couronne d'Angleterre). Elle est l'œuvre de Charles Vander Straeten et Jean-Louis Van Geel. Le lion appuie une de ses pattes sur un boulet, en symbole de paix. Victor Hugo a visité les lieux et en a rapporté ses impressions dans cette note manuscrite : « De cette bataille gagnée par le hasard, on a fait une bataille gagnée par les hommes. Faute grave. Faute plus grave encore, à l'erreur on a ajouté un monument. Où Dieu n'avait fait qu'une plaine et n'avait jeté qu'une leçon, les hommes ont mis une montagne et un lion. Fausse montagne, faux lion. La montagne n'est pas en roche et le lion n'est pas en bronze. Dans cette argile, façonnée en hauteur, dans cette fonte, peinte en airain, dans cette grandeur fausse, on sent la petitesse. Ce n'est pas un lieu, c'est un décor. »

Page 610.

1. Généraux qu'a vaincus Napoléon, le plus connu étant le baron von Beaulieu (1725-1819), général autrichien battu par Napoléon lors de la campagne d'Italie, remplacé par Wurmser qui ne fit pas mieux.

Page 612.

1. Le soldat de fer vaut le duc de fer. On surnommait Wellington « le duc de fer ».

Page 615.

1. *Un postillon sur le trône de Naples* : Joachim Murat, devenu Joachim Ier. — *Un sergent sur le trône de Suède* : le général Jean-Baptiste Bernadotte fut élu prince héréditaire de Suède en 1810, mais dès 1813 et sous les Cent-Jours, il s'allie aux armées liguées contre la France. Le 5 février 1818, il fut couronné roi de Suède et de Norvège, sous le nom de Charles XIV. Il mourut à Stockholm en 1844.

2. Maximilien-Sébastien Foy (1775-1825) est un militaire et général français, dévoué à Napoléon sur tous les champs de bataille et blessé à Waterloo. Il fut député libéral dès 1819 et eut un poids politique certain à la Chambre. Dans un discours prononcé à la tribune de la Chambre des députés,

dans la séance du 30 décembre 1819, il lança : « Pendant un quart de siècle, presque tous nos citoyens ont été soldats : depuis la paix, nos soldats sont redevenus citoyens. Souvenirs, sentiments, espérances, tout fut, tout est resté commun entre la masse du peuple et notre vieille armée. [...] Il y a de l'écho en France quand on prononce ici les noms d'honneur et de patrie... » Foy tint un journal durant toute sa carrière militaire et fit une analyse raisonnée des conséquences politiques de Waterloo, dans un texte du 27 juin 1815 : « Dans le naufrage universel, nous n'avons qu'un seul motif de consolation : les révolutions ne se font plus d'une manière sanglante. » (Maurice Girod de l'Ain, *Vie militaire du général Foy*, Plon, 1900, p. 286.) Le peuple lui réserva des funérailles grandioses.

Page 616.

1. *Robespierre à cheval* : c'est ainsi que Madame de Staël moquait Napoléon.

2. *Les danses en rond du 8 juillet* : pour la seconde fois, Louis XVIII fait son entrée à Paris pour récupérer son trône. Il y pénètre par le faubourg Saint-Denis. Le peuple de Paris ne lui réserva que de maigres acclamations, excepté à l'abord des Tuileries où l'enthousiasme aurait été grand, au point de danser de joie dans le jardin des Tuileries. La fête se prolongea le soir dans la capitale. — *Les enthousiasmes du 20 mars* : le 20 mars 1815 est le jour de l'entrée de Napoléon à Paris, à son retour de l'île d'Elbe.

Page 617.

1. Jacques Dupont, dit Trestaillon, était un agitateur, sous-lieutenant de la Garde Nationale, et auteur de persécutions à Nîmes durant la Terreur blanche. Il ne fut pas condamné pour ses crimes.

2. *Non pluribus impar* : devise de Louis XIV, qui signifie « Non inégal à plusieurs » (sous-entendu : « soleils »), c'est-à-dire « Supérieur à tous ».

Page 618.

1. Hudson Lowe (1769-1844) est le gouverneur de l'île de Sainte-Hélène, où il prend ses fonctions en avril 1816. Il

est, à ce titre, le « geôlier » de Napoléon. Lowe adopta une conduite extrêmement sévère à l'égard de l'empereur déchu, accumulant les règlements et interdictions. Il alla jusqu'à refuser qu'on inscrive le nom de Napoléon sur sa tombe.

2. Claude-Henri de Montchenu, émigré et royaliste, fut nommé officier général et commissaire du roi de France à Sainte-Hélène pour surveiller Napoléon, qu'il ne rencontra d'ailleurs jamais.

Page 619.

1. Hugo écrit dans ses notes : « Maintenant l'anniversaire de Waterloo s'efface à Waterloo même. Les Anglais ont renoncé à y venir ce jour-là avec des branches de laurier. » Et plus loin : « Au mois de juin, à l'anniversaire, la cocarde tricolore enterrée dans ces sombres plaines y renaît en pâquerettes, en bleuets et en coquelicots. »

Erckmann-Chatrian,
Waterloo

Page 625.

1. La loi Jourdan du 19 fructidor an VI (1798), à l'époque du Consulat, définit le cadre juridique du système de la conscription. Les conscrits étaient tirés au sort et devaient faire un service armé de sept ans. Mais la loi prévoyait la possibilité, pour celui qui avait tiré un mauvais numéro, de payer un homme pour qu'il fasse la guerre à sa place. Ainsi, les citoyens aisés ne participèrent pas aux campagnes napoléoniennes.

Page 626.

1. *Catherine* : la femme du narrateur.

Page 628.

1. Les auteurs citent de façon incorrecte la proclamation puisque la phrase exacte du troisième paragraphe est : « Soldats, à Iéna, contre ces mêmes Prussiens, aujourd'hui si arrogants, vous étiez un contre deux, et à Montmirail un contre trois. » Dans *La Foire aux vanités*, Thackeray a, de la même manière qu'Erckmann-Chatrian, déformé et exagéré les chiffres.

2. Melchior Goulden est un vieil horloger installé à Phalsbourg, chez qui travaillait le héros avant de partir à la guerre. Il incarne l'humble Lorrain, portant « son bonnet de soie noire ciré sur ses larges oreilles poilues, les paupières flasques, le nez pincé dans ses grandes besicles de corne et des lèvres serrées ». C'est une de ces figures populaires que l'on retrouve dans les romans d'Erckmann-Chatrian.

Page 630.

1. *Schlitte* : traîneau.

Page 631.

1. La bataille de la Katzbach a eu lieu le 26 août 1813. L'armée française fut défaite par les troupes prussiennes, commandées par Blücher. Le bilan fut très lourd pour la Grande Armée, avec près de 15 000 morts et blessés, contre près de 4 000 du côté prussien. Un grand nombre de soldats français se noyèrent dans le fleuve Kaczawa, qu'on appelle en allemand Katzbach.

Page 633.

1. Maurice Étienne Gérard (1773-1852) s'est engagé tôt, en 1791, dans l'armée française, avec laquelle il participa aux guerres révolutionnaires. Il est fait capitaine en 1797. Blessé à Austerlitz, il devient général de brigade en 1806, puis est fait comte en 1813, après avoir participé à la campagne de Russie. Il est pair de France durant les Cent-Jours et combattit effectivement à Ligny. Il entrera plus tard en politique et finira sénateur sous le Second Empire.

Page 635.

1. *Sombref* : commune belge (qui s'écrit en réalité Sombreffe).

Page 654.

1. *Biscaïen* : balle en fonte ou en fer utilisée dans la charge à mitraille ; ou encore arme à longue portée.

Page 662.

1. *En serre-file* : cela signifie que l'officier est placé derrière une troupe pour surveiller son action.

Arthur Conan Doyle,
Les Aventures du général de brigade Gérard

Page 669.

1. Cet épisode de la chevauchée de Gérard la nuit du 18 au 19 clôt *Les Aventures du général de brigade Gérard*.

2. Le chevron est une décoration militaire en forme de V inversé, qui tire son origine des éperons des chevaliers. Il distingue donc la vaillance du guerrier.

Page 670.

1. William *Pitt* (1759-1806) est Premier ministre d'Angleterre de 1783 à 1806, avec un intervalle de 1801 à 1804. Sous la Révolution française, il incarne le soutien — financier et militaire — qu'apportent les Anglais à la contre-révolution et aux émigrés. À ce titre, il était particulièrement détesté des Français, partisans de la Révolution et de l'Empire. — *Portsmouth* : ce port militaire anglais servit de point de départ de l'armada anglaise, commandée par l'amiral Nelson, qui allait remporter la bataille de Trafalgar le 21 octobre 1805.

Page 671.

1. Cette idée que les Anglais aient été littéralement tétanisés le 18 juin 1815 est bien sûr allégorique, puisqu'on a vu que Wellington attendait le renfort des armées prussiennes à Waterloo.

Page 672.

1. *Busby* : chapeau de fourrure.

Page 673.

1. La jument du général Marbot, dont s'est inspiré Doyle, s'appelait Lisette.

Page 678.

1. *Vélites* : soldats appartenant à un corps de chasseurs légers créé par Napoléon, s'inspirant de soldats dans les légions romaines, légèrement armées, qui portaient ce nom.

Page 680.

1. Un chirurgien pansait les blessures des soldats prussiens et anglais qu'on amenait à l'auberge.

Page 681.

1. Référence à une anecdote de la campagne du Portugal durant laquelle Gérard avait en effet tué un renard, dans une de ses précédentes aventures.

Page 682.

1. *À la hessoise* : du land allemand Hesse.

VIII

La poésie et le théâtre

Walter Scott,
Le Champ de bataille de Waterloo

Page 696.

1. Sans doute une référence à la cathédrale de Bruxelles Saint-Michel-et-Gudule, commencée au XIIIe siècle et achevée à la fin du XVe.

Page 697.

1. Il s'agit certainement du peintre David Téniers dit le Jeune (1610-1690), né à Anvers et mort à Bruxelles, qui représentait des scènes de la vie champêtre et paysanne, et notamment des fêtes de village et des danses.

Page 700.

1. Évocation noire de Napoléon, pour mieux abattre la légende de l'empereur triomphant : il n'est pas le bras du dieu de la guerre, mais de celui des ruines.

2. Scott réfute donc la thèse, notamment reprise par Lamartine plus tard, selon laquelle Napoléon aurait cherché le combat et la mort à Waterloo.

3. Il s'agit de Wellington puisque Albion est le nom ancien donné à l'île de Grande-Bretagne. Scott veut donc opposer le courage du général anglais qui combattrait pour

son pays à la couardise de Napoléon qui chercherait seulement sa gloire personnelle. L'histoire a démontré le caractère erroné de ce contraste, bien compréhensible pourtant de la part d'un écrivain anglais.

4. En évoquant les aigles et les cohortes, Scott fait référence à l'armée et l'Empire romains, sans doute pour déprécier Napoléon qui serait l'homme d'un autre âge, non inscrit dans la modernité et le progrès de son siècle. On retrouvera donc, dans ce texte, des références à la Rome antique.

Page 702.

1. Napoléon crut en effet — ou en tout cas fit croire à ses troupes — que le corps de Grouchy venait rallier les soldats français à Waterloo. Pour Scott, cette arrivée des Prussiens de Blücher a pour signification l'isolement total de Napoléon et sa quête éperdue et solitaire de gloire.

Page 703.

1. Le Don est un des plus grands fleuves de Russie, dans le sud du pays. Le peuple qui borde ses rivages sont les Cosaques qui se lancèrent à la poursuite de l'armée française lors de la retraite de la campagne de Russie.

Page 704.

1. Une division polonaise, commandée par le général Dabrowski, lutta héroïquement aux côtés de l'armée française à la bataille de Leipzig.

2. En référence à l'île d'Elbe.

Page 706.

1. *Picton* : voir p. 62, n. 1 — *Ponsonby* : voir p. 90, n. 1.

2. Scott met à l'honneur l'héroïsme des soldats écossais à Waterloo. L'auteur fait référence ici sans doute à la valeur guerrière d'Ewen Cameron de Lochiel, dont il suggère qu'il est un parent de l'officier Cameron à Waterloo. Dans son œuvre poétique *La Dame du lac*, Scott avait dépeint la qualité au combat d'Ewen Cameron de Lochiel.

Page 708.

1. À la bataille de Maida (4 juillet 1806), en Calabre, les Français, menés par Reynier, ont été défaits par les Anglais, commandés par le général John Stuart.

Lord Byron,
Le Pèlerinage du chevalier Harold

Page 714.

1. Harmodios et Aristogiton, morts en 514 av. J.-C., aussi appelés les tyrannoctones, ont assassiné le tyran athénien Hipparque.

Page 717.

1. En Écosse.

Casimir Delavigne,
« Première messénienne sur la bataille de Waterloo »

Page 729.

1. *Clio* : muse de l'histoire dans la mythologie grecque.
2. *Varus* : général romain sous Auguste. Les légions qu'il commandait furent écrasées par les Germains à la bataille de Teutoburg, où il mourut, en l'an 9 après J.-C.
3. Trois léopards sont représentés sur les armoiries de l'Angleterre.

Page 731.

1. Delavigne veut sans doute parler de la bataille de Bouvines, remportée par Philippe Auguste, le 27 juillet 1214, contre une armée notamment composée par des troupes anglaises et du Saint-Empire.

Page 732.

1. Caius Julius Caesar, dit Germanicus, est un général romain, issu de la famille impériale, fils adoptif de Tibère, né en 15 avant J.-C. Il devient consul puis obtient le commandement de l'armée de Germanie. Décidé à venger le massacre des légions de Varus, il mène plusieurs campagnes contre les Germains et remporte plusieurs victoires, notamment à Idistaviso, en 16 après J.-C.

Gérard de Nerval,
« Waterloo »

Page 737.

1. Allusion à la proclamation de l'empereur à son armée du 14 juin 1815 qui finit ainsi : « Pour tout Français qui a du cœur, le moment est arrivé de vaincre ou de périr. »

Pierre-Jean de Béranger, *Souvenirs du peuple*
et *Couplets sur la journée de Waterloo*

Page 744.

1. *Chéronée* : cité grecque en Béotie où se déroula la bataille de Chéronée en 338 avant J.-C., à l'issue de laquelle Philippe II de Macédoine triompha des Thébains et des Athéniens unis.

Victor Hugo,
« L'expiation »

Page 748.

1. *Coutil* : toile solide, de chanvre, de lin ou de coton, d'un tissage très serré, utilisée en particulier pour la confection des vêtements de travail.

Victor Hugo,
« Le retour de l'empereur »

Page 756.

1. L'architecte macédonien Dinocrate proposa de sculpter le mont Athos à l'image d'Alexandre au IVe siècle avant J.-C.

Victor Hugo,
« L'avenir »

Page 759.

1. *Atrée et Thyeste* : jumeaux dans la mythologie grecque qui se firent la guerre pour le trône de Mycènes. Atrée donnera son nom à la dynastie maudite des Atrides.

2. *Béhémoth* : dans le Livre de Job, il s'agit de la bête sauvage que l'homme ne peut parvenir à domestiquer.

3. *Ombos* : nom grec d'une ville de l'Égypte antique du nom de Nagada.

Page 760.

1. Scène à laquelle a bien assisté Hugo lors de sa visite du champ de bataille.

Christian Dietrich Grabbe,
Napoléon ou les Cent-Jours

Page 764.

1. Hortense de Beauharnais (1783-1837), fille de l'impératrice Joséphine, a pour beau-père Napoléon auquel elle est demeurée fidèle sous les Cent-Jours. Elle fut reine de Hollande de 1806 à 1810.

Page 766.

1. Henri Gatien, comte Bertrand, général d'Empire.

Page 771.

1. Il s'agit de Napoléon, dont le nom n'est jamais cité par les officiers anglais.

Page 773.

1. *Jugulaire* : sangle qui maintient le casque sur la tête en passant sous le menton.

Page 778.

1. Cet échange entre Cambronne et le fermier Lacoste témoigne d'une des idées majeures de Grabbe selon laquelle l'armée impériale ne défend pas les idéaux de la Révolution française. Cambronne, dans la pièce, interrompt le chant de *La Marseillaise* car c'est un hymne à la liberté qui déplaît à Napoléon. En outre, il est intéressant de souligner la similitude entre le mot vulgaire fameux de Cambronne à Waterloo (« Merde ») et, ici, la vulgarité du « Ta gueule » qu'il adresse à l'humble paysan. Grabbe veut rabaisser, voire humilier, le guide qui trompa l'empereur en affirmant que le terrain était plat.

Page 779.

1. Sans doute une allusion aux chansons composées par Béranger.

Page 783.

1. Louis Friant (1758-1829) est général de division et pair de France sous les Cent-Jours. Il appartient aux derniers carrés de la Vieille Garde à Waterloo où il est blessé grièvement mais ne meurt pas.

Page 784.

1. Chanson de l'Ancien Régime dont la mélodie est d'André Grétry. Elle est considérée comme l'hymne national de 1815 à 1830, et particulièrement jouée dans la Grande Armée durant les Cent-Jours.

Page 786.

1. Habitants de la Poméranie, région située en Allemagne et en Pologne du Nord, au bord de la mer Baltique.

Page 789.

1. Bertrand accompagnera en effet Napoléon à Sainte-Hélène.

2. Le titre « Imperator » est celui qu'on attribuait, dans la République romaine, aux généraux victorieux. Il devint un des titres de l'empereur sous l'Empire romain. On ne sait pas quelle version reprend ici Grabbe et s'il moque la défaite de Napoléon. Cependant, placée dans la bouche de Cambronne, il est peu probable que l'expression ait une tournure ironique.

WATERLOO
Acteurs, historiens, écrivains

I. TEXTES DE NAPOLÉON

II. LES VAINQUEURS

III. LES TÉMOINS

IV. HISTOIRE MILITAIRE

Table 881

V. HISTOIRE POLITIQUE

VI. LES BIOGRAPHES

VII. LE ROMAN

VIII. LA POÉSIE ET LE THÉÂTRE

ANNEXES
Cartes de la bataille

DOSSIER

COLLECTION FOLIO

Composition : IGS-CP à L'Isle-d'Espagnac (16)
Impression ✿ Grafica Veneta
à Trebaseleghe, le 16 mars 2015
Dépôt légal : mars 2015

ISBN : 978-2-07-046189-9./Imprimé en Italie